I 新時代の看護

II 看護活動展開の方法

III 看護活動の前提となる技術

IV ヘルスアセスメント

V 日常生活の援助

VI 治癒促進と症状緩和のケア技術

VII 看護の教育的役割

VIII 診療の補助

IX 看護現象の測定技術

付録

# 基礎看護学テキスト

## EBN志向の看護実践

改訂第3版

|編集| 深井喜代子　前田ひとみ

南江堂

# 著者一覧

## ●編　集

| | | |
|---|---|---|
| 深井喜代子 | ふかい きよこ | 岡山大学 名誉教授/東京慈恵会医科大学大学院 非常勤講師 |
| 前田ひとみ | まえだ ひとみ | 熊本大学大学院生命科学研究部環境社会医学部門看護学講座 |

## ●執　筆（執筆順）

| | | |
|---|---|---|
| 深井喜代子 | ふかい きよこ | 岡山大学 名誉教授/東京慈恵会医科大学大学院 非常勤講師 |
| 武田　祐子 | たけだ ゆうこ | 慶應義塾大学看護医療学部 |
| 岡　美智代 | おか みちよ | 群馬大学大学院保健学研究科看護学専攻 |
| 宮脇美保子 | みやわき みほこ | 慶應義塾大学 名誉教授 |
| 石原　美和 | いしはら みわ | 神奈川県立保健福祉大学保健福祉学研究科 |
| 松本　智晴 | まつもと ちはる | 熊本大学大学院生命科学研究部環境社会医学部門看護学講座 |
| 川口　孝泰 | かわぐち たかやす | 医療創生大学国際看護学部 |
| 中山　和弘 | なかやま かずひろ | 聖路加国際大学大学院看護学研究科 |
| 新見　明子 | にいみ あきこ | 川崎医療短期大学看護学科 |
| 早瀬　良 | はやせ りょう | 中部大学生命健康科学部保健看護学科 |
| 前田ひとみ | まえだ ひとみ | 熊本大学大学院生命科学研究部環境社会医学部門看護学講座 |
| 西田　直子 | にしだ なおこ | 京都府立医科大学 名誉教授/京都先端科学大学健康医療学部看護学科 |
| 兵藤　好美 | ひょうどう よしみ | 岡山大学 名誉教授 |
| 若村　智子 | わかむら ともこ | 京都大学大学院医学研究科人間健康科学系専攻 |
| 佐伯　由香 | さえき ゆか | 愛媛大学大学院医学系研究科看護学専攻 |
| 池田　理恵 | いけだ りえ | 和歌山県立医科大学保健看護学部保健看護学科 |
| 關戸　啓子 | せきど けいこ | 宝塚医療大学和歌山保健医療学部看護学科 |
| 大川百合子 | おおかわ ゆりこ | 宮崎大学医学部看護学科 |
| 香春　知永 | かはる ちえ | 武蔵野大学看護学部 |
| 田中　愛子 | たなか あいこ | 山口大学大学院医学系研究科保健学専攻基礎看護学講座 |
| 伊丹　君和 | いたみ きみわ | 滋賀県立大学人間看護学部 |
| 渡邉　順子 | わたなべ よりこ | 静岡県立大学大学院看護学研究科 |
| 丹　佳子 | たん よしこ | 山口県立大学看護栄養学部看護学科 |
| 縄　秀志 | なわ ひでし | 聖路加国際大学 名誉教授 |
| 徳永なみじ | とくなが なみじ | 愛媛県立医療技術大学保健科学部看護学科 |
| 大久保暢子 | おおくぼ のぶこ | 聖路加国際大学大学院看護学研究科 |
| 中尾富士子 | なかお ふじこ | 熊本県立大学総合管理学部 |
| 須釜　淳子 | すがま じゅんこ | 藤田医科大学保健衛生学部看護学科 |

| | | |
|---|---|---|
| 真田　弘美 | さなだ ひろみ | 石川県立看護大学 |
| 仲上豪二朗 | なかがみ ごうじろう | 東京大学大学院医学系研究科健康科学・看護学専攻 |
| 紺家千津子 | こんや ちづこ | 石川県立看護大学看護学部 |
| 柳　奈津子 | やなぎ なつこ | 群馬大学大学院保健学研究科 |
| 小板橋喜久代 | こいたばし きくよ | 群馬大学 名誉教授 |
| 樅野　香苗 | もみの かなえ | 名古屋市立大学大学院看護学研究科 |
| 佐藤　正美 | さとう まさみ | 東京慈恵会医科大学医学部看護学科 |
| 荒尾　晴惠 | あらお はるえ | 大阪大学大学院医学系研究科保健学専攻看護実践開発科学講座 |
| 村上　美華 | むらかみ みか | 熊本保健科学大学保健科学部看護学科 |
| 神田　清子 | かんだ きよこ | 新潟県立看護大学看護学部 |
| 植田喜久子 | うえだ きくこ | 日本赤十字広島看護大学 名誉教授 |
| 鈴木志津枝 | すずき しづえ | 神戸常盤大学保健科学部看護学科 |
| 安酸　史子 | やすかた ふみこ | 日本赤十字北海道看護大学 |
| 鈴木みずえ | すずき みずえ | 浜松医科大学医学部看護学科 |
| 横山　美江 | よこやま よしえ | 大阪公立大学大学院看護学研究科 |
| 赤瀬　智子 | あかせ ともこ | 横浜市立大学医学部看護学科 |
| 原　好恵 | はら よしえ | 人間環境大学看護学部 |
| 岡田　淳子 | おかだ じゅんこ | 県立広島大学保健福祉学部保健福祉学科看護学コース |
| 岡田みどり | おかだ みどり | 川崎医療短期大学看護学科 |
| 武田　利明 | たけだ としあき | 岩手県立大学 名誉教授 |
| 肥後すみ子 | ひご すみこ | 元 純真学園大学保健医療学部看護学科 |
| 田中　裕二 | たなか ゆうじ | 令和健康科学大学看護学部 |
| 前田　耕助 | まえだ こうすけ | 東京都立大学健康福祉学部看護学科 |
| 田中美智子 | たなか みちこ | 宮崎県立看護大学看護学部 |
| 峰松　健夫 | みねまつ たけお | 石川県立看護大学看護学部 |
| 伊藤　嘉章 | いとう よしあき | 医療創生大学国際看護学部 |
| 米田　照美 | よねだ てるみ | 滋賀県立大学人間看護学部 |

# 第3版の序

　良書は版を重ねると聞きます．本書は初版発行（2006年5月）から8年半，改訂第2版発行（2015年1月）から9年を経て，このほど「基礎看護学テキスト 改訂第3版」の発行に漕ぎ着けましたことを，編者・執筆者ともども大変嬉しく思います．10年間支持される理論は当面の真理といわれるように，改訂の間隔は妥当であろうと思う次第です．

　初版の序に記しましたように，本書は基礎看護学の教科書を看護技術のマニュアル本でなく，研究データに基づく根拠を示しながら個々のケアの方法と手順を解説する科学のテキストにしたいという想いから誕生しました．本書はほぼすべての単元に看護技術の根拠としての研究データを示す図表を載せた，おそらくはわが国初の看護学の教科書であったと思います．看護学の教科書には体系をなす，いわゆるシリーズ本が多い中で，本書は敢えて基礎看護学に特化した単体のテキストとして刊行しました．その理由は，看護学の急速な進歩をいち早く，そして丁寧に反映させながら，アップデートした科学としての看護学の全体を，初学者から最前線の看護実践者に示すためでもあります．

　1990年代半ばの基礎教育の大学化を皮切りに，日本の看護学は学問として急速に進化しました．今や看護学系の学部・学科を含む大学の数は国内で最多となりました．約30年前には大学は11校しかなかったことを誰が信じるでしょう．それに伴い大学院も次々と設置され，学術団体の数も増えていきました．原著論文を英文で発表することが看護学界でもようやく常識となりつつあります．当然ながら，看護学の進化は看護実践の場にプロ意識と活力を強化していきました．こうした状況はそもそも本書が望み，目指すところでした．

　さて，2019年暮れに突如として出現し，瞬く間に世界中を強襲したCOVID-19パンデミックは，現代社会にパラダイムシフトを強要しました．IT化・ICT化が遅れていたわが国の教育現場では，感染予防と遠隔教育を整備・充実させるためのインフラ開発と行動マニュアル作りが猛スピードで進められました．3年あまり続いたコロナ禍を振り返ると，それを乗り切るために払った（学生や教師の）犠牲の大きさが思い起こされます．コロナ禍を契機に進化のスピードを増した近未来のIT化・ICT化社会（ニューノーマル時代）では，どのような看護学教育が求められるでしょうか．スマート化によってバイタルサインの観察が看護技術から削除されたり，テーラーメイドの（痛くない・安楽な）看護用具が3Dプリンターで簡単に作れたり，アバターを使った訪問看護が当たり前になる時代が来るのはそう遠くないでしょう．ただ，社会がどのように進化・変化しようとも，不変であるのは看護が対人間の専門技術であるということです．人の感覚や感情を，無機的な機械が制御する時代はまだまだ先のような気がします．本書が詳述する看護実践の根拠や技術理論が古典として次世代の看護（学）の，そしてすべての看護者の拠り所のひとつとなることを願います．

　最後になりましたが，発行にあたり大変お世話いただいた南江堂の三上まみ様，梶村野歩雄様，そして多田哲夫様に心より御礼申し上げます．

2023年11月

編者を代表して
深井喜代子

# 初版の序

　怒濤のような看護の教育改革が始まって10数年が経過し，今や看護を目指す受験生たちは近隣の地域でも希望校を選べる時代になりました．そして，看護学系大学院も充実しつつあり，修士号・博士号をもった看護者が教育・研究の場はもちろん，実践の最前線においても活動するようになりました．さらに，欧米先進国の看護の資格化・専門職化の影響を受け，わが国でも看護協会による教育と資格認定制度が発足し，認定看護師や専門看護師が誕生して，実践や研究の場でその高い専門性を発揮しはじめました．一方，こうした時代の流れの中で，看護学系の学会が次々と誕生し，英文誌を含む看護系ジャーナルの数も増えてきました．1986年に初めて看護学の扉を叩き，学生生活と実践を経験し，看護学の教育と研究に携わるようになった編者（深井）は，図らずも看護学の変革の時代に看護者としてのidentityを育みました．けだし，それは一介の神経生理学者が看護生理学者に変身するためには大変好都合な環境であったのかもしれません．また，看護学から出発し，解剖学・免疫学を修めながら看護学者でありつづけた編者（前田）にとって，看護学の望ましい進化であったようにも思えます．

　確かにこの変革は看護にとって画期的な進歩であったかもしれませんが，一歩外の世界から見れば，実は看護学はここにいたってようやく学問（philosophy）の仲間入りを許されたともいえるのです．学問が研究の積み重ねによる理論体系であるなら，看護学を構成する本格的な理論構築の作業が始まったに過ぎないからです．社会に学究の場を得た看護学には，これから学問としての研鑽を積み，看護学の大系をつくりあげる義務が課せられています．

　ここ数年来，看護界はEvidence-Based Nursing（EBN）（科学的根拠に基づいた看護あるいは看護実践）を意識するようになりました．EBNはEBM（Evidence-Based Medicine）から派生した概念ですが，大きな経済効果を期待するEBMとは異なり，EBNは，経験だけでなく研究データに基づいた実践を追究することでケアの質を向上させるためのキーワードととらえられています．EBNに必要なエビデンスは研究（とくに実践研究）によってもたらされるわけですから，看護と看護学に携わる者はこの好機を生かして，実践に根ざした地道な研究に励まなければなりません．このような看護界の動きの中で，研究活用でケアの質の向上を目指す看護実践，技術の習得とともにEBN志向を身につける看護学教育，実践の場が求めるエビデンスを探究する看護学研究，これらは共通の目標に向かって互いに繋がりを保ちながら確かな前進を始めようとしています．

　本書は，新時代の看護の実現を目指す看護学教育・研究者の結集によって生まれた基礎看護学の希望の教科書であるとともに，看護実践者に対しては，現代看護学が向かおうとする方向をアピールしています．たとえば，本書では，看護技術の方法を可能なかぎり研究データで説明しようと努めました．そして，小さな疑問につまずくことなく読み進められるよう，多くの注釈をつけました．また，根拠が生まれる過程を実験実習で学ぶ試みも紹介しました．さらに，本書の姉妹本ともいえる『看護生理学テキスト』（南江堂）と同様，重要用語を英語併記し，英語索引も設けました．このように，本書には，時代の要請に応える，新しい看護学の構築に挑戦する看護者たちの想いの丈が丁寧に詰められています．

本書の主張が，看護と看護学の進歩を願い，Evidence-Based Nursing を目指すすべての看護者に受け入れられることを希望します．看護学を学ぶ学生諸君は言うに及ばず，看護実践の最前線で活動する看護者の方々にも大いにご活用いただけることを切望します．また，本書の challenging な姿勢に対するご意見，ご感想などお寄せいただけましたら幸甚です．

　最後になりましたが，本書の企画から完成までの約3年間，辛抱強くご尽力くださった南江堂の諸氏に深く感謝いたします．

2006年3月6日

編者を代表して
深井喜代子

# 目 次

## I 新時代の看護　　1

### ① 看護の対象と看護学　　深井喜代子　2
- 1 看護の対象とは　2
- 2 看護学体系における基礎看護学　3
- 3 基礎看護学の構成要素　3

### ② 新時代の看護の役割　　深井喜代子　5
- 1 社会における看護のアイデンティティ　5
- 2 時代が求める看護　5
- 3 倫理的課題に挑む看護　6
- 4 災害看護　7

### ③ 科学的看護の推進　　深井喜代子　10
- 1 看護学における経験主義と基礎理論　10
- 2 ケア技術の進歩とEBN　10
- 3 実践における研究活用　10

### ④ ゲノム医療と看護　　武田祐子　12
- 1 ゲノム医療の登場　12
- 2 遺伝看護　13
- 3 ゲノム医療における看護の役割　13

### ⑤ 看護のグローバリゼーション　　岡　美智代　15
- 1 グローバルな視点で看護をとらえる必要性　15
  - コラム　行動変容　岡　美智代　15
- 2 グローバル社会における看護指針　16
- コラム　ウェルネス　宮脇美保子　19
- コラム　セクシャリティ　宮脇美保子　19

### ⑥ 患者・家族の意思決定　　石原美和　20
- 1 意思決定を取り巻く状況　20
- 2 意思決定とは　20
- 3 看護職としての意思決定支援　20
- 4 意思決定支援のポイント　21

### ⑦ 政策と看護　　石原美和　22
- 1 看護に関わる制度と政策の動向　22
  - コラム　SDGs　石原美和　23
- 2 政策の具現化　24
- コラム　地域包括ケアシステム　石原美和　24

## II 看護活動展開の方法　　27

### ① 看護過程　　宮脇美保子　28
- A 看護過程とは　28
  - 1 看護過程の歴史的発展　28
  - 2 看護活動における看護過程の意義　30
  - 3 わが国における看護過程の発展　30

|     B 看護過程の構成要素と循環特性 …………… 30
|       1 看護過程の構成要素 ………………………… 30
|       2 看護過程の循環特性 ………………………… 36
|     C 看護過程の基盤となる理論 ………………… 36
|       1 看護過程と一般理論 ………………………… 37
|       2 看護過程と看護理論 ………………………… 38
|       3 看護過程とクリティカルシンキング …… 39
|     D 看護過程の課題と展望 ……………………… 40
|       1 改めて看護過程とは ………………………… 40
|       2 看護におけるケアリングの再考 ………… 41

## ② 看護活動の情報　　　　　　　　　　　松本智晴　43

|     A 看護活動 ……………………………………… 43
|       1 活動の場の多様化 …………………………… 43
|       2 チーム医療 …………………………………… 43
|     B 看護活動の情報 ……………………………… 43
|       1 看護活動における情報の特徴 …………… 43
|       2 情報とアセスメント ………………………… 43
|       3 電子カルテと個人情報の保護 …………… 45
|     C 看護活動の記録と情報活用 ……………… 45
|       1 看護活動の記録 ……………………………… 45
|       2 看護情報の活用 ……………………………… 46

## ③ 情報テクノロジーと看護　　　　　　　川口孝泰　50

|     A 医療情報とICT ……………………………… 50
|     B ICTと遠隔看護 ……………………………… 50
|       1 遠隔看護とは ………………………………… 50
|       2 遠隔看護の具体例 …………………………… 51
|       3 遠隔医療，遠隔看護を可能にするために … 52
|     C 情報化と看護の未来 ………………………… 52

## ④ 健康情報とヘルスリテラシー　　　　　中山和弘　53

|     A ヘルスリテラシーの定義 ………………… 53
|     B ヘルスリテラシーの2つの場面 ………… 53
|       1 ヘルスケアの場面 …………………………… 53
|       2 ヘルスプロモーションの場面 …………… 53
|     C ヘルスリテラシーの評価と要因 ………… 54
|       1 ヘルスリテラシーに関する調査の概要 … 54
|       2 「評価」について …………………………… 54
|       3 「意思決定」について ……………………… 54
|     D ヘルスリテラシーに必要な情報の評価と意思決定のスキル …… 54

# III 看護活動の前提となる技術　57

## ① 看護における人間関係とコミュニケーション　　新見明子　58

|     A 看護と人間関係 ……………………………… 58
|       1 人間関係のプロセスのうえに成立する看護 58
|       2 患者-看護者間の援助的人間関係 ………… 58
|       3 人間関係を発展させるための自己理解・他者理解 …… 60
|     B コミュニケーションの基礎知識 ………… 62
|       1 コミュニケーションの分類 ……………… 62
|       2 コミュニケーションの構成要素と成立過程 63
|       3 言語的・非言語的コミュニケーション … 64
|       4 看護におけるコミュニケーションの特性 … 65
|       5 コミュニケーションに影響する因子 …… 65
|     C 援助的コミュニケーションスキル ……… 67
|       1 対人関係を発展させるコミュニケーションの心がけ …… 67
|       2 援助的コミュニケーションの基本 ……… 67
|       3 治療的コミュニケーション ……………… 70
|     D 医療チームのコミュニケーション ……… 70
|       コラム　グループ・ダイナミックス　早瀬　良 …… 70
|     E 機器を用いたコミュニケーション ……… 71
|       1 電話やナースコールの役割と留意点 …… 71
|       2 拡大・代替コミュニケーションと留意点 … 71
|       3 ビデオ通話・ロボット活用 ……………… 71

## ② 感染看護　　　　　　　　　　　　　前田ひとみ　73

|     A 感染の基礎知識 ……………………………… 73
|     B 感染症の成立 ………………………………… 74
|       1 病原体の侵入 ………………………………… 74
|       2 感染症と生体防御機構 …………………… 75
|       3 易感染宿主と看護 …………………………… 76
|     C 感染予防のための看護技術 ……………… 78
|       1 病原体を除去する …………………………… 78
|       2 病原体の侵入経路を遮断する …………… 82

|     | D   | 医療関連感染と職業感染 ················ 88 |
| --- | --- | --- |
|     | 1   | 医療関連感染と感染管理 ················ 88 |

|   | 2 | 職業感染防止と安全管理 ················ 88 |
|---|---|---|

## ③ 看護動作とボディメカニクス　　　　　　　　　　　西田直子　91

| A | ボディメカニクス ·························· 91 |
| --- | --- |
| 1 | ボディメカニクスとは ······················ 91 |
| 2 | ボディメカニクスと人間工学 ············· 91 |
| 3 | ボディメカニクスの限界 ···················· 91 |
| 4 | 人間の構造的・機能的なボディメカニクス ···· 91 |
| 5 | 人間の姿勢（posture of human）········ 93 |
| 6 | 作業的なボディメカニクス ················ 93 |

| 7 | 力学からみた動作の基本 ···················· 94 |
|---|---|
| B | 看護動作におけるボディメカニクス ········ 97 |
| 1 | 看護動作 ······································· 97 |
| 2 | 患者や物の移動 ····························· 99 |
| 3 | 環境・用具の活用 ·························· 100 |
| 4 | 患者への適応 ································ 102 |

## ④ 医療安全（リスクマネジメント）　　　　　　　　　兵藤好美　104

| A | To Err is Human ······················· 104 |
| --- | --- |
| 1 | 医療安全 ···································· 104 |
| 2 | ヒューマンエラー ·························· 104 |
| 3 | 医療事故の現状と分析 ···················· 105 |
| B | 医療安全管理におけるヒューマンエラー対策 |

|   | ·········································· 106 |
|---|---|
| 1 | 戦術的エラー対策 ·························· 107 |
| 2 | レジリエンス・エンジニアリング ········ 108 |
| 3 | 医療安全におけるゲーミングシミュレーションの活用 ···················· 108 |

# Ⅳ ヘルスアセスメント　　　　　　　　　　　　　　　　　　深井喜代子　111

## ① 身体的健康状態のアセスメント　112

| A | ヘルスアセスメントとは ···················· 112 |
| --- | --- |
| B | フィジカルアセスメントの方法 ············ 112 |
| 1 | 体表から見たヒトのからだを観察する ···· 112 |
| 2 | バイタルサインによるアセスメント ······ 120 |

| コラム | 水銀を使った体温計・血圧計の全廃へ　　　　　　　深井喜代子 127 |
| --- | --- |
| 3 | リンパ節と甲状腺の触診 ················ 141 |
| 4 | 感覚器系のアセスメント ················ 141 |
| 5 | 脳・神経系のアセスメント ·············· 147 |

## ② 心理状態と社会性のアセスメント　151

| A | 人の考え・気持ちを理解する方法 ········ 151 |
|---|---|

| B | 人の暮らしぶりを理解する方法 ·········· 151 |
|---|---|

## ③ セルフケア能力　154

| A | セルフケアとセルフケア能力 ············· 154 |
|---|---|

| B | セルフケア能力のアセスメント ·········· 154 |
|---|---|

# Ⅴ 日常生活の援助　157

## ① 生活の場を整える　158

### 1-1　健康生活と居住環境　　　　　　　　　　　　　　　　　　川口孝泰 … 158

| A | 健康生活のための環境調整の視点 ········ 158 |
| --- | --- |
| 1 | 物的環境 ···································· 158 |
| 2 | 対人的環境 ································· 159 |
| 3 | 教育・管理的環境 ·························· 159 |

| B | 援助の場に応じた居住環境の視点 ········ 160 |
| --- | --- |
| 1 | 一般病床 ···································· 161 |
| 2 | 療養病床 ···································· 162 |

## 1-2 光環境―明るさと色彩 　　　　　　　　　　若村智子 …163

- A 光と生活 …163
  - 1 太陽と生活リズム …163
  - 2 異なる波長光が人体に与える影響 …164
  - 3 生活空間に用いられる色 …164
- B 明るさと色彩 …165
  - 1 明るさの測定 …165
  - 2 色の測定 …165
- C 生活に適した光環境 …165
  - 1 国が定めた明るさの基準 …165
  - 2 明暗と色温度環境 …165
  - 3 季節変化 …166
  - 4 加齢 …167

## 1-3 空気と臭い環境 　　　　　　　　　　佐伯由香 …168

- A 日常生活における臭い …168
  - 1 健康な人から発生する臭い …168
- B 病院環境における臭い …169
  - 1 環境因子によるもの …169
  - 2 患者自身から発生するもの …170
- C 除臭 …170
- D 治療・症状緩和を目的とした匂い …170
  - 1 身体への作用 …170
  - 2 精神心理面への作用 …171

## 1-4 居住空間と音環境 　　　　　　　　　　川口孝泰 …173

- A 音の物理的特性 …173
- B 病院の集中治療室での音の問題 …173
- C 問題となる音への対処方法 …174

## 1-5 寝床環境 　　　　　　　　　　池田理恵 …176

- A 生活の場としての寝床 …176
- B 寝床内気候 …176
  - 1 寝床内気候とは …176
  - 2 寝床内気候の変動要因 …176
- C 快適な寝床を提供する …181
  - 1 寝床周辺の環境整備 …181
  - 2 ベッドメーキングの方法 …181

## 1-6 衣服 　　　　　　　　　　池田理恵 …184

- A 健康者の日常における衣服の役割 …184
- B 健康障害のある人の衣服 …184
- C 病者・床上生活者にとっての寝衣 …185
- D 臨床における寝衣交換の方法 …185

## ② 生理的ニードを補充する …186

## 2-1 食べる 　　　　　　　　　　關戸啓子 …186

- A 栄養の基礎知識 …186
  - 1 看護における栄養の意義 …186
  - 2 日本人の食事摂取基準 …186
  - 3 消化と吸収 …186
- B 現代人の食の特徴 …188
  - 1 栄養摂取量 …188
  - 2 食習慣 …189
  - 3 食行動 …190
- C 食事援助のための看護技術 …191
  - 1 病院食 …191
  - 2 口から食べることを援助する …191
  - 3 経口以外の栄養補給方法を援助する …193

## 2-2 呼吸する 　　　　　　　　　　大川百合子 …198

- A 呼吸の基礎知識 …198
  - 1 呼吸器系の形態と機能 …198
  - 2 呼吸運動と呼吸調節 …198
- B 呼吸のアセスメント …198
  - 1 呼吸の性質 …200
  - 2 呼吸器に特徴的な症状 …200
  - 3 動脈血酸素飽和度, 血液検査などのデータ …200
- C 呼吸を安楽にする看護技術 …201
  - 1 安楽な体位 …201
  - 2 呼吸訓練 …201
  - 3 排痰法 …201

| | | | | |
|---|---|---|---|---|
| 4 | 吸引療法 203 | | 6 | 酸素療法 204 |
| 5 | 吸入療法 203 | | 7 | ケアの評価 204 |

## 2-3 排泄する　207

### 2-3-1 排　尿　　　香春知永…207

| | | | | |
|---|---|---|---|---|
| A | 排尿のメカニズム 207 | | D | 排尿の援助にかかわる看護技術 209 |
| B | 排尿に影響する要因 207 | | 1 | 自然排尿を促す看護技術 210 |
| C | 排尿に関するアセスメント 208 | | 2 | 蓄（貯）尿障害に対する看護技術 212 |
| 1 | 主観的情報 209 | | 3 | 排出障害に対する看護技術―導尿 212 |
| 2 | 客観的情報 209 | | | |

### 2-3-2 排　便　　　前田ひとみ…219

| | | | | |
|---|---|---|---|---|
| A | 排便の意義とメカニズム 219 | | 2 | 自然排便を促す援助 223 |
| 1 | 人間の健康と排便 219 | | 3 | 床上での排便の援助 225 |
| 2 | 排便のメカニズム 219 | | C | 排便の異常に対する援助 225 |
| 3 | 排便に影響を及ぼす因子 220 | | 1 | 下痢時のケア 227 |
| B | 快適な排便を促す援助 222 | | 2 | 排便困難時のケア 228 |
| 1 | 排便のアセスメント 222 | | | |

## 2-4 清潔を保つ　　　田中愛子…234

| | | | | |
|---|---|---|---|---|
| A | 身体を清潔に保つことの意義と看護の役割 234 | | 2 | 全身清拭と部分清拭 236 |
| 1 | 清潔の意義 234 | | 3 | 入浴およびシャワー浴 240 |
| 2 | 皮膚・粘膜の構造と機能 234 | | 4 | 陰部の清潔 241 |
| B | 清潔のニードのアセスメント 234 | | 5 | 部分浴 242 |
| 1 | 身体状況のアセスメント 234 | | 6 | 洗　髪 242 |
| 2 | 清潔行為・行動のアセスメント 235 | | 7 | 口腔の清潔 244 |
| C | 清潔の援助技術 235 | | 8 | 眼・耳・鼻の清潔 246 |
| 1 | 石けんと洗浄剤の洗浄効果 236 | | | |

## 2-5 活動する　　　伊丹君和…248

| | | | | |
|---|---|---|---|---|
| A | 活動・運動に関する基礎知識 248 | | 3 | 動こうとする意思 252 |
| 1 | 活動・運動の意義 248 | | 4 | 生活行動を支える生活環境 252 |
| 2 | 活動・運動の身体への影響 249 | | 5 | 活動と休息のバランス 252 |
| B | 活動・運動機能のアセスメント 251 | | C | 活動を促す援助 252 |
| 1 | 運動機能の評価 251 | | 1 | 体位変換の援助 252 |
| 2 | 日常生活行動の遂行に関するセルフケア能力 251 | | 2 | 車椅子への移乗・移送の援助 254 |
| | | | D | 療養生活におけるレクリエーション 255 |

## 2-6 ポジショニング　　　渡邉順子…256

| | | | | |
|---|---|---|---|---|
| A | ポジショニングと体位 256 | | C | 日常生活に必要なポジショニング 260 |
| B | 基本的な全身ポジション 256 | | 1 | 体位変換とポジショニング 260 |
| 1 | 臥位（lying position） 256 | | 2 | 食事ケアとポジショニング 260 |
| 2 | 坐位（sitting position） 258 | | 3 | 排泄ケアとポジショニング 261 |
| 3 | 立位（standing position） 259 | | 4 | 清潔ケアとポジショニング 261 |

## 2-7 睡眠と休息 ― 丹 佳子 …263

- A 睡眠・休息の定義・機能と看護者の役割 …263
- B 睡眠の生理学的基礎知識 …263
  - 1 睡眠の調節法 …263
  - 2 睡眠段階と周期 …264
- C 睡眠に影響する要因 …264
- D 症状のとらえ方 …266
- E よりよい睡眠への看護援助 …266
  - 1 アセスメント …266
  - 2 看護援助の実際とその根拠 …266

## 2-8 心地よさと看護ケア ― 縄 秀志 …270

- A 「心地よさ」とは …270
- B 「心地よい」と感じるときの心身のメカニズム …270
- C 「心地よさ」をもたらす看護ケアの効果 …271
  - 1 看護ケアを受けた人の反応 …271
  - 2 看護師がとらえる患者・家族の変化と自分自身の変化 …271

# VI 治癒促進と症状緩和のケア技術　273

## ① 患部の保護 ― 徳永なみじ　274

- A 患部の保護と包帯法の歴史 …274
- B 包帯法の基礎知識 …274
  - 1 包帯の目的 …274
- C 包帯法に共通する実施上の原則 …274
  - 1 目的にあった材料や方法である …274
  - 2 循環障害を予防する …274
  - 3 運動障害を予防する …274
  - 4 感染を予防する …275
  - 5 安楽である …275
- D 包帯とドレッシング …275
  - 1 包帯 …275
  - 2 ドレッシング …280
- E 症状緩和技術としての包帯法 …280
  - 1 下肢圧迫包帯による静脈還流の促進 …280
  - 2 生活支援技術としての包帯法 …281

## ② 体液バランスを保つケア ― 大久保暢子　282

- A 体液についての基礎知識 …282
  - 1 体液の区分 …282
  - 2 体液の量・分布 …282
  - 3 体液の成分 …282
  - 4 体液バランス（成分バランスと体液量バランス）…283
- B 体液バランスの乱れ …284
  - 1 脱水症 …284
  - 2 浮腫 …285
- C 体液バランスのアセスメント指標 …286
  - 1 日常生活の中で判断できる指標 …286
  - 2 検査所見 …286
  - 3 診察所見 …287
- D 体液バランスを整えるためのケア …288
  - 1 日常生活におけるケア …288
  - 2 輸液の管理 …288

## ③ 浮腫のケア（用手リンパドレナージ） ― 中尾富士子　289

- A リンパ浮腫の基礎知識 …289
  - 1 浮腫の原因と背景 …289
  - 2 リンパ浮腫の鑑別とケアの重要性 …289
- B 用手リンパドレナージ（ML）の実際（看護者が行うもの）…290
  - 1 リンパ管系の走行 …290
  - 2 MLの実施時期 …291
  - 3 MLの方法 …291

## ④ 褥瘡の予防ケア ― 須釜淳子，真田弘美，仲上豪二朗　294

- A 褥瘡の定義 …294
- B 褥瘡の重症度分類と状態評価 …294
- C 予防ケアの基本 …294
- D 全身皮膚観察 …296

| E | リスクアセスメント | 296 |
|---|---|---|
| 1 | ブレーデンスケール | 296 |
| 2 | K式スケール | 297 |
| 3 | 厚生労働省 褥瘡発生危険因子評価票 | 297 |
| F | 圧迫・ずれ力の管理 | 297 |
| 1 | 体位変換・ポジショニング | 297 |
| 2 | 体圧分散寝具の使用 | 300 |

| 3 | 圧管理を評価する | 302 |
|---|---|---|
| G | スキンケア | 302 |
| 1 | 皮膚の清潔 | 302 |
| 2 | 保湿 | 302 |
| 3 | マッサージの禁止 | 303 |
| 4 | 便・尿失禁などの湿潤からの回避 | 303 |
| H | 栄養 | 303 |

## ⑤ ストーマケア　　　　　　　　　　　　　　　　　　　　　　　紺家千津子　305

| A | ストーマの種類 | 305 |
|---|---|---|
| B | ストーマ装具 | 305 |
| 1 | ストーマ袋 | 306 |
| 2 | 面板 | 306 |
| C | ストーマの基本的なケア | 307 |

| 1 | ストーマ造設前のケア | 307 |
|---|---|---|
| 2 | ストーマ造設後のケア | 307 |
| D | ストーマ周囲皮膚障害の早期発見とその対応 | 308 |

## ⑥ 安楽・安寧を保つケア　　　　　　　　　　　　　柳 奈津子, 小板橋喜久代　311

| A | こころと身体の調和を保つ | 311 |
|---|---|---|
| 1 | リラクセーションの基礎知識 | 311 |
| 2 | リラクセーションのための看護技術 | 312 |
| 3 | リラクセーション法の適用と効果 | 315 |
| 4 | ケアのポイントと留意事項 | 315 |
| B | 温熱・寒冷刺激による安楽・安寧の促進 | 316 |

| 1 | 温熱・寒冷刺激の基礎知識 | 316 |
|---|---|---|
| 2 | 温熱刺激の安楽・安寧促進効果 | 316 |
| 3 | 寒冷刺激の安楽促進効果 | 317 |
| 4 | 温度刺激としての罨法の活用 | 317 |
| 5 | 罨法の種類と実際 | 317 |

## ⑦ 悪心・嘔吐のケア　　　　　　　　　　　　　　　　　　　　　　樅野香苗　321

| A | 悪心・嘔吐の基礎知識 | 321 |
|---|---|---|
| 1 | 悪心・嘔吐の定義 | 321 |
| 2 | 悪心・嘔吐のメカニズム | 321 |
| B | 悪心・嘔吐の原因 | 322 |
| 1 | 中枢性嘔吐 | 323 |
| 2 | 末梢性嘔吐 | 323 |

| C | 悪心・嘔吐のケア | 323 |
|---|---|---|
| 1 | アセスメント | 323 |
| 2 | 制吐治療に伴うケア | 323 |
| 3 | 安全・安楽な体位 | 323 |
| 4 | 食事・栄養状態への配慮 | 323 |
| 5 | 精神面のケア | 324 |

## ⑧ 排便障害のケア　　　　　　　　　　　　　　　　　　　　　　　佐藤正美　325

| A | 医学モデルにおける便秘 | 325 |
|---|---|---|
| 1 | 診断・治療を目的とした便秘の定義 | 325 |
| 2 | 検査 | 325 |
| 3 | 便の性状 | 325 |
| B | 便失禁 | 326 |
| 1 | 定義 | 326 |

| 2 | 疫学 | 326 |
|---|---|---|
| 3 | 便失禁がもたらす問題 | 326 |
| C | 直腸がんで肛門温存術後に生じる排便障害 | 326 |
| 1 | 直腸がんの手術 | 327 |
| 2 | 低位前方切除術後症候群について | 327 |
| **コラム** 臨床判断 | 佐藤正美 | 328 |

## ⑨ 痛みのケア　　　　　　　　　　　　　　　　　　　　　　　　　深井喜代子　330

| A | 侵害受容としての痛み | 330 |
|---|---|---|
| B | 体験としてのヒトの痛み | 331 |
| C | 痛みの種類と特徴 | 331 |
| D | 痛みの測定・評価の方法 | 332 |
| 1 | 問診 | 332 |

| 2 | フィジカルアセスメント | 332 |
|---|---|---|
| E | 鎮痛のメカニズム | 335 |
| F | 鎮痛ケアの方法 | 335 |
| G | 関連痛 | 336 |

## ⑩ がん疼痛のケア　　　　　　　　　　　　　　　　　　　　　　　荒尾晴恵　338

- A　がん疼痛に関する看護の実践範囲……… 338
  - 1　がん疼痛を緩和する看護師の倫理的責務‥ 338
  - 2　看護のためのがん疼痛の知識………… 338
  - 3　薬物的介入………………………………… 339
  - 4　非薬物的介入……………………………… 339
- B　がん疼痛のケア…………………………… 340
  - 1　患者の痛みを理解する…………………… 340
  - 2　がん疼痛のマネジメントのために患者と
      周囲が行っている方略を明らかにする…… 341
  - 3　痛みをマネジメントする患者のセルフケア
      能力を査定する…………………………… 341
  - 4　患者のセルフケア能力に応じて必要な知識,
      技術,サポートを提供する ……………… 341
  - 5　ケアの効果を評価し,修正する………… 343
- コラム　チーム医療　　　　　　　早瀬　良 … 344

## ⑪ タッチのケア　　　　　　　　　　　　　　　　　　　　　　　　村上美華　345

- A　タッチの基礎知識………………………… 345
  - 1　タッチの伝達メカニズム………………… 345
  - 2　看護師が行うタッチの種類……………… 345
- B　タッチのケア……………………………… 346
  - 1　タッチのプロセスとアセスメント……… 346
  - 2　タッチの方法と効果……………………… 346

## ⑫ 味覚異常のケア　　　　　　　　　　　　　　　　　　　　　　　神田清子　348

- A　味覚の基礎知識…………………………… 348
  - 1　味覚のメカニズムと神経支配…………… 348
  - 2　味覚に影響する要因……………………… 348
- B　味覚異常…………………………………… 349
  - 1　味覚異常とは……………………………… 349
  - 2　味覚異常の原因…………………………… 349
  - 3　疾病・治療に関連した味覚異常………… 350
  - 4　味覚異常のアセスメント………………… 351
- C　味覚異常を予防・緩和するケア………… 352

## ⑬ 視覚障害者のケア（ロービジョンケア）　　　　　　　　　　　植田喜久子　354

- A　ロービジョンケアの基礎知識…………… 354
  - 1　視覚障害者の動向………………………… 355
  - 2　視覚障害者の理解………………………… 355
- B　視覚障害者のアセスメント……………… 355
  - 1　視機能のアセスメント…………………… 355
  - 2　日常生活状況や見え方のアセスメント…… 356
- C　ロービジョンケアの実践………………… 356
  - 1　保有視機能の維持………………………… 356
  - 2　網膜像の拡大……………………………… 356
  - 3　グレアの軽減……………………………… 358
  - 4　コントラスト感度………………………… 358
  - 5　コミュニケーション能力の改善………… 358
  - 6　歩行（移動）の支援……………………… 359
  - 7　日常生活行動の工夫……………………… 359
  - 8　遺伝カウンセリング……………………… 360
  - 9　ロービジョン者のこころのケア………… 360
  - 10　雇用継続支援…………………………… 360
- D　ロービジョンケアの課題………………… 360

## ⑭ ターミナルケア　　　　　　　　　　　　　　　　　　　　　　鈴木志津枝　362

- A　ターミナルケアの基礎知識……………… 362
  - 1　ターミナルケアとは……………………… 362
  - 2　終末期にある患者の理解………………… 362
- B　終末期患者の身体的苦痛を緩和する技術… 363
  - 1　倦怠感とは………………………………… 363
  - 2　倦怠感の病態生理とメカニズム………… 363
  - 3　倦怠感の感覚……………………………… 363
  - 4　倦怠感のアセスメント…………………… 364
  - 5　倦怠感の緩和ケア（palliative care）の方法
      ……………………………………………… 365
- C　精神的苦痛を緩和する技術……………… 367
  - 1　不安とは…………………………………… 367
  - 2　不安の成因………………………………… 367
  - 3　不安のサインとなる反応………………… 367
  - 4　不安のアセスメント……………………… 367
  - 5　不安を測定する尺度の活用……………… 367
  - 6　不安のある患者への看護ケア…………… 368
  - 7　不安のある患者とのコミュニケーション
      技術………………………………………… 369

## VII 看護の教育的役割　373

### ① 看護の教育的役割　374

A 学習者の依存度に応じて教育的役割を発揮する必要性 ……………安酸史子……374
B 知識・技術を身につける支援をする ……………安酸史子……374
  1 「指導型」から「学習援助型」への意識の転換 ……………374
  2 わかりやすく教える ……………375
  3 セルフマネジメントに必要なテーラーメイドの知識・技術を教える ……………375
C 自己効力感を高める ……………安酸史子……375
D 相手をエンパワーメントする ……安酸史子……376
E 自己教育力を身につける支援をする ……………安酸史子……376
F 施設から在宅への支援 ……………鈴木みずえ……377
  1 地域包括ケアシステム ……………377
  2 医療施設間の機能分化 ……………377
  3 病院の種類と継続看護の必要性 ……………378
  4 病院における退院支援・退院調整 ……………378
  5 介護・医療ニーズの高い在宅療養者への看護 ……………379
  6 施設から在宅への支援に必要な要素 ……………380

### ② ヘルスプロモーションの基本理念と方策　横山美江　381

A WHOの健康戦略としてのヘルスプロモーション ……………381
  1 ヘルス・フォー・オール ……………381
  2 アルマ・アタ宣言，オタワ憲章 ……………381
  3 健康における公正 ……………381
B ヘルスプロモーションとは ……………381
  1 オタワ憲章およびバンコク憲章による定義 ……………381
  2 健康についての考え方とヘルスプロモーション活動の基礎 ……………382
C ヘルスプロモーションのプロセス戦略 ……………382
  1 オタワ憲章の3つのプロセス戦略 ……………382
  2 バンコク憲章の5つのプロセス戦略 ……………382
D ヘルスプロモーションの活動の方法 ……………383
  1 健康的な公共政策づくり ……………383
  2 個人の能力・技術の開発 ……………383
  3 健康を支援する環境づくり ……………384
  4 地域活動の強化 ……………385
  5 保健・医療サービスの方向転換 ……………385
E ヘルスプロモーションの概念図 ……………385
F 日本のヘルスプロモーションと健康政策 ……386
  1 健康日本21 ……………386
  2 特定健康診査・特定保健指導 ……………388
G ヘルスプロモーションの有効性 ……………388

## VIII 診療の補助　389

### ① 薬物療法の管理　赤瀬智子　390

A 看護師が薬について理解する必要性 ……………390
B 看護師が行う与薬・薬物管理とは ……………390
C 与薬・薬物管理の知識・技術 ……………390
  1 医薬品とは ……………390
  2 薬の正しい情報 ……………391
  3 薬の取り扱い（保管と管理） ……………391
D 薬が効く仕組み ……………392
  1 投与方法 ……………392
  2 体内における薬の動き ……………392
  3 看護師の薬物療法時の観察ポイント ……………393

### ② 注　射　原　好恵　396

A 薬物療法における注射の意義と看護の役割 ……396
  1 注射の特徴 ……………396
  2 注射における看護の役割 ……………396
B 注射実施前のアセスメント ……………397
  1 薬歴・アレルギー，既往歴 ……………397
  2 フィジカルアセスメント（physical assesment） ……………397
C 注射の方法 ……………397

| | |
|---|---|
| 1 注射器具の選択 ……………………… 397 | 3 各注射法の手順と留意点 ……………… 398 |
| 2 注射法に共通する手順と留意点 ……… 398 | |

## ③ 輸　血
原　好恵　409

| | |
|---|---|
| A 輸血とは ……………………………… 409 | C 検査と輸血の実施 …………………… 409 |
| 1 輸血の目的 ………………………… 409 | 1 輸血の検査 ………………………… 409 |
| 2 輸血の種類 ………………………… 409 | 2 安全に配慮した確実な輸血の実施方法と留意事項 ………………………… 410 |
| B 輸血時のインフォームド・コンセントと自己決定権 …………………………… 409 | 3 輸血に伴う副作用と予防・対処 …… 410 |

## ④ 検査補助
412

| | |
|---|---|
| A 検査における看護師の役割 …岡田淳子 412 | 2 呼吸機能検査 ……………………… 422 |
| 1 検査の目的と必要性 ……………… 412 | 3 神経・筋機能検査 ………………… 424 |
| 2 検査における看護の実際 ………… 412 | D 画像検査におけるケア ……岡田みどり 425 |
| B 検体検査におけるケア ………岡田淳子 413 | 1 放射線に関する基礎知識 ………… 425 |
| 1 血液検査 …………………………… 413 | 2 各種画像検査とケア ……………… 426 |
| 2 一般検査 …………………………… 416 | E 内視鏡検査におけるケア …岡田みどり 430 |
| 3 感染症（細菌・ウイルス）検査 …… 417 | 1 上部消化管内視鏡検査（食道・胃・十二指腸） ……………………………… 431 |
| 4 病理検査 …………………………… 418 | 2 下部消化管内視鏡検査（大腸） …… 431 |
| C 生理機能検査におけるケア …岡田淳子 418 | コラム　バイオマーカー　武田利明 … 431 |
| 1 循環機能検査 ……………………… 418 | |

## ⑤ 外来看護の役割
前田ひとみ　433

| | |
|---|---|
| A 外来の特徴 …………………………… 433 | 1 コミュニケーション能力 ………… 435 |
| B 外来における看護の機能と役割 …… 433 | 2 クリニカル・ジャッジメント（clinical judgment）能力 …………………… 436 |
| C 外来における業務の実際 …………… 434 | 3 調整能力 …………………………… 436 |
| 1 管理業務 …………………………… 434 | E 外来看護の専門化 …………………… 436 |
| 2 診療の補助業務 …………………… 434 | 1 専門化の進展 ……………………… 436 |
| 3 患者指導・教育 …………………… 435 | 2 外来化学療法 ……………………… 436 |
| 4 相　談 ……………………………… 435 | |
| D 外来看護師に求められる能力 ……… 435 | |

## ⑥ 心肺蘇生と止血法
肥後すみ子　437

| | |
|---|---|
| A 心肺蘇生の基礎知識 ………………… 437 | B 止血法 ………………………………… 442 |
| 1 心停止 ……………………………… 437 | 1 一時的止血法の実施 ……………… 442 |
| 2 迅速な一連の救命処置過程 ……… 437 | 2 止血法実施時の注意点 …………… 443 |
| 3 一次救命処置 ……………………… 438 | C 心肺蘇生における感染症予防策 …… 443 |

# Ⅸ 看護現象の測定技術
445

## ① 脳活動-1　脳波
田中裕二　446

| | |
|---|---|
| 1 脳波とは …………………………… 446 | 3 看護学研究の応用例 ……………… 447 |
| 2 測定方法と評価 …………………… 446 | |

## ② 脳活動-2　fMRI　　　　前田耕助　449
1　fMRIとは……449
2　測定方法と評価……449
3　看護学研究への応用……450

## ③ 生体リズム　　　　若村智子　452
1　生体リズムとは……452
2　測定方法と評価……453
3　看護学研究への応用……454

## ④ 微生物の同定　　　　前田ひとみ　455
1　微生物の同定とは……455
2　微生物同定の方法と解析……455
3　看護学研究への応用……456

## ⑤ 心拍変動　　　　佐伯由香　458
1　心拍変動とその測定の意義……458
2　心電図 R-R 間隔変動係数（$CV_{R-R}$, CV）……458
3　心電図 R-R 間隔変動係数のスペクトル解析と看護学研究への応用……458

## ⑥ 呼吸測定—体位による変化　　　　田中美智子　461
1　呼吸機能の測定方法……461
2　呼吸測定技法を用いた実験例……462

## ⑦ 生体反応の組織学的評価　　　　武田利明　463
1　組織学の点滴漏れケアへの応用……463
2　測定方法と評価……463
3　看護学研究への応用……464

## ⑧ 遺伝子とその発現の解析　　　　峰松健夫　466
1　遺伝子とは……466
　コラム　遺伝子組換え　峰松健夫……467
　コラム　ウイルスベクター　峰松健夫……467
2　遺伝子発現検査の看護学研究への応用……468
3　検査上の注意点……468
　コラム　PCR 検査　峰松健夫……468

## ⑨ 病床環境測定　　　　伊藤嘉章, 川口孝泰　469
1　病床環境とは……469
2　病床環境の測定方法と評価……469
3　看護学研究への応用……469

## ⑩ 視線計測—看護者の観察眼の解明　　　　米田照美　472
1　視線計測（アイトラッキング）とは……472
2　視線計測機器について……472
3　主な測定項目……472
4　測定手順……472
5　看護学研究への応用……473

## ⑪ 痛みの測定　　　　深井喜代子　475
1　痛みとは……475
2　測定方法と評価……475
3　看護学研究への応用……477

## 付　録 — 479

1. 関節可動域表示ならびに測定法（2022年4月改訂） — 480
2. 慢性便秘症の分類 — 486

## 索　引 — 487

# 新時代の看護

# 1 看護の対象と看護学

## 1 看護の対象とは

### 1. 看護者の役割とその対象

本書でいう看護者とは，看護師の国家資格をもつすべての専門職，すなわち看護師（nurse），保健師（public health nurse），助産師（midwife），看護師免許をもつ養護教諭（school nurse）を指す．そして，この中には看護学の教育・研究に携わる教師や研究者（nursing scientist）も含まれる．保健師は地域住民に，また助産師は周産期の妊産婦にそれぞれ関わるので特殊な専門職とする考えもあるが，対象のとらえ方や基本的なケア技術は共通しており，何より看護者（nurse）としてのアイデンティティ（identity：自覚や主体性）をもっている．

そしてより広い視座に立てば，看護学を学び，看護師免許をもち，看護学と看護実践に関心を寄せるすべての人が看護者であるといってもよいだろう．

### 2. 支援の受け手としての対象

一般に，看護者の役割，すなわち看護の目的は，対象を生活者としてとらえ，病気や障害を克服してその人らしい自立した生活が送れるよう，対象とともに考え支援していくことである．したがって，看護者が扱う対象は単に病気に罹っている人だけではない．病気で入院や通院している人はもちろん，寝たきりや受診が困難で在宅療養している人，障害をもちながら地域で生活する人，あるいは病気を自覚するほどではないが身体のどこかに痛みや違和感があったり，疲労感を感じていたりするような人，さらに一見健康そうにみえても不規則な生活を送っていたり欠食や偏食を続けているような人なども，広義には看護の対象である．

看護の対象（subject[*1]）を呼ぶとき，病気で治療を受けている人を患者（patient），福祉または医療福祉施設を利用している障害者や高齢者などを利用者，外来などに設置された相談室に援助を求めて来る人をクライエント（client）[*2]という．患者，利用者，クライエントはいずれも看護の対象となりうる

ので，これらを総称して看護の対象（あるいは単に対象）とも呼んでいる．こうした理由から，本書では看護の対象を，文脈によって対象者，患者，クライエント，利用者などと適宜使い分けている．

### 3. 生物学的存在・社会的存在としての対象

本書ではまた，人（person），人々（people），人間（human），ヒト（human beings）という表現によっても看護の対象を使い分けている．人間は地球上に生物の1種類として存在し，動物分類学上は霊長目ヒト科の哺乳類に属する．また，火を扱い，手を使い，直立2足歩行することで格段に発達した脳（大脳皮質）をもち，思い，悩み，思惟する存在として文明・文化を発達させ，争いと平和の歴史を繰り返し，今日，地球を支配する人間社会を形成した．つまり，人間は生物学的な側面と同時に，心理的・社会的な側面をあわせもつ複雑な存在である．したがって，看護の対象を，生物学的特徴はもちろん，性別，年齢，職業や生育歴などの社会的背景や，現在おかれている状況や気持ちを考慮して，「個性ある1人の，生きて生活している人」とみる視点が重要となる．そこで，本書では，基礎看護学の構成要素をさまざまな学問の方法を活用して分析的に説明する際，内容に応じて人，人々，人間，ヒトという用語もまた使い分けている．

### 4. 看護モデルにおける健康と病気

看護モデル[*3]では対象者のもつ健康問題はどのようにとらえられるのだろう．医学モデル[*4]との

---

[*1] 医療用語としてはなんらかの問題をもった人に対して使う用語．患者とも訳される．また，研究においては調査などの協力者，実験の被験者という意味に用いられる．

[*2] 自分の問題を解決する力をもつ点で患者とは区別される．ただ，カウンセリング（自ら解決策を見出せるよう援助する非指示的カウンセリングのこと）におけるカウンセラー-クライエントの関係（治療的人間関係）は必ずしも対患者の関係ではなく，状況に応じて誰でもクライエントになりうることから，クライエントを看護の対象として用いる場合は注意すべきである．

[*3] 看護実践を行うための概念モデル．看護を構成する人間，健康，環境，看護（ケア）の4つの概念の意味と関連性が一貫性をもって説明されたものである．看護モデルを実践に活用することで系統的で一貫性のある看護活動が展開され，看護の独自性と専門性が明確になる．

[*4] 生物学モデルともいい，医師が治療を行うための概念モデル．医学モデルでは，疾患の原因を突き止め，それを取り除くことで問題解決しようとする．看護（看護師）と医学（医師）の役割を比較するとき，しばしば引き合いに出されるモデルである．

比較で考えてみよう．たとえば，ある患者が排便困難を訴えているとしよう．患者は下痢を繰り返し，ときどき肉眼的血便がある．こうした患者に対し，医学モデルではまず，もっとも危険性の高い疾患，大腸がんを疑って検査を行い，診断・治療を進める．これに対して，看護モデルでは，患者が下痢で困っていることを問題にし，腹痛や肛門部痛などの有無と程度，ADL（activities of daily living）の阻害度はどうかなどをアセスメントし，それらの問題解決を支援する．

別の例として，激しい咳で呼吸困難を訴えている患者の場合はどうだろう．医学モデルでは，まず肺炎を疑い，検査や治療を進める．これに対して看護モデルでは，呼吸が苦しいこと，換気不良であることを問題にし，楽に呼吸ができるケアを進める．

あるいは，前述したように，看護モデルでは，病気と断言できないまでも健康状態から逸脱する危険性のあるような人も扱う対象となる．こうした前病状態の人々は主として地域社会や学校などの健康診断や相談などで見出され，ケアの対象となる．

## 2 看護学体系における基礎看護学

看護学を構成する要素は人間，健康，環境，そして看護（ケア）である．これら個々の要素とそれらの関係を追究し，人々の健康な生活を支援する技術を確立する学問が看護学である．つまり，看護実践を支える理論体系が看護学である．看護学は医学や薬学，あるいは栄養学などのように，実践をもつ学問領域であるが，扱う対象は広範で複雑である．そのため，他の多くの学問領域と違って，法則や理論だけで説明や解決できないような問題（多くは個別性を指す）がある．そして，看護学の根本的な弱みは，学問としての歴史が浅いということである．すなわち，わが国の看護学教育の大学化が加速したのはほんの30年前の1990年代にすぎず，学者を育成する（修士・博士課程といった）大学院教育体制が整えられていったのもその頃からであった[*5]．つまり，看護モデルとは称しても，その学問体系を構築するだけの研究資産は看護学にはまだ不足している．さらに，看護学が扱う対象の複雑さも手伝って，現在のところ，看護（学）モデルだけで看護上の問題を解決できる独自の方法論と理論体系を，看

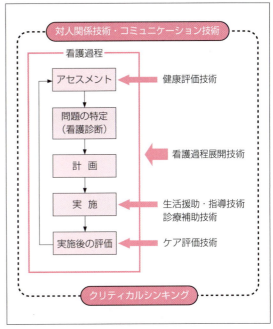

図 I-1 看護過程の展開における看護技術の位置づけ
［深井喜代子（編著）：基礎看護技術，5頁，メヂカルフレンド社，2002 より引用］

護学はまだ擁しているとはいえない．

このように，看護学は学問として発展途上であるが，看護の実践には長く確かな歴史がある．対象の健康と生活支援を扱う，きめ細やかで具体的な看護実践には人々の健康の保持・増進に不可欠な専門性がある．この看護実践の専門性を支える力強い拠り所が学問としての看護学である．そして現在，構築されつつある看護学の学問体系においてその基盤（共通部分）をなす専門領域が，本書が解説を担う基礎看護学（basic nursing，または fundamental nursing）である．したがって，基礎看護学では，前述した看護を構成する4つの要素と，患者，利用者，クライエント，そして健康者のすべてを対象として扱う．基礎看護学の目的は，あらゆる看護実践に共通する基礎理論を見出し，看護の科学性を追究することである．

## 3 基礎看護学の構成要素

看護の本質は看護者が対象にケア技術を提供しているときにもっとも端的にみることができる．それゆえ，看護学を技術論の体系だと断言する人もいるほどである．基礎看護学では，あらゆるケア技術に共通する基本的な技術理論を扱う．

図 I-1 は看護実践で用いるケア技術とその関係を示したものである．図のように，看護技術は看護過

---

[*5] 2009年7月に保健師助産師看護師法が改定され，看護師は大学教育課程で要請されることが法律に明記された．2020年度には看護学系大学の数は287校（各県に1校以上）となり，そのうち188校に修士課程が，107校に博士課程が設置されるに至った．

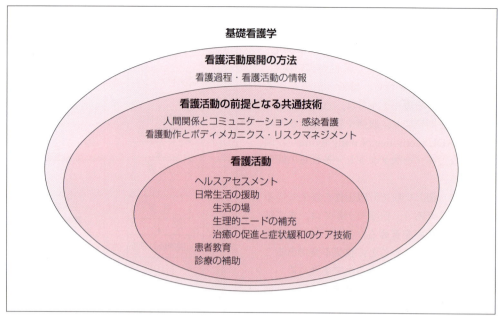

図I-2 基礎看護学の構成要素とそれらの関係

程の枠組みの中で使われている．看護過程（nursing process）とは，看護の知識体系に基づいて，①対象の健康状態を査定（アセスメント）し，②その集積から対象の看護上の問題を明らかにし，③問題解決のための看護計画を立て，④計画に沿って看護活動を実施し，⑤その事後評価をするという，看護活動の系統的・組織的な枠組みである（「看護過程，28頁参照」）．

看護技術には，包括的な技術としての対人関係技術とコミュニケーション技術，看護実践を計画的・系統的に行うための看護過程展開技術，健康評価技術，生活援助・指導技術，診療援助技術，評価技術などがある．そして，これらの技術をより効果的に行うためには，クリティカルシンキング（critical thinking）[*6]という思考法（39頁参照）が役立つ．クリティカルシンキングは看護師が実践場面でさまざまな判断や決断を迫られるときに役立つほか，基本を応用した個別ケアやケアの工夫・創造にも役立つ．

本書で扱う基礎看護学の全体構成は図I-2のようになっている．すなわち，基礎看護学の構成要素の中でも，看護過程を看護活動に共通する基本となる要素と位置づけ，本書では，これらの枠組みの中で展開される具体的な看護活動を看護場面ごとに説明していく．

---

[*6] 直訳は「批判的思考」であるが，この日本語には他者を批判するという意味が含まれ，誤解を受けやすいことから，通常，原語のまま用いられる．正しい意味は「常に自分の考えを振り返って先入観や偏見がないか吟味し，他者の見解と比較・検討しながら，より客観的見地から自分の考えを見出していくこと」で，研究や実践活動を行ううえで不可欠な思考法である．

## 2 新時代の看護の役割

### 1 社会における看護のアイデンティティ

　近年，保健・医療・福祉に携わる専門職の種類は多様になってきている．臨床の場でも医師，看護師だけでなく，セラピスト（理学療法士，作業療法士，心理療法士，言語療法士，視能訓練士など），技師（臨床検査技師，放射線技師など），臨床栄養士，薬剤師，医療ソーシャルワーカー（MSW），介護士など，実に多くの専門家がいる．さらに，最近ではそれらの専門家たちは病院など施設の特定の専門部署だけでなく，外来や病棟でも活動するようになった．そのような医療現場の中で，一般の人々は看護師と他職種の専門性の違いが言えるだろうか．看護の専門性を問われるとき，果たしてすべての看護者が明確な答えを出せるだろうか．

　入院患者に関わる医療関係者の役割領域を比較してみると，保健・医療・福祉の場における看護の特徴がみえてくる．患者は健康障害によって日常生活活動の範囲が制限される．患者は受療行動によって，さまざまな職種の専門家からの支援を受けて活動範囲を広げるが，入院や治療の副作用などによっては逆に活動範囲が狭められることもある．このように生活活動範囲に注目すると，看護の役割領域が医療関係職種の中でもっとも広いことがわかる．患者の安全のための抑制や身体の部分固定などの例外を除いて，ほとんどの看護行為は患者の生活活動を制限することはない．この理由は，看護には患者の日常生活の自立度や満足度をできるだけ拡大しようとする目的があるためで，看護の専門性の特徴であるといえる．そして，看護師は治療，服薬，食事指導，リハビリテーションなど，患者に提供されるすべての医療に支援者として関わる．言い換えれば，他の医療関係者は看護の役割領域の一部に，より高い専門性をもって関わっているととらえることもできよう．看護師はまた，社会復帰後の患者の生活にも継続して注意と関心を払う専門職である．

　以上を整理すると，看護の専門性は，疾病や障害の予防，疾病や障害の急性期から社会復帰期までという広範囲な健康レベルの人を対象とし，苦痛や生活上の不都合を軽減し，日常生活活動を拡大できるよう支援することにあると要約される．

　近年，疾病や障害をもちながら家庭で療養生活を送る患者（在宅患者）の増加に伴い，そのような人々の生活を支援する職種（介護福祉士やケアマネジャーなど）が増えてきた．こうした現状の中で，看護者は自らの役割と専門性を明確に言えるべきである．保健・医療の場において，看護師の役割は他職種と重なる部分が多いため，業務独占資格[*1]でありながら曖昧にとらえられがちである．しかし，対象を常に全人的[*2]に理解しようとし，医師ともっとも大きな重なりをもちながらケアを提供する職種は看護師にほかならない．看護技術は，高度の専門教育を受け，国家資格をもち，看護の独自性と専門性を自覚した看護師によって実施されなければならない．

### 2 時代が求める看護

　IT（information technology）化・ICT（information and communication technology）化時代を反映し，現代社会を端的に表現するキーワードを，ユビキタス（ubiquitous）化[*3]，スマート化（smartification）[*4]，ビッグデータ[*5]，などの情報工学用語が席巻しているかのようである．こうした現状を背景に，超高齢化と少子化時代を迎えた保健・医療分野ではゲノム医療（12頁参照），個別化医療，意思決定（20頁参照），価値観の多様性，人権と倫理などといった概念や課題が取り沙汰されている．そして憂うべき問

---

[*1] 医師，薬剤師などのように有資格者しか行うことができない業務が法律で規定されている国家資格をいう．これに対して名称独占資格とは，業務そのものは資格がなくてもできるが，有資格者でないとその資格名を名乗ることができないものをいう．保健士，栄養士，社会福祉士，介護福祉士がこれに当たる．医師，薬剤師などのように名称独占と業務独占の両方の資格であるものもある．22頁も参照．

[*2] 看護の対象である人間を生物的・心理的・社会的・スピリチュアルな存在として包括的にとらえること．

[*3] 生活環境の至る所にITネットワークが組み込まれ，コンピュータやスマートフォンなどが情報端末として利用される情報環境のこと．

[*4] 情報システムやインフラ設備（家電を含む）に高度な情報処理能力あるいは管理・制御能力を持たせること．

[*5] ユビキタスネットワーク環境（クラウドやスマートフォンなど）が整ったことにより，多種多量のデータ（ビッグデータ）の生成・収集・蓄積が可能・容易になり，その分析・活用による近未来予測や新たな産業の創出が期待されている[1]．

題として異常気象や大規模災害，戦争やテロ，学校や家庭内だけでなく日本社会全体に広がる安全神話の崩壊，さらには，新興感染症[*6]問題など，現代社会が抱える悩みは多様且つ甚大である．世の中には情報が氾濫し，生活が便利でスピーディーになった反面，人々の絆や信頼関係は希薄になり，豊かさの中で孤独感がひしめく現実が社会病理を生んでいる．人々は外食やファストフードで食事をすませる一方で，いかにダイエットを成功させるかを悩む．都市化の波は無計画に日本中に広がり，かつては当たり前であった3世代，4世代同居の家族はマスコミで取り上げるほど珍しいものとなった．ほんの四半世紀前までは子どもが成人となるまでの間に自然に身についていた社会常識やマナーについては，もはやそれらを伝える担い手が家庭の中にいなくなった．三十路を迎えても思春期を終えることができず，社会にも適応できず，人生の目標もつかめない，わがままと自由，常識と非常識の区別がつかず世渡りが下手で，社会で自立できない若者が急増している．また，バブルの崩壊後，景気が停滞する中，リストラや過剰な労働が原因でうつ病に罹患する中高年者は少なくないといわれる．現代社会で暮らす人々は人間がこれまでやみくもにつくりあげてきた文明を振り返り，犯してきた過ちに思いをめぐらし，人間の幸福とは何かを不安げに模索し始めたかのようにみえる．

　このような多くの社会問題を抱えた21世紀の初頭において，看護学が社会に対して担う役割をどのように考えたらよいだろうか．看護学はこれまで人々にどう働きかけ，何を残してきたか．看護の専門性が社会に認知され賞賛される活動を成し得てきたか．看護学が目指す目標こそそこにあるのではないか．振り返れば，看護職は巨大地震の被災地や新型コロナ感染患者の治療最前線のあらゆる場所で四六時中活動し続けてきたし，何年もそれ以上も身体的苦痛に苦しむがんサバイバーに寄り添い，より有効な支援を模索してきた．看護学の究極の目的は，従来も，そしてこれからも，人々がその人なりに健康で安寧な生活を送れるよう支援することである．人々の健全な暮らしが実現しにくくなってきた現代の社会背景の中で，看護学は看護が社会の建て直しのために提供できることを洞察し，健康な社会の実現に貢献しようと努めるべきである．そして，人々が真に求める，確かで質の高いケアを追究することを目指すべきである．人間が健康に幸福に生きるために不可欠な実践科学こそ看護学だからである．

## 3 倫理的課題に挑む看護

　IT化の波は保健・医療・福祉の領域にも押し寄せ，クライエントの個人情報はコンピュータで管理されるようになった．病院における電子カルテ化も急速に進んでいる．一方で，高度先進医療が進む中で，診断や治療について患者の知る権利と個人情報の保護，脳死の判断や安楽死の是非，終末期患者の生命の質をどうとらえるかなど医療現場におけるさまざまな倫理的問題が取り沙汰されている．

　一般に，倫理とは実社会における道徳の規範となる原理を指す．たとえば，ある問題に対して「AとBのどちらを優先するか」あるいは「実施すべきかしないでおくべきか」など，道徳的価値が対立するような場合の判断の拠り所となる考え方を倫理という．看護は対象に対して患者-看護者関係[*7]の中で提供されるから，個々の看護行為を行うさいでも価値の対立が起こりうる．これは看護技術における倫理的問題ととらえることができる．

　たとえば，せん妄[*8]のある高齢の患者に対し，看護体制が手薄になる夜間などに抑制を行う場合がある．抑制は安全を確保するための看護技術であるが，一方で患者の自由を奪う人権を損なう行為で，身体的苦痛も伴う．しかし，スタッフの少ない夜間帯などに徘徊による事故や転倒の危険を回避するためにはやむをえない措置でもある．また，安静臥床を強いられている患者の褥瘡予防のために，約2時間ごとの体位変換が昼夜実施される．体位変換では腰背部のタッピングも行われるので，夜間にはそのつど患者の睡眠が中断されることになる．この場合も，褥瘡予防と安眠のどちらが優先されるべきかが問われる．このように，対象の問題解決のために必要な看護技術であっても，そしてそれがいかに熟練された看護者によって提供されようと，また，いかに立派な科学的根拠に裏づけされていようと，それを実施することによって対象の人権を阻害したり，苦痛を強いたりする状況はしばしば起こりうる．

　看護技術の提供においてこのような倫理的問題に

---

[*6] 2019年暮れに中国・武漢で発見された新型コロナウイルス（SARS-CoV-2）による感染症（COVID-19）はその代表的なものである．

[*7] 看護行為は患者と看護との人間関係を通して実施される．すなわち，両者の直接的なやりとり（相互作用関係）を通して，看護者から患者へ技術が提供される（技術的関係）．患者-看護者関係は相互の信頼によって発展する．

[*8] 意識障害のひとつで，幻覚や妄想を伴い，感情が動揺する．認知症の症状としても出現する．

表I-1　日本看護協会による看護職の倫理綱領（2021年3月）

1. 看護職は，人間の生命，人間としての尊厳及び権利を尊重する．
2. 看護職は，対象となる人々に平等に看護を提供する．
3. 看護職は，対象となる人々との間に信頼関係を築き，その信頼関係に基づいて看護を提供する．
4. 看護職は，人々の権利を尊重し，人々が自らの意向や価値観にそった選択ができるよう支援する．
5. 看護職は，対象となる人々の秘密を保持し，取得した個人情報は適正に取り扱う．
6. 看護職は，対象となる人々に不利益や危害が生じているときは，人々を保護し安全を確保する．
7. 看護職は，自己の責任と能力を的確に把握し，実施した看護について個人としての責任をもつ．
8. 看護職は，常に，個人の責任として継続学習による能力の開発・維持・向上に努める．
9. 看護職は，多職種で協働し，よりよい保健・医療・福祉を実現する．
10. 看護職は，より質の高い看護を行うために，自らの職務に関する行動基準を設定し，それに基づき行動する．
11. 看護職は，研究や実践を通して，専門的知識・技術の創造と開発に努め，看護学の発展に寄与する．
12. 看護職は，より質の高い看護を行うため，看護職自身のウェルビーイングの向上に努める．
13. 看護職は，常に品位を保持し，看護職に対する社会の人々の信頼を高めるよう努める．
14. 看護職は，人々の生命と健康をまもるため，さまざまな問題について，社会正義の考え方をもって社会と責任を共有する．
15. 看護職は，専門職組織に所属し，看護の質を高めるための活動に参画し，よりよい社会づくりに貢献する．
16. 看護職は，様々な災害支援の担い手と協働し，災害によって影響を受けたすべての人々の生命，健康，生活をまもることに最善を尽くす．

［https://www.nurse.or.jp/home/publication/pdf/rinri/code_of_ethics.pdf より引用］

直面したとき，看護師は一方の価値を無条件に優先するのでなく，対立する価値との間で患者にとって最善の対応策を考えるようにする．倫理的問題へのアプローチには次のような方法が提案されている[2]．①まず医学的な問題を検討し（たとえばせん妄の原因を取り除く治療を検討する），②患者の意向を質し（患者が抑制を嫌がる理由を知る一方で，抑制の必要性を患者または家族に説明する），③周囲の状況を見直し（家庭の事情と家族関係，看護体制の現状などを見直す），④問題解決の方向性を決める（抑制に潜在する危険性を検討し，それを回避する対策や抑制以外の方法も考える），⑤これらを吟味したうえで，患者にできるだけ苦痛を与えず，人権も損なわないような看護技術の技法を検討して提供する．

国際看護師協会（International Council of Nurses：ICN）は実践の場でしばしば起こるこうした倫理的問題に半世紀以上も前から取り組み，1953年に「ICN看護師の倫理綱領」を採択して世界の看護者に倫理規範を提示した．以後何度か修正され，最新版（2021年）では「看護師と人々（対象の人権と人間性の尊重）」「看護師と実践（自己研鑽による実践能力の維持）」「看護師と看護専門職（研究による専門性の向上と社会的地位の確立）」「看護師と共働者（他職種との連携の実践活用）」をその骨子として強調している．これを受け，日本看護協会でも「看護者の倫理綱領」（最新版は2021年，「看護職の倫理綱領」として）を発表し，看護師の専門職者としての倫理的行動のガイドラインを示した（表I-1）．

## 4　災害看護

前項で述べたように，看護の対象は年齢，性別，職業あるいはアイデンティティを超えた，あらゆる健康レベルの人々である．それらの人々の生活の場は世界中のいたる所に分布し，その土地独自の自然環境（地形や気候）や社会環境（都市，農山村，工業地帯など）がある．私たち人間はそうした環境の中で，それぞれに人生の目標をもち，共同し助け合いながら日々の生活を営んでいる．本項ではこうした平穏な人間生活を突然襲い，甚大な被害をもたらす災害（disaster）と災害時の医療や看護の役割について言及する．

### 1. 災害とは

災害には地震，火山噴火，台風や集中豪雨，竜巻などの自然災害（natural disaster）と，人が引き起こす事故やテロなど人為的な災害（a man-made disaster）がある．突然に発生した甚大な災害は，人々の生活の場や生活そのもの，そしてしばしば生命をも奪う．仮に自分の命が助かっても，親しい人を亡くしたり，日々の生活や人生の夢を失った人々は戸惑い，心身に深い傷（心的外傷，trauma）を負う．とくに心の傷は身体の傷に比べて非常に治りにくく（心的外傷後ストレス障害，PTSD）[*9]，治癒

---

[*9] 心的外傷後ストレス障害（post traumatic stress disorder）の略．命が脅かされたり人間の尊厳が脅かされるような甚大な天災や事故，犯罪や虐待などによって強い精神的衝撃を受けたことが原因となって，日常生活を続けることが困難な状態に陥る精神的ストレス障害のことをいう．

表I-2 災害サイクルと看護の役割

| 災害サイクル | 災害発生からの時期 | 被災現場の特徴 | 医療・看護の役割 |
|---|---|---|---|
| 急性期 | 48時間 | 一刻を争う人命救助と避難<br>人々の混乱と情報不足<br>組織化に到らない救援活動 | 救命・救助・治療<br>トリアージの実施 |
| | 48時間〜1週間 | 情報の混乱<br>避難所での生活の開始 | 継続医療・看護<br>職種間の調整<br>生活支援・メンタルケア |
| 亜急性期 | 2〜3週間 | 集団感染の危険<br>慢性疾患の増悪<br>栄養状態の低下<br>急性ストレス障害 | 重症患者の集中治療・管理<br>医療チームの連携<br>衛生環境調整<br>慢性疾患患者の生活指導<br>生活支援・メンタルケア |
| 慢性期・<br>復旧復興期 | 2〜3ヵ月から<br>2〜3年目 | 自宅または仮設住宅での<br>生活準備と始まり | 2次災害被災者の治療・看護<br>防災の見直し・対策強化<br>生活支援・コミュニティ支援 |
| 静穏期 | おおむね3年目以降 | 防災意識の強化と災害への備え | 施設内防災対策の整備<br>災害医療・災害看護教育 |
| 前兆期 | 台風・津波等の警報発令 | 警報等の情報入手<br>安全確保と避難準備 | 避難のための情報交換<br>救援及び被災者受入準備 |

表I-3 トリアージのプロトコール

| 優先度 | 分類 | 色別 | 区分 | 疾病状況 | 診断 |
|---|---|---|---|---|---|
| 第1順位 | 緊急治療 | 赤 | I | 生命・四肢の危機的状態でただちに処置の必要なもの | 気道閉塞または呼吸困難，重症熱傷，心外傷，大出血または止血困難，開放性胸部外傷，ショック |
| 第2順位 | 準緊急治療 | 黄 | II | 2〜3時間処置を遅らせても悪化しない程度のもの | 熱傷，多発または大骨折，脊髄損傷，合併症のない頭部外傷 |
| 第3順位 | 軽症 | 緑 | III | 軽度外傷，通院加療が可能程度のもの | 小骨折，外傷，小範囲熱傷（体表面積の10%以内）で気道熱傷を含まないもの，精神症状を呈するもの |
| 第4順位 | 死亡 | 黒 | 0 | 生命兆候のないもの | 死亡または明らかに生存の可能性がないもの |

［鵜飼 卓：トリアージの概念．山本保博・鵜飼 卓（監），国際災害研究会（編），トリアージ―その意義と実際，8頁，荘道社，1999より転載］

には何年もそれ以上もかかるといわれる．

### 2. 災害サイクルにおける看護

災害時の現場の状態，医療及び生活ニーズには災害発生直後から時間とともに展開される一定の経過がある．これを災害サイクル（disaster cycle）とよぶ（表I-2）[3]．表にあげたように，災害時の看護の役割は単に医療だけでなく職種間の調整や被災者の生活支援・メンタルケアなど多岐にわたっている．このように，災害時に看護師が担う看護をとくに災害看護（disaster nursing）とよぶ．わが国では阪神・淡路大震災（1995年1月）の後，看護学の一領域として確立した[*10]．今世紀に起こった東日本大地震（2011年3月）では災害看護の概念は看護界全体に広がり，災害看護学会はもちろん，多くの看護系団体が支援活動に参加した．

### 3. 急性期に実施されるトリアージ

災害の現場で，災害発生直後から48時間に以内に行われる重要な手順をトリアージ（triage）とよぶ．トリアージとは「災害を受けた多くの傷病者の状態の重症度や緊急度を判定して，搬送先を決定し，適切な搬送と治療を行うこと」である（表I-3）．判定結果はトリアージタッグとよばれる4色（表I-3の色別に対応）の帯が入ったカードを傷病者の右手首に取り付けて示される．トリアージの目的は一人でも多くの人命を救うことと，病状に応じて適切な場所に可及的すみやかに送るための振り分けを行うこ

---

[*10] 1999年に学術団体として日本災害看護学会が発足した．

とであるが，その目的のためにごく短時間に傷病者に優先順位をつけなければならない医療者の苦悩もある．

一方，平時の医療においては，院内トリアージも行われている（2012年度に診療報酬化）．救急外来に来院した患者に対して，講習を受けた看護師（トリアージナース）が病気やケガの緊急度を判定し，治療などの優先順位を決める．コロナ禍[*11]においても，新型コロナウイルス対策として院内トリアージが実施され，診療報酬面での救済となった．

● 引用文献

1) 総務省：「スマート革命」―ICTのパラダイム転換―．〔https://www.soumu.go.jp/johotsusintokei/whitepaper/ja/h24/html/nc121410.html〕（最終確認：2022年7月20日）
2) 小迫冨美恵：看護ケアの場面で遭遇する倫理的問題とジレンマへの対応．高知女子大学看護学会誌 25（1）：5-18，2000
3) 弘中陽子：災害サイクルと看護の役割．インターナショナルナーシングレビュー 28（3）：45-49，2005

---

[*11] 新型コロナウイルス（SARS-CoV-2）感染症の流行によって社会に引き起こされるさまざまな災いのこと．

# 3 科学的看護の推進

## 1 看護学における経験主義と基礎理論

　看護がまだ他の学問と同等の科学と考えられていなかった古い時代には，ケアのヒントは経験によって見出され，後輩に引き継がれてきた．これは経験主義といわれるもので，ケア技術のスキル（skill：訓練を必要とする技能）の習得にはとくにその傾向が強かった．

　一般に，ある技術を習得するには，熟練者を見習いながら，時間をかけ，繰り返し訓練して体得する方法と，まず技術の原理を技術理論として学習したうえで，マニュアルを備えた基本的な手順を覚える方法とがある．前者は徒弟的な方法で，伝統工芸の習得方法として知られる．後者は主に職業としての専門技術教育に採用される科学的な方法で，看護技術もこの方法で習得される．一般に，身体を使う技術というものは繰り返し訓練して習得するものである．一方，後者の，技術と理論を並行して学ぶ科学的方法を使えば，習得までの時間短縮と確実な上達が期待できるという利点がある．なぜなら，技術理論ではなぜそうするかという理由が科学的証拠（研究データ）によって明示されるので，技術は単なる模倣でなく，合理的な行為として学習されるからである．徒弟的な方法では，技術訓練のさい，試行錯誤するうちに偶然「こつ」を見つけ，修得への近道となることがある．しかし，後者の方法では，「こつ」は学習行程の中で，技術理論のひとつとして適時教えられるので，習熟度の個人差が少なくなる．さらに，技術学習を通して論理的思考法が自然に身についていく．

　技術は継続して使わないと忘れてしまうものでもある．ただ，理論とともに技術を習得していると，たとえ手技を忘れてしまっても，よく保持された理論の記憶をたどることによって手技も比較的早く思い出すことができる．また，基礎教育の段階で学習した看護技術はあくまで基本である．技術理論とともに学習した看護技術は，学習機会があるごとに繰り返し訓練することによって次第に習熟していく．つまり，技術の基礎理論には経験を補強する力がある．このように，新しい時代の看護学には看護のケア技術は技術理論とスキル訓練の両方を組み合わせて修得することが求められている．

## 2 ケア技術の進歩とEBN

　対象者に良質のケアを提供することは看護の目標である．しかし，看護者は自分が行う看護ケアについて，対象者を十分に納得させる説明ができているだろうか．看護ケアは理論的裏づけのもとに実施されているだろうか．残念ながら，看護ケアの多くのものは少なくとも看護教育の大学化が本格化する20世紀の終わり頃までは，十分な科学的根拠をもたないまま実施されてきた．看護学の研究が遅れていることがその最大の理由である．

　そうした中，1990年代の終盤にEvidence-Based Nursing[*1]（EBN：科学的根拠に基づいた看護実践）を目指そうという動きが看護界に起こった．EBNはEBM（Mは医学medicineの意）から派生した用語で，看護が学問として自立しようとする時期に，時を同じくして生まれた．これまで経験的知識で支えられてきたケア技術を，研究によって得られたデータで裏づけしようとする試みが始まった．EBNは看護学と看護実践が一丸となって目指すスローガンとなり[1,2]，四半世紀を経て定着してきた観がある．こうした研究活動は一部では組織的に始められているが，完成された理論として看護技術体系に組み込まれるには，多くの研究者や看護者による地道な研究の積み重ねが必要である．

## 3 実践における研究活用

　看護者の意識を業務志向（task-oriented）から科学的実践志向（science-based practice）に変えるためには研究成果を活用（研究活用，research utilization）することが必要だといわれる[3]．EBN推進のために不足しているのは看護学領域の研究だけでなく，看護実践者による研究成果の活用だともいえる．EBNの遂行過程で，看護者には日々の実践の中で何が問題なのかを明確にし，問題解決のた

---

[*1] Evidence-Based Practice（EBP）ともいう．経験に頼らない，科学的根拠に基づいた看護という意味．EBNは，①看護ケア上の問題点の抽出，②経験的知識と臨床研究によって得られたevidenceとの系統的な比較検討，③個々の患者にとってもっとも適切なケアの吟味と適用，という手順で遂行される．

めの適切な文献を探索，選択し，活用する能力が要求される．しかし，大学化される以前のわが国の看護学教育では研究教育は十分でなく，看護実践者が日常的に学術論文を読む習慣はほとんどなかった．また，そうした教育問題の一方で，実践者が求める研究が乏しいことも指摘されている[4]．

最近，わが国の看護界でもトランスレーショナルな研究（translational research，橋渡し研究）[*2]という用語が聞かれるようになった．欧米ではこの用語はEBMと同時期に医学研究領域に登場し，単に知的興味だけで研究するのではなくトランスレーショナルな視座を持って臨床に役立つ研究に積極的に取り組むよう基礎医学研究者たちによびかけられた．ただ，看護界へEBMが持ち込まれたときにEBNの意義が問われたのと同様に，看護学領域では橋渡し研究が，国の医療経済（看護経済）の救世主となるような莫大な経済効果を産むことを究極の研究目標にするのではなく，日常のケア技術を進歩・発展させるための地道な研究を遂行しようという看護学研究者の意識づけになると思われる．

ケア技術の開発研究には，因果関係を明らかにする介入研究デザインがよく用いられる．通常は媒介変数（介入に影響を及ぼす因子）を統制して1つ（だけ）の介入の効果が検討されるが，日々の看護実践の場では複数の介入が同時に実施されることのほうが多い．そのため，実践に資するエビデンスを得るには多くの介入研究を行う必要がある．この短所を補うべく創出されたのが複雑介入（complex interventions）[*3]という研究手法である[5]．複雑介入は巨額の経費と領域横断的なマンパワーも必要とする大規模研究であるが，実社会における保健・医療・福祉のさまざまな問題を解決するための有用な手法として，わが国の看護学界でも今後採用されていくと思われる．

けだし，橋渡し研究や複雑介入研究などを積み重ねることによって看護ケアが高度な専門技術として社会に認知されれば，保険適用となる（医療費が発生する）可能性もある．何百万人もの在宅患者が1回100円程度の安価なケア（患者の負担は30円）を受ける日常はそれほど遠い未来ではないかもしれない．

看護教育の大学化に伴い，看護者の学術活動を支援する場と機会は充実してきた．これからは，看護学の理論構築に携わる研究者は実践者が魅力を感じるような研究を，また実践者は意味ある研究課題を研究者に提示するような発言や事例研究を，さらには実践者と研究者の共同研究を，それぞれ推進していくべきである．そうした双方の努力によって看護学は発展し，看護の目的にいっそう近づくことができるだろう．

---

[*2] 一般に研究の目的は新知見を得ることであるが，研究成果を医療に応用（疾患の診断・治療・予防）することを目的に行う，基礎から応用までの大規模な医学研究をトランスレーショナル研究とよぶ．米国で最初に使われたが（Clinical Research Roundable, 2003），近年，わが国で推奨されている産学協同研究がこれに該当する．こうした研究には国や民間団体から巨額の助成金が提供され，EBMと同様に，医療経済効果も期待されている．看護学領域にはこのような大規模なプロジェクトはあまり馴染まないが，基礎研究と看護実践を結びつける研究の重要性が強調されるようになってきている．

[*3] 複雑介入（complex intervention）は，複数の要素が相互に関連する作用するような複雑さを伴う介入研究であり，保健医療や公衆衛生，社会政策の分野などで広く使用されている．扱う要素の数や複雑さ，施設を含む研究対象の数，研究経費の額，いずれも大きな大規模研究である．

● 引用文献

1) 深井喜代子：Evidnce-Based Nursing 科学的根拠のあるケアの実施．Nursing Today 14：10, 1999
2) 深井喜代子：EBNとは．HEART nursing 13：374-380, 2000
3) Omery A, Williams RP：An appraisal of research utilization across the United States. J Nurs Adm 29：50-56, 1999
4) Sitzia J：Barriers to research utilization：the clinical setting and nurses themselves. Intensive Criti Care Nurs 18（4）：230-243, 2002
5) 伊藤奈央：Developing and evaluating complex interventions：new guidance―複雑介入の開発と評価．看護研究 53（2）：114-115, 2020

## 4 ゲノム医療と看護

### 1 ゲノム医療の登場

ヒトゲノムが解明[*1]された21世紀になると，ゲノム（genome）[*2]と健康との関連が次々に明らかにされ，疾病の診断や治療にも大きな影響が及ぶようになってきた[1]）．日本においても健康・医療戦略の柱の一つにゲノム医療が掲げられ，「ゲノム医療実現推進協議会」が設置されている．ゲノム医療とは，個人のゲノム情報に基づき，より効果的・効率的に疾患の診断，治療を行おうとするものであり，発症予測から予防にも寄与すると考えられている（表Ⅰ-4）．ゲノム医療実現のための基盤整備とともに人材育成にも力が注がれ，ゲノム情報の一部である遺伝子の情報の活用から，将来に向けて全ゲノム解析による新たな医療が提供されることが期待されている（表Ⅰ-5）．

近年のゲノム医療の実装化は目覚ましく，とくに

がん領域ではゲノム情報に基づく治療法の選択が保険診療で行われるようになってきた．ゲノム情報は個人の診断，治療の選択にとどまらず，その血縁者の健康にも影響を及ぼすことから，がん医療と遺伝医療との連携が必須となっている．遺伝専門職[*3]が中心となって実施される遺伝カウンセリングをはじめ，遺伝性疾患として生涯にわたる適切な医療の活用と療養生活を支える支援が不可欠となっている．

表Ⅰ-4　ゲノム医療

| 目的 | 関連する遺伝子 | 目的 | 活用例 |
|---|---|---|---|
| 診断 | 単一遺伝子 | 確定診断 | 希少疾患，難病 遺伝性腫瘍 |
|  | 外来病原体遺伝子 | 病原体の確定 | 新型コロナウイルス デング熱 |
| 治療 | 単一遺伝子 | 適切な治療の実施 | コンパニオン診断[†1] がん遺伝子パネル検査（13頁参照） 遺伝性腫瘍 ADA欠損症[†2] |
| 予防 | 単一遺伝子 | 予防 リスク低減 | 遺伝性腫瘍 |
|  | 複数の遺伝子 | 予防 | 生活習慣病 |

[†1] 薬の使用前に治療が有効かどうか検査すること．
[†2] アデノシンデアミナーゼ欠損症．ADAの酵素活性を担う遺伝子の欠損で免疫不全が起こる．

---

[*1] 1990年，米国で発足したヒトゲノムプロジェクトは国際的プロジェクトに拡大した．コンピュータとゲノム解析技術の進歩により，2000年にゲノムのドラフト（完成前の下書き）が完成した．
[*2] 遺伝子のgeneと集合を意味する-omeの合成用語で，生物のもつ遺伝情報（遺伝子）の全体を表す．ヒトゲノムは46本（23対）の染色体からなる．
[*3] 臨床遺伝専門医，認定遺伝カウンセラー，遺伝看護専門看護師など，学協会による遺伝専門職認定制度で養成，認定される職種．ただし，この領域の国家資格ではない．

表Ⅰ-5　わが国におけるゲノム医療の発展

| 年 | 内容 |
|---|---|
| 2014 | ・健康・医療戦略推進会議<br>・閣議決定：「環境や遺伝的背景といったエビデンスに基づくゲノム医療を実現するため，その基盤整備や情報技術の発展に向けた検討を進める」<br>・閣議決定：「ゲノム医療の実現に向けた取り組みを推進する」 |
| 2015 | ・ゲノム医療実現推進協議会の設置<br>・ゲノム情報を用いた医療等の実用化推進タスクフォースの設置 |
| 2017 | ・ゲノム医療実現推進に関するアドバイザリーボード：キャリアパスの視点から見たゲノム医療人の育成について |
| 2020 | ・第2期 健康・医療戦略推進会議<br>・「ゲノム医療や研究を取り巻く医療が大きく変化している中でそれらを更に推進していくために，ゲノム医療の推進に関する検討を行う協議会を設置する」 |
| 2021 | ・成長 戦略実行計画<br>・閣議決定：「全ゲノム 解析等実行計画及びこれに基づくロードマップの推進と産官学の関係者が幅広く分析・活用できる体制の構築等を進める」 |

表I-6　がんゲノム医療

| 内容 | 具体例 |
|---|---|
| 分子標的薬とコンパニオン診断 | （分子標的薬）　　　　　　　（遺伝子）<br>セツキシマブ　　　　　　　　EGFR<br>ゲフィチニブ　　　　　　　　EGFR<br>PARP阻害薬　　　　　　　　BRCA1/BRCA2 |
| がんパネル検査の保険収載 | ・OncoGuideTM NCC オンコパネルシステム<br>・FoundationOne CDx がんゲノムプロファイル（保険償還点数 56,000 点） |
| 遺伝性腫瘍に対する遺伝学的検査<br>リスク低減手術の保険収載 | ・遺伝性乳がん卵巣がん（HBOC）が疑われる条件を満たす人の遺伝学的検査<br>・HBOCと診断されたがん既発症者のリスク低減を目的とした乳房切除術，卵管卵巣切除術 |

## 2 遺伝看護

　医療の変化に備え，医学教育では遺伝学の基礎教育の充実を図ってきたが，この領域の看護基礎教育は未だ十分とは言えない．2017年に策定された看護学士課程教育における看護学教育モデル・コア・カリキュラムでは，遺伝に関する内容について，人を全人的にとらえる基本能力の中で，人間を生物学的に理解しアセスメントに活かすために必要な知識にとどまっている．

　これまでも看護職は，遺伝性疾患や遺伝的な特性を持つ人々に対する健康管理や療養生活支援を，医療施設内だけではなく地域においても看護師，助産師，保健師として実践してきている．ゲノム解析技術の発展により，ゲノム（遺伝情報）と健康との関連が明確となっていく中，とくに次世代に受け継がれる遺伝という現象が，人々や社会にどのような影響を与えるのかを知り，看護はどのような役割を担うことができるのかを考え対応していく必要がある[2,3]．

　ゲノムの特性として，生涯変化しない不変性，将来の発症に対する予測性，同じ情報の家系内での共有性があげられる．こうした特性から，生涯および世代を超えた，あらゆる健康段階における個人と家族を対象とした看護が求められる．ゲノムに基づく生物学的多様性に関する知識とともに，健康にかかわる遺伝的素因，遺伝情報を共有する家族の反応や社会への影響などを理解した専門的対応が必要となる．

　社会的需要が高まる遺伝看護分野において専門的ケアの提供や，相談，調整，倫理調整，教育，研究役割を担う遺伝看護専門看護師制度が2017年に誕生した．専門看護師としての機能が発揮されケアシステム全体を改善することで，遺伝看護実践の向上が期待されている．

## 3 ゲノム医療における看護の役割

　ゲノム医療の実装化がもっとも進んでいるがん領域の現状を示し，看護の役割を考えてみた．

　がんは遺伝子に変化（バリアント〔variant〕と呼ばれる）が積み重なることにより発生するが，そのバリアントが，がんとしての性質を特徴づけている．このことに着目した診断や治療が近年目覚ましく発展してきた．まず，治療薬としてがんの発生機序に合わせた分子標的薬の開発が進められている．また，治療薬の効果の有無を判断するために該当する遺伝子バリアントの有無を調べるコンパニオン診断が行われるようになり，個別化医療が導入されてきた（表I-6）．たとえば，ある遺伝子バリアントをもつがんに有効である薬を治療前にコンパニオン診断で適応を判断することにより，効果的・効率的な使用が可能となる．

　さらに，コンパニオン診断をより効率的に行うためのがん遺伝子パネル検査[4]が導入された．がん遺伝子パネル検査は，がん細胞の数十から数百の遺伝子を一度に調べ，その中で起きている遺伝子バリアントを確認し，治療の選択に活用するものである．

　がん細胞の遺伝子バリアントの多くはさまざまな要因によって後天的に生じたものであるが，その一部に先天的な遺伝子バリアントが含まれる場合がある．がんの発症に関わる遺伝子バリアントを生まれつき持っている場合は，がんを発症しやすい体質であり，遺伝性のがんと診断される．遺伝性のがんは，一般のがんと比較して若年性に発症し，多発性，両側性であったり，複数の臓器に重複して発症したりする特徴がある．また，この遺伝子バリアントは血縁者と共有される可能性がある．遺伝性のがんであると診断された場合には，がんの発症をできるだけ早期に発見し早期治療を行うための対策がとられている．さらに，がん発症を予防するためのリ

スク低減を目指した手術も行われている．そして，これらの診断・治療が保険収載されたことは注目すべきことである（表Ⅰ-6）．

がん患者にとって有効な治療法が見出されることは大きな希望であるが，がん遺伝子パネル検査で実際に治療につながるのは10％程度と報告され[4]，保険収載されたとはいえ高額な検査でもあり，実施するか否かの意思決定には，適切な情報提供を含む支援が必要である．そして，その結果により新たな治療を行う場合も，治療につながらなかった場合も，そのプロセスを支え，継続的なケアを提供していくのは看護の大きな役割である．

また，遺伝性のがんと診断された場合には，早期発見のための定期的臨床検査を継続していったり，家族と情報共有することで，血縁者の健康管理に役立てたりすることが求められるが，身体的側面だけでなく心理・社会的側面からアセスメントを行い，そこに生じてくるさまざまな負担を軽減する看護が必要となる．

がん領域の現状は，ゲノム医療の一つのモデルであり，今後あらゆる領域に拡がっていくと推察される．看護職はゲノム医療の知識と理解を深め役割を担っていかなければならない．

● **引用文献**

1) 厚生労働省：全ゲノム解析等実行計画，第1版，2019〔https://www.mhlw.go.jp/content/10901000/000881333.pdf〕（最終確認：2022年5月）
2) 有森直子，溝口満子（編）：遺伝/ゲノム看護，医歯薬出版，2018
3) 中込さと子（監）：基礎から学ぶ遺伝看護学，羊土社，2019
4) C-CAT：がんゲノム医療とがん遺伝子パネル検査．〔https://for-patients.c-cat.ncc.go.jp/〕（最終確認：2022年5月）

# 5 看護のグローバリゼーション

　基礎看護学を学ぶ初学者の中には、国際看護というと看護師免許を取得した後に、専門的に学ぶことと思っている人がいるかもしれない。また、日本国内で看護にたずさわっている人の中にも、国際看護は海外で行う看護であり、自分たちの日々の看護にはあまり関係ないと思っている人もいるかもしれない。しかし、今やグローバルな視点で看護をとらえるのは、専門的な看護者だけが行うことでもなく、身近なところでも必要とされる看護となっている。本項ではグローバルな視点で看護をとらえる必要性と看護指針について考える。

## 1 グローバルな視点で看護をとらえる必要性

　グローバル（global，地球規模の）な視点で看護をとらえる必要性は大きいが、ここでは、世界における健康問題は日本の健康問題とも関係していることと、看護の対象者はグローバル化しており、日本にいても日本人以外が看護の対象者であることに焦点をあてる。

### 1. 世界における健康問題は日本の健康問題とも関係している

　2019年に発生した新型コロナウイルス感染症（COVID-19）は、人から人へ咳や飛沫などを介して広がり、世界的な規模で拡大した。新型コロナウイルス感染症の前にも重症急性呼吸器症候群コロナウイルス（SARS-CoV）が2002年に中国広東省で発生し、30を超える国や地域に拡大した。中東呼吸器症候群コロナウイルス（MERS-CoV）の最初の患者は、2012年にサウジアラビアで発見され、30ヵ国近くの感染者が世界保健機関（WHO）へ報告された[1]。

　このように、現代では人や物が容易に国境を越えることができるため、世界規模での健康問題が生じることも珍しくない。インターネットの普及に伴い、健康情報は瞬時に世界中に拡散できるため、海外で発信された新型コロナワクチンの副反応情報を日本国内で得て、自分がワクチン接種する際の判断材料にしている人もいる。世界で生じている健康問題は日本でも起こっているのである。

　また感染症のみならず、慢性疾患も世界的に拡大しており、国際糖尿病連合（International Diabetes Federation：IDF）が2021年に発表したデータ[2]で

### コラム　行動変容

　看護における行動変容はさまざまな意味で使われるが、一般的には、看護の対象者が特定の目標や、自分や周囲の人の幸せと健康維持などのために今まで行っていたことを変えたり、新たな行動を始めたりすることを指す。

　行動変容を必要とするのは、多くは未病者や慢性疾患者など健康的な生活習慣が必要な人であるが、高齢者や妊婦など、どのような人でも対象になりうる。変容後の行動例としては禁煙、定期的な運動などがある。

　行動変容を支援する際には、対象者との対話を通して対象者が何を目標にしているのかを明らかにすることが重要である。プロチャスカ（Prochaska JO）は5つの段階からなる行動変容ステージモデルを提唱している[i]。その第1段階の「前熟考期」は健康行動にまったく関心がない時期、第2段階の「熟考期」は行動変容の必要性は認識しているが変化はない時期、第3段階の「準備期」は行動変容を始めたり始めようとしている時期、第4段階の「実行期」は行動を変えつつある時期、そして第5段階の「維持期」は行動変容が6ヵ月以上継続している時期を、それぞれ指す。行動変容を支援する際には、対象者がこれらの時期のどの段階にいるかを考え、行動変容するためにはどうしたらよいかを対象者と共に考えていく。また、行動だけに注目するのではなく、行動の原因や関連要因も丁寧に確認しながら対象者を支援していくことが重要である。

　行動変容を支援するために開発された方法としてEASE（イーズ）プログラム®[ii]がある。これはEncourage Autonomous Self-Enrichment programの略で、EASEプログラム®は従来の支援方法よりもセルフケア行動の改善に効果があることが実証されている[iii]。

■引用文献
i ) Prochaska JO, Norcross J, DiClemente C：Changing for Good：A revolutionary six-stage program for overcoming bad habits and moving your life positively forward, William Morrow, 1994
ii ) 岡　美智代編：行動変容をうながす看護—患者の生きがいを支えるEASEプログラム，医学書院，2018
iii ) Joboshi H, Oka M：Effectiveness of an educational intervention (the Encourage Autonomous Self-Enrichment Program) in patients with chronic kidney disease：A randomized controlled trial. Int J Nurs Stud 67：51-58, 2017

は，有効な対策をとらないと糖尿病人口は2045年までに46％増加し，成人の8人に1人が糖尿病になるとされている．5歳未満児死亡率が高いアフリカでも，糖尿病人口は2045年までに134％増加すると予測されている[2]．アフリカでの増加は，糖尿病の早期発見ができず，十分な治療が受けられない人が多いことが理由と思われるが，食事の偏りの問題などは，日本で生じている問題と共通するところもある．そのため，健康的な食生活や行動変容について考えることは，世界的な健康問題について考える際にも有用となる．また，高齢化も世界共通のものとなりつつあり[3]，日本で生じている問題は世界においても共通する複数の健康問題となっている．

このように，世界における健康問題が，日本にも関係することは常態化しており，世界で起こっている健康問題が，私たちの身近なところであたりまえに起こるということを認識する必要がある．

「国際」という言葉には，国家という意味が含まれ，国境という線引きの元で考えられている．一方，「グローバル」という言葉は，地球規模のという意味であり，国境を越えて世界全体にかかわることをいう．これからのグローバル社会の中で生きていく私たちは，日本における健康問題は世界的な問題と関係していることを認識し，日本という自国における健康問題のみに目を向けるのではなく，健康問題をグローバルな視点からとらえる必要がある．

2．看護の対象者はグローバル化している

国際看護の対象者は，日本国外では，在外日本人（現地にいる日本人），現地の人，現地にいる日本人以外の外国人となる．日本国外で看護師として実際に活動するためには，先進国（アメリカ，オーストラリアなど）であれば，現地の看護師資格を取得して現地の医療施設などで勤務することになる．途上国で看護師として実際に活動するためには，現地の看護師資格は不要であるが，日本での事前学習を経て[4]国際機関にかかわることとなる．主な国際機関は，国際連合（国連）機関，政府機関（例：JICA[*1]〔独立行政法人 国際協力機構〕など），国際赤十字・赤新月運動，国際NGO[*2]（例：国境なき医師団など）がある[5]．

このように考えると，看護の対象者は日本国外にいるように思われるが，日本で活動する看護師にとっても，グローバルな視点でみたとき，来日している外国人観光客，在留外国人など，看護の対象と

なる日本人以外の人々は日本国内にもたくさんいる．在留外国人数とは，日本における中長期在留者及び特別永住者のことを指すが[6]，2020（令和2）年6月末現在では288万5904人[7]と報告されている．筆者は知り合いの看護師から，病院の当直のときに，夜間診療の受診者のほぼ全員が日本国籍ではない人だったことがあり，日本にいながらも日本人以外の人の看護をする機会が増えたと言われたこともある．

このように，看護の対象者は日本国外にももちろんいるが，日本国内であってもグローバルな視点でみると，看護の対象者はたくさんいる．また，COVID-19による感染症蔓延防止の観点では，帰国日本人など日本人であっても海外からの入国者は看護の対象となることもある．これらのことから，看護の対象者はグローバル化しており，もはや日本にいて日本人だけを看護していればよいという時代ではないということを認識する必要がある．

## 2 グローバル社会における看護指針

グローバルな視点で看護をとらえる必要性を踏まえて，グローバル社会における看護の指針を考える．ここでは，世界共通の健康目標と多様な文化を考慮した看護を看護の指針としてあげたが，他にも国際情勢や地理的要因や政治的要因なども考慮する必要があることを，付記しておく．

1．世界共通の健康目標

世界における健康問題の解決を考える際に，「持続可能な開発目標（SDGs：Sustainable Development Goals）」が一つの指針となる．SDGsは，2015年9月の国連サミットで加盟国の全会一致で採択された「持続可能な開発のための2030アジェンダ」に記載されているもので，2016年から2030年までに持続可能でよりよい世界を目指すための国際目標である[8]（図I-3）．SDGsは，17のゴール・169のターゲット，231の指標から構成され，地球上の「誰一人取り残さない（leave no one behind）」ことを誓っている．

看護に関係するSDGsとしては，目標3の「保健：すべての人に健康と福祉を」があげられる．この目標3に対して，2015年9月に日本政府は，SDGs実施を念頭に「平和と健康のための基本方針」を策定している[8]．この方針では，①公衆衛生危機・災害等に対して強靱な国際健康安全保障体制の構築および，②ユニバーサル・ヘルス・カバレッジ（UHC）の達成に向けた取り組みを中心に据えている．また，これらの取り組みにあたり，③日本の保健・医療に

---

[*1] Japan International Cooperation Agency
[*2] non-governmental organization

**目標1[貧困]** あらゆる場所あらゆる形態の貧困を終わらせる

 **目標2[飢餓]** 飢餓を終わらせ，食料安全保障及び栄養の改善を実現し，持続可能な農業を促進する

 **目標3[保健]** あらゆる年齢のすべての人々の健康的な生活を確保し，福祉を促進する

 **目標4[教育]** すべての人に包摂的かつ公正な質の高い教育を確保し，生涯学習の機会を促進する

 **目標5[ジェンダー]** ジェンダー平等を達成し，すべての女性及び女児のエンパワーメントを行う

 **目標6[水・衛生]** すべての人々の水と衛生の利用可能性と持続可能な管理を確保する

 **目標7[エネルギー]** すべての人々の，安価かつ信頼できる持続可能な近代的なエネルギーへのアクセスを確保する

 **目標8[経済成長と雇用]** 包摂的かつ持続可能な経済成長及びすべての人々の完全かつ生産的な雇用と働きがいのある人間らしい雇用（ディーセント・ワーク）を促進する

 **目標9[インフラ、産業化，イノベーション]** 強靭（レジリエント）なインフラ構築，包摂的かつ持続可能な産業化の促進及びイノベーションの推進を図る

 **目標10[不平等]** 国内及び各国家間の不平等を是正する

 **目標11[持続可能な都市]** 包摂的で安全かつ強靭（レジリエント）で持続可能な都市及び人間居住を実現する

 **目標12[持続可能な消費と生産]** 持続可能な消費生産形態を確保する

 **目標13[気候変動]** 気候変動及びその影響を軽減するための緊急対策を講じる

 **目標14[海洋資源]** 持続可能な開発のために，海洋・海洋資源を保全し，持続可能な形で利用する

 **目標15[陸上資源]** 陸域生態系の保護，回復，持続可能な利用の推進，持続可能な森林の経営，砂漠化への対処ならびに土地の劣化の阻止・回復及び生物多様性の損失を阻止する

 **目標16[平和]** 持続可能な開発のための平和で包摂的な社会を促進し，すべての人々に司法へのアクセスを提供し，あらゆるレベルにおいて効果的で説明責任のある包摂的な制度を構築する

**目標17[実施手段]** 持続可能な開発のための実施手段を強化し，グローバル・パートナーシップを活性化する

**図I-3 持続可能な開発目標（SDGs）の詳細**
〔外務省国際協力局：持続可能な開発目標（SDGs）と日本の取組．〔https://www.mofa.go.jp/mofaj/gaiko/oda/sdgs/pdf/SDGs_pamphlet.pdf〕（最終確認：2022年4月1日）より引用〕

関する人材，知見及び技術を活用していくこととしている[8]．その後，すべての国務大臣（内閣総理大臣以外の内閣構成員）をメンバーとするSDGs推進本部を内閣官房で設置し，毎年SDGsアクションプランを指針として提示している[9]．グローバル社会における看護を考えるとき，SDGsであげられている課題は看護の方向性の一つになる．

## 2. 多様な文化を考慮した看護

私たち看護者は，対象者の価値観や生活習慣など，生活や暮らしを考えた看護を行うが，看護の対象者のグローバル化に伴い，文化について考える必要がある．一般に，文化とは，行動や生活のことを指し，人間集団は個別の文化をもつが，個別文化はそれぞれ独自の価値観をもつものであるといわれる[10]．

看護の対象はグローバル化しており，多様な価値観をもつ人や家族が対象となる．そのため，それぞれの人たちの生活や行動など，多様な文化を考慮した看護が必要になる．

日本国外の人たちの看護を行う際に，生や死，そして健康への価値観をはじめ，食文化や身体への価値観など，私たちが普段重視している文化とは異なる文化も尊重する必要がある．また，日本人は大和民族という単一民族国家と思っている人もいるかもしれないが，アイヌ民族や外国籍から日本に帰化した人たちもいる[11]．そのため，日本人なら自分の価値観と同様だろうという考え方は改める必要があるだろう．グローバル化に伴う看護の指針とは，一人一人の価値観や文化を尊び，人権を尊重する看護といえる．

## ●引用文献

1) 国立感染症研究所，感染症疫学センター：人に感染するコロナウィルス．〔https://www.niid.go.jp/niid/ja/from-idsc/2482-corona/9303-coronavirus.html〕（最終確認：2022年4月1日）
2) IDF Diabetes Atlas 10th Edition and other resources．〔https://diabetesatlas.org/atlas/tenth-edition/〕（最終確認：2022年4月1日）
3) 大橋一友，岩澤和子（編）：国際化と看護-日本と世界で実践するグローバルな看護をめざして．15頁，メディカ出版，2018
4) 森　淑江，山田智惠里，正木治恵（編）：日本と海外で異なる国際看護の対象．森　淑江，看護学テキストNiCE国際看護，9-11頁，南江堂，2019
5) 浦田喜久子（編）：C. 国際協力のしくみ，看護の統合と実践［3］，東浦　洋，災害看護学・国際看護学，p259-263頁，医学書院，2019
6) 法務省：用語の解説．〔https://www.moj.go.jp/isa/content/001342798.pdf〕（最終確認：2022年4月1日）
7) 出入国在留管理庁：令和2年6月末現在における在留外国人数について．〔https://www.moj.go.jp/isa/publications/press/nyuukokukanri04_00018.html#:~:text=%E4%BB%A4%E5%92%8C%EF%BC%92%E5%B9%B4%EF%BC%96%E6%9C%88%E6%9C%AB%E7%8F%BE%E5%9C%A8%E3%81%AB%E3%81%8A%E3%81%91%E3%82%8B%E4%B8%AD%E9%95%B7%E6%9C%9F,%EF%BC%96%EF%BC%85%EF%BC%89%E6%B8%9B%E5%B0%91%E3%81%97%E3%81%BE%E3%81%97%E3%81%9F%E3%80%82〕（最終確認：2022年4月1日）
8) 外務省：SDGsとは？〔https://www.mofa.go.jp/mofaj/gaiko/oda/sdgs/about/index.html〕（最終確認：2022年4月1日）
9) 首相官邸：持続可能な持続可能な開発目標（SDGs）推進本部．〔https://www.kantei.go.jp/jp/singi/sdgs/index.html〕（最終確認：2022年4月1日）
10) 大辞林．〔https://sakura-paris.org/dict/%E5%A4%A7%E8%BE%9E%E6%9E%97/prefix/%E6%96%87%E5%8C%96〕（最終確認：2022年4月1日）
11) 森　淑江，山田智惠里，正木治恵（編）：なぜ国際看護について学ぶのか．森　淑江，看護学テキストNiCE国際看護，6-7頁，南江堂，2019

## コラム　ウェルネス

人生50年といわれた日本人の平均寿命が50歳を超えたのは1947年であるが，それが今や人生100年時代に入った．長寿社会における新たな生き方を考えるうえで注目されているのが1961年，米国の医師ハルバート・ダン（Halbert L. Dann）によって提唱されたウェルネス（wellness）という概念である．ウェルネスは，身体的な健康なだけでなく人生を「よりよく生きようとする姿勢」「生き生きしている状態」や自己実現を志向するといった意味を内包している．その後，1977年には全米ウェルネス協会が設立され，ウェルネスの概念は広く認知されるようになった．わが国では2004年に日本ウエルネス学会が設立されている．

人生や健康にかかわる積極的な意味合いを取り入れているウェルネスの概念は，問題指向型の看護診断を補完するものとして看護診断にも導入され，「ウェルネス（型）看護診断」が開発された．「ウェルネス（型）看護診断」は，患者の強みに着目し，より高い状態へ促進される準備状態にある個人・家族・地域社会のウェルネス（健康）のレベルに対する人間の反応を記述するものである．

「ウェルネス（型）看護診断」は「ヘルスプロモーション（型）看護診断」と並列で記載されていたが，現在は「ヘルスプロモーション（型）看護診断」のみとなっており，その定義は「個人・介護者・家族・集団，コミュニティの，ウェルビーイングを増大させ健康の可能性を実現したいという，意欲や願望についての臨床判断である[1]」としている．

■引用文献
i) 上鶴重美（訳）：NANDA-I看護診断　定義と分類2021-2023．原書第12版，144頁，医学書院，2021

## コラム　セクシャリティ

セクシャリティ（sexuality）とは，人間の性のありかた全般に関する意味をもつ．狭義には，異性愛，同性愛，両性愛などの「性的指向（sexual orientation）」や自分自身の性をどのように認識しているかといった「性自認（gender identity）」などを意味する言葉として用いられる．

セクシャルマイノリティを表す用語に「LGBTQ」がある．「L」はレズビアン（lesbian）；女性同性愛者，「G」はゲイ（gay）；男性同性愛者，「B」は両性愛者（bisexual），「T」はトランスジェンダー（transgender）で，生物学的性と性自認が一致しないことで，自身の生物学的性に違和感をもつ者である．最後の「Q」はクエスチョニング（questioning）で，性自認が定まっていない者をいう．

セクシャリティの類義語であるジェンダー（gender）は，社会や文化によって作られる性であり，「男らしさ」「女らしさ」「男だったら」，「女だったら」といったように性別によって異なる行動や役割が期待される．しかし，近年は，ジェンダーによる偏見や差別，不平等をなくし，公平な社会を目指すための活動が活発化している．

セクシャリティの多様性を社会が認めることが，偏見や差別をなくし，1人の人間としての尊厳を守ることになる．看護者には，自身がセクシャリティに関してどのような考えをもっているのかを意識化したうえで，看護実践においては適切な配慮が求められる．

## 6 患者・家族の意思決定

### 1 意思決定を取り巻く状況

2065年にはわが国の高齢化率は38.3％に上り、高齢多死社会となることが予想され、それに向けた取り組みが推進されている。1987（昭和62）年以降、厚生労働省を中心となって検討会が重ねられ、同時に国民に対する意識調査も行われてきた。内閣府の調査では、最期を迎えたい場所について、「自宅」が54.6％でもっとも多く、次いで「病院などの医療施設」が27.7％という結果であった。これを受けて2007（平成19）年に「終末期医療の決定プロセスに関するガイドライン」が作成された。2014（平成26）年には、「終末期医療」から「人生の最終段階における医療」という表現に変更され、2018（平成30）年にはガイドライン改定が行われている。また同年、国はアドバンス・ケア・プランニング（advanced care planning：ACP）に「人生会議」と愛称をつけ、広く国民に普及する取り組みを推進している[1]。

一方、英米諸国では、人生の最終段階における医療・ケアについて、事前に本人の意思を表明する方法や共有する方法として、DNAR（Do Not Attempt Resuscitation）、リビング・ウィル（living will）や事前指示（advance directive）といった取り組みが進められてきた。しかし、文書が残されていても、本人の意思が家族等や医療・ケアチームと共有されていないこと等により、本人の意思を反映した医療・ケアが提供されない場合があることが問題視されている。

このように、医療の進歩とともに救命や延命が可能となり、それに伴って意思決定を取り巻く状況も移り変わってきたと言える。

### 2 意思決定とは

アネット・オコナー（Annette O'Connor）は、意思決定（decision making）とは「何もしないという選択を含め、どの選択肢を選ぶか決めるプロセス」と定義している[2]。意思決定においてもっとも重要なことは、本人が納得して医療・ケアの方針を決定することである。

患者や家族は、医師等による病状や治療、予後等に関する情報提供を軸として、意思決定を行う。そのため、情報提供の際は、メリットとデメリットの両面を説明し、根拠に基づく情報を提供していく必要がある。意思決定のプロセスのうちに考えが変わることがあることから、話し合いは繰り返し行われ、その内容は記録に残すことが望ましいとされている。

また、本人による意思決定が難しい場合、代理人が意思決定を行うことになる。意思決定のキーパーソンとなるのは家族だけなく友人なども含まれる。本人が大切にしていることをあらかじめ共有しておくことにより、本人が意思を伝えられない状態になっても、本人を尊重した医療・ケアを決定することができる。

近年では、前述のACPが推進されている。ACPは「今後の医療・療養について患者・家族等と医療従事者があらかじめ話し合う自発的なプロセス」と定義されている。話し合いの内容には、患者本人の気がかりや意向、患者の価値観や目標、病状や予後の理解、医療や療養に関する意向や好み、そして、医療や介護サービスの提供方法等も含まれる。

意思決定が行われる場は多様であり、病院等の医療機関にとどまらず、最近では療養場所の広がりから在宅や介護施設等での意思決定の必要性が増している。とくに、特別養護老人ホームをはじめとする介護施設では、入所時に意向を調査する取り組みが進められている。病院においては、外来を活用したACPの取り組みが行われており、心不全などの慢性疾患やがん等の疾患をもつ患者を対象とし、外来受診が今後の医療やケアについて考える重要な機会となっている。また、地域においても健康なときから人生の最終段階について考える取り組みが広がっており、保健師等が住民向けに公開講座を開催する活動が行われている。

### 3 看護職としての意思決定支援

厚生労働省の意思決定支援に関するガイドラインでは、多職種による医療・ケアチームで支援していくことが推奨されている[3,4]。多職種による医療・ケアチームで意思決定支援していくことは重要であり、看護のもつ全人的な視点は、チームの中でコーディネーターの役割を発揮するのにもっとも適して

いると思われる．看護職が多職種による医療・ケアチームの中でリーダーシップを発揮し活躍することで，患者主体の医療に貢献できる[5]．看護職は本人が納得した意思決定ができるよう支援していく必要がある．意思決定を行うのは基本的に患者本人であるが，本人による意思決定が困難である場合は家族等の代理人が行うこととなる．そのため，本人の意思が確認できるか否か，2つの場合について述べる．

### 1. 本人の意思が確認できる場合

看護職は対象の意思を尊重し，また最善の選択ができるよう，本人と家族等，多職種による医療・ケアチームの合意を目指す．本人の意思は，心身の状態の変化，時間の経過とともに変化しうる．そのため，看護職は多職種の医療・ケアチームとともに繰り返し意思を確認していく必要がある．また，本人が意思表示できない状態になる可能性を考慮し，家族等も含めて話し合いが行われるようかかわる必要がある．

### 2. 本人の意思が確認できない場合

本人の意思が確認できない場合，家族等の代理人が本人の意思をくみ取り意思決定を行うことになる．本人の日常生活の様子やこれまでの人生・言葉を踏まえ本人の価値観を感じ取り，代理の意思決定に反映させる必要がある．看護職は家族等，医療・ケアチームとともに，本人にとって最善の選択ができるようかかわっていく．

## 4 意思決定支援のポイント

意思決定のプロセスにおいて，これまでの人生を振り返ることで意思が固まることがある．「どのように人生の最終段階を迎えるのか」の問いに対して主体的に向き合えるように，患者が自分の人生を振り返って，自らの強みや価値観を見つめることを寄り添い，見守ることも看護職のケアである．以下はその要点と留意事項である．

- 患者の人生の振り返りをともに行い，自らの強みを再認識させ，主体的に意思決定できる状態へ導いたり，周囲を調整することが看護職の重要な役割である．これは，対象がよりよく生きることをともに考えることである．
- 看護職は対話の中から対象のニーズを見出し，意思決定に障害となっているものを明らかにする．そして，対象が提供された情報を知識として活用できるように支援する．これはヘルスリテラシーの向上にもつながる．
- 意思決定支援は対象者の価値観をとらえるような全人的な看護の延長線上で行われるものであり，綿密な日々のコミュニケーションのうえに成り立つ．
- 看護師は患者の伴走者であり，客観性を保持して，中立の立場を保ちながら傾聴する必要がある．
- 近年では在宅における意思決定が重要視されている．対象を地域で暮らす生活者であるととらえ，早期からの地域活動への参加や，サービスの導入，意思の確認を行っていく必要がある．

### ●引用文献

1) 厚生労働省：「人生会議してみませんか」．〔https://www.mhlw.go.jp/stf/newpage_02783.html〕（最終確認：2022年6月24日）
2) O'Connor AM, Jacobsen MJ：Decitional Conflict：Supporting People Experiencing Uncertainty about Options Affecting their Health, 3, Ottawa Health Research Institute, 2007
3) 厚生労働省：人生の最終段階における医療・ケアの決定プロセスに関するガイドライン，2018．〔https://www.mhlw.go.jp/file/04-Houdouhappyou-10802000-Iseikyoku-Shidouka/0000197701.pdf〕（最終確認：2022年8月23日）
4) 厚生労働省：認知症の人の日常生活・社会生活における意思決定支援ガイドライン，2018．〔https://www.mhlw.go.jp/file/06-Seisakujouhou-12300000-Roukenkyoku/0000212396.pdf〕（最終確認：2022年8月23日）
5) 石原美和（編著）：エイズ・クオリティケアガイド，日本看護協会出版会，2001

# 7 政策と看護

政策(public policy)とは,行政学では「政府が,その環境諸条件またはその対象集団の行動に何らかの変更を加えようとする意図のもとに,これに向けて働きかける活動[1]」と定義されている.政策には,目標・対象・手段が必要である[2].政策を実施する手順として,まず問題状況をどのような方向に解決するのかという目標を設定する.次に,目標を実現するための対象を設定する.そして,その目標と対象に対していかなる手段を用いて行動するのかを設定するのである.

政策手段には,行為の禁止や特定の行為の義務づけなど法律や条例で定められる「規制」という手段がある.たとえば,看護師の免許を持っていない者は看護師の業務を行えない(業務独占,後述)と法律で定められている.次に,経済的手段を使って対象が望ましい行為をするように「誘導」する.税金や保険料として集められた財源で,交付金や医療や介護サービス機関に支払われる報酬を設定する.この報酬では,国が公定価格を決めている.最後に,行政機関が自発的協力を求める「お願い」ベースの要請や周知について発出される手段がある.

看護学における政策とは,国民に質の高い看護を提供することを前提に,看護専門職の持つ能力を最大限に引き出すために現行の制度を改革し実行すること[3]とされている.本項では看護に関わる政策の動向とその具現化について解説する.

## 1 看護に関わる制度と政策の動向

わが国の保健・医療・福祉は社会保障制度を基盤として成り立っている.しかし,少子高齢化が進み,2040年に向けて15歳から64歳の生産年齢人口が急減する新たな局面が予測され,医療・介護サービスの従事者の確保が課題となっている[4].そのため,医療・介護に関する制度改革が行われている.一方で,働く環境についても重視され始め,2018(平成30)年6月に「働き方改革を推進するための関係法律の整備に関する法律(以下,働き方改革法)」が成立した.

このような社会背景の変化の中で,看護に関わる制度も大きく変化している.そこで,ここでは看護職に関する制度と広義の意味で看護に関係する看護政策について述べる.

### 1. 看護職に関する制度

ここでは,制度とそれを定める法令[*1],看護職に直接的に関連する制度について述べる.

#### 1) 看護職の資格や業務に関わる制度

保健師助産師看護師法(以下,保助看法)は1948(昭和23)年に制定された.この法律第1条には,「保健師,助産師及び看護師の資質を向上し,もって医療及び公衆衛生の普及向上を図ることを目的とする」と記されており,保健師,助産師,看護師の定義,免許,養成や試験,そして業務に関する内容が定められている[5].社会の変化とともに,改定が行われており,2001(平成13)年には,女性は看護婦,男性は看護士の名称を使用していたが,看護師に統一された.助産師の男性の参入については,継続審議となった.2006(平成18)年には,助産師と看護師,准看護師が業務独占のみだったところに,名称独占規定も追加され,整えられた.

さらに,医師と看護職のタスクシフト[*2]の観点から,長期間の議論を経て,チーム医療,在宅医療の推進を目的に,2015(平成27)年に「特定行為にかかる看護師の研修制度」が創設され,「タスク・シフト/シェア」の一つの方策として法の下に位置づけられた.2018(平成30)年には,働き方改革法が成立し,「タスク・シフト/シェア」の概念が普及し,看護補助者の活用と協働が推進されている.最近では,薬剤師による看護師業務への参入が答申された.時代に求められる看護のあり方を踏まえて,適切な保健師助産師看護師法やその関連法令の改正となるように,注視していく必要がある.

---

[*1] 法令:法令の基本構成は,国会で審議の可決を経て成立する「法律」,政府が制定する「政令」,各省庁が制定する「省令」,法律や政省令を実施するための詳細や,具体的な要請や周知を目的に発出されるのは「通知」である.

[*2] タスクシフト:2018年6月29日に働き方改革関連法が成立し,2019年4月1日より施行された.医療界におけるタスク・シフトとは,医療従事者の合意形成のもとでの業務移譲や共同化することである[6].地域・国民のニーズに対応することを目的に,医師のタスクを看護職へシフトし,看護職のタスクを看護補助者や他職種へシフトし協働していくことが進められている.

## 2）看護職養成に関する制度

わが国の看護基礎教育は，保助看法で国家試験の受験要件として指定の科目を修めた者とされ，すべての教育機関（大学，短期大学，文部科学省指定専修学校，養成所，高等学校）における教育内容（カリキュラム）は，文部科学省と厚生労働省の共同省令である「保健師助産師看護師学校養成所指定規則」で定められている．看護基礎教育は，臨地実習指導者の養成にも連動するため，教育機関のみならず，臨床現場もカリキュラム改正には関心を寄せている．

## 3）看護職の人材確保に関する制度

1960年代，高度成長時代に病床数が急増したが，看護職の増加は病床数の増に追いついておらず看護師不足は社会問題化した．1974（昭和49）年2月に「第1次看護婦需給計画」が策定され，42万1千人の就業者を48万9千人とする目標が掲げられ，1978（昭和53）年にほぼ達成された[7]．その後も，「看護職員の需給見通し」については，概ね5年ごとに策定され，看護職の養成施設の設置や離職防止，潜在看護職の就業促進，労働条件の改善，教育的支援の強化などを提言している．1992（平成4）年6月に「看護師等の人材確保の促進に関する法」が成立し，それを受けて看護職の養成を担う看護医療福祉系大学・学部が全国に設置された．そして，2010（平成22）年から新人看護師研修が努力義務化された．2015（平成27）年に「看護師等の人材確保の促進に関する法」が改正され，離職者のナースセンターへの看護職の届出制が努力義務として開始された．

## 2．広義にとらえた看護に関係する政策

看護活動が制度横断的に幅広いため，広義に看護政策をとらえることも重要であり，以下の3つの視点がある．

### 1）保健・医療・福祉政策が看護職に影響すること

看護職は，保健・医療・福祉すべての領域で横断的に活動している．そのため，看護職に直接関わる法律以外の，医療をはじめ高齢者や障がい者支援等，保健・医療・福祉における幅広い政策も，間接的に看護職の活動に影響するため看護政策としてもとらえる．

### 2）法律以外の各種制度の看護活動への影響

法律だけではなく，政省令や通知レベルの法令，補助金，税制優遇，そして，看護サービスの経済的評価である診療報酬，介護報酬等についても，具体的な政策として把握する必要がある．とくに，報酬については，国が公定価格を決定し，公的保険から病院や事業所へ給付されるため，看護活動の制度的評価でもあり，臨床における看護活動への影響が大きい．

### 3）他職種との業務範囲にも目を向ける

タスクシフトが推進される中，新型コロナウイルス感染症にかかるワクチン接種を推進するため，臨床検査技師や救急救命士に筋肉注射接種の実施を認めることが示された（2021（令和3）年6月4日厚生労働省医政局長，健康局長，医薬・生活衛生局長通知）．このように，他医療職種や介護福祉職の医療

---

### コラム　SDGs

持続可能な開発目標（Sustainable Development Goals：SDGs）とは，2030年を年限とする国際目標であり，2015年9月の国連サミットで採択された[i]．17の目標（17頁，図Ⅰ-3参照）の下に169のターゲット，232の指標といった3層構造からなり，前身となる発展途上国向けのミレニアム開発目標（Millennium Development Goals：MDGs）*を発展させたものである．持続可能で多様性と包摂性のある社会の実現を目指し，社会全体でSDGsの取り組みが進められている．具体的には，「子ども食堂」や「中高生への学習支援」等のボランティア活動も該当しており，SDGs達成に向けた活動は多岐にわたっている．

2017年，国際看護師協会（International Council of Nurses：ICN）は，「看護師：主導する声―持続可能な開発目標の達成―」というテーマで声明を出した[ii]．また，日本看護協会では，SDGsのうち目標3「保健」，目標5「ジェンダー」，目標8「成長・雇用」の3つに焦点を当て，Nursing Now キャンペーンを展開している[iii]．

私たちが日常的に行っている活動はSDGs達成の一助となるものであり，ひとりひとりがSDGsの担い手となることができる．

---

*MDGs：開発分野における国際社会共通の目標であり，2000年9月の国連ミレニアム宣言を基にまとめられた[iv]．目標は，①貧困・飢餓，②初等教育，③女性，④乳幼児，⑤妊産婦，⑥疾病，⑦環境，⑧連帯の8項目．

■引用文献
i）外務省：SDGsとは？〔https://www.mofa.go.jp/mofaj/gaiko/oda/sdgs/about/index.html〕（最終確認：2022年3月30日）
ii）日本看護協会：看護師：主導する声 持続可能な開発目標の達成，6頁．〔https://www.nurse.or.jp/nursing/international/icn/katsudo/pdf/2017.pdf〕（最終確認：2022年3月30日）
iii）日本看護協会：Nursing Now キャンペーン実行委員会 特設Webサイト．〔https://www.nurse.or.jp/nursing/practice/nursing_now/nncj/index.html〕（最終確認：2022年3月30日）
iv）外務省：ミレニアム開発目標（MDGs）．〔https://www.mofa.go.jp/mofaj/gaiko/oda/doukou/mdgs.html〕（最終確認：2022年3月30日）

行為の実施範囲が拡大することは，看護職の診療の補助（保助看法第5条）と重複する範囲が大きくなるため，他職種における業務範囲と経済的評価の制度については注目しておくべきである．

## 2 政策の具現化

看護の専門性を発揮した看護実践を提供していくには，政策の動向について把握することが重要であることを述べてきた．次に，政策がどのように具現化されていくのかについて述べる．

### 1. 政策を具現化するプロセス

保健・医療・福祉に関する制度改革が行われる中，看護を取り巻く環境は複雑化している．良質な看護サービスの提供や，その基盤を整えるため，看護専門職が看護に関係する政策に関与していくことは重要である．

政策立案は，情報収集し，分析し，問題を明確化して，その対策である政策を実施し，評価する過程である．まさに看護過程と同様の問題解決プロセスでもある．政策を検討する際には，有識者を集め，検討会等が設置されるため，こうした議論の場に，できるだけ多くの看護職が加わることで，看護の視点から制度についての議論が可能となる．制度を改善へと進めるのは，看護領域の実践専門家や研究者，職能団体等の意見である．厚生労働省や地方自治体で開催される関係会議や検討会，委員会の動向に注意し，行政への発言や提案を効果的に行っていくことも，専門職としては重要な役割といえるであ

> **コラム　地域包括ケアシステム**
>
> 1997年に介護保険法が成立して以降，度重なる法律改正によって，地域包括ケアの基盤が整備され，地域包括ケアシステムが構築されてきた[i]．わが国では高齢化が急速に進み，団塊の世代が75歳以上となる2025年以降は，さらに医療や介護の需要が高まると予想されている．そのため，高齢者の尊厳の保持と自立生活の支援を目的として，可能な限り住み慣れた地域で自分らしい暮らしを人生の最期まで続けることができるよう，市町村が中心となり地域包括ケアシステムの構築を推進している[ii]．
>
> 図Aは，地域包括ケアシステムの概要を示している．地域特性に応じて，住まい・医療・介護・介護予防・生活支援が一体となって提供され，医療や介護サービスに加えて，ボランティアやNPO法人が提供する制度外のサービスや，家族や友人等からのサポートといった，インフォーマルサービスが地域の生活者を支える1つの柱となっていることが特徴である．地域包括ケアシステムの推進は，従来の病院完結型から地域完結型体制への転換であり，市町村が主体となって，中学校区を1つの単位として，地域包括支援センターを配置して，包括的なサービスの提供を進めている．また，皆保険制度の持続可能性の観点からも地域包括ケアシステムの推進は有効であるといえる．
>
> ■引用文献
> i ) 厚生労働省：介護保険制度改正の概要及び地域包括ケアの理念，2頁〔https://www.mhlw.go.jp/stf/shingi/2r9852000001oxhm-att/2r9852000001oxlr.pdf〕（最終確認：2022年3月31日）
> ii ) 厚生労働省：地域包括ケアシステム，〔https://www.mhlw.go.jp/stf/seisakunitsuite/bunya/hukushi_kaigo/kaigo_koureisha/chiiki-houkatsu/index.html〕（最終確認：2022年3月31日）

図A　地域包括ケアシステムの姿（厚生労働省ホームページをもとに作成）

ろう[8].

一方で，政策を実現する過程も重要であり，政策の内容（substance）に対して，政策を具現化する段取り（logistic）が重要となる．政治家や省庁から国会に法案が提出され，衆議院，参議院で審議が可決されると法案成立となるが，法律は約3年程度の準備が必要で，どの国会に諮るのか，またそのための審議会ではいつ諮(はか)るのか等のスケジュールが重要となる．

## 2．政策を具現化するツール

政策のイメージを具体的な制度に具体化することは，法令，補助金や交付金（モデル事業や研究費含む），診療報酬や介護報酬（看護サービスに対する経済的評価），もしくは，税制上の優遇措置，行政による指導・監査といった形で具現化される．

## 3．関係者・団体

看護政策に関わる関係者・団体は，業界団体（たとえば，日本看護協会や日本助産師会等），政治家，厚生労働省や文部科学省などの行政機関の3者である．多くの法案は審議会などの手続きを踏んで省庁等の政府機関から国会へ法案提出（内閣発議立法〔閣法〕）されるが，一部，国会議員から法案が提出されるものもある（議員立法）．また，医療・介護サービスの報酬に関する検討の場は，診療報酬については中央医療協議会，介護報酬については，社会保険審議会介護給付費分科会である．看護職は保健医療福祉制度下で横断的に活動するため，看護職の業務や報酬に関する政策については多くの調整を要する．

## ●引用文献

1) 西尾 勝：行政学，208頁，有斐閣，1993
2) 新藤宗幸：概説日本の公共政策，第2版，17-22頁，東京大学出版会，2020
3) 宮里智子，宮城惠子，伊佐美幸ほか：大学院生の政策提言力を高めるための取り組み―准看護師養成停止の事例を素材とした政策課題のプレゼンテーションをとおして―．沖縄県立看護大学教育実践紀要 7（1）：28-39，2021
4) 第28回社会保障審議会，資料2,今後の社会保障改革について―2040年を見据えて―，2019〔https://www.mhlw.go.jp/content/12601000/000474989.pdf〕（最終確認：2022年3月15日）
5) 看護行政研究会（編）：看護六法，令和4年版，3頁，新日本法規出版，2022
6) 厚生労働省：医師の働き方改革を進めるためのタスク・シフト/シェアの推進に関する検討会議論の整理，医師の働き方改革を進めるためのタスク・シフト/シェアの推進に関する検討会　令和2年12月23日（水）〔https://www.mhlw.go.jp/stf/newpage_15678.html〕（最終確認：2022年3月30日）
7) 厚生労働省医政局看護課：第3部　厚生労働省等の看護行政の足跡，保健師助産師看護師法60年史-看護行政のあゆみと看護の発展（日本看護協会保健師助産師看護師法60年史編纂委員会編），121-122頁，日本看護協会，2009
8) 石原美和：感染管理の担当者を専任にする理由と戦略　看護の観点を医療体制の整備へ活かすために感染管理体制に関する医療法の省令改正の過程から．看護管理 14（2）：116-119，2004

# II 看護活動展開の方法

# 1 看護過程

## A 看護過程とは

　人間の健康問題に関わる看護師は健康をどのようにとらえているのであろうか．看護の視点からとらえる健康の概念は，単に疾病や障害がない状態とか，細胞や臓器の異常を発見していくというような，いわゆる医学モデルとは異なっている．看護は，健康を静的で止まった状態としてではなく，生命過程として人間の生きている在り様としてとらえている．看護が健康をこのようにとらえる前提には，人間は部分に還元できない統一された全体的存在であるという見方がある．

　人間科学として位置づけられる看護学は学際的であり，その知識は個別的で具体的な状況の中で活用される．したがって，看護者に求められる人間に関する知識は幅広く，深いものである．しかし，看護基礎教育でそのすべてを学ぶことはできない．大切なことは，どのような知識（情報）が看護実践に必要なのかを知り，その集め方と活用のしかたを学ぶことであろう．医学的知識は看護に活かすために必要なものであるが，高度な医学的知識をもっているからといって質の高い看護を提供できるわけではない．これから学ぶ看護過程（nursing process）は科学的思考の過程であり，看護活動を展開していくうえで必要とされる知識のひとつである．看護過程は文字どおり看護（nursing）と過程（process）という2つの言葉からなる．日本語の過程という言葉は，一般に「ものごとが1つの目的に向かって変化し進行していく道筋」（大辞泉ほか）として理解されている．また，英語のprocessは，「ある結果（目的）に向かって計画的（意図的）に進む一連の活動」（LONGMAN DICTIONARY）といった意味をもつ．したがって看護過程は，看護師が対象者の健康を保持・増進し，健康状態が変化した場合は，その人にとっての健康を取り戻すために必要な看護を提供することを目的とする，意図された一連の知的活動であるといえよう．看護過程は個人だけでなく家族や地域といった集団に対しても同様に適用することができる思考の道具である．

　このように，看護過程は看護の目的に向かって進むための道筋を示してくれるものであるが，これは，あくまでも看護実践を計画的に進めていくための道具（方法論）であり，その根底には「看護とは何か」という看護師の信念や哲学（フィロソフィー；philosophy）が不可欠である．したがって，看護過程を学ぶにあたっては，その前提として，看護の主要概念である人間と環境，健康，看護ケアなどに関する理解を深めておくことが重要である．看護学を学ぶ初学者である学生にとっては，先人の看護理論家や先輩看護師らのフィロソフィーについて知ることは自己の看護観を探求していくうえで有益となるであろう．

### 1 看護過程の歴史的発展

#### 1. 看護過程の誕生とその背景

　近代看護の基礎を築いたナイチンゲール（Nightingale F）は，看護には医学とは異なった知識が必要であると主張した[1]．しかし，その後，看護の学問的発展は進まず，医師の指示や統率の下で医学を支える補助的役割をとらざるをえない時代が100年以上も続き，その関係は従属的なものであった．その時代の看護師の関心は，現在のように対象者である人間そのものよりも，疾病や症状に向けられており，看護技術の多くは徒弟制度によって習得されていた．そこでは，看護の専門性や独自性を見出すことはできなかった．

　しかし，第2次世界大戦後の1940年代後半になると，米国では医療の中にさまざまな専門職種が誕生し，それまで看護師が行っていた種々の業務を専門的に引き受けるようになった．そこで，看護師は「看護の独自の機能とは何か」を明らかにする必要に迫られた．また，1948年，ブラウン（Brown EL）によって報告書 "Nursing for the future" が発表された[2]．その中で，看護は専門職として発展していかなければならないという方向性が提言された．これを受けて，米国では看護学の大学教育化が進んだ．

　このような社会的変化の中で，米国の看護師は医学とは異なる学問としての看護学，看護実践活動における科学的根拠の必要性を深く認識し，医師やその他の医療職者とは異なる看護の独自の機能を探求

表Ⅱ-1 科学的問題解決思考に基づく看護過程

| 看護過程 | 科学的方法 | 問題解決思考 |
| --- | --- | --- |
| ●患者の健康状態に関する情報を収集する<br>●収集した情報を分析し問題を同定する<br>●目標を設定し，解決策を立案する<br>●計画に基づいて実施する<br>●ケアの効果判定と一連の過程を評価し修正する | ●解決すべき問題を明確にする<br>●観察や実験によりデータを収集する<br>●解決法を考え実行する<br>●解決法を評価する | ●状況における情報を収集する<br>●情報を分析し問題を明確にする<br>●問題解決のための一連の行動を計画する<br>●計画と実施した結果を評価する |

[Lindberg JB, Hunter ML, Kruszewski AZ：Introducion to Nursing, 3rd ed, p.244, Lippincott, 1998 を一部修正]

するようになった．看護過程という用語はこうした「看護とは何か」「看護師とは何をする人か」という問いから生まれたといえよう．

### 2. 人間関係過程としての看護過程

看護理論家のペプロウ（Peplau HE）は，看護独自の機能を探求し，1952年『人間関係の看護論』を著した．ペプロウはその中で，「看護は共通の目標をもっている2人あるいはそれ以上の人の相互作用を含む人間関係の過程としてみなすことができる」と述べている[3]．

ペプロウの考え方は，その後，他の看護理論家に影響を及ぼし，1960年代の看護は「人間関係の過程」としてとらえられていた．このように，看護が人間関係の過程としてとらえられた背景には，この時代の理論構築に際して，人間の心理や精神に関する他の学問分野の成果を取り入れていたことがあげられる．たとえば，1950年代後半以降，イエール大学看護学部で心理社会的領域から看護を探求したオーランド（Orlando IJ）は，患者と看護師間の相互作用を基盤とした看護過程（nursing process）を提唱した[4]．その中で，看護場面は【患者の行動】，【看護師の反応】，患者の利益のために【計画された看護活動】，という3つの要素によって成立しており，これらの相互作用の全体を看護過程であるとした．このように，オーランドは患者・看護師間の相互作用を看護をとしてとらえ，看護師は自分の行為や反応によって患者をどのように助けているかを継続的に確かめる必要があるとした．また，ウィーデンバック（Wiedenbach E）は，看護を援助のアート（helping art）としてとらえ，患者が体験しているところの，援助を求めるニードを充足するために，看護師が知識と技術を応用する目的志向の活動であるとした[5]．

さらに，トラベルビー（Travelbee J）は，患者が病気や苦難を体験しないように，防いだり向き合ったり，必要なときには体験の中に意味を見出すことができできるように援助する対人関係の過程であるととらえた[6]．

このように，看護理論が発表され始めた初期の理論家らがとらえた看護過程は患者・看護師間の人間関係に焦点が当てられていた．

### 3. 問題解決過程としての看護過程

オーランドらの研究によって，患者−看護師間の人間関係を重視した過程としてとらえられていた看護過程は，患者がもつ問題をどのように明確化するのか，また各要素間の関連について十分説明されていなかった．そこで，1967年，ユラ（Yura H）とウォルシュ（Walsh M）は，看護過程を「アセスメント・計画・実施・評価」という4つの連続した段階としてとらえ，看護実践のための方法論として発表した[7]．その後，看護過程はアセスメントの次の段階として「診断」を独立させた5段階となり，医師と同様に科学的探究の過程である問題解決過程として知られるようになり，教育や実践の中で使用されるようになった（表Ⅱ-1）.

また，米国看護師協会（American Nurses Association：ANA）は，1973年「看護実践の基準（Standards of Nursing Practice）」の中で問題解決過程としての看護過程を採択した[8]．この基準は，看護師が専門職として患者に提供する看護の質を評価する尺度して考えられ，その後，米国のほとんどの州において，看護過程を看護実践に活用することが条例化された．

さらに，1980年には，社会政策明の中で「看護師は何をする専門職なのか，医師と異なる機能はあるのか」といった問いに答えるように，ANAは次のように看護を定義した[9]．「看護とは実在あるいは潜在する健康問題に対する人間の反応を診断（判断）し，それに対処することである（Nursing is the diagnosis and treatment of human response to actual or potential health problems.）」．このような経過を経て，看護過程は米国において，問題解決過

程として広く浸透するようになり，看護の専門性が看護過程そのものであるかのような見方がされるようになった．

## 2 看護活動における看護過程の意義

看護師が医師とは異なる医療サービスを提供していくうえで，看護過程は有効な思考の道具であり，看護活動においては次のような意義があるとされている．

①看護師は，医師に対する従属的機能だけでなく，専門職として独立した役割と機能をもって看護を確立する．
②質の高い看護サービスを提供することで，他の医療専門職と区別したものにする．
③学問的に教育された専門職としての看護師は，自覚と誇りをもって仕事ができる．
④効率的で，質の高い看護サービスを提供するこができるとともに，教育や研究に活用できる．
⑤専門職として法的・倫理的責務を果たす手段となる．
⑥対象者（患者）が看護計画・実施・評価に参画することを可能し，個別的な看護サービスを提供できる．

## 3 わが国における看護過程の発展

わが国の看護界には，戦後，米国から看護理論や看護システムが次々と導入された．看護過程は，1970年代に導入され，看護基礎教育と実践の中で用いられるようになった．しかしながら，看護理論とともに紹介された看護過程には，前述したように「人間関係としての看護過程」と「問題解決指向としての看護過程」というとらえ方があり，混乱を生じた．こうした状況に対して，1989年，日本看護科学学会は，看護過程を「看護を実践するものが，独自の知識体系に基づき，対象の必要に的確に応えるために，看護により解決できる問題を効果的に取り上げ，解決していくために系統的，組織的に行う活動である」と定義し，人間関係は実践の中に包含されるとしている．

しかし，現在のわが国の看護過程の位置づけに関しては，看護基礎教育においても臨床実践においても，看護師が患者の問題を同定（看護診断）することを重視するあまり，アセスメントプロセスと記録に膨大な時間が割かれ，肝心の計画に基づく実施は診断から導かれるというよりもアドリブ（即断的）やルーチン（日課的）に終わっていることも少なくない．その結果，患者と看護師の相互作用を通して，個別的で質の高い看護ケアを提供するという看護過程の本来の目的が達成されていないという見方もある．表Ⅱ-2は，「看護過程の展開ができる」という目標をもって実習した学生と患者との会話の一部であるが，この関わりから何が学べるだろうか．

ここで，看護過程の各構成要素について学ぶ前に，次の問いについて考えてみよう．
①医療における主役は誰か
②健康問題をもつのは誰か
③健康問題を明確化するのは誰か
④健康問題を解決するのは誰か
⑤目標を設定するのは誰か
⑥問題が解決したと評価できるのは誰か

## B 看護過程の構成要素と循環特性

### 1 看護過程の構成要素

看護過程を構成する要素（段階）は，1）看護アセスメント，2）看護診断，3）看護計画，4）計画の実施，5）実施した看護の評価である（図Ⅱ-1）．このように看護過程には，一定の順序性があるが，看護師は実践の中ではこれらの要素を組み合わせて用いていることが多い．豊かな知識と経験は，そうした知的作業を瞬時に行うことを可能にするであろう．

看護過程を用いるにあたって留意すべきことは，看護師が患者のために行うもの（for patient）ではなく，患者の参画を促し患者と協働して進めていく（with patient）というところである．そのためには，看護過程の各段階における，患者への説明と提案，それに基づく同意または選択が必要であり，計画の中に患者の意思を反映させることが重要である．看護過程の展開においては，インフォームド・コンセント（患者が十分な説明を受けたうえで医療者に与える同意）が不可欠である．同意は看護師が患者から取るもの（obtain）ではなく，患者が看護師に与えるもの（give）である．

#### 1. 看護アセスメント

看護過程の第1段階は，看護アセスメント（nursing assessment）である．これは，査定や評価と訳されることもあるが，一般にアセスメントという用語がそのまま用いられている．アセスメントの目的は，看護師が患者の健康状態を把握するために必要な情報を収集し，その情報を看護学の視点から分析・統合・判断することである．アセスメントは，次の段階である看護診断を導くものであり，さらにその後の計画や実施の適切さや妥当性に大きな

表Ⅱ-2 臨地実習における学生の患者との関わり

「看護過程の展開ができる」という目標で基礎実習をしている看護学生が，2週目にベッドサイドで患者と会話している場面．患者は，Aさん，49歳の男性，肝疾患

| 患者の行動 | 学生の行動 |
|---|---|
| 1) あなたは何のためにわしのところに来てるんだ？ | 2) エッ！！（突然何を言われるのだろうか）これでも努力して勉強しているんですよ |
| 3) ふーん，何を勉強しているの？ | 4) まず，患者さんを1人の人間としていろいろな面から分析し，病気のことについても勉強しているんです．そしてAさんが 少しでも健康に向かえるように必要なことは何かを見つけて，それを実施して効果が得られるかどうかを評価することで看護について学んでいます．これを看護過程っていうんです |
| 5) それじゃ，私に必要なことはどんなことだ？ | 6) うーん，Aさんはまず，安静にすること，食事をしっかりとること，医師の治療を守ること，それと身体をきれいにすることです |
| 7) それじゃ，私はどうしたらいいんだ？ | 8) 食事をどれだけとるかはAさんの意思ですし，私がつくるわけでもないので…．私には「がんばって食べてください」としか言えません．それから，精神的苦痛というか心理的な不安を和らげることも健康には大事です |
| 9) たとえばどんな？ | 10) うーん，今Aさんはどんなことを考えていますか？ |
| 11) どんなことって，1人ひとり考えてることは違うんや．でもそんなことを何であなたに言わなきゃいけないんだ？ | 12) いえ，Aさんがどんなことを思っているか知りたくて… |
| 13) そりゃ病気のことだ | 14) どんな風に？ |
| 15) そりゃ，自分との葛藤だ．こんなことを人に言ったってどうにかなるわけではない | 16) そうですか．人に話してわかってほしいと思いませんか？ |
| 17) 思ったことを言ったからって治してもらえるわけではない | 18) でも，人に話すことで心の重荷がとれることもありますよ |
| 19)（首を振った．学生から視線を外して） | 20) 私はAさんにとってわずらわしい存在ですか？ |
| 21) そうだ，眠いときにそばにきて，いらんことを言うて答えるのもうっとうしいわ…．もっと患者がどういう状態にあるかを考えたらどうだ！学校ではそういう教育は受けないのか？ | 22)（ショック！）Aさんが寝ているときに起こすのは気がひけましたが，検温の時間は決まっているので…．看護師さんも起こしていいといわれたので…．でも，眠いときに来られるのは苦痛ですよね |
| 23) そうだ，そういうことを見抜かないといかん | 24) 人の心を見抜くのはむずかしいです．私が今まで言ったことで傷つかれたことはありますか？ |
| 25) ない，いちいち気にとめておらん | 26)（これまで，ずっと一生懸命話してきたのに，私は何のためにAさんに関わってきたのか，実習の目的は達成できるんだろうか…）私は，なんだかわからなくなってきました．何のためにここに来ているのか… |
| 27) そりゃそうだろう | 28) それじゃ，もう実習が終わる時間ですから失礼します |
| 29) はい，さようなら | |

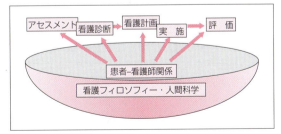

図Ⅱ-1 看護過程の各段階

影響を及ぼす．

### 1) 情報収集の目的と手段

情報収集は意図的でなければならないが，収集するにあたっては，まず患者にその目的を説明し理解してもらう必要がある．看護師が出会いの段階で患者に情報収集の目的を説明することで協力が得られやすくなり，協働して看護過程を進めることが可能となるであろう．

正確なアセスメントをするためには適切な量と質の情報が必要であるが，それを系統的に収集し整理するためのデータベース（data base）として，ヘンダーソン（Henderson V），ロイ（Roy C），オレム（Orem DE）などの看護理論の枠組みを活用することができる．これらの理論家は人間，環境，健康，看護についての概念を示しているが，それぞれの理論的見解は異なっている．たとえば，ロイの適応理論を情報収集の枠組みとして用いる場合には，生理的様式，自己概念，相互依存，役割機能という人間が

もつ4つの行動様式について情報を収集し，患者の行動が適応行動であるか，非効果的行動であるかをアセスメントしていく．

看護の必要性を判断するうえで必要な情報は，患者の健康状態とそれに対する生活者としての個別的な反応である．この個別的な人間の反応に関心を寄せることが重要である．したがって，第1の情報源となるのは患者本人であり，次に，家族や友人，医療スタッフ，診療記録，そして参考書や最新の文献等も含まれる．しかし，わが国の文化の中では，常に患者を第1の情報源と考えているわけではない．たとえば，対象者ががん患者や子どもの場合は患者本人から情報が収集できる場合であっても家族の情報が優先されることもある．これは，患者の権利を守るという立場からみて問題である．

次に情報を収集するための手段としては，面接，観察，測定があり，その技能（skill）には専門職としての高いレベルが求められる．正確な情報を得るためには適切な手段を選択することが重要であるが，その内容は患者・家族の個人情報であり，プライバシーに関するものであるため十分な倫理的配慮が必要である．

①面接

看護における面接（interview）はinter-view「互いに見ること」であり，看護師が患者と人間関係を形成するうえできわめて重要である．まず，面接するにあたっては，静かでプライバシーが守られる環境を整え，患者の負担（疲労）に配慮する必要がある．看護師は，患者との出会いの場面で自己紹介をし，情報収集の目的を相手が理解できるように説明する．この場面で両者がもつ第1印象は，その後の関係形成に影響する．

看護師が行う面接は目的をもった意図的なコミュニケーションであるため，看護に活かす情報以外の個人的関心をもちこまないように注意する必要がある．コミュニケーションによるメッセージには，言語的なものと非言語的なものがあるが，看護師は患者から送られてくる両方のメッセージに対して敏感でなければならない．とくに，表情，空間，物，タッチ（touch）などといった非言語的メッセージには患者の真実がある場合が多い．こうした重要なメッセージを受け取るうえでの鍵となるのが患者に対する看護師の関心の深さである．

看護師が面接で「反復」「確認」「沈黙」といったコミュニケーションの技法を用いることは，患者からのメッセージを正確に受け取るうえで役立つであろう．その他，面接にあたっては次のことに留意して環境を整える．

①話をゆっくり聞く時間を確保する．
②プライバシーが守られる落ち着いた場所にする．
③患者が話をしている途中で話の腰を折ったり，あげ足をとらない．
④丁寧な言葉を使う．
⑤話の内容を早合点して結論を出さず，しっかり聴く．
⑥話の内容を否定せず，患者の思いや価値観を最大限尊重する．

②観察

観察とは，現象をありのままに「視る」「聴く」「触れる」「嗅ぐ」「味わう」といった感覚器を通して知覚する行為であり，患者と関わる機会が多い看護師にとって重要な情報収集の手段となる．看護は「観察に始まり観察に終わる」といわれるが，観察力を高めるには，「何のために観察するのか」という目的と観察の習慣化および臨床的知識が不可欠である．観察の重要性について，ナイチンゲールは，「身についた正確な習慣さえあれば，それで優秀な看護師であるとはいえないが，正確な観察習慣をもたないかぎり，どれほど献身的であっても看護師としては役に立たない」と述べている[1]．

現代医療の現場は，観察の手段が機械化され，看護師のまなざしが患者ではなく検査用具やコンピュータに向いていることも少なくない．観察は，観ようと思うものしか観えないものであるから，看護師の能動性が問われる．看護師は，その免許があるがゆえに，看護の目的のためであれば許されている患者への直接的なタッチで，機械や器具ではわからないさまざまな情報を得ることができることを忘れてはならない．

観察においては認識すべきは，看護師が患者を観察するように患者もまた看護師を観察しているということである．最近は患者から「看護師は電子カルテばかり見て，私を見ていないし触れることもしない」という声をしばしば聞くことがある．看護師は自分の目と手を使って観察することで「看る」という責任を果たすことができるのである．

③測定

測定（measurement）とは，体重や体温の測定など情報を定量化するために機械や器具を用いる方法である．これらを用いて測定する場合，その原理や取り扱い方法を熟知しておかなければ正確な情報は得られないし，患者に苦痛や負担を与えるだけになることもある．

以上のような情報収集の手段を用いて得られる情報には，主観的情報（subjective data）と客観的情

報（objective data）がある．

■ 主観的情報

患者自身が実際に感じたり，考えたことを表現したものであり，看護師が見たり感じたりできない情報である．「検査が怖い」「頭が痛い」「もう治らない気がする」といったように言語的に表現される．

■ 客観的情報

看護師が観察，測定等によって得ることのできる情報である．「体温37.8℃」「軽度の浮腫」といったような情報であり，観察，測定，身体診察（フィジカルイグザミネーション）の技術を用いることで得ることができる（112頁参照）．

「泣いている」「表情が硬い」といった言語的情報は，観察やコミュニケーションの技術を用いることで得られる．

### 2）情報の解釈・分析・判断

情報の解釈・分析・判断は，現象が何を意味しているのか，すなわち収集した情報の意味づけを行う科学的な思考過程である．情報の解釈と分析・判断する過程では，患者から得られた情報を基準（生理学・解剖学・心理学・発達的なもの）や社会・文化的な規範と比較する．この判断過程は患者の視点から行うことが大切であり，看護師自身がもつ偏見，先入観，価値観が判断プロセスに及ぼす影響について慎重に検討する必要がある．

## 2. 看護診断

看護過程の第2段階は看護診断（nursing diagnosis）である．看護師が判断（診断）とするということは，看護が独自に予防・解決・緩和することを目指して合法的に実施できるものであり，その判断に対しては法的・倫理的に責任を負っている．この看護診断によって，看護過程における情報収集と看護計画のつながりが明確なものとなる．

### 1）看護診断の概念

看護診断は，体系化された看護学の専門知識と観察に基づいて，看護師が知覚した看護現象に対する臨床判断（clinical judgment）（看護上の問題を特定すること）であり，医師が行う医学診断とは異なる看護独自のものである．米国において，看護診断という用語が使われ始めたのは1950年代であり，医師の指示を待つのではなく，科学的アプローチに基づく看護独自の思考方法が必要であるという考えから生まれた．

看護診断が活動として本格的に始まったのは1970年代になってからである．それは，1973年にゴードン（Gordon M）を代表とする米国の看護リーダーらが，第1回の全米看護診断分類会議をセントルイスで開催したときから始まったといってよいだろう．その後，この会議は2年ごとに開催され，第3回の会議では看護理論家グループが結成され研究が開始された．そして，1982年の第5回には，カナダが加わり会の名称が「北米看護診断協会（North American Nursing Diagnosis Association：NANDA）」へと発展し，その後，2002年には国際組織として活動するため「NANDAインターナショナル」へと変更された．

その間，1986年には，看護理論家グループにより提案された健康問題の分類枠組みとして9つの「人間の反応パターン」をもつ看護診断分類法Iが採択された．その後，看護診断の定義も改訂され，NANDA-Iの2021-2023年版では，「個人・介護者・家族・集団・コミュニティの，健康状態／生命過程に対する人間の反応，およびそのような反応への脆弱性についての臨床判断である」としている（第9回NANDA大会で採択：2009，2013，2019年に改訂）[10]．看護診断は看護師が責任をもって目標を達成するための看護介入を選択する基礎を提供する．こうしたNANDAの活動は北米のみならず，国際的に大きな影響を与え，20以上の言語に翻訳されている．

わが国では，1991年に看護診断研究会が設立され，1995年より日本看護診断学会へと発展し活動している．電子カルテの普及とともに看護診断が看護実践の現場に導入されるようになった．2022年現在，看護診断の原著第12版（2021-2023）が翻訳されている[10]．

看護診断は看護における患者の健康問題について語るときの標準化された共通言語の役割を果たしている．看護師が関わる患者の健康問題に命名することの意義について，前・国際看護師協会「看護実践国際分類（International Classification for Nursing Practice：ICNP）」共同委員長の1人であったラング（Lang N）は，国際看護師協会が1993年に開催した大会において，次のようにスピーチした[11]．

> われわれがそれに名前をつけることができなければ，
>   (If we cannot name it,)
> それをコントロールすることはできないし，
>   (we cannot control it,)
> 財源を確保することも，（finance it,)
> 教えることも，（teach it,)
> 研究することも，（research it,)
> 公共の政策に反映することもできない．
>   (or put it into public policy.)

ラングのこの言葉から，見えにくいといわれている看護の仕事を専門職として可視化するには，看護師は公式に用語をもつことが必要であるというメッセージが伝わってくる．

こうした看護用語の体系化は看護を社会にアピールするためには不可欠な基盤整備である．この看護診断に続いて，世界的な規模で看護用語を体系化しようとしているのが看護実践国際分類（ICNP）である．

看護診断を用いることには次のような意義が考えられる．

①研究の促進や個別性の尊重による対象者へのケアの質を改善する．
②共通言語を用いることによる専門職間のコミュニケーションを促進する．
③診断と介入を組み合わせることによる看護機能を確認する（看護過程を用いた看護記録のコンピュータ化）．
④人員配置の指標となる看護業務の負担量を確認する．
⑤他の医療専門職とは異なる看護師の自律性を高める．

2）問題の記述と診断ラベル

看護師が看護実践を行うためには，患者の健康問題に対する反応についての看護判断をする専門職としての責任がある．看護診断は，教育や経験によって獲得した能力と免許をもつ看護師が介入することができる問題・潜在するリスク・強みである．

看護診断ラベル（診断名）は，看護診断過程から導かれた結論としての問題の記述である．看護過程の各段階は前段階の正確さに影響されるため，診断は次の看護計画を立案するうえでの基礎であり，ケアの方向性を示すものである．問題の記述のしかたでは，患者がもつケアの必要性を表現することもできるし，NANDAが開発した看護診断分類システムを用いて診断ラベルをつけることもできる．

■NANDAの診断システム

看護診断（Nursing Diagnosis）には，問題焦点型，リスク型，ヘルスプロモーション型の3種類がある[10]．これは，患者の健康の異なる状態を表現することを目的として開発され発展してきている．

・問題焦点型（Problem-Focused）：個人・介護者・家族・集団・コミュニティの，健康状態/生命過程に対する好ましくない人間の反応についての臨床判断である（例：便秘）．

・リスク型（Risk）：個人・介護者・家族・集団・コミュニティの，健康状態/生命過程に対する好ましくない人間の反応の発症につながる，脆弱性についての臨床判断である（例：成人褥瘡リスク状態）．

・ヘルスプロモーション型（Health-promotion）：個人・介護者・家族・集団・コミュニティの，ウェルビーイングを増大させ健康の可能性を実現したいという，意欲や願望についての臨床判断である（例：運動習慣促進準備状態）．

NANDAの診断システムには，診断ラベル（診断名），定義，関連（または危険）因子，そして診断指標という4つの要素がある．ラベルは診断に命名された名前であり簡潔な用語で表され，「非効果的な」といった修飾語が用いられる．定義は，診断の意味を明らかにするもので，他の類似する診断と区別できるように表現されている．診断指標においては，その診断を明らかにするような徴候と症状という定義上の特徴をもっている．関連因子あるいは危険因子は，診断の原因または寄与していると考えられる状態を述べたものである．

具体的な記述は，人間の反応に対する記述とその反応に関連する要因を述べる部分からなる．たとえば，【化学療法を受けることに関連した不安】というように記述できる．看護診断を記述する際に留意しなければならないことは，医学診断，検査，治療，機器についての記述ではないということである．

3）問題の優先順位の決定

問題を解決するうえで活用できるのが患者の意向である．問題の優先順位の決定に際しては，患者の価値観，生命観，人生観などが影響するため患者とよく話し合うことが重要である．マズロー（Maslow A）の「ニードのヒエラルキー」は，優先順位を決定するうえで役立つといわれている[12]．これまで一般に，下位のニードが満たされると上位のニードを求めるとされてきたが，人の人生観や価値観が多様化している中では，この原則は必ずしも誰にでも適用されるとはいえない（図Ⅱ-2）．問題を解決するための優先順位を決定する際には，原則として下記の内容を考慮するほかに，実践の場における人的・時間的・物的資源についての具体的な検討も必要である．

①生命の危険を伴い，ただちに対処を要する問題

たとえば，呼吸・循環などの生命維持に必要な機能に問題が生じている場合は，他の問題よりも優先される．

②できるだけ早く防止，緩和・解決すべき問題

①の問題ほど緊急を要していないものの，不安や疼痛のようにできるだけ速やかに対処を要するもの

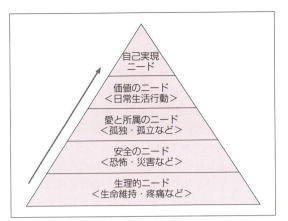

図Ⅱ-2　マズローの基本的ニードの階層
[Goble FG（小口忠彦監訳）：マズローの心理学，83頁，産業能率大学出版部，1972より作成]

| （例）看護診断 | 食欲不振に関連した低栄養状態 |
|---|---|
| 長期目標 | 患者は，1ヵ月以内に十分な栄養をとることができる |
| 短期目標 | 患者は，3日以内に食欲改善のための方法を述べることができる |

である．

③問題を解決するために相互に関連する問題

1人の人間がもつ問題は，その要因も含めてそれぞれに関連していることも少なくない．たとえば，初めての入院で治療に感じる不安と，知識不足という問題は共に対処できる場合もある．

4) 看護診断と共同問題

看護師は看護独自の機能を求めて看護診断を開発してきたが，患者には医療専門職として他の職種と協働して解決すべき問題がある．臓器や器官系の構造上あるいは機能上の問題といった共同問題に対して，看護師は医師や栄養士，理学療法士などの他の医療職者と協働して取り組む．看護師は看護診断と共同問題を混同してはならない．

## 3．看護計画

看護過程の第3段階は，看護計画（nursing planning）の立案である．問題の優先順位を決定したら，その問題を解決するための目標を設定し，計画的に対処する．

1) 目標の設定

診断された問題を最終的に解決，緩和，軽減するような目標を設定する．看護師は，患者が達成できる実現可能な目標となるように患者とともに設定する．目標には長期目標と短期目標がある．長期目標は，患者が到達したいと望む状態を患者のもっている強みを活用して設定する．短期目標は，長期目標と関連してそれを達成するためにいくつかの具体的な目標を設定する．短期目標を設定することは，次の段階である解決策を導くことに役立つ．長期目標，短期目標ともに目標達成期日（目安）として示す．

目標設定にあたって次の点に留意する．
①目標は患者を主語とし，測定可能な言葉（説明する，述べるなど）で記述する．
②長期目標は導き出された看護診断に対応するものであり，短期目標は長期目標を達成するために設定する．
③目標は現実的で達成可能な範囲において設定する．
④目標は，患者中心の個別的なものである．

2) 解決策

長期目標と短期目標が決定した後，それらを達成するよう具体的な解決策（介入方法）を策定する．解決策も看護診断に基づくものであり，患者とともに個別化された方法を選択する．解決策は次のような型に整理することもできる．

①観察計画（observational plan：OP）
計画した方法が安全で適切であるかどうかについて，実施する前に判断するためのアセスメント（観察）項目を記述する．

②ケア計画（care plan：CP）
短期目標を達成するための援助方法について，いつ，誰が，どのように行うかといった具体的な記述をする．

③教育計画（educational plan：EP）
ある問題に関する患者の理解を深めるための知識提供や必要に応じた技術指導について記述する．

## 4．看護の実施

看護過程の第4段階は実施（nursing implementation）である．実施は選択した解決策の実践を通して目標を達成することである．実施は「看護介入（nursing intervention）」と呼ばれることもある．

1) 実施と判断

実施は解決策に基づいて行われるが，実施に際しては，その時点において計画は適切であるかという妥当性を確認し，患者の状態によって計画を修正するか否かを決定する．実施にあたっては，患者の情報は継続して収集され，診断の妥当性，優先順位，計画の妥当性が検証される．具体的には，次の点に留意する．

①計画は患者のその時点における問題を解決するのに適切であるか
②優先順位に変化はないか

③計画は，安全で科学的根拠に基づいており，法的・倫理的（善行・無危害）に問題はないか
④個別性（生活習慣，嗜好の尊重等）のある計画であるか

2）計画に基づく実施

計画の実施にあたって，看護師には知識，技術および人間関係技能が求められる．看護師の知識は，実施にあたりその活動の科学的根拠を提供する．また，看護師は実施に際して可能な限り患者の意思を反映させるとともに患者の反応を慎重に観察する．

### 5．看護の評価

評価（nursing evaluation）は，期待される結果，目標と患者の健康状態を比較する継続的，体系的，計画的な過程である．

1）評価の方法

看護過程における評価には，継続的に行う方法と，結論的に行う方法がある．継続的に進行して行う評価（再アセスメント）は，アセスメントから始まるそれぞれの段階の妥当性，有効性，効率性などを評価するもので，看護活動の適切さを確認するための助けとなる．

一方，結論的評価（evaluation）では，看護師は，患者の問題が解決または緩和されたか，目標の達成度やケアの効果を判定する．

2）計画の修正

短期目標が実施によって達成され，長期目標で期待される結果につながるかどうかを判定するが，目標達成が困難であれば，計画を修正する必要がある．

### 2 看護過程の循環特性

看護過程の5つの要素は思考の段階を表しており，各段階の適切さは，その前の段階の正確さに大きく影響される．看護過程全体の基礎となるアセスメントは看護過程の第1段階であるが，患者の健康状態に対する反応に新しい情報が得られたらすべての段階において再アセスメントを行う．すなわち，問題を解決し目標を達成するための計画は，継続的なフィードバックや評価によって看護過程の中で適宜修正されていく．このように，看護過程は，修正のための患者の強みやニードの再アセスメント，計画修正，実施のやり直し，そして再評価が含まれるという循環特性をもっている（図Ⅱ-3）．

## C 看護過程の基盤となる理論

理論（theory）を理解するうえで重要となる概念（concept）は，その用語が意味する内容である．理論は，現実を非常に単純化した骨格のようなものであるが，臨床実践は理論でとらえられるよりもずっと複雑なものである．したがって，理論だけで現実を説明することは到底できない．しかし，理論には，事実や出来事の見方を示してくれることで，看護師の活動の指針となり，実践の方法を変えてくれるという強みがある．つまり，複雑な現実の世界は，単純化された理論を用いることで，ある状況を把握しやすくなり，何を予測すればよいのか，何が疑問であるのか，何が重要なのかといったことが見えやすくなる．

しかし，当然，実際の世界に理論を活用するうえ

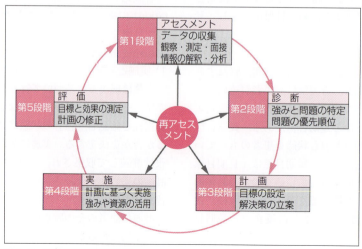

図Ⅱ-3　看護過程の循環特性

での制約もある．もっとも注意すべきことは，実際に起こっている看護現象を無理に理論という鋳型にはめこまないことである．看護の対象者は，1人ひとり個別性をもつ存在であることを忘れてはならない．理論を活用しつつ，実際の世界で起こっていることとの間で対話をすることが重要となる．理論は実践家によって活用され，その成果と課題が理論家にフィードバックされる．こうして理論は洗練されていく．

## 1 看護過程と一般理論

看護過程の基盤となる理論には，一般システム理論，ニード理論，動機づけ理論，知覚理論，コミュニケーション理論，情報理論，意思決定理論，問題解決理論などがある．

### 1．一般システム理論

1930年後半にベルタランフィ（Bertalanffy V）によって提唱され発展してきた理論である．この理論は，物理学的な全体を部分に還元するような方法だけでは社会学的な現象を説明できず，そのため全体を研究したいという考えから生まれた．システムとは，部分が相互依存的であり全体として機能するひとつの全体的存在をいう．システム理論においては，人間を全体的存在としてとらえる．システムとしての人間は，細胞，器官，器官系といった人間を構成する下位システムと，人間が属する家族，地域，社会といった上位システムからなり，これらを切り離して理解することはできない（図Ⅱ-4）．

システムには開放システム（open system）と閉鎖システム（closed system）がある．閉鎖システムは自己充足的で孤立しており，境界線の外側で起こるいかなる変化に対しても影響を受けない．一方，開放システムは他のシステムで起きた出来事や変化から常に直接的な影響を受ける．全体的存在としての人間は，恒常的な流動状態にある下位システムからなり，自分を取り巻く世界である上位システムと間断なく相互作用を行っている開放システムである．この一般システム理論はロイ（Roy C），ニューマン（Newman B），ヘンダーソン（Henderson V），オレム（Orem DE）なども活用している．

### 2．ニード理論と動機づけ理論

ニード理論では，人間のニードはシステムがある状態に変化することによって生ずる内的緊張であると考える．そこで，人間はこの緊張状態を緩和するために，ニードが充足できるものを求めるように動機づけられる．満足や欠乏という用語は，動機づけ理論にとって重要な概念である．人間のニード充足は，人間の生き方や活動のあり方に大きな影響を及ぼす．それは，人間は満たされないニードに対して行動を起こそうとするからである．看護師には患者がどのようなニードをもっているかを知り，その充足に向けて支援することが求められている．

### 3．知覚理論

知覚は人間が日々の生活を営むうえで重要な意味をもっている．生きて生活するシステムとしての人間が周囲の環境との相互作用をどのように知覚するかは重要である．人間は，1人ひとりが独自のやり方で自分の満足を求めて状況に対処している．したがって，同じ状況であっても各個人によってその状況のとらえ方は異なるが，誰もが自分が感じたものこそが現実であると思っているのである．

そこで，看護師には常に人間の行動に関する知識を深める努力が求められる．知覚力を高めることで，環境に対してしっかりした予測や見込みを立てることができる．つまり，状況に対する推論の正確さを高めることができるのである．

### 4．情報理論とコミュニケーション理論

情報理論とコミュニケーション理論の焦点は，システムを構成している各部分の相互作用の基礎的な関係を調整する点にある．情報とは，効果的な行動指針を選ぶための潜在的な選択肢の数であり，選択とは決定を行うことである．この情報理論とコミュニケーション理論が，意思決定理論や問題解決理論の基礎をつくる．

### 5．意思決定理論と問題解決理論

看護過程は，基本的に意思決定過程であるとともに問題解決過程である．これらの理論は，人が目的に合った行動を選択するときに応用する理論である．問題解決理論における問題とは，目標と現実のギャップであり，私たちの人生は，日々問題解決の連続であり，その人の人生観，幸福観によってその達成基準は異なっている．この理論は問題の特定とその解決に関わるものであり，看護過程に活用されている．看護師がこの理論を看護過程で有効に用いるためには，鋭敏な知覚，コミュニケーション，効

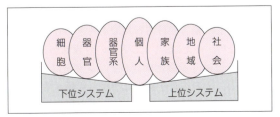

図Ⅱ-4　システムとしての人間

## 2 看護過程と看護理論

看護過程は，実際の看護実践を系統的・組織的に進めていくための思考の道具であり，看護理論はそれを支える概念枠組みとなる．看護理論は，理論家によって強調点が異なっている．

1960年代になって，看護学は，科学的な基礎をもって，真の専門職としての説明ができるようにと探求されるようになったが，後述するように「経験的知識」がもっとも有効なものとされる傾向にあった看護は，その方法を医学モデルに求めた．医学は観察による客観性と論理的に信頼できるデータを重視しており，分析的・言語的に推論する．「経験的知識」とは，いわばこのようなプロセスの上に積み上げられた知識である．看護学の探究においても，このような医学モデルに従った結果，直観や情緒といった主観や，経験でも主観にとどまっているものは信頼性を欠くとして価値がおかれなくなった．しかし，このような「経験的知識」のみでは複雑な看護現象を歪めてしまいがちになることに次第に気づき始めた．質の高い看護ケアを提供するにはもっとさまざまな看護知識が必要であるし，実際用いられているであろうと考えられるようになった．

### 1．看護過程に活かす看護の知識

1978年，カーパー（Carper BA）[13]は，看護の知識には経験的知識（empirical knowledge），倫理的知識（ethical knowledge），美的知識（esthetic knowledge），個人的知識（personal knowledge）という4つの"知の形態（patterns of knowing）"があることを明らかにした．これら4つの看護知識は，看護師が患者に対する個別的なケアを提供するための基盤となる看護判断を下す際に必要となる．看護過程が問題解決過程として受け入れられた頃，看護師らは判断に医学モデルと同様の経験的知識に偏る傾向があった．しかし，本来，看護は患者・看護師間の対人関係を基盤として展開される個別的・状況的なものである．したがって，経験的知識だけでは不十分である．患者を全人的に理解し，その人にとっての体験の意味を知るためには，看護師には倫理的・美的・個人的知識が必要とされることが認識されるようになった．看護師はこの4つの領域の知識を看護過程に活用する．

#### 1）経験的知識

この知識は，誰もが認識できるような客観的な事実を立証することを基盤にしている．それは，研究者が看護学と関係領域の学問から見出した知識である．この知識は系統的な知識として，看護活動とその結果を記述し，説明し，予測するために用いられる．

#### 2）倫理的知識

倫理的知識は哲学的な前提の妥当性を確かめ，論理の正当性を通して信頼性の高い知識として導き出された．専門職能団体である日本看護協会が提唱している「看護職の倫理綱領」（2021）（7頁，**表1-1**）は，看護業務のための手引きとして作成されている．この倫理綱領は，看護の価値と患者に対する倫理的道徳的基準を示しており，看護師に対する責務が明らかにされている．

#### 3）美的知識

この知識は，創造した結果の評価に耐え抜いて作り出された美である．看護を創造的に行うことは看護の技術（art）とケアに必要とされる美的知識を熟慮することを意味する．美的知識は患者へのケアという看護実践を経ることで獲得される．

#### 4）個人的知識

この知識は，過去に習得した経験と知識を現在の人間関係の状況を理解するために活用する．看護師は経験を重ねるごとに患者の健康に関する多くの知識を得るようになる．この人間に関する知識は，患者との出会いと関わりを通して深められ，一種の直観と同じ扱いがなされることもある．なぜなら，過去の経験に基づいて反射的にその人の全体を一瞬にしてとらえられるようになるからである．この直観（intuition）は，無意識に，あることの意味内容を明らかにしたり関係づけたりすることを可能にするものである．直観の特徴は一瞬にして関係のない一連の事実をひとつのまとまりのあるパターンとしてとらえることができることにある．看護師は患者を理解し問題を把握する際に，過去の経験を効果的に活用する．

### 2．看護過程の基盤となるフィロソフィー

看護師は看護過程を用いるにあたり，4つの看護知識を活用していると述べたが，その根底には看護に臨むフィロソフィー（哲学）が要求される．看護過程は，看護の目的を達成するための道具であり，それを使うことが目的ではない．どれだけ科学が進歩しようとも，看護の対象者は，部分には還元できない統一された全体としての人間であること，人間が人間に対して働きかける行為であるということに変わりはない．ゆえに，1人ひとりの看護師が「人間とは」「健康とは」「看護とは」「ケアリングとは」といった問いと，その答えを探求しながら看護することが重要である．フィロソフィーは看護を提供するひとりひとりの看護師の信念や価値，倫理観から生まれ，

その人の一部となっている．それは，看護師の行動を動機づけ，意思決定に影響し，その人固有のやり方として実践の中で看護行為として表現される．

ウィーデンバック（Wiedenbach E）[14]は，看護は看護師である個人の哲学に基づいて行われるものであると述べ，自身はそれを具現化する概念として「授かった生命に関する畏敬の念」「個々人の人間の尊厳，価値，自律，個性への尊重」「個人の信念に基づくダイナミックな行動の決断」をあげている．また，看護師が人間の生命と尊厳に価値をおくことで，質の高い看護ケアを提供できると述べている．

### 3．看護過程における看護理論の活用

看護過程の展開に看護理論や看護モデルを枠組みとして応用することができる．看護理論は，看護の全体像を提示しており，それぞれの看護理論家が人間，健康，環境，看護（役割や機能）について独自の見解を出している．言い換えれば，それぞれの看護理論を学ぶことによって，理論家の「人間とは」「健康とは」「環境とは」「看護とは」という問いに対する考え方を知ることができるのである．したがって，看護理論は看護過程に適用することで，各要素の判断の基準となる人間と環境の相互作用，健康の見方，看護のとらえ方についての理論的基盤を提供してくれる．一方では，米国で開発された看護理論の中には，問題解決過程としての看護過程になじまないものがあると述べる看護理論家もいる．

### 4．問題解決過程になじまない看護理論

1) ボイキン＆ショーエンホファー（Boykin A & Schenhofer S）[15]

1993年，"Nursing as caring"を発表したボイキンらは，自分たちの看護理論は問題解決過程としての看護過程にはなじまないと述べている．なぜならば，問題解決というのは，正さなければならない問題に焦点が当てられるが，それはボイキンらが重視しているケアリング（caring）[*1]の第一義的な使命から看護師を遠ざけることになると考えているからである．この理論によれば，ケアリングとしての看護は他者をケアリングの人として知ろうとし，足りないものや必要なものを見つけるというよりも，患者が求めること（call）に応えるもので，そのとき，その場の状況に応じた固有のやり方で患者を慈しみ育てようとすることである．

2) パースィ（Parse RR）[16]

パースィは，"Man-Living-Health"を著した．この理論における看護実践の取り組みは，看護師がその人のために何かを取り組むというよりも，むしろその人と「対面」するというやり方である．看護過程は，看護学としての存在論を基盤として出現したものではなく，各段階は看護に特有のものではないと述べている．

3) ニューマン（Newman M）[17]

1994年"Health as expanding consciousness"を発表したニューマンは，専門職としての看護師は何が問題であるかを確認し，その問題を解決するための対策や計画を立てることには関心をもっていないと述べている．事前に目標を設定し，成果を評価するという問題解決法は，なりゆきを確実に予測できない看護現象には適さない．ニューマンの理論における看護過程とは，患者が選択したり，混乱するとき，パートナーとして共に存在し歩む過程である．看護師は予測できない人生の特質を受け入れることができるように患者とともに存在している．看護師の果たす役割はケアリングによる人間関係を築き，共に存在することであるとしている．

## 3 看護過程とクリティカルシンキング

看護師は，常に最新の情報と思慮深い思考によって，患者にとっての最善とは何かを求めて意思決定をする必要がある．そこで，活用できるのが批判的思考と訳されているクリティカルシンキング（critical thinking）である．看護の中では，批判的思考よりクリティカルシンキングという用語がそのまま用いられることが多いのは，わが国の社会では批判という言葉に対して非難という概念を含む否定的イメージが影響していることが考えられる．しかし，本来criticalという言葉は，その語源をギリシャ語にもち，「切り離す」「分ける」「問う」「吟味する」というような意味をもっているので，クリティカルシンキングは，「あいまいなこと，はっきりしないこと」を「明らかにすること，あるいは整理すること」ととらえてもよいであろう．

すなわち，クリティカルシンキングは，人間であれば誰もがもっている先入観があることを自覚したうえで，自分が下した判断について繰り返し自問自答することによって，ものごとを客観的・論理的に判断しようとする思考方法である．

では，どうすればものごとをクリティカルに考えることができるのであろうか．重要なことは，日ごろから変化に気づく観察力を高めること，「なぜ」という疑問をもつこと，自分の頭で考えること（自律した思考）である．また，自分の考えたこと，見たことはこれでよいのか，正しいのかということを

---
[*1] 患者−看護者間の人間関係の中でケアを展開していくこと．

省察する習慣を身につけることである．具体的には，自分の知識の限界や偏見，先入観に気づくことであり，他者の意見を傾聴すること，聞いたことを確認してみること，相手の立場に立ってみることである．医療専門職者の中には，自由な発想やものの見方が苦手な人が多いといわれるが，これは知的謙虚さが不足しているということではないだろうか．クリティカルシンキングは看護過程に欠かせない思考方法である．

## D 看護過程の課題と展望

### 1 改めて看護過程とは

看護学は看護に必要な知識体系からなる学問であり，看護実践とは，その知識を対象者である人間に創造的に適用することである．看護過程はその意味でも看護学の発展に重要であった．しかし，看護過程はあくまでも思考の道具であり，それを効果的に活用するためには，看護を支える哲学・生命観，看護理論などの基礎的な知識が不可欠であることはいうまでもない．また，看護過程が単なる手順として用いられないためには，それを使う看護師には，その前提として論理的アセスメント能力，問題解決能力，批判的能力，意思決定能力，そして全体論的な視点が求められている．

前述したように，米国において看護過程という言葉が使われ始めたのは1950年代からであり，このころは，患者・看護師間の相互理解を助けるためのコミュニケーションを記述する方法として論じられていた．しかし，この言葉は1970年代頃より患者の利益のために看護師が行う問題解決を意味するものとして使われるようになり，実践においても教育においても重視されるようになった．

1980年代，ヘンダーソンは，こうした看護と看護過程がイコールであるかのような見方に対して批判（critique）している．この批判についてはわが国おいても検討する必要があるかもしれない．ヘンダーソンの批判をもとに現在の看護過程について再度批判を加えてみたい[18,19]．

1) 看護過程を通して問題を解決することが看護のすべてか

ヘンダーソン（Henderson VA）は"The nursing process"の'The'が看護過程を限定したものにしてしまっており，その過程における問題解決以外には看護の独自性がないかのようにとらえられていると述べ問題視している．

2) 看護のartは看護過程のどこに入るのか

ヘンダーソンは，看護過程は看護の科学を重視していると批判している．科学的探究方法の用語で表現された科学性の強調によって，看護のartやエキスパートの意見や権威が実践の基盤として信用されなくなっている．看護が大切にしてきた主観や直観が軽視されているのではないかという主張である．

こうした指摘に関して，ベナー（Benner P）も，看護実践の経験が豊かなエキスパートは看護過程に依存することなく，創造的な看護を実践することを研究によって明らかにしており，あまりにも看護過程を信頼しすぎることを警告している[20]．

3) 看護診断はアセスメントにおける患者の役割を軽視していないか

ヘンダーソンは，看護過程によって看護は研究に根ざした専門職であるという看護師たちの主張に勢いをつけたが，その一方で看護過程が患者や他の医療職者との協力的な実践の発展を遅らせてきたと述べている．わが国の看護診断も患者が自分の問題を確認することよりも，看護師の見解に重点がおかれる傾向がある．看護過程を展開していくうえで重要なことは，看護師と他の医療従事者が協働し，主役である患者とともに問題解決に取り組むことである．

4) 看護過程は，本来患者のケアの質を高めることが目的ではないのか

現在，看護過程は，看護診断とそれを記録するために膨大な時間を要求している．そのため，看護師は，記録するために患者と対話することをやめ，パソコンと向き合っている．このように，看護師が記録に時間をかけるようになり，結果的に患者に対する直接的ケアをする時間が削減してしまうという現象が起きている．これでは本末転倒である．

医療ジャーナリストであるゴードン（Gordon S）は，「看護師が身体的ケアをしなければ，患者は回復したり治癒することはないだろう．また，看護師が心のケアをしなければ，患者は現代医療の主流をなすハイテク治療を押しつけられても困惑するばかりで耐えることはできないであろう」と述べている[21]．

5) 看護診断ラベルは共通言語になりえているか

看護過程で用いられるハイリスクやペアレンティング（parenting：親業，親らしい活動の意），コーピングといったカタカナ用語の氾濫やそれらの訳語が日本語としてしっくりこないこともあげられるが，患者とともに展開する看護過程において，それらの用語が患者と共通の意味をもちうるのかという疑問がある．また，診療記録のコンピュータ化が進

んでいる現在では看護診断や計画が表層的なものになり，看護師の知的活動となりえているのかという問題もある．

看護過程は看護活動を科学的，論理的に進めるうえで効果的な道具ではあるが，こうした検討事項について真摯に取り組む必要があると思われる．その際，役立つ考え方にリフレクション（reflection）がある．リフレクションは，看護実践を通して経験した出来事を振り返ることによって，看護師としての自分と向き合い，問いかけることである．すなわち，実施した自分の行為に対する結果や患者の反応を丁寧に振り返り，果たしてそれは「看護」であったといえるのかということについて意識的に考えることである．

### 2 看護におけるケアリングの再考

看護を実践する「場」は，人間が人間として回復し癒される場であることが望まれる．専門的知識に基づく熟考された判断，優しさと安心感に満ちた場であらしめるために看護師は存在する．看護という職業を選択する人の多くは他者をケアしたいという欲求に動機づけられている．看護師は普通の人であれば遭遇することのないような，激しい怒りや悲しみなどの感情，絶望，死といった人生の緊張した現実に毎日直面するにもかかわらず，他者をケアすることを通して，自分の居場所を見出したいと願っている．

しかしながら，実践の場では科学的思考偏重，記録重視の傾向がみられ，看護師が患者に行う直接的ケアの時間は削られている．ケアリングもそうした環境や時間との関係から切り離して考えることはできない．ケアリングに価値がおかれていない環境では看護師が，患者をコントロールしようとしたり，利己的な関わり方をしてしまう危険性をはらんでいる．これからの看護には，科学と同様にこれまで削ぎ落とされてきたケアリングを引き戻すことが必要であろう．

■専門職としてのケアリング

現代の専門職によって行われるケアは何を目指しているのか改めて問われなければならない．米国においては，1970代以降ケアリングの意味やその価値についての問い直しが始まった．ワトソン（Watson J）は，理論と実践の乖離を緩和する方法としてケアリングの哲学と科学を提唱している[22]．ケアリングは，課題志向的行動というよりも道徳的理念であり，看護師と患者のケアリング関係と実際の状況を含んでいる．ここでの最終目的は，人間としての尊厳と人間性を守ることである．

看護師にとって科学的・論理的思考をすることは欠かせないことではあるが，それと同じように患者を人として遇するということの重要性を再認識し，実践することである．1971年，米国の看護雑誌に発表されたルース・ジョンストン（Ruth Johnston）の詩は，そうした患者の声を代表しているのではないだろうか．看護師に今求められているのは，科学的思考とともに常に眼の前にいる患者への関心と気遣いである．

つまるところ，看護師のフィロソフィーに基づいた実践が看護ケアの質に大きな影響を及ぼすのである．

---

*Listen, Nurse*

I was hungry and could not feed myself...
you left my food tray out of reach
on my bedside table,
Then you discussed my nutritional needs
during a nursing conference.

I was thirsty and helpless, but you forgot
to ask the attendant to
refill my water pitcher.
You later charted that I refused fluids.

I was lonely and afraid, but you left me alone
because I was so cooperative
and never asked for anything.
I was in financial difficulties
and in your mind I became an object
of annoyance.

I was a nursing problem and you discussed
the theoretical basis of my illness.
And you do not even see me.
I was thought to be dying and,
thinking I could not hear, you said you hoped
I would not die
before it was time to finish your day
because you had
an appointment at the beauty parlor
before your evening date.

You seem so well educated, well spoken,
and so very neat in your spotless
unwrinkled uniform.
But when I speak you seem to listen
but do not hear me.

Help me, care about what happens to me,
I am so tired, so lonely and so very afraid.
Talk to me– reach out to me– take my hand.
Let what happens to me matter to you.

*Please, nurse, listen.*

［Ruth Johnston：American Journal of Nursing, p.303, Feb, 1971］

## ●引用文献

1) Nightingale F（薄井担子，小玉香津子ほか訳）：看護覚え書，現代社，2000
2) Brown EL（小林冨美栄訳）：これからの看護，日本看護協会出版会，1993
3) Peplou HE（稲田八重子ほか訳）：人間関係の看護論，医学書院，1973
4) Orlando IJ（稲田八重子訳）：看護の探求―ダイナミックな人間関係をもとにした方法，メヂカルフレンド社，1964
5) Widenbach E（外口玉子，池田明子訳）：臨床看護の本質：患者援助の技術，第2版，15-20頁，現代社，1969
6) Travelbee J（長谷川 浩，藤枝知子訳）：人間対人間の看護，医学書院，1974
7) Yura H, Walsh MB（岩井郁子ほか訳）：看護過程―ナーシング・プロセス，第2版，医学書院，1986
8) American Nurses Association（日本看護協会国際部訳）：看護業務の基準，日本看護協会出版会，1979
9) American Nurses Association（1980）（日本看護協会編，小玉香津子ほか訳）：今改めて看護とは，日本看護協会出版会，1984
10) T. ヘザー・ハードマン（上鶴重美訳）：NANDA-I 看護診断 定義と分類 2021-2023 原書第12版，144頁，医学書院，2021
11) M. Gordon 教授特別講演会 看護診断―現在・過去・未来資料集，8頁，照林社，1993
12) Goble FG（小口忠彦監訳）：マズローの心理学，83頁，産業能率大学出版部，1972
13) Caper BA：Fundamental patterns of knowing in nursing. Adv Nurs Scie **1**（13），1978
14) 文献4），21-37頁
15) Boykin A, Schonhofer S（多田敏子，谷岡哲也監訳）：ケアリングとしての看護―新しい実践のためのモデル，ふくろう出版，2005
16) Parse RR（高橋照子訳）：健康を―生きる―人間，現代社，1985
17) Newman M：マーガレット・ニューマン看護論―拡張する意識としての健康，医学書院，1995
18) Henderson V, The Nursing process―Is the Title Right？J Adv Nurs **7**（1）：103-109，1982
19) Henderson V：The Nursing process―a critique. Holistic Nursing Practice **1**（3）：7-18，1986
20) Benner P（1984）（井部俊子ほか訳）：ベナー看護論・達人ナースの卓越性とパワー，医学書院，1992
21) Gordon S（勝原裕美子ほか訳）：ライフサポート，日本看護協会出版会，1998
22) Watson J：Nursing；Human Science and Health Care, Appleton Century-Crofts, Connecticut, 1985

# 2 看護活動の情報

## A 看護活動

### 1 活動の場の多様化

看護職の活動の場は多様化し，病院や診療所以外にも，訪問看護ステーションや看護小規模多機能型介護事業所，老人保健施設など多岐にわたるようになった．また，病院の機能は，高度急性期や急性期，回復期，慢性期として役割の明確化と機能分化が進み，患者が1つの病院に入院している期間も短縮した．

このように，医療が大きく変化した背景には日本の少子高齢化の進展がある．2015年，厚生労働省により地域包括ケアシステムが推進され[1]，在宅医療の拡充が進んでいる．地域包括ケアシステムとは，高齢者の尊厳の保持と自立した生活支援を目的に，高齢者が住み慣れた地域で自分らしい暮らしを続けられるよう，市町村や都道府県が地域の自主性に基づき，住まい・医療・介護・予防・生活支援を一体的に提供するシステムである（24頁参照）．これまでの医療は，患者の治療から回復に至るまでの医療ニーズを個別の医療機関がすべて提供する病院完結型医療であったが，医療と介護・福祉を連携し地域全体で支援するという地域完結型医療へと転換した．それに伴い在宅医療が進み，看護を必要とする人々の療養の場も多様化した．

看護職はその人の心身の状態に応じた看護を提供し，その人らしい生活を支援するために，さまざまな場で活動している．しかし，患者やその家族の医療および介護ニーズを充足するには看護職だけでは困難であり，医師や薬剤師，理学療法士，介護士など多職種による協働および連携が必要である．

### 2 チーム医療

多職種の協働と連携については，厚生労働省による日本の実情に即した医師と看護師等との協働と連携のあり方などの検討会を通じて，2010年，チーム医療の推進についての報告書[2]が示された．チーム医療とは，医療に従事する多種多様な医療スタッフが，各々の高い専門性のもと情報を共有し，互いに連携・補完し合うこと（344頁参照）で，患者の状況に対応した医療を提供することとされており，医療組織の中での多職種連携が主であった．その後，地域包括ケアシステムの推進により，医療だけでなく介護や自治体なども含めた専門職・非専門職，患者，家族に関わる地域の人々による協働と連携が求められるようになった．

患者，家族を中心に多くの職種や人々が協働し連携していくためには，各々の専門的な視点から収集された情報を共有し，活かすことが必要である．そこで，以下では看護活動で収集される情報について説明する．

## B 看護活動の情報

### 1 看護活動における情報の特徴

看護活動で収集される情報は，患者のバイタルサインや症状，訴えなど患者から発生する身体的・精神的・社会的情報と，看護師が患者に対して行った看護ケアの実践情報とアセスメント情報がある．これらは，診療記録として紙媒体や電子媒体で保存される（図Ⅱ-5）．その他にも，病院における看護管理の視点からは，患者の転倒・転落事故や褥瘡の発生状況，各病棟の患者の重症度分布や看護師の配置人数などさまざまな情報がある．病院以外の看護活動で訪問看護を例に考えると，患者に関する情報だけでなく，家族の介護や介護負担の状況，介護者への指導内容など介護に携わる人に関する情報および生活環境に関する情報なども多く収集される．

これらの情報は，私たち看護職が患者や家族に対する看護実践に活用するだけではない．看護活動で得られた情報は，患者や家族をはじめ多職種が共有し，患者の療養生活支援に向けて活用される情報でもある．したがって，看護情報は患者や家族はもとより多職種が共有し活用していくものであることを理解しておく必要がある．

### 2 情報とアセスメント

#### 1. 情報とデータ

「情報」について考えてみよう．私たちは普段，

図Ⅱ-5 看護活動の情報

「情報」と「データ」の違いを意識せずに使用していることが多い．アセスメントの一環として収集される主観的情報（subjective data）と客観的情報（objective data）も，「情報」と「data」が同じように使用されている．一般的に認識されている「情報」については，「データ」だけでなく「知識」も包含されていることがあるが，それらは区別して説明することができる．

データとは，解釈が加わらない客観的な数値や文字，記号である．データに解釈や分析，判断が加えられ意味づけされると情報となる．知識は，特定のことについて情報が幅広く収集され，整理され，蓄積されたものである．データが情報に変換されるためには，それを意味づけするための知識が必要である．

### 2. データの情報への変換からアセスメントへ

たとえば，胃がんの手術を受けた術後2日目の患者の血圧測定を行った際，最高血圧が 154 mmHg，最低血圧が 80 mmHg だったとする．この段階では，血圧値はデータである．患者の血圧値を確認したとき，高血圧の病態や血圧の基準値などについての知識があれば，この血圧値が正常から逸脱しているということを即座に判断することができる．この段階で，血圧値はただの数値データから情報に変換されたことになる．

患者の血圧が高いという状況がわかれば，次は，患者の血圧を下げるために何らかの処置が必要なのか，それとも，しばらく経過観察するのかの判断が必要となる．しかし，この患者は高血圧症なのだろうか．

看護師であれば，正常から逸脱しているというだけで判断せず，血圧がなぜ上昇しているのか，原因を分析するためのデータをさらに集める．血圧値データに対して，さらなる意味づけを行うのである．看護師は，患者に高血圧症の既往歴があるのか確認する．この患者は高血圧症の既往はなく，日頃の最高血圧が 120 mmHg，最低血圧が 70 mmHg であるとすると，看護師は血圧が上昇する原因があるのではないかと考える．患者に関する他のデータとしては，胃がんの手術後2日目で創があることであり，創の痛みが原因で血圧が上昇しているのかもしれない．これは，痛みによって交感神経活動が優位となり，血圧が上昇するという知識を活用したのである．したがって，患者の血圧値は痛みに影響を受けた結果であるという情報に変換したということになる．

これが正しいのか，不足しているデータをさらに収集した結果，血圧の上昇の原因が創の痛みによるものと判断できれば，鎮痛薬を投与し痛みの緩和を図ることで，血圧が低下するかを観察するという次に行動すべきことの判断が可能となる．すなわち，看護師は看護を行う中で，知識を活用しながらデータを解釈し分析し確かな情報に変換して，次の行動の意思決定を行っている．

確かな情報へと変換ができなければ，間違った看護ケアにつながってしまう．関連するさまざまなデータから確かな情報をとらえ，実践すべき看護ケアを決定する過程は，問題解決のための思考過程で

ある看護過程であり，アセスメントである．このように，看護師は看護実践の中で常にアセスメントを行っている．

## 3 電子カルテと個人情報の保護

### 1. ICTの社会への浸透

情報通信技術（Information and Communication Technology：ICT）の飛躍的な発展は私たちの生活を大きく変えた．コンピュータの処理能力やネットワーク技術の向上により，多くの人がスマートフォンやパーソナルコンピュータを利用するようになった．また，インターネットを通じて情報を検索したり，ソーシャルメディアを活用して情報を発信したりしている．コミュニケーション手段においても，対面や電話による直接の会話以外に，SNS（social networking service）を活用したコミュニケーションが日常的に行われるようになった．また，「モノのインターネット」といわれるIoT（Internet of Things）により，生活で使用する多くのモノがインターネットにつながってデータの送受信を行うことで，生活をさらに便利にしている．

ICTの発展は，私たちの生活を便利にしているだけではない．少子高齢社会にある日本は，生産年齢人口（15歳～64歳）の減少による生産力低下や，地域での雇用減少，過疎化に伴う地域経済の縮小という大きな社会的課題を抱えている．そこで，ICTを利活用*することにより中長期的な経済成長の実現を目指している．

### 2. 医療における代表的ICT：電子カルテシステム

ICTの活用は，医療においても例外ではない．医療現場では，さまざまなICTが使用されるが，中でも代表的なものが電子カルテシステムである．厚生労働省による電子カルテシステムの普及率調査[3]では，2008年，一般病院（精神科病床のみを有する病院および結核病床のみを有する病院を除いたもの）が14.2％，病床規模400床以上の病院が38.8％であったのに対し，2017年には一般病院が46.7％，病床規模400床以上の病院が85.4％であったと報告されている．以前は紙媒体で運用されていた診療記録が，電子媒体で運用されるようになったことで，保存される情報も多種多様かつ膨大となった．患者の疾患や生活など個人に関する情報だけでなく，保険に関する情報や経済的情報，家族に関する情報などあらゆる重要な情報が多く保存できる電子カルテは，それを取り扱うすべての職種において適正に取り扱われ，管理されなければならない．そこで重要になるのが個人情報の保護である．

### 3. 個人情報の保護

個人情報の保護に関する法律（以下，個人情報保護法）は，2005年4月に施行された．その後，改正が繰り返し行われ，2022年4月1日に改正個人情報保護法が施行された．個人情報保護法には，個人情報を取り扱う事業者が遵守すべき義務などが定められており，個人情報を適正かつ効果的に活用するとともに，個人の権利利益を保護することが求められている．

個人情報とは，生存する個人に関する情報であり，氏名や生年月日，顔の画像などにより個人を識別できるものをいう．その他にも個人識別符号として，個人を識別するに足りるとされる身体の特徴をデジタル変換したものに，DNAを構成する塩基配列や手掌や手背，指の静脈の形状などがある．また，公的に発行された番号として旅券（パスポート）の番号，基礎年金番号などがある．また，個人情報保護法においては，要配慮個人情報についても理解しておく必要がある．要配慮個人情報とは，本人に対する不当な差別や偏見，その他不利益が生じないように取り扱いに配慮を要する情報であり，人種や信条，社会的身分，病歴，犯罪の経歴などが含まれる．

医療職が取り扱う電子カルテには，患者の個人情報や病歴など要配慮個人情報が多く収集され保存されていることを理解し，看護学生といえども1人ひとりが守秘義務を遵守し適切に取り扱わなければならない．

## C 看護活動の記録と情報活用

### 1 看護活動の記録

私たちは，患者に関する情報が記録されたものを通称カルテと呼んでいるが，厳密にいうとカルテは医師が記録する診療録を指す．診療録については医師法第24条で定められている．診療録を含む患者に関する情報を記載したものは診療記録といい，2003年，厚生労働省医政局長通知による「診療情報の提供等に関する指針」[4]で定義されている（表Ⅱ-3）．

看護師が記載する記録は，看護記録と呼ばれる．看護記録は，医療法（昭和23年）ならびに医療法施行規則（昭和23年）に診療に関する諸記録の一つと

---

*利用と活用を合成した言葉．役所用語．土地や資源，ITなどに使われる．

表Ⅱ-3 診療情報と記録の定義

| 名　称 | 定　義 |
|---|---|
| 診療情報 | 診療の過程で，患者の身体状況，病状，治療等について，医療従事者が知りえた情報をいう |
| 診療録（医師法第24条） | 医師は，診療をしたときは，遅滞なく診療に関する事項を診療録に記載しなければならない |
| 診療記録 | 診療録，処方せん，手術記録，看護記録，検査所見記録，エックス線写真，紹介状，退院した患者に係る入院期間中の診療経過の要約その他の診療の過程で患者の身体状況，病状，治療等について作成，記録又は保存された書類，画像等の記録をいう |

［診療情報の提供等に関する指針（厚生労働省，2003年）および医師法より］

表Ⅱ-4 看護記録の様式

| 記録の様式 | 概　要 |
|---|---|
| 基礎情報（データベース） | 病歴やアレルギー，身体的，精神的，社会的情報など，看護のアセスメントに必要な情報を記載したもの |
| 看護計画 | 患者の問題，問題に対する期待する結果，そのための個別的な看護実践計画を記載したもの |
| 経過記録 | 患者の問題に沿ってアセスメントや看護ケア，治療や処置などの経過を記録したもの．経過記録は，大きく分けて経過一覧表（フローシート）と叙述的記録がある．<br>●経過一覧表（フローシート）は，バイタルサインや実施した看護ケア，処置などが一覧表として記載されているものである．<br>●叙述的記録は，経時的にアセスメントや実施した看護ケアなど記録された経時記録や，患者の問題ごとに経過を記録する問題志向型システム（problem oriented system：POS）に基づくSOAPがある．POSとは，患者の問題解決を論理的に進めていくためのシステムである． |
| 要約（サマリー） | 実践した看護の要約 |

して位置づけられた．そして，「診療情報の提供等に関する指針」においても，診療記録の一つと明記されている．保健師助産師看護師法（昭和23年）第42条においては，助産師による助産録の記載が義務づけられている．このように，看護の専門職としての記録は，法的にも重要な記録と位置づけられている．

看護記録については，日本看護協会による看護記録に関する指針（2018年）[5]で，看護記録とは，あらゆる場で看護実践を行うすべての看護職の看護実践の一連の過程を記録したものであると説明されている．看護実践の一連の過程とは，実践の根拠となる情報と判断，計画に基づいた実践内容とその結果，評価である．

看護職が実践する看護は，看護過程の問題解決のための思考過程が基盤となるが，看護職による記録（看護記録）を看護学生が学習する看護過程の記録と同じにとらえてはいけない．「情報とアセスメント」の項目（43頁）で説明したが，看護学生は収集したデータを知識などを用いて解釈，分析することによって情報に変換する過程から記録し，思考を整理することで学習する．一方，看護師は対象の問題解決に向けた看護実践の根拠となる情報を記録しており，看護の専門職として看護実践の適切性を証明する記録である．看護記録の様式は，基本的に基礎情報（データベース），看護計画，経過記録，要約（サマリー）があるが，記録の書式は施設によって異なる（表Ⅱ-4）．

## 2 看護情報の活用

### 1．情報の一次利用と二次利用

医療や介護においてもデジタル化が進み，さまざまな情報が電子保存されるようになった．電子カルテシステムについては前述したが，病院の情報システムは電子カルテシステムだけではない．電子カルテシステムを導入しているような病院は，電子カルテシステムだけでなく医事会計や検査，放射線部門などそれぞれの部門の特性に応じたコンピュータシステムを導入しており，それらが病院の中で有機的に連携し稼働している．これらを総称して，病院情報システム（Hospital Information System：HIS）と呼ぶ．このことからも，医療においては患者に関わる膨大な情報が日常的に収集され蓄積されていることが推測できる．

個人情報を含む医療に関連する重要な情報は保護されなければならないが，医療の質の向上や医療の進歩のためにはそれらは積極的に活用されるべきである．医療の質の向上と進歩は，患者だけでなく国

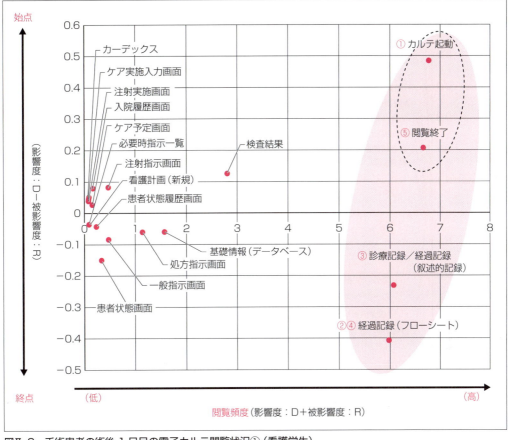

図Ⅱ-6 手術患者の術後1日目の電子カルテ閲覧状況①（看護学生）

民にとっても恩恵を被ることにつながるからである．

医療情報の活用には一次利用と二次利用がある．一次利用とは，患者の診療等で得られた情報を患者の治療や看護のために使用する，本来の目的に沿った使用のことをいう．一方，二次利用とは，本来の目的とは異なるが，医療や看護分野の研究や行政による統計作成，政策立案などを目的に利用することをいう．以下に，情報を二次利用した看護の研究の一例を紹介しよう[6]．

## 2. 電子カルテのアクセスログの分析による看護研究

医療や介護に関する情報が電子保存されるようになると，情報漏えいなどを防ぐ情報セキュリティ対策が重要となる．自分が勤務している病院に入院している患者であっても，自分が看護を直接提供していない他の部署の患者の情報を興味本位で閲覧することは情報倫理上問題となる．病院ではそれを監視する対策として，誰がいつ患者のどのような情報にアクセスしたのかがわかるように，アクセスログ（access log）[*1]が記録される．

以下は，そのアクセスログの二次利用に着目した研究である．研究目的は電子カルテ閲覧における看護学生と看護師による情報収集のための画面遷移の特徴を分析し，臨地実習おける看護学生の学習効果の向上に寄与する電子カルテ活用について示唆を得ることである

臨地実習で看護学生が受け持った手術患者について，看護学生と看護師が術後1日目に電子カルテを閲覧した状況を分析した．看護学生と看護師が閲覧した対象患者の電子カルテのアクセスログは10,722件であった．**図Ⅱ-6** および**図Ⅱ-7** の赤い丸印は，対象が閲覧した電子カルテの画面の名称を示す．これらの名称は病院によって異なるため，主なものについて**表Ⅱ-4** に準じている．横軸は閲覧回数で，右に行くほど多い．縦軸は，上に行くほど画面の始点としての役割，つまり，その画面から何度も閲覧をスタートさせていることを，下に行くほど，他の画

---

[*1] 「ログ」とは，起こった出来事についての情報などを一定の形式で時系列に記録・蓄積したデータのこと（IT用語辞典より）．

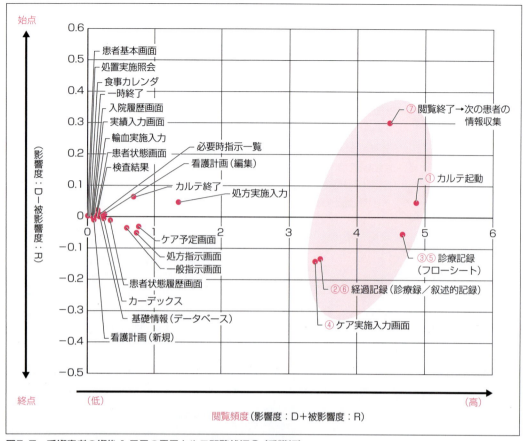

図Ⅱ-7 手術患者の術後1日目の電子カルテ閲覧状況②(看護師)

面からその画面に移動していることをそれぞれ示す．縦軸の中心(0)に近いほど始点と終点の役割が小さくなる，つまり，効率よく画面遷移していることを示す．また，グラフ内の赤い番号①～⑦は，対象の閲覧頻度が高かったものに対して，どのような順番で電子カルテを閲覧したのかを示している．

この結果(図Ⅱ-6, 7)からわかることは，まず，看護学生はカルテ起動後，まず，経過記録(フローシート)を閲覧し，経過記録(診療録/叙述的記録)を閲覧していたことである(図Ⅱ-6)．一方，看護師はカルテ起動後，まず，経過記録(診療録/叙述的記録)を閲覧し，経過記録(フローシート)を閲覧していた(図Ⅱ-7)．これらのことから，看護学生はカルテからメモに転記しながら時間をかけて情報収集しており，看護過程展開のために情報収集するという，学習者としての行動が結果に現れていると考えられた．一方，看護師は経過記録(診療録/叙述的記録)を優先的に閲覧しており，多職種によるアセスメントを確認していると推察され，目的を明確にしてアセスメントを繰り返しながら閲覧していると考えられた．

次に，2つの図を比較すると，看護学生は閲覧頻度が高い部分の画面の散らばりが看護師よりも大きい(色の網掛けの部分)．加えて，看護学生はカルテ起動が始点側のもっとも高い位置にある(図Ⅱ-6)．閲覧終了からカルテ起動をたどっている学生が多くみられたことから，一旦，閲覧を終了しても，すぐにカルテを開くという動作を繰り返していることがわかる(黒の点線の楕円)．

これらの結果から，看護学生は電子カルテの構成，つまり，情報の構成を知らないことや電子カルテの操作に不慣れなことが反映していると考えられた．また，情報収集にあたって，目的を明確にできていないまま電子カルテを閲覧していることも要因として考えられた．一方，看護師は，情報から情報へとつながっていくように，アセスメントを繰り返す一定のパターンで効率よく情報収集をしていることが明らかになった．

● 引用文献

1) 厚生労働省：誰もが支え合う地域の構築に向けた福祉サービスの実現―新たな時代に対応した福祉の提供ビジョン―（平成27年9月17日）．〔https://www.mhlw.go.jp/file/05-Shingikai-12201000-Shakaiengokyokushougaihokenfukushibu-Kikakuka/bijon.pdf〕（最終確認：2022年4月12日）
2) 厚生労働省：チーム医療の推進について（平成22年3月19日）．〔https://www.mhlw.go.jp/shingi/2010/03/dl/s0319-9a.pdf〕（最終確認：2022年4月12日）
3) 厚生労働省：医療分野の情報化の推進について．〔https://www.mhlw.go.jp/stf/seisakunitsuite/bunya/kenkou_iryou/iryou/johoka/index.html〕（最終確認：2022年4月12日）
4) 厚生労働省：診療情報の提供等に関する指針（平成15年9月12日）．〔https://www.mhlw.go.jp/web/t_doc?dataId=00tb3403&dataType=1&page%20No=1〕（最終確認：2022年4月12日）
5) 公益社団法人日本看護協会：看護記録に関する指針（平成30年5月）．〔https://www.nurse.or.jp/home/publication/pdf/guideline/nursing_record.pdf〕（最終確認：2022年4月12日）
6) 松本智晴，吉田拓真，宇都由美子ほか：手術患者の情報収集における看護学生と看護師の電子カルテのアクセスログ経路の比較．第37回医療情報学連合大会論文集：666-671，2017

# 3 情報テクノロジーと看護

## A 医療情報とICT

　情報技術の急速な進歩は，情報通信技術（information and communication technology：ICT）分野に，クラウド（cloud），ビッグデータ（big data），モバイル（mobile），SNS（social network system）などといった新たな技術革新の基盤を生み出している．これらは「平成24年版　情報通信白書」において，「スマート革命」[1]と称され，ICT産業，とりわけモバイル産業の変革をもたらした．今日，情報通信技術は人間の日常生活になくてはならないものとなっており，IoT（internet of things）やAI（artificial intelligence），DX（digital transformation）など，社会インフラとしても発展を続けている．このような情報社会の中で，複雑化する医療分野においても，情報を活用した技術革新が期待されている．

　ポステ（Poste G）[2]は，医療費と病気の関連を図として提示し，健康と病気の狭間にある境界領域を超えた疾患としてあげられる，慢性疾患の患者と終末期患者のみで医療費のほぼ8割が支出されていると試算している（図Ⅱ-8）．このような医療費支出の偏りを解消する手段として，情報技術を活かした遠隔医療や遠隔看護などの技術が，健康寿命の促進を生むものとして期待されている．

## B ICTと遠隔看護

### 1 遠隔看護とは

　遠隔看護（telenursing）とは，米国の看護協会では，「テレコミュニケーション（電気通信・遠距離通信）を用いた看護実践」と定義している．ミホランド（Miholland DK）[3]は，"Telehealth & telenursing" という著書において，「看護実践において電気通信技術を利用するもので，物理的に離れた場所にいる対象に対して，家庭や病院等とテレナーシングセンターをモバイル端末でつないで看護を提供すること」と定義している．

　日本においては，遠隔看護の明確な定義は未だ共通の認識となっていない．米国看護師協会（American Nurses Association［ANA］，1997），看護師州委員会

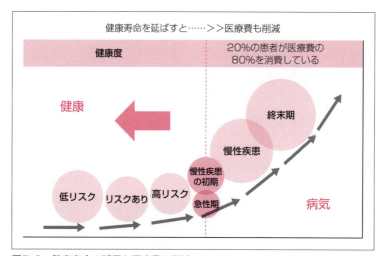

図Ⅱ-8　健康寿命の延長と医療費の関連

［Poste G：Biospecimens：A critical resource for advances in molecular diagnostics. imaging and therapeutics. keynote presentation：Annual Biospecimen Research Network（BRN）Symposium Bethesda. MD 28 March. 2011〔https://casi.asu.edu/wp-content/uploads/2019/03/PosteGBRN%20BethesdaMD3-28-11_0.pdf〕（最終確認：2022年4月11日）より引用］

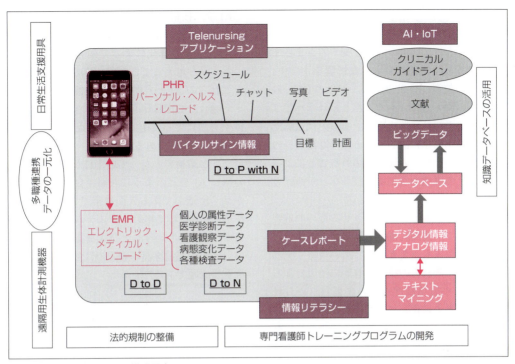

図Ⅱ-9 遠隔看護のための構成要素
[Kawaguchi T, Toyomasu K：Health Informatics, Innovation of Community-based Integrated Care. Health Informatics, p.25-35, Springer Nature, 2021 より引用]

全国協議会（National Council of Stage Boards of Nursing［NCSBN］, 1997），国際看護師協会（International council of nurses［ICN］, Miholland, 2000）では，遠隔看護にはそれぞれの定義があり，看護での活用を推進すると同時に，その活用についてはさまざまな議論がある．

これらの定義をまとめる形で，Sharpe（2001）[4]は，遠隔看護（telenursing）を，nursing informatics（看護情報学）と nursing science（看護科学）および the art of nursing（看護技術）を融合した学問分野と述べており，21世紀の医療における重要な看護技術と位置づけている．

### 2 遠隔看護の具体例

図Ⅱ-9に，遠隔看護を実施していくための構成要素と，それらを支える制度をまとめた[5]．遠隔看護を構成する2本柱として，電子カルテなどEMR（electric medical record）情報と，患者の日々のデータを管理しているPHR（personal health record）情報がある．管理された施設療養においては，正確で客観的なデータの重要性が情報共有の要であることは間違いなく，日本における2000年初頭のIT革命以後，30年間あまりでかなりの進化を遂げている．

しかし一方で，病院での治療中心の医療から，在宅での治療や療養が中心となる地域包括ケアシステムなどが推進されており，管理された標準化医療から，個々人の病状や生活に合わせた個別化医療へと，そのあり方が大きく変わりつつある．ここで課題としてあげられるのが，PHRデータの効率的・効果的な情報活用である．図中にも示したが，個別化医療を実施していくためには時間経過とともに変化する病状や療養生活でのリアルタイムのデータの蓄積と運用がきわめて重要となる．看護師は，これらのデータを管理・整理し，医療に活かしていく専門職としての責務は大きい．看護師は，「D（Doctor）to P（Patient）with N（Nurse）」と略されるように，「患者と共にある看護」を展開していくためのキーパーソンとして，重要な役割を担っている．

今後の情報テクノロジーの進化は，在宅での健康・医療情報，および病院などの施設で管理されている電子カルテ情報などによって，ビッグデータとして蓄積され，整理されるようになる．これらのデータは，単にデータを蓄積するのみではなく，過去に蓄積された書誌データや電子データとも連動しながらAI化が進められ，多職種の専門性を活かした情報連携や意思決定を伴う専門知識の提供・支援などにおいて大きな役割を果たすようになる．

### 3 遠隔医療，遠隔看護を可能にするために

このような動きは，医療・介護を支えるさまざまなものづくりや社会規範にも大きな影響を及ぼす．図II-9の周辺に位置づけた事項は，対象のQOLの向上とも関連の深いものである．たとえばリハビリテーション機器や福祉機器の開発，あるいは遠隔で日常生活の状態を簡単に計測できる生体計測機器の開発，さらには，それらの運用に関わることによって生じる倫理上の課題や法制度の整備などがあげられる．

また，これらを技術として機能させるための重要な整備事項として，遠隔医療や遠隔看護を有効に活用できる人材の育成も重要となる．高い情報リテラシーを身につけ，それらの技術を有効に活用できる教育プログラムや資格制度などの整備が求められる．今後，ますます進化していく情報技術を活用していくためにも，知識のみではなく，情報の進化を見据えながら，看護技術として確立できるような看護教育の新たなカリキュラムの再構築も求められる．

## C 情報化と看護の未来

情報テクノロジーの進化によって課題となるのが，「人間とAIの調和」である．デジタル化が急速に進化していく中で，人間の意思決定が尊重される仕組みづくりは，きわめて重要な課題である．とくに対象の権利擁護者として大きな関わりを持つ看護職にとって，情報技術の進化に伴って生じる多くの課題について検討する必要がある．たとえば，以下のような課題があげられる．

① デジタルクローン（デジタル化された人間）は，人間を超えるのか？
② AIは，機械としての人間はつくるが，人間そのものをつくることはできるのか？
③ AIは，人間のように感情や感性を扱えるようになるのか？
④ AIは，技術や芸術を理解し，作者を批判することはできるのか？
⑤ AIやDXの進化によって個人の限界を，人間はどう乗り越えることができるのか？

これらのAIと人間との関係性を未来に向けて考えた場合，心配は尽きない．以上のような例は，医療や看護にとっても，AI化が進む中では議論すべき重要な課題である．遠からずAIを搭載したロボットと業務をこなしていく日が来るであろう．その際にAIをどのように人間社会の中で位置づけるかは，創造主である人間次第である．「人間と機械やAIが調和して初めてシステムとして成立させ価値が生じる」ということは大前提である．このことは，人間の慈愛を尊ぶ看護では強く求められるべき最重要課題である[6,7]．

### ●引用文献

1) 総務省：平成24年版情報通信白書-ICTが導く震災復興・日本再生の道筋，第2章1節「スマート革命」が促すICT産業・社会の変革，2012〔https://www.soumu.go.jp/johotsusintokei/whitepaper/ja/h24/pdf/index.html〕（最終確認：2022年4月11日）
2) Poste G：Biospecimens：A critical resource for advances in molecular diagnostics. Imaging and Therapeutics. Keynote Presentation：Annual Biospecimen Research Network（BRN）Symposium Bethesda. MD 28 March. 2011〔https://casi.asu.edu/wp-content/uploads/2019/03/PosteGBRN%20BethesdaMD3-28-11_0.pdf〕（最終確認：2022年4月11日）
3) Milholland DK：Telehealth & telenursing：nursing and technology advance together, International Council of Nurses, 2000
4) Sharpe CC：Telenursing：Nursing Practice in Cyberspace, Auburn House, 2001
5) Kawaguchi T, Toyomasu K：Health Informatics, Innovation of Community-based Integrated Care. Health Informatics, p.25-35, Springer Nature, 2021
6) 川口孝泰：遠隔看護とイノベーション-在宅医療の新展開：遠隔看護の現在と在宅医療におけるその役割．看護研究 48（2）：104-111, 2015
7) Kawaguchi T, Azuma M, Satoh M, et al.：Tele-nursing in Chronic Conditions. Tele-nursing, p.61-74, Springer, 2011

# 4 健康情報とヘルスリテラシー

## A ヘルスリテラシーの定義

インターネットなどメディアには健康情報があふれ，検査や治療を受ければ医療者から数々の専門的な情報が提供される．それらを活かせるかどうかは，ヘルスリテラシー（health literacy）と呼ばれる，健康情報を入手し，理解し，評価し，活用するという4つの力にかかっている[1]．ここでの活用とは意思決定であり，それは2つ以上の選択肢から1つを選ぶことである（図Ⅱ-10）．

そもそもリテラシーとは"letter"=「文字」が由来で，読み書き能力，識字のことである．それは人々が社会に参加し目標を達成するために必要な能力で，人間の尊厳であり誰もがもつべき権利，すなわち人権である．リテラシー教育にまい進したブラジルの教育学者フレイレ（Freire P）は，貧しい農村の人々が支配者によって，文字を知らされず，否定的な自己像を植え付けられ，沈黙している文化を発見した．その解決方法として生み出された批判的意識化は，人々が，自分たちが沈黙させられている状況を客観的に意識して，主体的に変えていくことである．それは，エンパワーメントと呼ばれ，個人や集団が，不利な状況下におかれても，生まれつき備わっている力を十分発揮できるように，環境を変える力を身に付けるという意味で用いられている．リテラシーという言葉を含むヘルスリテラシーの背景には，このエンパワーメントの概念があることを忘れてはならない．

## B ヘルスリテラシーの2つの場面

ヘルスリテラシーは主に2つの場面で必要となる．

### 1 ヘルスケアの場面

まず，ヘルスケアの場面では，病院などの臨床での情報やコミュニケーションが重要となる．健康関連用語を理解する力が必要で，これは機能的ヘルスリテラシーと呼ばれる．それが低いと，処方薬の服薬，慢性疾患の自己管理の状況などが難しくなり，健康に悪影響を及ぼすことがわかっている．

図Ⅱ-10 ヘルスリテラシーのプロセス

そこで推奨されるのは「ティーチバック（teach-back）」である．医療者が患者に話したことを，患者に自分の言葉で説明をしてもらい，難しければ別の方法で説明する方法である．ただし，テストのように思われるので，たとえば，「帰ったら，奥さん（ご主人）に，病院で何と言われたと話しますか」と尋ねることが提案されている．現在では，すべての患者や市民はヘルスリテラシーが低いと想定して，わかりやすいコミュニケーションができる力をもつ医療者や組織を，ヘルスリテラシーのある医療者・組織とよぶようになっている．

### 2 ヘルスプロモーションの場面

他方，ヘルスプロモーション（381頁参照）の場面では，個人が行動を変える力だけではなく，それをサポートするためにコミュニティや集団で環境を変えられる力が必要となる．

ナットビーム（Nutbeam D）は，機能的ヘルスリテラシーに加えて，相互作用的ヘルスリテラシーと批判的ヘルスリテラシーを提唱した[2]．相互作用的ヘルスリテラシーは，周囲がサポートしてくれる場合に，知識に基づいて自立して行動したり，もらったアドバイスに基づいて意欲や自信を向上させたりするものである．批判的ヘルスリテラシーは，周囲がサポートしてくれない場合でも，沈黙せずに環境を変えるための行動ができる力である．たとえば，糖尿病と診断されたときに職員食堂のメニューの見直しを求めても難しい場合，同僚や上司などに働きかけて，職場全体で協力し合える力である．

## C ヘルスリテラシーの評価と要因

### 1 ヘルスリテラシーに関する調査の概要

ヘルスリテラシーを評価して対策をするために多くの測定が行われている。2012年には、欧州8ヵ国で、ヘルスケアとヘルスプロモーションの場面の両方を含めて、情報の入手から意思決定までの4つの力について測定が行われた[3]。その結果、ヘルスリテラシーに困難がある人は約半数を占め、健康格差の要因となっていることが明らかになった。

その後、日本でも同じように測定が行われ、ヘルスリテラシーに困難がある人の割合は約85％で、欧州8ヵ国よりも高い結果となっていた[4]。さらにアジア6ヵ国でも測定され[5]、国別の平均点（50点満点）を比較すると日本の値は最も低い状況にあった。日本では、とくに健康情報の評価と意思決定が難しい傾向であった。

### 2 「評価」について

健康情報の評価については、その背景に利用する情報源への信頼の問題がある。日本人は国際的に見ると新聞・雑誌やテレビなどを信頼する割合が突出している。『世界価値観調査』では、日本は約6～7割に対して、欧米諸国は約1～4割である。対照的に海外ではインターネットのほうが信頼されている。

インターネットは、私たちがつくるメディアであり、マスメディアが取り上げる元ネタ（根拠）となる、まだ加工されていないデータや論文・報告書などのオリジナルの情報が手に入りやすい。人がつながるためのソーシャルメディア（日本ではSNSとされることが多い）では、医療者や研究者を含めた多様な人々と情報をシェアして助け合うことができる。日本人は、データや情報を得て自分で意思決定するよりは、正しい選択肢や答えを与えてもらいたい傾向があるように見える。

### 3 「意思決定」について

また意思決定については、ヘルスリテラシーが高い国オランダが参考となる。世界的成功事例とされている在宅ケア組織ビュートゾルフを起業した看護師の言葉が象徴的である。その根底には「自分の人生の中で起きるいろいろなことについて自分で判断して決定できれば、自分の人生に自ら影響を与えられるし、より幸せな人生を送ることができる」という信念があるという。また、学校教育の段階から、建設的に議論して意思決定する習慣を学ぶことがあげられ、意思決定のスキルを重視していると言える。

『世界価値観調査』によると、幸福感が高い国や地域ほど人生の選択の自由度が高い傾向にある。オランダはどちらも上位であるが、日本の幸福感は先進国では低めで、人生の選択の自由度は88の国・地域の中で86番目（2017-2022年のデータ）である。日本人は意思決定に自信がなく、避けようとしがちであるという研究もある。

日本でも自己決定[*1]は幸せなのかを調べた研究によると、健康、人間関係に次いで、所得、学歴よりも自己決定（進学先や就職先を自分で決めたか）が幸福感に強い影響を与えていた[6]。健康を自分で決められれば、それも身近な人と信頼関係を築きながらできれば、より幸福になれる可能性があるだろう。

## D ヘルスリテラシーに必要な情報の評価と意思決定のスキル

情報を評価するために、国際的に使われている重要なポイントが5つある[1]（表Ⅱ-5）。頭文字の『か・ち・も・な・い』は、「情報は5つを確認しないと『価値もない』」と覚えられる。

意思決定の方法には、主に2つがある。1つは直感的な意思決定であり、勘や感情を中心とした素早い方法で、日常的によく使われているが、大事なことを決めるときは、選択肢を見落とすリスクがある。もう1つは合理的な意思決定であり、選べる選択肢がすべてそろっているか確認し、各選択肢の長所と短所を知り、自分にとって何が重要かはっきりさせる方法である。選ぶ理由が目的に合っていて、誰が見ても納得できることが望ましいとされている。厳しい競争のあるビジネスの世界でも、患者の意思決定を尊重する患者中心の医療でも共通している。表Ⅱ-6の4つのプロセス[1]が必要となり、納得したことを「胸（腹、腑）に落ちた」と言うので、選択肢を英語のオプション（option）にすると、頭文字から「胸に『お・ち・た・か』」と覚えられる。

日本では、これら表Ⅱ-5、6に示した情報の評価と意思決定のスキルがある人ほどヘルスリテラシーが高いと報告されている[7]。しかし同時に、これらのスキルを学んだことがない人が多いとも指摘され

---

[*1] 日常のセルフケア行動を自分自身で決定すること。

表Ⅱ-5 情報を評価するポイント：『か・ち・も・な・い』

| | | |
|---|---|---|
| か | ：書いたのは誰か（信頼できる専門家） | →最近，専門分野の論文を書いているか |
| ち | ：違う情報と比べたか（情報の適切さ） | →他の情報と違う点はないか |
| も | ：元ネタ（根拠）は何か（情報の正確さ） | →出典や引用で科学的な根拠が示されているか |
| な | ：何のための情報か（情報の客観性） | →何かを売るための広告ではないか |
| い | ：いつの情報か（情報の最新性） | →現在は否定されているかもしれない |

表Ⅱ-6 情報に基づく意思決定のためのプロセス「胸に『お・ち・た・か』」

| | |
|---|---|
| お | ：選べる選択肢（オプション）がすべてそろっているか確認する |
| ち | ：各選択肢の長所を知る |
| た | ：各選択肢の短所を知る |
| か | ：各選択肢の長所と短所を比較して，自分にとって何が重要かはっきりさせる |

ていて，学ぶ機会の提供や支援が求められる．このため，「か・ち・も・な・い」と「お・ち・た・か」を学ぶための動画を作成・公開し普及させる試みが行われている[8]．

意思決定で大切なことは，何を選んだかという結果だけでなく，どのように選ぶかというプロセスである．誰もが選んだ結果に不満があれば多少は後悔するものであるが，意思決定の方法で後悔すると二重の後悔になる．意思決定では，自分が何を一番大事にするかという価値観（values）が問われる．それは長所と短所という価値（value）の重要度に優先順位を付けることであり，自分らしさをつくっていくプロセスでもある．人生においてさまざまな岐路に立ったときに，自分に合った意思決定を積み重ねて，その人らしい人生を歩むことは健康の大事な柱であろう．

● 引用文献

1) 中山和弘：これからのヘルスリテラシー 健康を決める力，講談社，2022
2) Nutbeam D：Health literacy as a public health goal：a challenge for contemporary health education and communication strategies into the 21st century. Health Promot Int 15（3）：259-267, 2000
3) Sørensen K, Pelikan JM, Röthlin F, et al.：Health literacy in Europe：comparative results of the European health literacy survey（HLS-EU）. Eur J Public Health 25（6）：1053-1058, 2015
4) Nakayama K, Osaka W, Togari T, et al.：Comprehensive health literacy in Japan is lower than in Europe：a validated Japanese-language assessment of health literacy. BMC Public Health 15：505, 2015
5) Duong TV, Aringazina A, Baisunova G, et al.：Measuring health literacy in Asia：Validation of the HLS-EU-Q47 survey tool in six Asian countries. J Epidemiol 27（2）：80-86, 2017
6) 西村和雄，八木匡：幸福感と自己決定―日本における実証研究．RIETI ディスカッション・ペーパー 2018 vols 18-J-026.〔https://www.rieti.go.jp/jp/publications/dp/18j026.pdf〕（最終確認：2023年5月30日）
7) Nakayama K, Yonekura Y, Danya H, et al.：Associations between health literacy and information-evaluation and decision-making skills in Japanese adults. BMC Public Health 22：1473, 2022
8) 中山和弘：ヘルスリテラシー 健康を決める力．YouTube〔https://www.youtube.com/@healthliteracyskills〕（最終確認：2023年5月30日）

# 看護活動の前提となる技術

# 1 看護における人間関係とコミュニケーション

　人は誕生の瞬間から自らのからだのすべてを使って，他の人とのつながりを求めて活動する存在であり，人とのつながりがなくては生きられない宿命にある．そして，成長発達の過程でさまざまな人との出会いや関わりを通して，より豊かな人間関係を育む力を発達させていく．この人間関係を育む力は，人が自分らしくいきいきと生活していく糧となり，生涯を終えるまで人を成熟させていく力となるものである．人を成熟させていく手段のひとつである人間関係の基盤は，相手とのつながりを求めるコミュニケーションである．

　看護は人の生き方に寄り添い，生きることそのものを支え，勇気づけ，その人がもつ力を高めて健康に生活できるようにサポートしていく専門職である．その看護の役割は，良好なコミュニケーションに裏打ちされた人間関係の中で発揮される．

## A 看護と人間関係

### 1 人間関係のプロセスのうえに成立する看護

　人は家庭の中では親子，夫婦，兄弟姉妹として，地域の中では地域住民として，職場の中では同僚，上司，部下として，個人的には友人，趣味サークルのメンバーなど，さまざまな人々と人間関係を築いている．そして人は他人と関係を築くとき，なんらかの目的をもって関係づくりをしている．たとえば，悩みや悲しみを友人に相談し，気がおけない仲間とスポーツを楽しむ，旅行に行くなど，往々にして自分の快感情が増し，不快感情が軽減するような，自分にとって心地よい関係をつくりやすい．服部（2001）はこのような「自分の利害を優先させる関係は，深みや豊かさが不足しており，不完全である」と指摘し[1]，真の人間関係は「自分と他者が出会い，相互に脈々とつながり，いずれもいきいきと生かす全人的な関わりの中でこそ成立し，成熟する」と述べている[1]．人と他者との関係の本質については，1920年代に，哲学者のブーバー（Buber M）が『我と汝』（1923）[2]の中で明らかにしている．彼は世界に対して人がとる態度には「我と汝」「我とそれ」という2つの態度があると述べた．「我と汝」の関係は，正面から相手と対峙（向かい合って立つこと）している出会いであり，相手をかけがえのない存在として認め，心のふれあいが生じる関係である．それに対して「我とそれ」の関係は，相手と対峙しない逃避的な関係で，相手を単なるもの（対象化）としてみている関係である．この関係は，相手を利用し操作できる対象として考えている関係である．ブーバーは，知識の獲得や科学的な分析思考など「我とそれ」の関係による現代文明の成果を認めつつも，「我と汝」の関係である人間のもっとも根底的関係づくりの希薄さを危惧している．

　対人援助を行う専門職では，たとえば教師が生徒と学習の過程を通して関係を築き，保育士が乳幼児の発育の援助を主眼に関係を築くように，看護においても患者の健康に関心を寄せて関係を築く．このように専門職の対象者との関係づくりには，それぞれ社会的役割を内在した目的が存在する．この目的は，それぞれの関係づくりの中心ではあるが，その基盤には互いの存在を尊重した対人交流が必要である．したがって，看護をするという目的を果たすためには，患者に起こっている現象をとらえる場合など，ある側面では患者を対象化（それ）して，根拠を明らかにしながら分析する「我とそれ」の関係が必要である．しかし，患者に関わるときには相手の存在そのものに敬意を払い，相手を受け入れ，共にある存在として心の交流が図られる関係，すなわち「我と汝」の関係づくりが必要となる．この看護者と患者との真の人間的出会いがあってはじめて，患者は主体性を回復して現状に立ち向かうことができ，看護の提供が有効に働く．

### 2 患者-看護者間の援助的人間関係

　これまで，看護の基盤は人間関係であると述べてきたが，それは具体的にはどのような関係であり，どのような働きがあるのだろうか．人間関係を基盤に展開している看護理論を概観し，さらに，看護職の役割行動から援助的な人間関係について考えてみる．

#### 1. 人と人との相互作用

　相互作用とは，ある動機をもって他者に対して働きかけて影響を及ぼし，それと同時に他者は受けた

影響を反応として働きかけ返して影響を与える，というフィードバックシステムである．人と人はそのような相互作用の中で，お互いに出会い，理解を重ねることにより，関係性を深めて成長していくと考えられている．

この対人間の相互作用を看護の理論として体系づけた理論家には，ペプロウ（Peplau HE），オーランド（Orlando IJ），キング（King IM），ウィーデンバック（Wiedenbach E），トラベルビー（Travelbee J）などがいる．

先駆者の役割を果たしたペプロウ[3]は，看護を「看護とは有意義な治療的・対人関係的過程であり，地域社会における個人の健康を可能にするような他の人間的過程と共同して機能する」ものであるとし，「看護は，創造的・建設的・生産的・個人的・地域社会生活に向けてパーソナリティーの前進を促すことを目的とした教育的な手段であり，成熟を促す力である」と定義した．そして，ペプロウはまた，個々の患者への看護者の直接的な働きかけを看護者-患者関係（nurse-patient relationship）と名づけた．さらに，「個人を困難な状態にある人間として理解する方法を見出し，その人がたとえわずかでもその能力を伸ばし，本来の能力を発揮できるように援助することである」と，患者-看護者関係を看護の目的を遂行する手段として説いている．この患者-看護者関係の構築過程は，「方向づけ（orientation）」「同一化（identification）」「探求（exploration）」「問題解決（resolution）」と段階的に発展していくと考え，これらの段階を経過する中で両者は人間的成長を遂げることを示した．

キング[4]は，対象である人を環境と相互行為を営む開かれたシステムとしてとらえ，個人間の相互行為を重視し，成果を生み出す患者-看護者間の相互行為を明らかにし，「看護は看護者とクライエントの人間的な相互行為のプロセスであり，そのプロセスを通じて，人は他者と置かれている状況を知り，コミュニケーションを通じて目標を設定し，手段を探求し，目標達成のための手段に合意する」と述べている．

トラベルビー[5]は看護の目的を「病気や苦難の体験を防ぎ，それに立ち向かうよう病人と家族を援助すること」，そして「必要なときにはいつでも，これらの体験の中に意味を見出すように彼らを援助すること」とし，コミュニケーションを「看護者が人間対人間の関係を確立し，看護の目的を実現させるプロセス」と，それぞれ定義している．また，「コミュニケーションによる相互作用がその個人の理解と看護上のニードを確認する手だてとなり，そのニードを看護者が実践することによって人間関係が確立し，看護の目的が達成される．その目的達成は，相互作用のプロセスの中で発揮される看護者の行動にかかっている」と看護者の役割の重要性を述べている．

このように，人と人との相互作用は，看護を実際に成し遂げていくために必要性の高い要素であり，看護の目的達成のためには，人と人との相互作用である人間関係を効果的に構築できる技術が必要である．

## 2. 援助的役割

私たちは一人の個人として社会に存在しつつ，社会生活を営むうえでは相手との関係性の中でなんらかの社会的な役割を担いながら生活している．それは親の役割であったり，家族の役割，職場や地域の役割であったりする．こうした役割には性別や続柄のように出生のときに個人の意思とは無関係に規定されるものもあるが，身分や職業のように個人の社会化，個人の意思によって獲得するものもある．

役割は，その特性が人々に共有されるとき，そこに規範を生み，また，役割を取得した人々はその規範に沿うように社会から求められる．たとえば父親になれば父親らしさを，部長に昇格すれば部長らしさを期待される．そして，役割を取得した本人も，役割に期待される行動に沿うように自らの行動の方向づけを行う．このことは，役割に自らを適応させ，順応しながら，役割をうまく遂行することによって達成される自己実現のひとつの手段となる．反面，役割に対する不適応や葛藤を起こすと，相手との関係の悪化，自信の喪失などを引き起こすこともある．

患者-看護者関係においても，患者には看護者に保護と支援を要請する役割と，看護者のケアの提供を受けて自律する役割がある（患者役割あるいは病者役割）．看護者には患者の要請を受け止め，それに応えるという役割がある．そこには対人間どうしの相互作用が存在する．看護者の役割には患者の要請，つまり患者が必要としている欲求を満たす，良い方向に働きかけるという姿勢が存在することから，援助的役割といわれている．援助的役割が期待される看護者には，まず対等な人間関係を築く資質が必要である．生活の全面を看護者に依存しなければならない患者と，支援する立場にあるという意識をもつ看護者の間では，弱者と強者の関係が生じやすい．このようなときには，患者の気持ちや欲求などを相手の立場に立って聴くことはできず，患者も

心を閉ざしてしまうことになる．また，看護者に「援助は善意に基づく思考や行動である」という意識があると，自分の行いは患者の利益にならないはずはないという思い込みに陥る．この傾向は患者の本当のニード（need）を見誤ってしまう危険性があり，これは患者の自己決定（54頁）の機会を奪うことや，患者の自立や自律の機会を妨げることにつながる．反面，患者の依存心が非常に強い場合は，本来ならば患者が自分のこととして意思決定し行動すべきところを，その役割を全面的に看護者に委ねることがある．しばしば，患者は自分に都合のよいように看護者を巻き込んでしまう．このような場合には，援助する側・受ける側として相互の責任の所在を明確にしておく必要がある．以上のように，援助関係はともすれば一方的な押し付けをしたり，利用されたりする関係に陥りやすいことを認識しながら患者－看護者関係を築いていくことが重要である．

　援助者の資質の側面からこの援助的役割を考えると，良い看護，すばらしい看護者という社会的評価を意識しすぎるあまり，患者のために，病院のためにと心的エネルギーをすべて注いでしまった結果，バーンアウト（burnout syndrome：燃え尽き症候群）に陥ることがあることも意識して，看護者自身の心の健康にも注意を払うことが大切である．

## 3 人間関係を発展させるための自己理解・他者理解

### 1. ジョハリの窓

　人との関係を築くにあたって，私たちは自分自身を知り，他者を知るということに関心をもたなければならない．この自己理解と他者理解のうえで役立つ考え方のひとつにジョハリの窓（Johari window）といわれるモデルがある（図Ⅲ-1）．これはジョーゼフ・ラフト（Joseph Luft）とハリー・インガム（Harry Ingham）という2人の心理学者の名をとって命名されたもので，心には自分と他者の気づきによって4つの窓が存在し，その窓の大きさや変化から，人間関係を築いていくうえでの自分の対人行動のあり方を考えるモデルである．ラフトらは自分自身の内面は「自分が知っている領域」と「自分が知らない領域」があり，さらに，自分には「他人が知っている領域」と「他人が知らない領域」があり，それらを重ね合わせて4つの領域（窓）があることを示した．すなわち，「自分も他人も知っている自分：開放領域」は，他者と自分に共有された姿であるので，いわば公（おおやけ）の自分である．「自分は知っているが他人は知らない自分：隠蔽（いんぺい）領域」は，他者に知られたくない自

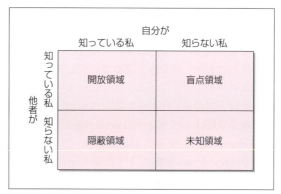

図Ⅲ-1　ジョハリの窓
〔Luft J：Of human interaction. Palo Alto, CA, National Press Books, 1969 より引用〕

分の姿を意図的に知らせない場合と，隠す必要はないが結果的に他者が知らない場合の2つの要素を含んでいる．「他人は知っているが自分は知らない自分：盲点領域」は，他者が知らせてくれないかぎりわからない，自分では気づかない自分の姿である．「他人も自分も知らない自分：未知領域」は，自分も他人も気づいていないのである．

　この4つの窓は便宜上同じ大きさに表現してあるが，これは個人によってそれぞれ違うものである．信頼ある人間関係を築くためには開放領域が重要となる．この開放領域が小さいと関係性は貧弱となり発展しにくい．したがって，相互の関係をより豊かに発展させるためには，開放領域を拡大していくことが必要となる．そのための方策のひとつは，自己開示（self disclosure）といわれる方法である．これは，相手が知らない自分についての情報を相手に知らせることにより隠蔽領域を小さくすることになる．相互の自己開示によって，共有される情報は増し，それは相手を理解する手だてとなって，親しさや信頼感が高まり，人間関係が発展する．もうひとつの開放領域の拡大方法は，自分では気づいていない自分についての情報を他者から知らせてもらうこと（フィードバック，feedback）によって盲点領域を小さくすることである．自分では気づいていない自分を知るということは新しい自分について発見することであるが，そこには長所のように優れている面ばかりではなく，短所や否定的な側面もある．このネガティブな側面の受け入れはなかなかむずかしいが，それを積極的に受け入れることによって自分の理解が深まる．このネガティブな側面を相手に伝えるときには，「本人が自己理解を深めようとしていること，プライバシーが保てる環境であること，事実を客観的に伝えること」に配慮すべきである．

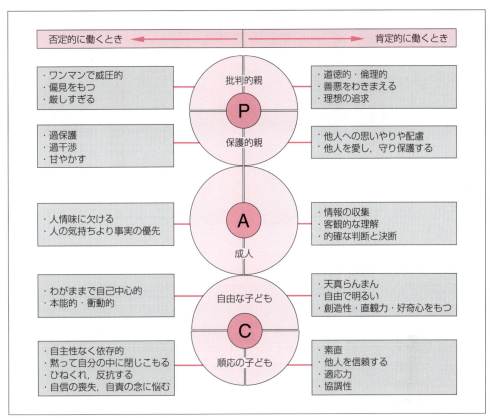

図Ⅲ-2　自我構造とその働き　　　　　　　　［白井幸子：看護にいかす交流分析，30頁，医学書院，1983より引用］

## 2. 交流分析

　自己理解を深めることと共に，相手の行動や性格についてもよりよく理解することを目的とするコミュニケーション技法のひとつに交流分析（transactional analysis）がある．これは，1957年に精神科医のバーン（Berne E）によって創設された病気や行動についての理論であり，現在では心理療法のひとつとして応用されている．交流分析は精神分析を背景に構築されているが，精神分析が無意識を重視するのに対して，交流分析は「今，ここ」という次元で，人に起こっている感情や思考，行動を理解しようとするものである．ここでは交流分析理論のうち，自我状態の分析と人生における基本的構えに焦点を当てて，自己理解・他者理解を説明する．

　交流分析のもっとも基本的な理論に自我状態（ego state）の分析がある．自我状態とは人の思考や感情，行動を決定づけている心の中の状態で，それが人格を形成していると考える．その自我状態には，親（Parent：P），大人（Adult：A），子ども（Child：C）の構造があり，それらは機能面からみると5つに分けられる（図Ⅲ-2）．それぞれの自我状態は肯定的にも否定的にも働き，その機能のしか

たがその人特有の思考や行動になる．これらの自我状態には両親や養育者たちの考えが反映され，それらの人々の行動や感じ方が影響している．自分の自我状態がどのように機能しているかを客観的にみるために，自我状態の心的エネルギーをグラフ化して表したものにエゴグラム（egogram）がある[6]．ここでは具体的な測定法は省略するが，自分の自我状態を知っておくと自分の言動の特徴がわかり，対人関係を円滑にすることに役立つ．

　また，人生に対する基本的な構え（態度）は，幼少期に養育者とのふれあいの中で養われる自己と他者に対する基本的な反応態度で，自分や他者をどう感じ，どう評価しているかという態度である．交流分析ではこの態度を4つに分類している（図Ⅲ-3）．これらの基本的な構えは，それぞれ他者との特徴ある交流様式をもっている．

　「私はOKでない，あなたはOK」の構え（自己否定・他者肯定）は，抑うつ的態度とも呼ばれ，他人に比べ，自分は無力で劣っているという感じをもっている．したがって，自己卑下の気持ちや劣等感から，自己肯定感をもっている人と親密な対人関係を結びにくい．

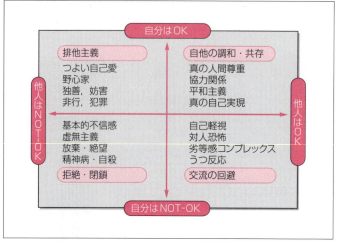

図Ⅲ-3　基本的構えと交流様式
[中村和子, 杉田峰康：わかりやすい交流分析, 87頁, チーム医療, 1984より引用]

「私はOKでない，あなたもOKでない」の構え（自己否定・他者否定）は，人生になんら価値を求められないと感じる態度で，基本的不信感を抱いている．他人からの交流を拒否し，自らの殻に閉じこもり，自己破壊的な行動をとることもある．

「私はOK，あなたはOKでない」の構え（自己肯定・他者否定）は，他人に対して疑惑や不信感を抱いている態度で，自分を犠牲者，被害者と考え，都合が悪いことが起こると責任転嫁や他罰傾向になる．また，自分に都合の悪い相手を排除しようとする．

「私もOK，あなたもOK」の構え（自己肯定・他者肯定）は，自分も他者も価値ある存在と認識し，尊重し，建設的な態度がとれる構えである．この態度で接すると，他人といきいきとした関係を築くことができる．他の3つの構えが無意識の中で感情に基づいて形成されるのに対して，この「私もOK，あなたもOK」の構えは自分の決断により選択される構えで，訓練により体得できるものである．交流分析では人生に対する基本的な構えとして，この自己肯定・他者肯定の態度形成を目標にしている．

## B　コミュニケーションの基礎知識

コミュニケーションの語源は，ラテン語のcommunicare（共有する）であるといわれ，語源からすれば，人と人との間で知識，情報，行動，態度などの伝達したい内容や感情を共有化しようとする行為と考えられる．コミュニケーションの現象の研究は1940年代からさかんになり，伝達内容を発信する送り手→伝達内容であるメッセージ→メッセージを伝達する経路→メッセージを解読して受け取る受け手というプロセスが示された．しかし，通常行われる個人間のコミュニケーションでは，送り手は同時に受け手であり，受け手は同時に送り手となるために循環作用が生じてくる．また，メッセージは送り手の意図どおりに受け取られないことがあり，コミュニケーションの意味は多様な側面を有している．このコミュニケーションがもつ意味を深田は，相互作用過程，意味伝達過程，影響過程の3つの概念に大別している[7]．すなわち，当事者がお互いに働きかけ応答しあうために，コミュニケーションには相互理解と相互関係が成立するという側面，一方から他方への意味伝達により意味の共有化がはかれる側面，一方が他方に影響を与える側面があると考えたのである．

### 1　コミュニケーションの分類

#### 1. コミュニケーションが行われるシステム・レベルに基づく分類

一般にコミュニケーション学では，コミュニケーションが行われるレベルは個人と社会に分類され，個人レベルをパーソナル・コミュニケーション（personal communication），社会レベルをソーシャル・コミュニケーション（social communication）という．このシステム・レベルには，システム内コミュニケーションとシステム間コミュニケーションが存在する．

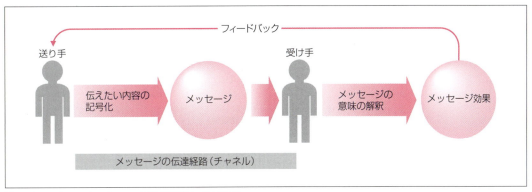

図Ⅲ-4　コミュニケーションの構成要素と成立過程

### 2. コミュニケーションの通過経路の特性に基づく分類

メッセージが通過する経路（チャネル，channel）が一方から他方へと1方向に開かれている場合を一方的コミュニケーション，メッセージを送る送り手が同時に受け手となるような2方向に伝達経路が開かれている場合を相互的コミュニケーションという．また，メッセージを送る経路に媒体（メディア）が介在するかどうかによって，対面的コミュニケーションと媒介的コミュニケーションに大きく分けられる．通過経路の方向性と媒体を組み合わせた特性からみると，コミュニケーションが相互的に直接的に行われるのがパーソナル・コミュニケーションであり，テレビ・新聞・映画など多数の受け手に対して一方的に間接的に行われるのがマス・コミュニケーション（mass communication）である．

### 3. メッセージの特性に基づく分類

メッセージは送り手の伝えたい内容を記号化されたもので構成され，言語を使用する言語的コミュニケーション（verbal communication）と，言語を使用しない非言語的コミュニケーション（non-verbal communication）に分けられる．言語は意図して伝えるために用いられるが，非言語には意図して伝える場合と無意識のうちに伝わる場合がある．

### 4. 送り手の目的に基づく分類

送り手が相手に対して受け手からなんらかの反応を引き出そうとする手段として用いるコミュニケーションを道具的コミュニケーションという．何に目的をおくかによって，挨拶のような社交的コミュニケーション，勧誘や説得のコミュニケーション，交渉のコミュニケーション，援助のコミュニケーション，自己表現のコミュニケーションなどがある．これに対して，相手が聞いているかどうかにかかわらず不安や怒りなどの感情を表現し，自分で納得するコミュニケーションを自己完結的コミュニケーションという．

## 2 コミュニケーションの構成要素と成立過程

個人間のコミュニケーションについて，構成される要素と成立の過程を単純化して示すと図Ⅲ-4のようになる．メッセージは発信者である送り手の特性をふまえて記号化される．そのメッセージは直接あるいは媒体を介して，伝達経路であるチャネルから受信者である受け手に認知され，解読される．このメッセージの認知・解読過程でメッセージは人の思考・感情・行動などにさまざまな影響を及ぼす．この影響のことをメッセージ効果という．その効果は送り手にフィードバックされる．

### 1. 送り手

送り手は伝達したい内容を送り出す手段として言語や非言語に記号化する．内容の記号化には，送り手の性別や年齢などの発達的な特性や性格特性，能力，社会的特性，過去の経験など送り手がどのような人であるかが関与する．また，メッセージを発信するとき，その送り手の置かれている環境や状況，送る相手に対する認識や感情も影響する．

### 2. メッセージ

メッセージは伝達したい内容が送り手によって記号化された集合体である．たとえば，「痛い」という内容を伝達したいとする．この内容をどのように表現するかであるが，「痛い」という発語，「痛い」という語頭を強調した語調，顔をしかめるという動作に，それぞれ記号化されて表現する．したがって，これら3つの記号化されたものすべてが送り手の伝達したい内容が含まれたメッセージである．それゆえに，同じ内容であっても，どのような伝達経路にのせて記号化するかによって，メッセージは受け手に異なる解釈と効果をもたらす．

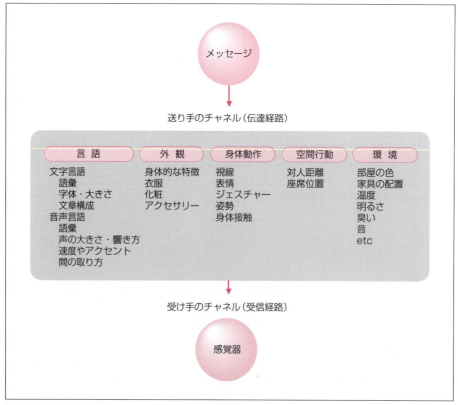

図Ⅲ-5　パーソナル・コミュニケーションのチャネル

## 3. チャネル

メッセージが通過する経路をチャネルといい，送り手と受け手を結ぶものである．送り手としては伝達経路であり，受け手としては受信経路である．パーソナル・コミュニケーションには，**図Ⅲ-5**に示すようなチャネルがあり，受信経路は感覚器官と考えられている．コミュニケーションでは，同時に複数のチャネルを用いてメッセージの交換を行っていることになる．

## 4. 受け手

送り手が発信したメッセージをある特定のチャネルを用いて受け取り（メッセージの認知），その意味を解釈するのが受け手である．メッセージにどのような意味をもたせるのかは，送り手と同様にその受け手がどのような人であるか，メッセージを受信するときの置かれている環境や状況，メッセージの発信者に対する認識や感情が影響する．

## 5. メッセージ効果

メッセージ効果とはメッセージが受け手に及ぼす影響を指し，メッセージをどのように意味づけしたかという受け手の理解度や受容度が行動の変化や感情の変化として現れる．

## 6. フィードバック

個人間のコミュニケーションにおいて，フィードバックはメッセージ効果を直接反映するものであり，メッセージ効果がそのままメッセージとなり，送り手に返される．

## 3 言語的・非言語的コミュニケーション

### 1. 言語的コミュニケーション

言語はそれ自体が意味をもつものではなく，人によって人為的に作り出された記号であり，その記号に約束事を付加し，意味をもたせているものである．その言語には意思や感情を伝達し，知覚・学習・記憶など思考機能を促進させ，他者の行動を促したり，抑制したりする機能がある．言語には音声言語と文字言語がある．実際のコミュニケーションでは，音声には声の大きさや響き方，間の取り方，速度やアクセントなど，文字には文字の字体，大きさなど非言語的要素がそれぞれ付随している．これらをどう用いるかによって，伝達したい内容の意味が異なってくる．

### 2. 非言語的コミュニケーション

一方，非言語的コミュニケーションもまた，意思

伝達に重要な役割をもっている．ホール[8]（Hall ET）は非言語的コミュニケーションは完全に意識された状態から意識以外の状態にいたる意識のさまざまなレベル状態において同時に行われることを示した．伝達活動における非言語の占める割合は65～70％[9]ともいわれている．非言語的コミュニケーションの意味する範囲は広く，身体動作，空間行動，身体接触，身体特徴，人工品に大別される．言語に付随する準言語も，場合によっては非言語的コミュニケーションに含める場合もある．

このような意識・無意識のあいだにとられる非言語的コミュニケーションは，その特徴として，言葉の意味を補強したり，逆を伝達したり，状況や文脈によって伝えようとする意味が異なってくる性質をもっている．たとえば，患者の部屋を訪れたときに，「あなたが来てくれると安心します」と満面の笑みで患者が言ったとすると，これは喜びの感情を補強することとなる．しかし，反対に同じ言葉を話したとしても，言葉に抑揚がなく冷たい感じで，表情も硬く，笑っていないまなざしは，言葉とは反対に訪室を歓迎していない気持ちを伝達しようとしている．このような場合，言語より非言語のほうが真実を語っていることが多い．この例のように，言語的コミュニケーションで伝達しようとする意味と非言語的コミュニケーションで伝達する意味が異なることをコミュニケーションの二重構造という．また，人さし指を口の前で立てる動作は，「静かにしよう」「黙って！」「秘密……」など，状況によってそれぞれ違った意味を伝えることになる．

さらに，日本では昔から「本音」と「たてまえ」という文化や，以心伝心など，言葉で表現せず状況や文脈から相手の伝えたいことを察することをよしとしてきた歴史があり，それが意思伝達や相互理解というコミュニケーションを複雑にしている．こうした日本人の習慣は外国人とのコミュニケーションにおいて誤解が生じやすい理由のひとつともなっている．

### 4 看護におけるコミュニケーションの特性

日常では人と人の出会いである社交的なコミュニケーションや，何かの目的に基づくコミュニケーションが行われているが，看護の場では看護という専門性に根ざしたコミュニケーションの必要がある．看護者と患者のコミュニケーションの中心的な話題は患者の健康に関することである．患者自身が病気や障害の受容過程が進むように，あるいは健康の回復と維持を目指して，そのように方向づける行動が促進されるようにコミュニケーションが展開されなければならない．対象となる人々はメッセージの発信と受信に障害があったり，身体的苦痛や精神的苦痛の中にあり，判断力の低下や平常心を保ちにくい状況にある場合があるので，日常の場合と違い，細部にわたる配慮がコミュニケーションにも必要である．

ブロンディス（Blondis MN）ら[10]は，患者のニードに対処するのは看護者の観察であり，非言語的コミュニケーションの理解がその観察力に欠かせない要素だと述べている．さらに，看護者は患者からケアの効果を言語と非言語から伝達されるが，患者の非言語行動に気づいていないことがあったり，看護者のケアしようという気持ちも言語でなく非言語で伝えてしまうことがあると指摘している．このように，看護活動を展開していくには，非言語的コミュニケーションの理解がより重要であるといえる．

### 5 コミュニケーションに影響する因子

コミュニケーションの成立には，「構成要素と成立過程」（63頁）で述べた要素がさまざまな形で影響する．その影響のしかたにより，対人関係が良好になったりギクシャクしたりして，思わぬ展開を引き起こすことがある．看護の場では，対象者が療養生活を積極的に送れ穏やかな日々を過ごせるために，確かな情報伝達と援助的なコミュニケーションが望まれる．そのために次のような因子に留意しながら援助することが必要である．

#### 1．環境的要因

環境要因としては，物理的側面として，部屋の広さ・構造，色調，臭い，音，明るさなどが関与する．たとえば，集中治療室で，家族に今後の治療方針を伝えるとする．家族は人工呼吸器の音やモニターの音などで，医師の話を十分に聞き取れない場合がある．また，閉鎖的な環境のため圧迫感を感じ，言葉よりも言葉に付随する非言語的な情報を重視して感じとってしまう可能性もある．

さらに，心理的側面として患者や家族の現在の置かれている状況も考慮すべきで，悪い知らせに衝撃を受けている時期にこれからの治療の選択を促しても患者や家族は決断ができにくい．逆に，立場を理解してもらえない感情にかられ，医療者に対する不信感が増強したりする．すなわち，患者・家族が心理的・物理的にどのような状況に置かれているかを考えてコミュニケーションを図っていく必要がある．

#### 2．人的要因

好意的な感情を抱く人とは話が発展し，嫌いな人

には社交的なコミュニケーションである挨拶もしないなど，コミュニケーションの成立には，人に対して抱くさまざまな感情（対人魅力，interpersonal attraction）が影響するといわれている．諏訪は好意と嫌悪の感情の動きについて，「外見上の要因では，容姿の魅力的な人に好意を抱き，人相の悪い人を警戒し，会えば会うほど好意を抱きやすく，初対面の人を警戒する．また，共通点があると親しくなり，価値観や生活習慣の相違から嫌いになったり，反対に自分にないものに惹かれる場合や，同じ欠点を持つ人に嫌悪するなどによって成立する」と述べている[11]．このように，対人魅力は人がコミュニケーションを図るうえで重要な要素ではあるが，看護場面では個人的な好意と嫌悪の感情や善悪の感情を表出することなく，ケアの専門家として理性的に活動することが求められる．それに加え，看護者自身の性格や患者・家族の性格も考慮した対応が望まれる．物事に対してネガティブに反応しやすい性格，楽観的な性格，猜疑心が強い性格，自己防衛的態度が強い性格，自己卑下的態度が強い性格，依存的な性格などその人がもつ人的特性は，事実を歪曲して伝えてしまう傾向がある．逆に，受け手がこうした特性をもつ場合はメッセージが正しく伝わらないこともある．

メッセージの解釈に関しては，常識に合うように，自分の都合の良いように，自分の考えに反しないようになど，受け手はわが身を保護するようにメッセージを解読する傾向にある．メッセージが曖昧であればよりその傾向は強くなり，送り手の意図とは別の意味に解釈される危険性がある．そのために，看護者としては，情報を伝達するときには自分の性格特性を知りながら事実を客観化してメッセージを送り，受け取るときには患者の立場を考慮して受け取る姿勢が必要である．

### 3. 機能障害による影響

看護の対象となる人々には，日常生活を送るうえでなんらかの障害があることも多い．国際生活機能分類（ICF）[*1]によると，機能障害は著しい変異や喪失などといった，心身機能または身体構造上の問題と定義される．これらの機能障害は，コミュニケーションの表出や理解に影響してくるため，看護者にはその障害を理解した対応が必要である．具体的には，聴覚障害，言語障害（失語，構音障害，音声障害），視力障害，発達障害（精神遅滞，学習障害，自閉症，注意欠陥多動性障害など），認知障害，統合失調症，意識低下などさまざまな障害や状態が関与する．

### 4. 位置と距離による影響

人は相手との関係に応じて適当な距離をとって相互作用を行っている．相手との間に距離をおく対人距離（interpersonal distance），相手との間に一定の距離をおき，その空間を守る個人空間（パーソナル・スペース，personal space），一定の空間の中でどこに自分を配置するかという座席行動（seating behavior）などがコミュニケーションに影響する．

対人距離の見方に，ホールがアメリカ北東沿岸の調査から示した指標がある[13]．それによると，相手に対する距離は，密接距離（0〜45 cm）：親密な間柄でとられる距離，個体距離（45〜120 cm）：他者から自分の独立性を保持しようとする距離，社会距離（120〜360 cm）：仕事仲間でよく使われる距離，公衆距離（360 cm 以上）：個人的な関係が希薄な距離，と分類されている．対人距離は話題や感情によって違ってくる．たとえば，言い出しにくい話やごまかしなどは相手に距離をおいた対応をする．喜びや幸福は，親しい間柄でなくても抱き合うなどその距離を短くし，怒りや悲しみ，苦しみなどは，なかなか人を寄せつけない，近寄りがたい感情を起こしその距離を遠くする．

看護者のケアには，体位変換，清拭，おむつ交換，タッチケアなど身体に直接触れる援助がある．それは親密な関係でないにもかかわらず行われる密接距離への介入であり，親密でない場合は不快感の伴う状況である．また，患者は臥床しており，看護者は立って援助する行動が多いが，患者のすぐ傍（かたわら）で見下ろしてしまうことにならないように，患者と自分の位置と行動の関係を意識した態度が必要となる．悲しみや苦しみは対人距離を拡大してしまう感情であるが，寄り添う，肩などにそっと触れるタッチケアは，患者との心理的距離をより近づける．

パーソナル・スペースは，個人の身体を中心にした空間で，その空間内に他者が侵入すると緊張や不安，不快を覚える自分だけの空間である．この空間は左右には対称で，身体の前方に長く，後ろに短い卵形を示す[14]．この空間が十分保てていると緊張は解け，リラックスできる．また，相手からの侵入を想定した心の動きでもあるため，自己防衛の強い人はこの空間が広く，相手との関係性で変化する．病

---

[*1] International Classification of Functioning, Disability and Health の略．ICF は 2001 年 5 月，世界保健機関（WHO）総会で採択された人間の生活機能と障害の分類法である．従来の WHO 国際障害分類（ICIDH）を生活機能面と環境因子の観点から見直され，改訂された．2002 年に厚生労働省がその日本語版を公表した[12]．

院の診察室は医療者側のスペースであり，医療者側が主導して物事の決定を行うが，これが病室となると医療を提供する場でありながら患者個人のパーソナル・スペースとなる．

ある空間の中で人が自分の位置を選択する座席行動は，その場の状況や性格，相手との関係性に影響される．相手との親密度が高い場合は横に並び，低い場合は対面的な座席を選ぶ．内向的な性格やプライバシーを保ちたいときなどは，ある一定の距離が保てる隅の席を選択しやすい．対面的な位置関係は視線を合わせやすく，非言語的メッセージがよくわかる半面，相手に緊張感を与えてしまう可能性がある．したがって，患者の話を聴く場合は相手に緊張を与えず，相手の表情や視線，身体動作など必要時見ることができる90°斜めやハの字の位置に座るとよい．

### C 援助的コミュニケーションスキル

看護には援助的役割がある．それを発展させるために，患者の状況に配慮したコミュニケーション技術が必要である．たとえば，注射を受ける患者に対して患者が安心して受けることができる状態をつくりだすことも，手術前で強い不安がある患者の支えとなることも，看護者の言語・非言語を活用したコミュニケーション技術の効用である．

#### 1 対人関係を発展させるコミュニケーションの心がけ

患者と看護者のコミュニケーションは，「外来で」「病棟の中で」「検査中に」と，どこでもどんなときにでも起こりうるものである．「検査室はどこですか」「この痛みを乗りこえられそうにありません」と，なにげない質問から深刻な訴え，初めて出会う人や受け持ち患者などと，時と場所，内容や両者の関係の深さを問わず起こるものである．そのために看護者として次のような点に留意したい．

①**自分から言葉をかける習慣**：言葉をかけるという行動は，相手に関心を示すことになり，挨拶でもいたわりや勇気づけといった相手の立場を支持する状況をつくりだす．

②**対人好感度が増すような身だしなみと態度**：髪型からナースシューズまで清潔感のある装い，歩き方やお辞儀のしかた，ドアの閉め方など，何気ない動作に気を配る．厳しい表情をしてせかせか歩いていたのでは，患者は声をかけることはできない．明るく，温かいゆとりのある雰囲気づくりが必要である．

③**適切な言葉づかい**：相手への敬意や心づかいを表す敬語を自然に使いこなす．相手の立場を考慮した言葉，相手を肯定する言葉を使う．命令的な言葉や相手を否定する言葉は用いない．語調やアクセントにも気をつけ，相手が聞きやすい大きさや速さを考える．

④**「話す」より「聴く」姿勢**：相手の話は最後まで聴き，話をさえぎったり，急に話題を変えたりしない．また，早合点しない．

⑤**周囲の状況を素早くキャッチする感覚**：患者の身体動作は多くのメッセージを看護者に送っている．看護はそれに気づくところから始まる．

⑥**異なる価値観や態度を受け入れる**：患者のありのままの姿を受け入れる．好き嫌いの感情で患者を評価しない．嫌いな患者とのコミュニケーションでは早く終了しようという気持ちが無意識に働き，関係は発展しにくい．

⑦**誠実な態度で接する**：患者のニードに誠実に対応する姿勢は，信頼感を増し，対人関係を良好にする．

⑧**患者の喜び・悲しみを共にできる姿勢で接する**

⑨**言い出しにくいことを伝える場合は，状況を選び，相手を非難することなく事実を伝える**

⑩**言語的メッセージと非言語的メッセージの一致を確認**：言語的メッセージと非言語的メッセージで伝達された内容が違う場合は，非言語で伝わった内容に焦点を当てて確認をすることが患者の意図を正しく把握することになる．

#### 2 援助的コミュニケーションの基本

援助的コミュニケーションを実施するとき，カウンセリングの基本的な方法が役立つ．カウンセリングの専門家でなくとも，その心構えをもって患者に接することによって，患者自らが自分の問題に気づき，解決していくことを援助することができる．

##### 1．環境の設定

患者との深い信頼関係を築くコミュニケーションには，それにふさわしい環境的配慮が必要である．重要な話題の場合，患者のプライバシーが確保できる場所を用意する．患者が素直に感情表出でき，ゆっくり落ち着いて考えることができる空間が必要である．そして，看護者自身がきちんと対応できる状況をつくりだすことも重要である．忙しいとか，他の用事が気になるようなときには相手の話をじっくりと聴くことはできない．お互いの位置や距離関係を調節することによって，緊張関係をつくりにく

くし，相手の非言語的メッセージもキャッチしやすくなる．患者の話をきくときは，90°の角度，ハの字の位置関係に座る．この位置は，看護者のアイコンタクト（eye contact）やうなずきなど患者の感情を承認したり，促したりするメッセージも伝えやすい．ベッドサイドの場合は椅子に座ったり，しゃがみこむという姿勢で聴くことになる．距離は人の息づかいまで感じることなく相手の表情がわかる75～120 cm くらいを保つなど，患者にとって安心感が確保できる環境を設定する．コミュニケーションが進んで，相手の気持ちを慰める，いたわる，分かち合うような状況になったら，この距離を縮めて，手を握る，さする，手を添えるなど，タッチングが相互関係の深まりにより有効に働く．

### 2. 援助者に求められるコミュニケーション技術

#### 1）傾聴の技術

傾聴（または積極的傾聴，active listening）とは，相手に対して意識を集中して心と耳を傾けて聴くということである．心を傾けて聴くことは相手を尊重し，相手の立場，すなわち相手の価値観や人生観を大切にすることである．また，相手の価値観を大切にするとは，自分の価値観を押しつけることなく，ありのままのその人を受け入れることである．そして，言葉では言い表しにくい感情を非言語的メッセージの中に読み取っていくことが必要である．

①**話を受け止め，促進する**（acceptance of feeling）：うなずき，アイコンタクトは，相手に「あなたの話を聴いています」「話を続けてください」というメッセージを送り，安心感を与えながら会話を促進する．

肯定的な相槌（あいづち）は，相手の話を促す働きがあるので，効果的に活用するとよい．

同意を示す相槌：「うんうん」「はい」「そうですね」「わかります」

話を積極的に促進する相槌：「それでどうなりました」「そうしたら」「それからは」

②**内容を明確にする**（clarification of content）：内容の中心を繰り返すことや，具体的になるような問いかけは看護者の理解を進めることになる．一方，患者には，自分の話を理解してくれているという感情を与える．繰り返しには同じ言葉でもよいが，違う言葉に置き換えるとより共感的である．

内容を明確化する言葉には，たとえば「それはこういうことですか」「その痛みはいつからですか」「あなたのお話では」などがある．

③**非指示的リード**（nondirective leads and questions）：自分に起こっていることをどのように感じたり考えたりしているのかを具体的に話せるように話を促すことは，患者にとっては自分の気持ちや考えを整理してみる試みになり，新しい考えや気持ちに気づくことにもなる．「そのときどのようなお気持ちでしたか」「もう少し詳しく話していただけませんか」などの表現がよく使われる．

④**感情の反映**（reflection of feeling）：患者の言葉の背後にある感情を反映することで，患者は自分の感情の理解を深めることにつながる．そして，看護者から正確にその感情を伝え返されることによって，共感的理解（empathic understanding）が深まる．

（例）患者「昨日は足の付け根が重たかったけれど，今日は何だかチクチクするようで，先生にも言ったのですけれど…」→看護者「痛みが強くなっているようで心配なのですね」

⑤**沈黙**（silence）**を大切にする**：患者の沈黙を温かい気持ちをもって「待つ」ことにより，患者は自分を受け止めてもらえている安心感の中で自分の考えをまとめたり，深い洞察をしたりすることができることがある．しかし，相手の考えがわからないときには沈黙は緊張を高める原因となる．

#### 2）質問の技術

患者にいろいろ尋ねる質問にはそれぞれ目的がある．考えを広げる質問・閉ざす質問，対人関係を発展させるため効果的な肯定的な質問・関係が閉ざされる否定的な質問などがある．それぞれ質問の目的が達せられるような尋ね方をする必要がある．

①**対人関係を築くきっかけとなる質問**：会話の導入として，挨拶や相手に関心を示す質問から実施する．「おはようございます．昨夜は眠れましたか？」「すてきな写真ですね．お孫さんですか？」などというように会話を始める．

②**情報収集のための質問**：患者の状態が具体化されるように，「何が」「どこが」「どれぐらい」「どのように」「どうしたのか」がわかるように例をまじえながら尋ねる．あるいは時間経過を追った質問をする．たとえば，「どんな痛みですか？チクチクした痛みですか？」「いつから続いていますか？」「痛みが強くて困っていることはないですか？」などである．

③**患者の考えや意向を引き出す，あるいは確認する質問**：患者の意向が引き出せるように，考えが広がる質問をする．患者はその問を受けてじっくり思いを巡らしながら自分の考えをまとめていくので，ゆっくり待つ姿勢が必要である．「退院したら何ができそうですか？」「他にはどんな方法が考えられますか？」「どのような終末を迎えたいとお思いです

か?」などである.

④**考えを広げる質問・閉ざす質問**:「何を」「どのような」というような質問をすると考えが広がる答えが返ってくる.反対に,「YES/NO」で答えられる質問や選択質問をすると返事は限定される.
(例)「朝ごはんを食べましたか?」→「はい」,「朝ごはんに何を食べましたか?」→「鯵(あじ)の干物と味噌汁とほうれん草の胡麻(ごま)和えです」

ただし,患者が苦痛の中にあってゆっくりと物事を考えられない場合や,治療方針など複雑な選択を迫られた場合などは,「吐き気はおさまりましたか?」,「A,B,Cのどの案にしますか?」などと尋ねたほうがよい場合もある.

⑤**肯定的な質問と否定的な質問**:患者が物事を肯定的に受け止められるような質問をする場合には,「何が」「どのような」「どうすれば」というような聞き方をする.「なぜ」「どうして」と質問されると否定的な意味合いが強くなるために,患者は責められているような気持ちになりやすい.肯定的な質問に切り替えることにより,対人関係はスムーズになる.
(例)「なぜ,薬を飲まなかったのですか?」→「どうすれば薬を飲めるようになりそうですか?」,「どうしてリハビリをしないのですか?」→「どのような運動ならできそうですか?」

3) 承認 (approval) の技術

患者の自己成長を支えるためには,患者自身の努力しているところ,望ましい発言や行動などを見てほめることはもちろん,その人の存在,事実を認める言葉かけをすることが,患者自身を大切に支持していることになる.

①**ほめること**:「よく訓練していますね」「ここまでできるようになりましたね」「毎日続けておられて他の患者さんが見習いたいとおっしゃっていましたよ」

②**事実や存在を認める**:「そのような考えは大切ですね」「食後は毎日ここで読書ですね」「今日は顔色がいいですね」

③**相手から与えられている肯定的感覚をフィードバックする**:「○○さんにおはようと言われると私も元気がでます」

4) 看護者の考えを伝え,提案する技術

患者とのコミュニケーションを展開していく中で,話題に対して看護者の解釈や方法の提供を行わなければならないときがある.解釈 (interpretation) は,患者の述べたことに対する看護者の理解や患者の現状に対する新しい見解であったりする.この解釈は,患者が理解されたと感じる事柄や,自分の考えを整理できるようなものでなければならない.
(例)「今まで○○さんのお話を伺って,ご家族のことを随分大切になさってきたんだなと感じました」「いま,大切なご家族にこれまでと同じようにできないと悔しさやむなしさを感じておられるのではないですか」

提案は,患者自身が現状を変化させたいと思ったときや,行きづまりを感じたり,方向を見誤りそうなときなどに,看護者が新しい方法やステップアップの方法,方向転換など経験や知識に基づいた考えを提示してみることである.提案された内容を受け止める,拒否する,実行に移す,など提案のすべてに対しての選択は患者の自由であり,考える時間を十分提供し,命令や強制ではないように伝える.提案される内容は具体的で,実践可能だと患者が認識できるものが望ましい.
(例)「そのようなお気持ちは十分ご家族の皆様に伝わっていると思いますよ.少しご自分のために休養されても良いのではないでしょうか」.

タイミングのよい提案は,患者の目標をはっきりさせたり,行動を起こすきっかけとなる.

このような技術のほかにも,相手の自発的な行動を促す技術といわれるコーチング (coaching),自他の権利を尊重した自己主張といわれるアサーション (assertion) も有効な技術である.これらのコミュニケーション技術は,本を理解したからといって身につくものではなく,相手の理解,自分の応答のしかたなどを深めるためにロールプレイ (role play) という方法を用いて訓練するとよい.

ロールプレイは,さまざまな役割を即興的に演技して,自分と他者の気持ちを理解していくことを学習することを目的とする技法である.ある場面を設定して,患者役,看護者役,医師役などを決めて,その人自身になりきってそれぞれの役割を演技する.たとえば,がんの告知や生まれてくる子どもに障害があることを告げるような人生における危機に遭遇する場面,患者の苦情を看護者が聞く場面,生活指導が守れない患者の事例など,よく体験する場面を想定して,どのように受け答え,ふるまうかを演じてみる.演技終了後に,受け答えのそれぞれの場面で,相手や自分に起こってきた感情,心に芽生えた考え,そのときにとった態度を振り返る.この振り返りを演技者,観察者,指導者をまじえて意見交換しながら,他者理解のしかたや望ましい傾聴のしかたなどを検討する.

### 3. 面談の進め方

患者から相談を受けた場合や指導を行うときには、面談（interview）という形を取り入れる．面談は、援助的コミュニケーションの基本技術を駆使して行い、進行は、導入、問いかけ、受け止め、明確化、提案、自己決定、要約という順で進める．まず導入として挨拶を行い、問いかけによって今回の面談の目的や目標を明らかにする．この目的を達成するために、現状を理解する質問を行い、患者の気持ちを共感しながら問題を明確化する．その過程で患者自身が解決法を見出したり、あるいは看護者の提案により患者が自己決定したりできる．看護者は面談の内容と目的や目標がどのように達成されたかをまとめ、終了する．必要であれば、次回の面談日を決める．

### 3 治療的コミュニケーション

臨床心理士（公認心理師[*2]）や精神科医が専門的な相談活動を通して行う方法に、カウンセリングや心理療法がある．両者はよく似た意味合いで用いられる．カウンセリングが言語や非言語コミュニケーションを用いた人格の成長や自己実現に向けてのアプローチであるのに対して、心理療法は心の問題に対する治療という考え方が強い．したがって、カウンセリングや心理療法は、人格の成長や心の問題の解決といった目的をもつ治療的な意味合いが強いコミュニケーションである．

カウンセリングの流れの概要は、相談の依頼と治療契約を結ぶ段階から始まり、次に面談や心理検査を用いて心理アセスメントを行い、それに基づいて相談がなされる、というようにすすむ．最後に治療契約である主訴が解決にいたった段階で、新たな問題がないか確認して終結される．必要に応じてフォローアップ面談が行われる．

## D 医療チームのコミュニケーション

医療チーム内ではコミュニケーションが活発に行われることが望ましい．医師・看護師・薬剤師・栄養士・理学療法士などさまざまな分野の専門職が自己の専門的立場から患者の情報を提供し、相互理解を図ることによって、患者の情報が具体的になり、かつ、同じ情報の中で医療が提供できる．情報の不均衡や情報の伝達漏れがあると、患者に不信感を与える可能性や医療過誤に発展する危険性がある．

たとえば、がんの告知がまだ行われていない患者に抗がん薬の副作用を抑える薬の説明を薬剤師が行ったとする．それを聞いた患者は言葉のニュアンスから自分ががんではないかと疑ってしまう．このように、医療チーム内では患者中心の情報の共有化、およびいかに的確に時期を逸せず意思伝達を図るか

> **コラム　グループ・ダイナミックス**
>
> 看護における人間関係の重要性について異を唱える人はいないだろう．看護師が関わる人は患者、家族、医師、薬剤師、事務職など多様である．その関わりは、看護師と患者のような二者関係にとどまらず、病棟全体や多職種チームの関係性が重要となる場面も多い．そのため、看護における人間関係を理解するうえで、病棟や多職種チームといった集団から受ける影響も理解することが重要である．
>
> 集団を通して、その中の個人個人に焦点を当て、そこでの人の情動・認知・態度・思考そして行動を理解し、説明する心理学として、グループ・ダイナミックス[i]がある．グループ・ダイナミックスは、日本語では「集団力学」と訳され、集団に関わるさまざまな現象を研究の対象としている．以下では、グループ・ダイナミックスの関連書籍で取り上げられることが多く看護に関連が深いトピックスを2つ紹介する．
>
> **集団内影響過程**：集団には必ず集団を構成するメンバーが複数存在し、メンバー間での相互作用が生じ、互いに影響を及ぼし合う．多数派–少数派の影響、集団における意思決定などが主要なテーマである．
>
> **リーダーシップ**：リーダーシップ[i]とは管理者の影響力ではなく、集団目標の達成に向けて集団の諸活動に影響を与える過程であるため、集団メンバー全員が理解することが望ましい．リーダーシップ研究の代表的な理論には行動論、状況論、変革型等がある．
>
> 看護における人間関係を理解するために役立つ理論として、他にも「集団間関係」など数多くのトピックスが存在するため、看護師が職場での人間関係等で問題が生じた場合にはグループ・ダイナミックスの知見を活用することが期待される．
>
> ■引用文献
> i）本間道子：集団行動の心理学—ダイナミックな社会関係のなかで，サイエンス社，2011

---

[*2] 臨床心理士は日本臨床心理士資格認定協会（1988年設立）が認定する民間資格で、2018年時点で32,000人以上が認定を受け、さまざまな場で援助活動をしている．公認心理師は2015年に制定された「公認心理師法」による新しい国家資格である．移行期の措置として、2022年9月まで臨床心理士に公認心理師認定試験の受験資格が与えられた．両資格の業務内容ほぼ同じで、業務独占もないので、当分は二つの資格認定者が存在することになる．

が重要となる．それには，事実に忠実に，かつ理性的にコミュニケーションする姿勢が必要となる．

## E 機器を用いたコミュニケーション

### 1 電話やナースコールの役割と留意点

看護活動の展開において，電話やナースコールは用件を伝達したり，聞いたりするために便利である．反面，相手が見えないために，非言語的メッセージによる感情面を十分配慮しながら聞くことが必要である．それに加え，看護者の感情による声の大きさや語調，電話やナースコールに出るまでの時間などが，準言語として相手に伝達されることも意識しなければならない．また，ナースコールには緊急性や重要用件の伝達という要件が含まれているために，即座に対応する必要がある．個室でない場合は，音量やプライバシーにも配慮した応答が望まれる．最近では電話に出るとき責任の所在を明らかにするために，「△△が承りました」と名前を述べることが多いが，ナースコールでも同様である．

### 2 拡大・代替コミュニケーションと留意点

拡大・代替コミュニケーション（augmentative and alternative communication：AAC）は，コミュニケーションをとる場合に何らかの障害があるために，自己のもつ能力とテクノロジーを活用して相手に自分の意思を伝えることをいう．これには，表情や身振り，サインなどから，文字盤，絵カード，筆談，補聴器，点字など道具を介するもの，さらに携帯用会話補助装置（voice output communication aids：VOCA），重度障害者用意思伝達装置など高度な機器を介してのコミュニケーション法があり，患者の状況により，コミュニケーションの方法を選択する．

一時的に言語によるコミュニケーションができない場合には，筆談や文字盤，身振りなどでコミュニケーションが可能である．知的障害・自閉症・言語障害などで音声による会話がむずかしい人は，VOCAの利用が多い．また，近年では，スマートフォンやタブレット端末に，コミュニケーション支援が可能な絵カードVOCA，文字盤VOCAなどアプリケーションが開発されてきている．重度障害者用意思伝達装置は，言語障害と四肢麻痺を合併する人が，わずかに残る筋肉の動き，眼球運動，瞬き，脳の血流の変化などを利用して主にパソコンを介して意思を伝達する装置であり，患者の機能レベルにより選択される[15]．

いずれにおいても，意思伝達を自己発声や身体動作によらず，機械音や文字，図形で表現するコミュニケーションでは感情が伝わりにくく，伝達量も限られる．これでは双方の意思は十分に伝わらず，理解できないもどかしさを感じやすい．意思伝達に障害がある人は自分のもつ力を最大限に使用してメッセージを発しているので，看護者にはそれらを見逃さない慎重さや，わずかな変化もキャッチできる感受性が必要である．そして，使用する機器の整備・点検を常に行っておくことが大切である．

### 3 ビデオ通話・ロボット活用

IT化，ICT化が進む現代では，移動や治療上の制限によりコミュニケーションがとりにくい状況に対して，同じ空間にいなくても存在を共有できるビデオ通話や分身ロボットが導入されてきている．こうしたコミュニケーション手段や技術は2020年からの新型コロナウイルス（SARS-CoV-2）感染症の世界的流行により，さらに需要が高まっている．

### ●引用文献

1) 服部祥子：人間関係の基本的視点．看護教育 **42**（7）：574，2001
2) マルティン・ブーバー（植田重雄訳）：我と汝，対話，岩波書店，1979
3) Peplau HE（稲田八重子ほか訳）：人間関係の看護論，医学書院，1973
4) King IM（杉森みどり訳）：キング看護論，医学書院，1985
5) Travelbee J（長谷川浩，藤枝知子訳）：人間対人間の看護，医学書院，1974
6) 東京大学医学部心療内科TEG研究会（編）：TEG：解説とエゴグラム・パターン，金子書房，2002
7) 深田博己：インターパーソナルコミュニケーション，1頁，北大路書房，1998
8) Hall ET（國弘正雄，長井善見，斎藤美津子訳）：沈黙のことば，南雲堂，1966
9) Varbas MF（石丸　正訳）：非言語コミュニケーション，新潮選書，103頁，新潮社，1987
10) Blondis MN，Jackson BE（仁木久恵，岩本幸弓訳）：患者との非言語的コミュニケーション，28-29頁，医学書院，1983
11) 諏訪茂樹：援助者のためのコミュニケーションと人間関係，第2版，70-80頁，建帛社，1997
12) 国際生活機能分類-国際障害分類改訂版-（日本語版）．厚生労働省ホームページ，（2002年8月5日掲載）https://www.mhlw.go.jp/houdou/2002/08/h0805-1.html（最終確認日2022年6月12日）
13) Hall ET（日高敏隆，佐藤信行訳）：かくれた次元，160-181頁，みすず書房，1970

14）渋谷昌三：人と人との快適距離，NHK ブックス 605，11-54 頁，日本放送出版協会，1990
15）保健福祉広報協会編：コミュニケーション機器編 はじめての福祉車両，コミュニケーション機器，自助具，28-42 頁，保健福祉広報協会，2013

# 2 感染看護

## A 感染の基礎知識

感染（infection）とは病原微生物（病原体）が体内に侵入した後，組織や臓器内で増殖して寄生状態が成立した状態をいい，単に物体表面に病原微生物が付着している状態は汚染（contamination）という．そして，病原微生物が感染した生体を宿主（host）と呼ぶ．宿主は病原体に対してなんらかの反応を示すが，必ずしも病的な状態に陥るとは限らない．感染してもとくに臨床症状を認めることなく抗体産生が認められる状態を不顕性感染（inapparent）という．

感染症（infectious disease）とは，病原体に感染した宿主に病的な臨床症状が認められることをいう．感染症の原因となる病原微生物には細菌，スピロヘータ，真菌，リケッチア[*1]，ウイルス，原虫などがある（表Ⅲ-1）．通常の環境に存在し，ヒトの常在微生物叢を構成する微生物で，一般には病原性が弱く健常人に感染を起こすことは少ない弱毒の微生物でも，疾患や治療によって宿主の感染防御機構が破綻した場合には容易に感染症を引き起こす．このように感染症は病原体の毒力（virulence）と宿主側の感染防御能（host defense mechanism）の力関係（host-parasite relationship）によって成立するのである（図Ⅲ-6）．

外来または入院患者の中には感染源となる患者がいたり，家族や見舞客などが病原体を持ち込む場合がある．また，医療施設には未熟児，免疫不全患者，外傷や手術後の患者など，感染しやすい状態

---

[*1] 細菌より小さく，ウイルスより大きい生きた細胞内でのみ増殖できるリケッチア科の細菌．アメリカの病理学者 Ricketts HT が発見した．発疹チフス，ツツガムシ病などの病原体がこれに属する．

表Ⅲ-1 医療関連感染症の原因となりやすい微生物

| | | 菌　種 | 特　徴 |
|---|---|---|---|
| 好気性菌 | グラム陽性菌 | 黄色ブドウ球菌 | ヒトの鼻腔や皮膚の常在菌．MRSAは多剤耐性株 |
| | | 表皮ブドウ球菌 | ヒトの口腔や皮膚の常在菌．静脈カテーテルの感染に多く認められる |
| | | Enterococcus | ヒトの消化管の常在菌．多くの抗菌薬に耐性を示す |
| | グラム陰性菌 | 緑膿菌 | 日和見感染菌として重要．クロルヘキシジン，逆性石けんに耐性を示す株が多い |
| | | Serratia marcescens | 多くの抗菌薬，クロルヘキシジンに耐性を示す株が多い |
| | | Enterobacter cloacae | 多くの抗菌薬に耐性を示す株が多い |
| | | Burkholderia (P.) cepacia および Flavocacterium | クロルヘキシジン，逆性石けんなどに高度耐性を示す |
| | | Legionella pneumophila | レジオネラ症の原因菌で，空調のクーリングタワー，シャワー（低温で給湯される場合）などが汚染源となる |
| | | 病原大腸菌 Campylobacter, Salmonella | 給食による食中毒 |
| 嫌気性菌 | 桿菌 | Clostridium difficile | 抗菌薬投与において腸管内で増殖し，偽膜性大腸炎，出血性腸炎を引き起こす．芽胞は好気条件でも生存可能 |
| その他 | | 梅毒トレポネーマ | 通常は性交によって感染するが，手術，分娩，採血時などに創傷部から感染することがある |
| 真菌 | | Candida albicans | 日和見感染を起こす |
| | | Aspergillus fumigatus | 土壌中に存在する．ステロイドなどの投与に関連して重篤な感染を起こす．一度発症すると，難治化することが多い |
| | | Cryptococcus neoformans | ハト糞便などが感染源．有効な消毒薬は，ホルムアルデヒド，グルタラールなどごく一部に限られる |
| ウイルス | | 単純ヘルペス，インフルエンザ，水痘・帯状疱疹，ロタ，アデノ，エンテロ，麻疹，B型肝炎などの各ウイルス | |

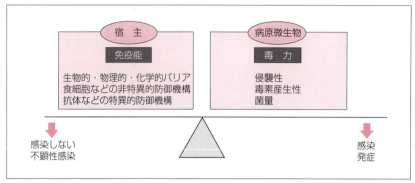

図Ⅲ-6 感染と宿主・病原体の力関係

（易感染状態）の患者（compromised host）も少なくない．さらに，治療や看護ケアが感染の原因となることもある（表Ⅲ-1）．

これまでは，感染症の発症の場所とは関係なく，病原体の接種が起こった場所によって院内感染（nosocomial infection）と市井感染（community-acquired infection）に区別されていた．しかし，医療が提供される場の多様化や感染場所の特定がむずかしいことから，2007年の米国疾病対策センター（Centers for Disease Control and Prevention：CDC）のガイドラインでは，医療関連感染（healthcare-associated infection）へと変更された[1]．

一般生活の中でも，在宅医療などの増加に伴って，注射針などの医療廃棄物を通して地域社会の人々に感染が及ぶ可能性が強まっている．また社会のグローバル化や地球環境の変化によって新しく認識され，局地的あるいは国際的に公衆衛生上の問題となるような新たな感染症が出現しており，これらは新興感染症（emerging infectious diseases）と呼ばれる．新興感染症の代表的なものには新型コロナウイルス感染症（COVID-19）[2]，鳥インフルエンザ（H5N1），エイズ（後天性免疫不全症候群，acquired immunodeficiency syndrome：AIDS）などがある．一方，結核やコレラのように，過去には存在したが，その後，公衆衛生上の問題とならない程度まで患者が減少した感染症のうち，この20年間に再び流行しはじめ，患者数が増加したり，将来的に再び問題となる可能性のある感染症が出現してきた．こうした感染症は再興感染症（re-emerging infectious diseases）と呼ばれる．このように，感染症を引き起こす感染源は私たちの日常生活場面のいたるところに存在している．

そこで厚生労働省は感染症対策の抜本的見直しを図るため，1999年4月に「感染症の予防及び感染症の患者に対する医療に関する法律」（感染症法）の施行にいたった．

ナイチンゲール（Nightingale F）が「真の看護が感染を問題とするなら，それはただ感染を防止するということにおいてだけである」[3]と述べているように，看護職が感染予防に果たす責任は重い．

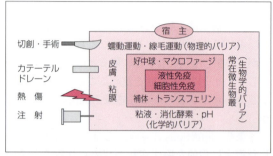

図Ⅲ-7 生体の物理的・化学的・生物学的バリアと病原体の侵入

## B 感染症の成立

### 1 病原体の侵入

病原体の宿主個体への侵入（entry）は，土，空気，昆虫，飲食物，患者に使用した器械・器具，排泄物，分泌物などを介して，皮膚や粘膜から起こる．粘膜面は，眼，鼻腔，口腔，気道，消化管，泌尿・生殖器と，その総面積は皮膚表面積の200倍にもなることから，病原体の侵入門戸として，より重要である．

健常な皮膚は何重もの細胞層（重層扁平上皮）におおわれており，気管や消化管，尿路等の粘膜上皮もムチン層（粘液性の糖タンパク質）で被覆されていることから，通常は宿主への病原体の侵入は阻止される．さらに，皮脂腺からの脂肪酸や汗の中の乳酸，胃液の塩酸による殺菌作用，気道の線毛運動や

表Ⅲ-2 感染経路の特徴と感染予防措置

| 経路別分類 | 特徴 | 原因病原体 | 感染予防措置 |
|---|---|---|---|
| 空気感染 | ・飛沫核（5μm以下，落下速度0.06〜1.5 cm/sec）で伝播<br>・エアロゾル（1 nm〜100μmの空気中に浮遊している粒子）で伝播[*2]<br>・病原体は空中に浮遊し，空気の流れによって飛散するため広い範囲で感染が成立 | 結核菌<br>麻疹ウイルス<br>水痘ウイルス<br>レジオネラ<br>コロナウイルス<br>など | ・病室は特殊な空調（陰圧）が必要<br>・原則として個室管理で室内に専用トイレ，浴室などを備える<br>・スタンダード・プリコーション（☞表Ⅲ-12）の実施<br>・ケアする人はN95（フィルター付きのマスク）などの微小粒子を通過させない高性能マスクを着用<br>・患者は外科用マスクを着用<br>・免疫のない医療従事者は患者との接触を避ける |
| 飛沫感染 | ・飛沫粒子（5μm以上，落下速度30〜80 cm/sec）で伝播<br>・飛沫は1m以内の床に短時間で落下するため感染範囲は狭い | インフルエンザウイルス<br>風疹ウイルス<br>ムンプスウイルス<br>肺炎マイコプラズマ<br>など | ・患者は原則として個室か同病者の集団隔離<br>・ケア時は外科用または紙マスクを着用<br>・隔離管理ができないときは，ベッド間隔を1m以上あける<br>・スタンダード・プリコーション（☞表Ⅲ-12）の実施 |
| 接触感染 | ・病原菌で汚染された手指や器具を介して伝播 | MRSA<br>VRE<br>緑膿菌<br>ロタウイルス<br>疥癬虫<br>など | ・患者は原則として個室か同病者の集団隔離<br>・ケアするときは手洗いや手指消毒を励行したり，手袋を着用する<br>・スタンダード・プリコーション（☞表Ⅲ-12）の実施<br>・なるべく患者専用の医療器具を使用<br>・汚染物との接触が予測されるときはガウンなどを着用する |
| 血液・体液媒介による感染 | ・汚染された血液や体液を介して伝播<br>・医療従事者にとっては針刺し事故による感染機会の確率が高い | HBV<br>HCV<br>HIV<br>など | ・スタンダード・プリコーション（☞表Ⅲ-12）の実施 |
| 一般担体感染 | ・汚染された食品，水，薬剤，装置，器具によって伝播 | サルモネラ<br>腸炎ビブリオ<br>ボツリヌス菌<br>など | ・担体を洗浄する<br>・消毒・滅菌の実施<br>・加熱などの調理法 |
| 病原菌媒介生物による感染 | ・蚊，ハエ，ねずみ，その他の害虫によって伝播 | マラリア<br>黄熱病<br>日本脳炎<br>など | ・蚊やゴキブリなどの害虫駆除<br>・清掃や環境の清浄 |

泌尿器での尿による物理的洗浄，腸管における腸内細菌叢など，生体には物理的・化学的・生物学的バリアが存在し，感染防御に重要な役割を果たしている（図Ⅲ-7）．しかし，いったん皮膚や粘膜に創傷ができると，病原体は容易に侵入できる．創傷は蚊などの節足動物による刺咬や，注射などの医療行為によっても生じる．

感染を伝播経路別に分類すると，表Ⅲ-2に示すように空気感染（airborne transmission），飛沫感染（droplet transmission），接触感染（contact transmission），血液・体液媒介による感染などに分けられる．たとえ病原体が存在したとしても，感染経路が遮断されれば感染は成立しない．そのため，感染を防ぐためには感染経路についての理解を深め，感染経路を遮断することが重要となる．

### 2 感染症と生体防御機構

生体内の組織へ侵入した病原体の毒量が多ければ

---

[*2] エアロゾル感染：新型コロナウイルスSARS-CoV-2（COVID-19を引き起こすウイルス）への感染は，呼気の中に含まれる非常に小さな液滴やこれらが急速に乾燥したときに形成されるエアロゾル粒子に曝露され，吸入することで生じることが証明された[2]．本邦でも2022年3月に国立感染症研究所がSARS-CoV-2の感染経路として，飛沫感染，接触感染に加え，エアロゾル感染（空中に浮遊するウイルスを含むエアロゾルを吸い込むこと）を明記した．感染予防策として（手洗いと消毒に加え）換気を奨励する根拠となっている[4]．

宿主は死にいたるが，初感染毒量が少ない場合には，宿主は免疫を獲得して感染から回復する．その後は同じ病原体による再感染が起こっても特異的な液性免疫応答（humoral immunity）や細胞性免疫応答（cellular immunity）が誘発され，宿主は感染に対する抵抗性を示すことができる（獲得免疫）．

特異免疫がなくても，ウイルス（virus）や細胞寄生性細菌が侵入した後，数日間はマクロファージ（macrophage）や多核白血球による貪食や，補体（compliment）による不活化といった非獲得自然防御機構が作用する．活性化された補体は組織内のマスト細胞（mast cell）からヒスタミンなどを放出させて血管の透過性を促す．そして血管内の好中球や単球などを血管外に遊出させ，走化性因子によって異物侵入部位に集合させて細菌の細胞壁にトンネル構造をつくり，溶菌して貪食する．このような抗体や補体による貪食促進をオプソニン（opsonin）作用と呼ぶ．

病原体に対する特異抗体は，血中を循環して体液に浸透しており，その抗体を誘導した非自己抗原（non-self antigen）と特異的に結合して，侵入した病原体の宿主細胞への結合を阻止する．しかし，ウイルスは宿主細胞内で増殖し非自己抗原をつくるために抗体が作用できない．侵入したウイルスは非自己細胞と非自己抗原を認識する特殊な細胞とが直接的に接触することで活性化される細胞性免疫応答によって制御される．

非特異的防御と特異的防御の橋渡しは抗原提示細胞（antigen presenting cell）であるマクロファージなどによって行われる．マクロファージはウイルスを捕食，消化し，抗原としてT細胞に提示する．抗原によって刺激されたT細胞はリンホカイン（lymphokine），インターロイキン（interleukin：IL），サイトカイン（cytokine）などと呼ばれる多様な伝達物質を分泌する．ヘルパーT細胞（helper T cell）は非自己抗原をつくる細胞を取り込んだ他の白血球を助け，微生物やその毒性産物に対する応答を制御するのに重要な役割を果たしている．ヘルパーT細胞にはTh1細胞とTh2細胞があり，Th1細胞は細胞傷害性T細胞（cytotoxic T cell）による感染標的細胞の破壊を助けたり，マクロファージを活性化して侵入した微生物を捕食・破壊する能力を増幅する．また，Th2細胞はB細胞を活性化させ抗体の分泌を刺激したり，好酸球の補助に関与する．細胞性免疫の主役を演じる細胞傷害性T細胞は主要組織適合抗原複合体（major histocompatibility complex：MHC）クラスI分子に提示されたウイルス抗原を認識し，直接，感染細胞を破壊して病原体を排除する（図Ⅲ-8）．

特異的な生体防御機構が有効に作用すれば，侵入した病原微生物は宿主から排除される．しかし，非特異的防御や特異的防御によって貪食または排除されなかった病原体は宿主において増殖し，局所的な病巣の形成や全身への病原体の播種[*3]が起こる．そして増殖した病原体は宿主の排泄物や分泌液から排出され，他の個体へと伝播されることになる．したがって感染の伝播を予防するためには排泄物や分泌液は十分に気をつけて取り扱うことが重要である．

### 3 易感染宿主と看護

感染しやすい易感染宿主には，未熟児や新生児などのように感染抵抗性が弱い場合だけでなく，悪性腫瘍・栄養障害などの基礎疾患がある場合，副腎皮質ホルモンなどの投与によって生体防御能が抑制された場合，手術・腎透析などによって正常な防疫機構が障害された場合，ウイルスに対する免疫を確立していない場合などがある（表Ⅲ-3）．易感染宿主になると，正常な宿主では普通は病原性を示さない微生物に対しても容易に感染症を引き起こす（日和見感染症，opportunistic infection）．日和見感染症は難治である上に重症化しやすい．

また，生体防御システムの第1バリアである皮膚・粘膜の損傷をきたす外科的手術，気管支鏡・膀胱鏡などの内視鏡による検査，注射器による治療や検査，血管内・臓器内腔内等へのカテーテル挿入やカテーテルを介した治療や処置，気管内の吸引や吸入などの医療行為も感染の直接的な原因となる．

易感染宿主に対して処置を行う場合は，無菌的な医療器具ならびに薬液などの使用はもちろんのこと，操作時に患者の保有する微生物によって内因感染（常在細菌による感染）を引き起こすことがないように確実な無菌操作の技術が必要となる．

免疫能の低下を引き起こすような基礎疾患の種類や進行状態は，易感染宿主の身体ならびに精神面に大きな影響を及ぼす．たとえば慢性骨髄性白血病と診断された場合，患者は"予後不良""悪性疾患"であるという認識をもち，精神的に大きな衝撃を受ける．また慢性骨髄性白血病の主な治療法である化学療法は厳しい副作用を伴うことが多く，患者は不安

---

[*3] もとは種を播くの意．医療用語ではがん細胞などが体腔内に種を播いたように広がることをいう．例：播種性転移，腹膜播種など．

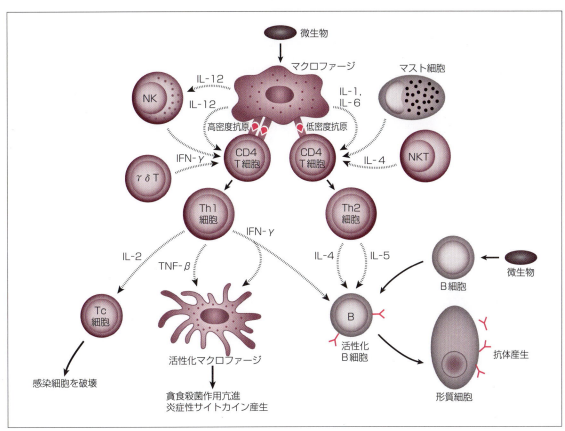

図Ⅲ-8 細菌の感染防御におけるマクロファージ（抗原提示細胞），T細胞，B細胞の役割
NK：natural killer cell（ナチュラルキラー細胞），γδT：γδT（ガンマデルタティー）細胞（一般のタイプとは異なるT細胞の受容体を持つ細胞で腸粘膜に多い），NK T：ナチュラルキラーT細胞，CD：cluster of differentiation（白血球分類），TNF：tumor necrosis factor（腫瘍壊死因子），Tc細胞：cytotoxic T cell（細胞傷害性T細胞）

［吉開泰信：感染に対する免疫．シンプル免疫学改訂第2版（中島　泉，髙橋利忠，吉開泰信著），129頁，南江堂，2001より引用］

表Ⅲ-3 易感染宿主の病態と原因

| 病態 | 原因，疾患 |
|---|---|
| 皮膚・粘膜バリアの障害 | 外傷，熱傷，手術，注射カテーテル挿入，気管挿管 |
| 好中球の障害<br>（好中球数 500/μL以下は易感染性） | 好中球減少：各種白血病，肝硬変，SLE，抗がん薬，放射線療法，高齢者<br>好中球機能低下：糖尿病，肝硬変，腎不全，SLE，熱傷，白血病，再生不良性貧血，栄養障害 |
| 液性免疫の障害<br>（IgG 500 mg/dL以下は易感染性） | 肝硬変，骨髄腫，ネフローゼ，SLE，ステロイド長期投与，摘脾 |
| 細胞性免疫の障害<br>（CD4陽性リンパ球数 500/μL以下は易感染性） | エイズ，膠原病，悪性リンパ腫，固形がん，骨髄移植，臓器移植，副腎皮質ステロイドや免疫抑制薬の投与，重症ウイルス感染症 |

や恐怖の強い状態となる．さらに易感染状態になると感染予防の目的でクリーンルームなどに隔離され，行動範囲を制限される．そして入室者の制限やマスクやガウンの着用が義務づけられる．このような状況から，隔離された患者には疎外感，孤独感，不安，怒りなどが生じ，不穏，不眠，せん妄や異常行動などが出現する．

また，患者の行動も看護者の管理下におかれることが多くなることから，依存的にならざるをえなくなり，心理的にも退行しがちになる．そして患者本人が自分自身を「汚いもの」「恐ろしいもの」とみなして加害者意識をもったり，自尊感情が低くなり，

表Ⅲ-4 感染を予防するための看護ケア

| 感染予防の原則 | 看護ケア |
|---|---|
| 病原体を除去する | 手洗い<br>洗浄・消毒・滅菌<br>保菌源を除去する<br>　血液・体液・滲出液・排液・排泄物などの除去<br>　皮膚・粘膜の清潔の保持<br>　寝衣交換<br>　病床環境の整備<br>　ガーゼ交換<br>　使用済みの注射針・シリンジの適切な廃棄 |
| 人体への病原体の侵入経路を遮断する | スタンダード・プリコーション（☞**表Ⅲ-12**）<br>手洗い<br>適切なガウン・マスクの着用<br>無菌操作<br>空調設備<br>汚染された物品・器具の適切な取り扱い<br>　リネン類<br>　医療者のユニフォーム<br>　使用済みの物品・器具の適切な廃棄<br>皮膚・粘膜の損傷，褥瘡の予防と管理<br>ドレーン・カテーテルの管理<br>隔離法 |
| 個体の抵抗力を増強する | 感染に対する防御機能の維持・増強<br>　皮膚・粘膜の清潔の保持<br>　栄養状態・全身状態の管理<br>　水分出納の管理<br>　長期安静臥床患者への適切なケア<br>　ワクチン投与<br>ストレスの除去<br>休息・睡眠 |

周囲の人々のサポートを避けて孤立するようになる．このような身体的・心理的ストレスはNK細胞の活性低下，インターフェロンの産生低下，リンパ球刺激に対する反応性の低下など免疫反応を低下させることが知られている[5]．さらにストレス時に視床下部から産生される副腎皮質刺激ホルモン放出ホルモン（corticotropin releasing hormone：CRH）を活性化する遺伝子と同じ遺伝子配列をもつウイルスが存在することから，ストレスがウイルスの増殖に直接関係している可能性も示されている[6]．

このように，心身のストレス状態によって宿主はますます易感染状態に陥ることが予想されるため，患者の隔離は最低限度にとどめ，家族や面会者の感染予防の目的や必要性を説明し，協力を得ることが必要である．

## C 感染予防のための看護技術

感染の成立から考えると感染予防の原則として，①病原体の除去，②人体への侵入経路の遮断，③個体の抵抗力の増強，の3つがあげられる．感染予防における看護職の第1の目標は感染の発生と広がりを予防することにある．感染予防の原則に沿った看護ケアを表Ⅲ-4にまとめた．

### 1 病原体を除去する

生体外にある病原体を除去する方法としては洗浄（cleaning），消毒（disinfection），滅菌（sterilization）がある．洗浄とは，洗ったり濯いだりして目に見える埃，汚れ，その他の異物を除去することである．表面が適切に洗浄されていない場合には，十分な消毒や滅菌は行えないことから，洗浄によって微生物を除去することは消毒や滅菌においても最初に必要な過程である．

消毒とは，人畜に対して有害な微生物を死滅させることであるが，消毒法では芽胞（spore）[*4]は生き

---

[*4] 一部の細菌が，生存しにくい環境や状態に置かれたとき形成する非常に耐久性の高い半結晶状態の細胞構造のこと．胞子膜でおおわれた芯部にはDNAや酵素など生存に必要な物質が含まれている．

表Ⅲ-5 各消毒法の微生物への効果

|  | 細菌芽胞 | 結核菌 | 増殖型細菌 | 真菌 | ウイルス |
|---|---|---|---|---|---|
| 物理的消毒法 |  |  |  |  |  |
| 　流通蒸気消毒法 | × | ○ | ○ | ○ | ○ |
| 　煮沸消毒法 | × | ○ | ○ | ○ | ○ |
| 　間欠消毒法 | △ | ○ | ○ | ○ | ○ |
| 　紫外線照射消毒法 | ○ | ○ | ○ | ○ | ○ |
| 化学的消毒法 |  |  |  |  |  |
| 　高水準消毒（細菌芽胞まで作用） | ○ | ○ | ○ | ○ | ○ |
| 　中水準消毒（抵抗力の強い結核菌まで作用） | × | ○ | ○ | ○ | ○ |
| 　低水準消毒（増殖型の一般細菌 | × | × | ○ | △ | △ |

○：有効　△：効果が得られないことがある　×：効果がない

残る可能性があり，すべての微生物が除去できるわけではない．それに対して滅菌は，病原性・非病原性を問わず，物質から芽胞を含めたすべての微生物を殺滅あるいは除去することであるため，微生物は定量的に0（無菌）となる．したがって，感染リスクの高い手術器具，注射器，血管カテーテルなどは滅菌しなければならない．

## 1. 消毒法

消毒には，煮沸・蒸気・紫外線などによる物理的消毒法と，消毒薬や殺菌ガスを用いる化学的消毒法がある（表Ⅲ-5）．Spauldingは，消毒を安全に使用するために「高度」「中等度」「軽度」の3段階の消毒を提唱した[7]．この3段階は，物理的または化学的殺菌剤スペクトル（抗菌スペクトル）[*5]に対する耐性に従って微生物を分類できるという根拠に基づいている．この分類と器具や表面の性質とを結びつけると，適切な消毒のレベルが決まる（表Ⅲ-6）．

消毒の中には強力なものがあり，時間をかけると滅菌レベルの効果が得られるものもある．温熱を用いた物理的な消毒法は環境に対する安全性が高いが，高温に耐えられない物品があることや生体には用いることができないため，医療現場では消毒薬がもっとも頻繁に使用される．

微生物に抗菌作用を示す薬物には消毒薬と抗菌薬（微生物によって生成される抗生物質と化学反応によって合成された合成抗菌薬を含む）がある．一般に抗菌薬は目的とする微生物のみに働き，宿主に対する作用が弱いために治療の目的で用いられる．その一方，消毒薬はヒトに対する毒性が強いため生体内へは使用されておらず，毒性の比較的弱い消毒薬のみが皮膚や粘膜に用いられている．このように，消毒薬は抗菌薬に比べて抗菌スペクトルが広く毒性も強い．しかし，消毒薬のワーキングソリューション（working solution：作り置きの消毒液）中で，緑膿菌などが検出されたという報告がある[8]ように，微生物の中には消毒薬の使用に伴って，消毒薬に対する感受性がなくなり，消毒できなくなる耐性株（drug-resistant strain）が出現してくることがある．そのため消毒薬を過信してはならない．

操作中にエアロゾルを発生させる可能性のある消毒薬は，環境への影響を考え使用を避けるほうが望ましい．さらに，グルタラール製剤などの毒性のある消毒液を使用する際には，窓を開けたり，換気扇を作動させたりして室内換気を十分に行い，皮膚の露出をできるかぎり少なくし，ゴーグル，手袋，薬液を通さないビニールやプラスチック製のエプロンなどを着用して薬液の皮膚・眼への接触を避ける．もし薬液が皮膚に付着したり，眼に入った場合は，ただちに水洗いして，専門医に相談するなどの処置を行うことが必要である．このように，消毒に使用される薬物は消毒効果が高い一方で人体への毒性があることから，その取り扱いには十分な注意が必要である（表Ⅲ-7）．

## 2. 滅菌法

滅菌法には加熱法，照射法，ガス法，濾過法，低温プラズマ法がある（表Ⅲ-8）．滅菌によって医療器具は無菌になる一方で，コストと手間がかかったり，機器を劣化させたり，患者や職員に危険性をもたらすことがある．消毒法と同様に，滅菌法について理解して，適切に選択することが重要である．

滅菌物を包装する場合はその用途を考慮に入れ，1回で使い切る量を包装し，滅菌することが望ましい．また滅菌のために器具を包装する場合には，包装が破損しないようにラッピングするときは包みの辺縁が器材の辺縁よりそれぞれ15 cm，パッキングするときは2.5 cmの余裕が必要である．

---

[*5] 殺菌剤の効果を殺菌できる微生物の範囲で示したもの（抗菌域ともいう）．

表Ⅲ-6 消毒薬剤の適応一覧

| | | 消毒対象物 | | | | | 消毒薬 | 対象微生物 | | | | | | | ウイルス | | | |
|---|---|---|---|---|---|---|---|---|---|---|---|---|---|---|---|---|---|---|
| | | Disinfectants | | | Antiseptics | | | | | | | | | | | | | |
| | 環境 | 器具(金属) | 器具(非金属) | 手指・皮膚 | 粘膜 | 排泄物 | | 一般細菌 | MRSA | 緑膿菌やセパシアなど | 梅毒トレポネーマ | 結核菌 | 真菌 | 芽胞 | 脂質を含む中間サイズ | 脂質を含まない小型サイズ | HIV | HBV |
| 高水準消毒 | △ | ○ | ○ | × | × | ○ | グルタルアルデヒド | ○ | ○ | ○ | ○ | ○ | ○ | ○ | ○ | ○ | ○ | ○ |
| 中水準消毒 | △ | △ | △ | × | × | × | ホルマリン | ○ | ○ | ○ | ○ | ○ | △ | △ | ○ | ○ | ○ | ○ |
| | △ | × | ○ | △ | △ | △ | 次亜塩素酸ナトリウム | ○ | ○ | ○ | ○ | ○ | ○ | △ | ○ | ○ | △ | ○ |
| | △ | ○ | ○ | ○ | × | × | 消毒用エタノール | ○ | ○ | ○ | ○ | ○ | ○ | × | ○ | △ | ○ | × |
| | × | × | × | ○ | × | × | ウエルパス® | ○ | ○ | ○ | ○ | ○ | ○ | × | ○ | △ | ○ | × |
| | △ | ○ | ○ | ○ | × | × | イソプロパノール | ○ | ○ | ○ | ○ | ○ | ○ | × | ○ | △ | ○ | × |
| | × | × | × | ○ | ○ | × | ポビドンヨード | ○ | ○ | ○ | ○ | ○ | ○ | △ | ○ | △ | ○ | △ |
| | × | × | × | ○ | ○ | × | プレポダイン®ソリューション | ○ | ○ | ○ | ○ | ○ | ○ | △ | ○ | △ | ○ | △ |
| | × | × | × | ○ | × | × | 希ヨードチンキ | ○ | ○ | ○ | ○ | ○ | ○ | △ | ○ | △ | ○ | △ |
| | △ | △ | △ | △ | × | ○ | フェノール | ○ | △ | △ | △ | △ | × | × | × | × | × | × |
| | △ | ○ | ○ | △ | △ | ○ | クレゾール石けん液 | ○ | △ | △ | △ | △ | × | × | × | × | × | × |
| 低水準消毒 | ○ | ○ | ○ | ○ | ○ | × | 塩化ベンザルコニウム | ○ | △ | △ | × | × | △ | × | △ | × | × | × |
| | ○ | ○ | ○ | ○ | ○ | × | 塩化ベンゼトニウム | ○ | △ | △ | × | × | △ | × | △ | × | × | × |
| | ○ | ○ | ○ | ○ | × | × | クロルヘキシジン | ○ | △ | △ | × | × | △ | × | △ | × | × | × |
| | ○ | ○ | ○ | ○ | ○ | × | 両性界面活性剤 | ○ | △ | △ | △ | △ | × | △ | △ | × | × | × |

○：使用可　△：注意して使用　×：使用不可　　　○：有効　△：十分な効果が得られないことがある　×：無効

[都築正和：殺菌・消毒マニュアル，医歯薬出版，1999 より引用]

表Ⅲ-7 消毒薬使用時の一般的注意事項

①適正な濃度，時間，温度（20℃以上）で使用する
　　根拠：低い濃度では効果がなく，濃い濃度では副作用を引き起こしたり薬剤の無駄になる
　　　　　消毒薬の種類と濃度によって微生物の死滅に要する作用時間が異なる
　　　　　低い温度では活性が下がる
②消毒薬を使用する前には有機物（血液，排出物，膿など）を完全に除去し，界面活性剤（洗剤など）を十分除去する
　　根拠：汚れによるエアポケットがあると消毒薬と消毒面が十分に接触できない
　　　　　pHは消毒薬の効力に影響する
③消毒薬の調整は，滅菌または乾燥した容器を用いて，使用時に行う
　　根拠：不適切な取り扱いにより消毒薬が微生物によって汚染される場合がある
　　　　　金属腐食や，プラスチックやゴムなどの劣化を引き起こすことがあるので容器は注意して選択する
④アルコール以外の消毒薬は混合して使用しない
　　根拠：2種類の薬剤を混合すると化学反応により不活化する可能性がある
　　　　　アルコールは他の消毒薬との混合により，抗微生物スペクトルの範囲を大きくできるので併用使用をすることがある
⑤消毒薬の希釈水は使用用途に応じて選択する
　　根拠：pH，硬水などは消毒薬の効力に影響する
⑥消毒薬の噴霧は一般的な感染症コントロールには勧められない
　　根拠：噴霧は効果が不十分で，吸入毒性がある
⑦ホルマリンの室内薫蒸やホルマリンボックスはホルマリンガスの吸入毒性があるため使用しない
⑧消毒薬を使用する際の口切り（容器の入口付近の薬を少し流して捨てること）は意味がない

表Ⅲ-8 滅菌の種類と特徴

| | 滅菌法 | 原理 | 適応 | 特徴と注意点 |
|---|---|---|---|---|
| 加熱法 | 高圧蒸気滅菌 | 高温加熱による細胞タンパクの不可逆的変性 | 金属製品，紙，リネン類，シリコン製品，ガラス製品，液体（水・試薬），培地 | ・滅菌条件（115℃ 30分，121℃ 20分，126℃ 15分など）に耐えられればもっとも安全で確実な滅菌法<br>・被滅菌物を詰め込みすぎると空気が残留して滅菌が不完全になる |
| | 乾熱滅菌 | 加熱乾燥気体によるタンパク変性 | ガラス製品，金属製のもの，鉱油などで乾燥高温に耐えるもの | ・湿熱よりも物質への熱の浸透が悪く，高温，長時間を要する |
| 照射法 | 放射線滅菌（γ線滅菌） | 放射線によるDNA，タンパク，脂質変性 | 透析器，注射筒，縫合糸，プラスチック製品など | ・滅菌の信頼性が高い<br>・冷滅菌法<br>・最終包装のまま滅菌が可能<br>・残留がない<br>・材質劣化，滅菌コストが高い，設備投資が大きいなどが欠点 |
| | 電子線滅菌 | 放射線によるDNA，タンパク，脂質変性 | 手袋，ナイロン製縫合糸，プラスチック製品など | ・γ線滅菌より短時間で大量の滅菌が可能でランニングコストが低い<br>・放射線汚染，放射性廃棄物がない<br>・γ線と比べると透過力が小さいため滅菌対象物が限定される |
| ガス法 | エチレンオキシドガス滅菌 | ガスによる細胞タンパク質のアルキル化 | カテーテル類，プラスチック製品，紙，ゴム製品，内視鏡など | ・高い浸透性と比較的低温（37～60℃）で滅菌が可能<br>・残留毒性があるため，排ガスが必要<br>・作業者の曝露に対する配慮が必要 |
| | 過酸化水素プラズマ滅菌 | 極低圧状態の過酸化水素に高周波エネルギーを放射して生じた高エネルギーのプラズマ*1やフリーラジカル*2が微生物を死滅させる方法 | プラスチック製品，ゴム製品，金属製小物 | ・常温低湿下で滅菌可能<br>・残留物が少ない<br>・滅菌後ただちに使用可能<br>・被滅菌物が水分空気を有すると真空工程が不完全になる<br>・プラズマを吸着する天然素材の布・糸，セルロース製品，木製品，発泡スチロール，粉末，液体などは適用外<br>・特殊包装材料が必要 |
| 濾過法 | 濾過滅菌 | 濾過装置を使用して混入する不純物や微生物を吸着したり，小孔を通過させずに滅菌する方法 | 水，空気，可溶性で熱に不安定な物質を含む培地，薬品など | ・ウイルスなどは除去できないので厳密には滅菌ではない<br>・捕捉された微生物の繁殖汚染の危険性に注意 |

\*1 プラズマ＝気体が高温化で電離し，陽イオンと電子に分かれた状態．
\*2 フリーラジカル＝遊離基ともいい，一般には活性酸素を指す．化学反応性が高い分子や原子を指す．

　滅菌が確実に行われるためには滅菌操作が正しく稼動し，滅菌にかかわるすべての手順や操作が正しく行われなければならない．これらを科学的に確認，検証することによって物品の無菌性を保障することを滅菌バリデーション（validation）という．完全に滅菌されたものでも保管管理に問題があれば，使用されるまでに滅菌状態が維持できなくなる可能性が生じる（表Ⅲ-9）．
　滅菌物が無菌であるかどうかは滅菌物の表面の化学的インジケータ（chemical indicator）以外では確認できない．保管状況は施設によって異なっているため，滅菌物の保証期間については，各施設に応じた安全期間を定めることが必要である（表Ⅲ-10）．

### 3. 無菌操作

　滅菌済みの物品を使用して，無菌的に手順よく取り扱っていく方法を無菌操作（sterile technique）という（表Ⅲ-11）．無菌操作を実施するときには，滅菌物を取り扱う前に必ず手洗いを行い，取り扱う滅菌物の包装が汚染されたり，破損していないかを確認する．そして滅菌物の包装を開封する際には，無菌でないところに滅菌物が触れないよう注意深く開封して，滅菌物は滅菌されている物品で取り出して，使用する．

表Ⅲ-9 滅菌物の望ましい保管場所，保管方法

①室温は 18～22℃，湿度は 35～70％で換気が良好な場所を選び，湿気を帯びる可能性のある場所は避ける
②他の部屋に対して空気圧が陽圧の場所が望ましい
③棚は，建物の外側に面している壁から少なくとも 5 cm は離し，床から少なくとも 20 cm の高さで，天井から少なくとも 45 cm 離して置く
④人の出入りの制限をする
⑤使用頻度の少ないものは閉鎖式，あるいはカバーをしたキャビネットに保管する
⑥パッケージを破損しないよう，重ねて置かない
⑦棚の清潔管理（定期的清掃）の責任者を決めておく
⑧在庫を多くもたない

表Ⅲ-10 包装材料と安全期間の目安

| 包装材料 | 特徴と安全期間の目安 |
|---|---|
| 布（モスリン*） | ・濡れや埃による汚染を受けやすく，微生物バリア効果が低いため，長期保存には適さない<br>・滅菌から短時間で使用する場合に限る<br>【安全期間の目安：モスリン二重包装で約 2 週間】 |
| 滅菌バッグ（紙） | ・水に弱く，濡れるとバリア機能が果たせないため，保管に注意する<br>・比較的有効期限が長い<br>【安全期間の目安：1～3 ヵ月，紫外線殺菌灯を備えた棚では 6 ヵ月～1 年】 |
| 不織布 | ・もっとも微生物バリア性が高い<br>【安全期間の目安：1 ヵ月くらい】 |
| 金属容器（カスト，滅菌コンテナ） | ・金属カストは，密閉性の問題，開閉時の汚染の危険性より使用は減少している<br>・金属カストには最小量をセットし使い切るようにする【使用期限は 1 日】<br>・滅菌コンテナは密封性が高い【安全期間の目安：6 ヵ月間（理論的には半永久的）】 |

＊（一般には綿糸で）手織した薄地の布

## 2 病原体の侵入経路を遮断する

### 1. ユニバーサル・プリコーションとスタンダード・プリコーション

　ユニバーサル・プリコーション（universal precautions）とは，血液，体液を媒介とする病原体への感染リスクを最小限にするために，1985 年に米国防疫センター（Centers for Disease Control and Prevention：CDC）が提唱したガイドラインである．その後，1996 年には感染予防の対象範囲を血液だけでなく，呼吸器系，結核など幅広く含め，それらの感染リスクを低くすることを目的として，感染経路別予防策であるスタンダード・プリコーション（standard precautions，標準予防策）が CDC から発表された．スタンダード・プリコーションはユニバーサル・プリコーションに加え，空気感染，飛沫感染，接触感染に区別した対策によって補強されている（表Ⅲ-12）．

### 2. 手洗い

　皮膚には約 1,012 個の菌が存在する[9]といわれるように，人間の手指はさまざまな細菌によって汚染されている．皮膚細菌叢には表皮ブドウ球菌などのような常在菌叢（resident flora）と黄色ブドウ球菌や大腸菌などの通過菌叢（transient flora）の 2 種類がある．常在菌叢は一般的には毒性が低いために感染を起こさないが，手術や深部組織への侵襲処置や重度な易感染宿主，心臓弁などの移植臓器を挿入しているときは感染を起こす可能性がある．常在菌叢は石けんと流水による手洗いだけでは除去できないために消毒薬の使用が必要となる．その一方，通過菌叢には病原性があり，保菌患者のケア実施後や汚染した機器などに触れた手指から限られた数時間だけ菌が検出されるが，石けんと流水による手洗いで除去できる[10]．

　このように手洗いは感染防止対策の中でもっとも簡単で，もっとも重要な基本技術である．手洗いにはその目的によって，社会的手洗い（social hand washing），衛生学的手洗い（hygienic hand washing），手術時手洗い（surgical hand washing）の 3 種類がある．

表Ⅲ-11 無菌操作

**1 滅菌手袋の装着**

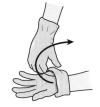

①手を洗う
②手袋の折り返し部分を手袋を装着する反対側の手で持ち，装着する側の手を入れる
③手袋を着けていない手で，手袋の表面に触れないように注意しながら折り返しの部分を持ち，手を入れる
④もう一方の手袋は先に手袋を着けたほうの指を折り返しの部分まで入れ，装着し，手首まで折り返しを伸ばす
※手袋を着けた手が手袋を着けていない部分に触れないように注意する
⑤最初に入れた部分の折り返しの間に指を入れて折り返し部分を伸ばす
⑥両手を組み，指間をなじませ，きちんと指先に入っていることを確認する

**2 滅菌物の取り出し方**

①パックの切り口を外側に折り返し，左右に開く
※中の滅菌物がパックの不潔な部分に触れないよう注意する
②パックの折り返し部分を固定し，不潔な部分に触れないように滅菌の鑷子で取り出し，滅菌したトレイなどに移す

**3 消毒綿球の渡し方**

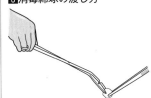

①綿球の端をつかみ，清潔なほうが上に，不潔なほうが下になるようにして，鑷子の先がつかないようにして渡す
②綿球が鑷子よりも高くならないように注意する

1）社会的手洗い

社会的手洗いとは，日常業務全般における手洗いで，食事前やトイレ後などに石けんと流水とで手指の通過菌を除去する手洗いである．また，衛生学的手洗いは通過菌と常在菌の一部を除去して交差汚染（cross contamination，病原体を汚染度の低いものに付けてしまうこと）を防止することを目的とした手洗いで，石けんと流水または消毒薬を用いて行う方法で，病院内で一般的に行われている．石けんと流水による手洗いで通過菌の80％を除去することができるといわれるが，排泄物や分泌物などによる高度な手指汚染の場合は，生体消毒薬を使用して20秒以上手洗いを行う必要がある[11]．

1処置1手洗いや，流水と石けんによる手洗いは，実際の臨床の場では施設・設備の問題や忙しさなどから実用的でないことについては数多くの報告がある．そこでCDCは2002年から「手指が目に見えて汚れている場合，血液や他の体液などのタンパク質物質で汚染されている場合以外はアルコールを基剤とする速乾性手指消毒薬によるラビング法を第1選択とする」と大きく基本方針を変更した[12]．

2）衛生学的手洗い

洗浄剤含有消毒薬で消毒後水洗する方法（スクラブ〔scrub〕法）[13]と，アルコールを基剤とする速乾性手指消毒薬で消毒する方法（ラビング〔rubbing〕法）がある（表Ⅲ-13）．

3）手術時手洗い

手術や分娩施行前に行う手洗いであり，通過菌だけでなく常在菌を可能なかぎり除去するために，滅菌済みのブラシと洗浄剤入りの消毒薬を使って手洗いをする．しかし，日本で多く用いられているブラシは硬すぎて皮膚損傷の原因となるため，軟らかいブラシの使用が望まれる．十分な手洗い時間については研究によって2～5分とばらつきがある[14～16]．いずれにしてもブラシによる手洗いだけでは完全な常在菌の除去はできないうえに皮膚損傷の原因ともなるため，無意味なブラッシングは避ける．

また日本では滅菌水による手術時の手洗いが行われていたが，除菌効果において滅菌水と水道水には差が認められないため，施設面や管理面などから考えるととくに滅菌水を使う必要はない[17]．

手洗い後は，指先を高くして滅菌タオルで手指を

表Ⅲ-12 スタンダード・プリコーション（標準予防策）と感染経路予防策
1. スタンダード・プリコーション（標準予防策）

| 概念 | すべての血液，体液（汗を除く），分泌物，排泄物，創傷のある皮膚，粘膜は感染する危険性があるとみなし，感染予防を実施する |
|---|---|
| 手指衛生 | 感染対策の基本は手指衛生である．患者のケアの前後，清潔・無菌操作の前，血液・体液・分泌物・排泄物に触れた後，手袋装着の前後，患者周辺の物品に触れたときには石けんや速乾性手指消毒薬による手洗いをする． |
| 個人防護具 | 【手袋の着用】<br>・血液，体液，分泌物，排泄物，汚染された器具に触れるときは手袋を着用<br>・創傷のある皮膚，粘膜に触れるときは清潔な手袋を着用<br>・手袋を装着して処置した後，清潔なものに触れるときには手袋を外すこと<br>【マスク，ゴーグル，フェイスシールドの着用】<br>・観血的な処置，吸引，気管挿管，血液，体液，分泌物などが飛散しそうなケア時には，マスク，フェイスシールドを着用<br>【ガウン（エプロン）の着用】<br>・血液，体液などによって皮膚やユニフォームを汚染する可能性があるとき<br>・ガウンは布製ではなく，水をはじく防水性の素材のものを使用<br>・病室から出る前にガウンは脱ぎ，手洗いを行う |
| 医療器具 | ・汚染された器具は，他の人や環境への伝播を防ぐ方法で取り扱う<br>・汚染された器具は，分別し，滅菌・消毒する<br>・器具を取り扱う際には手袋を着用し，しっかりと手洗いを行う |
| 環境管理 | ・ベッド柵やドアノブなど，患者や医療従事者が頻回に触れる部分や治療やケアを行う場は日常的ケアとして入念に清掃を行う |
| リネン・洗濯 | 血液，体液で汚染されたリネン類は，他の人や環境の汚染を予防するために，防水性の袋に入れて密封し，搬送する |
| 針や鋭利物 | ・リキャップせずに鋭利物専用の廃棄容器に入れる．もし，リキャップする場合はシングルハンドスコープ法（図Ⅲ-9）で行う<br>・針刺し防止機能付きの注射器の使用が好ましい |
| 患者配置 | ・感染のリスクが高かったり，環境の汚染が考えられる状態の患者は隔離する |
| 呼吸器衛生/咳エチケット | ・咳などの呼吸器感染症状を有する患者にはマスクを着用してもらう<br>・咳やくしゃみの際には口や鼻をおおい，気道分泌物に触れた際には手洗いを行う<br>・可能であればマスクをつけて，他の人と1m以上空間をあける |

2. 感染経路予防策

| 接触感染予防策 | 個人防護具 | 入室時に，手袋，ガウンを着用し，患者の部屋から出る前に脱いで廃棄する |
|---|---|---|
| | 器具 | 体温計などは，できれば専用にする　専用にできない場合は，消毒後に他の患者に使用する |
| | 患者配置 | 個室隔離または集団隔離をする<br>大部屋の場合はベッドの間隔は1m以上離す |
| 飛沫感染予防策 | 個人防護具 | 入室時には外科用マスクを着用する |
| | 患者配置 | 個室隔離または集団隔離をする<br>大部屋の場合はベッドの間隔は1m以上離し，カーテンをひく |
| | 患者移送 | 患者に外科用マスクを着用してもらう |
| 空気感染予防策 | 個人防護具 | 医療者はN95マスクを着用し，退出時にはずす |
| | 患者配置 | 陰圧で空気管理のできる個室に隔離し，病室のドアを閉める |
| | 患者移送 | 制限するが，必要なときは患者に外科用マスクを着用してもらう |

拭き，速乾性エタノールローションを指先から前腕まで十分に擦り込んでガウンと滅菌手袋を着用する．ガウンの紐（以下，ヒモ）は手袋を装着してから結ぶ．

### 3. ハンドケア

確実な手洗いを行うと1回の手洗いでも角質の損傷が起こり，頻回の手洗いによる手荒れの問題が生じてくる．手荒れを起こすと皮下に小膿瘍を形成して細菌に汚染されるために，手洗いをしても菌数が減少せず，交差感染（cross infection，自分以外の環境からの病原体によって引き起こされる感染）の原因となる可能性がある[18]．そこで，手洗い後には

## 2 感染看護

### 表Ⅲ-13 衛生学的手洗い
● スクラブ法：洗浄剤含有消毒薬で，消毒後水洗する方法

| 手　順 | 根拠/注意点 |
|---|---|
| （準備）<br>①半袖の作業着を着用するか，または長袖の場合は腕まくりをする<br>②時計や指輪を外し，爪は短く切る | |
| （実施）<br>①水道のカランは，手首か肘で操作し，流しに栓をしないで，水道水を2〜3秒間流してから，手全体を十分に濡らす | ※蛇口は常に湿潤していて埃の付着や緑膿菌などの繁殖も報告されているが，少し水を流すだけで蛇口はきれいになる |
| ②石けんや消毒液をつけ，両方の手掌を合わせよく擦る | ※石けんには液体石けんと固形石けんがあるが，衛生上，固形石けんは常に表面が乾いた状態が維持されるよう設置する |
| ③手の甲を伸ばして右の手掌で左の甲を包むように擦る．反対側も同様に洗う | ※手洗いミスの多い指先，指間，第1指の付け根に注意して手指全体をよく擦り合わせて洗う |
| ④左の手掌に指先，爪を入念に擦り合わせて洗う．反対側も同様に洗う | 手背　　手掌<br>手指消毒のミスが生じやすい部分[13]<br>■もっとも手洗いをしそこないやすい部位<br>■やや手洗いをしそこないやすい部位 |
| ⑤両方の手掌を合わせ，とくに指間をよく擦る | |
| ⑥第1指と手掌をねじり洗いする | |
| ⑦手首と手掌をねじり洗いする | |
| ⑧洗面台に手が触れないようにし，手先から水が落ちるように丁寧に洗い流す<br>⑨洗い終わったら，ペーパータオルを使って両手を拭く | ※すすいだ水が洗面台にはねたり，衣類や床が濡れないようにする<br>※エアータオルは手の乾燥に時間がかかることと風の音が騒音源となるため医療現場ではペーパータオルのほうが実用的である |
| ⑩直接手が蛇口に触れないようにして栓を閉める<br>⑪両手を完全に乾燥させる | ※蛇口の形状によっては，栓を閉めるのにタオルを使用する<br>※濡れたままでは微生物による汚染や手荒れの原因となる |

(表Ⅲ-13 つづき)●ラビング法：アルコールを基剤とする速乾性手指消毒薬で消毒する方法

片方の手掌に速乾性手指消毒薬を 3～5 mL とり，手洗いの順に従って，手と指の表面全体にいきわたらせ，手が乾くまで両手を擦り合わせる．使用する薬剤の量については，製造元の推奨に従う

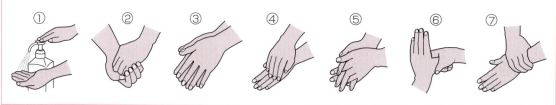

### 表Ⅲ-14　手袋装着時の注意事項

| 手袋着用時の注意 | 根　拠 |
|---|---|
| ①手袋使用前には必ず手洗いを行う<br>②ピンホール（小穴）の有無を確認する | ※ラテックス手袋には肉眼では確認できないピンホールが 3～52％に存在するといわれる．このような手袋の破損によって汚染される可能性がある<br>※長時間の手袋使用により，手袋の中は細菌の増殖の場となる |
| ③長時間の使用を避け，適宜手袋を交換する<br>④手袋が不必要になったら，外側の汚れたほうが内側になるように小さく丸めてひっくり返して外して捨てる | |
| ⓐ左手で，右手袋の入口に近い部分をつまむ　　ⓑ手袋を下方に引き，外したとき手袋の内側が裏返しになるようにする．右手袋を外したあとは，左手で持つ　　ⓒ左手袋の端の下に，手袋を外した右手に示指・中指を挿入する．手袋の外側に触れないように注意する　　ⓓ手袋をそのまま引き下ろす．外したときには，手袋は裏返しになる．左手袋が完全に右手袋を包むまで引き下げ，汚染された手袋の内側を表にする　ⓔ手を洗う | |
| ⑤手袋は 1 処置ごとに交換する<br>⑥手袋使用後は必ず手洗いを行う | ※異なる部位や患者への病原体の移動を防ぐ<br>※手袋を外す際に手指を汚染する可能性がある |

乾燥させることやハンドローションを使用して，スキントラブルを防止することも大切な感染対策である．もし手荒れがひどい場合には，手袋の着用や無菌操作を伴うケアを避けるなどの対応が必要である．

### 4. 手袋

手袋の装着にはバリアをつくり病原菌の進入を阻止するという意味と，個々の手を汚染している病原菌の伝播を防ぐという意味がある．とくに創部や粘膜，また湿性生体物質に接触するとき，または接触する可能性があるときには手袋を着用することが必要であるが，無菌操作でなければ滅菌手袋を使う必要はない．手袋にはピンホール（小穴）があったり，破れたりする可能性がある．そこで手袋の着用前後には必ず手洗いをする（表Ⅲ-14）．

医療現場では感染予防のためのゴム手袋の使用は日常のものとなってきたが，ゴム手袋使用の増加に伴って，医療従事者での天然ゴム（ラテックス）に対する皮膚炎，結膜炎，鼻炎，蕁麻疹，喘息およびアナフィラキシーなどのアレルギー反応の報告が増加している．ラテックスへの感作やアレルギー反応を防止するためには，ビニールなどの非ラテックス

## 表Ⅲ-15 感染源隔離のガウンテクニック

| 手　順 | 根拠/注意点 |
| --- | --- |
| 個人防護服は必要に応じて<br>ガウン→マスク→ゴーグル→帽子→シューズカバー→手袋の順に装着する<br>(感染源隔離の場合ガウンはディスポーザブルのものが望ましい)<br>①手洗いをする | ※マスクを着用した場合，患者は看護者の表情が見えないのでコミュニケーションの取り方に注意 |
| ②ディスポーザブルでないガウンはガウンの清潔ならびに不潔の面を確認し，衿の部分のヒモを持ち，ガウンの外側(不潔な面)に触れないようにガウン掛けから外す | ※衿のまわり15cmは通常は清潔と考える．衿の部分のヒモは清潔な部分である |
| ③衿の部分のヒモをほどき，ガウンの不潔な部位に触れないようにヒモを持って袖に手をとおす | ※ガウンを十分広げ，袖口の内側の清潔な部分を持って袖を引くと汚染部分に触れずに着用できる |
| ④衿の部分のヒモを結んでから，腰の部分のヒモを結ぶ<br>⑤必要に応じてマスク，ゴーグル，帽子，シューズカバーを装着する<br>⑥手袋を装着する | ※手首が露出しないように手袋でガウンの袖をおおう |
| 〈処置後〉<br>①処置がすんだら手袋とゴーグルをはずす．<br>②ガウンの腰の部分のヒモをほどき，両袖口を手関節より少し上に引き上げ，手を洗う | |
| ③衿のヒモをほどき，汚染部分に触れないように袖口の内側に他方の手を入れ，袖口をつかんで腕を引き抜く | ※袖の内側は清潔なので汚染せずに手を引き抜くことができる |
| ④反対側の手も汚染しないように，最初に引き出したほうの手でガウンの内側から袖をつかんで脱ぐ | |
| ⑤ディスポーザブルではないガウンの場合は周囲を汚染しないように両肩を合わせて，衿のヒモを結びガウン掛けにかける | ※ディスポーザブルの場合は汚染された部分が内側になるように丸めてたたみ，捨てる |
| ⑥マスクはヒモのところを持って外し，指定の場所に捨てる<br>⑦手洗いをする | |

製品，パウダーのないゴム手袋，洗ってパウダーを除去したパウダー処理ゴム手袋の使用が有効である．

### 5. 隔離とガウンテクニック

隔離には，感染性を有する患者から他への交差感染を防止する感染源隔離(resource isolation)と，感染に対する抵抗の低下した患者を交差感染から守る逆隔離(予防隔離 protective isolation)がある．

感染源隔離の場合，同じ病原体に感染している人どうしの場合は個室にする必要はなく同室でかまわない．交差感染予防においてもっとも基本となるのは手洗いである．適切な手洗いが行われなければ，隔離をしても交差感染は防げない．

マスクは口と鼻を十分におおう大きさのものを使用し，口と鼻に密着させマスク周辺と顔面の皮膚との間にすきまをつくらないように着ける．マスクを

あごにかけたり片耳にかけて垂らしたりしないで，1回使用したら捨てる．また外科用マスクは湿ったときには取り替える必要があるが，空気感染の原因となる可能性のある患者に接する場合に用いるフィルターつきのマスク（N95マスク，表Ⅲ-2参照）は破損するまで再使用が可能である．

ガウンは，血液や体液などの湿性生体物質で汚染される可能性がある場合や，衣服が感染者・環境表面・物品などと接触する可能性がある場合には必ず着用する．ガウンにはビニール製のディスポーザブルのものや撥水性のもの，また袖のないタイプのものや，長袖で袖口はしっかり締まるようになっているタイプのものなどがあるため，用途に応じて選択することが重要である．洗濯して使用する場合は，洗濯や消毒に耐える木綿の生地で目の詰まった厚地のものを使用する．なお紫外線は空気や水には有効であるが，ものの陰になった部分には効力が及ばないため，ガウンに対する消毒効果は非常に低い．

ガウン着用にあたって重要なことは，まず手洗いを行い，ガウンの清潔または不潔な部分をしっかり認識して，清潔な部分は清潔な手で操作することである（表Ⅲ-15）．

## D 医療関連感染と職業感染

### 1 医療関連感染と感染管理

医療関連感染がいったん発生すると，病状の悪化や治療の長期化による患者および家族の負担や医療従事者の業務の繁雑さなどのさまざまな問題が派生する．さらに抗菌薬の投与などによる医療費の上昇など医療経済にも影響を及ぼすこととなる．易感染宿主の増加に伴い，どんなに万全の感染症予防対策を講じても，完全に感染症の発生を阻止することは不可能に近いのが現状である．

感染管理には，感染の制御（control）と予防（prevention）の2つの側面がある．欧米においては早くから医療関連感染チームが組織され，1960年前後には感染管理ナース（infection control nurse）が任命され，医療関連感染のサーベイランス（surveillance），モニタリング（monitoring），感染防止と対策方法についての教育，感染対策のための研究などに関する専門職として感染防止業務に携わっている．日本では2000（平成12）年から日本看護協会において感染管理認定看護師の教育が開始された．

看護師は患者の直接ケアを常に行っていること，また看護ケアの中には感染を引き起こす可能性の高い行為が多く含まれていることから，看護師が感染源や感染の媒介者となりうる可能性があることを強く認識しておかなければならない．感染予防に必要とされる技術は隔離法や消毒法などに限られるものではなく，日常の看護ケアの中に含まれており，看護師ひとりひとりが感染予防に関する正しい知識と技術を習得し，行動できることが基本となる．

### 2 職業感染防止と安全管理

看護師は患者との接触時間が長く，直接ケアが多く接触の密度も濃いため，患者からの感染リスクが高くなる．1860年代にはすでに，ナイチンゲールがロンドン在住の一般女性に比べ看護師の伝染病死亡率が高いことを指摘している[1]．日本でも医療従事者の結核罹患率は高いことが報告されている[19]．

職業感染防止においては，①針刺し事故における血液媒介の病原体による感染，②結核感染，③各種の抗体保有とワクチン接種，が問題となる．さらに，最近は医療関連感染防止に用いられる消毒薬の曝露による健康障害やラテックスアレルギーなども問題になっている．

血液媒介の病原体による感染を予防するために

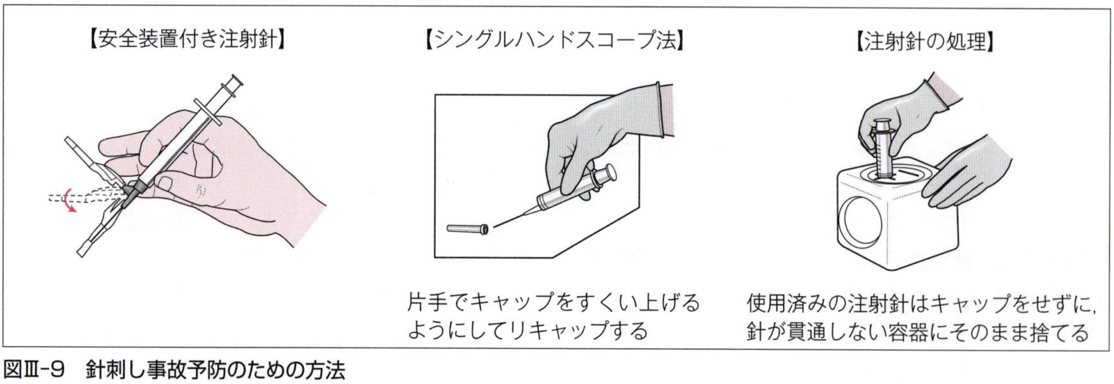

図Ⅲ-9 針刺し事故予防のための方法

表Ⅲ-16 医療従事者に強く推奨されるワクチン

| ワクチン | 投与方法 | 適応 |
| --- | --- | --- |
| B型肝炎ワクチン | 4週間隔で2回,皮下または筋肉内注射<br>3回目は第2回目の5ヵ月後<br>抗体が獲得されていない場合は追加注射する | 血液および体液に曝露するリスクのある職員 |
| インフルエンザワクチン | 年1回,流行前にワクチンを筋注 | ハイリスク患者と接触するか,長期療養型介護施設で働く職員<br>医学的にハイリスクとなる基礎疾患を抱えている職員<br>65歳以上の職員 |
| 麻疹ウイルス生ワクチン | 1回量を皮下注射<br>2回目は少なくとも1ヵ月後に行う | 1957年以降に生まれ,以下の証明のない職員<br>(a) 1歳の誕生日またはそれ以降に生ワクチンを2回投与した<br>(b) 医師の麻疹診断書<br>(c) 抗体陽性の証明<br>1957年以前に生まれた職員を含めて免疫の証明のないすべての職員 |
| 流行性耳下腺炎ワクチン | 1回量を皮下注射<br>追加免疫は不要 | 感受性があると思われる職員<br>1957年以前に生まれた職員は免疫があると考えられる |
| 風疹生ワクチン | 1回量を皮下注射<br>追加免疫は不要<br>(麻疹・風疹混合ワクチン[MR]による2回接種が一般的) | 1歳の誕生日以降に生ワクチンを投与されていない職員(1979年~1995年生まれの職員は接種していない可能性が高い) |
| 水痘生ワクチン | 13歳以上ならば4~8週あけて0.5 mLを2回皮下注射する | 水痘の既往または水痘抗体をもたない職員 |

[Centers for Disease Control and Prevention: Immunization of healthcare workers: recommendations of the Advisory Committee on Immunization Practices (ACIP) and the Hospital Infection Control Practices Advisory Committee (HICPAC). MMWR **46**: 1-42, 1997より作表]

は,血液の安全な取り扱いに注意する.安全機能付きの器具(**図Ⅲ-9**)を使用することによって針刺し事故が減少することが報告されている[20~22].針刺し事故を予防するためには,針が貫通しない容器にリキャップなしで注射針を廃棄するか,シングルハンドスコープ法などの安全な技術を習得することが必要である(**図Ⅲ-9**).もしも針刺しをした場合には,傷口から血液を押し出すようにしながら水道水で十分に洗浄してから,消毒液で傷口を消毒する.その後,必ず医療事故担当者に報告する.

また麻疹,流行性耳下腺炎,水痘,風疹などの既往がない看護師も増えている.さらに最近では結核菌に対する免疫がほとんどない看護師が増えている.このように看護師自身の感染予防対策のために,抗体検査やワクチン接種を受けることが望ましい(**表Ⅲ-16**).

●引用文献

1) Siegel JD et al.: 2007 Guideline for Isolation Precautions: Preventing Transmission of Infectious Agents in Healthcare Settings, CDC, 2007 [https://www.cdc.gov/infectioncontrol/pdf/guidelines/isolation-guidelines-H.pdf](最終確認:2022年6月8日)
2) CDC: SARS-CoV-2 is transmitted by exposure to infectious respiratory fluids [https://www.cdc.gov/coronavirus/2019-ncov/science/science-briefs/sars-cov-2-transmission.html#anchor_1619805150492](最終確認:2022年4月25日)
3) Nightingale F: Note on Hospital, Savill & Edwards, 1863
4) 国立感染症研究所:新型コロナウイルス(SARS-CoV-2)の感染経路について(掲載日:2022年3月28日)[https://www.niid.go.jp/niid/ja/2019-ncov/2484-idsc/11053-covid19-78.html](最終確認:2022年6月8日)
5) 入江正洋ほか:自己免疫疾患の心身医学とその治療.現代のエスプリ **361**:125-133,1997
6) Licino J, et al.: A molecular mechanism for stress-indued alterations in susceptibility to disease. Lancet **346**: 104-106, 1995
7) Spaulding EH: Chemical disinfection of medical and surgical materials. Disinfection, Sterilization and Preservation (Lawrence CA, Block SS, eds), Lea & Febiger, pp. 517-531, 1968
8) Oie S, Kamiya A: Microbial contamination of antiseptics and disinfectants. Am J Infect Control **124**: 389-395, 1996
9) 南嶋洋一ほか:現代微生物学入門,117頁,南山堂,1987
10) Lowbury EJL, Lilly HA, Bull JP: Disinfection of hands: Removal of transient organisms. BMJ **2**: 230-233, 1964

11) 矢野久子, 小林寛伊, 奥住捷子：高度汚染した手指の衛生学的手洗いの検討. 環境感染誌 **10**：44-47, 1995
12) Boyce JM, et al.：Guideline for Hand Hygine in Healthcare Settings. MMWR **51**：1-45, 2002
13) Tylor LJ：An evaluation of handwashing technique 1. Nursing Times J **12**：54-55, 1978
14) Dieen P：An evaluation of the duration of the surgical scrubs. Surg Gynecol Obstet **129**：1181-1184, 1969
15) Cruse P：Surgical infection：Infection wounds. Hospital Infections（Benetto JV, Brachman PS, Samford JP, et a1, eds）, 2nd ed, Little Brown, pp.432-436, 1986
16) Ayliffe GAJ, Coates D, Hoffman PN：Chemical Disinfection in Hospital, PHLS, 1984
17) 辻　明良, 村井貞子（編）：院内感染対策へのサポート, 113頁, 南山堂, 2003
18) Bruum JN, Solberg CO：Hand carriage of gram-negative bacilli and Staphylococcus aureus. BMJ **2**：580-582, 1973
19) 厚生労働省：2021年 結核登録者情報調査年報集計結果
〔https://www.mhlw.go.jp/content/10900000/000981709.pdf〕（最終確認：2022年6月8日）
20) Garner K：Impact of needless intravenous system in university hospital. Am J Infect Control **20**：75-79, 1992
21) Yassi A, McGi11 M：Determinants of blood and body fluid exposure in a large teaching hospital：hazards of the intermittent intravenous procedure. Am J Insect Control **19**：129-135, 1991
22) Lawrence LW, et al.：The effectiveness of a needleless intravenous connection system：an assessment by injury rate and user satisfaction. Infect Control Hosp Epidemio1 **18**：175-182, 1997

# 3 看護動作とボディメカニクス

## A ボディメカニクス

### 1 ボディメカニクスとは

ボディメカニクス（body mechanics）とは，看護師や患者が，人間の身体の構造や機能を力学的に無駄や無理なく行うように考えること，すなわち効率的・能率的に姿勢，作業，移動を行うような工夫である．ボディメカニクスを考慮すると，人や物を持ち上げる，立つ，歩く，座る，寝るなどの身体の姿勢や運動による患者の安全と安楽を保証すると同時に，看護師の負担や疲労を軽減させることができる．

### 2 ボディメカニクスと人間工学

坪内は，人間工学（ergonomics）という概念を「人間の特性を知り，人間が安全かつ容易に操作ができるように，特性に合わせて，機械・設備を設計し，検討すること」と説明した[1]．ergonomics とはギリシア語の ergo（work：仕事・労働の意），nomos（laws：法・法則の意），そして mics（学問につく接尾語）の合成語である．2001 年には国際人間工学会（International Ergonomics Association：IEA）によって「人間工学はシステムにおける人間と他の要素との相互作用を理解するための科学的学問であり，人間の安寧とシステムの総合的性能との最適化を図るため，理論・原則・データ・設計方法を有効活用する独立した専門領域である」と定義された[2]．

こうした概念は看護とも深い関係があるため，とくに看護技術の基礎理論構築に人間工学モデルが導入されている．看護人間工学は「看護の分野において人間の身体的特性や精神・心理的機能を研究し，それに適合した看護技術，生活環境や機器・諸道具，情報システム危機管理，職場改善などについて，患者の安全・安楽を前提として看護者の負担軽減，看護行為の安全性や効率のよい達成と活動しやすい環境づくりを目指す技術分野である」[2]と定義されている．すなわち，看護における人間工学は，看護師や患者にとって安全・安楽を考慮した人間活動を円滑にするための工学であるといえる．

### 3 ボディメカニクスの限界

これまで看護師が臨床で実施してきた移動動作はボディメカニクスを考慮したものであるが，現実には看護師の負担や疲労が軽減され，安全で安楽な看護援助ができるものとは言えない．米国では看護におけるボディメカニクスの概念が発展してきたものの，看護師に頻発する腰痛をオーウェン（Owen BD）[3]，メンツェル（Menzel NM）[4]，英国のスタッブス（Stubbs DA）[5]らが報告している．看護援助の安全性，安全性を中核に患者の体格，環境，職場の組織体制，持ち上げないための道具などの使用を考慮していくことが重要である．

わが国では 2013 年 6 月に職場における腰痛予防対策指針（厚生労働省）が改訂され，福祉・医療現場での介護・看護作業の中で，「移乗介助，入浴介助および排泄介助における対象者の抱上げは，（中略）原則として人力による人の抱上げは行わせないこと」と提唱された[6]．さらに，2021 年には国際標準化機構（ISO：International Organization for Standardization）[*1] の分科会で人間工学国際規格 ISO11228-1（人間工学―手作業により取り扱い）[7]が改訂され，3 kg を超える物を取り扱うリスクアセスメントや，性別と年齢による最大重量の基準が示された．今後の介護・看護作業を行う場合の重要な基盤となるものであり，腰痛予防対策指針に基づき看護援助を行い，ボディメカニクスの限界も踏まえることが重要である．

### 4 人間の構造的・機能的なボディメカニクス

#### 1. 構造的ボディメカニクス

人体は頭蓋骨・脊柱・骨盤・上肢・下肢などの骨格で構成され，移動や体位は関節と筋肉の動きによって維持され，姿勢の保持や動作は骨格と筋肉と運動神経によって行われる．

---

[*1] 国際標準化機構（ISO：International Organization for Standardization）[7]には人間工学関連の規格（人間工学国際規格；通称 ISO）を扱う技術委員会（TC：Technical Committee）があり，その分科会の一部門で人体寸法と生体力学に関わる横断的な国際標準が策定されている（関連学会による詳説[8]参照）．

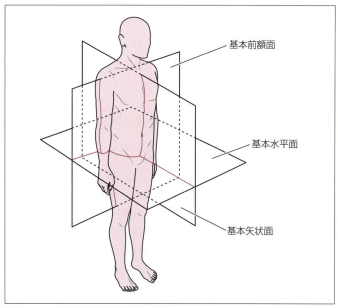

図Ⅲ-10　人体の基本面

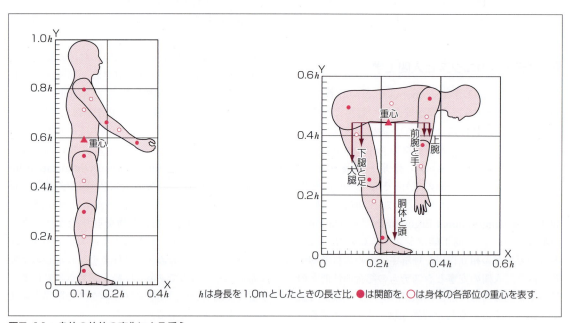

図Ⅲ-11　身体の体位の変化による重心
[Kane JJ, Sternheim MM（石井千穎監訳）：ライフサイエンス物理学，第2版，廣川書店，1991を一部改変]

　基本肢位には基本的立位肢位と解剖学的立位肢位[*2]があり，基本肢位の身体の側面は基本前額面，基本水平面，基本矢状面の3側面で進行方向や重心[*3]の変位（位置の変化）をみる（図Ⅲ-10）[3)]．重心は人体や物体に働きかける力で，垂直下方に地球の中心に向かって働いており，人体では支持基底面の大きさと身長の高さによって異なる．立位のときの重心は身長の55～57％の位置にあり，脊柱を前屈したときには重心は前方に移動する（図Ⅲ-11）．

---

[*2] 基本的立位肢位は，立位姿勢で顔面を正面に向けて，両上肢を体側に下垂して手掌を体側に向け，下肢は平行，踵を密着させてつま先を軽く開いた直立位．解剖学的立位肢位は，基本的立位肢位で，前腕を回外して手掌を前方に向けた直立位をいう[3)]．

[*3] すべての物体には重力が働く．物体をいくつかの部分に分割して考えると，物体は部分ごとにそれぞれ重力が作用する複合体とみなすことができる．これら各部の重力の合力は物体に作用する重力に等しい．重心とはこの合力の作用点をいう．1つの物体の重心は一定の点で，物体の位置や向きが変わっても重心は変わらない．また，重心は必ずしも物体の内部にあるとは限らない．

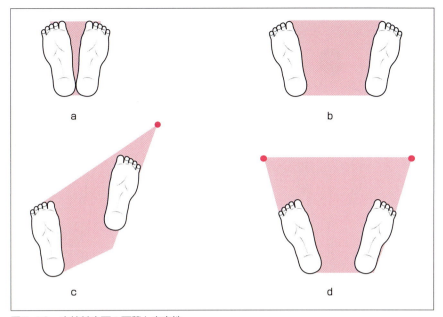

図Ⅲ-12 支持基底面の面積と安定性
　c.の●は1本杖を使用した場合，d.の●2つは松葉杖を使用した場合

## 2. 機能的ボディメカニクス

　人体の機能的ボディメカニクスとは，エネルギー代謝（relative metabolic rate：RMR）と筋肉の活動を効率的に行うことである．エネルギー代謝は身体活動によって促進され，動作や作業強度と強い相関がみられる．安楽な姿勢は内臓諸器官に圧迫や負担をかけず，エネルギー消費を節約する．

## 5 人間の姿勢（posture of human）

　直立2足歩行の人間のとる基本的姿勢には以下のものがある．

### 1. 立位

　立位（standing position）では両足底部が基底面となる．両足底部がそろった姿勢では基底面は小さく，重心は高くなり，重心線が動きやすいので不安定である（図Ⅲ-12a，Ⅲ-13a）．足を広げたり，杖など利用すると基底面が広がるとともに重心が低くなり，姿勢の不安定さをいくぶん解消することができる（図Ⅲ-12b〜d）．

### 2. 坐位

　坐位（sitting position）は殿部と大腿部が座面に接した姿勢である（椅坐位）（図Ⅲ-13b）．座面と足面が床に接している場合には，それら両面が基底面になる．背部が背もたれに固定されている場合は重心が低くなり，姿勢の安定が保たれる．

### 3. 臥位

　臥位（supine position）では基底面は頭部から足部までとなる．臥位はすべての体位の中で基底面の広さが最大で，またその重心が低いので，もっとも安定性が高い（図Ⅲ-13c）．

### 4. ファウラー位（半坐位）

　ファウラー位（Fowler's position；half-sitting position）はベッドの上体が約45°挙上した体位で，座面のほかに背部にも基底面がある（図Ⅲ-13d）．傾斜のために体圧が殿部に集中し，徐々に上体がずり落ちてくるので，膝を立て，その下に枕を置くなど，ずれ防止策が必要である．ファウラー位では内臓は下腹部に移動し，横隔膜も下降するために肺の拡張を促すことができる．

### 5. 動作と重心の変化

　物を拾う動作をするとき重心は垂直方向と前後方向へ，そして左右方向に変化する（図Ⅲ-14）．また，椅子から立ち上がるときには重心は前方向に，立つと同時に上方向にそれぞれ変化し，立位になったところで重心点が体幹の中心にくる（図Ⅲ-15）．

## 6 作業的なボディメカニクス

### 1. 作業姿勢

　作業姿勢とは作業のために動作をするときにとる姿勢であり，頭部・上肢・下肢・脊椎・骨盤の位置により安定性が決まる．安定した作業姿勢には次のような条件がある．
①基底面が広くなるよう両足を前後左右方向に適当な幅に広げる．

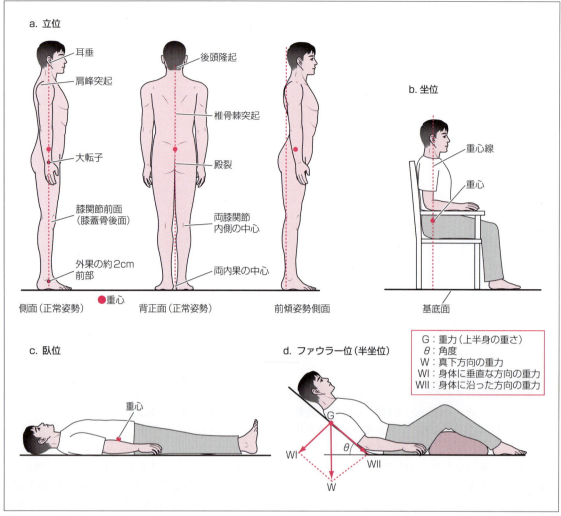

図Ⅲ-13 各姿勢における重心と力の方向

② 重心線が身体を支持する基底面を通るようにする.
③ 重心の位置を低くする.
④ 物体を小さくまとめる.
⑤ 自分の重心と物体や患者の重心を近づける.
⑥ 脊柱の捻転（ねじれ）を防ぐために，動作を始める前に移動の方向を決め，動き出そうとする方向に足先を向ける.

### 2. 作業域

作業域とは一定の姿勢で垂直面・矢状面・水平面における身体の広がりの範囲を示すものである．上肢の作業域において，肩関節を中心に上肢全体を動かして届く範囲を最大作業域，肘関節を中心に前腕だけで届く範囲を正常作業域という（図Ⅲ-16）．作業面に高低があって垂直に変化したり，水平面や矢状面の広がりが大きすぎると作業姿勢が不安定になるので，作業面の広がりや高さなどを適切に調整することが重要である（図Ⅲ-17）.

## 7 力学からみた動作の基本

力学（mechanics）は物体間に働く力と物体の運動との関係を論じる物理学の1領域である．力学でいう力とは，重力，引力，圧力などのように物体の位置を変化させる作用で，ヒトの動作理論も力学が基本となっている．そこで，ここではニュートンによる運動力学の基本法則を，ヒトの身体運動を例に引きながら説明する.

### 1. 運動の法則

静止している物体が運動を起こすには運動を起こす力が働かなければならない．身体の運動に関わる力には重力，摩擦力，身体に加えられる外部抵抗力，筋収縮によって得られる張力がある．身体の運動はこれらの力の相互の関係に影響を受けている.

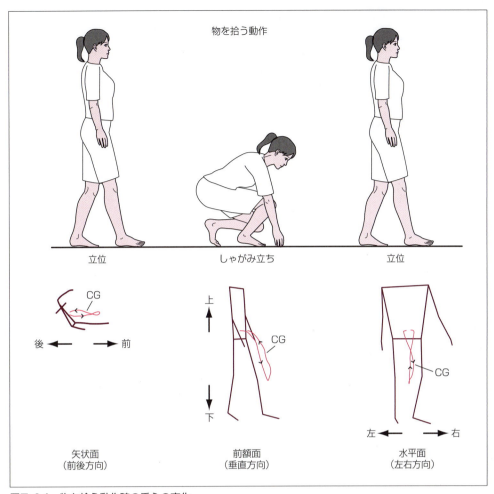

図Ⅲ-14 物を拾う動作時の重心の変化
CG：重心（center of gravity）
物を拾う動作時には，かがむとき重心は矢状面（前後方向）の前方へ，前額面（垂直面）の下方へ，水平面（左右方向）の右方に動く．このように，重心がもっとも近いところから目的の方向に移動し逆方向に戻っていくことを示している（＞）．

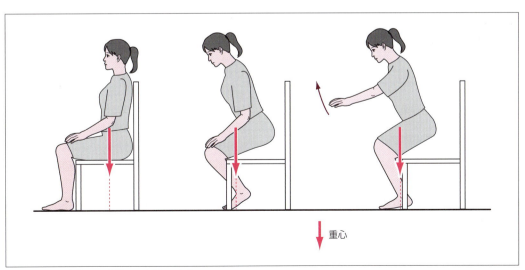

図Ⅲ-15 椅坐位から立位への重心の変化

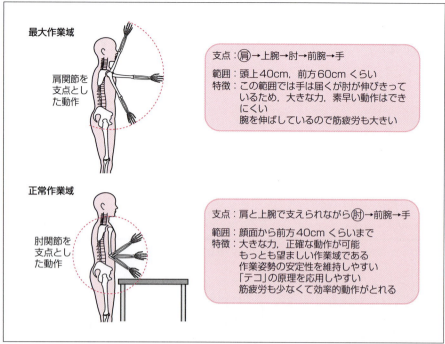

図Ⅲ-16　最大作業域と正常作業域

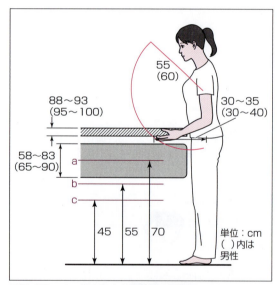

図Ⅲ-17　ベッドの高さと作業域の関係
a：高いベッド，b：もっとも多く使われているベッドの高さ，c：低いベッド，▨：軽作業時の推奨作業域，▩：重作業時の推奨作業域

物体の運動には，①慣性の法則，②加速度の法則（または運動方程式），③作用・反作用の法則，の3つの基本法則がある．

1) 慣性の法則

地球上では重力や摩擦力などの外力があるため，静止している物体はいつまでも静止し，また，一様の運動をしている場合は等速直線運動を続ける．これが慣性の法則である．身体運動では，慣性の力に打ち勝つ力が働いたとき運動が起こり，停止するときは重力と運動に反対する力が働く．したがって，身体を動かしはじめるときにもっとも大きな力が必要となる．

2) 加速度の法則

加速度とは物体に力が作用したときに起こる速度の変化をいう．加速度は力の強さ（F）に比例し，物体の質量に反比例する（$F=mα$；$m$は物体の質量，$α$はその加速度）．これが加速度の法則である．患者や物を運ぶとき，その重さと運び手の腕力が運搬速度に影響する．

3) 作用・反作用の法則

作用・反作用の法則とは，2つの物体が作用しあうとき，それぞれの力の大きさは互いに等しいことをいう．つまり，双方の力は同一線上にあって大きさが等しく，力の向きは反対である．看護動作にこの原理を利用すると，力を有効に活用できる．

## 2. てこの原理

一定の点（支点）のまわりに回転できる棒のことを「てこ」という．支点（てこを支える回転の中心になる点）から力点（力を加える点）までの距離と力点に加わる力の積と，支点から作用点（物体に作用する点）までの距離と作用点の物体の重さの積が等しいとき，てこは釣り合う．この関係を「てこの

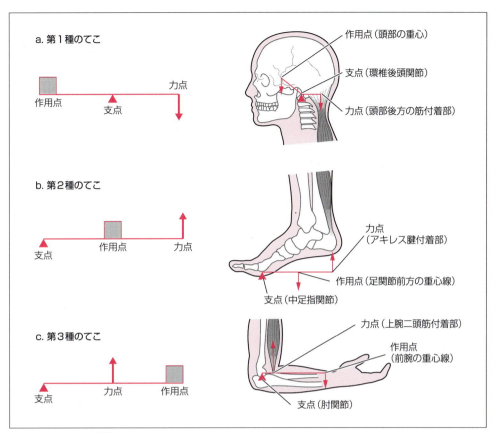

図Ⅲ-18 てこの原理

原理」という．ヒトの動作にはてこの原理が働いている．

支点・力点・作用点の位置関係によって，てこは3つに分類される（**図Ⅲ-18**）．第1種のてこはシーソーのように支点が力点と作用点の間にあるもので（**図Ⅲ-18a**），人体では頭部の前後屈の運動がこれに当たる．この場合の支点は環椎後頭関節，力点は後頭骨の筋付着部，作用点は頭部の重心から垂直に延長したところとなる．第2種のてこでは，栓抜きのように作用点が支点と力点の間にあり（支点-作用点間の距離より支点-力点間の距離のほうが長い）（**図Ⅲ-18b**），小さな力で重い物体を支えることができる．つま先立ちで踵を上げたときの状態がこれに当たり，支点は中足指関節，力点はアキレス腱付着部，作用点は足関節前方の重心線上にある．第3種のてこは，和ばさみや爪切りのように力点が支点と作用点の間にあり（**図Ⅲ-18c**），支点-作用点間の距離が支点-力点間の距離より長く，大きな力が必要となる．これは肘関節を屈曲するときの状態に相当し，支点が肘関節，力点が上腕二頭筋付着部，作用点が前腕の重心線となる．

### 3. トルク

ネジを締めるときのように，物体をある点（回転軸）を中心に回転させる力を回転能という．回転能を力のモーメント，あるいはトルク（torque）ともいう．トルクは作用点にかかる力の大きさ（ベクトル）と回転軸から作用点までの距離の積で表される．回転軸からの距離が長く，加える力が大きいほど回転する力は大きくなる．開きドアでは，回転軸（ドアの蝶番の部分）から作用点（ドアノブ）までの長さとノブに加わる力によりドアが開かれる．たとえば上肢を外転させる（腕を横に水平に肩まで上げる）場合，外転筋（三角筋，棘上筋など）は上肢の重力と肩関節から上肢の重心までの距離の積に等しい運動量の収縮張力を発生している．

## B 看護動作におけるボディメカニクス

### 1 看護動作

#### 1. 安定性

看護動作における安定性とは平衡状態を維持しよ

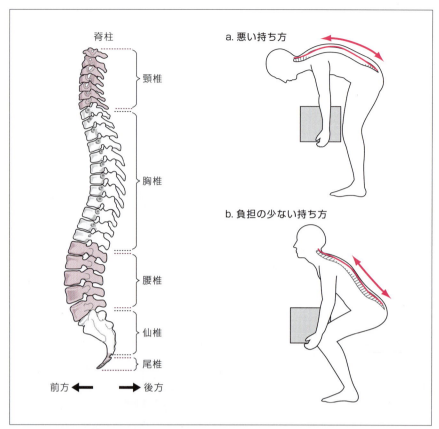

図Ⅲ-19 脊柱の構造と物の持ち方による脊柱への負担

うとする性質のことである．同一直線上で同じ力が反対方向にかかっている状態は，力のバランス（釣り合い）がとれ，位置の移動がなく安定している．看護動作の安定性に影響するのは重心の高さ，支持基底面の広さ，そして支持基底面と重心線との関係である．つまり，重心の位置が低く，支持基底面が広く，支持基底面内に重心線があるとき，高い安定性が得られる．腰を落として重心を下げ，できるだけ両足を広げて支持基底面積を広げることで安定性を高めることができる．また，足底面の広い，滑りにくい履き物などの使用によって足面の摩擦を大きくすると安定性はより高まり，安全を保持することができる．

### 2．効率性

動作における効率性とは，ある動作に要する時間が短時間であるとともに，その動作で消費するエネルギー所要量が少なくてすむということである．ベッドメーキングの際，片側をつくってから反対側をつくるなどの工夫は，移動動作の距離が短縮できるので，効率性がよくなる．

### 3．脊柱への影響

脊柱は頸椎・胸椎・腰椎・仙椎からなり，人間の動作や姿勢において軸となる部分である．脊柱の両端に脊柱と並行に走行し脊柱を引き上げる（まっすぐ立てる）働きをするのが脊柱起立筋である．脊柱を伸ばした姿勢では脊柱起立筋にかかる負担は小さいが（図Ⅲ-19b），前屈みの姿勢をとる（脊柱起立筋が伸展される）と，持続的に働いて（前に倒れないように）脊柱を引き上げようとする[*4]（図Ⅲ-19a）．

このように前屈み姿勢で物を持ち上げる際の，脊柱の前屈角度（横軸）と脊柱起立筋・椎間板にかかる力との関係を示したものが図Ⅲ-20である．何も持たずまっすぐ起立した姿勢に比べると，脊柱の傾きが大きいほど（より前屈みになるほど）脊柱起立筋や椎間板にかかる負担は大きくなる（図Ⅲ-20①）．さらに，前屈み姿勢では荷物が重いほど負担は格段に大きくなることがわかる（図Ⅲ-20②，

---

[*4] これは前屈によって引き伸ばされた脊柱起立筋の筋紡錘が興奮して起こる，いわゆる伸張反射である．伸張反射は姿勢反射のひとつで，重力に抵抗して姿勢を保つ働きをする．伸筋（抗重力筋）でよく発達している．

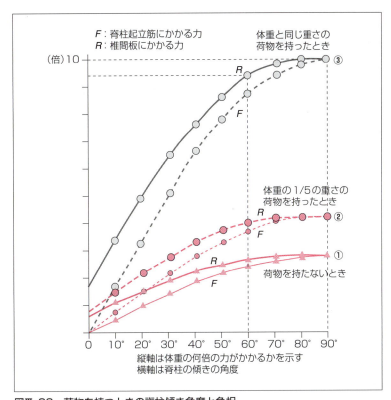

図Ⅲ-20　荷物を持つときの脊柱傾き角度と負担
[平田雅子：New ベッドサイドを科学する—看護に生かす物理学, 61頁, 学習研究社, 2000より引用]

③).したがって,重いものを動かす移動動作の際には,できるだけ脊柱を伸ばした姿勢をとって負担を軽減するようにする.

## 2 患者や物の移動

### 1. 効率性

#### 1) 摩擦力

物体を水平に動かそうとすると,接地面に沿ってその運動を妨げようとする力,すなわち摩擦力が働き,その物体は静止状態を保つ.摩擦力は物体の接地面を押す力[*5]と摩擦係数[*6]の積である.物体が動き出す直前に働く摩擦力を「最大静止摩擦力」といい,物体を動かそうとする力が最大静止摩擦力をこえたとき,物体は動き出す(**図Ⅲ-21**).

物体がいったん動き出すと,摩擦力は運動摩擦力となるが,これは一般に最大静止摩擦力より小さい.また,同じ物体を滑らせながら動かすときの摩擦力をすべり摩擦力,転がしながら動かすときの摩擦力を転がり摩擦力という.転がり摩擦力は運動摩擦力よりはるかに小さい.看護動作に転がり摩擦力を利用することで身体負担は軽減できる.

#### 2) 押す・引く(作用と反作用)

作用と反作用の法則は,物体に作用する力とそれによって起こる物体の運動との関係である.作用する力と反作用の力は同一直線上にあって反対向きに働き,その大きさは等しいものである.**図Ⅲ-22**に示す看護師の白線の矢印(抗力)は患者の重さ(W)を,aの引く場合は床の方向の反作用として逆向きに同じ力が働き(W−A),bの押す場合は床の方向の反作用として逆向きに同じ力が働き(W+A)として抗力が働き,物体を引く場合は押す場合に比べ重力の抵抗力が小さくなる.

cの滑らす場合は,スライディングシートを背部と腰部に敷き,足底部に滑り止めを敷くことで,患者が膝関節を曲げることで伸ばす力が働き,ベッドの上部に看護者の力を加えずに患者自身で行える.

### 2. 安定性

患者や物体を移動するときはその対象物の重心を見定め,重心に近づき,対象物の形態を小さくまとめることが重要である.また,看護師自身が両足を開き基底面積を広くし重心を低くすると安定性が高

---

[*5] 物体に働く重力で,接地面の大きさには関係しない.
[*6] 接する2物体の表面の性質と状態で決まる.

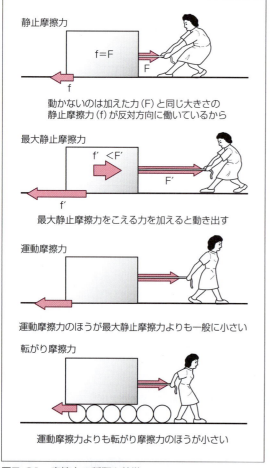

図Ⅲ-21 摩擦力の種類と特徴
[平田雅子:基礎科目 物理学(新体系看護学全書), 24頁, メヂカルフレンド社, 2006より引用]

まる.

### 3. 安楽性

患者や物体を移動するときには,対象物と移動する側の重力的な負担が少なく,かつ短時間で気持ちよく移動すると相互の安楽を得ることができる.

## 3 環境・用具の活用

### 1. ベッドの高さ

ベッドから患者が自分自身で移動するためには,氏家らは身長×3/14を計算式とする33.9±2.24 cm,畑野は膝関節が90°に屈曲し足底が床に着くときの下腿の高さの(身長×1/4を計算式とする)39.4±2.8 cmが適切であると述べている[4,5]. また看護師が患者のケアやベッドメーキングをするときのベッドの高さは70～75 cm,身長の45％以上が適切で,こうすることによって腰部の90°以上の脊柱の前屈が少なくなるという報告がある[6].

### 2. 車椅子を押す

車椅子を使用する場合,患者に適した座面や足置き(フットレスト,footrest)を選択することは重要であるが,車椅子を押す介助者にとってはハンドルの高さが高すぎても低すぎても腰部へ余計な負担がかかり,運転の安全性にも影響する.基本的にはハンドルは押し手の重心に近い腰部にあって,進路を妨げない程度の足と車輪の間のスペースが必要となる.

### 3. 患者の移動

身体から離して荷物を持つと本来の重さよりも重く感じ,腰部への負担も増すので,物体を運ぶときには,物体をできるだけ身体の重心に近づけて持つことが望ましい.

### 4. 物品の配置

看護師が洗髪や清拭などの援助を行う場合,できるだけ患者に近い位置で行うことが基本である.また,物品を使いやすい効率性を考えて配置することが重要である.物品をとる,タオルを絞るなどの動作の際,物品や患者との距離が遠い(動線が長くなる)と動作に余計な時間がかかり,腰部への負担やエネルギー所要量が増大し,看護師自身の効率的で安全・安楽な動作に支障をきたす.これは援助を受ける患者の安全・安楽を阻害することにもつながる.すなわち,看護師が常にボディメカニクスを考慮して行動することが,患者の安全・安楽を保障するのである.

### 5. 用具の選択

1) スライディングシートとスライディングボード

スライディングシート(以下シート)の種類は,主にシートタイプとロールタイプがある.滑りやすい布は二重構造にすると摩擦係数をより軽減させることができるため,シートタイプを二つ折りにしたり,ロールタイプにしたりする(図Ⅲ-23①).

滑りやすい布を敷き込む際,患者が自力で頭部を挙げたり肩を挙げたりといった,自力で摩擦発生を除去できるのであれば,頭部から敷き込むが,困難な場合は側臥位にして敷き込む.シートタイプの物を使用する場合,介助者側と反対側が輪になるように敷き込んだほうが,後で外しやすい(図Ⅲ-23②).

スライディングボード(図Ⅲ-23③)は,ベッド・車椅子間の移乗介助方法の場合に坐位が自力でできるときに使用する.体幹を傾けた反対側の殿部～大腿部にかけてスライディングボードを差し込み,スライディングボードの上を滑るように介助する用具である(図Ⅲ-23④).

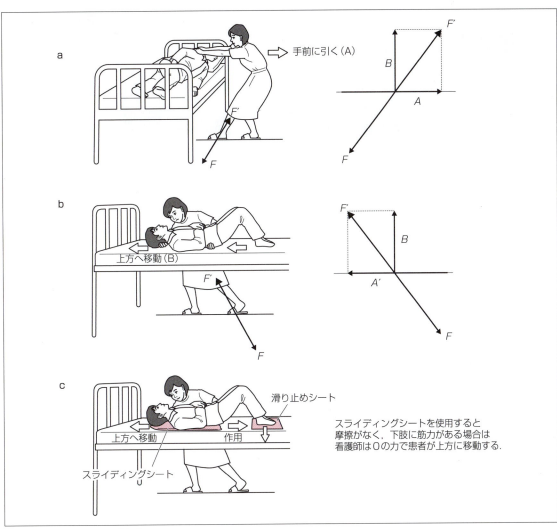

図Ⅲ-22 引く・押す看護行為

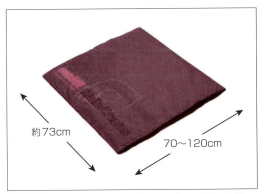

図Ⅲ-23 ① スライディングシート（ロールタイプ）

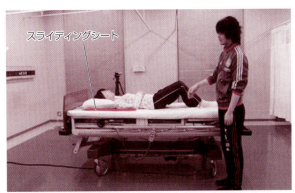

図Ⅲ-23 ② スライディングシートと滑り止めシートを使用した上方移動

図Ⅲ-23③　スライディングボード

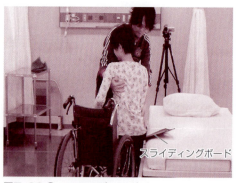

図Ⅲ-23④　スライディングボードを使用した車椅子移乗

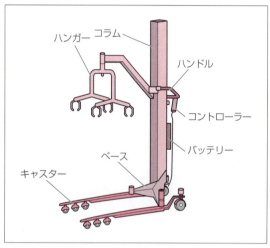

図Ⅲ-23⑤　電動リフト（床走行式）

2）リフト

　患者の立ち上がりや移乗を支援するために，さまざまな電動リフト（**図Ⅲ-23⑤**），移乗機器，持ち上げ補助器具がある．電動リフトでは，全介助が必要な患者に使用する吊り上げリフト，わずかに体重を支える能力がある患者に使用するスタンディングリフトがある．吊り上げリフトでは，患者の条件と使用目的によって適切なリフトを選択し，リフトを吊り上げるときの患者の快適性，安全性を確保する．また，スタンディングリフトでは，患者自身がバーにつかまり，介助者は膝あての位置と支持用具を患者の体格に合わせて設置する．

### 4　患者への適応

　患者への適応には，まず患者の観察が重要である．最初は，意識があるのか，体（腕，上体，腰部，下肢など）が動かせるのか，座る，立てるなどの姿勢保持ができるのか，立位ができても歩けるのかなどを観察する必要がある．その場合，上半身が起こせてもベッドを上げてもたれてなのか，端坐位になれるのか，などその筋力やバランスなどの運動神経系の状態を観察し，どのような姿勢や動きができるかを見定めて看護者や介護者は患者への介助を行うことが大切である．

1）ベッド上での移動動作

　ベッド上での水平移動の場合，用具を使用すると

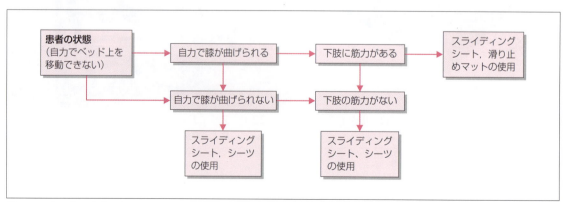

図Ⅲ-23⑥　水平移動介助時のスライディングシートの使用のアセスメント

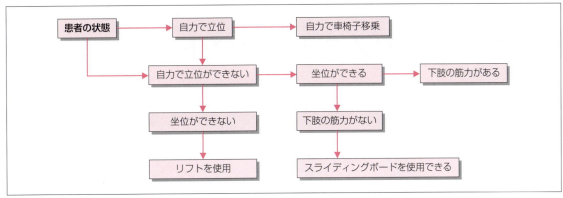

図Ⅲ-23 ⑦　車椅子移乗介助時のスライディングボードの使用のアセスメント

看護師や介護者も腰部に負担なく，摩擦もなく，手軽に移乗ができる．そのとき患者の今ある能力を活用することが大切であるので滑り止めを使用し，足底が滑らず固定することで膝関節を伸ばす力で移動できる（図Ⅲ-23 ⑥）．

2）車椅子移乗介助

車椅子への移乗介助時は自力で立てるかどうか，自力で座れるかどうか，下肢に筋力があるかどうかなどを確認してスライディングボードが使用できるかどうかを判断する（図Ⅲ-23 ⑦）．

このように看護動作はボディメカニクスだけでなく，さまざまに工夫・開発された道具を活用することで患者に対して安全で安楽な看護援助を実践できる専門技術である．そうした技術によって，看護師の身体的負担を軽減することができる．

● 引用文献

1) 坪内和夫：人間工学，7-8頁，日刊工業新聞社，1961
2) 大河原千鶴子（編）：看護人間工学，8-14頁，医歯薬出版，2002
3) Owen BD：he magnitude of the low back problem in nursing. Western Journal of Nursing. 11（2）：234-242, 1989
4) Menzel NN：Back pain prevalence in nursing personnel. AAOHN Journal 52（2）：54-65, 2004
5) Stubbs DA, Bukle PW, Hudson M, et al.：Back pain in the nursing profession―（1）epidemiology and pilot methodology. Ergonomics 26（8）：755-766, 1983
6) 甲田茂樹：腰痛予防対策指針の改定について．安全と健康 14（7）：17-22, 2013
7) ISO 11228-1：2021（en）Ergonomics―Manual handling―Part 1：Lifting, lowering and carrying.〔https://www.iso.org/obp/ui/#iso:std:iso:11228:-1:ed-2:v1:en〕（最終確認　2022年6月10日）
8) 持丸正明，河内まき子，榎原毅：特集②：人間工学国際規格（ISO）とその最新動向（3）―SC3：人体寸法と生体力学―．人間工学 50（3）：117-125, 2014
https://www.jstage.jst.go.jp/article/jje/50/3/50_117/_pdf

# 4 医療安全（リスクマネジメント）

## A To Err is Human

### 1 医療安全

医療における安全の基本は，"To Err is Human"にある．人間はどんな場合でも間違いをおかす．米国医学研究所（Institute of Medicine：IOM）が出版した書籍『To Err is Human』（2000）の中で，1997年の1年間に米国では，入院患者44,000〜98,000人が医療事故で死亡したことが報告されている．それゆえ，安全の観点から，患者が被害に遭わないような安全保証のプロセスを組織的に設計し直す重要性[1]が唱えられている．

WHO（World Health Organization）（1999）は，「医療安全とは医療に関連した不必要な害のリスクを許容可能な最小限の水準まで減らす行為である[2]」と定義している．医療事故をなくすことは困難ながらも，可能な限り不必要な有害事象を最小限の水準まで減らすことが求められる．そのためには，リスクを管理し，患者および医療者の安全を確保するためのリスクマネジメント（医療安全管理）が重要課題となる．

### 2 ヒューマンエラー

#### 1．定義

医療におけるヒューマンエラーは時として患者に障害を招き，死に至らしめることがある．また，医療事故における原因の大半はヒューマンエラーによるものと言われている．

ヒューマンエラーとは何なのか．それは「人間のまちがい」を意味し，私たちのとった行動や行為によって起き「あやまち」のすべて[3]ととらえる見方がある．一方，リーズン（Reason J, 1990）はヒューマンエラーを「計画されて実行された一連の人間の精神的・身体的活動が，意図した結果に至らなかったもので，その失敗が他の偶発的事象の介在に原因するものでないすべての場合[4]」と定義している．さらに安全工学の立場からは，レヴィン（Lewin K）による行動モデル $B=f(P\cdot E)$ [※1] に示されるように，人間（P）と環境（E）を相互依存の変数（f）ととら

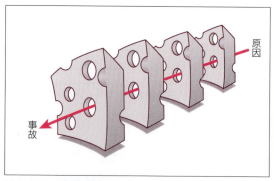

図Ⅲ-24 事故発生のモデル（スイスチーズモデル）
[Reason J：Human error：models and management. BMJ **320**（18）：768, 2000 より引用]

え[3]，ヒューマンエラーは人間が環境に対して働きかける相互作用によって引き起こされる，といった考え方が主流となっている．

#### 2．特性

ヒューマンエラーの典型例とされる横浜市立大学病院の患者取り違え事故（1999）[※2] が引き起こした結果は，誰もが想像し難く，重大かつ深刻であった．この事故要因の一つとして，途中で「おかしい」という気づきはあったものの，確証バイアス[※3]が働いたことがあげられる．その結果，スイスチーズモデル（図Ⅲ-24）で説明されるように，すべての関門を通過し，取り違えた患者それぞれに誤った手術が行われた[5]．

この事故から20余年が経った今も医療事故は増加傾向にある．医療現場にはさまざまな人や物が混在し，医療事故に至る誘因の数や種類も増加している．これらの誘因は複雑に絡み，常に流動的である．加えて，何重にも安全対策を講じた多重防護壁がきわめて弱く少ないことも医療事故防止を難しくしている．

---

[※1] B：Behavior（行動），f：function（関数），P：Personality（人間），E：Environment（環境）
[※2] 横浜市立大学医学部附属病院において，肺手術の患者と心臓手術の患者を取り違えて手術が行われてしまった事故．
[※3] 最初に抱いた先入観や信念を裏づけるデータを重用して，これに反するデータを軽んじようとする傾向のこと．

表Ⅲ-17 人間の弱点

| 項　目 | 備　考 |
|---|---|
| ①錯誤・錯覚があること | ←人間エラーのもと |
| ②疲労すること（短時間で） | ←体力の限界 |
| ③機能の恒常性に欠ける | ←ばらつき，正確さの限界 |
| ④速度・スピードに限界がある | ←0.2秒程度の反応時間あり |
| ⑤環境に対して許容限界をもっている | |
| ⑥感情に左右されやすい | |
| ⑦割合，固定化した生理的リズムをもっている | |
| ⑧居ねむり・不注意などの欠点をもつ | |
| ⑨情報処理能力の限界 | ←情報伝達容量の限界 |
| ⑩計画能力と知覚能力の限界 | |

［林喜男：人間信頼性工学　人間のエラーの技術，海文堂出版，65頁，1984を一部改変］

### 3. 根本要因

人はなぜ誤るのか．それは人間が弱点をもつ不完全な動物だからである．林（1984）は人間の弱点について10項目（表Ⅲ-17）[6]をあげている．いずれも人間の能力の限界を感じさせる内容であり，ヒューマンエラー対策には，これらの弱点をできるだけカバーできるようハード，ソフトの両面からの防止設計が必要となっている．

### 4. 発生のプロセス

ヒューマンエラーは，どのようなプロセスで起こるのだろうか．作業におけるエラーの形態は，大きく①認知・確認，②判断・決定，③操作・動作の3つに分類される[6]．人間の情報処理過程は，まず目で見，耳で聞くことによって情報を認知する入力過程，次に入力過程で認知した情報から状況判断し意思決定を行う媒介過程，さらに意思決定された内容を行動に移し連続的に遂行する出力過程で説明される[7]．そして，これらの過程のどこでエラーが起きたかによって，入力エラー，媒介エラー，出力エラーに分けられる．加えて，医療分野では情報が正しく伝達されないといった情報伝達エラーも多く[8]，医療事故防止をいっそう難しくしている．

またリーズン（1990）はエラーを，実行段階で起きる「slip：うっかり間違い」，考察段階で起きる「lapse：うっかり忘れ」，計画段階で起きる「mistake：計画自体の間違い」に分け[4]，人間の認知段階においてエラーが起こる可能性を指摘している．

## 3 医療事故の現状と分析

### 1. 定義

医療現場で発生した医療事故の報告および分析は医療安全管理にとって重要な意味をもつ．厚労省（2000）は医療事故について「医療に関わる場所で，医療の全過程において発生するすべての人身事故をいう．なお，医療従事者の過誤，過失の有無を問わない」と定義している[9]．この用語と同義で用いられるのが「アクシデント（accident）」である．

さらに，この「アクシデント」と並んでよく使用される用語として，「インシデント（incident）」がある．両者の違いは患者への影響レベルによるものである．「インシデント」は「ヒヤリ・ハット」と同義に用いられている．「ヒヤリ・ハット」事例とは，「患者に被害を及ぼすことはなかったが，日常診療の現場で"ヒヤリ"としたり，"ハッ"とした経験を有する事例」を指す[9]．1つの重大事故の背後には29の軽微な事故があり，その背景には300のヒヤリ・ハット事例が存在する（ハインリッヒの法則）と言われる[10]．重大事故を未然に防ぐためには，アクシデント事例はもちろんのこと，背後に存在するインシデント事例を収集し，分析することが不可欠となっている．

### 2. 発生状況（医療事故，ヒヤリ・ハット）

「医療事故情報収集等事業2020年年報」[11]によれば，報告義務対象医療機関273施設および登録申請医療機関834施設から2019年1年間に報告された「医療事故」件数は4,802件で，そのうち320件の死亡が報告されている．なお，当事者の職種でもっとも多いのは医師（49.0％）で，次いで看護師（44.8％）となっており，常に患者の傍にあり，それだけに医療事故に遭遇する可能性も高い両職種が全体の約94％を占めていた．事故内容でもっとも多かったのは療養上の世話（32.9％）で，次いで治療・処理（31.5％），ドレーン・チューブ（8.2％），薬物（8.1％）の順であった．

### 3. 分析

インシデントやアクシデントの分析は定量分析と定性分析の2つに分類される．定量分析の代表例として，日本医療機能評価機構による「医療事故情報

表Ⅲ-18　P-mSHELL モデル

| 要　素 | 例 |
|---|---|
| P：Patient<br>患者 | ・病状<br>・心理的・精神的状態<br>・価値観 |
| m：Managment<br>管理 | ・組織・管理・体制<br>・職場の雰囲気作り<br>・セーフティカルチャーの醸成具合 |
| S：Software<br>ソフトウェア | ・マニュアル　・チェックリスト<br>・教育・訓練用教材<br>・教育・訓練用教材に問題は |
| H：Hardware<br>ハードウェア | ・ヒューマン・マシン・インターフェイス（操作スイッチや計器など）<br>・自動化のレベル |
| E：Environment<br>環境 | ・作業環境（温度・湿度・照明・騒音）<br>・作業特性（緊急作業等）に問題は |
| L：Liveware<br>（中心のL）<br>本人 | ・身体的状況<br>・心理的・精神的状態<br>・能力（技能・知識） |
| L：Liveware<br>（右下のL）<br>周りの人 | ・コミュニケーション<br>・リーダーシップ<br>・チームワーク |

［河野龍太郎：医療におけるヒューマンエラー なぜ間違える どう防ぐ，医学書院，136頁，2004より許諾を得て転載］

収集等事業」の報告があり，数量的分析が行われている．一方，定性分析には5M4E法[*4]やSHELモデル（後述），故障モード影響解析（Failure Mode and Effects Analysis：FMEA）など多くの方法がある[12]．最近は，起こった出来事に対して，なぜそうなったのかの問いかけを繰り返し，背後に潜む環境やシステムを探っていく根本原因分析（root cause analysis：RCA）[13]の方法が広く紹介されるようになってきた．

SHELモデルはヒューマンファクター工学における説明モデルで，産業システムの分野で広く利用される．エドワーズ（Edwards）は1972年に基本モデルを提唱している．その後，医療分野において，基本モデルに患者の要素，管理の要素を加え分析するP-mSHELLモデル[14]（表Ⅲ-18）が紹介され，医療事故分析ツールとしてよく使用されている．

日本医療機能評価機構は医療事故情報収集等事業における2020年度 医療事故報告件数 計22,765件（その他を除く）の発生要因に関し，P-mSHELLモデルによる分類を試みた[11]（図Ⅲ-25）．発生要因においては，本人自身（L）がもっとも多く，次いで患者側（P），教育・訓練（S），連携不足（周りの人：L）の順であった．これらの結果は，医療事故の発生要因が必ずしも本人自身に因るものとは言い切れず，本人以外の要因についても多角的にとらえていく必要性を示唆している．また本人による要因では「確認の怠り」がもっとも多く，続いて「判断の誤り」，「観察の誤り」の順となっており，他の要因に較べその優位性が際立っている．

さらに，ヒヤリ・ハットについて影響を及ぼす要因を検討するため，兵藤ら（2006）は病院勤務の看護師を対象に個人特性と職場環境要因を含めた質問紙調査を実施した．有効回答157票をもとに，パス解析を行った結果，「方法に疑問を感じながらもそのままやってしまうことがある」といった黙従性の高い者がヒヤリ・ハットを起こしやすいことが示された（図Ⅲ-26）．また，ストレス反応が高い場合にはヒヤリ・ハットも多くなる傾向が確認された．なお，ストレッサーが多く日常生活でエラーを起こしやすい者ほどストレス反応は高く，自己効力感が高い者ほどストレス反応は低くなることが示唆された．

## B 医療安全管理におけるヒューマンエラー対策

これまでヒューマンエラーに至る人間の特性，根本要因，発生のプロセスについて述べてきたが，つ

---

[*4] エラーを誘発する要因を5M（Man：人，Machine：設備・器具，Media：環境，Method：方法・手順，Management：管理）の観点から抽出し，洗い出された誘発要因に関し4E（Education（教育・訓練），Engineering（技術・工学），Enforcement（強化・徹底），Example（模範・事例）の観点から，対策を明確にして，整理を行う．

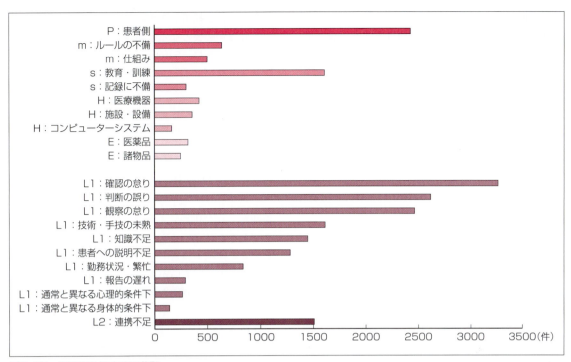

図Ⅲ-25　医療事故発生要因分類
A. 報告義務対象医療機関　C. 参加登録医療機関からの報告件数　計22,765件(その他を除く)の発生要因について集計し,筆者がグラフ化した.

[日本医療機能評価機構　医療事故情報収集等事業　2020年度　年報集計より作成]

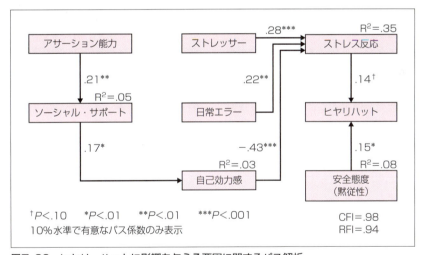

図Ⅲ-26　ヒヤリ・ハットに影響を与える要因に関するパス解析
[兵藤好美・迫田裕子・田中共子：医療現場で働く看護師のヒヤリハットに影響を与える要因　日本心理学会第70回大会発表論文集,182頁,2006より引用]

ぎにヒューマンエラーをいかに防ぐべきか,その対策について考えてみたい.

### 1　戦術的エラー対策

ヒューマンエラー対策にはエラーの発生防止と拡大防止の2つの対策がある.さらにエラー低減の戦略として,河野(2014)は4つのステップと11のエラー対策手順を提唱している[14].

①第1ステップ:危険を伴う作業遭遇数の低減
例)転記防止のためのオーダリングシステム[*5],

薬剤選択不要のダブルパック[*6]

　②**第2ステップ**：各作業におけるエラー確率の低減
　例）プールプルーフ[*7]を考慮した配管接続のピンインデックス，バーコード，色分け，大きい表示，KYT（Kiken Yochi Training，危険予知訓練），メモの活用，実施前指差し呼称

　③**第3ステップ**：多重のエラー検出策
　例）作業終了後の指差呼称，チェックリスト，ダブルチェック

　④**第4ステップ**：被害を最小とするための備え
　例）転落に備えた低いベッドの使用

## 2 レジリエンス・エンジニアリング

　医療安全管理には2つの方法がある．1つは，これまで紹介してきた失敗から学ぶ方法である．インシデントやアクシデント事例を分析し，原因やそこに潜むリスク要因を抽出することにより，対策を立て失敗を減らそうとする方法で，Safety Iと呼ばれる．もう1つは成功から学ぶ方法である．レジリエンス工学に基づく考え方で，日常臨床業務のうまくいっている状況を対象として成功から学び，増やそうとする方法である．Safety IIと呼ばれ，21世紀に入ってホルナゲル（Hollnagel E）やウッズ（Woods D）らを中心として提唱された新しい安全マネージメントの考え方である[16]．

　レジリエンス・エンジニアリングは，システムやモノの有する弾力性のある特性を意味する「レジリエンス（resilience）」と，モノとモノを組み合わせて，より優れた機能を発揮することを追求する技術や学問体系の「エンジニアリング（engineering）」が合わさった言葉である．中島（2019）[16]は，さらに，刻々と変化し続ける状況や環境の中で，チームや組織において，どのように物事がうまく行われているかに目を向ける必要から生まれた新しい安全マネージメント理論と説明している．そして，Safety IIはSafety Iにとってかわるものでなく，互いに補完的であり，社会技術システムの安全マネジメントにおいて両方が必要となると述べている．

　ホルナゲルは，Safety IIの実践に当たって，レジリエントなパフォーマンスを行うための能力として「想定する」「モニターする」「対応する」「学習する」の4つの能力をあげているが，これらは独立したものではなく，互いに密接に関係し合っている[16]．

## 3 医療安全におけるゲーミングシミュレーションの活用

　中島（2019）[16]は医療におけるシミュレーション訓練を，レジリエンス・エンジニアリングにおいて必要とされる4つの能力のうち「学習」の過程に相当すると述べている．その利点として，患者へのリスクがなく，間違いが許され，その結果を知ることができること，原因を設定できることなどをあげている．

　兵藤ら（2011）[17]は医療安全の流れを体験するシミュレーションをゲームに仕立てて提供し，自らの判断による場面展開とその帰結および対策を体験できる心理教育として再構成したので，その一例を紹介する．

### ゲーミングシミュレーションとしての薬物確認におけるダブルチェック

　医療現場におけるダブルチェックの形骸化が指摘されている．そこで，前作業者やパートナーへの依存を社会的依存と名づけ，その影響に焦点を当ててゲームを実施した．まず参加者45名を3群に分け，1G：新人看護師Aが確認済み，2G：ベテラン看護師Bが確認済み，3G：同時に2人で確認，の各群それぞれの条件を設定し，10種類の薬物についての確認（1・2Gは再確認）を依頼した．なお10番目薬物のみ，指示簿と異なるものを準備した．

　その結果，間違いを設定した10番目の薬物は，他9種類の薬物に比べて正解数が有意に低かった．間違いを設定しなかった9番目の薬物については，3グループは2グループに比べ正解数が有意に高かった（表III-19）．以上のことから，間違いのない状態が続くと気の緩みが生じエラー検出の精度が低下すること，また，2人で同時に行う確認作業のほうが単独の再確認よりもエラー検出力は高いことが明らかになった．なお実施後には，「前作業者の影響を認識した，自分の傾向を知るよい機会だった，時間制限による焦りを体験，一度のチェックでは不十分，楽しかった」等の感想が聞かれた．

　このようなゲームの体験を通して，参加者らはエラーを起こす体験に面白さや不安を感じつつ，ダブ

---

[*5] 医療現場の一部業務を電子化し，処方箋，採取指示票などの記入作業や，伝票の搬送・転記などを必要としないシステム．処方箋や伝票の記入・転記などが不要になるため，転記ミス防止に効果を発揮する．

[*6] 薬液を上下2室に分け，使用前に隔壁を開通することで，無菌的かつ容易に混合調製を行うことができる輸液バッグである．

[*7] 「愚者に耐えることができる」，「どんな人でもミスをしない」設計を意味する．操作を間違えてしまった時も　危険な状況にならない，誤った操作ができないよう設計段階で組み込んでおく考え方．

表Ⅲ-19　条件別・薬剤選択正解率

| 薬剤名 | 事後単独確認（前担当者・作業済み） | | 同時複数確認 | F値 | 有意差 | 多重比較 |
|---|---|---|---|---|---|---|
| | 1G（新人看護師） | 2G（ベテラン看護師） | 3G（2人ペア） | | | |
| [1] レンドルミンD錠 0.25 mg | 0.82 (0.40) | 0.83 (0.39) | 1.00 (0.00) | 2.17 | | |
| [2] フロモックス錠 100 mg | 0.82 (0.40) | 0.92 (0.29) | 1.00 (0.00) | 2.03 | | |
| [3] ロキソニン錠 60 mg | 1.00 (0.00) | 1.00 (0.00) | 1.00 (0.00) | 0.00 | | |
| [4] マグミット錠 330 mg | 1.00 (0.00) | 0.92 (0.29) | 0.91 (0.29) | 0.50 | | |
| [5] フロモックス錠 75 mg | 0.82 (0.40) | 0.83 (0.39) | 1.00 (0.00) | 2.17 | | |
| [6] ムコスタ錠 100 mg | 1.00 (0.00) | 0.92 (0.29) | 1.00 (0.00) | 1.40 | | |
| [7] アダラートL錠 20 mg | 1.00 (0.00) | 0.92 (0.29) | 1.00 (0.00) | 1.40 | | |
| [8] グッドミン錠 0.25 mg | 1.00 (0.00) | 0.92 (0.29) | 0.91 (0.29) | 0.50 | | |
| [9] アダラートL錠 20 mg | 0.91 (0.30) | 0.75 (0.45) | 1.00 (0.00) | 3.23 | * | 2G<3G |
| [10]*バファリン 330 mg | 0.64 (0.50) | 0.67 (0.49) | 0.73 (0.46) | 0.15 | | |
| 合計 | 9.00 (1.10) | 8.67 (1.44) | 9.55 (0.51) | 3.38 | * | 2G<3G |

注1）[10]*のみ誤った薬剤を準備，注2）正解を1，不正解を0として計算，注3）*$P<0.05$，注4）G：グループ
〔兵藤好美・田中共子：医療安全のためのゲーミングシミュレーション─ヒューマンエラーの流れを体感で学ぶ─，渓水社，40頁，2022より引用〕

ルチェックの大事さと注意点への気付きに思いを馳せていたことが伺える．今後，このようなシミュレーションの利点を活かした安全教育の実施が，うまくいかなかったこと（Safety Ⅰ）とうまくいったこと（Safety Ⅱ）の両側面から学ぶことにつながり，その成果が医療現場で活かされることを期待したい．

● 引用文献

1) Committee on Quality of Health Care in America, Institute of Medicine：TO ERR IS HUMAN, Building a Safer Health System. Kohn LT, Corrigan JM, Donaldson MS, 医学ジャーナリスト協会訳：人は誰でも間違える 1頁，66頁，日本評論社，2000
2) World Health Organization：WHO Patient Safety Curriculum Guide：Multi-professional Edition 2011 WHO
 大滝純司・相馬孝博 監訳：患者安全カリキュラムガイド多職種版 2011，81頁，東京医科大学，2011〔http://meded.tokyo-med.ac.jp/wpcontent/themes/mededu/doc/news/who/WHO%20Patient%20Curriculum%20Guide_B_01.pdf〕（最終確認：2022年7月15日）
3) 谷村冨男：ヒューマンエラーの分析と防止，4頁，8頁，日科技連，1995
4) James Reason："Human Error", Cambridge University Press, 1990
5) 横浜市立大学医学部附属病院の医療事故に関する事故調査委員会：報告書，平成11年3月〔https://www.yokohama-cu.ac.jp/kaikaku/bk2/bk21.html〕（最終確認：2022年7月15日）
6) 林　喜男：人間信頼性工学─人間エラーの防止技術─，65頁，73頁，海文堂出版，1984
7) 芳賀　繁：失敗のメカニズム　忘れ物から巨大事故まで，47-49頁，角川書店，2003
8) 兵藤好美・田中共子：新人Nsヒューマンエラー関連要因に関する分析（1）．第68回日本心理学会大会発表論文集，33，2004
9) 厚労省リスクマネージメントスタンダードマニュアル作成委員会：リスクマネージメントマニュアル作成指針〔https://www.mhlw.go.jp/www1/topics/sisin/tp1102-1_12.html#no1〕（最終確認：7月15日）
10) 日本臨床医学リスクマネジメント学会テキスト作成委員会（編集）：医療安全管理実務者標準テキスト，8-9頁，へるす出版，2016
11) 日本医療機能評価機構：医療事故情報収集等事業 2020年年報，14-15頁，日本医療機能評価機構 医療事故防止事業部，2021〔https://www.med-safe.jp/pdf/year_report_2020.pdf〕（最終確認：7月15日）
12) 吉原靖彦：図解 よくわかる これからのヒューマンエラー対策，84-99頁，同文舘出版，2017
13) 石川雅彦：RCA根本原因分析法実践マニュアル 第2版，医学書院，2012
14) 河野龍太郎：医療におけるヒューマンエラー なぜ間違える どう防ぐ，136頁，61-87頁，医学書院，2004
15) 左 婉馨・兵藤 好美・田中 共子ほか：看護場面における確認不足を引き起こす要因の認識に関する検討．統合科学 1：29-45，2021
16) 中島 和江：レジリエント・ヘルスケア入門：擾乱と制約下で柔軟に対応する力，1頁，13頁，34頁，80頁，164頁，医学書院，2019
17) 兵藤好美・田中共子：医療安全のためのゲーミングシミュレーション─ヒューマンエラーの流れを体感で学ぶ─，33-60頁，渓水社，2022

# IV

# ヘルスアセスメント

# 1 身体的健康状態のアセスメント

## A ヘルスアセスメントとは

　人間は自然環境の中で生き物として，人間社会の中で社会的存在として生活している．人の健康状態は病因[*1]と環境要因（物理・化学的環境や人間関係，社会的環境など），そしてそれらに対する個人の免疫力・適応力が互いに作用しあって決定される．したがって，看護の対象が健康であるかどうかを査定するには，個人とその人を囲むさまざまな環境要因を含めた多角的な情報が必要である．さらに，看護がとらえる健康は単に疾病にかかっていないことにとどまらず，健康から疾病への移行期はもちろん，現在健康であっても疾病を誘発するような不適切な生活習慣がないかも査定する．医学モデルに比べてより広い視点に立つものである．このように，人間を自然環境や社会の中の生活者としてとらえ，対象は身体的に，また心理社会的に健康であるといえるか，問題があるとすればそれは何かを明らかにする行為が，看護におけるヘルスアセスメント（health assessment）である．保健・医療の場においてヘルスアセスメントを担うのは主に医師と看護者である．本書では，上述したような看護モデルを中心に行われる，看護の専門技術としてのヘルスアセスメント技術を解説する．

　看護活動は対象のヘルスアセスメントから始まる．また，ヘルスアセスメントは看護活動の始まりから終了まで絶えず行われる，もっとも基本的で重要な看護技術のひとつである．ヘルスアセスメントでは，看護者は自分の眼で対象を観察し（観察または視診），自分の手で皮膚の性状や脈拍，胸部・腹部の臓器の状態を調べ（触診），聴診器を使って心音や腸音を確認し（聴診），そして，コミュニケーション技法を使って系統的な問診（面接，interview）を行うことによって，対象の健康状態を身体的側面，心理社会的側面，そして行動的側面から全人的に評価する．

　この章では，身体的側面から対象の健康を評価する理論と方法について学習する．扱う内容は，健康の概念，健康評価の方法，看護に必要な体表解剖の知識，一般的なフィジカルアセスメントの方法，そしてバイタルサインの測定・評価の方法である．

## B フィジカルアセスメントの方法

　フィジカルアセスメント（physical assessment）とは対象の健康状態を形態・機能的側面から評価することで，医師，看護師，保健師，作業療法士，理学療法士など保健・医療の専門家が患者や地域の人々に対して実施する．評価者は体温計や血圧計，聴診器などの比較的簡便な機器も利用するが，評価者にもっとも必要とされるのは，健康と不健康を見極める知識，観察力，そして判断力である．また，評価用具（assessment tool）と呼ばれる，ヘルスアセスメントのために開発された尺度（多くはテスト形式の質問紙）が用いられることもある．数量化できる医用機器や評価尺度によって得られた測定値は数量化され信頼性が高いが，数字だけに頼ることなく，評価者自らの眼で患者の体表や動作を観察し，対象の主観的な訴えも必ず聞くようにする．

### 1 体表から見たヒトのからだを観察する

#### 1. ヒトの身体の体表解剖学的理解

　生物としての人体の構造を追究する学問は解剖学である．解剖学にはいくつかの領域がある．代表的なものは骨格系や血管系など全身をつなぐ組織の構造を系統的に探究する系統解剖学（systemic anatomy），臓器別に探究する局所解剖学（regional anatomy），そして組織や細胞の微細構造を追究する顕微解剖学（microscopic anatomy）などである．これらは患者の病態を理解するには不可欠な知識で，それゆえに医師となるためには解剖学はもっとも重要な科目に位置づけられている．看護者は診療の補助者として医療の最前線に携わっているが，保健・医療・福祉に携わる専門職の中にあって医師の次に人体の構造と機能の知識に長けているべき存在である．

　ただ，看護者が実施するケア技術のほとんどは非観血的，非侵襲的[*2]なものである．たとえば，胸部不快を訴える患者の心音や呼吸音を聴こうとする

---

[*1] 病原微生物や遺伝子の欠陥など，病気を引き起こす原因．

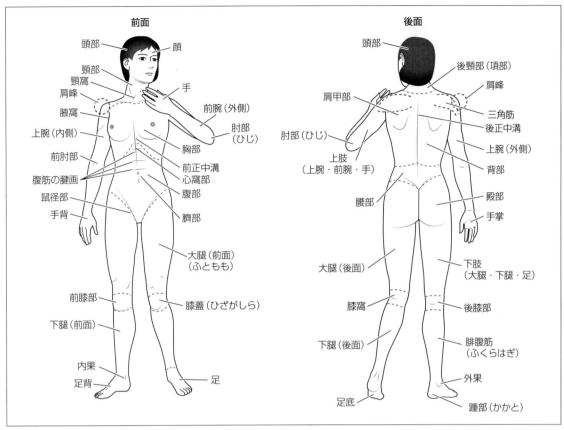

図Ⅳ-1　全身の体表各部の名称

とき，患者の体表面から心臓や肺の正確な位置がわからなければこれらの音を適切に聴取することはできない．あるいは，腹部膨満感を訴える患者の腹腔のどこに大腸があるかわからなければ腸音を聞くことはできない．そこで，看護者が行うフィジカルアセスメントには，さらに体表解剖（surface anatomy）の知識が不可欠，かつ，もっとも重要となる．なぜなら，体表解剖とは体腔内の臓器の位置を，骨突出部と解剖学的垂直線と水平線，そして体表の皺，溝，窪みなどとの位置関係を追究したものだからである．

体表面からみたヒトの全身の各部位には体表解剖学的名称がつけられている（図Ⅳ-1）．人種や性別，年齢を問わずヒトに共通する体表の特徴として，皮膚から触れることのできる骨（骨突出部），異なる筋の境界などでできる線状の皺（溝），腱や皮下脂肪の欠落部などでできる窪み（窩）などは学術的名

称で呼ばれる．たとえば，転んで右の膝下を怪我したとき，「右下腿前面正中部，前膝部下端より5cmの位置に縦5cm×横1cmの擦過傷」と表現すれば，誰でも外傷部位をたやすく特定できる．

体表面のうち，さまざまな観察部位をもつ顔の部分と，脊椎骨の位置を確認できる後頸部（項部）の名称を，図Ⅳ-2と図Ⅳ-3にそれぞれ示した．また，胸腹部の体表と各臓器との関係は臨床上，非常に重要である．たとえば胸郭内の心臓と肺の位置は胸骨と肋骨，胸椎の高さから確認できる（図Ⅳ-4～6）．図Ⅳ-4と5の胸骨角は胸骨柄と胸骨体の関節部分で，頸窩の約5cm下方に突出して見える（見えにくい場合でも手で触れられる）．胸骨角平面には気管分岐部，心臓上縁，大動脈弓が位置し，臨床上重要である．また，後頸部の棘突起から第1胸椎を確認すれば（図Ⅳ-3），肺と心臓の正確な位置を特定することができる（図Ⅳ-5，6）．さらに，多くの臓器が収まる腹部もまた重要である．一般に，腹部は図Ⅳ-7のように9つの部位に区分される．これらの9区分と各臓器との対応は解剖学の教科書を参照されたい．

---

*2 出血を伴わない内科的治療を指す．これに対して，出血を伴う外科的治療は観血的，侵襲的であるという．看護のケア技術のうち，注射と採血などを除き，ほとんど非観血的・非侵襲的に実施される．

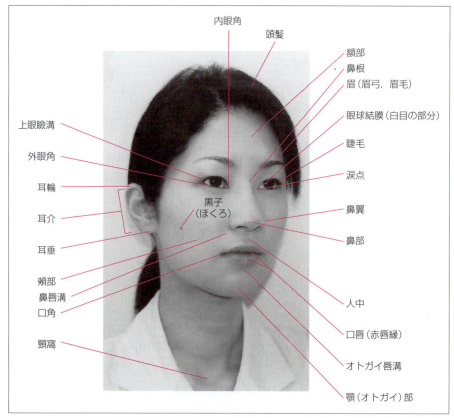

図Ⅳ-2 顔の各部の名称

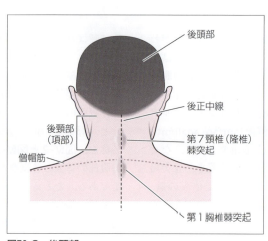

図Ⅳ-3 後頸部

　このような人体の体表各部の名称は医師や看護師などが用いる専門用語であるだけでなく，臨床検査技師や理学療法士など医療に携わるすべての専門家の共通用語としても日常的に用いられ，正確で迅速な医療を助けている．診療記録や看護記録など医療関係の公的記録にこうした名称が記述されることはいうまでもない．

## 2．体格・体型の測定（身体計測）

　ヒトの体格を知る指標には身長，部分長（座高，足底長など），周囲（胸囲や腹囲），体脂肪率などがある．身体計測は学校や職場の定期検診で行われるほか，臨床では外来の初診時や入院時に実施される．**表Ⅳ-1**に，身体計測の用具と注意点を示す．身体計測を行う際には，正確な用具を用い，適正な

1 身体的健康状態のアセスメント **115**

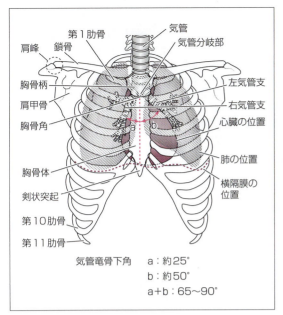

図Ⅳ-4 胸部の骨格と臓器の位置関係
［星野一正：臨床に役立つ生体の観察体表解剖と局所解剖，第2版縮刷版，159頁，医歯薬出版，1987より引用（一部改変）］

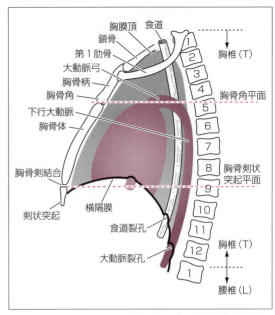

図Ⅳ-5 体側面から見た骨格，横隔膜と心臓の位置関係
［星野一正：臨床に役立つ生体の観察体表解剖と局所解剖，第2版縮刷版，153頁，医歯薬出版，1987より引用］

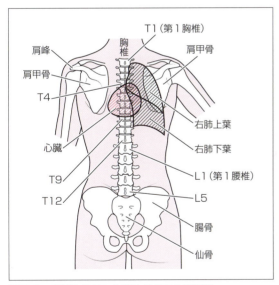

図Ⅳ-6 背部から見た心臓と骨格の位置関係

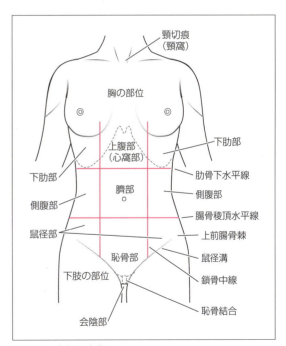

図Ⅳ-7 腹部の名称
［星野一正：臨床に役立つ生体の観察体表解剖と局所解剖，第2版縮刷版，171頁，医歯薬出版，1987より引用］

Ⅳ ヘルスアセスメント

表Ⅳ-1 身体計測の用具と方法

| 部位 | 計測用具 | 計測時の注意 |
|---|---|---|
| 身長 | ・分銅式身長計<br>・バネ式身長計<br>・デジタル式身長計<br><br>分銅式身長計　デジタル式身長計 | 分銅式身長計，バネ式身長計の場合：<br>・一定の時刻に測定する<br>・後頭部・背部・殿部・踵部を尺柱につけ，膝を伸ばして立つ<br>・顎を引く<br>・横規を水平に頭部に下ろす<br>・目盛りの高さに目を合わせ，水平に読む（cm）<br>※デジタル式身長計ではパネルに表示された数値を読みとる |
| 体重 | ・自動式体重計<br>・分銅式体重計<br>・デジタル式体重計<br><br>自動式体重計 | ・一定の時刻に計測する<br>・測定前に体重計の目盛りを0に合わせておく<br>・排尿，排便をすませ，着衣は薄手とする<br>・目盛りの高さに目を合わせ，水平に読む（kg）<br>※デジタル式体重計ではパネルに表示された数値を読みとる |
| 頭囲 | ・巻尺 | ・眉間の中央と外後頭隆起を結ぶ頭囲の長さを計測する（cm） |
| 胸囲 | ・巻尺 | ・肩甲骨下縁の胸囲の長さを水平に計測する（cm）<br>・乳房の大きい女性では第4肋骨線上を水平にまわして測る<br>・安静呼吸の呼息位で測る |
| 腹囲 | ・巻尺 | ・臍の高さの周囲を水平に計測する（立位でもよい）<br>・安静呼吸の呼息位で測る<br>・腹水や妊娠の場合は，臍高周囲のほかに，最大位の腹囲も測る（cm） |

(表Ⅳ-1 つづき)

| 部位 | 計測用具 | 計測時の注意 |
|---|---|---|
| 握力 | ・コラン式握力計<br>・スメドレー式握力計<br>・デジタル式握力計<br>・油圧式握力計<br><br>コラン式握力計<br><br>スメドレー式握力計 | ・両足を肩幅に開き，腕を自然に垂らして立つ<br>・握力計の把持部を最大の力で素早く握りしめて，指を離す |
| 肺活量 | ・湿式肺活量計<br>・デジタル式スパイロメータ<br><br>デジタル式スパイロメータ | デジタル式スパイロメータの場合：<br>・両足を肩幅に開いて立つ<br>・マウスピース（ディスポーザブル）を空気が漏れないよう口に密着させる<br>・大きく息を吸い込んで，一気に息を呼出する |
| 体脂肪量 | ・生体電気インピーダンス法体脂肪測定装置<br>・体密度法（水中体重秤量法）体脂肪測定装置<br><br>上肢下肢用　　上肢用<br><br>水中体重秤量法　　下肢用で測定中 | ・上肢用では両手を並行に前に伸ばしてアーム部分を握って測定する<br>・下肢用では裸足になって体重計の定位置に足を置いて測る<br>・水中体重秤量法では水着で装置内に入って浮力（全身の体積）を測る |

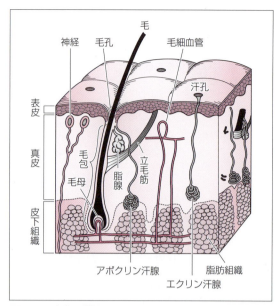

図Ⅳ-8 皮膚の構造
［瀧川雅浩，白濱茂穂編：皮膚科エキスパートナーシング，第2版，3頁，南江堂，2018より引用］

表Ⅳ-2 皮膚感覚点の体表分布
（表中の数字は1 cm³あたりの感覚点の分布密度を示す）

| 部位 | 痛点 | 冷点 | 温点 | 触・圧点 |
|---|---|---|---|---|
| 顔面 | 180 | 8～9 | 1.7 | 50 |
| 鼻 | 50～100 | 8～13 | 1 | 100 |
| 口腔[†1] | 37～350 | 4.6未満 | 3.6未満 | 7～35 |
| 胸部 | 196 | 9～10 | 0.3 | 29 |
| 前腕 | 200 | 6～7.5 | 0.3～0.4 | 23～27 |
| 手背 | 188 | 7.5 | 0.5 | 14 |
| 大腿 | 175～190 | 4～5 | 0.4 | 11～13 |
| 全身平均 | 100～200[†2] | 6～23[†3] | 0～3[†3] | 25[†4] |

［市岡正道：体性感覚．新生理学上巻第5版（間間直幹，内薗耕二，伊藤正男ほか編），731頁，医学書院より引用．ただし，[†1]山田 守ほか（1952），[†2]vFrey（1986），[†3]Strughold（1924），[†4]vFrey（1899）］

方法で測ることが大切である．技術の進歩で計測機器のデジタル化（電子化）が進み，人々の健康志向から需要も増え，安価で操作も簡単な体重計や体脂肪計などが家庭に普及するようになった．このほかに，最近では肥満や骨粗鬆症など，疾病予防や健康増進を目的とした骨密度の計測ができる保健・医療施設も増えてきた．

### 3. 皮膚の形状の観察

体表（皮膚）は表皮と真皮からなり，さまざまな微小器官で構成される（図Ⅳ-8）．皮膚は外界からの物理化学的刺激や外気温，病原微生物などから生体を保護したり，発汗によって体温・体液量を調節する．また，触覚や温度感覚，痛覚などの感覚器として働く．触覚（触・圧点の分布）は指先や口唇で鋭敏であるなど体表各部で感受性に差があるが，痛覚の受容器（痛点の分布）は感覚点中もっとも多く，部位による差は小さい（表Ⅳ-2）．

皮膚を観察する場合には，手触り，表面温度，湿性，緊張度，腫脹の有無，可動性，色（内側と外側）と，それらの左右対称性を，目（視診）と手（触診）で観察するほか，必要に応じて定規なども用いる．指腹（指紋のある第1関節）や手掌，肘，踵部（かかと）などは角質[*3]の状態も観察する．発赤や皮疹などの病変が見られるときは痛みやしびれ，瘙痒感，熱感の有無も調べる．表Ⅳ-3に示した皮膚のさまざまな病変の特徴を踏まえ，病変の大きさ，深さ，形状などを観察する．

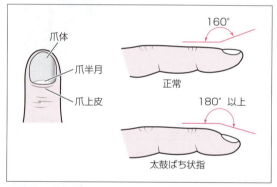

図Ⅳ-9 爪の形態

頭皮の頭毛（頭髪）部はその分布，太さ，色，枝毛，皮脂や頭垢を観察する．

爪は爪体と爪半月の色，爪体部の亀裂の有無，硬さ，厚さ，手触りなどを観察する．また，爪を含む手指の第1関節部分はやや反っているのが正常だが，心肺疾患の患者では180°以上に曲がった太鼓ばち指症状がみられる（図Ⅳ-9）．これは指関節の血管性肥厚によるもので，指先が太鼓のばちのような形に見えるのでこの名がある．

---

[*3] 表皮の最外層をなす角質細胞層のことでケラチン（硬タンパク質の一種）からなる．表皮のバリア機能と保湿機能とをもつ．約2週間で落屑（新陳代謝）し，新しい細胞に入れ替わる．角質細胞層が薄すぎたり厚すぎたりするとこうした機能が保てなくなる．

表Ⅳ-3 皮膚のさまざまな病変とその特徴

| 原発性皮膚病変 | | 大きさ | 例 | 続発性皮膚病変 | | 例 |
|---|---|---|---|---|---|---|
| | 斑<br>表面の隆起を伴わない、扁平で限局性の色調変化 | 1mm～数cm | 雀斑，扁平母斑 | | 鱗屑<br>落屑 | 乾癬，バラ色粃糠疹 |
| | 丘疹<br>小さな限局性実質性隆起 | 1cm以下 | にきび | | 痂皮<br>漿液，膿汁，古い皮膚が乾燥し、固まったもの | 湿疹，水疱性ないし膿性発疹，膿痂疹 |
| | 結節<br>丘疹より深く真皮にまで広がる充実性の塊 | 1～2cm | 結節性紅斑，色素性母斑 | | 表皮剥離<br>掻爬（痒みのために引っ掻くこと）による表皮の小欠損 | 瘙痒症，針傷 |
| | 腫瘤<br>結節より大きい充実性隆起 | 2cm以上 | 上皮腫，皮膚線維腫 | | 潰瘍<br>組織の破壊，壊死による限局性の皮膚欠損．真皮や皮下組織に達することもある | 褥瘡 |
| | 囊腫<br>真皮または皮下組織中にある被膜をもつ液体を内容とする塊 | 1cm以上 | 上皮囊腫 | | 亀裂<br>皮膚の割れ目．通常真皮を貫通している | 湿疹，ひび |
| | 小水疱<br>漿液性または血性の液体を含む限局性隆起 | 1cm以下 | 単純ヘルペス，帯状ヘルペス，水痘 | | 瘢痕<br>破壊された組織が線維組織または膠原線維におきかえられたもの | 術後瘢痕，ケロイド |
| | 水疱<br>小水疱より大きいもの | 1cm以上 | 第2度熱傷 | | | |
| | 膨疹<br>表皮に生じた比較的扁平で不規則な形の浮腫性液の集まり | 1mm～数cm | 蚊刺され，蕁麻疹 | | | |

外眼部では，角膜の凹凸と透明度，虹彩の形と膨隆の有無，涙点の腫脹，発赤の有無などを観察する．また，眼瞼（まぶた）を反転させて眼球結膜と眼瞼結膜，強膜の色や腫瘤の有無を観察する．

### 4. 関節の可動域

運動器の働きを調べるには関節の動く範囲，すなわち関節可動域（range of motion：ROM）を測定・評価する方法がある．ROMの測定方法は，「関節可動域表示ならびに測定法（2022）」として日本整形外科学会ほかによる解説が公開されている（480頁，付録参照）[1]．本章では看護実践の場で使用頻度が高いと思われる関節とそれぞれの関節運動の方向を**表Ⅳ-4**に示しておくので，付録の図を参考に，学内演習等で実際に測定して標準値を確認しておく．

関節角度計には**図Ⅳ-10**のステンレス製のもののほか，小型のプラスチック製のものもある．運動の軸になる関節に角度計の0°の軸を合わせ，この軸を固定して，他方の軸を回転させて可動域を測る．

表Ⅳ-4　看護師が測定する頻度が高い関節可動域

| 部位名 | 運動方向 |
|---|---|
| **上肢測定** | |
| 肩甲帯 | 挙上（肩を上へ） |
|  | 引き下げ（肩を下へ） |
| 肩（肩甲帯の動きを含む） | 屈曲（肩を水平に前へ） |
|  | 伸展（肩を水平に後ろへ） |
|  | 外転（下げた腕を体側から真上へ挙上） |
|  | 内転（下げた腕を前面へ） |
|  | 水平屈曲（肩まで横にあげた腕を水平に前へ） |
|  | 水平伸展（肩まで横にあげた腕を水平に後ろへ） |
| 肘 | 屈曲 |
|  | 伸展 |
| 前腕 | 回内（伸展：手掌を垂直位から床面へ返す） |
|  | 回外（屈曲：手掌を垂直位から天井に向ける） |
| 手 | 屈曲（掌屈：手掌を下にして水平位から下に曲げる） |
|  | 伸展（背屈：手掌を下にして水平位から反らす） |
|  | 橈屈（手掌を親指方向へ） |
|  | 尺屈（手掌を小指方向へ） |
| **手指測定** | |
| 指 | 屈曲（指を曲げる） |
|  | 伸展（指を伸ばす） |
|  | 外転 |
|  | 内転 |
| **下肢測定** | |
| 股 | 屈曲（膝を引き上げる） |
|  | 伸展（膝を伸ばしたまま後ろへ） |
|  | 外転（膝を伸ばして側方に足を開く） |
|  | 内転（膝を伸ばして内側に足を交差） |
|  | 外旋（膝を曲げた状態で下腿を内側に回転） |
|  | 内旋（膝を曲げた状態で下腿を外側に回転） |
| 膝 | 屈曲（膝を曲げる） |
|  | 伸展（膝を伸ばす） |
| 足関節・足部 | 外転 |
|  | 内転 |
|  | 背屈（伸展：足を反らす） |
|  | 底屈（屈曲：つま先を伸ばす） |
|  | 内がえし（内反） |
|  | 外がえし（外反） |
| **体幹測定** | |
| 頸部 | 屈曲（前屈） |
|  | 伸展（後屈） |
|  | 回旋（左右） |
|  | 側屈（左右） |
| 胸腰部 | 屈曲（前屈） |
|  | 伸展（後屈） |
|  | 側屈（左右） |
| **その他** | |
| 肩（肩甲骨の動きを含む） | 内転 |

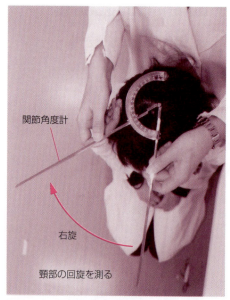

図Ⅳ-10　関節可動域の測定

### 5. 筋力

運動器の働きを調べるもう1つの簡便な方法は筋力測定で，中でも徒手筋力テスト（manual muscle test：MMT）がよく知られている．被検者の筋に等尺性収縮を起こさせ（関節を固定して力を入れる），そこへ検査者が負荷をかけ（関節を固定しようとする力と反対方向の力を加える），被検者がどれくらいの負荷に抗して関節を固定していられるかで筋の収縮力をみる．たとえば，腕を曲げた状態で肘関節を固定し（上腕・前腕の筋群は等尺性収縮をしている）で検査者は被検者の手首をつかみ，肘関節を伸ばすように手前に引く（徒手抵抗を加える）（図Ⅳ-11）．を加える（抑止（ブレーキ）テストと呼ばれる）．筋力が弱いと徒手抵抗に抗しきれず，患者の肘はたやすく伸展する．筋の収縮力を段階的に点数化して，**表Ⅳ-5**のように6段階で評価する[2]．

筋力を調べるには，このほかに食事動作やトイレ動作など日常生活動作（activities of daily living：ADL）の障害の程度で運動機能を評価するバーセル指数（厚労省，2022）などもある（252頁参照）．

## 2 バイタルサインによるアセスメント

### 1. バイタルサインとは

バイタルサイン（vital sign）は生命兆候という意味で，体温，脈拍，血圧，呼吸，それに意識の状態のことをいう．もともと医学の専門用語ではないが，バイタルサインはヒトの一般的な健康状態を知る目的で，また病気が急変した患者や事故による重

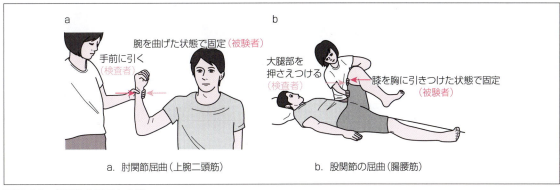

図Ⅳ-11　徒手筋力テストの例

表Ⅳ-5　徒手筋力テストの評価方法

| 評点 | 筋収縮力の評価 | | 関節の動き(筋収縮力)の状態 |
|---|---|---|---|
| 5 | Normal | 正常 | 検査者が被検者の肢位持続力にほとんど抵抗できない |
| 4 | Good | 良好 | 段階5の抵抗に対して被検者が抗しきれない |
| 3 | Fair | やや良好 | まったく負荷をかけなければ運動範囲内を完全に動かせる |
| 2 | Poor | 弱い | 重力を取り去れば運動範囲内を完全に動かせる |
| 1 | Trace | 非常に弱い | テスト筋の収縮が目で見て取れるか,または触知できる |
| 0 | zero | 活動なし | 観察及び触知で筋の収縮が確認できない |

※ 3〜5は関節の可動域をまず調べてから実施する.
※ Daniels Hら(1946)の方法を元に開発されたもっともよく知られた評価法である[2].

症患者などの生命兆候を簡便な方法で正確・迅速に知る目的で,あらゆる実践の場で多くの保健・医療の従事者によって測定される.心電計や脳波計,X線撮影装置など高度医療機器を使えばより正確な病状の診断が可能だが,バイタルサインの測定は設備の整った施設内だけでなく,家庭や野外の事故現場など,時と場所に関係なく簡便に実施でき,対象の身体症状をほぼ正確に把握することができるという利点がある.バイタルサインの異常が認められる場合には,より精密な検査が実施され,適切な治療が始まる.

バイタルサインの測定は医師,看護師,保健師,助産師,療法士,検査技師のほか,近年では救命救急士も行う医療の専門技術である.とくに,看護においてはすべての看護者が習熟するもっとも基本的な技術である.バイタルサインは聴診器,体温計,血圧計など持ち運びのできる比較的簡便な医療用具を用いて測定するが,あわせて視診や触診によって体表面から全身の状態を観察することも行われる.

## 2. バイタルサインの測定と評価の方法

この項ではバイタルサインとしての体温,脈拍,血圧,呼吸,そして意識について,それらの測定お

表Ⅳ-6　バイタルサインの標準値(目安)

| | 成人 | 新生児 |
|---|---|---|
| 腋窩体温 | 36.5〜37.0℃ | 36.0〜37.0℃* |
| 脈拍 | 65〜85回/分 | 100〜180回/分 |
| 血圧 | 120/80 mmHg | 60〜80/60 mmHg |
| 呼吸数 | 14〜20回/分 | 32〜40回/分 |

＊外気温で変動しやすい

よび評価の方法を説明する.これらの測定値に加え,対象の訴えや全身の観察情報などを関連させながら,対象の健康状態を総合的にアセスメントする.バイタルサインには目安としての標準値はあるが(表Ⅳ-6),その人のおかれた心理的状況や物理的環境要因,さらに個体差も考慮して評価する.

### 1) 体温
#### ①体温の産生と調節

ヒトの生命活動は細胞の物質代謝によって産生される熱エネルギーに依存している.物質代謝はさまざまな基質と酵素が関与する生化学的反応(酵素反応)で,非常に限られた範囲のpH(至適水素イオン濃度)と至適温度のもとで進行する.視床下部の

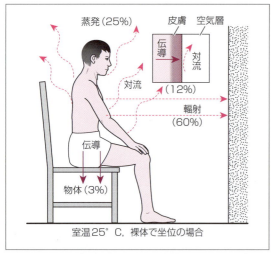

図Ⅳ-12　物理的な過程による体表面からの体熱放散の割合
［大地隆男：生理学テキスト，第2版，420頁，文光堂，1995より引用（一部改変）］

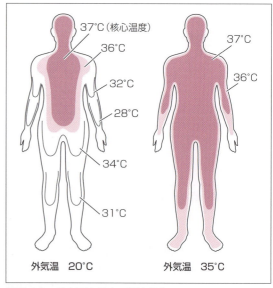

図Ⅳ-13　体表面と体内の温度分布
［Aschoff J, Wever R：Kern und Schale im Warmehaushalt des Menschen. Naturwiss 20：477-485, 1958 より引用］

体温調節中枢にある温度受容ニューロンは常にこの温度（セットポイント）[*4]を保つよう監視することによって体温（body temperature）を維持している．

代謝活動により生体は常に熱を産生しているが，一方で，呼気や皮膚からの熱放散によって体熱は常に外気中に失われる．熱放散には，不感蒸泄（呼気や皮膚から水蒸気の蒸発）（22％），熱伝導（身体の一部が接触した椅子などへの熱の移行）（3％），輻射性熱放散（壁など離れた物体への熱放散）（60％），そして対流性熱放散（気流への熱放散）（15％）がある（図Ⅳ-12）．体温調節中枢が正常に機能しても，熱放散がなければ体温は上昇しつづける．その意味で，呼吸器や皮膚は生体のラジエーター（冷却器）の役目を果たしているといえる．このように，体温の恒常性は，代謝による熱産生と運動や外気の影響による熱放散の収支バランスが保たれることにより維持されている．身体からの熱放散量は身体運動や食事による代謝の促進によって増大するほか，屋内の空調や衣服などによって調節することができる．

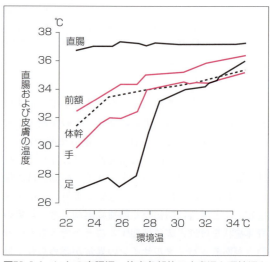

図Ⅳ-14　ヒトの直腸温，体表各部位の皮膚温と環境温との関係
［Hardy ID, et al.：J Nutrition 15：482, 1938 より引用］

②体温の変動と影響要因

体温には身体内部の核心温度（core temperature）[*5]と体表面の外殻温度（shell temperature）がある（図Ⅳ-13）．手足などの外殻温度は外気温が高いと上昇するが，直腸などの核心温度はほとんど変わらない（図Ⅳ-14）．

ヒトの体温は1日に1℃以上変化する（体温の日内変動）．直腸温は明け方の4時頃にもっとも低くなり，体温上昇が始まった頃に目覚め，覚醒後は次

---

[*4] 工学および生物システムの自動調節機構において調節すべき制御量の目標値または目標範囲のことをいう．ヒトでは深部体温のセットポイントは36～38℃の範囲内に設定されている．病原微生物などが産生する発熱物質によってセットポイントが39～41℃に置き換えられると，皮膚血管の収縮や代謝亢進，立毛筋の収縮による発汗抑制など，セットポイントに体温を近づけるような反応が全身に起こる．

[*5] 胃，肝臓，直腸など内臓の温度は37.5℃．視床下部は0.3℃高く，大動脈血や食道は0.2℃低く，口腔内は0.4℃低い．

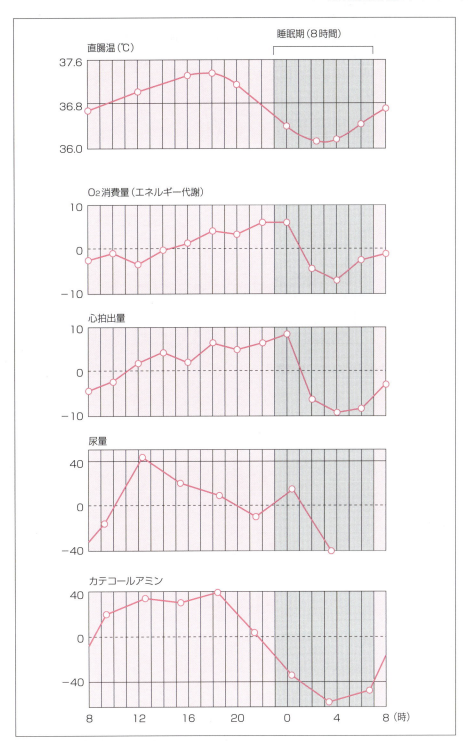

**図Ⅳ-15 ヒトの直腸温と生体機能の日周リズム**
縦軸の0は1日の平均値を示す。$O_2$消費量，心拍出量および尿量は24時間平均値からの変動率(%)，カテコールアミンは24時間尿中排泄量の平均値からの変動率(%)をそれぞれ示す。
［黒島晨汎：環境生理学，132頁，理工学社，1981より引用（一部抜粋）］

第に上昇し夕方もっとも高くなる。このような直腸温の変化は酸素消費量や心拍出量，カテコールアミンの血中濃度などの日内変動に同調している（**図Ⅳ-15**）。男性の体温には日内変動だけがみられるが，生殖可能年齢の女性ではこれに加えて月経周期に伴う体温変動がある。起床前の同時刻に口腔温を測定

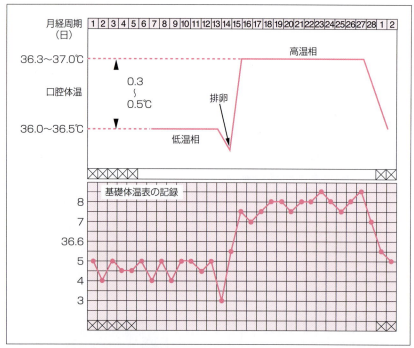

図Ⅳ-16 生殖可能な女性の基礎体温

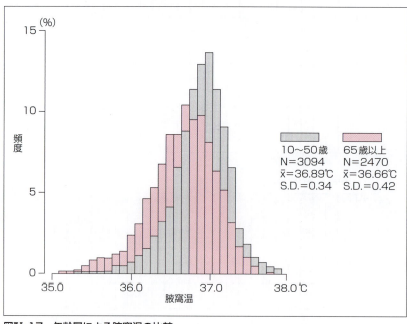

図Ⅳ-17 年齢層による腋窩温の比較
[入来正躬, 小坂光男, 村上 惠ほか：老人腋窩温の統計値. 日本老年医学会誌 **12**：172-176, 1975 より引用]

した基礎体温表を見ると，体温変動の様子がよくわかる（**図Ⅳ-16**）．すなわち，月経初日から排卵までは男性と同程度の体温で推移するが，排卵期に一過性に低体温となり（これによって排卵時期がわかる），次いで通常より0.5℃近く高い体温が続く．そして，再び体温が下がり始める時期に次の月経が始まる．生殖年齢女性の月経周期に伴う体温変動は黄体ホルモンや卵胞ホルモンなど女性ホルモンの影響と考えられている．

　体温には年齢による差もある．新生児や乳児の体

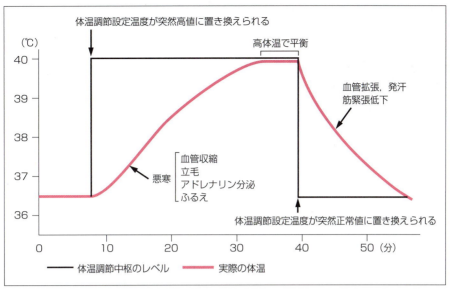

図Ⅳ-18　発熱と解熱の経過

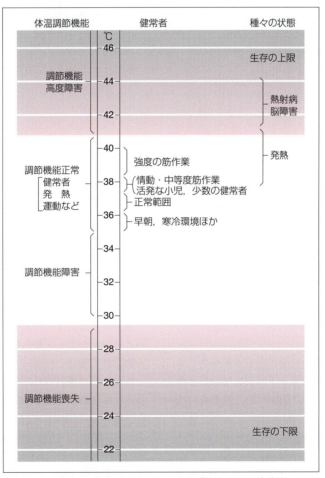

図Ⅳ-19　健常者と種々の状態における直腸温と体温調節機能
［入来正躬：体温とその調節．生理学2（入来正躬ほか編），597頁，文光堂，1986より引用］

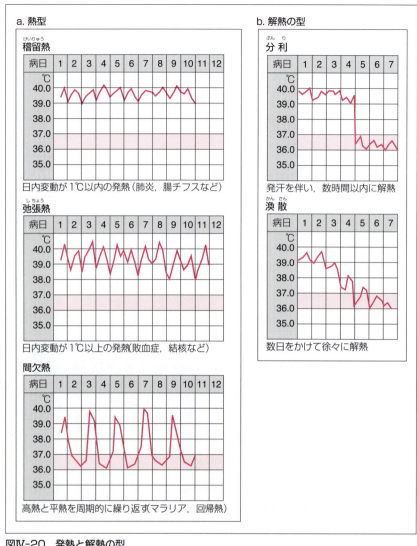

図Ⅳ-20　発熱と解熱の型

温は体温調節中枢が未熟なため外気温の影響を受けて変化しやすい．また，高齢者では加齢による代謝率の低下によって体温も0.2℃程度低くなる（図Ⅳ-17）．

③体温の異常

ウイルス感染などによって発熱物質が産生されると体温調節中枢のセットポイントは異常値に引き上げられ，発熱反応が起こる（図Ⅳ-18）．発熱時に悪寒やふるえが起こるのは，異常なセットポイント（たとえば40℃）より低い体温をセットポイントまで引き上げようと生体の発熱反応を引き起こすためである．逆に，解熱時にはセットポイントが正常値に下がるので，皮膚血管を拡張させて皮膚からの発汗を促したり，筋を弛緩させて筋収縮による発熱を押さえるような体温を下げる反応が起こる．図Ⅳ-19は健常者および病的状態と直腸温との関係を図示したものである．また，感染症でみられる典型的な3つの熱型と，解熱の型を図Ⅳ-20に示した．マラリア感染症などにみられる間欠熱は，病原菌の分裂時期と相関することが知られている．

④体温計の種類と用途

体温計には図Ⅳ-21のような種類がある．電子体温計は温度の違いによって電気抵抗が大きく変化する半導体素子（thermistor）を利用したものである．ケースにいったん納めることによって計測可能な状態になる（液晶窓に88.8の数字が並ぶ）．電子体温計では測定終了を電子音で知らせ，測定値は液晶窓にデジタル表示される．電子体温計は短時間で測定できるが，予測値を読みとる方式なので体温が高めに出やすいことを留意しておく必要がある．

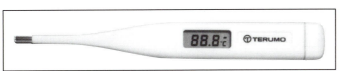

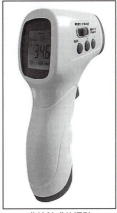

電子体温計（腋窩，口腔，直腸に使用）

女性用：口腔用と同じ材質だが0.05℃間隔で35〜38℃まで目盛りがふられている

乳児用：先端が柔らかく15秒程度で計測可能

非接触式体温計

図Ⅳ-21　種々の体温計

温度表示法には摂氏と華氏がある[*6]．わが国では摂氏（℃）が一般的だが，欧米では華氏（°F）も使われる．外国籍の患者に関わることもあるので，いつでも利用できるよう換算表を用意しておくと便利である（図Ⅳ-22）．

⑤体温の測定方法

測定部位に適した清潔な体温計を準備し，体温計が正しく作動することを確認しておく．手洗いをすませ，手が冷たいときは温めておく．訪室したら，患者に体温測定の必要性を説明する．測定部位に

よって測定体位や皮膚の露出面積が異なるので，安全・安楽やプライバシーへの配慮が必要である．たとえば，直腸検温ではカーテンを引き，肛門部の皮膚の露出を最小限にする．腋窩など皮膚に使用した体温計は使用前後に消毒用アルコールで消毒する．使用後に体温計に汚物が付着したときは拭きとってから消毒する．口腔体温計と直腸体温計は患者ごとに必ず別のものを使用する．また，直腸体温計は使用後，ただちにティッシュペーパーなどでおおって汚物が人目に触れないよう配慮する．

体温測定は一般に腋窩で行われるが，婦人科では口腔温が，新生児や乳児では直腸温が測定されることが多い．図Ⅳ-23に体温測定部位と測定方法を示

[*6] わが国で用いられる温度の単位である摂氏はスウェーデンの天文学者 Celsius の発案による．欧米，とくに米国では華氏が用いられる．華氏はドイツの物理学者 Fahrenheit が発案した．

### コラム　水銀を使った体温計・血圧計の全廃へ

水銀血圧計は，1896年にイタリアの医師リバ・ロッチが発明して以来，一世紀以上にわたって世界中の医療現場で用いられてきた．水銀は唯一の液体金属で，低い膨張率，重い比重（約13.6）や銀色に輝く美しさをもつなどの利点から，体温計や血圧計などの医療器具をはじめ，さまざまな製品に活用された．突発的に起こった天災や事故などで機器が破壊されるようなことでもない限り，そうした機器は使用方法に従って正しく使えば水銀の害を招くことはまずない．

しかし，熊本県水俣市の有機水銀中毒訴訟などによって，水銀が人体に甚大な健康被害（メチル水銀による中毒性中枢神経障害）を引き起こす有害な物質であることが明らかになったことから，2013年10月，世界保健機関（WHO）は「2020年までに世界の医療機関で水銀を使った体温計や血圧計などの使用を段階的に廃止していく」とする指針を発表した．それを受け，水銀を使った製品の製造と輸出入の中止，水銀製品の回収と処理（隔離・埋め立てによる）が，世界規模で推進された．わが国でも，水銀による環境の汚染の防止に関する法律が制定され（2015〔平成27〕年制定，令和元年施行），医療現場や教育の場から水銀を使った医療機器はほとんど姿を消した．

ただ，世界の津々浦々にこのことが浸透し，そうした医療用具・機器が地球上から全廃されるには長い年月を要することが予想される．看護者である私たちは常にこのことを意識して行動しなければならない．

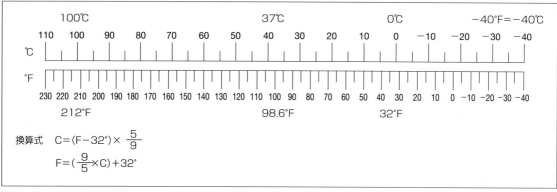

**図Ⅳ-22　摂氏-華氏換算表**　　［深井喜代子：付録C．看護生理学テキスト（深井喜代子ほか編），375頁，南江堂，2000より引用］

した．体温測定は，決まった時刻に，外部環境に影響されない状態で，核心温度に近い，測りやすい部位で行う．

■腋窩温

まず，腋窩の発汗の有無を確かめ，発汗がある場合は気化熱を奪われないようよく拭きとり，乾いた状態で測る．図Ⅳ-23aのように，体温計の感温部が腋窩（腋のもっとも深い部分の体表温がもっとも高い）に当たるよう，前方斜め下から挿入し，上腕を斜め前方に体幹に当てて腋を閉じ，片方の腕で肘を抱えるようにして支えると腋窩空間が密閉され，正確に測れる．また，測定直前まで腋窩が外気にさらされていた場合，腋窩の温度が一定に達するのに30分以上もかかるが，腋窩を閉じておくと10分で達する（図Ⅳ-24）．したがって，腋窩温測定前には最低10分間は腋を閉じ，安静にしておいてもらうようにする．腋窩温には左右差（心臓のある左側が0.2〜0.3℃高い）があるので，常に同一側で測るようにするか，やむをえず反対側で測った場合は測定値の横に（右）などと記録しておく．

■口腔温

図Ⅳ-23bのように，体温計を舌下から斜めに挿入して測定する．一般に，口腔温は腋窩温より約0.5℃高い．水銀体温計を使用するときは，体温計を噛まないように注意を促す．通常，欧米では体温は口腔で測られる．

■鼓膜温

図Ⅳ-23cのように，外耳道に耳式体温計を挿入して測る．短時間（数秒）で測定できるので，乳幼児や小児に用いられるが，耳孔形の個体差などによって測定誤差が生じやすい．体温計が冷えているときは，温度が上がりきらないうちに温度が表示されてしまうため，体温計を温めてから使用するか，再計測するようにする．

■直腸温

肛門に体温計を挿入する前に，先端部分にワセリンやオリーブ油などの潤滑剤を塗布しておく（図Ⅳ-23d）．緊張によって外肛門括約筋はますます強く収縮するので，できるだけリラックスできるような声掛けを工夫する．直腸内に便がたまっている場合は粘膜に沿うように挿入する．体温計挿入時の肛門管粘膜刺激で測定中に排便反射が起こると体温計が排出されるので，測定中は体温計を把持していなければならない．一般に，直腸温は腋窩温より約1℃高い．

2）脈拍

①脈拍のなりたち

心室の収縮によって一過性に血管内圧は上昇し，血管壁が伸展する．血管壁の伸展が波動となって末梢血管に伝搬する現象を脈波という．体表に近い動脈ではこの波動を触知することができるが，これを脈拍（pulse）と呼んでいる．脈波の伝搬速度は秒速10mと速いので，脈拍は心室の収縮にほぼ同期していると考えてよい．正常な心臓では自動能をもつ特殊心筋（刺激伝導系）が心周期（心拍動の周期）のリズムを決定している．刺激伝導系のうち右心房上部にある洞房結節のリズムが一番速く（70/分），心周期リズムのペースメーカーとなっている．

②脈拍の異常

脈拍が100/分以上の場合を頻脈，60/分以下を徐脈という．心拍動のリズムには人間の感覚では気づかない程度の揺らぎがあるが（458頁参照），ほぼ規則正しいリズムを保っている（整脈）．一般に，スポーツ選手の心肺機能は高く，1回心拍出量も多いので安静時は徐脈傾向であることが多い．身体運動や心理的興奮によって交感神経の緊張が高まると，心周期は短縮し，頻脈となる．

なんらかの原因でこのリズムに異常がみられる場

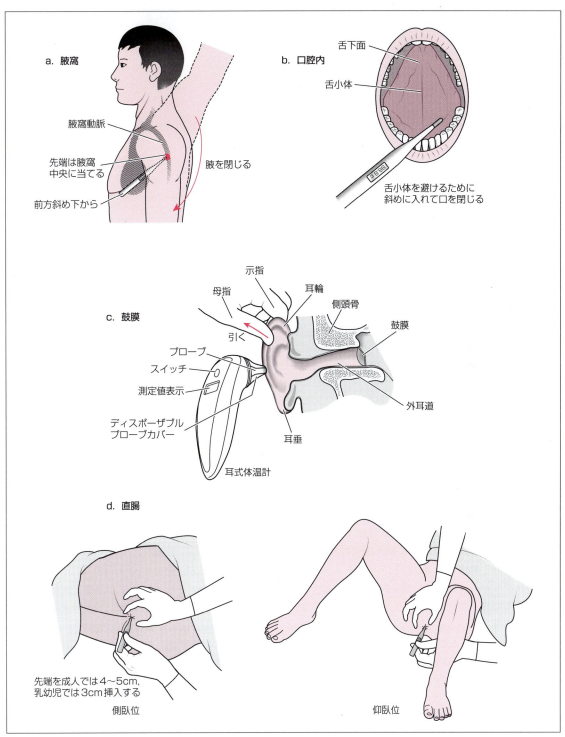

図Ⅳ-23 体温測定の方法

合を不整脈という．生理的不整脈として呼吸性不整脈（吸息時に頻脈，呼息時に徐脈）や，睡眠時の徐脈傾向や発熱時の頻脈がある．また期外収縮によるリズム不整もある．刺激伝導系の一部が不連続であるとペースメーカーのリズムが心室に伝搬されず，心ブロックが起こる．心ブロックの程度が大きい場合は人工ペースメーカーを移植する手術が行われる．

1回心拍出量が多い場合は脈圧（最高血圧と最低血圧の差）が大きくなり，脈は大きく触れるが（大

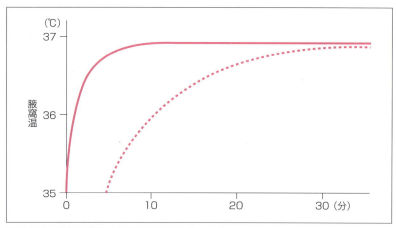

図IV-24 腋窩閉鎖後の腋窩温の経時的変化
——は腋窩を閉じていた状態から，……は40分間腋窩を開いて外気にさらしてから閉じ，それぞれ温度測定を開始した．
[入来正躬：体温とその調節．生理学2（入来正躬ほか編），591頁，文光堂，1986より引用]

脈），少ない場合は小さく触れる（小脈）．動脈硬化で血管の弾性が低下した場合，血管の緊張が高いので脈は硬く触れ（硬脈），低血圧の場合は逆に柔らかく触れる（軟脈）．

③脈拍の測定方法

代表的な脈拍触知部位を図IV-25に示す．血管の走行には多少個人差があるので，脈拍を触診する（脈をとる）さいには，第2～第4指をそろえて皮膚に当て，やや圧迫するようにするといずれかの指で触知できる．

脈拍数は必ず1分間数える．安静時の脈拍数は高齢者ではやや減って60～70/分が正常値であるとされる．脈拍は代謝の活発な若年層，運動後や食後，夏季や入浴時，感情が高ぶったときやストレスがたまった状態など，交感神経の緊張に伴って増加するので，体温同様，脈拍の測定も安静な状態で行うようにする．また，脈拍の観察では，頻度（1分間の回数）のほかにリズムや脈の大きさ（脈圧），脈の硬さ（緊張度）などにも注意する．

3）血圧

①血圧のなりたち

血圧（blood pressure）とは血液が血管内を流れるとき，血管壁にかかる圧のことである．血圧は心拍出量（1分間に拍出する血液量）と全末梢血管抵抗（血流に対する抵抗）の積で表される．血圧には血管の種類によって動脈圧，毛細血管圧，静脈圧がある．一般に血圧という場合は主に動脈血圧を指す．

血圧に影響を与える因子には，①循環血液量（運動や輸血・輸液などによって増加すると血圧は上がり，出血によって減少すると下がる），②末梢血管抵抗（動脈硬化や血管収縮，血液の粘性が増加することなどにより血圧は上がる），③呼吸（吸息には肺への静脈還流があるので血圧は下がり，逆に呼息では上がる）などがある．日常生活行動の中では，④体位（血圧を臥位で測ると立位より高く，体位変換直後には下がる），⑤食事（血圧が上がる），⑥運動（血圧が上がる），⑦不安や緊張（血圧が上がる），外気温（高温で血圧は下がり，低温では上がる），⑧喫煙（血圧が上がる），⑨入浴（熱い湯で一過性に血圧が上がるが，その後下がる）などがある．

②血圧測定法の原理

血圧は心臓の収縮期に最高値（収縮期血圧，systolic blood pressure）に，拡張期に最低値（拡張期血圧，dyastolic blood pressure）になる．血圧は120/80 mmHg（ミリメーター水銀柱と読む）のように収縮期血圧/拡張期血圧の順に表記する．

血圧を測る方法には直接法と間接法がある．直接法とは，動脈を切開して血管カニューラを挿入し，これを血圧用マノメータ（圧変化を電圧変化に変換する機器）に接続して血管壁にかかる圧を直接測定する方法である．直接法ではもっとも高い血圧は心臓の収縮期に得られ（収縮期血圧），もっとも低い血圧は拡張期に得られる（拡張期血圧）．直接法は血管を傷つける方法で，一般に生理学的な動物実験で用いられる．

一方，間接法は非観血的に血圧を測定する方法で，医療の場で一般に用いられるのは間接法である．間接法は血管を圧迫して血圧を測るので圧迫法とも呼ばれる．通常は上腕動脈を用いて測定する．

圧迫法には聴診法と触診法がある．聴診法は，比

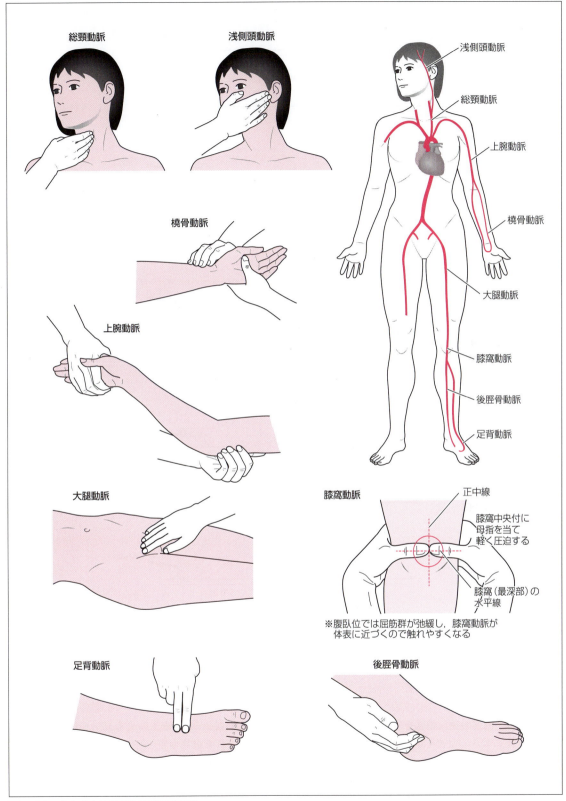

図Ⅳ-25 主な表在性動脈と脈拍触知部位

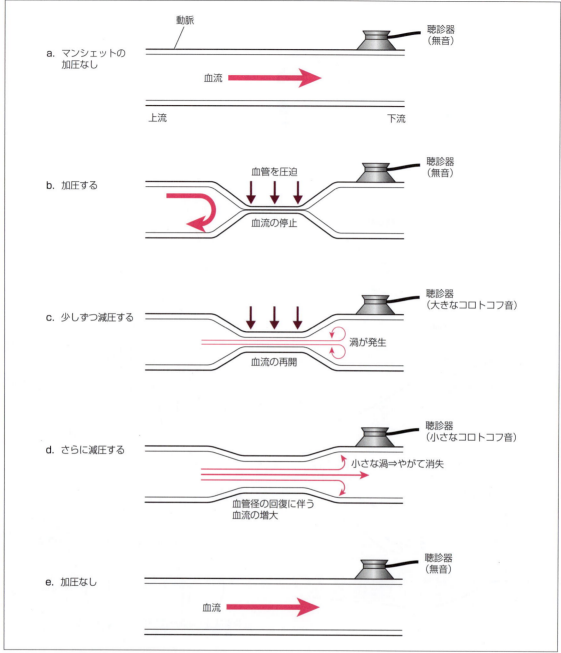

図Ⅳ-26 血管音の聞こえる原理

較的大きく，流速の速い動脈を圧迫したとき血管狭窄部の下流にできる乱流（渦）によって血管壁や周囲の組織が振動して血管音（コロトコフ〔Korotokov〕音）を生じさせるという現象を利用した血圧測定法である（図Ⅳ-26）．まず，図Ⅳ-26bのように，血管を圧迫して血流を完全に止める．圧を徐々にゆるめると血流が再開し，血管音が聞こえ始める．最初の血管音が聞こえる時点（発見者の名をとってスワンの第1点という）がもっとも高い血圧値で，圧迫法ではこれを最高血圧（直接法の収縮期血圧に相当する）と呼ぶ（図Ⅳ-27）．さらに減圧すると血管音ははじめ大きく，次いで徐々に小さくなり（図Ⅳ-26c, d；図Ⅳ-27），ついには消失する（スワンの第5点）（図Ⅳ-26e）．これが最低血圧（直接法の拡張期血圧）である．

圧迫法のうち触診法では，圧迫した動脈の下流の

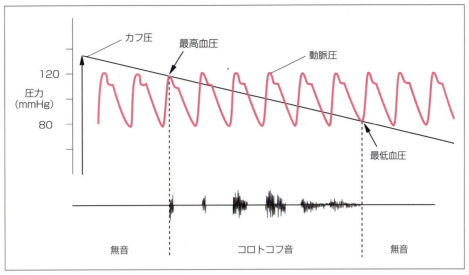

図Ⅳ-27 聴診法による動脈圧の測定

[佐伯由香：循環系．看護生理学テキスト（深井喜代子ほか編），175頁，南江堂，2000より引用]

表Ⅳ-7 成人における血圧値の分類

| 分類 | 診察室血圧（mmHg） | | | 家庭血圧（mmHg） | | |
|---|---|---|---|---|---|---|
| | 収縮期血圧 | | 拡張期血圧 | 収縮期血圧 | | 拡張期血圧 |
| 正常血圧 | <120 | かつ | <80 | <115 | かつ | <75 |
| 正常高値血圧 | 120〜129 | かつ | <80 | 115〜124 | かつ | <75 |
| 高値血圧 | 130〜139 | かつ/または | 80〜89 | 125〜134 | かつ/または | 75〜84 |
| Ⅰ度高血圧 | 140〜159 | かつ/または | 90〜99 | 135〜144 | かつ/または | 85〜89 |
| Ⅱ度高血圧 | 160〜179 | かつ/または | 100〜109 | 145〜159 | かつ/または | 90〜99 |
| Ⅲ度高血圧 | ≧180 | かつ/または | ≧110 | ≧160 | かつ/または | ≧100 |
| （孤立性）収縮期高血圧 | ≧140 | かつ | <90 | ≧135 | かつ | <85 |

[日本高血圧学会高血圧治療ガイドライン作成委員会編：高血圧治療ガイドライン2019，18頁，2019より許諾を得て転載〔https://www.jpnsh.jp/data/jsh2019/JSH2019_noprint.pdf〕（最終確認：2022年8月23日）]

動脈直上の皮膚に指を当て，圧をゆるめて最初に触れる脈（最高血圧）を触知する（手技は☞④**血圧測定の方法**）．触診法では最高血圧しかわからない．

③血圧の基準値

血圧学の進歩によって，高い血圧の状態で長期間生活するとなんらかの健康障害が生じる危険性が高いことが指摘され，健常者の血圧基準値が見直されてきた[3]．表Ⅳ-7は日本高血圧学会が2019年に提示した新しい血圧分類である．

前述したように，血管抵抗は血圧の主要な要素である．一般に，血管の弾性の高い若年者では低く（新生児から幼児までは60〜110/40〜80 mmHg），動脈硬化が進む高齢者では高くなる（140〜160/80〜90 mmHg）．

④血圧測定の方法

■血圧計

一般的に用いられる血圧計はアネロイド血圧計（バネの力を利用したもの，**図Ⅳ-28**）と電子血圧計（半導体を利用したもの）である．血圧計には，用途や設置場所に合わせて種々のタイプがある（**図Ⅳ-29**）．これらの血圧計はかつての水銀血圧計の原理を基準に作られているため，原理の異なる血圧計を用いても血圧の単位はmmHgで表示される．

アネロイド血圧計の構造は**図Ⅳ-28**のようである．腕に巻く部分をマンシェット（駆血帯）と呼び，その内部にゴム性の袋（ゴム囊<sub>のう</sub>）が納められている．ゴム囊に接続した2本のチューブの一方はゲージに，他方はゴム球（送気球）とつながっている．つまり，ゲージとゴム囊は同一の閉鎖空間で，ゴム球

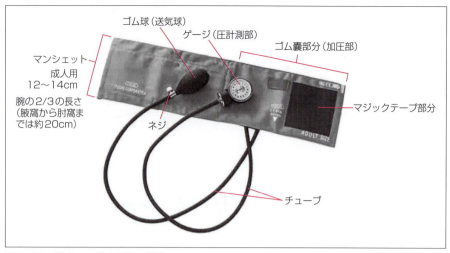

図Ⅳ-28 アネロイド血圧計の構造

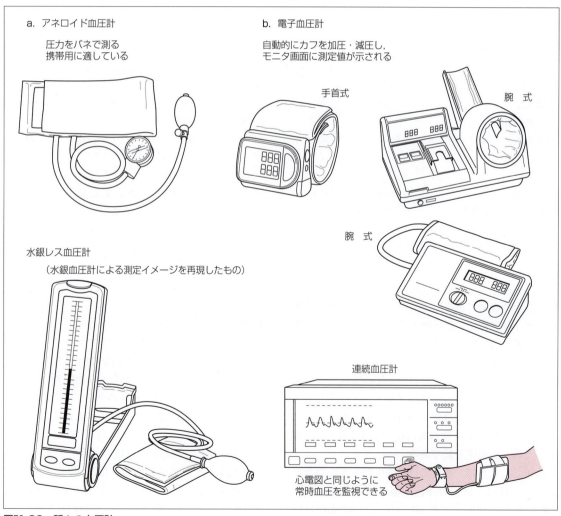

図Ⅳ-29 種々の血圧計

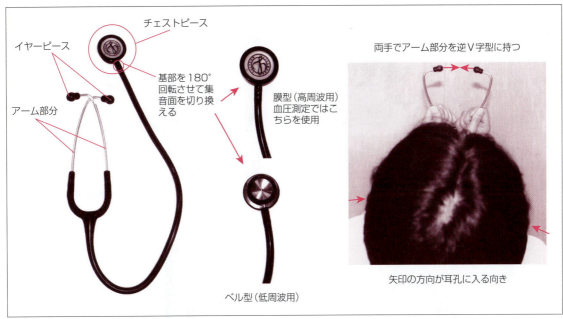

図Ⅳ-30　聴診器の構造と耳への当て方

から空気を送ると，その圧のぶんだけゲージ左を押し上げるしくみになっている．

前述したコロトコフ音（血管音）は聴診器で聴く（図Ⅳ-30）．聴診器のチェストピースの基部を半回転させ，用途に合わせてベル型と膜型を切り替えて用いる．血管音は膜型のほうで聴く．チェストピースの両面とも膜型のものもある．ヒトの耳孔は斜めに走行しているので，イヤーピースはアーム部分を広げて斜め後方から挿入する（図Ⅳ-30）．

■聴診法

アネロイド血圧計による血圧測定（聴診法）は図Ⅳ-31に示したような手順で行う．体温同様，測定の10分前には患者にベッドに安静臥床して待つよう促しておく．入室前には手を洗い，患者に説明してから測定を行う．測定部以外の皮膚の露出を避け，測定後は寝衣を元どおりにする．聴診器やゴム球の金属部分が触れあう音はベッド臥床者の耳には大きく響くので，血圧計の準備や片づけは無用な音を立てないよう気をつける．

マンシェットの幅は加圧力に影響する．つまり，幅が広すぎると血管の圧迫圧が低くなって最高血圧が低めに，幅が狭いと高めに測定されるため，対象に合わせて適宜使い分けるようにする（図Ⅳ-28）．同じ理由で，原則として衣類の上からマンシェットを巻かない．また，皮下脂肪が多い場合や上腕の筋肉が発達している場合には上腕（血管）が圧迫されにくいので，血圧値は高めとなる．マンシェットに加える圧は対象の平常の最高血圧より約20 mmHg高い値にすればよい．

血圧測定を仰臥位で行うのは血圧測定部位と心臓の高さを同じにするためである．血圧は心臓の血液駆出力を反映するので，測定部位が心臓より高ければ血圧値はその高低差の圧だけ低くなり，心臓より低ければ同様に高くなる．血液の比重を1.055とすると，高低差1 cmあたり0.7 mmHgの差が生じる．外来受診時や健康診断などでは血圧は坐位で測られることも多いが，坐位では上腕の測定部と心臓の位置の高低差はほとんどないので，むしろ駆血帯の幅や締めすぎなど，血管を圧迫する要素の影響のほうが大きい．

■触診法

間接法のもう1つの方法の触診法は図Ⅳ-32のように，まず，上腕動脈をやや高めの圧で圧迫し，橈骨動脈の脈拍を触診する．徐々に減圧して脈が触れ始める時点を最高血圧とする方法である．触診法では最低血圧は測れないので，最高血圧が測れたら直ちに加圧値をゼロまで下げ，上腕の圧迫を解く．触診法は，対象の血圧を初めて測定するような場合，最高血圧の目安を知る目的で行うとよい．つまり，触診法でまず最高血圧を測り，ついで聴診法でその値より20 mmHg高く加圧したところから減圧し，最高血圧と最低血圧を測定するようにする．

■血圧の測定値

血圧は精神的動揺や緊張で変動する．血圧の値を

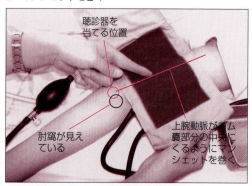
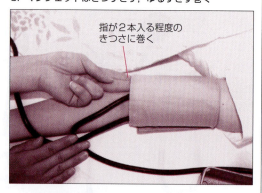
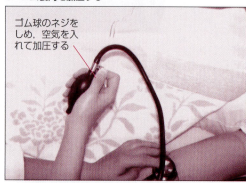

図Ⅳ-31　血圧測定の方法（聴診法）

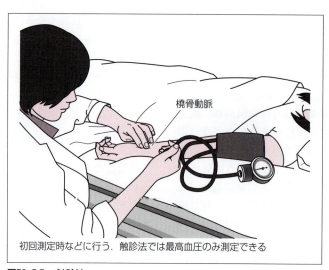

図Ⅳ-32　触診法

気にして血圧が上がる患者もいるので，測定値を本人に告げるかどうかは医療者間で申し合わせておくか，状況によって判断するようにする．図Ⅳ-33は医師と看護師が測った患者の血圧測定値を比較したグラフで，看護師が測った血圧値は常に医師より低くなっている．さらに，患者が自宅で自分で測ったほうが病院で医師や看護師が測るよりも低い値が出る（家庭血圧）ともいわれ，白衣性高血圧症という

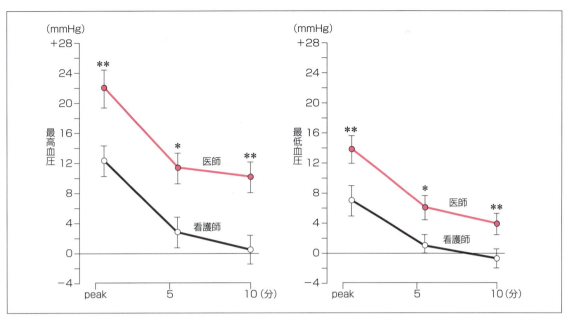

図Ⅳ-33 医師と看護師による血圧測定値の相違
おのおの対照期からの血圧の増加量を示す．
[Mancia LC, Parati G, Pomidossi G, et al.：Alternating reaction and rise in blood pressure during measurement by physician and nurse. Hypertension **9**：209，1987 より引用]

用語があるほどである．これらの事実から，血圧の測定は対象がリラックスした状態で行うべきであることがわかる．近年の電子血圧計の普及によって，高血圧症の疑いのある患者には，1週間程度自宅で決まった時刻に一定の方法で血圧を測定してもらい，その平均値が診断の根拠資料として用いられている．

4）呼吸

呼吸（respiration）には外呼吸と呼ばれる肺におけるガス交換の過程（大気中の酸素を取り入れ，二酸化炭素を排出する）と，組織呼吸または内呼吸と呼ばれる組織におけるガス交換の過程（拡散による酸素の細胞内移動と二酸化炭素の形成）がある．外呼吸の状態は呼吸を観察することによってアセスメントする．一方，内呼吸は呼気ガスや血液ガスの分析データをもとにアセスメントする．

①呼吸のしくみ

呼吸は肺で行われるが，肺の伸展を可能にしているのは可動性のある胸郭の構造である．呼吸運動には多くの骨格筋（呼吸筋群）が関与している．吸息時には外肋間筋が収縮し横隔膜が下方に押し下げられて胸郭が拡大する．逆に，呼息時には内肋間筋が収縮し横隔膜が挙上して胸郭が狭小になる．この胸郭運動に同期して，肺胞が吸息時に拡大し，呼息時に縮小する．主な吸息筋には外肋間筋，横隔膜，胸鎖乳突筋，主な呼息筋には内肋間筋，胸横筋，腹直筋がある．胸郭の運動による呼吸を胸式呼吸，横隔膜の運動による呼吸を腹式呼吸という．乳児や小児は腹式呼吸を，妊婦は胸式呼吸を行っているが，一般にみられるのは横隔膜と胸郭が同時に運動する胸腹式呼吸である．

呼吸運動による胸郭の伸展性は図Ⅳ-34のようにして調べる．母指の開き方に左右差があれば，狭いほうに胸郭の運動制限を疑う．心肺疾患などで呼吸困難を訴える患者はファウラー位（半坐位）や起坐位にすると呼吸が楽になる（起坐呼吸）（図Ⅳ-35）．これは臥位では呼吸筋が十分活動できないこと，臥位のほうが肺への静脈還流が多いので肺がうっ血状態となり，ガス交換が十分行われないためである．

呼吸のリズムは吸息時に興奮する肺の伸展受容器，橋の呼吸調節中枢，延髄の呼吸中枢（吸息中枢と呼息中枢）の働きによって形成され，維持されている．生体には二酸化炭素濃度を感知する受容器がある（末梢では頸動脈体と大動脈体，中枢では延髄の化学受容器）．スポーツなど活発な身体活動によって酸素が多量に消費され血液中の二酸化炭素濃度が上がると，呼吸運動が促進して呼吸が速く大きくなる．これに対して睡眠中は代謝量が低下するので，小さくゆっくりとした呼吸になる．

呼吸数は1分間測定する．呼吸数は出生後がもっ

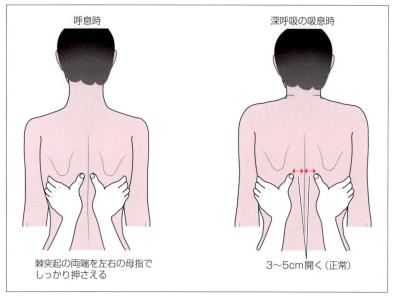

図Ⅳ-34 胸郭の伸展性
[田中美智子：呼吸．看護生理学テキスト（深井喜代子ほか編），249頁，南江堂，2000 より引用（一部改変）]

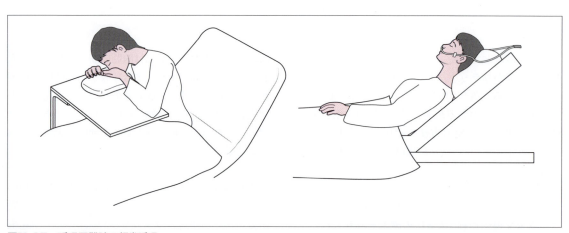

図Ⅳ-35 呼吸困難時の起坐呼吸
[田中美智子：呼吸．看護生理学テキスト（深井喜代子ほか編），248頁，南江堂，2000 より引用]

とも多く，成長につれて減少する（121頁参照，表Ⅳ-6）．女性は男性より呼吸数がやや多い．呼吸数は胸腹部の上下運動に伴う掛け物の動き（仰臥位）や肩の上下運動（坐位）で測定できる．体幹の運動がわかりにくい場合は，ティッシュペーパーなど柔らかい紙片を鼻孔近くに置き，紙が揺れる回数を数えるなどの工夫をする．測定していることを意識させると緊張して呼吸リズムが乱れ，リラックスさせようと会話をすると，その間呼吸は停止する．したがって，意識のある対象の呼吸数は体温や脈拍，血圧などの測定時に併せて測るようにする．

呼吸数は体格や肺の容量などに影響される．呼吸の観察では，回数のほかに深さ（換気量）とリズムに注意する．1回の呼吸で約 500 mL が出入りするが（1回換気量），ゆっくり呼吸すればそれより多く（深い呼吸），逆に速く呼吸すれば少なくなる（浅い呼吸）．

②異常呼吸

酸素欠乏や呼吸中枢の異常によって呼吸の速さやリズムが乱れる．以下に，異常呼吸の種類と特徴をあげる．

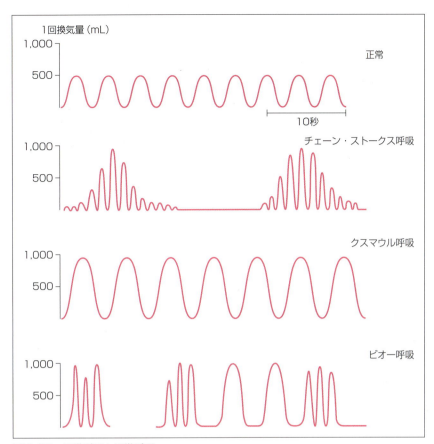

図Ⅳ-36　正常呼吸と異常呼吸
[田中美智子：呼吸．看護生理学テキスト（深井喜代子ほか編），248頁，南江堂，2000 より引用（一部改変）]

■呼吸リズムの異常（図Ⅳ-36）
　**チェーン・ストークス呼吸**：呼吸の深さが周期的に変化する異常呼吸で，脳腫瘍，尿毒症，脳出血などでみられる．
　**クスマウル呼吸**：規則的なリズムで深くゆっくりした呼吸で，糖尿病性昏睡などでみられる．
　**ビオー呼吸**：不規則な周期で深く速い呼吸，無呼吸などを繰り返す．脳腫瘍，脳外傷，髄膜炎などでみられる．

■呼吸数と深さの異常
　**頻呼吸**：呼吸の深さはそのままで呼吸数が増加する（25/分以上）．発熱時や呼吸不全，または興奮時にみられる．
　**徐呼吸**：呼吸の深さはそのままで呼吸数が減少する（12/分以下）．頭蓋内圧亢進時や睡眠薬中毒などでみられる．
　**過呼吸**：呼吸数はそのままで深さが増加する．過換気症候群でみられる．
　**多呼吸**：呼吸数，深さとも増加する．過換気症候

群，肺塞栓症などでみられる．
　**少呼吸**：呼吸数，深さとも減少する．瀕死状態，麻痺などでみられる．
　**無呼吸**：安静呼息位で呼吸の一時的停止をいう．睡眠時無呼吸症候群でみられる．

■努力呼吸
　**下顎（かがく）呼吸**：下顎をガクガクさせ必死に呼吸している状態をいう．重篤な呼吸不全でみられる．
　**鼻翼（びよく）呼吸**：吸息時に鼻翼を膨らませる呼吸をいう．重篤な呼吸不全でみられる．

5）意識
　意識とは「外界や自分の身体や心理過程に気づいている（awareness）状態」（『生理学用語集』南江堂，1998）である．医学的には単に目覚めている（wakefulness）状態を意識があるとはいわない．意識（consciousness）を司る中枢は脳幹の網様体である（MoruzziとMagoun, 1949）．脳幹網様体には末梢からのさまざまな感覚情報が感覚の上行路の側枝を通って入り，ここから視床を経て大脳皮質の広

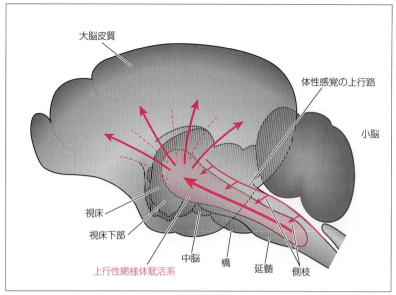

**図Ⅳ-37　上行性網様体賦活系**
[Starzl TE, Taylor CW, Magoun HW：Collateral afferent exitation of reticular formation of brain stem. J Neurophysiol **14**：479, 1963；時実利彦（訳）：脳のはたらき，改訂新版，朝倉書店，1967より引用]

**表Ⅳ-8　グラスゴー・コーマ・スケール（Glasgow Come Scale：GCS）**

| 反　応 | 評点 |
|---|---|
| 開眼 Eye Opening | |
| 　自発的に開眼する（spontaneous） | 4 |
| 　呼びかけにより開眼する（to speech） | 3 |
| 　痛み刺激により開眼する（to pain） | 2 |
| 　まったく開眼しない（nil） | 1 |
| 発語 Best Verbal Response | |
| 　見当識がある（orientated） | 5 |
| 　混乱した会話（confused conversation） | 4 |
| 　混乱した言葉（inappropriate words） | 3 |
| 　理解不明の声を出す（incomprehensible sounds） | 2 |
| 　まったく発語しない（nil） | 1 |
| 運動機能 Best Motor Response | |
| 　命令にしたがう（obeys） | 6 |
| 　痛み刺激部位に手足をもっていく（localises） | 5 |
| 　痛み刺激で逃避する（withdraws） | 4 |
| 　痛み刺激で異常屈曲する（abnormal flexion） | 3 |
| 　痛み刺激で手足を伸展する（extends） | 2 |
| 　刺激してもまったく動かない（nil） | 1 |

3つの項目の合計で評価する（最高15点，最低3点）．

範な領域にインパルスが送られる．この経路は上行性網様体賦活系（ascending reticular activating system）と呼ばれ，ここからの持続的なインパルスが脳の覚醒水準を保つと考えられている（図Ⅳ-37）．看護者や家族が意識レベルの低い患者に絶えず声をかけたり，身体的ケアを提供することは網様体賦活系を刺激することを意味する重要な関わりである．

①意識レベルの状態

意識レベルが低下していく様子を，傾眠（呼べば覚醒して答えるが，すぐまた入眠するような状態），嗜眠（強い刺激や大声でやっと覚醒するが，すぐ寝てしまい，睡眠を持続する状態），半昏睡（眠った

表Ⅳ-9　3-3-9度方式 (Japan Coma Scale)

| Grade Ⅰ：刺激しないでも覚醒している（1桁で表現） | |
|---|---|
| 1 | どこかぼんやりしていて意識清明とはいえない |
| 2 | 見当識障害がある |
| 3 | 自分の名前や生年月日が言えない |
| Grade Ⅱ：刺激で覚醒する（2桁で表現） | |
| 10 | 呼べば開眼する |
| 20 | 大声で呼ぶか，体を揺さぶれば開眼する |
| 30 | 痛み刺激を加えながら揺さぶり，大声で呼び続けてやっと開眼する |
| Grade Ⅲ：刺激しても覚醒しない（3桁で表現） | |
| 100 | 痛み刺激に対して払いのける動作をする |
| 200 | 痛み刺激で少し手足を動かしたり顔をしかめる |
| 300 | 痛み刺激にまったく反応しない |

（注）これに加え，R (Restlessness)：不穏状態，I (Incontinence)：失禁，A (Akinetic mutism, Apallic State)：無動性無言・自発性喪失の有無も記載する．（例）20-R，100-AI など

ままで，声などの刺激に対して反応はあるが開眼しない状態），昏睡（反射だけが残ってまったく覚醒しない状態）などと表わす．このほかに，昏迷と呼ばれる状態は，眼は開いているが意思表出がまったくなく，話しかけや刺激に対してもまったく反応のない状態をいう．

②意識レベルの評価尺度

脳外科などの臨床では意識レベルの評価尺度が用いられる．英国空軍基地の病院で開発されたグラスゴー方式 (Glasgow Coma Scale)（表Ⅳ-8）や，わが国の脳外科学会によるⅢ群3段階方式（3-3-9度方式，Japan Coma Scale）（表Ⅳ-9）などはその代表的なものである．失見当識 (disorientation)，見当識の障害とは日付や場所，身近な人を認識できないことをいう．精神機能が損なわれ意識障害や，高度の記憶および記銘力障害のある場合にみられる．認知症は後者に該当する．

## 3 リンパ節と甲状腺の触診

リンパ節は主に触診によって観察する．健常者ではリンパ節は触れないが，炎症があると腫脹して触知できるようになる．リンパ節の触診は坐位または臥位で行う．リンパ節の硬さ，可動状態，位置，圧痛・熱感の有無，リンパ節付近の組織の外傷や炎症の有無を観察する．図Ⅳ-38 に全身の主なリンパ節の分布と，頭頸部のリンパ節の触診方法を示す．

甲状腺は図Ⅳ-39 のように，甲状軟骨（喉仏）の下の輪状軟骨を，指を回転させながらなぞって腫脹の有無を調べる．触診中，水分を嚥下すると甲状腺が上下に移動するので触れやすくなる．

## 4 感覚器系のアセスメント

感覚系には，5種類の特殊感覚（特定部位に感覚器官があるもので視覚，聴覚，嗅覚，味覚，平衡感覚を指す），皮膚感覚，深部感覚（関節や筋の感覚），そして内臓感覚がある．以下に感覚器系の代表的なフィジカルイグザミネーションの方法を示す．

### 1. 特殊感覚

1) 視覚

視覚の機能は，視力，視野，調節力，色覚，対光反射，角膜反射などによって調べる．光反射以外の視機能の検査は，照明のある明るい部屋で，眼を明順応させた状態で行う．

①視力検査

視力表のランドルト (Landolt) 環の切れ目の位置を答える（図Ⅳ-40）．遮眼器を使って片目ずつ実施する．室内はもちろん，視力表自体の照明も十分な明るさにする．視力1.0以上が正視である．

②調節力

近点計または定規を用いて近点距離 N（物がはっきり見える最小距離）と遠点距離 F（物がはっきり見える最長距離）を測って調節力 A を算出する．

$$A = \frac{1}{N} - \frac{1}{F}$$

A：単位はディオプトリー（D），N，F：単位はメートル

③瞳孔検査

被検者が正面を向いた状態で，瞳孔計を用いてまず瞳孔径を測る（図Ⅳ-41a）．次いで一方の眼にペンライトの光を斜め上から流すように当て，瞳孔径を測る（直接光反射または対光反射）(light reflex)

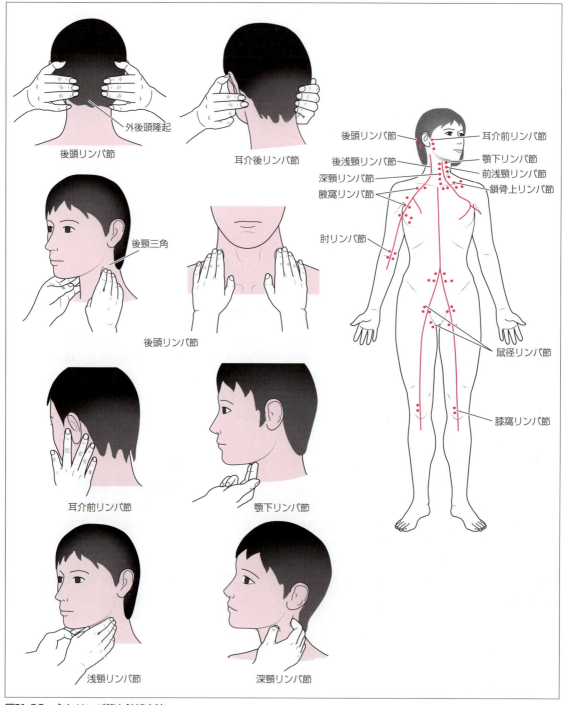

図Ⅳ-38　主なリンパ節と触知方法

（図Ⅳ-41b）．直後に，もう一方の眼の瞳孔径も測る（共感性光反射）．眼をかえて同じ検査を行う（交互対光反応試験）．また，輻輳反応[*7]による瞳孔緊張の有無も観察する．部屋の照明による影響を防ぐために，検査者は被検者の眼より低い位置から検査する．被検者にあらかじめ固視目標を与えておく．

瞳孔不同の有無と程度，対光反射の有無と迅速性を調べることによって中脳の機能を，交互対光反応試験によって視神経障害を判定する．

---

[*7] 近くを見るとき寄り眼になる反応．このとき両眼に縮瞳が起こる．

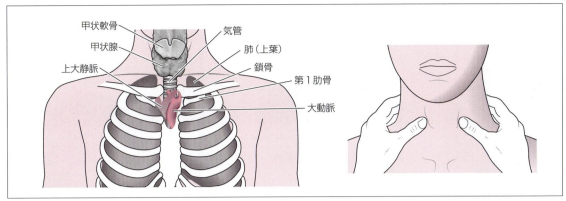

図Ⅳ-39 甲状腺の位置と触診

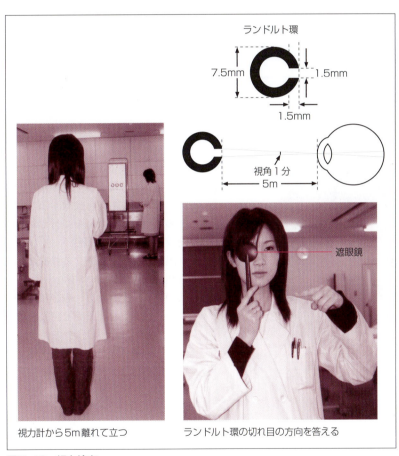

図Ⅳ-40 視力検査

④視野検査

視野計を用いて視野の範囲を片目ずつ調べる。白色指標は網膜上の杆状体視野を，赤，青，緑，黄の着色指標は錐状体視野をそれぞれ調べるために用いる。白色の指標が視野から消失する範囲が盲点（視細胞のない視神経乳頭への結像）である。視野検査によって，視野狭窄や視野欠損，半盲（視野の上下または左右の半分が見えないこと）の有無など視覚伝導路の異常を判定する。

⑤角膜知覚検査

角膜知覚計または清潔な綿糸などを用いて被検者の角膜を刺激し，瞬目反射（角膜反射）を観察する。

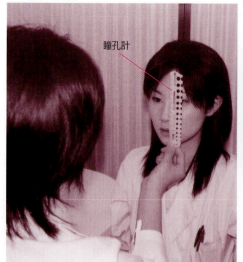
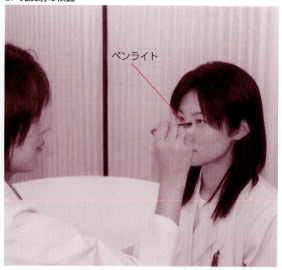

a. 瞳孔径の計測 　　　　b. 光反射の検査

明るいところと暗いところで瞳孔径を比べる　　直接光反射（光刺激側の眼）と共感性光反射（反対側の眼）を調べる

図Ⅳ-41　瞳孔に関する検査

瞳孔から光を入れて眼底の様子（血管など）を見る

図Ⅳ-42　眼底検査

裸眼で片目ずつ検査する．角膜知覚検査によって，顔面神経核の機能，角膜知覚低下や眼筋麻痺の有無などを判断する．

⑥眼底検査

　直像眼底鏡を用いて，被検者の瞳孔をのぞき眼底血管を両眼ともに観察する（図Ⅳ-42）．被検者に瞳孔位置を保持させ，眼底鏡からの観察光を網膜上で少しずつずらせていくようにする．

⑦色覚検査

　色覚検査表を用いて色覚異常の有無を調べる．色覚異常がある場合，先天性か後天性かを判断するために異常の左右差も比較する．プライバシー保護のために色覚検査は個室で行われるのが望ましい．

⑧フリッカー融合頻度

　眼精疲労度を判断する指標として，フリッカー融合頻度（flicker fusion frequency：フリッカー値）が使われる．フリッカー融合頻度とは，点滅する刺激光の明滅頻度を上下させ持続光にみえる最小頻度をいう（図Ⅳ-43）．健常者の標準値は 35〜40 Hz とされるが，個人差や年齢差も大きい．平常より 5％高いと疲労状態，5％低いと緊張状態にあると判断される．

2）聴覚

　オージオメータを用いて 1 kHz の音の聴覚閾値を調べる（図Ⅳ-44）．音の大きさは音圧（デシベル：dB）またはホンで表す．健康者の聴覚閾値は 10〜20 dB，会話中の相手の声は約 60 dB，深夜の静かな病棟は約 30 dB である（図Ⅳ-45）．聴力は年齢とともに衰えるが，とくに高音において著しく，60 歳をこえると高音が非常に聞こえにくくなる（図Ⅳ-46）．

3）味覚

　**全口腔法**：一定量の味物質を口に含んで味覚の認識閾を測定する．

図Ⅳ-43　フリッカーテスト

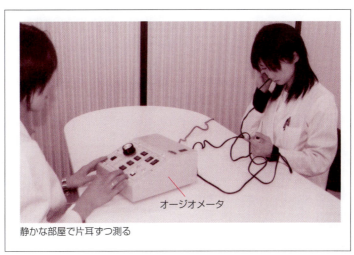

図Ⅳ-44　聴力検査

　**滴下法**：味物質を1滴，舌前部のきのこ状乳頭に滴下して調べる．

4) 嗅覚

　**基準嗅覚検査**：匂い物質を種々の濃度に希釈した液を濾紙片につけ，鼻孔に近づけて知覚閾（何かわからないが匂いがある）と認知閾値（何の匂いかわかる）を測る．左右の鼻孔を一方ずつ刺激する．検査液の数によって5臭テスト，10臭テストと呼ぶ．

5) 平衡感覚

　**眼球運動の検査**：視運動性眼振（視野が1方向に連続的に移動するために起こる眼振），温度試験（一側の耳への冷水注入で反体側方向に，温水注入で同側方向に向かう眼振が生じる），眼振計による眼振の検査などがある．

　**偏倚現象の検査**：閉眼したとき身体が左右に偏っていないか調べる（前庭脊髄反射の検査）．

　**立ち直り反応の検査**：開眼時と閉眼時で身体の動揺の程度を比較することで視覚入力によって起こる反射の障害がわかる．

### 2. 皮膚感覚

　筆先や針などを利用して触・圧点，痛点の分布密度を調べる．温点は温めたり冷やしたりした先端の細い金属を皮膚に当てて調べる（分布密度，118頁，表Ⅳ-2）．

　触覚の鋭敏さはノギスを用いて2点弁別閾（皮膚上の2点を2点として識別できる最小距離）を測定することによって知ることができる（図Ⅳ-47）．指先や口唇の2点弁別閾は1〜3mm，前腕は30〜

図Ⅳ-45　各種の音の大きさ
［西田直子：感覚．看護生理学テキスト（深井喜代子ほか編），129頁，南江堂，2000より引用］

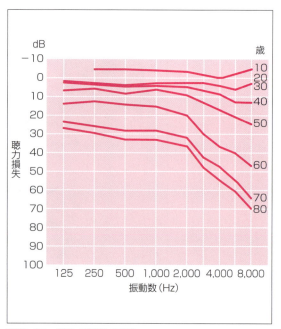

図Ⅳ-46　聴力の加齢の変化

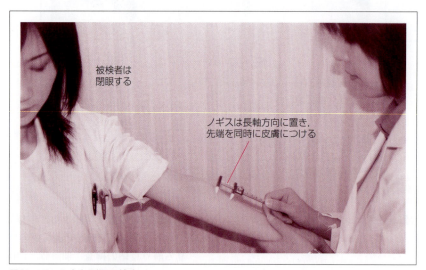

図Ⅳ-47　2点弁別閾の検査

40 mm，大腿や背中は60〜70 mm，またはそれ以上である．しびれ感などの感覚の異常の有無，左右差などにも注意する．

### 3. 深部感覚

　筋の張力受容器（筋紡錘）とそれを助ける中枢機構の働きによって，物体の重さや硬さに合わせて筋の収縮力が調節される．物を壊さず，落とさず，把持することができるのはこのためである．閉眼して，重さや硬さの違うものをうまくつかんだり持ち上げたりできるかを調べる．

　**振動感覚**：振動を起こした音叉を被検者の骨突起部（振動を伝えやすい）などに当てて調べる．

　**位置感覚**：閉眼した被検者の足の母指の関節をやや曲げた状態で固定し，指示した向きに屈曲，伸展，回転できるかどうかを調べる．

表IV-10 脳神経の機能と障害

| 番号 | 脳神経の名称 | 構成要素 | 正常な機能 | 脳神経異常による機能障害 |
|---|---|---|---|---|
| I | 嗅神経 | S | 嗅覚 | 嗅覚が低下する |
| II | 視神経 | S | 視覚 | 視力障害（視野欠損など） |
| III | 動眼神経 | S | 外眼筋の張力受容器の興奮 | 眼瞼下垂が起こる |
| III | 動眼神経 | M | 眼球運動：上直筋，下直筋，内側直筋，下斜筋の収縮 | 眼瞼下垂が起こる |
| III | 動眼神経 | P | 縮瞳（短毛様体神経），遠近調節 | 光反射（縮瞳）が起こらなくなる |
| IV | 滑車神経 | M | 眼球運動：上斜筋の収縮 | 眼球が下方に向きにくくなる |
| V | 三叉神経 | S | 顔面の知覚 | 顔面の知覚が低下する |
| V | 三叉神経 | M | 咀嚼運動，嚥下運動 | 咀嚼力が低下する，嚥下困難になる |
| VI | 外転神経 | M | 眼球運動：外側直筋 | 眼球の外転が妨げられる |
| VII | 顔面神経 | S | 味覚：舌前部2/3（鼓索神経または顔面神経） | 舌前部の味覚（甘味，塩味）が低下する |
| VII | 顔面神経 | M | 表情筋の収縮，鼓膜の弛緩 | 顔が健側にゆがむ |
| VII | 顔面神経 | P | 唾液分泌：顎下腺，舌下腺 | 唾液分泌が減少する |
| VII | 顔面神経 | P | 涙液分泌 | 涙の分泌が少なくなる |
| VIII | 聴神経または内耳神経 | S | 聴覚（蝸牛神経） | 聴力が低下する |
| VIII | 聴神経または内耳神経 | S | 平衡感覚（前庭神経） | 姿勢のバランスが保てなくなる |
| IX | 舌咽神経 | S | 味覚：舌後部1/3 | 舌後部の味覚（塩味，酸味，苦味）が低下する |
| IX | 舌咽神経 | M | 茎突咽頭筋の収縮 | 嚥下困難になる |
| IX | 舌咽神経 | P | 唾液分泌：耳下腺 | 唾液分泌が減少する |
| X | 迷走神経 | S | 味覚：咽頭，喉頭 | 嚥下困難になる |
| X | 迷走神経 | S | 内臓知覚：圧受容器，化学受容器 | 嚥下困難になる |
| X | 迷走神経 | M | 咽頭，喉頭の運動（発声，嚥下） | 嚥下困難になる |
| X | 迷走神経 | P | 胸部・腹部臓器の運動と分泌 | 嚥下困難になる |
| XI | 副神経 | M | 胸鎖乳突筋，僧帽筋の収縮 | 頭部が患側方向に回旋しにくい　患側の肩を挙上しにくい |
| XII | 舌下神経 | M | 舌の運動 | 舌が健側に曲がる |

（　）内は末梢部での神経の名称を示す．
(注) S：感覚神経，M：運動神経（骨格筋支配），P：副交感神経（平滑筋支配）

## 5 脳・神経系のアセスメント

脳神経は脳幹部から出て左右1対，計12対あり，それぞれに感覚神経，運動神経，それに副交感神経が混在する（表IV-10）．各脳神経の働きを調べるときは，左右差の有無，つまり機能異常が両側性か半側性かを見極める．

### 1. 脳神経

**第I脳神経（嗅神経）**：嗅覚伝導路の障害を調べる．一方の鼻孔をふさいで閉眼させ，他方の鼻孔に臭い物質を近づける．反対側も同様に調べる．嗅覚に関連した生活経験の情報も手がかりにする．嗅覚異常には嗅盲，嗅覚鈍麻，嗅覚過敏などがある．

**第II脳神経（視神経）**：視覚伝導路の障害を調べる．視野計を用いて左右の眼の視野を測定する．視野欠損部分から伝導路の障害部位を推測し，CT，MRIなどの画像検査を行う．

**第III脳神経（動眼神経）**：外眼筋のうち上直筋，下直筋，内側直筋，下斜筋の働きは，顔を正面に固定し，眼球の上転・下転運動，水平運動，左右の斜め上下運動，回転運動によって調べる．ペンの先を動かして被検者に注視させる．短毛様体神経支配の瞳孔括約筋の異常（縮瞳異常）は，明るいほうに眼を向けたときの縮瞳反応（直接光反射）で調べる．

**第IV脳神経（滑車神経）**：上斜筋支配の滑車神経の異常を調べる．顔を正面に固定し，眼球の上転・下転運動，左右の斜め上下の運動を観察する．

**第V脳神経（三叉神経）**：顔面や角膜の知覚は，

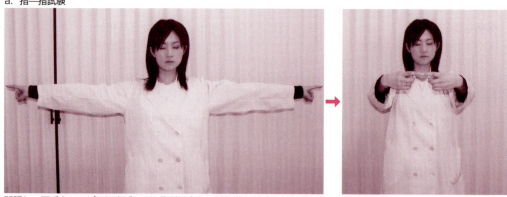

a. 指—指試験

閉眼し，両手をいっぱいに広げ，できるだけ大きな弧を描きながら左右の示指の先を合わせる

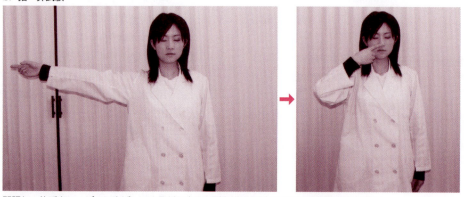

b. 指—鼻試験

閉眼し，片手をいっぱいに広げ，できるだけ大きな弧を描きながら示指の先を鼻先につける

図IV-48　小脳の検査

閉眼した被検者の左右の頰や額を筆先（触覚の検査）や先端の鈍い検査針（痛覚の検査）で軽く刺激して調べる．角膜や結膜に清潔なガーゼの端を当ててみてもよい．咀嚼運動，嚥下運動を観察して，それらの異常を調べる．

第VI脳神経（外転神経）：外側直筋の異常を，顔を正面に固定して眼球の水平運動によって調べる．

第VII脳神経（顔面神経）：顔面の表情筋の異常を，口をとがらせる，左右にゆがめる，頰を膨らませるなどの種々の表情を観察して調べる．舌前2/3の味覚は，甘味と塩味の有無と閾値，唾液分泌の状態を調べるか，嗜好に関する問診を行って調べる．唾液分泌（舌下腺，顎下腺）を調べる．一側の味覚減退があったり，表情が常に同じ一側にゆがむときは同側の顔面神経異常を疑う．

第VIII脳神経（聴神経）：聴覚，平衡感覚の異常を調べる．難聴があれば左右差の有無を確認し，伝音性難聴か感音性難聴かを推測する．また，閉眼，起立させて頭部を前後，左右に傾けたり，身体を回転

被検者は閉眼し両腕を体側にぴったりつけ，両足をそろえて立つ．検査者は転倒を気遣いながら30秒間姿勢を見る

図IV-49　ロンベルグ試験

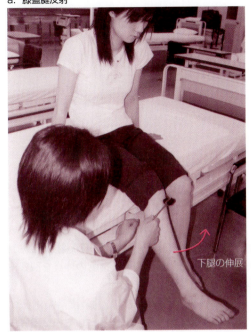
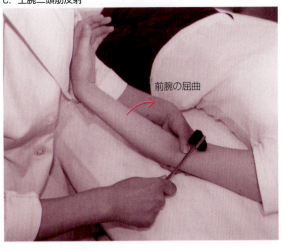
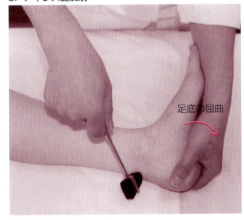
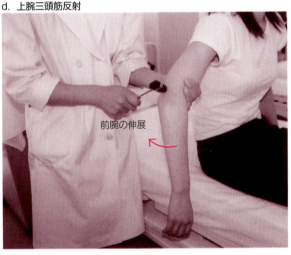

a. 膝蓋腱反射　　c. 上腕二頭筋反射
　　下腿の伸展　　　前腕の屈曲

b. アキレス腱反射　d. 上腕三頭筋反射
　　足底の屈曲　　　前腕の伸展

図Ⅳ-50　腱反射

させる動作を観察する．
　**第Ⅸ脳神経（舌咽神経）**：催吐反射（咽頭後壁の粘膜を舌圧子で圧迫して嘔吐を誘発する），味覚（苦味），唾液分泌（耳下腺）を調べる．唾液分泌や味覚は問診でも判断できる．
　**第Ⅹ脳神経（迷走神経）**：嚥下運動を観察し，嚥下困難の有無と，喉頭蓋の苦味の感受性を調べる．支配の迷走神経のはたらきを検査する．
　**第Ⅺ脳神経（副神経）**：僧帽筋と胸鎖乳突筋が両手を被検者の肩に置いて少し体重をかけた状態で，被検者に肩の上下運動をさせる（僧帽筋の検査）．

検査者が両手で頭部を固定して，被検者の頭が左右に回転するようすをみる（胸鎖乳突筋の検査）．負荷に抵抗して運動できるか，収縮力に左右差はないかを見極める．
　**第Ⅻ脳神経（舌下神経）**：丸めたり長く突き出すような舌の運動を観察する．発音の聞き取りやすさにも注意する．

### 2. 中脳・小脳・脊髄

　小脳，脳幹，脊髄は姿勢の保持や運動の調節にあずかる中枢である．以下に，代表的な検査をあげる．

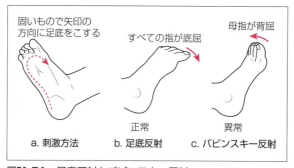

図Ⅳ-51 足底反射とバビンスキー反射
[深井喜代子：中枢神経系．看護生理学テキスト（深井喜代子ほか編），77頁，南江堂，2000より引用]

**中脳機能**：光反射によって中脳と間脳の移行部にあたる視蓋前野と動眼神経核の働きを調べる（141頁参照；視覚，瞳孔検査；図Ⅳ-41b）．直接光反射はあるが共感性光反射がみられなければ視蓋前野の障害を疑う．光反射（対光反射）中脳以上の中枢の健在性を確認するもっとも簡便な方法で，意識のない患者にはバイタルサインの観察と同時に光反射も調べる．

**小脳機能**：小脳の協同運動（synkinesis：調節作用）を指-指試験（図Ⅳ-48a）や指-鼻試験（図Ⅳ-48b）によって調べる．動作が速く，なめらかで正確でない場合は小脳の機能異常を疑う．

**ロンベルグ試験**：脊髄の姿勢保持機能を不安定な起立姿勢で調べる（図Ⅳ-49）．身体が動揺し起立不能となるとき（ロンベルグ徴候，Romberg sign）は脊髄性運動失調を疑う．

**腱反射**：腱反射の中枢は脊髄にあるので，種々の腱反射を調べることによってどの脊髄レベルに異常があるかを知ることができる．腱反射は打腱器で該当筋の腱部を叩いて観察する（図Ⅳ-50）．錐体路障害では反射の亢進が起こりやすい．腱反射の異常亢進をクローヌス（clonus）という．膝蓋腱反射は膝蓋靱帯を叩いて，大腿四頭筋の収縮による下腿の伸展を観察する（反射中枢は腰髄L2〜4）（図Ⅳ-50a）．アキレス腱反射は足を背屈させ，アキレス腱を叩いて，腓腹筋（gastrocunemius muscle）が収縮し，軽い底屈がみられるのを観察する（反射中枢はS1〜2）（図Ⅳ-50b）．上腕二頭筋反射は上腕二頭筋の腱を肘窩部で叩いて前腕の屈曲を観察する（反射中枢は頸髄C7）（図Ⅳ-50c）．上腕三頭筋反射は上腕三頭筋の腱を肘頭部付近で叩いて前腕の伸展を観察する（反射中枢はC6）（図Ⅳ-50d）．

**皮膚反射**：正中線を境に一側の皮膚を刺激すると，同側の筋に反射性収縮がみられるのを皮膚反射という．腹壁反射は腹壁の皮膚を刺激して同側性に腹筋の収縮を観察する（反射中枢は胸髄T8〜12）．挙睾筋反射は大腿の内側面上部皮膚を刺激して睾丸が挙上するのを観察する（反射中枢はL1〜2）．足底反射は図Ⅳ-51aのように足底外側を硬いもので刺激すると，すべての指が足底に向かって屈曲する反射をいう（反射中枢は仙髄S1〜2）（図Ⅳ-51b）．錐体路の障害でバビンスキー（Babinski）反射がみられるが（図Ⅳ-51c），生後9ヵ月までの乳児にみられるほか，高度の意識障害者でも観察される．

### ●引用文献

1) 日本リハビリテーション医学会，日本整形外科学会，日本足の外科学会：関節可動域表示ならびに測定法，2022〔https://www.jarm.or.jp/member/kadou03.html〕（最終確認：2023年2月21日）
2) Hislop HJ, Motgomery J：Daniels and Worthingham's Muscle Testing：Techniques of Manual Examination, 8th ed, Elsevier, 2007
3) 日本高血圧学会 高血圧診療ガイド2020作成委員会（編）：高血圧診療ガイド2020，文光堂，2020

# 2 心理状態と社会性のアセスメント

　生き物としてのヒトが他の動物と異なる点は高度に発達した脳（大脳皮質）をもっていることである．ヒトの大脳皮質には140億もの細胞があり，それらが複雑なネットワークを形成しながら協働し，単に生存に必要な本能だけでなく，理性と感情をもった社会的生き物としての人間存在を可能にしている．現在，脳のはたらきは世界的な研究プロジェクトによって急速に解明されつつある．遺伝子の時代といわれた20世紀に対して，21世紀は脳の時代といわれ，今世紀中には，これまで心理学や行動学などで推測されてきたヒトの精神のメカニズムが脳生理学で説明されるだろうとも予測されている．

　その一方で，人間の脳（こころ）は物質科学のメカニズムでは説明しにくい複雑さがあることもわかっている．

　脳を含む人体のすべての構造は遺伝子で決定されているにもかかわらず，生後，さまざまな環境要因に影響を受ける過程で，後天的な脳の形態・機能の変化も起こりうることがわかってきた．言い換えれば，人間の精神構造は遺伝的に決定されるだけでなく，病気や障害などの身体的ストレスや，社会生活や人間関係などからくる心理社会的ストレスの影響を受けて変化しうるということである．人間を全人的な存在，生活者としてとらえる看護において，対象の健康状態をアセスメントするには，身体的情報のほかに心理的・社会的情報も重要である．この項では心理学モデル，社会学モデルを応用した対象理解の方法について述べる．

## A 人の考え・気持ちを理解する方法

　一般に精神状態（あるいは心理状態）のアセスメントは精神科看護で重視されるが，全人的な健康状態のアセスメントには欠かせない要素である．したがって，その主要な評価項目はすべての看護の対象に適用されるべきである．そこで，この項では精神状態をアセスメントする方法（mental status examination）にも言及しておく．

　ヒトの精神状態には行動的側面と認知的側面がある[1]．行動的側面には一般的な態度（身だしなみ，表情，行動や態度，声の調子や身振りなど），感情（状況に即した感情の表出，感情の不安定さなど），思考とその内容（思考の論理性，連続性など）が含まれ，認知的側面には思考内容（妄想や幻覚の有無，強迫観念，思考の途絶など），認識力（幻聴や幻視などによる知覚障害の有無），意識状態（注意力，集中力，見当識など），記憶力（記銘力，記憶の保持力，想起力など），洞察と判断（これから起こることの予測や洞察，決断や判断など）が含まれる．これらをアセスメントするための要素をまとめたものが表IV-11である．

　精神状態をアセスメントするには問診のほかに，日常の生活行動を観察したり家族や友人からの情報も必要である．表中の査定項目を参考にしながら情報収集し，異常が疑われる場合には，その場の状況や対象の言動を具体的に記録しておくようにする．これらは看護計画を立てるさいに必要なだけでなく，精神科的適応の判断の重要な情報となる．

## B 人の暮らしぶりを理解する方法

　私たちは集団社会の中でそれぞれに社会的役割をもち，人間相互の関係の中で生活している．職場や友人，家族などの生活の場で多様な人間関係が複雑に絡み合い，個人の欲求や希望はときとして会社や学校など所属する組織の規範によって制限されることもある．社会にうまく適応し，自己実現を目指して生活している人は，望ましい社会的状態にあり，精神的にも健康な状態にあるといえる．このように，個人がおかれている社会的状況がどのようであるかは，精神的健康状態に大きく影響してくる．宗像は保健行動学的観点から仕事や対人関係のトラブルなどの日常生活出来事（life event）[*1]はストレス誘因となると述べ（表IV-12），こうした心理社会的要因が健康障害を引き起こす過程を図IV-52のような関連図で説明している．

　精神的健康に影響する社会的要因にはソーシャルサポート（社会的支援，social support）[*2]という概

---

[*1] 1976年にHolmsとRaheが提唱した概念．彼らは，生活環境を変えるような日常の一時的な出来事（生活出来事，life event）が重なると，これらが社会的ストレスとなって重大な健康障害をもたらす場合があることを指摘した．

表Ⅳ-11 精神状態の査定（mental status examination）

| 1. 外見 | 見かけの年齢<br>表情<br>栄養<br>衛生<br>服装<br>髪型<br>など | 5. 思考 | 内容妄想<br>強迫観念<br>自殺念慮<br>妄想<br>幻覚<br>など |
|---|---|---|---|
| 2. 行動 | 活動レベル<br>振戦<br>常同性<br>微笑み<br>アイコンタクト<br>話し方<br>など | 6. 言語 | 理解<br>流暢さ<br>反復<br>ネーミング<br>読み書き<br>など |
| 3. 気分 | 不安定さ<br>適切さ<br>強さ<br>など | 7. 認識 | 見当識<br>記憶<br>注意と集中<br>文化的情報<br>抽象的思考<br>など |
| 4. 思考過程 | 言葉の連合<br>話す割合とリズム<br>など | 8. 洞察と判断 | 洞察<br>判断力 |

［宇佐美しおり，鈴木啓子，Underwood P：オレムのセルフケアモデル―事例を用いた看護過程の展開，49頁，廣川書店，2000より引用］

表Ⅳ-12 生活出来事尺度

| | |
|---|---|
| 1. 収入が大幅に減った | 20. 勤務時間や勤務内容に変化があった配置（転換の場合も含む） |
| 2. 支出が大幅に増えたり，大きな借金（ローンを含む）をかかえた | 21. 職務上，昇格した |
| 3. 入院したり，1ヵ月以上仕事や学校を休まなければならないような病気やケガをした | 22. 職務上，降格した |
| | 23. 退職した |
| 4. 家族に大病（寝たきりやボケを含む）や大ケガをした者が出た | 24. 転勤や単身赴任を命じられた |
| 5. 自分や配偶者が妊娠した | 25. 職場（学生の場合学校）や取引先の人と大きなトラブルがあった |
| 6. 自分や配偶者が出産した | 26. 配偶者に就職（パートも含む），退職，勤務時間や内容の変更等仕事上の変化があった |
| 7. 正式に結婚した | |
| 8. 自分や配偶者が流産した | 27. 就職（転職）や入学（進級）などに失敗した |
| 9. 配偶者が死亡した | 28. 就職（入学）や転職（転学）があり，新たな生活を開始した |
| 10. 親や子が死亡した | |
| 11. 兄弟，親友が死亡した | 29. 親や教師など，立場が上の人にひどく怒られた |
| 12. 頼りにしていた人（家族を含む）と離ればなれになった | 30. イザコザ以外の理由（夫の長期出張や単身赴任など）で配偶者と別居するようになった |
| 13. 大事にしていた物がなくなったり（ペットが死んだり，いなくなったりを含む），壊れたりした | 31. 離婚した |
| 14. 引越した | 32. 親や子，兄弟が離婚した |
| 15. 相手に大ケガを負わせたり，大きな損害を与えたりした | 33. 配偶者（恋人や婚約者を含む）ともめごとを起こした |
| 16. 訴訟沙汰が起こった | 34. 配偶者以外の家族ともめごとを起こした |
| 17. 家族が反社会的な行為（非行，万引，薬物中毒など）をした | 35. 親戚や近所ともめごとを起こした |
| | 36. 子どもが自立（結婚を含む）するようになった |
| 18. イザコザのため配偶者と別居するようになった | 37. 新たな人が家族メンバーとして同居（親の引き取りや出戻りの子どもなど）するようになった |
| 19. 解雇（学生の場合退学）されたり，事業に失敗した | |

（注）表Ⅳ-12はこれまでの1年間に37項目の中で該当する項目があればそれを1点として加算して指標化した尺度
5点以上ある場合，ストレス性の高い出来事が多い人である。

［宗像恒次：最新行動科学からみた健康と病気，7頁，メヂカルフレンド社，1996より引用］

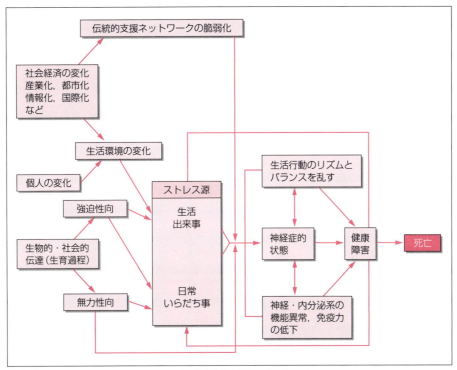

図Ⅳ-52　健康障害，死亡にかかわる心理社会的要因のパスウェイ
[宗像恒次：最新行動科学からみた健康と病気，14頁，メヂカルフレンド社，1996より引用]

念がある．ソーシャルサポートネットワークは家族をこえた広い対人関係網を指しているので，その質と量を充実させることで，健康障害に陥った場合でも，より多くの支援を受けることができる．宗像は生活出来事（表Ⅳ-12）を急性ストレス源，日常いらだち事[*3]を慢性ストレス源と呼び，社会的疾病予防システムとしてのソーシャルサポートネットワークの必要性を論じている[2]．経済状態や対人関係といった情報はプライバシーにかかわるが，看護者は専門職として守秘義務を自覚したうえで，こうした情報も得ておき，ソーシャルワーカーや保健師などと連携して対応できる体制を整えておく必要がある．

---

[*2] 地域や人間関係を通して得られる支援のこと．ソーシャルサポートは人を介して提供されるもので，一般には家族を中心に質と量（広がり）をもつネットワーク（支援網）として存在することに意味がある．社会的支援には手段的支援と情緒的支援がある．看護者自身もソーシャルサポートネットワークの一員であり，ネットワークを広げ，強化するよう支援したり調整したりする役割がある．

[*3] 自分の将来のことや借金，対人関係などについて日頃イライラを感じているかどうかを評価する尺度で，1986年に宗像らが日常生活出来事尺度とともに開発した．

● 引用文献

1) 宇佐美しおり，鈴木啓子，Underwood P：オレムのセルフケアモデル-事例を用いた看護過程の展開，廣川書店，47-50頁，2000
2) 宗像恒次：行動科学からみた健康と病気，メヂカルフレンド社，1-30頁，1987

# 3 セルフケア能力

## A セルフケアとセルフケア能力

　高度医療技術の進歩と人口の高齢化によって慢性病患者が増加し，地域で在宅療養する人々が増えてきた．こうした人々に効果的な看護活動を展開するためには，対象者がどれだけ保健行動をとれるかを知っておくことも重要である．

　人の基本的ニード（普遍的セルフケアニード）には空気，水，食物，排泄，活動と休息，個人の自律性と他者との社会的関係，危険の予防，社会集団の中での健康志向などがある．人はそうしたニードを満たそうと保健行動（セルフケア）を行う[1]．セルフケア理論の提唱者オレム（Orem DE）は「セルフケアとは個人が自分の生命，健康そして安寧を維持するために行う行動である」と定義している[2]．最近では，慢性病患者のセルフケアが重要視されてきたことから，「セルフケアとは慢性病患者が自らの安寧を得るために自分自身および環境を調整する意図的な行動である」と，狭義に用いられることもある[3]．

　このように，セルフケアは病者に限らず必要な行動であって，個人には基本的ニードを満たそうとする力（セルフケア能力）が備わっている．セルフケア能力とは「セルフケアに従事するための複合的・後天的な能力」のことで，年齢や発達状態，健康状態あるいは社会文化的環境に影響されるといわれている[3]．図Ⅳ-53は健康が阻害されて低下したセルフケア能力，それによって高まったセルフケアニード，そして，看護者による介入（看護行為）とのバランス関係を図式化したもので，看護者の役割が，対象のセルフケア能力を査定し，不足したニードを補うべくケアを提供する看護者の役割がよくわかる．

## B セルフケア能力のアセスメント

　セルフケアの支援のためには，対象のセルフケア能力を適切にアセスメントすることが必要である．セルフケア行動を遂行するためのセルフケア能力には，①セルフケアへの関心，②セルフケアを継続するための体力，③セルフケア効果を予測する能力，④セルフケアの動機づけ，⑤セルフケアにおける意思決定と実施能力，⑥セルフケア遂行のための知識を獲得し記憶する能力，⑦セルフケアの手技，⑧セルフケアを自分の生活や地域の中で統合する能力などが含まれる[1]．セルフケア能力をアセスメントする際には，これらの要素をひとつひとつ調べていく．

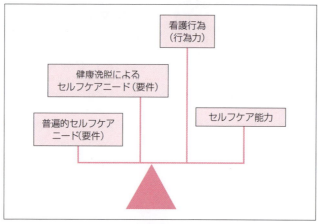

図Ⅳ-53　セルフケア能力が看護支援によって強化され，セルフケアニードとつりあった状態

［スティーブン J. カバナ（数間恵子，雄西智恵美訳）：看護モデルを使う・オレムのセルフケア・モデル，17頁，医学書院，1993より引用］

セルフケア能力の標準化[*1]された評価尺度には本庄によるSCAQ（Self-Care Agency Questionnaire）[*2]がある[4].

---

[*1] 人の心理社会的な現象を評価するための測定用具（評価尺度）で，試験的調査を積み重ねて内容が吟味され，尺度としての信頼性（正しく測れること）と妥当性（測りたいものが測れること）が証明されているものをいう．
[*2] 慢性病患者を対象としたセルフケア能力尺度で，健康管理法の獲得と継続の能力，体調調整能力，健康管理への関心度，有効な社会的支援の獲得能力の4つのカテゴリー，29の質問項目で構成されている．

● 引用文献

1) 宇佐美しおり，鈴木啓子，Underwood P：オレムのセルフケアモデル―事例を用いた看護過程の展開，7-26頁，廣川書店，2000
2) Orem DE：Nursing：Concepts of Practice, 3rd ed, p.84, McGraw-Hill，1985
3) 本庄恵子：壮年期の慢性病者のセルフケア能力を査定する質問紙の開発―開発の初期の段階．日看科会誌 **17**（4）：46-55，1997
4) 本庄恵子：慢性病者のセルフケア能力を査定する質問紙の改訂．日看科会誌 **21**（1）：29-39，2001

# Ⅴ

# 日常生活の援助

# 1 生活の場を整える

## 1-1 健康生活と居住環境

居住環境は人間が生活を営む場である．人間と環境が系（システム）をなして存在する[1-4]という多くの看護理論の考え方[5-9]からすると，居住環境のあり方はそこに住む対象の健康状態を反映していると考えられる．健康生活を送るための居住環境を環境調整の視点から分類すると，「物的環境」「対人的環境」「教育・管理的環境」の3つに大別できる．また一方で，看護援助の場の特性から分類すると，居住環境は病院での「一般病床」，老人保健施設などの「療養病床」，そして「在宅」の3種類に分けることができる．

### A 健康生活のための環境調整の視点

#### 1 物的環境

##### 1. 工学的環境の基準値

居住環境を構成する物的環境にはさまざまな要素があげられる．もっとも代表的なものに温度・湿度や通風・換気などの気候，騒音や音楽などの音環境，採光・人工照明などの光環境，におい環境，空気の清浄（酸素，窒素，二酸化炭素など）や，塵埃に関わる工学的環境要素などがあげられる．

環境調整で大切なことは，ケア場面で観察された環境情報や，環境測定機器による測定値が，どのような意味をもつかを，しっかりと把握し認識できていることである．たとえば，集中的にケアが行われるICU（intensive care unit：集中治療室）などでは，入院患者に光環境や音環境がどのような影響を及ぼすのかについて慎重に判断する必要がある．これらの工学的環境を測定機器を用いて測定し，その値を参考にしてどのように環境調整するかは，看護実践において重要である[10]．表V-1に，これらの居住環境の調整に求められる工学的な環境指標をあげた．

##### 2. 物品・用具

生活物品や福祉機器・用具などの道具は病者が日常生活を過ごすための重要な物的環境である．疾病の状態によっては，日常生活動作の障害を補う物品・用具の存在は大切である．とくに治療や安全・安楽に関わるものにおいては，道具そのものが対象のQOLにも大きく影響するために，それらの種類や特性を十分に認識した環境調整が求められる．日常生活物品や福祉機器・用具の有用性に関する情報は人間工学や福祉工学分野の研究からもたらされることが多く，これらを効果的に活用した環境調整が必要である．

##### 3. 人工物環境

物的環境の調整には，建築・インテリアなどの生活空間を構築する人工物環境も重要である．これらは文化的背景に依拠するとともに，個人の趣味・嗜好などの個別の要因が強く関係している．したがって，建築空間やインテリアへの配慮は病者の癒しや安らぎなどに大きな効果をもたらす．決して高価で立派な空間ではなくても，色彩やテクスチャー（texture：手触り）などに細かな配慮がなされた空間計画は，ケア提供者側の病者を敬う気持ちの表れが感じられ，効果的な環境調整につながる．最近の病院建築などでは，このような考え方が少しずつ浸透しはじめており，病室のデザインもさまざまに工夫されるようになってきている[11]．花や置き物など，ほんの小さな気づかいも，病者にとっては大きな治療的な効果をもたらす環境調整である[12]．

##### 4. 情報通信技術

近年の情報通信技術の進歩によって，情報コミュニケーションを形成する要素（コンピュータや映像通信機器などの道具）も物的環境の重要な要素と考えられる．情報技術の進化に伴う環境の変化に対応していくことも，今日の看護技術には求められている．電子カルテなど医療情報の電子化はその代表的なものである．また，情報通信技術の特性を活かした遠隔看護（telenursing）は，看護ケアの新しいコミュニケーション手段として期待されている．このような環境調整はユビキタス化（ubiquitous：いつでもどこでも誰もが情報を享受できる）された情報社会においては重要な看護技術となると考えられる[13,14]．看護学においても，看護情報学（nursing

表V-1 工学的環境要素の指標

| 指標 | 調整内容 |
|---|---|
| 空気の清浄性 | 換気によって室外の清浄な空気を室内に導き入れることにより清浄性が保たれる．換気量は1人あたり約1 $m^3$/時程度必要．機械換気の場合には1人あたり20 $m^3$/時と定められている |
| 室内気候 | 室内気候の指標は「気温」「気湿」「気流」「輻射」である．室内の気候条件は季節によって異なっている．夏は気温26〜28℃，気湿50〜65%，気流は0.3 m/秒，冬は気温20〜22℃，気湿45〜60%，気流は0.3 m/秒が快適さの指標とされている |
| 騒音 | 病室内では35〜40ホン以内であることが望ましい．医療機器が多く備えつけられている集中治療室などでは，昼夜を問わず70ホン前後の音が出されている場合が多いので音対策は重要である |
| 採光 | 採光とは昼夜に太陽の光を取り入れることである．病室は部屋の床面に1/7以上の太陽光が入ることが建築基準法で定められている |
| 人工照明 | 病室の照明は全般照明と枕元や足元を照らす部分照明の2種類に大きく分類できる．全般照明は100〜200ルクスほどの暖かい反射光で明るさを確保するのがよい．読書などの手元照明は300ルクスほどのスポット照明を工夫するとよい |
| におい | 病室にはさまざまな問題となるにおいがある．におい対策として一般的に行われる方法には，においの原因に蓋をする「マスキング」のほか，におい物質を「吸着」させる，においを「拡散」させる，におい物質を「分解」する，などの方法がある．においの原因に合わせた対処方法の選択が重要である |

informatics）のような新しい分野が登場しはじめており，今後こうした分野の研究・開発が急速に進むことが予測される[15-17]．

## 2 対人的環境

対人的環境の調整には対象を取り巻く人間関係によって生じる要素があげられる．その中で，プライバシー（privacy：個人の秘密）やテリトリー（territory：他者が侵せない個人領域）は対人関係を形成する要素として代表的なものである[18,19]．とくに病院や施設など，複数の病者が同じ病室で療養生活を送る場では，これらは重要な環境調整項目であり，その質の良し悪しによっては健康回復にも大きな影響を及ぼす．

その他，人的環境要素として重要なものに，対象者のケアを支えるコミュニティ（community）があげられる．人は病気になると，それまで所属していたコミュニティメンバーによって支えられて病気を乗りこえていく．会社の同僚や上司，部下，同窓の友人たち，近隣地域の人々などは対象者の健康回復に大きな精神的支えとなる人的環境要素であり，それらのコミュニティメンバーは環境調整の重要な鍵となる場合がある．

さらに，人的環境要素としてもっとも対象に近い存在である家族や看護師，医師たちは，病者の治療効果を高めるための重要な要素である．これらの直接的ケアの担い手との良好な人間関係の形成は，看護ケアの効率を高めるために重要である．このことは対人関係論を唱える看護理論家たちの中心的な論点であり，看護実践の本質に迫る技術項目である．

## 3 教育・管理的環境

教育・管理的環境は対象の健康回復力を高めるような環境づくりのための規範や慣習，システムなどの要素である．看護技術においてこのような環境の調整としてもっとも一般的なものに，清潔管理のための寝具やリネン類の保守があげられる．寝具やリネン類は，ベッド上で療養生活を過ごす病者にとって身体を包み込んで支えるもっとも身近で重要なものであり，その保守・管理は看護における環境調整の基本である[20,21]．

### 1．感染管理

とくに病者が療養生活を過ごす居住環境では，感染がなく清潔で，患者の安全が確保されていることが求められる．一般に，感染を成立させる要因として，病原体，宿主の免疫力，感染経路があげられる．医療関連感染の伝播経路にはさまざまな経路が考えられるが，もっとも可能性が高いのは医療者の手指だといわれている．医療者は患者と直接接する機会が多く，皮膚や粘膜，体液や排泄物などに触れる可能性が大きい．また，傷のある皮膚，カテーテル類（尿道用，血管用など）や気管チューブ類の管理などにおいては無菌操作を行うことから，一過性の感染が起こる危険性がある．医療器具や水道水を

介して医療関連感染を起こす例もあり，近年では空調用冷却水や加湿器などが感染源となったレジオネラ菌[*1]による医療関連感染も問題となっている．

米国では，医療従事者の保護を中心に考え出された感染に対する隔離予防策のためのガイドラインが使用されている．1985年にCDC（Centers for Disease Control and Prevention）から提唱されたユニバーサル・プリコーション（universal precautions）では，すべての人々の血液や体液は感染性があるものとして取り扱うべきとされた．その後，1987年に，血液に加え，対象範囲を患者の湿性体液，排泄物へと広げたBSI（body substance isolation）と呼ばれるシステムが導入された．さらに，1996年にBSIに不足している手洗いやほかの予防策を追加したスタンダード・プリコーション（standard precautions）が示された．感染のリスクは対象によって異なる．感染のリスクがもっとも高いのは，皮膚または粘膜を通過し，直接体内に接触，導入されたもの（たとえば手術器具，注射器，ガーゼ）で，器具類は必ず滅菌したものを用いなければならない．皮膚に直接触れない床や壁は必ずしも消毒する必要はなく，洗浄後に十分乾燥させればよい．感染予防の対策は研究の進歩とともに次々更新されるので，患者に関わる医療者は常に新しい知識や技術を高めておく必要がある．

看護ケアに関わる物品や小物が清潔に保たれ，適切に収納・管理されていることも管理的な環境調整として重要である．それに加えて，病院などの高度医療を提供している施設では，機器・物品の品質管理のための定期的な保守・点検のほか，これらの機器・物品を介する感染にも注意を払わねばならない．さらに，こうした物品や機器を扱う人を介した感染の危険性も大きいため，医療者の意識を高めることも重要である．そこで，物品の徹底した感染管理の方法を含めた，医療者への定期的な研修など，組織的な感染管理教育を行うことが重要となる．

最近では，国立大学医学部附属病院感染対策協議会により2012年に作成され，2018年に改訂された「病院感染対策ガイドライン 改訂版」，厚生労働省医政局指導課からは2016年に「医療機関等における院内感染対策について」，また2012年には「院内感染対策サーベイランス実施マニュアル」の提言があった．このマニュアルは，2006年6月の「良質な医療を提供する体制の確立を図るための医療法等の一部を改正する法律」の成立を受け，2007年以降医療法第6条の10に基づき，医療機関に義務づけられることになった．2021年4月にはVer. 8として改訂されている．2013年には厚生労働省老人保健事業における報告書である「高齢者介護施設における感染対策マニュアル」，などがまとめられ（最新版は2019年3月），感染管理の重要な指針となっている．これらの報告の詳細については，ウェブ上で公開されている．

### 2. リスクマネジメント

教育・管理的環境の調整として重要なものに，安全管理やリスクマネジメント（risk management）がある．医療事故防止の取り組みは，看護管理学の重要な課題として検討が進んでいる．たとえば，転倒・転落事故の事例を分析して，同じような事故の再発を防ぐ研究もさかんに行われるようになってきている．また，予防のためのアセスメント用具の開発や，臨床応用による評価・研究などの試みも始まっている．とくに，病院から在宅に，あるいは日頃慣れ親しんでいる在宅から病院に，といった環境移行（environmental transition）がある場合には，教育・管理的な環境調整が必要である．

そのほかに，病気を抱えて在宅で療養生活を送る患者においては，社会資源が効果的に活用できるよう調整しなければならない．入院患者の多くは仕事や経済的不安など，病気に起因した多くの社会生活上の悩みを抱えている．このような患者の社会復帰に向けたケアマネジメント（care management）も環境調整として重要である．

## B 援助の場に応じた居住環境の視点

2001年3月に施行された改正医療法によって，病院など施設での病床の種別は「一般病床」「療養病床」「精神病床」「結核病床」「感染症病床」の5種類に分けられた．また，看護援助活動の場はこれのみではなく，高齢化に伴って特別養護老人ホームや自立支援施設などのさまざまな福祉施設，公営・民間の高齢者住宅などの生活支援施設もある．ここではとくに，集中的に治療・看護する場である一般病床と，慢性期やリハビリテーション期などの長期療養者の場である療養病床に焦点を当て，その居住環境の視点について述べる．

---

[*1] Legionella菌．レジオネラ菌は土壌や淡水に生息し，土埃に混じって空調設備の冷却塔などに入って増殖する．これが冷却水の微滴となって空気中に飛散し，人の呼吸器系に侵入して発熱や肺炎などを引き起こす．レジオネラ菌は酸や湯に強く，加湿器，給湯設備などが感染源となる場合がある．

表V-2　病院における病室の広さの基準および人員配置基準の国際比較

| | 病室の広さ等 | 人員配置基準 |
|---|---|---|
| 日本 | 病院の病室および診療所の療養病床<br>　　6.4 m²/床以上　（既設の場合 4.3 m²/床以上）<br>廊下の幅<br>・精神病床および療養病床に隣接する廊下 1.8 m 以上（両側居室の場合 2.7 m 以上）<br>・それ以外病床に隣接する廊下 1.8 m 以上（両側居室の場合 2.1 m 以上）　等<br>（医療法施行規則第 16 条） | 一般病床　医師　　　16：1<br>　　　　　看護職員　　3：1<br>　　　　　薬剤師　　　70：1<br><br>（医療法施行規則第 19 条） |
| ドイツ | 個室 10 m²　　多床室　8 m²/床<br>廊下の幅 1.5 m 以上（ベッドが通る廊下 2.25 m 以上）<br>（ノルトライン・ヴェストファーレン州の病院建築政令） | 患者1人当たり医師何人といった基準は存在しない<br>（独病院協会） |
| フランス | 民間病院<br>　個室　　9 m²　　　　　　4床室　30 m²（7.5 m²/床）<br>　2床室　17 m²（8.5 m²/床）　5床室　36 m²（7.2 m²/床）<br>　3床室　24 m²（8.0 m²/床）　6床室　42 m²（7.0 m²/床）<br>（旧保健省と私立病院協会との間で結ばれた契約書） | 民間病院だけを対象にした看護職員についての基準あり<br>内科施設　8床当たり1人の国家資格看護師<br>外科施設　5床当たり1人の国家資格看護師<br>「諸外国の医療施設における施設基準・人配置基準に関する研究」 |
| イギリス | 一般病床　多床室　7.25 m²/床<br>（NHSの助言書） | （調査中） |
| アメリカ | 新設病棟　　　　　　　　　　既存病棟<br>　病床数　2床/室　　　　　　病床数　4床/室<br>　個　室　11.5 m²　　　　　　個　室　9.29 m²<br>　多床室　9.29 m²　　　　　　多床室　7.43 m²<br>（米国建築家協会のガイドライン） | 医療機関の衛生基準は各州の権限であるが、人員基準は存在しない<br>（カリフォルニア州で看護職員の配置基準を定めている例があるのみ）<br>（全米病院協会） |

（資料）「欧米諸国の医療保障」（週刊社会保障編集部編），「諸外国の医療施設における施設基準・人配置基準に関する研究」，医政局調べ（2001）
1991年の医療法改正以前の1床あたりの病室面積基準は 4.3 m² 以上であったものが、改正後には 6.4 m² 以上に変更された。この際に大きな基準変更の理由となったのは、先進国との基準値の比較であった。表は厚生労働省が審議資料として作成したものである。新基準になっても、ドイツでは 8 m² 以上、フランスでは 7.5 m² 以上、イギリスでは 7.25 m² 以上、米国においては 9.29 m² 以上である。

## 1 一般病床

病院は病者や負傷者の治療・看護をする場であると同時に、疾病の研究や医師・看護師、その他関連医療従事者の訓練のための場でもある。病院は専門とする疾病領域や目的によってさまざまに分類される。居住環境の特性から病院を分類したものに、医療法における病床分類がある。もっとも一般的なものは一般病床である。一般病床とは、精神病床、結核病床、感染症病床、療養病床以外の病床を指す。一般病床に必ず設けるべき施設として、病室のほかに手術室、検査室、処置室、エックス線室、調剤室、消毒施設、給食施設、空調施設、洗濯施設、汚物処理施設などがある。

病室における1床あたりの必要面積は 6.4 m² 以上で、2001年の医療法改正以前の 4.3 m² に比べると約1.5倍の必要面積となっている（表V-2）。廊下の幅は 1.8 m 以上で、両側が居室の場合には 2.1 m 以上と規定されている。医療法改正後に病床面積が格段に広くなったことでベッド間隔も広くなり、最低でも 70 cm 以上が可能となった。多床室もかつての6～8床室から4床室が基本となり、病室ごとにトイレや洗面台を設置するなど、さまざまな病室が設計されるようになった。

### 特定機能病院

近年の医療技術の進歩に伴って、高度医療を提供する施設として「特定機能病院」がある。特定機能病院とは、一般の病院などから紹介された高度先端医療行為を必要とする患者に対応する病院として厚生労働大臣の承認を受け、一般の病院としての設備に加えて集中治療室、無菌病室、医薬品情報管理室を備え、病床数400以上、定められた16の診療科があり、来院患者の紹介率が50％以上であることなどを条件とする病院である。さらに医師、看護師をはじめとする医療従事者のための訓練施設としての機能も備えている。このような特定機能病院では、高度な医療が受けられる代償として管理的な営

みが優先し，患者が安心して療養生活を営める空間やしくみが整っていないという批判も多い．しかし，先端医療が受けられる場であることから，生活の場としての不具合を我慢しても大病院で診療を受けたいという人々の意向は強い．たとえ一時的な入院ではあっても，そこでできるだけ快適な生活の場を提供することは，患者の尊厳を守ると同時に，安全を確保する意味でも，看護上重要なことである．

## 2 療養病床

特定機能病院のような研究や訓練の場とは異なり，じっくりゆっくりと静養をしながら療養生活を営むことを目的としたものが療養病床[*2]である．療養病床の施設基準（医療法による）は療養室のあることのほかに，診察室，機能訓練室，談話室，食堂や浴室，レクリエーションルーム，洗面所，サービスステーション，調理室，洗濯室，汚物処理室，デイルーム，トイレなど，患者が日常生活を営むのに必要な要素を満たしていることが条件とされている．とくに談話室は「入院患者どうしや入院患者とその家族が談話を楽しめる広さを有しなければならない」と規定されており，安らぎのもてる生活の場の確保に努めることが義務づけられている．また，浴室は「身体の不自由な者が入浴するのに適したものでなければならない」と規定されており，安全を保守するための工夫が義務づけられている．また，療養病床でも1人あたりの病室面積基準は$6.4 m^2$以上となっている．この値は2001年に改正された一般病室の値と同じで，長期療養という生活を展開するためにはまだ十分な広さとはいえない．

このほかに，とくに看護や医学的な管理および機能訓練が必要な高齢者には老人保健施設がある．老人保健施設とは，病状は安定しているが，看護・介護・リハビリテーションなどを必要としている高齢者に，在宅復帰を念頭に置いて医療と福祉サービスを提供する施設である．老人保健施設の入所期間は3ヵ月が原則とされており，1人あたりの病室面積基準は$8.0 m^2$以上で，病床数も4床室以下であることが定められている．一般の長期療養には少なくともこの程度の病室面積が必要である．なお，療養病床については，入院基本料において2018年に診療・介護報酬が改定され（国が関係部門の審議を経て6年ごとに改定する），それ以後在宅医療の展開に向けた療養病床についてのさまざまな議論がなされている．

### ●引用文献

1) 川口孝泰：環境調整は重要な看護技術―求められる技術学としての体系化．看護学雑誌 **63**：540-544，1999
2) 山本多喜二，Seymour W, Jack D：人生移行の発達心理学．北大路書房，1992
3) 日本建築学会（編）：人間―環境系のデザイン．彰国社，1997
4) Wapner S, Demick J, Yamamoto T（eds）：Theoretical Perspectives in Environment-Behavior Research；Underlying Assumptions, Research Problems and Methodologies, Plenum Pub Corp Published, 2000
5) ヒルデガード E，ペプロウ，アニタ W，オトゥール（池田明子ほか訳）：ペプロウ看護論．医学書院，1996
6) ジョイス トラヴェルビー（長谷川浩訳）：人間対人間の看護．医学書院，1974
7) イモジーン M キング（杉森みど里訳）：キング看護理論．医学書院，1985
8) マーサ E ロジャーズ（樋口康子訳）：ロジャーズ看護論．医学書院，1979
9) Margaret A Newman（手島 恵訳）：マーガレット・ニューマン看護論―拡張する意識としての健康．医学書院，1995
10) Walder B, Francioli D, Meyer JJ, et al.：Effects of guidelines implementation in a surgical intensive care unit to control nighttime light and noise levels. Crit Care Med **28**（7）：2242-2247，2000
11) Carpman JR, Grant MA：Design That Cares, American Hospital Publishing, 1993
12) Hosking S, Haggard L：Healing the Hospital Environment, Routledge, 1999
13) 川口孝泰，太田健一：次世代型遠隔看護システム構築に向けての取り組み．看護研究 **34**：283-289，2001
14) 山内一史：看護情報学の発展．看護展望 27（1）：6-7，2001
15) Kawaguchi T, Azuma M, Ohta K：Development of a telenursing system for patients with chronic conditions. Journal of Telemedicine and Telecare **10**（4）：236-244, 2004
16) 川口孝泰：遠隔看護/テレナーシングがもたらす在宅看護への発展．INR **27**（5）：455-458, 2004
17) Kawaguchi T, Azuma M, Satoh M, et al.：Telenursing in Chronic Conditions, Springer, 2011
18) エドワード T ホール（日高敏隆訳）：かくれた次元．みすず書房，1996
19) ロバート ソマー（穐山貞登訳）：人間の空間―デザインの行動的研究．鹿島出版会，1991
20) 川口孝泰：看護における環境調整技術のエビデンス．臨牀看護 **11**：1880-1886，2003
21) 川口孝泰：ベッドまわりの環境学．医学書院，1998

---

[*2] 急性期の治療は必要ないが，入院して療養する必要がある場合に快適な療養生活ができるように配慮されている病床，あるいはそれを備えている施設をいう．2001年医療法改正により，病院の入院病床として結核病床，精神病床，感染症病床のほかに，主に急性期の疾患を扱う「一般病床」と，主に慢性期の疾患を扱う「療養病床」の2つが新たに定義され，病床（病棟）の区分を通じて病院の機能の違いが明確にされた．

# 1-2 光環境―明るさと色彩

## A 光と生活

### 1 太陽と生活リズム

たいていの場合，私たちは朝に目覚め，仕事や学校に出かけて活動し，夕刻には家族と団らんを過ごして夜に床に就く．太陽と地球の自転によって，私たちの生活には昼と夜がある．光の量が少なく，ものが赤味を帯びて見える夜明けから，大量の太陽光でものが白っぽく眩しく見える昼間，そして再び光量が少なくなる日没まで，量的・質的に変化する光の中で人々の生活は営まれている．

現代人は生活時間の多くを建物の中で過ごすので，太陽光を直接浴びる戸外と間接的に太陽光が入る建物の中では光の量と波長は大きく異なっている．地上に到達するほとんどの光は太陽に由来するが，昼間の光源が自然光であっても，窓から光を取り入れているという点では，屋内の光環境は人工的なものととらえることができる．

#### 1. 生体リズム

日の出から日の入りを活動時間とする人間の生活は，太古から地球の自転に等しく24時間の周期で繰り返されてきた．生物には内因性の周期現象があり，これを生体リズム（または生物リズム，biological rhythm）と呼ぶ．生体のこのリズムは生物の進化の初期に獲得された生命機能であり，原核細胞である藍藻や細菌からヒトにいたるまで，地球に存在する多くの生物に普遍的にみられる．

生体リズムはおおむね一定の周期（概リズム，circa-rhythm；circaは「およそ」の意）をもつ．概リズムには周期の長さによって概日リズム（circadian rhythm：サーカディアンリズム），概月リズム，概年リズムなどがあり，概日リズムの場合は約24時間の周期で，ある範囲の環境サイクルに同調する性質がある．たとえば哺乳動物の概日リズムをつくる中枢機構は視床下部に存在し，概日時計（circadian clock）という．これを含む生物時計または体内時計（biological clock）は環境サイクルに近い周期で自律的に振動し，生体が営む生理機能に概リズムを発現させる．環境因子に左右されない本来の概日リズムの存在は環境サイクルのない恒常的な環境下（明るさと温度を一定に保つ実験系など）で確かめられる．

概日リズムの獲得は生物が地球で生活するための適応方法のひとつであった．太陽光は生物の生命活動に重要な働きをもつ．哺乳類では光は網膜から視床下部の視交叉上核に送られたのち，時間情報として体内の各器官に伝えられ，それによってホルモンの分泌リズムや体温リズムが固有の周期で刻まれる．ヒトにもその生物リズムが存在し，自分のリズムをそれぞれ保って生活している．たとえば，私たちは普段の生活で空腹や眠気を感じると，「そろそろ時間である」と体内で感じる時刻を無意識に使っている．

#### 2. 環境要因

光は体内時刻を決定づける"時計合わせ"因子として重要な因子であるが，光以外に運動や，社会的接触（social contact），睡眠‐覚醒の時間スケジュールなどの因子があるといわれている．社会的接触とは，母親の授乳行動や毎日決まった時刻に届けられる新聞などに代表される時計がわりになるような手がかりのことである．その日のスケジュールに合わせて早く床に就き，目覚まし時計で早起きすることが可能であるように，睡眠‐覚醒リズムはゆるやかであるが私たちの固有のリズムに影響を与えている．

光を代表とする環境要因は，生体リズムを特徴づける周期や位相，振幅などに影響を及ぼしている．太陽光のリズムは約24時間周期の明期と暗期の交替なので，すべての生物の概日時計にとって強力な同調因子である．概年リズムも同様であるがヒトの妊娠率の季節的な変動と社会的要因との因果関係は今でもさかんに論議されており，季節の影響で妊娠率が左右されるかどうかの確証はまだ得られていない[1]．

#### 3. メラトニン

松果体は脳の深部（第3脳室後部で後交連直上）に位置する内分泌器官で，ここからメラトニンと呼ばれるホルモンが分泌されている．メラトニン分泌は光の影響を強く受けるので，松果体は第3の目とも呼ばれる．メラトニンはトリプトファン（アミノ酸の一種）からセロトニンを介して生成され，日中はほとんど分泌されないが夜間に活発に分泌される．

1980年，Lewyらは，寝ている人を深夜に起こして2,500ルクス（Lx）の高照度光に曝露したところ，強いメラトニン抑制が起こることを発表した[2]．そ

れ以後，ヒトにおける光とメラトニンに関する研究は急速に発展し，メラトニン分泌によって末梢からの放熱が促進され，夜間に深部体温が低下すること[3]，短時間の高照度光への曝露がヒトの体内リズムに影響を与えること[4]などが明らかになった．こうした知見は療養環境，たとえば夜間の照明環境に応用されている．近年，集中治療室（ICU）では自然環境に近い明暗サイクルが考慮されるようになってきたが[5]，深夜の処置などによる一時的な点灯が生体に及ぼす影響までは考慮されているとはいえない．

## 2 異なる波長光が人体に与える影響

太陽光をプリズムに通すと虹のような分光が観察できるが，これは太陽光がさまざまなエネルギーをもつ光線の集まりであることを示している．太陽の放射エネルギーは約 6,000 K[*1]の黒色放射に相当し，放射される電磁波の波長は約 300 nm〜3 μm である．長い進化の過程を経て，地球上の生物は放射エネルギーの大きい波長 400〜800 nm の光を利用するようになった．ヒトの眼で見える範囲の電磁波を可視光線と呼び，可視光線より短波長の光が紫外線，長波長の光が赤外線である．可視光線のスペクトルは短波長側から紫，青，緑，黄，橙，赤の順に並ぶ．

### 1. 紫外線

ヒトの健康に影響する光は紫外線であり，波長が短いほどエネルギー量は大きい．紫外線は波長によってさらにA，B，Cの3つに分けられる．C領域紫外線（100〜280 nm）は空気中の酸素とオゾン層に遮られて地表には届かないが，より長波長のA，B領域の紫外線はオゾン層の変化で届く可能性があり，健康被害が懸念されている．B紫外線（280〜315 nm）は皮膚や目に有害で，皮膚がんの原因になることが明らかになっている．A紫外線（315〜400 nm）の健康への影響はまだ不明で，今後の研究にゆだねられている[6]．

### 2. 紫外線による影響

黄色人種（モンゴロイド）では皮膚のメラニン量が黒人と白人の中間に位置するため，皮膚の紫外線曝露による影響は白人ほど重要視されていない．しかし，紫外線に対する耐性は髪や目の色などの表現型（phenotype）でなく，日焼けの起こり方に関係することが明らかになっている．日本人にも日焼けで黒くならず赤くなる人がいるが，白人ではこのような人に皮膚の光老化やがん化のリスクが高いことが指摘されている．米国では曝露歴を重視した小児期の曝露状況に関する調査[7]が行われており，オーストラリアでは大々的な紫外線対策キャンペーンなどが展開されている．

私たち日本人にも同様の危険性が考えられるため[8]，今後は紫外線の危険性に関する知識の普及や個別的な生活指導を行っていく必要がある．オゾン層の破壊が回復傾向にあるという報告はあるものの，日本での紫外線曝露量は増加しており，この問題は今後も慎重に様子を見守る必要がある．

## 3 生活空間に用いられる色

私たちの日常生活にはどんな色が使われているだろうか．ヒトが識別できる色は可視光線の範囲で 200 種類あり，とくに 550〜590 nm の黄色がよく識別できるといわれる[9]．色彩には光源色（light source color）と物体色（object color）の2種類のカテゴリーがある．光源色とは太陽光や人工照明など光による色をいい，物体色とは動植物や宝石などの自然の色や，建造物や生活用品などに塗布された人工的につくられた色のことである．物体色はさらに，衣服素材の色のように光の反射でもたらされる表面色と，サングラスやフィルターなどの透過色とに分類できる．

### 1. 視覚のしくみ

光は角膜，眼房，水晶体，硝子体を経て網膜に到達する．網膜には光受容器（photoreceptor）である視細胞（visual cell）が分布する．視細胞には光の明るさを関知する杆状体（rod）と光の波長を感知する錐状体（cone）がある．ネズミなどの夜行性の動物の網膜には杆状体が多く，リスやトカゲなどの昼行性の動物の網膜には錐状体が多い．ヒトやサルは錐状体と杆状体の両方をもつ．錐状体はヒトの網膜の中心窩に著しく高密度に分布し，杆状体は網膜周辺部に多く分布している．したがって，明るいところでものを見る（明所視）ときは中心窩に結像させて見る（注視する）が，暗いところで見る（暗所視）ときは視物体から眼を少しずらして見るほうがよく見える．概日リズムが青色光に強く反応するのは，従来から知られる杆状体と錐状体とは別に，青色光に強く反応するメラノプシンという視物質を含む網膜神経節細胞の寄与が大きい．この細胞は視覚に関与しておらず，生体リズムの調節に関与している．この細胞の刺激に関与する技術の開発によって，そ

---

[*1] 熱力学温度を表す国際単位で，ケルビン（kelvin）と読む．すべての分子運動が停止する（あらゆる物体が凝固する）温度を0Kとする（絶対零度，°をつけない）．摂氏温度（℃）との関係はK＝℃＋273.15 となる．

の後の睡眠を妨害しない，視認性の高い夜間照明が可能になるだろう．

### 2．色が与える効果

生活空間に用いられる色は人々にさまざまな精神的効果をもたらす．たとえば，暖色系の色は寒色系の色よりも暖かく感じ，体温調節中枢のセットポイント調整にも影響しているという[10]．また，赤がかもしだす雰囲気は厳粛・華麗であり，青は冷たい印象を与えるというように，色には感性的な作用があり，私たちは生活の中でそうした色の心理的作用を活用している[11]．

## B 明るさと色彩

### 1 明るさの測定

#### 1．照度

照度（ルクス，Lx）とは単位面積に入射する光束（ルーメン，lumen；光の量の単位）をいい，照度計で比較的簡単に測定できる．1ルクスは$1m^2$あたり1ルーメン（光束）が入射するときの照度を指す．照度は距離の2乗に反比例するので光源と測定位置の関係に注意する必要がある．人間への影響を知る場合は目の高さで測定する．

#### 2．輝度

輝度とは光源そのものや光が当たった物体の表面などを観察したときの測光量で，輝度計で測定する．輝度は単位面積あたりの光度（単位はカンデラ，cd；キャンドルからきた用語）として表す（$cd/m^2$）．明るさと方向をもった光の効率を光度とすると，輝度は単位面積あたりの光度のことである．同じ光度をもっていても，照射面積が大きくなれば光の密度は小さくなる．輝度は建築・住居関係で問題にされることが多く，壁色が白か茶色かによっても影響を受ける．

### 2 色の測定

色には明るさ（brightness），色相（hue），彩度（saturation）などの要因が複雑に関与している．色は明るさと同様に色をもった光（色光，colored light）として測定することが可能である．ここでは代表的な色の測定方法について述べる．

#### 1．修正マンセル表色系（CIE）*2

これは物体がもつ色，物体色の表示法である．色相を赤，黄，緑，青，紫の5色相を選び，さらに中間色を加えて10色相を円周上に並べる．各色相をさらに10に細分して全部で100色相とする．明度は黒を0，白を10として，その間に感覚的に等差になるように9個の灰色を入れて11段階とする．彩度は無彩色が0，色味が感覚的に等差になるよう配置して色を表現する．修正マンセル表は色見本として使用される．皮膚や病巣の色の表現にこの表を利用することによって，臨床における色の客観的評価が可能になる．

#### 2．色温度（color temperature）

これは光源光の色を温度で規定する方法である．光源光がある熱力学温度（絶対温度；単位はケルビン，K）をもっているときの色である．

#### 3．分光光度計による波長測定

これは光を光学的にナノメーター（nm）レベルで表示する測定法である．色の特性は単に光の入射角や測定の方向，波長によって表されるが，色は明るさや鮮やかさなどにも影響されるので，単に物理的計測だけでは評価できない側面があることに留意する必要がある．

## C 生活に適した光環境

### 1 国が定めた明るさの基準

照明環境が発達した現在では，照明は安全，健康，能率，快適性を満足させることが必要である．JIS（日本産業規格）の照度基準（Z9110）では主要な場所の照度基準が定められている[12]．一方で，2021年に制定された労働安全衛生法に基づく照度基準があり，一般的な事務作業では300ルクス以上，付随的な事務作業では150ルクス以上の明るさと規定されている．どちらも作業能率に関しての基準で，ヒトの概日リズムと光環境を考慮した基準とはいえない．

### 2 明暗と色温度環境

自然な太陽光だけに依存する生活と比較すると，現代人は昼間室内で過ごし，夜間は蛍光灯の照明の下で過ごすなど，自分の生活に好都合なように人工的な明暗環境を自由につくっているといえる．昼休みには省エネと称してオフィスの照明を暗くしているところさえある．

WakamuraとTokura（2000）は，このような人工的な光環境下での生活が生体にどのような影響を

---

*2 1905年，米国のマンセル（Muncell A）によって考案された表色系で，日本産業規格（JIS）でも「JIS標準色票」として採用されている．

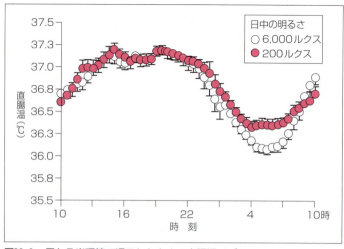

図Ⅴ-1　異なる光環境で過ごしたときの直腸温リズム
それぞれの光環境下で過ごし，3日目の直腸温のデータである．
[Wakamura T, Tokura H：The influence of bright light during the daytime upon circadian rhythm of core temperature and its implications for nocturnal sleep. Nurs Health Sci **2**：41-49，2000 より引用]

表Ⅴ-3　生活時間に応じた適切な光環境

| 時間 | 光環境 |
|---|---|
| 起床時 | 太陽光の自然な入射，照明を少しずつライトアップさせることで，目覚めを促進 |
| 午前〜午後 | 1,000 Lx 以上の明るさ，5,000 K 以上の外光に近い色で，活動を促進 |
| 日没後 | 普通の室内照度程度と3,000 K 程度の落ち着いた雰囲気でくつろぎ感を提供．キャンドルライト，間接照明は効果的である |
| 入眠前 | 30 Lx 程度で，低色温度でスムーズな入眠への準備とする |
| 睡眠中 | 顔面は1 Lx，足元は5 Lx 程度で，入眠を妨げないことと安心感が得られる環境を整備する |

※それぞれの時間帯に移るときは，急激な光量の変化を受けない配慮が必要である．
[香坂雅子，小山恵美，橋本聡子ほか：光と健康，14頁，松下電工（株），1999（非売品）より引用]

及ぼすかについて検討した．それによると，6,000ルクス（bright，戸外ほどの明るさ）で日中を過ごすより，200ルクス（dim，浴室や階段の明るさ）で過ごすほうが夜間睡眠中の直腸温が低下しにくくなることが明らかになった（図Ⅴ-1）．このことは，昼と夜というメリハリのある明暗環境で過ごすことの生理学的重要性を示唆している．つまり，室内で臥床中心の病院明暗環境で患者の生体リズムは，変調をきたしている可能性がある．

一方，光の波長の違いが生体に及ぼす影響についても報告されている．Morita ら（1997）は，同じ照度条件であっても長波長の赤色光がヒトの体温とメラトニンリズムに及ぼす影響は小さいが，中波長から短波長（緑から青色）の光は大きな影響を及ぼすことを明らかにした[13]．照度と色温度（color temperature）[*3]も生体リズムに影響するといわれるが，受光感度の日内変動を考慮した研究が必要である．表Ⅴ-3に生活時間帯に応じて室内の光環境を整える方法を示す．

### 3　季節変化

冬期に夜が極端に長くなる国々では，冬の訪れによって気分や意欲が低下し，春になると軽減する季節性気分（感情）障害（seasonal affective disorders：SAD）に悩む人が多い．この疾患は北欧では社会問

---

[*3] 完全黒体を熱すると色光が放射されるが，色光は黒体の温度によって異なる．ある色の光を放つときの黒体の絶対温度を色温度といい，K（ケルビン）で表す．色温度が高いほど青っぽく，低いほど赤っぽくなる．ディスプレイやテレビ画面の色温度は9,300〜9,600 K 程度に設定されている．写真のカラーフィルムは真昼の日光は5,500〜6,000 K に適するようつくられている．カラー印刷では6,500 K や5,000 K が使われる．

題となっており，街灯の整備やスポーツ施設に照明灯を常設するなどの行政対策が行われている．中緯度に属するわが国でも季節性気分障害の症状をもつ人が東北・北海道地方に多く存在する．この症状は冬期の日照不足が原因で起こると考えられているので，そうした人々に対して生活指導の中で適切な光補助を行うことは看護者の役割である．

### 4 加齢

加齢によって白内障[*4]が進行してくると認識できる色の数が減少するが，とくに黄色と青色系統の認識能力が低下する．男性トイレのサインは青色で表示されることが多いが，高齢者には判別しにくい[14]．

日常生活に光（明るさや色彩）がどのように影響するか理解しておくことは，療養者の生活環境のアセスメントの際に重要である．こうした知識は単に生活環境を改善するだけでなく，不眠の治療やケアにも役立つ．

● 引用文献

1) Bronson FH：Are human seasonally photoperiodic? J Biol Rhythms **19**：180-192, 2004
2) Lewy AJ, Wher TA, Goodwin FK, et al.：Light suppress melatonin secretion in humans. Science **210**：1267-1269, 1980
3) Kräuchi K, Wirz-Justice A：Circadian rhythm of heat production, heart rate, and skin and core temperature under unmasking condition in men. Am J Physiol **267**（36）：R819-R829, 1994
4) Bodia P, Myers B, Boecker M, et al.：Bright light effects on body temperature, alertness, EEG and behavior. Physiol Behav **50**：583-588, 1991
5) Campbell IT, Minors DS, Waterhouse JM：Are circadian rhythms important in intensive care? Intensive Care Nurs **1**：144-150, 1986
6) 環境省：紫外線保健指導マニュアル，2004
7) Davis KI, Cokkinides VE, Weinstock MA, et al.：Summer sunburn and sun exposure among US youths ages 11 to 18：National prevalence and associated factors. Pediatrics **110**：27-35, 2002
8) 佐藤吉昭：日本人のスキン・タイプと太陽紫外線．太陽紫外線防御研究委員会学術報告 **2**：62-70，1992
9) 大塚輝彌：色はどのようにして見えるか．生物の光環境センサー（津田基之編），13-24頁，共立出版，1999
10) Kim SH, Tokura H：Visual alliesthesia-Cloth color preference in the evening under the influence of different light intensities during the daytime. Physiol Behav **65**：367-370, 1998
11) 金子隆芳：色彩の心理学，岩波書店，1994
12) 厚生労働省：事務所における労働衛生対策〔https://www.mhlw.go.jp/stf/seisakunitsuite/bunya/0000207439_00007.html〕（最終確認：2023年4月13日）
13) Morita T, Tokura H, Wakamura T, et al.：Effects of the morning irradiation of light with different wavelengths on the behavior of core temperature and melatonin in humans. Appl Human Sci **16**：103-105, 1997
14) 吉田あこ：高齢者の視界黄変化に配慮した色彩計画．高齢者のための建築環境（日本建築学会編），96-106頁，彰国社，1999

---

[*4] 水晶体が混濁して視力障害をきたす眼の病気．外傷や老化による場合や，糖尿病性白内障など，さまざまな原因がある．

## 1-3 空気と臭い環境

　私たちのまわりにはさまざまな「におい」が存在する．一般的に心地よいにおいの場合は「匂い（sweet smell, fragrance）」，不快なにおいの場合には「臭い（bad smell, stench）」の字が当てられることが多い．ここでは病院環境も含めた日常生活における「におい」について，そして医療の現場で治療目的に用いられている匂いについて簡単に述べる．

表V-4　代表的な悪臭とその原因となる成分

| 臭いの種類 | トイレ臭 | 生ゴミ臭 | タバコの臭い | 体臭 |
|---|---|---|---|---|
| アンモニア $NH_3$ | ○ | ○ | ○ | ○ |
| 硫化水素 $H_2S$ | ○ | ○ | ○ | |
| メチルメルカプタン $CH_3SH$ | ○ | ○ | | |
| トリメチルアミン $N(CH_3)_3$ | ○ | ○ | | |
| 酢酸 $CH_3COOH$ | ○ | ○ | ○ | ○ |
| アセトアルデヒド $CH_3CHO$ | | | ○ | |
| ピリジン $C_5H_5N$ | | | ○ | |

### A 日常生活における臭い

　日常生活における臭いには人から発生する臭いと環境に由来する臭いとがある．環境由来の臭いにはトイレや下水から発生する臭いや食べ物からの臭いなどがある．**表V-4**に代表的な悪臭とその原因となる成分を示した．また，健康な人の身体から発生する臭いには**図V-2**のようなものがある．

#### 1 健康な人から発生する臭い

　身体の各部位によってそれぞれ特異的な物質が分泌される．体臭はこれらの分泌物が特別に代謝されることによって発生する．

##### 1. 汗，腋窩

　「汗臭い」という言葉があるが，実際には汗に臭いはない．汗の99％以上は水で，残りの1％に$Na^+$や$Cl^-$，代謝産物の尿素や乳酸などが含まれているが，これらはいずれも無臭である．ヒトの汗腺にはエクリン腺とアポクリン腺がある．エクリン腺は全身に分布しているのに対し，アポクリン腺の開口部は皮脂腺と同じく毛穴につながっている．アポクリン腺から分泌される汗には上記の成分以外に脂質やタンパク質が含まれている．皮膚表面に排出された後，それらの成分が皮膚に常在している細菌によって代謝され，臭気を発するようになる（**図V-3**）．

　加齢に伴って体臭も変化してくる．いわゆる加齢臭である．これは「ノネナール（$C_9H_{16}O$）」という物質（不飽和アルデヒドの一種）が原因で，皮脂に含まれる脂肪酸のパルミトレイン酸と過酸化脂質が反応して，皮膚常在菌の作用によって酸化されてできる物質の1つである．40歳を過ぎるとこの2つの物質の分泌が増加するために起こる．

##### 2. 頭

　頭の臭いには「頭皮」と「頭髪」からのものがある．後者の場合は空気中に浮遊している臭い物質が付着

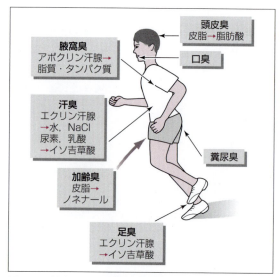

図V-2　健康な人から発生する臭い

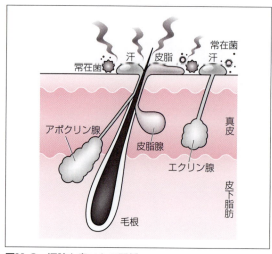

図V-3　汗腺と臭いとの関係

することによって起こる．それに対し，頭皮の臭いは皮脂腺から分泌された脂肪が分解され，酸やラクトン（lactone，環状エステル）などの臭い物質が産生されるためで，皮脂腺の活性度と関連している．また，頭皮上の皮脂膜は古くなると細菌の温床となるので，ますます臭いの発生要因となる．

### 3. 口

口臭（bad breath）は100％消すことはできない．口臭にはニンニクなど食べ物に由来するもの，起床時や緊張時にみられる生理的なもの，歯周病や糖尿病など病気に起因するものがある．生理的な口臭は舌に付着した細菌叢（舌苔）によって発生する揮発性硫黄化合物などが原因となる．唾液中にはリゾチーム等の抗菌作用をもつ物質が含まれているため，唾液の分泌低下によって発することもある．口臭予防には歯磨きよりも舌清掃が数倍効果的であるといわれている．

### 4. 足

足の臭いにはかなり個人差があるが，足特有の臭いの代表はイソ吉草酸（3-メチルブタン酸）で，臭いの強さはイソ吉草酸の濃度と関係している．エクリン腺からの汗に細菌が作用し発生するが，pHが低いとより発生しやすい．また，閉塞状態が悪臭発生の原因のひとつであるため，時には空気にさらす，あるいはパウダーなどで湿気を抑えることによって悪臭を減弱させることができる．

以上のように，健康な人でも身体の各部位から臭いが発生する．予防するためには腋窩や口腔など局所的に注意を払っても十分とはいえない．たとえば，脂肪を多く摂取すると皮脂腺からの脂質の分泌が増加し体臭の原因となるともいわれている．また，腸内細菌の悪玉菌（ヒトの腸内で腐敗物質を産生する菌の通称）が植物や老廃物と混じり異常発酵すると，メルカプタン，インドール，スカトールなどの有毒ガスを発生する（図V-4）．これらは便臭の元ではあるが，腸壁から吸収され体内に広がると口臭や体臭の原因にもなる．したがって，常にバランスのとれた食生活や規則正しい生活を送ることが体臭の減少にもつながる．

## B 病院環境における臭い

### 1 環境因子によるもの

一般家庭において発生する臭い以外に，病院内ではさらに薬品やアルコール，疾患特有の臭いなどが加わる（表V-5）．しかも病院内では蓄尿など排泄物を貯留したり，病室内で用を足すこともあるため，家庭よりも排泄物の臭いは強い．

糞尿の臭いの主な成分は硫化水素である．これは少量であれば硫黄泉（温泉）の臭いであるが，多量になると猛毒となる．また，糞便をそのまま放置し

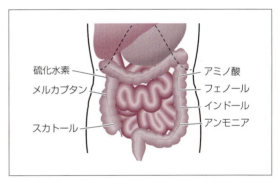

図V-4　腸内細菌によって発生する悪臭物質

表V-5　病院内における臭いの例

| 臭い | 原因物質 | 発生場所 |
|---|---|---|
| 糞尿臭 | アンモニア，硫化水素<br>インドール，フェノール，アセトアルデヒド<br>メルカプタン，スルフィド | トイレ<br>病室内での排泄<br>蓄尿場所 |
| 体臭 | 脂質と酵母 | 頭皮 |
| | イソ吉草酸 | 足，汗 |
| | 硫化水素，インドール，スカトール，メルカプタン | 口腔 |
| | アンドロステノン | 腋窩 |
| 薬品臭 | アルコール，フェノール，ケトン類，有機酸など | 消毒薬，外用薬 |
| 下水臭 | メルカプタン，インドール<br>硫化水素など | 下水溝<br>洗面所・風呂場 |
| 創部臭 | 感染によって生じた揮発性脂肪酸類 | 褥瘡，悪性腫瘍の開放創など |
| 食物臭 | エステル，ラクトン，アルコールなど | 食事など |

表V-6 病気と臭い

| 病　気 | 臭い物質，臭いの種類 |
|---|---|
| 糖尿病 | アセトン，甘い臭い |
| 壊血病 | 腐敗臭（汗） |
| 痛風 | 強いアンモニア臭 |
| フェニルケトン尿症 | かび臭，フェニル酢酸 |
| 統合失調症 | トランス-3-メチル-2-ヘキセン酸の刺激臭 |
| 胃腸炎 | 腐敗臭 |
| 膀胱炎・尿道炎 | アンモニア臭 |

ておくと腐敗菌が繁殖してアンモニアなどの悪臭物質を大量に発生してしまう．

### 2 患者自身から発生するもの

疾患によっては特有の臭いを発するものがある（表V-6）．糖尿病の人から発せられるアセトン臭が代表的なものである．その他看護上の問題となる臭いには，腫瘍患者の病巣部から発生する臭い（がん性悪臭）がある．病巣部の表面は正常皮膚と違って弱く細菌感染を起こしやすいため，嫌気性細菌の感染による特有な臭いが発生する．

本来，体臭は体内からの分泌物が細菌の作用を受けることによって発生する．したがって，皮膚表面の汚れや過剰な脂肪分泌が臭いの発生源ともなりうるため，清潔保持が悪臭予防の重要な要素となる．さらに身体の清潔維持だけでなく，寝衣の材質や交換時期にも注意を払うことで臭いの発生を抑えることができる．清潔ケアや換気などで効果が得られないときは積極的に対処していく必要がある．がん性悪臭に対して特殊軟膏を使用して効果が得られた例が図V-5である．

## C 除　臭

悪臭を感じにくくすることを除臭（デオドラント，deodorant）といい，その方法を大別すると無臭な物質に変化させる方法，活性炭などによって悪臭物質を吸着除去する方法，悪臭物質を芳香物質で被覆するマスキング法がある．

## D 治療・症状緩和を目的とした匂い

不快な臭いへの対処だけでなく，医療の現場において治療や症状の改善を目的に積極的に匂いを取り入れる領域が増えている．ここではその一部を紹介する．

### 1 身体への作用

皮膚に侵害刺激が加わると，肢全体をひっこめて刺激から遠ざかろうとする反射運動が起こる．これが屈曲反射（ひっこめ反射）である．この反射の大きさを指標に，環境の香りの効果を調べた結果が図V-6である．ヒトの腓腹神経に電気刺激を与えた際に生じる屈曲反射は，快の匂いを嗅いでいるときは小さくなるが，不快な臭いを嗅いでいると大きくなる．このことは，快の香りのもとでは痛みが緩和され（476頁参照），逆に不快な香り環境下では大きくなることを示している．

また，意識障害者にペパーミントの香りを嗅がせると局所脳血流量が増加したと報告されている[1]ことから，中枢神経機能の改善にも効果が期待できる．

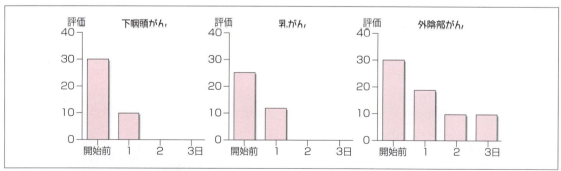

図V-5　がん性悪臭に対する特殊軟膏製剤の効果
メトロニダゾール軟膏を中心に抗生物質などを加えて生成した軟膏を使用した結果．評価は医療スタッフが臭気強度を点数化し，数字が大きいほど悪臭度が強い．

［吉澤明孝：癌患者の"におい"にどう対応するか．Expert Nurse 16：20-23，2000 より引用（一部改変）］

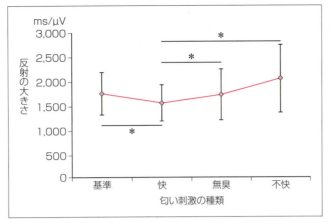

**図V-6　痛み刺激に対する香りの効果**
腓腹神経を電気刺激したときに生じる屈曲反射（ひっこめ反射）の大きさが，快・不快のにおい環境下で変わるか否か調べた研究．快の香りとしてバニリン（バニラからとれる香り）を，不快な香りとしてNバレリン酸を使用している．＊；$P<0.05$
［Bartolo M, Serrao M, Gamgebeli Z, et al.：Modulation of the human nociceptive flexion reflex by pleasant and unpleasant odors. Pain 154：2054–2059, 2013 より作成］

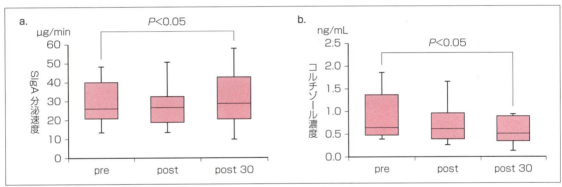

**図V-7　唾液 IgA 分泌速度（a）と唾液中コルチゾール（b）に対する香りの効果**
ベルガモットの香りを30分間吸入した前後と吸入後30分の時点での唾液 IgA の分泌速度ならびにコルチゾール濃度を測定している．吸入後30分の時点で，SIgA は有意に増加し，唾液コルチゾールは有意に低下した．
［枝　伸彦，伊藤大永，清水和弘ほか：エッセンシャルオイルによる香り刺激が口腔内免疫能に及ぼす影響についての生理心理学的研究．アロマテラピー学雑誌 20（3）：28-37, 2019 より許諾を得て転載］

免疫・内分泌機能への効果も報告されている．ベルガモット＊の香りを吸入した後，30分の時点で唾液 IgA の分泌速度は増加し，唾液中のコルチゾールは低下した（図V-7）．

## 2　精神心理面への作用

6～9歳の児童を対象に行った研究では，歯科治療を行う際にオレンジオイルの香りを噴霧すると，不安が軽減することが報告されている（図V-8）．また，精神科領域でも薬物治療の補助手段として香りが取り入れられつつある．柑橘系香料をうつ病の入院患者に用いると抗うつ薬の投与量が大幅に減量した[2]ことから今後の使用が期待されている．

さまざまな臭いへの対処は，患者だけでなく医療

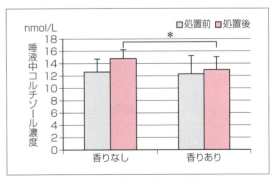

**図V-8　処置時の不安に対する香りの効果**
6～9歳の児童を対象に，歯科治療時の不安のレベルを唾液中コルチゾールで評価している．オレンジの香りをディフューザーで噴霧すると，治療後のコルチゾールの上昇が少なかった．＊；$P<0.05$
［Jafarzadeh, et al.：Effect of aromatherapy with orange essential oil on salivary cortisol and pulse rate in children during dental treatment：A randomized controlled clinical trial. Adv Biomed Res 2：10, 2013 より作成］

---

＊柑橘類．精油が香料として使われる．

スタッフにとっても快適な生活を送るための重要な要素である．臭いについては個人差が大きく，対処のしかたに関してもむずかしい点が多いが，看護実践においては重要な課題である．

●引用文献

1) 上田　孝：意識障害に対するアロマセラピー．BRAIN NURSING 16：23，2000
2) 小森照久：精神科における香りの応用の適応と限界．こころの臨床 19：299-303，2000

# 1-4 居住空間と音環境

## A 音の物理的特性

音は，物理学的な単位では周波数（ヘルツ：Hz）と音圧レベル（デシベル：dB）などで表される．しかし，生活環境の評価には人間が音の大きさを感じる感覚特性を考慮したホン（phon）という値が用いられ，騒音などの物理的な指標となっている．騒音計などで使われている値は音の大きさを示す指標で，周波数ごとに定められた特性値を音圧レベルのdBに足して得た値を数値で示している．

図V-9はdB値を基準とした音の大きさの目安である．睡眠時には，静かさが求められるので，一般的に30 dB以下の大きさにしておく必要がある．日中の多床室などは50～60 dBほどの音環境である．環境音が70 dBをこえるとベッド上の患者どうしの会話も聞き取りにくくなり，病室は非常に騒がしく感じる．しかし，実際の療養生活場面では音の大きさが問題となることは少なく，むしろ音の大きさ自体よりも音の発生源に起因する対人関係の問題や，小さな音でも患者自身の不安を誘発するような音が問題となる場合が多い．

表V-7は病院の病室などで発生する音の種類を整理したものである．実際の音は，その人がおかれている場面や状況，その人の心理状態によっても大きく左右される．静かすぎても落ち着かなかったり，多少騒がしいほうが落ち着いたりする場合もある．また，静かな中で聞こえる規則的な小さな音の存在や，ザワザワ音の中に含まれている異質な音など，音のコントラストの違いが不快な場合もある．療養生活を快適に過ごすためには，音の大きさによってもたらされる問題事象よりは，むしろ音の発生原因や種類に関連した人間の心理面への配慮が重要となる．

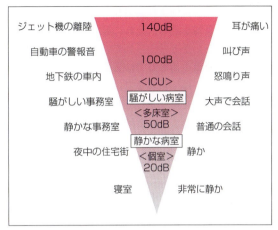

図V-9　dB値で示した音の大きさ
［川口孝泰，佐藤蓉子，宮腰由起子ほか（編著）：リンクで学ぶ看護基本技術ナビゲーション―清潔の援助技術，92頁，中央法規，2003より引用］

## B 病院の集中治療室での音の問題

病院の集中治療室（ICU）等の高度医療を受ける場に入室する患者は，生命の危機を乗り切ることが重要視される．そのため，患者のベッド周辺には多くの機器，装置などが設置され，医療者本位の特殊な非日常的な環境が形成されている．このような特殊な環境での生活を余儀なくされる患者たちはICUシンドロームなど[*1]を起こすことが少なくない[1,2]．その原因のひとつとして，集中治療室内の音が起因しているのではないかとの報告がある[3]．ICUシンドローム[4]とは，「集中治療室に収容後2～3日の意識清明期（このときに不眠は出現している）を経た

---

[*1] 日本集中治療医学会では近年ICUシンドロームを含む障害として PICS（post intensive care syndrome，集中治療後症候群）に注目している[5]．

表V-7　病院の病室内で生じる音の発生原因

| | |
|---|---|
| ①医療機器などの機械音 | ⑧看護師や医師などの作業者の話し声 |
| ②空調や換気の吹き出し口の作動音 | ⑨看護師や医師などの作業者の足音 |
| ③ドアや窓の開閉などの建具の音 | ⑩患者の足音 |
| ④電話やインターホンなどの呼び出し音 | ⑪見舞客や付き添い人の足音 |
| ⑤ワゴンや各種機器類の移動時の床ずれ音 | ⑫患者のうめき声，いびき，歯ぎしり |
| ⑥トイレや洗面台などの水音 | ⑬同室者の生活音（食事，排泄…） |
| ⑦看護師や医師などの作業者の出す作業音 | |

［川口孝泰：ベッドまわりの環境学，65頁，医学書院，1998より引用］

後に，主としてせん妄状態を呈し，その症状は3〜4日あるいは転室するまで続き，症状の経過後はなんら後遺症を残さない」ものとされ，集中治療室で患者が医療機器に囲まれ緊迫した環境下で生命の危機など強い恐怖を感じ，それに起因して不穏状態に陥るのではないかと考えられている．

このような集中治療室での音環境に関する物理的な特性については，これまでに音圧レベルの測定を中心に，いくつかの研究が行われている．服部らは集中治療室において音圧を測定し，日中においては60 dB前後，夜間では50 dB前後であり，比較的騒がしい日中の多床室の状況が続いていることを報告している[6]．

しかし一方で，音の物理的特性は音圧（dB）のみでなく，周波数（Hz）の観点からも考慮する必要もある．高馬らは集中治療室内での音圧レベルの測定のほかに周波数の解析も行って，集中治療室における音場の特殊性を調査した[7]．周波数は90 Hz以下を低周波領域，20 kHz以上を高周波領域としている．ヒトの可聴域は約20 Hzから20 kHzで，20 Hz以下の低周波と20 kHz以上の高周波は可聴域から外れた周波数帯域である．高馬らの調査結果では，一般病室においても集中治療室においても，5〜10 Hz前後の低周波が観察された．その発生要因としては，一般病室においては家電製品のモーター音や換気口からの音が考えられた．集中治療室では，それらに加えて医療機器から生じる低周波が観察された．また，ベッドまわりに機器が設置された場合には，それらの機器の内部装置の駆動音に起因する高周波も発生していると推察された．これらの低周波や高周波は人間の生活活動に影響を及ぼしているとの指摘も多く[8〜12]，これらの聞こえない音への配慮は看護上重要な課題となる．

## C 問題となる音への対処方法

騒音に関わる音の対処方法としては音の大きさを低下させる遮音と吸音があげられる．遮音とは，音源からの音が空気中を伝わっていく場合に，音源と音を聞いている場所との間に壁などの障壁を置くことで音の伝達を少なくする方法である．遮音対策の場合には，音源を遮断する障壁の厚さや材質（緻密で重い材料がよい）などが大きく関係する．日本建築学会では，病室や手術室などの場における音圧の許容値を35〜40 dBまでにすることを基準として示している．

吸音は遮音としばしば混同されて考えられる．吸音とは材料の表面から音を反射しないで吸収してしまうことである．コンクリートや厚い鉄板などは遮音性は良いが，吸音性には優れていない．吸音性に優れた材質を用いることで，室内での音の反射を防ぐことができる．室内の床や壁などに吸音性の優れた絨毯や木材などを用いて，反響する音を少なくすることも音圧の軽減策としては重要である．

さらに近年では，音圧のほかにも人間の可聴域をこえる周波数が人体に影響を与えることが問題になってきている．とくに低周波は可聴音に比べて波長が長く，生体への刺激となって自律神経系や内分泌系を介して，循環，呼吸，消化などの生理機能に影響を与えるといわれている[13]．このような低周波の発生源として考えられるものに，空調，保冷庫，多種多様の医療機器などの作動音があげられる．音の対策においては，音圧のみの対策ではなく，可聴域をこえた周波数帯への配慮も必要で，音圧レベルの改善に向けた騒音対策と同時に，低周波や高周波に対する対策の両面からの音環境対策を図る必要がある．とくに集中治療室などの音環境においては，医療者が積極的に不必要な音の発生を抑えるように留意する必要がある．また，医療機器や空調などの防音対策として，吸音素材，防音布などの活用や，低周波対策がなされた医療機器等の開発が，今後行われていくべきである．

さらに近年，心身医学的アプローチとして音楽療法の臨床効果が報告されている[14]．音楽療法を用いることは，交感神経系の過緊張を緩和し，感情・気分の鎮静化を図り，種々のストレス反応を抑制する上で有用なことがわかってきた．今後，療養の場における音環境に対して，その実態を正確に把握し，積極的な音対策に向けた環境調整の工夫と看護介入が求められる[15, 16]．

### ●引用文献

1) 黒澤 尚：「いわゆるICU症候群」を考え直そう．ICUとCCU 20（9）：727，1996
2) Hansell HN：The behavioral effects of noise on man：the patient with "intensive care unit psychosis"．Heart Lung 13（1）：59-65, 1984
3) Robertson A, Cooper-Peel C, Vos P：Sound transmission into incubators in the intensive care unit. J Perinatol 19（7）：494-497, 1999
4) 石津 宏，下地紀靖與，古田孝夫ほか：ICU症候群の発症要因と性格特性に関する心身医学的検討．心身医学 40（5）：348-355，2000
5) 日本集中治療医学会：PICS集中治療後症候群〔https://www.jsicm.org/provider/pics.html〕（最終確

認：2023年4月13日）
6) 服部俊子：ICUにおける音環境の改善．看護管理 **6**（4）：266，1994
7) 高馬美和，山川幸栄，西坂和子ほか：集中治療室の音環境特性．兵庫県立看護大学紀要 **8**：77-85，2002
8) Snyder-Halpern R：The effect of critical care unit noise on patient sleep cycles. Critical Care Quarterly **7**（4）：41-51，1985
9) Meyer TS, Eveloff MB, et al.：Adverse environmental conditions in the respiratory and medical ICU settings. Chest **105**：1211-1216，1994
10) 山下充康：一般生活空間で観測される低周波音．騒音制御 **8**（3）：35-38，1984
11) 汐見文隆：低周波公害の話，晩聲社，1994
12) 岡井 治：低周波音よる人体反応．騒音制御 **8**（3）：8-14，1984
13) 岡井 治：低周波音による人体反応．騒音制御 **8**（3）：118-124，1984
14) 野村 忍：ICUにおける音楽療法．ICUとCCU **20**（1）：39-40，1996
15) 久村正也：音楽療法を知る―音楽を心身医療の現場へ（押さえておきたい！心身医学の臨床の知46）．心身医学 **53**（12）：1146-1151，2012
16) 師井和子，牧野壮平ほか：慢性呼吸器疾患患者に於ける音楽療法の有用性の検討．心身医学 **48**（6）：558，2008

# 1-5 寝床環境

## A 生活の場としての寝床

寝床（bed）は人生の3分の1を占める睡眠の環境として非常に重要である．また，健康問題を持ち，入院・療養生活を送る人々にとっては，寝床には夜間の睡眠のためだけでなく「生活する場」という機能もある．療養生活では，食事をし，排泄をし，顔を洗い，読書をし，談笑するといった日常生活の営みが病床で行われることになるからである．看護者は対象者にとっての寝床の意味を理解し，病状や生活習慣，病床での過ごし方などを総合的に判断し，個々の対象者にふさわしい寝床環境を提供しなければならない．

## B 寝床内気候

### 1 寝床内気候とは

寝床内気候（bed climate）とは寝具を使用して横になったときに身体の周囲に形成される気候のことで，寝床という限られた空間の温度・湿度・気流などの物理的環境をいう．寝床内の気流はごく小さく，体動や寝具の厚さなどで微妙に変化する．寝床内はほとんど無風であるため，寝床内気候を観察する際は気流を除き，温度・湿度[*1]を測ることが多い．測定部位は通常，腰部・足部の敷きシーツと身体の間にできた空間部分で，必要に応じて背部や胸部領域も追加する．生体情報としては（睡眠）脳波，体温，心拍数などが測定される．図V-10は測定部位の模式図である．対象者にとってどのような寝床内気候が快適であるのか，寝床内気候に影響を与える因子は何かということを知り，より快適な寝床内気候になるよう配慮することは寝床環境を整えるうえで重要である．

### 2 寝床内気候の変動要因

#### 1. ヒトの生理と健康状態

ヒトの終夜睡眠では，深い睡眠に入るにつれ末梢血管が拡張し発汗が起こる．発汗による体熱放散で深部体温が下降し，代謝率も低下する[1]．睡眠中の深部体温の低下が不十分であると熟睡感が得られないといわれる．したがって，寝床内気候の観点から睡眠中の寝床に求められる機能は，体温変化や発汗に応じて適度に温度や湿度を調節し，快適な環境を持続することであろう．

寝床内気候の研究は主に公衆衛生学，家政学の分野で進められてきた．1950年代の研究によると，健康な成人男子の皮膚温，舌下温，寝床内気候を1年にわたり測定したところ，寝床内湿度が60％をこえると汗ばむが，夏季には80％の高湿となるこ

---

[*1] 湿度には相対湿度と絶対湿度があり，寝床内気候で湿度を測定するときには相対湿度，絶対湿度のどちらか，あるいは両方で表記されている．
　一般的に単に湿度というときは相対湿度のことを指し，空気に含まれる水蒸気の量を単位「％」で表す．相対湿度の英語表記 relative humidity の頭文字を添えて，「％RH」と表記することもある．空気は温度が高くなると多くの水蒸気を含むことができ，同じ水蒸気量であれば，温度が高いと湿度は低くなる．
　絶対湿度とは，1 $m^3$ の空気中に含まれる水蒸気を容積や重さ，圧力などで表したもので，一般に体積絶対湿度（1 $m^3$ の空気中に含まれる水蒸気量を重さで表したもの）が使われる．単位は「$g/m^3$（グラム毎立方メートル）」である．

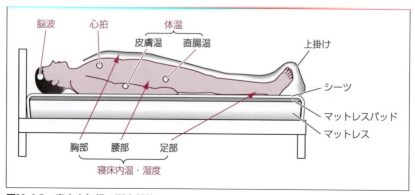

図V-10　寝床内気候の測定部位

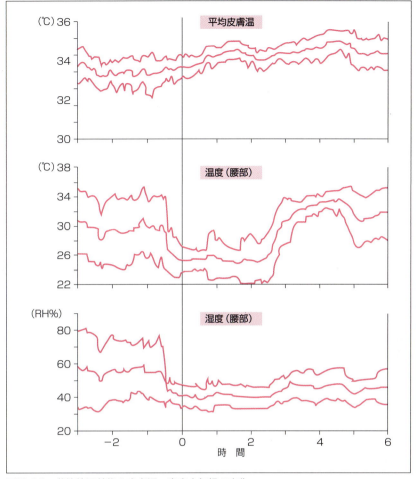

**図V-11 分娩終了前後の皮膚温，寝床内気候の変化**
分娩終了（分娩第3期終了）を0で示した．寝床内温・湿度については，産褥婦が分娩室にいる間にプローブを陣痛室から褥室の寝床に付け替えたため，分娩終了前約20分から終了後2.5時間は産婦のいない状態の寝床内気候を示している．
RH：relative humidity（相対湿度）
[中村（池田）理恵，石和田弘子，道上葉子ほか：分娩を巡る体温変動・寝床内気候と主観評価．東邦大学医療短期大学部紀要 7：20-29，1993 より引用]

と，そして快適な寝床内温度は32～34℃，湿度は40～50％であることがわかった[2]．また，季節による睡眠脳波と寝床内気候の関連を調べた1970年代の研究では，入眠時の足元の寝床内温度は季節を問わず22～25℃であること，就床後の足元の温度上昇時間に季節差があるために寝つくまでの時間は冬期がもっとも長くなることが明らかにされた．さらに，夏期には寝具と接する面積を小さくするため側臥位が多く，体動が増加することもわかった．体動を増やし，寝床内気候や体温を調節しているものとも考えられる．

1990年代には産褥婦の寝床内気候が調べられた．分娩の進行に伴って産婦の発汗が著明になり，分娩極期にはその発汗を反映して寝床内湿度も70％以上になっていた．一方で，分娩後には発汗は停止し寝床内湿度は低下していた[4]．このような分娩後の発汗抑制は，胎児およびその付属物の娩出で奪われた体熱を補うべく，分娩を境に母体が熱産生に傾くようになるためと考えられている．図V-11に褥婦の体温と寝床内気候の変化を示す[4]．分娩前に比べて分娩後は（発汗を抑制し）体温が約0.7℃上昇し，寝床内湿度が低く保たれているのがわかる．

このように，寝床内気候はそこに横たわる対象の状況を直接反映するので，寝床内の環境調整を行うには注意深い観察がもっとも重要である．

### 2. 寝具と寝衣

寝具と寝衣も寝床内気候を左右する要因である．一般に，病院などの施設におけるベッドメーキング

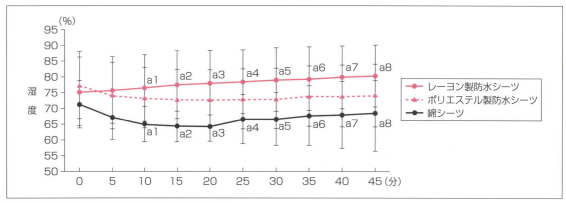

図V-12　下敷き素材の違いと背部の寝床内湿度
a1～a8はそれぞれ有意差が認められた.
[Ikeda RN, Fukai K：Effects of different bed sheets on bed climate and thermal response. Jpn J Nurs Sci **2**：33-37, 2005 より引用]

には吸水性の高い綿素材のシーツが用いられる．ここでは寝具については，一般的な方法で作られたベッドの，主に下敷き素材，とくに防水シーツに着目し述べる．さらに臨床や在宅でよく使用されるエアーマットと電気毛布について寝床内気候の視点から説明し，次いで寝衣について述べる．

1) 防水シーツ

活動性の低い患者では，ベッド汚染を防ぐ目的で防水シーツがよく使われるが，その素材が寝床内環境に及ぼす影響を調べた基礎研究を紹介しよう[5]．

この実験ではベッドの下敷きに綿シーツのみ，綿シーツの上にポリエステル製の防水シーツ，綿シーツの上にディスポーザブル防水シーツ（レーヨン100％の不織布）の3とおりを設定し，寝床内気候を測定した．共通条件としてスチール製のベッドにスプリングマット，マットレスパッド，そして上掛けに綿毛布を用いて，被験者を45分間安静臥床させた．寝床内温度は被験者の皮膚温の上昇とともに高くなったが，下敷き素材の違いによる差はなかった．しかし，ディスポーザブル防水シーツを使用した場合は綿シーツのみに比べて寝床内湿度が有意に高かった（図V-12）．この理由は，綿シーツでは，シーツやベッドパッドがある程度の水分を奪って湿度を低下させるのに対し，ディスポーザブル防水シーツを使用すると横シーツが水分を吸水してもその後放散できず，湿度が高くなるためと考えられた．一方，ポリエステル製の防水シーツではディスポーザブルのものに比べると寝床内湿度上昇は低かった．乳児の在宅での寝床内気候を調べたところ[6]，6カ月未満の乳児は睡眠中寝返りをしないため，防水シーツを使用すると眠っている2時間あまりの時間，寝床内湿度が100％と非常に高湿になっていることがわかった（図V-13）．病院等の施設では感染対策のため，ディスポーザブルタイプのものが，在宅など特定の対象者に用いる場合にはディスポーザブルではない防水シーツが，それぞれ用いられる場合が多い．防水シーツは素材の特徴を考慮し，対象者の年齢，皮膚の状態，発汗状態や体動の有無，体位変換の頻度，必要性などを熟慮して，必要最小限にとどめて使用するようにする．

2) エアーマット

エアーマットには，部位によって空気量を増減させて体圧を調節するエアセルタイプと，空気が持続的にマット内に吹き込まれる噴気式マットの2種類がある．エアーマット使用時の寝床内湿度はエアセルタイプで高く[7]，噴気式のものではマットからの微小気流のために湿度はむしろ低くなるといわれる[8]．さらに，噴気式マットを使用すると，使用しないときに比べて直腸温が昼間はより高く，夜間はより低くなり，エアーマットは生体のサーカディアンリズムに好ましい影響を及ぼすことがわかった[8]．この結果は，寝床に入る生体の状態が寝床内気候に影響するだけでなく，寝具自体もまた生体に影響を及ぼすという，生体-寝具間の相互作用があることを示している．

エアセルタイプのエアーマットは除圧に関しては有効であるが，寝床内の除湿という点では噴気式マットに及ばない．褥瘡予防には除圧だけでなく寝床内気候の調整も重要であるので，エアセルタイプのエアーマットを使用する際には，組み合わせる寝具を工夫することにより寝床内湿度の上昇を抑えるようにする．

3) 電気毛布

電気毛布は寝具内を加温するために使用される．

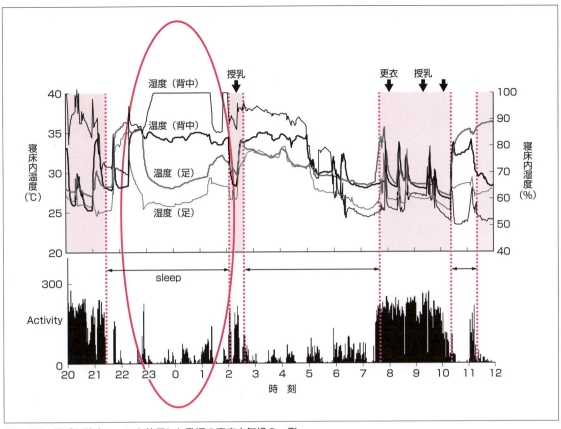

図V-13　夏季に防水シーツを使用した乳児の寝床内気候の一例

一般に病院内は空調設備によって冬期でも一定の室温（18～20℃）に保たれているので，電気毛布は手術後など特別な場合に一時的に使用されることが多い．電気毛布の使用が身体や寝床内気候に及ぼす影響について説明する温熱生理学領域の興味深い基礎研究がある[9]．

電気毛布を使うと足元温度の上昇が早いため寝つきがよくなる反面，一晩中寝床内温度が高くなるので温度調節のために体動が起こって十分な睡眠が得られず，また，睡眠中の直腸温が下降しないことから[*2]，休息が妨げられることが指摘されている．図V-14は電気毛布を使用すると本来は低下するはずの直腸温と心拍数が高く保たれている様子がよくわかる[11]．このとき寝床内温度が高く湿度は低かった（図V-15）．主観的評価でも，電気毛布を使用すると入床時は暖かく快適であってもその後暑くなって不快を訴え，目覚め感はよくなかった．

そこで，布団に入ると電気毛布のスイッチを切った場合を調べた結果，睡眠感はおおむね良好であった．快適な寝床内気候である温度32～34℃，湿度40～50％を考えると，電気毛布は寝床をあらかじめ温めておくことに使用し，入床したらスイッチを切ることが適切である．この条件で高齢の女性（平均60歳）と若い女性（平均22歳）を比べると若い女性の皮膚温や足元の寝床内温度が有意に高かった[12]．年齢により設定温度を変えるなど，若干の工夫が必要だろう．また，在宅の高齢者は冬季に部屋全体を温めるのではなく，寝床のみを温める傾向にある．そのため夜間にトイレに行くなど寝床から出るさいに急激な温度変化にさらされることになり，健康を脅かすリスクとなることを考慮し，寝床環境を整える必要がある．

4）寝衣

就寝時の寝衣の機能は，ゆったりとくつろげることや，汗や皮脂などを吸収することである．寝衣を着用せずに眠った場合，汗や皮脂はすべて寝具が吸収することになるので，就寝時には寝衣を着用するのが好ましい．寝衣には一般に綿素材のものがよく

---

[*2] 睡眠中は副交感神経が優位となり末梢血管が拡張する．このため，体熱が放散して深部体温は低下する．睡眠中枢と体温調節中枢は独立して働くが[10]，深い眠りが得られることと体温低下があることは密接に関係する現象となっている．

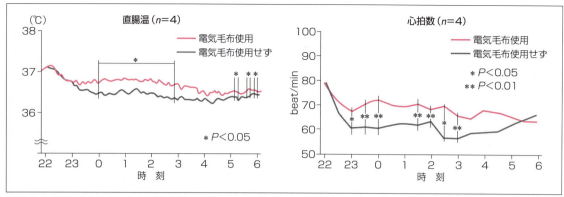

**図Ⅴ-14 電気毛布を使用した場合と使用しなかった場合の直腸温（左）と心拍数（右）の変化**
4名の平均値で示してある．
［岡本一枝, 深海康子, 飯塚幸子ほか：電気毛布の生理反応と寝床内気候に及ぼす影響．睡眠と環境 **1**（1）：55-62, 1993 より引用］

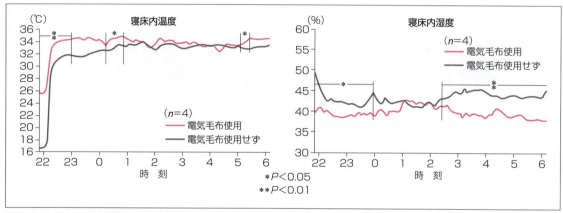

**図Ⅴ-15 電気毛布を使用した場合と使用しなかった場合の寝床内温度（左）と寝床内湿度（右）の変化**
4名の平均値で示してある．
［岡本一枝, 深海康子, 飯塚幸子ほか：電気毛布の生理反応と寝床内気候に及ぼす影響．睡眠と環境 **1**（1）：55-62, 1993 より引用］

用いられるが，天然素材で肌に刺激が少なく，吸水性が高いので寝衣に適した素材といえる．綿素材の中でも皮膚を傷つけない肌ざわりが柔らかいものを選ぶとよい．就寝時の下着枚数を調べた報告によると，若年者の下着の枚数は室温が低下しても変わらないのに対し，高齢者では着用枚数が増えるという（室温12℃で6枚以上着用する者は約20％）[13]．このように，高齢者は寒くなると重ね着をして温度調節を行おうとするが，衣服による身体圧迫や拘束には留意する必要がある．

### 3．寝床外環境

寝床外環境は寝床内環境にも影響を及ぼすので，室内の環境は適切な範囲に保つようにする．たとえば，ヒトは一晩の睡眠中にコップ1杯の汗をかく（不感蒸散）といわれるが，汗の水分は掛け布団や敷き布団を通して放散される．そのため，室内温度が極度に低ければ飽和水蒸気量も少ないので，寝具内に吸収された水分は蒸発できずに水滴となり寝具を湿らせる（結露）．寝具への結露は不快なばかりでなく不衛生をきたすおそれがある．また，脚のない箱型のベッドの場合はベッド下の通気性が悪いので，この傾向を助長する可能性がある．こうした寝具の湿潤を防ぐには，放湿性のよい寝具を選ぶか，室内を暖かくするとよい．

室内気候を構成する室内の温度，湿度，気流，放射の4つの要素は複雑に影響し合ううえに感じとる人の個人差も加わるので，適切な室内気候を画一的に定めることはむずかしい．その目安として利用されるものに有効温度（新有効温度）がある．有効温度（effective temperature）とは Yaglou と Miller（1923）によって提案された概念で[14]，湿度100％で無風状態のときの温度感覚を基準とし，それと同じ

表V-8　環境整備の手順

〈必要物品〉
ワゴン，消毒液含有ペーパータオル，霧吹き（バケツ），粘着ロール型クリーナー掃除用具，ゴミ袋

留意事項：
①窓を開け，換気をする
②埃が舞うので，患者に声をかけ，動ける患者にはラウンジなどで過ごしてもらう
③患者の持ち物を移動させたときには元の位置に戻す．物品の破損や紛失には十分注意する

実施方法：
①患者がよく使用する床頭台やテーブル，ベッド柵などを，ペーパータオルで拭く．電気スタンドの傘や窓の桟なども埃がたまりやすいので注意する
②枕や敷きシーツの上の塵や抜け毛などをロール型掃除用具で拭きとる
③敷きシーツの折り込まれている部分をいったん外し，再度しっかりとしわのないように伸ばして折り込む
④枕，掛け物のカバーの四隅をそろえ，整える
⑤床の埃やゴミ箱のごみを始末する

体感の温湿度を実験的に求めたものである．

ただ，これには壁面からの放射の要素が含まれていないという欠点があったため，Gaggeら（1977）は放射を考慮し，相対湿度50％を基準としたより実際的な新有効温度を提唱した[15]．米国暖房・冷房・空調学会（American Society of Heating-Refrigerating and Air-Conditioning Engineers：ASHRAE）は新有効温度を標準的な指標として採択し，80％以上の人が満足を示す有効温度（標準有効温度）を22.5～25.6℃とした．また，ASHRAEの規定では高齢者の寝室の温度として20.1℃を推奨している．

## C 快適な寝床を提供する

### 1 寝床周辺の環境整備

毎朝の環境整備は患者の周辺を清潔に保つことに加えて，1日の始まりを爽やかにし，生活にメリハリをつけることができる．そのため，環境整備は午前中の早い時間帯に実施する（表V-8）．

### 2 ベッドメーキングの方法

ベッドメーキングには，患者がいつ入院してきてもよいようにあらかじめ作っておくクローズドベッドと，入院が決まったらすぐに横になれるよう掛け物を開いて準備しておくオープンベッドがある．以下に，看護者が2人一組で作成する方法について述べる．1人で行わなければならないときは片方を作ってから反対側に移動して同様に作る．

必要物品：マットレスパッド，敷きシーツ，横シーツ，防水シーツ，包布，毛布あるいはふとん，枕カバー，枕，粘着テープ式ロール型掃除用具

留意事項：シーツの上のごみや糸くずなどの埃が立つので，ベッドメーキングをする際には窓を開け，終了後に窓を閉める．作業しやすいようにベッドを移動させたときは，あとで元の位置に戻す．また，ベッドのストッパーが外側に出ていると足を引っ掛けることがあるので，内側に向けてストッパーをかける．

### 1．クローズドベッドの作り方

①看護者はベッドの両サイドに分かれて立つ．
②ロール型掃除用具でマットレスの埃を除去する．
③マットレスパッドをマットレスの上に中心線に合わせて広げる．
④敷きシーツの中心線を合わせてマットレスパッドの上に置き，頭元が十分おおえるぶんをとり，あとは足元に伸ばして広げる．
⑤頭元を作る．頭元のマットレスを少し持ち上げ，敷きシーツの先端を引っ張りマットレスの下に入れ，マットレスを下ろす．角を三角に処理する（図V-16）．
⑥足元を作る．敷きシーツにしわがないようにしっかりと引っ張り，頭元と同様に三角に処理する．
⑦頭元と足元の間の垂れているシーツをすべてマットレスの下に入れ込む．
⑧防水シーツの中心線を合わせて敷き，両端に垂れた部分をマットレスの下に入れる．
⑨横シーツを防水シーツの上に広げ同様に垂れた部分をマットレスの下に入れる．
⑩枕をカバーに入れ，カバーの余りは，下側になるように折り込む．折り山のほうが入り口になるように置く．

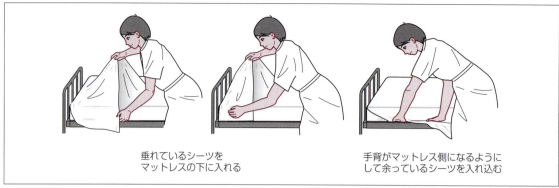

垂れているシーツを
マットレスの下に入れる

手背がマットレス側になるように
して余っているシーツを入れ込む

図V-16 シーツの角の作り方

⑪毛布あるいはふとんを包布の中に入れ，四隅をそれぞれが持って，偏りがないように整え，ベッドの上に広げる．両サイドあるいはどちらか片方を折り上げておく．

⑫必要時，カバーをかけておく．

### 2．オープンベッドの作り方

クローズドベッドにカバーがかかっている場合は取り除き，掛け物を足元に向けて開き扇子折りにする（図V-17）．

### 3．リネン交換

病状によっては，患者がベッド上に臥床したままでシーツを交換する必要がある．表V-9および図V-18，19に，その方法を示す．

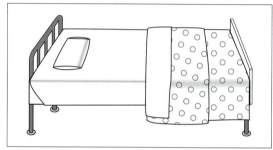

図V-17 オープンベッド

表V-9 リネン交換の手順

| 〈必要物品〉 |
|---|
| 敷きシーツ，横シーツ，防水シーツ，包布，枕カバー，粘着ロール型クリーナー |
| 留意事項： |
| ①患者の健康状態を把握し，体位変換時には観察を十分行い，無理な姿勢を避け，疲労させないようにする |
| ②患者の体格や自立の程度を考慮し，必要な人員を配置する |
| ③患者が不安を感じないように，1つの動作を行うごとに声かけをする |
| ④室温や掛け物など，保温に留意する |
| ⑤適切な時間帯を選び，換気を行う |
| ⑥身体の下の部分はしわができやすいので，シーツのたるみを十分に引っ張って伸ばす |
| ⑦終了後は，ベッド柵やナースコールの配置など，患者の好みを考慮して環境を整える |
| 実施方法： |
| ①掛け物の下から患者に綿毛布をかけ，上掛けを取り外す |
| ②患者に左側臥位になってもらう（物品の配置によっては，左右どちらから始めてもよい．この際，ベッド柵を持ってもらうか，1人の看護師が患者側に立ち，患者を支えるかする） |
| ③ベッドの右半分の敷きシーツ，横シーツ，防水シーツを頭から足元まで外し，内側に丸めるようにして患者の身体の下に折り込む（図V-17） |
| ④ロール型掃除用具でマットレスの埃を除去する |
| ⑤新しい敷きシーツ，横シーツ，防水シーツを広げて左半分は同様に患者の身体の下に折り込み，残りはきれいに広げて，マットレスの角を作る（患者が体位の保持が困難な場合などは，あとで角を作る（図V-18）） |
| ⑥患者に右側臥位になってもらい，同様に患者側の1人の看護師が支え，反対側の看護師が汚れたシーツ類を引き出してランドリーバッグに入れる．新しいシーツ類を引き出し，しっかり引っ張って広げ，マットレスの角を作る |
| ⑦患者を仰臥位に戻し，清潔な包布に替えた上掛けをかけ，綿毛布を取り外す |
| ⑧患者の状態を確認し，環境を整える |

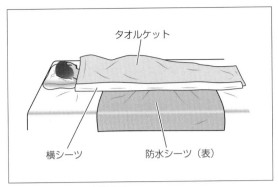

図V-18 リネン交換（1）
横シーツを患者の身体のほうへ寄せる.

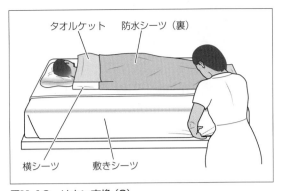

図V-19 リネン交換（2）
敷きシーツの頭部と側辺をマットレスの下に入れる.

● 引用文献

1) Kreider MB, Iampietro PF：Oxygen consumption and body temperature during sleep in cold environments. J Appl Physiol **14**：765-767, 1959
2) 中嶋朝子：寝床内気候の研究. 京都府立医科大学雑誌 **52**：51-76, 1952
3) 宮沢モリエ, 荒井礼子, 渡瀬度子ほか：季節による寝床気候と睡眠経過の関連について. 家政学研究 **21**(1)：99-106, 1974
4) 中村（池田）理恵, 石和田弘子, 道上葉子ほか：分娩を巡る体温変動・寝床内気候と主観評価. 東邦大学医療短期大学部紀要 **7**：20-29, 1993
5) Ikeda RN, Fukai K：Effects of different bed sheets on bed climate and thermal response. Jpn J Nur Sci **2**(1)：51-55, 2005
6) Ikeda RN, Fukai K, Okamoto K：Infant's bed climate and bedding in the Japanese home. Midwifery **28**(3)：340-347, 2010
7) Okamoto K, Iizuka S, Okudaira N：The effects of air mattress upon sleep and bed climate. Appl Human Sci **16**(3)：97-102, 1997
8) 中山竹美, 林 千穂：エアー噴出型マットが寝床内気候および温熱生理反応に及ぼす影響. 日本家政学会誌 **48**(1)：45-53, 1997
9) 登倉尋實：着心地と寝心地―その温熱生理学的基礎 II. 衣生活研究 **9**(6)：30-33, 1982
10) 橋本眞明：睡眠. 体温調節のしくみ（入来正躬編）, 199-203頁, 文光堂, 1995
11) 岡本一枝, 深海康子, 飯塚幸子ほか：電気毛布の生理反応と寝床内気候に及ぼす影響. 睡眠と環境 **1**(1)：55-62, 1993
12) Okamoto K, Nagai Y, Iizuka S：Effect of age on physiological response and bed climate during sleep followed by using the electric blanket. J Home Econ Jpn **50**(3)：259-265, 1999
13) 岡本一枝, 木村文香, 鶴橋留理子ほか：高齢者の睡眠環境に関する実態調査. 実践女子大学家政学部紀要 **30**：63-69, 1993
14) Houghten FC, Yaglou CP：Determining lines of equal comfort. ASHVE Trans **29**：163-176, 361-384, 1923
15) Gagge AP, Nishi Y, Nevins RG：The role of clothing in meeting FEA energy conservation guidelines. ASHRAE Trans **82**：234-247, 1977

# 1-6 衣服

## A 健康者の日常における衣服の役割

一般に，衣服を着用する目的は保健衛生と社会的装飾である．保健衛生としては，外気の寒暖や湿度（176 頁参照）を調整する機能と，紫外線や風雨を防ぐ機能や活動性，さらに身体からの汗や脂などを吸収し，身体を保清する機能がある．社会的な装飾としては，冠婚葬祭など慣習的な機能，制服など特定の服装をすることにより同一の社会に帰属することを示す機能，さらに流行の衣服を着て社会から仲間はずれになりたくないという同一化の機能，自分らしさを表現する機能が含まれる．健康者は折々にそうした多様な機能の兼ね合いを考えながら衣服を選び，身に着けている．

## B 健康障害のある人の衣服

健康障害のある人の衣服では保健衛生の機能を満たすことが優先される．保健衛生の機能の中では，障害の部位や程度に応じた活動性がもっとも重要である．障害があっても自分で着脱できるように，衣

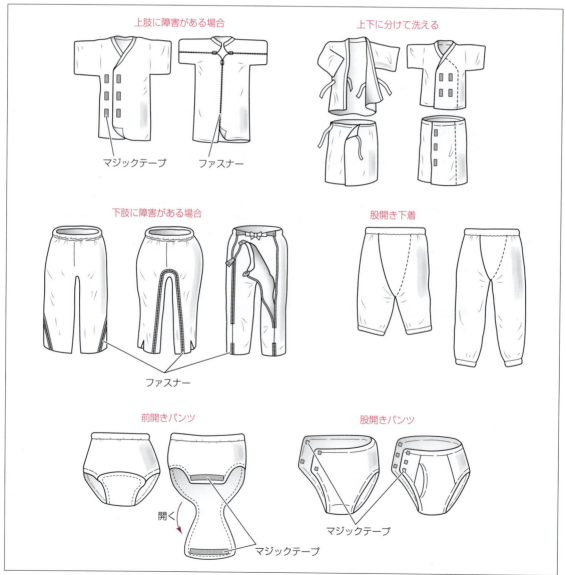

図V-20　着脱しやすいように工夫した衣服

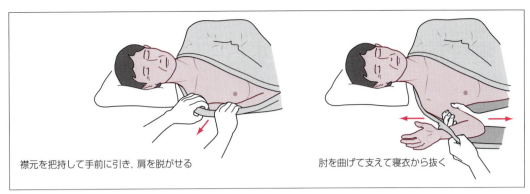

図V-21　寝衣交換（1）袖の脱がせ方

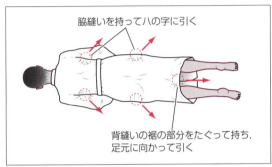

図V-22　寝衣交換（2）しわの伸ばし方

類や靴などの開口部の形状や大きさを工夫したり，マジックテープやファスナー，スナップなどの留め具を活用したデザインが考案されている（図V-20）．障害をもつ人にとっても装飾性のある衣服はその人らしさを表現する手段になり，気持ちや生活に張りをもたらす．保健衛生の機能を考慮したうえで，装飾性を充足させることも大切である．

### C 病者・床上生活者にとっての寝衣

病者や床上生活者の寝衣に求められる機能は，肌触りがよく吸水性があること，着脱が容易で活動を妨げず，ゆったりとくつろげること，頻回の洗濯に耐えることなどである．デザイン，色，柄などは，可能な範囲で患者の好みで選択すればよいが，患者の寝衣に求められる機能について理解したうえで選ぶようにする．患者の病状によっては滲出液や出血などを観察しやすいよう，汚れが目立つ色が望ましい場合がある．看護者は患者の状態や好みを把握し，患者が個性を発揮できるような寝衣をアドバイスするよう心がける．

表V-10　寝衣交換の方法

| |
|---|
| 〈必要物品〉<br>洗濯した寝衣，タオルケット |
| 留意事項：<br>①障害部位がある場合は健側から脱がせ，患側から着せる<br>②動作ごとに患者に説明する　③保温や羞恥心に配慮する |
| 実施方法：<br>①カーテンやブラインドを閉める<br>②タオルケットをかけ，掛け物を扇子折りにして足元まで下げる<br>③ヒモを解く<br>④寝衣の片側を脱がせる．この際，襟元をゆるめて袖を抜くと無理がない（図V-21）<br>⑤脱いだ寝衣を内側に丸めておく<br>⑥新しい寝衣の袖を通す<br>⑦看護者はベッドの反対側に移動し，患者を自分側に側臥位にする<br>⑧身体を支えながら，脱いだ寝衣をさらに丸めて患者の身体の下に入れ，新しい寝衣を下に引っ張り，背中のしわを伸ばす<br>⑨患者をいったん仰臥位にし，最初に立っていた側に移動する<br>⑩患者を看護者側に側臥位にし，汚れた寝衣を引っ張って抜き，ベッドの向こう端に寄せる<br>⑪新しい寝衣を引っ張り，袖を通す<br>⑫寝衣の腰の辺りを持って下方に引き，しわを伸ばして患者を仰臥位にする<br>⑬タオルケットを扇子折りにする<br>⑭襟元を整え，ヒモを通して結ぶ<br>⑮腰，足元の寝衣の両側を握り，ハの字に引っ張ってしわを伸ばす（図V-22）．患者の協力が得られれば腰を上げてもらって行う<br>⑯タオルケットを取り除き，掛け物をかけ，患者に着心地を確かめ，外観を観察する<br>⑰カーテンやブラインドなどを元に戻し，洗濯物を片づける |

### D 臨床における寝衣交換の方法

自分で寝衣を交換できない患者の和式寝巻きの援助例を表V-10に示す．

# 2 生理的ニードを補充する

## 2-1 食べる

### A 栄養の基礎知識

#### 1 看護における栄養の意義

栄養素（nutrient）は人体を構成し，生命の維持や身体の成長に必須であり，さまざまな生理機能のエネルギー源ともなっている．栄養素はさらに健康の維持・疾病予防・疾病の回復にも直接関与しており，人がより健康に生きるうえで不可欠なものである．したがって，栄養の基礎知識は対象者の日常生活援助を行う看護者にとっても欠かせないものである．

食習慣という言葉があるように，食べるという行動は日常生活の一部となっている．私たちは食事をするとき，こうした栄養素の機能を意識することはほとんどないが，おいしいものを味わう満足感を得たり，会食を通して人間関係を円滑にするなど，食べることの心理・社会的な機能が重視されている．つまり，看護において栄養は，栄養素のもつ物質科学的側面と，それを摂取する人間行動の心理・社会的側面の両面から考える必要がある．

#### 2 日本人の食事摂取基準

栄養素は，糖質（carbohydrate），脂質（fat），タンパク質（protein），ビタミン（vitamin），ミネラル（mineral）に分類でき，五大栄養素といわれる．この中で，生体に必要なエネルギー（energy）を産生し，摂取量も多いことから，糖質・脂質・タンパク質は三大栄養素ともいわれる．また，微量な栄養成分ではあるが，ビタミンとミネラルも生体にとって不可欠な栄養素である．

これらの各栄養素とエネルギーについて，健康な個人および集団を対象として健康の保持・増進，生活習慣病の予防を目的に摂取量の基準を示したものが食事摂取基準（dietary reference intakes）である．厚生労働省が定めた「日本人の食事摂取基準（2020年版）」では，成人の1日の推定エネルギー必要量（estimated energy requirement）を次のように算出している．

　1日の推定エネルギー必要量
　　＝基礎代謝量（kcal/日）×身体活動レベル

なお，基礎代謝量（basal metabolic rate）は，基礎代謝基準値（kcal/kg/日）×体重（kg）で求めることができる．「日本人の食事摂取基準（2020年版）」で使用された日本人の平均的な体位（参照体位）は**表V-11**のとおりである．身体活動レベル（physical activity level：PAL）は**表V-12**のように3段階に区分されている．**表V-11**に示した参照体位をもとに，身体活動レベルごとに推定エネルギー必要量を表したのが**表V-13**である．

この推定エネルギー必要量以上にエネルギーを摂取すると肥満になり，逆に必要量を摂取できないとやせてくる．これは，栄養状態を客観的に評価する栄養アセスメント（nutritional assessment）において，もっとも重要な指標である．現在は，国際的に広く用いられている体格指数であるBMI（body mass index）によって，適正体重（optimal weight）であるか否かを評価することが多い．BMIは次のような計算式で求められる．

　　BMI＝体重（kg）÷身長（m）$^2$

日本肥満学会では肥満の判定基準（肥満度分類）を**表V-14**のように決めている．

そのほかに，栄養アセスメントとしてよく用いられる項目を**表V-15**に示した．

#### 3 消化と吸収

栄養素のうち，糖質はブドウ糖・果糖・ガラクトースに，脂質は脂肪酸・グリセロールに，タンパク質はアミノ酸に，それぞれ分解されて吸収（absorption）される．

口の中に入った食物は歯で噛み砕かれ，唾液と混ざって飲み込みやすくなる．唾液には糖質を分解する酵素であるアミラーゼが含まれており，よく噛んだほうが消化（digestion）されやすい．胃に送られた食物は胃液と混ざり粥状になる．胃液にはタンパ

表V-11 参照体位（参照身長，参照体重）[*1]

| 性別 | 男性 | | 女性[*2] | |
|---|---|---|---|---|
| 年齢 | 参照身長（cm） | 参照体重（kg） | 参照身長（cm） | 参照体重（kg） |
| 0〜5（月） | 61.5 | 6.3 | 60.1 | 5.9 |
| 6〜11（月） | 71.6 | 8.8 | 70.2 | 8.1 |
| 6〜8（月） | 69.8 | 8.4 | 68.3 | 7.8 |
| 9〜11（月） | 73.2 | 9.1 | 71.9 | 8.4 |
| 1〜2（歳） | 85.8 | 11.5 | 84.6 | 11.0 |
| 3〜5（歳） | 103.6 | 16.5 | 103.2 | 16.1 |
| 6〜7（歳） | 119.5 | 22.2 | 118.3 | 21.9 |
| 8〜9（歳） | 130.4 | 28.0 | 130.4 | 27.4 |
| 10〜11（歳） | 142.0 | 35.6 | 144.0 | 36.3 |
| 12〜14（歳） | 160.5 | 49.0 | 155.1 | 47.5 |
| 15〜17（歳） | 170.1 | 59.7 | 157.7 | 51.9 |
| 18〜29（歳） | 171.0 | 64.5 | 158.0 | 50.3 |
| 30〜49（歳） | 171.0 | 68.1 | 158.0 | 53.0 |
| 50〜64（歳） | 169.0 | 68.0 | 155.8 | 53.8 |
| 65〜74（歳） | 165.2 | 65.0 | 152.0 | 52.1 |
| 75以上（歳） | 160.8 | 59.6 | 148.0 | 48.8 |

[*1] 0〜17歳は，日本小児内分泌学会・日本成長学会合同標準値委員会による小児の体格評価に用いる身長，体重の標準値を基に，年齢区分に応じて，当該月齢及び年齢区分の中央時点における中央値を引用した．ただし，公表数値が年齢区分と合致しない場合は，同様の方法で算出した値を用いた．18歳以上は，平成28年国民健康・栄養調査における当該の性及び年齢区分における身長・体重の中央値を用いた．
[*2] 妊婦，授乳婦を除く．

［厚生労働省：日本人の食事摂取基準（2020年版）］

表V-12 身体活動レベル別にみた成人の活動内容と活動時間の代表例

| | 低い（Ⅰ） | ふつう（Ⅱ） | 高い（Ⅲ） |
|---|---|---|---|
| 身体活動レベル[*1] | 1.50<br>（1.40〜1.60） | 1.75<br>（1.60〜1.90） | 2.00<br>（1.90〜2.20） |
| 日常生活の内容[*2] | 生活の大部分が座位で，静的な活動が中心の場合 | 座位中心の仕事だが，職場内での移動や立位での作業・接客等，通勤・買い物での歩行，家事，軽いスポーツ，のいずれかを含む場合 | 移動や立位の多い仕事への従事者．あるいは，スポーツ等余暇における活発な運動習慣を持っている場合 |
| 中程度の強度（3.0〜5.9メッツ）の身体活動の1日当たりの合計時間（時間/日）[*3] | 1.65 | 2.06 | 2.53 |
| 仕事での1日当たりの合計歩行時間（時間/日）[*3] | 0.25 | 0.54 | 1.00 |

[*1] 代表値．（ ）内はおよその範囲．
[*2] Black AE, et al.（1996），Ishikawa-Takata K, et al.（2008）を参考に，身体活動レベル（PAL）に及ぼす仕事時間中の労作の影響が大きいことを考慮して作成．
[*3] Ishikawa-Takata K, et al.（2011）による．

［厚生労働省：日本人の食事摂取基準（2020年版）］

ク質を分解する酵素であるペプシンと食物をある程度殺菌する作用がある胃酸が含まれている．粥状になった食物は少しずつ十二指腸に送られる．十二指腸では，膵液に含まれる消化酵素のトリプシン，アミラーゼ，リパーゼなどによって三大栄養素が消化される．胆汁は消化酵素を含まないが，脂肪を乳化してその消化を助ける．小腸では，腸液に含まれる消化酵素によって栄養素は完全に消化され，そのほとんどが小腸上皮から吸収される．小腸で吸収された栄養素は門脈から肝臓を通る経路（静脈）または

表V-13 身体活動レベル別にみた推定エネルギー必要量 (kcal/日)

| 性別 | 男性 | | | 女性 | | |
|---|---|---|---|---|---|---|
| 身体活動レベル[*1] | Ⅰ | Ⅱ | Ⅲ | Ⅰ | Ⅱ | Ⅲ |
| 0〜5（月） | ― | 550 | ― | ― | 500 | ― |
| 6〜8（月） | ― | 650 | ― | ― | 600 | ― |
| 9〜11（月） | ― | 700 | ― | ― | 650 | ― |
| 1〜2（歳） | ― | 950 | ― | ― | 900 | ― |
| 3〜5（歳） | ― | 1,300 | ― | ― | 1,250 | ― |
| 6〜7（歳） | 1,350 | 1,550 | 1,750 | 1,250 | 1,450 | 1,650 |
| 8〜9（歳） | 1,600 | 1,850 | 2,100 | 1,500 | 1,700 | 1,900 |
| 10〜11（歳） | 1,950 | 2,250 | 2,500 | 1,850 | 2,100 | 2,350 |
| 12〜14（歳） | 2,300 | 2,600 | 2,900 | 2,150 | 2,400 | 2,700 |
| 15〜17（歳） | 2,500 | 2,800 | 3,150 | 2,050 | 2,300 | 2,550 |
| 18〜29（歳） | 2,300 | 2,650 | 3,050 | 1,700 | 2,000 | 2,300 |
| 30〜49（歳） | 2,300 | 2,700 | 3,050 | 1,750 | 2,050 | 2,350 |
| 50〜64（歳） | 2,200 | 2,600 | 2,950 | 1,650 | 1,950 | 2,250 |
| 65〜74（歳） | 2,050 | 2,400 | 2,750 | 1,550 | 1,850 | 2,100 |
| 75以上（歳）[*2] | 1,800 | 2,100 | ― | 1,400 | 1,650 | ― |
| 妊婦（付加量）[*3] 初期 | | | | +50 | +50 | +50 |
| 中期 | | | | +250 | +250 | +250 |
| 末期 | | | | +450 | +450 | +450 |
| 授乳婦（付加量） | | | | +350 | +350 | +350 |

[*1] 身体活動レベルは，低い，ふつう，高いの3つのレベルとして，それぞれⅠ，Ⅱ，Ⅲで示した．
[*2] レベルⅡは自立している者，レベルⅠは自宅にいてほとんど外出しない者に相当する．レベルⅠは高齢者施設で自立に近い状態で過ごしている者にも適用できる値である．
[*3] 妊婦個々の体格や妊娠中の体重増加量及び胎児の発育状況の評価を行うことが必要である．

［厚生労働省：日本人の食事摂取基準（2020年版）］

表V-14 肥満度分類

| BMI | BMIによる判定 |
|---|---|
| 18.5未満 | 低体重 |
| 18.5〜25.0未満 | 普通体重 |
| 25.0〜30.0未満 | 肥満（1度） |
| 30.0〜35.0未満 | 肥満（2度） |
| 35.0〜40.0未満 | 肥満（3度）* |
| 40.0以上 | 肥満（4度）* |

*BMI 35.0以上を高度肥満と定義する．

［日本肥満学会，2011］

表V-15 栄養アセスメントの指標となる項目

| 栄養摂取量 | | 摂取エネルギー量，各栄養素の摂取量 |
|---|---|---|
| 身体計測 | | 身長，体重，BMI，皮下脂肪厚 |
| 体構成成分 | | 体脂肪量，骨塩量 |
| 臨床検査 | 血液 | 血算（赤血球数，白血球数，ヘモグロビン，リンパ球数）<br>血清タンパク（総タンパク，アルブミン，トランスサイレチン，トランスフェリンなど）<br>血清脂質（コレステロール，中性脂肪） |
| | 尿 | クレアチニン<br>総窒素排泄量 |

リンパ管から胸管を通る経路（リンパ管）のいずれかを経て全身に運ばれる．小腸で消化吸収されなかった内容物は大腸に送られる．大腸では栄養素の吸収はほとんど行われず，水分の吸収が主である．大腸では最後まで消化吸収されなかった内容物を固形化して便を形成し，体外に排泄する（図V-23）．

## B 現代人の食の特徴

### 1 栄養摂取量

現代の日本においては，第2次世界大戦前後からの栄養の欠乏症が問題となっていた時代を脱して，むしろ栄養摂取量（nutrient intake）の過剰が問題

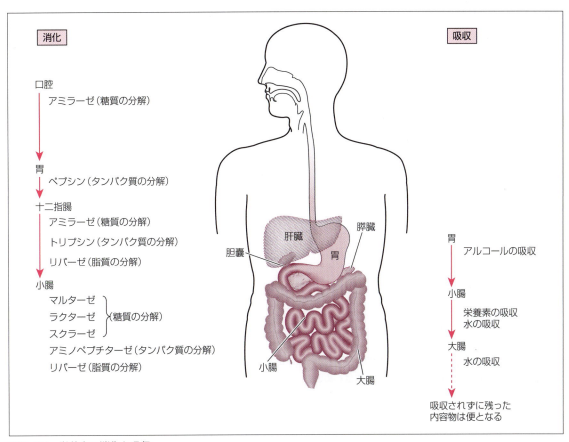

図V-23 栄養素の消化と吸収

となるような飽食の時代を迎えている．このような現代においては，バランスよく栄養素を摂取することが大切である．

2019年，厚生労働省が行った国民健康・栄養調査の結果によると，成人の食塩摂取量は平均で男性10.9 g/日，女性9.3 g/日であった．「日本人の食事摂取基準（2020年版）」で示されている目標量（男：7.5 g/日未満，女：6.5 g/日未満）をともにこえている．同様に「日本人の食事摂取基準（2020年版）」の基準と比べて，カルシウムは男女ともほとんどの年齢において，鉄は一部の年齢において，摂取不足がみられる．また，成人の野菜摂取量も平均で280.5 g/日であり，「健康日本21（第二次）」（2013）が目標としている350 g/日以上と比べて不足している．

### 2 食習慣

食習慣（eating habit）の特徴としては，まず欠食（skipping a meal）の問題があげられる．欠食すると，3食から2食に減るために多様な食品を摂取することができず，栄養素が偏りがちになる．欠食は20歳代から40歳代に多く，朝食を欠食する場合がほとんどであるが，昼食や夕食の欠食もみられる．次世代を育てる年代に欠食が多いことは，子どもたちの食習慣へも影響を与えることが懸念される．

さらに，食習慣の特徴としては，孤食（solitary meal）の問題がある．これは，家族が一緒に暮らしているにもかかわらず，別々に1人で食事をすることで，家族の生活サイクルが合わないために起こる現象と考えられる．家族そろって食べると料理の品数も増え，栄養素のバランスも調うだろう．また，食事がコミュニケーションの場，食育の場としても機能するようになる．こうした理由から，孤食は望ましくない．

ところが，2020年から始まった新型コロナウイルス（SARS-CoV-2）の世界的流行により，会食（皆で語らいながら楽しく食事をする）が奨励されなくなってしまった．このウイルスは飛沫やエアロゾル（75頁参照）によって運ばれ，容易に感染症を引き起こすので，学校給食や外食ばかりか，家庭内でも食事中に感染する危険性が高いからである．コロナ禍が収束したとき（アフターコロナ），人間生活にとっての食習慣の様相が変化するかもしれない．

表V-16 食生活指針

| 食生活指針 | 食生活指針の実践 |
|---|---|
| 食事を楽しみましょう. | ・毎日の食事で，健康寿命をのばしましょう.<br>・おいしい食事を，味わいながらゆっくりよく噛んで食べましょう.<br>・家族の団らんや人との交流を大切に，また，食事づくりに参加しましょう. |
| 1日の食事のリズムから，健やかな生活リズムを. | ・朝食で，いきいきした1日を始めましょう.<br>・夜食や間食はとりすぎないようにしましょう.<br>・飲酒はほどほどにしましょう. |
| 適度な運動とバランスのよい食事で，適正体重の維持を. | ・普段から体重を量り，食事量に気をつけましょう.<br>・普段から意識して身体を動かすようにしましょう.<br>・無理な減量はやめましょう.<br>・特に若年女性のやせ，高齢者の低栄養にも気をつけましょう. |
| 主食，主菜，副菜を基本に，食事のバランスを. | ・多様な食品を組み合わせましょう.<br>・調理方法が偏らないようにしましょう.<br>・手作りと外食や加工食品・調理食品を上手に組み合わせましょう. |
| ごはんなどの穀類をしっかりと. | ・穀類を毎食とって，糖質からのエネルギー摂取を適正に保ちましょう.<br>・日本の気候・風土に適している米などの穀類を利用しましょう. |
| 野菜・果物，牛乳・乳製品，豆類，魚なども組み合わせて. | ・たっぷり野菜と毎日の果物で，ビタミン，ミネラル，食物繊維をとりましょう.<br>・牛乳・乳製品，緑黄色野菜，豆類，小魚などで，カルシウムを十分にとりましょう. |
| 食塩は控えめに，脂肪は質と量を考えて. | ・食塩の多い食品や料理を控えめにしましょう．食塩摂取量の目標値は，男性で1日8g未満，女性で7g未満とされています*.<br>・動物，植物，魚由来の脂肪をバランスよくとりましょう.<br>・栄養成分表示を見て，食品や外食を選ぶ習慣を身につけましょう. |
| 日本の食文化や地域の産物を活かし，郷土の味の継承を. | ・「和食」をはじめとした日本の食文化を大切にして，日々の食生活に活かしましょう.<br>・地域の産物や旬の素材を使うとともに，行事食を取り入れながら，自然の恵みや四季の変化を楽しみましょう.<br>・食材に関する知識や調理技術を身につけましょう.<br>・地域や家庭で受け継がれてきた料理や作法を伝えていきましょう. |
| 食料資源を大切に，無駄や廃棄の少ない食生活を. | ・まだ食べられるのに廃棄されている食品ロスを減らしましょう.<br>・調理や保存を上手にして，食べ残しのない適量を心がけましょう.<br>・賞味期限や消費期限を考えて利用しましょう. |
| 「食」に関する理解を深め，食生活を見直してみましょう. | ・子供のころから，食生活を大切にしましょう.<br>・家庭や学校，地域で，食品の安全性を含めた「食」に関する知識や理解を深め，望ましい習慣を身につけましょう.<br>・家族や仲間と，食生活を考えたり，話し合ったりしてみましょう.<br>・自分たちの健康目標をつくり，よりよい食生活を目指しましょう. |

[文部省決定，厚生省決定，農林水産省決定 平成28年6月一部改正〔https://www.mhlw.go.jp/file/06-Seisakujouhou-10900000-Kenkoukyoku/0000129379.pdf〕(最終確認：2023年2月22日)
*「日本人の食事摂取基準(2020年版)」では，成人男性7.5g/日未満，女性6.5g/日未満に設定された.

## 3 食行動

現代人の食行動 (dietary behavior) の特徴としては，外食 (eating-out) や調理済食品 (prepared food) の利用が多くなっていることがあげられる．旬の新鮮な食材は栄養素を豊かに含んでおり，地域で生産される食材を利用して料理することは栄養の面からも望ましいことである．また，家庭の味や地域の郷土料理を伝えていくためにも必要なことである．食の簡便化が進んでいるが，新鮮な食材から料理する大切さを見直す必要がある．その一方で，国民の健康意識は高まり，ビタミンやミネラルを錠剤やドリンク状の製品にした補助食品から摂取する人が増えている．手軽に摂取できるために過剰摂取が問題となり，「日本人の食事摂取基準(2020年版)」においても，ほとんどのビタミンやミネラルに耐容上限量が示された．

以上のような，現代人の食に関する特徴をふまえて，国は「食生活指針 (food-based dietary guideline)」(表V-16) を示している.

表V-17　側臥位で摂取する患者への援助

| 手　順 | 留意事項 |
|---|---|
| ・利き手で食事ができるように，利き腕が上になるように，体位を整える<br>・体位が不安定であるときには，背部を安楽枕などで支える<br>・胸元を，タオルなどでおおう<br>・ベッドの上に防水布を敷く<br>・食膳を患者のもとに運ぶ（図V-24参照）<br>・メニューを説明し，患者が側臥位ではできない部分については援助する（魚の骨を取る，調味料をかけるなど）<br>・汁物は，吸い飲み（spout cup）などを利用する<br>・食事が終わったら，食膳と防水布を片づける<br>・口腔ケアを行い，胸元のタオルを片づける<br>・体位を元に戻し，寝衣や掛け物を整える | ・寝衣やシーツを汚さないように，しっかりおおう<br>・皿が深いときには，料理が患者に見えないこともあるので，気をつける |

## C　食事援助のための看護技術

### 1　病院食

病院では患者の状態に合わせて病院食が出される．病院食は，一般食（common diet）と特別食（special diet）に分けられる．

#### 1．一般食

一般食は患者の栄養状態を良好に保つことを目的としている．主食の形態によって，一般食は普通食（normal diet），軟食（soft diet），流動食（fluid diet）に分けられる．さらに，普通食の中には小児の入院患者のために出される，幼児食（infant food）も含まれる．

#### 2．特別食

特別食とは特定の疾患に対する治療を目的にエネルギーや栄養素の基準が決まっている食事のことをいう．食事による栄養代謝の改善によって積極的に疾患を治療することを目的としている．特別食には，糖尿病食や肝臓病食のように疾患別に治療のために準備される食事と，術後食（post-operative diet）や検査食（test meal）などが含まれる．

疾患ごとに病名に対応する病院食の栄養基準を決め，特別食として食事を提供する方式を「疾患別栄養管理」という．しかし，複雑な病態に対応するため，最近では疾患ではなく病態に対応した食事を提供する方式である「成分別栄養管理」が多くなってきている．成分別栄養管理では，エネルギーコントロール食，タンパク質コントロール食のように，エネルギーや主な栄養素を基準として食事が準備される．疾患別栄養管理では，エネルギーコントロールが必要な脂肪肝の患者にも糖尿病食が出され，患者の病名と違った食事が提供される場合もあった．成

図V-24　自分で食事が摂取可能な場合の食事介助

分別栄養管理を行えば，このような矛盾も起こらず，患者にとっても食事療法が理解しやすい．さらに，患者の病名が食事に記されることもなく，プライバシーの面からも望ましい方法である．

### 2　口から食べることを援助する

普段はあまり意識しないで行っている「食べる」という行為も，食欲（appetite）がなかったり，自分で食べる行動がとれなくなると，苦痛なものになってしまう．しかし，栄養状態の改善は疾患の回復には欠かせない．患者が食事を楽しみにでき，闘病意欲が高まるような食事介助（meal care）が必要である．

食事介助をする場合，共通して次の点に注意することが必要である．
○食事にふさわしい環境を整える
　・汚物や排泄を連想させる物品を片づける
　・換気を行う
○患者が安楽に食事できる準備を整える
　・排泄をすませる
　・手や口腔内を清潔にする

表V-18 視力障害のある患者への援助

| 手　順 | 留意事項 |
|---|---|
| ・食事する体位を整える<br>・食膳を患者のもとに運ぶ<br>・メニューを詳しく説明する<br><br>・食器の位置を手でさわってもらって確認する<br><br>・患者ができない部分については援助する（魚の骨を取る，調味料をかける，果物の皮をむくなど）<br>・食事が終わったら，食膳を片づける<br>・口腔ケアを行う<br>・体位を元に戻し，寝衣や掛け物を整える | ・食材，料理方法，温度なども説明する<br>・時計の何時の方向かで，食器の位置を説明するとわかりやすい<br>・患者の好みによるが，一口大の大きさに準備しておくと食べやすい |

表V-19 自分で食事摂取不可能な患者への援助

| 手　順 | 留意事項 |
|---|---|
| ・食事する体位を整える<br>・麻痺があって，仰臥位で食事をする場合には，麻痺側に食べ物がたまらないように，麻痺側が上側になるように体位を整える<br>・胸元を，タオルなどでおおう<br>・食膳を患者のもとに運ぶ<br>・メニューを説明し，患者の希望を聞きながら，一口ずつ口に運ぶ（図V-25）<br>・必ず嚥下したことを確認してから，次の食べ物を口に運ぶ<br>・嚥下しやすいように，途中で汁物をすすめる<br>・汁物は，吸い飲みなどを利用する<br>・食事が終わったら，食膳を片づける<br>・口腔ケアを行い，胸元のタオルを片づける<br>・体位を元にもどし，寝衣や掛け物を整える | ・可能なかぎり坐位か，坐位に近い挙上した体位が望ましい<br><br>・可能なら食膳を直接見てもらうと献立がよくわかる<br>・口の中に食べ物があるときには，話しかけない<br>・食べ物を口に運ぶのは，患者のペースに合わせて行う |

※食事用自助具（self-help divice for feeding）を利用することによって，少しでも自分で食事が可能な患者の場合は，できるだけ自分で食べられるように残存機能を活かした介助を行う（図V-26）．

・食べやすい体位をとる
○おいしく食べられる食事の準備を整える
　・食事調査やメニューを選択できるようにするなど，可能なかぎり患者の好みが反映された食事を提供する
　・味覚（taste）がそそられて，食欲がわくように，温かいものは温かく，冷たいものは冷たい状態で食事を準備する
　・一口大に切ってあったり，嚥下しやすい形態であったり，患者の状態に合わせた食事を提供する
　次に，患者の状態別に，具体的な援助方法を述べる．

### 1. 自分で食事が摂取可能な場合
　食事を口に運ぶことは自分でできるが，体位の制限や視力障害があり食事介助が必要な場合についての援助を表V-17，18に示した．

### 2. 自分で食事が摂取不可能な場合
　食事を口に運ぶことが自分でできないために，食事介助が必要な場合についての援助を表V-19に示す．

### 3. 嚥下困難がある場合
　嚥下のメカニズムは，図V-27のように食べ物が

図V-25 自分で食事が摂取不可能な場合の食事介助

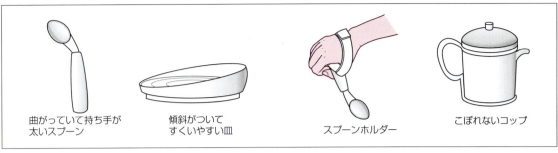

図V-26 食事用自助具の例

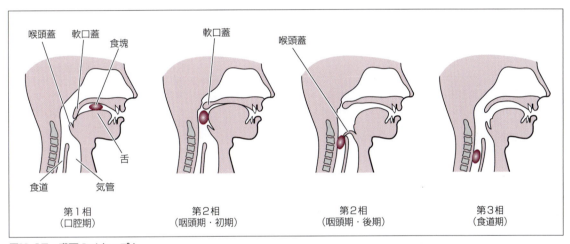

図V-27 嚥下のメカニズム

口から食道に運ばれるまでを，口腔期，咽頭期，食道期の3相で説明される．嚥下困難（dysphagia）のある患者の場合，この3相のどこがどの程度障害されているかによって，食事介助の方法は違ってくる．嚥下造影などによって嚥下機能の評価を行い，患者に合った体位や食物形態（food texture）を知って援助することが必要である．ここでは，共通する基本的な援助方法を表V-20に示した．

### 3 経口以外の栄養補給方法を援助する

　口から食べることは人の自然の姿であり，それによって食事を味わうことができ，食事を楽しむこともできるのである．しかし，なんらかの理由で口から食べることができない場合には，その他の方法で栄養を補給しなければならない．その主な方法が，経管栄養法（tube feeding）と中心静脈栄養法（total parenteral nutrition：TPN）である．

　それぞれ，人にとって不自然な栄養補給方法であることから，合併症も起こしやすく管理が必要である．さらに，口から食べることのできない患者の苦痛に対する精神的援助も忘れてはならない．

#### 1．経管栄養法

　経管栄養法は，鼻から胃チューブ（feeding tube）を胃（または十二指腸）まで挿入して栄養剤を注入する経鼻経管栄養法と，経皮的に胃または腸に瘻孔[*1]の造設術を行い，そこから栄養剤を注入する胃瘻・腸瘻栄養法[*1]がある．ここでは，前者の方法について表V-21に示した．

　経鼻経管栄養法は，胃に直接栄養剤を注入する方法であることから，胃および腸管の機能が保たれている患者が対象となる．腸管が閉塞していたり，消化管の安静が必要な患者には禁忌である．注入する栄養剤には，食品をミキサーで液状にした自然食品流動食と市販されている人工流動食があるが，後者が用いられることが多い．消化吸収機能が保たれている患者には半消化態栄養剤を，消化吸収機能に障

---

[*1] 瘻（fistula）とは組織が管状に欠損（壊死）した状態をいう．もともとは組織の病巣を指す用語だが，経口的栄養摂取ができなくなった患者の胃や腸に人工的に孔（あな）をつくり，そこからチューブを介して栄養を補給する．

表V-20　嚥下困難がある患者への援助

| 手順 | 留意事項 |
|---|---|
| ・食事する体位を整える<br>・普段食事する体位である坐位が望ましいが，食べ物の取り込みや送り込みに障害がある患者の場合は，仰臥位でベッドの頭側を30°挙上する（セミファウラー位）のがよい[1,2] | ・嚥下機能の改善に伴って，徐々に坐位に近づける |
| ・頸部は，誤嚥を防ぎ，かつ嚥下反射を誘発しやすいように，軽度前屈させるのがよい[1,2,3] | ・枕を，頸部が軽度前屈するように当てる |
| ・体位が整ったら，胸元をタオルなどでおおう<br>・食膳を患者のもとに運ぶ | |
| ・メニューを説明し，患者の希望を聞きながら，一口ずつ口に運ぶ | ・可能なら食膳を直接見せると献立がよくわかる |
| ・必ず嚥下したことを確認してから，次の食べ物を口に運ぶ | ・口の中に食べ物があるときには，話しかけない<br>・食べ物を口に運ぶのは，患者のペースに合わせて行う<br>・むせたら，食べ物を吐き出させるか，吸引する．その後，呼吸状態を観察する |
| ・嚥下しやすい食物形態は，ゼラチンタイプである．食べ物をゼリー状にしたり，増粘食品を利用してとろみをつけたりするとよい<br>・食事が終わったら，食膳を片づける<br>・口腔ケアを行い，胸元のタオルを片づける<br>・体位を元に戻し，寝衣や掛け物を整える | ・嚥下機能の改善に伴って，ゼラチンタイプの食事からミキサー食，きざみ食，軟食へと進める |

害がある患者には消化がほとんど必要ない消化態栄養剤や消化が不要な成分栄養剤を用いる．

## 2. 中心静脈栄養法

中心静脈栄養法とは，中心静脈内にカテーテルを留置して，必要な栄養を輸液によって補給する方法である．輸液による栄養法には，末梢静脈栄養法（peripheral parenteral nutrition：PPN）もある．これは，末梢静脈から栄養を補給する方法であるが，末梢静脈では高濃度の輸液を用いると静脈炎や血管痛を引き起こすため，高カロリーの輸液は実施できない．その点，中心静脈栄養法では，高濃度の輸液は上大静脈または下大静脈からすぐに右心房に入り希釈されるため，高カロリーの輸液を実施することができる．中心静脈栄養法だけで，人体に必要な栄養をすべて補給することが可能である．中心静脈栄養法は消化管を介さない栄養法であるため，腸閉塞や腸からの吸収が期待できない患者や，消化管の安静が必要な患者など，経管栄養法が適用できない患者に用いられる．

中心静脈栄養法では，カテーテルの挿入は医師によって行われる．看護師はカテーテル挿入の介助と，中心静脈栄養法を実施している患者の看護を行う．

中心静脈栄養法の手順を**表V-22**に示した．

## ●引用文献

1) 藤島一郎：新版 口から食べる―嚥下障害Q&A，88-91頁，中央法規，1998
2) 聖隷嚥下チーム：摂食嚥下訓練の実際（摂食訓練），嚥下障害ポケットマニュアル，第4版，122-124頁，医歯薬出版，2018
3) 才藤栄一：嚥下障害と体位および食物形態の相関について―より的確な看護を展開するために．月刊ナーシング 7：1244-1246，1987
4) 澁谷 幸：経鼻栄養法．人体の構造からわかる看護技術のエッセンス，第1版（三木明徳監修），63-67頁，医歯薬出版，2019
5) 山元恵子，佐藤博信：安全な経鼻栄養チューブの挿入長さと条件．医療機器学 86（5）：459-466，2016
6) 井上善文：経腸栄養法（経鼻アクセス）．静脈経腸栄養ナビゲータ エビデンスに基づいた栄養管理，第1版，116-119頁，照林社，2021
7) 茨城西南医療センター病院栄養サポートチーム：経腸栄養法の進め方とコツ．Expert Nurse 20：33-45，2004
8) 東口髙志：経腸栄養の実際―経腸栄養ルート・チャンバーの選択と管理方法．コメディカルのための静脈・経腸栄養手技マニュアル（日本静脈経腸栄養学会編），159-172頁，南江堂，2003
9) 丸山道生：経腸栄養剤（一般経腸栄養剤の選択）．経腸栄養バイブル，第1版，37-42頁，日本医事新報社，2007

表V-21 経鼻経管栄養法の手順

| 手　順 | 留意事項 |
| --- | --- |
| ・物品の準備をする（図V-28）<br>　胃チューブ（12〜14 Fr[†]），潤滑剤，ガーゼ，ゴム手袋，タオル，膿盆，固定用絆創膏，聴診器，注射器（注射用ではなく，胃チューブ接続用のものを準備する），栄養剤，イリゲータ（irrigator），接続チューブ，クレンメ，スタンド，はさみ，白湯<br>・患者の準備をする<br>　患者に経鼻経管栄養法について説明し，了解を得る<br>　半坐位にして，胸元をタオルでおおう<br>・胃チューブ挿入の長さを決める<br>　挿入する鼻腔から，挿入側の耳朶（じだ）まで（図V-29のa，約15 cm）と，耳朶から剣状突起までの長さが，挿入の目安（噴門部に達する長さ）（同b，約30〜35 cm）となる[4]．この長さを確認し，胃チューブに印をつけておく（図V-29）<br>・胃チューブの先端から，挿入の目安につけた印のあたりまで，潤滑剤を塗布する<br><br>・患者の顎を少し上げて，胃チューブを鼻腔から咽頭部まで挿入する<br><br>・患者の頸部を少し前屈させて，唾液を飲み込むように説明する．唾液の嚥下運動に合わせて，印をつけたところまで胃チューブを挿入したらさらに5〜10 cm挿入する<br>・胃チューブが胃内に挿入されたことを確認する<br>　①胃チューブに注射器を接続して，空気を5〜10 mL程度注入し，聴診器を心窩部に当てて，注入された空気の発する音（ボコボコという音）が聞こえるか確かめる<br>　②胃チューブに注射器を接続して，胃液が吸引できるか確かめる<br>　③吸引されたらpHを測定する[6]<br>・胃チューブを，絆創膏で鼻に固定する<br>・胃チューブの先端はクレンメで止め，ガーゼでおおっておく<br>・イリゲータに接続チューブをつける<br>・栄養剤は，室温から体温程度に温めて，イリゲータに入れる<br>・イリゲータをスタンドにかける<br>・接続チューブの先端まで栄養剤を満たしておく<br>・胃チューブに接続し，クレンメを外す<br><br>・滴下速度を調節する<br><br><br><br><br><br><br><br><br><br>・注入中の患者の体位は，許される範囲で上半身を挙上するのがよい（図V-30）<br><br><br>・栄養剤の注入が終了したら，白湯を20〜30 mL程度流す<br>・胃チューブとイリゲータの接続チューブを外す<br>・胃チューブの先端はクレンメで止め，ガーゼでおおっておく<br>・患者の胸元のタオルを取る<br>・物品を片づける | ・胃チューブの太さは，患者の体格や，使用する栄養剤によって選ぶ．12〜14 Frがよく使用される<br><br><br><br>・仰臥位で行うと，気管に誤って挿入する危険が増す<br><br><br><br><br>・成人では，45〜50 cmくらいである．5 cmまたは10 cm間隔に印がつけてある胃チューブが多い<br>・胃チューブの挿入は，手袋をはめて行う<br>・唾液を飲み込むときには，喉頭蓋が閉じるため，このタイミングに合わせて胃チューブを進めると，気管に入らず，食道に挿入しやすい<br>・5〜10 cm挿入することによって，胃チューブの先端が胃の中央まで入る[5]<br><br><br><br><br>・鼻の固定だけでは，外れやすい場合には，さらに頬や額にも止める<br><br><br>・冷えた栄養剤は下痢の原因となるため，室温から体温程度に温めて用いる．ただし，体温程度に温めると，細菌の繁殖を促すので，注意が必要である[7]<br><br>・滴下速度は，患者の状態に合わせて決める．通常は，200 mL/時くらいの速度で注入されることが多い．患者が慣れない間はゆっくりと注入して状態を観察する．しかし，イリゲータに入れた栄養剤は，細菌繁殖の観点から8時間以内には注入することが望ましい[8]<br>・挙上すると，胃や食道からの逆流を防ぐことができ，誤嚥を予防することができる<br>・チューブ内に栄養剤が残らないように，白湯を流す<br>・半消化態栄養剤の場合は，タンパク質が変性しチューブの閉塞を起こしやすいので1日4〜6回フラッシュを行う[9]<br>・可能なら，患者は注入終了後もしばらくは上半身を挙上しておくのがよい |

[†] French scaleの略でフレンチと読む．カテーテルやチューブ類の径を示す単位．1 Frは約0.33 mmで，1 Frごとに径が0.33 mmずつ大きくなる．12〜14 Frは約4〜4.6 mm

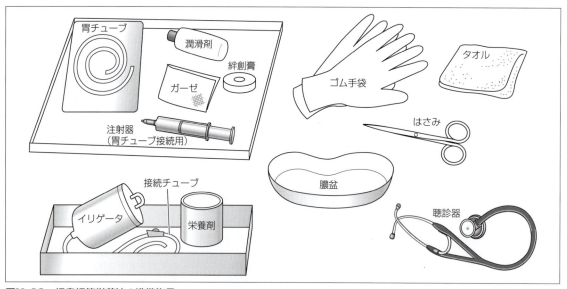

図V-28 経鼻経管栄養法の準備物品

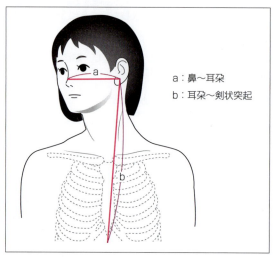

図V-29 胃チューブ挿入の長さの決め方

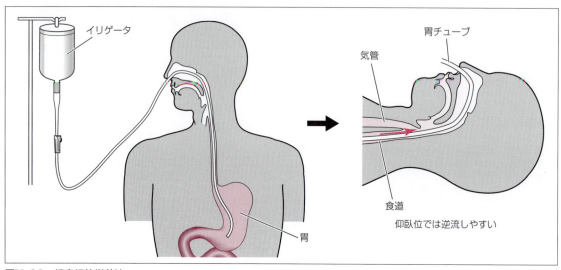

図V-30 経鼻経管栄養法

表V-22 中心静脈栄養法の手順

| 手　順 | 留意事項 |
|---|---|
| ・中心静脈栄養カテーテル挿入に必要な物品の準備をする<br>　中心静脈カテーテルセット，縫合セット，滅菌手袋，マスク，穴あき滅菌布，消毒液，注射器，注射針，局所麻酔薬，輸液セット，高カロリー輸液剤，カテラン針<br>・患者の準備をする<br>　医師が処置について説明し，了解を得る<br>　患者のバイタルサインを測定する<br>　仰臥位で下肢を挙上した体位にする<br>　顔はカテーテル挿入部位とは反対側に向ける．<br>・医師が行う次の処置の介助をする<br>　マスクと滅菌手袋を着用する<br>　カテーテル挿入部位を消毒する<br>　術野の上に穴あき滅菌布をかける<br>　局所麻酔を行う<br>　カテラン針で刺入部位を確認する<br>　穿刺針で穿刺する<br>　穿刺針の内筒を抜いて中心静脈カテーテルを挿入する<br>　輸液と接続し，滴下速度を調節する<br>　カテーテルの縫合固定を行う<br>　刺入部を消毒し，ドレッシングなどでおおう（図V-32）<br><br>・患者のバイタルサインを測定する<br>・胸部X線撮影にて，カテーテル挿入位置を確認する | ・図V-31に示した静脈が，カテーテル挿入部位として用いられる<br>・滅菌布をかけると，患者の顔が見えにくくなるので，十分に観察を行う |

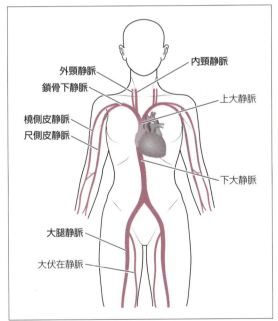

図V-31　中心静脈栄養法におけるカテーテル挿入部位（太字で示した静脈）

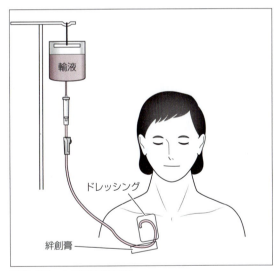

図V-32　中心静脈栄養法

# 2-2 呼吸する

ヘンダーソン（Henderson V）は基本的看護の構成要素の第1番目に「呼吸を助ける」をあげている[1]．呼吸の質は健康や生活の質に影響を与えるだけでなく，死と直結するような恐怖感を人に与える．そこで彼女は「看護師は呼吸を正確に観察し，患者の望みうる最善の胸郭拡張と呼吸筋の自在な活用とを促すような体位を実演して見せ，その効果について説明しなければならない」と述べている[1]．看護師は正常な呼吸を妨げる要因を取り除き，適切な援助方法で対象者の「呼吸」の基本的ニーズを充足しなければならない．

## A 呼吸の基礎知識

呼吸には，吸入した酸素（$O_2$）を肺胞・毛細血管間の拡散によって毛細血管内へ移動させ，毛細血管内の二酸化炭素（$CO_2$）を肺胞内へ移動させる外呼吸（external respiration）と，細胞が栄養素の燃焼に必要な$O_2$を取り込み，代謝の結果生じた$CO_2$を排出する内呼吸（internal respiration）がある．

ヒトは外界に呼吸器官を開放して酸素を供給している．そのため，常に外気中にある塵埃や細菌などの異物が体内の深部へ侵入する可能性がある．良い呼吸を保つには，清浄な空気の供給と，空気に含まれる異物を排除して体内へ届ける気道の機能が適切であることが必要である．

### 1 呼吸器系の形態と機能

鼻腔（nasal cavity），咽頭（pharynx），喉頭（larynx）を上気道といい，声門以下から気管（trachea），気管支（bronchus），肺胞（alveolus）までを下気道という．上気道は，吸入した空気を加湿，加温するとともに，塵埃や異物を粘膜に吸着させて体内への侵入を防ぐ機能をもつ．

下気道では，上気道を通過した細菌などが上皮細胞表面の粘液層にとらえられ，さらに粘液層の下層にある線毛の運動で口側に送り出す（図V-33）．吸入された外気は上気道を経て，肺胞に達する間に温度37℃，湿度100％に加温・加湿される[2]．

交感神経末端から放出されたアドレナリン，ノルアドレナリンは気管支平滑筋に存在する$β_2$レセプターに結合して，気管支を弛緩（拡張）させる．平滑筋が弛緩すると気道の内腔は広がり，吸入される空気量が増える．副交感神経の伝達物質であるアセチルコリンは気管を収縮させ，気管支粘膜の粘液腺からの分泌を促す働きがある[3]．

右肺は上葉・中葉・下葉，左肺は上葉と下葉に区分される．気管支は枝分かれを繰り返し，これをおおうように毛細血管が分布し，肺胞膜と毛細血管の間でガス交換が行われる．

胸郭（thorax）は12本の胸椎，12対の肋骨，1個の胸骨から構成され，肺と上腹部臓器の一部を保護している．胸郭の内面は壁側胸膜がおおい，肺の表面は肺胸膜がおおっている．この2つの膜の間を胸腔といい，ごく少量の漿液が含まれている．胸腔内は大気圧よりも低い陰圧になっており，安静時の呼気では$-2〜-5\,cmH_2O$，吸気では$-6〜-8\,cmH_2O$と変化する[3]．胸腔内に漿液があることで胸郭と肺が密着し，摩擦を起こすことなく胸郭内壁の動きにひっぱられて肺は拡張することができる．

### 2 呼吸運動と呼吸調節

呼吸運動とは，肋間筋や横隔膜の収縮・弛緩により胸郭を前後左右上下に拡大・縮小させて胸腔内圧の変化をつくり，外気を吸入，排出させることである．動脈血中の$PaCO_2$（二酸化炭素分圧）や$H^+$（水素イオン濃度）は頸動脈や脳幹部などにある化学受容器によって感知され，その情報が延髄の呼吸中枢に送られ呼吸運動が調節されている（図V-34）．

成人の1回換気量は450〜500 mLである．そのうち150 mLは鼻腔から終末細気管支内（解剖学的死腔）にとどまり，ガス変換に利用されないまま呼出される．つまり，ガス交換に有効な換気量は500 mL中300〜350 mLとなる．したがって，深い呼吸のほうが肺胞換気量が増え，ガス交換には有利である．空気が気道部分を往復するような浅い呼吸では新鮮な空気が肺胞に届かない（図V-35）[4]．

## B 呼吸のアセスメント

呼吸に影響を与える要因には，吸入する空気の汚染のような環境，喫煙・受動喫煙などの生活習慣，加齢による呼吸機能の低下などが考えられる．職業によって呼吸器系に影響を及ぼす物質に曝露される可能性もあり，職歴や住居環境の情報が重要である．

高齢者では呼吸器は長年外界に開放されているために，肺の障害が蓄積されていると考えられる[5]．

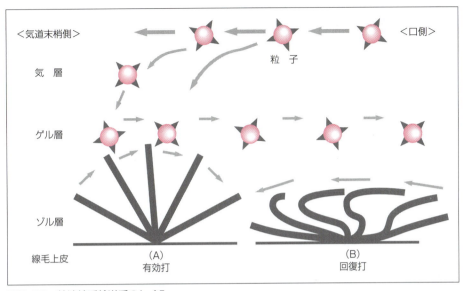

**図V-33 粘液線毛輸送系のしくみ**
[高橋弘毅, 阿部庄作:呼吸器の防御機能. 標準呼吸器病学(泉 孝英編), 55頁, 医学書院, 2000より引用]

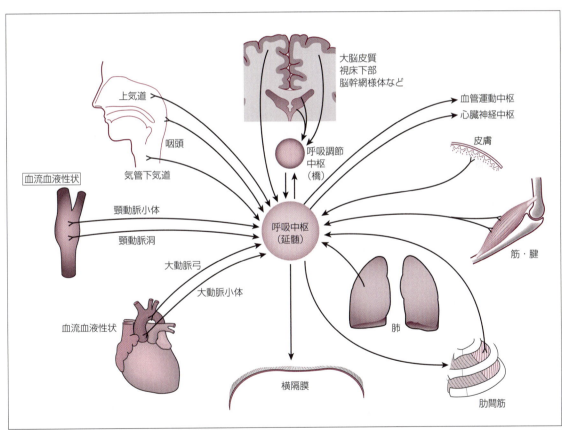

**図V-34 呼吸の調節**　[中野昭一(編):普及版図説・からだの仕組みと働き, 98頁, 医歯薬出版, 2001より引用]

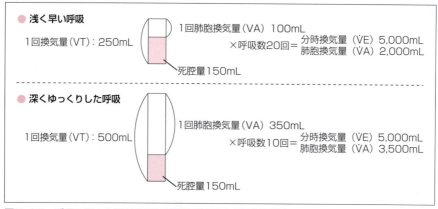

図V-35 呼吸の深さと深呼吸が分時肺胞換気量に及ぼす影響
[山田峰彦:肺における換気とガス交換. 呼吸運動療法の理論と技術(本間生夫監修, 田中一正, 柿崎藤泰編), 27頁, メジカルビュー社, 2003より引用]

さらに加齢によって呼吸筋の筋力低下, 胸壁の硬化, 肺弾力性収縮力の低下などが起こる[6]. これらのことから, 年齢も呼吸の状態をアセスメントする重要な情報となる.

## 1 呼吸の性質

フィジカルイグザミネーションの手技を使って, 呼吸数や呼吸の型, 呼吸音, 呼吸の性質をとらえる. 生活歴, 呼吸器に関する既往歴, 家族歴, 自覚症状, 姿勢, 皮膚や手指の状態などの詳しい問診や観察を進めていく.

## 2 呼吸器に特徴的な症状

### 1. 咳嗽

咳嗽(cough)は気道内の分泌物や吸入された異物を体内から排除するための一過性の生理的防御反射である. 咳嗽が続く場合は, いつから, どのようなときに, どのような咳嗽が起こって, どのように消失するのかを聞く必要がある. 咳嗽は痰を伴う湿性咳嗽(productive cough)と痰を伴わない乾性咳嗽(dry cough)に分けられる.

咳嗽は1回につき2 kcalのエネルギーを消費する[7]. 慢性化すると体力の消耗だけでなく, 肋骨骨折, 気胸, 嘔吐なども起こり, 社会生活を障害することもある.

### 2. 呼吸困難感

呼吸困難感(dyspnea)とは呼吸に伴う不快感や, 呼吸するのに努力が必要と感じている場合をいう[8]. 呼吸器疾患だけでなく, 循環器疾患, 神経・筋疾患, 心因性などでも自覚される症状なので, 呼吸困難の発症パターンや, 程度, 随伴症状などを観察する. 呼吸困難感の程度はHugh-Jones分類(表

表V-23 呼吸困難感のHugh-Jones分類

| | |
|---|---|
| I | 同年齢の健康者と同様の労作ができ, 歩行, 階段昇降も健康者なみにできる |
| II | 同年齢の健康者と同様に歩行できるが, 坂道・階段は健康者なみにはできない |
| III | 平地でも健康者なみに歩けないが, 自分のペースなら1.6 km以上歩ける |
| IV | 休み休みでなければ50 m以上歩けない |
| V | 会話・着替えにも息切れがする. 息切れのため外出できない |

V-23), VAS(visual analog scale:長さ10 cmの直線状の強度尺度)などを使って評価する.

### 3. 胸痛

胸部の痛み(chest pain)の原因は肺や胸壁の疾患, 心臓・大動脈疾患, 消化器疾患などさまざまだが, 生命の危険を示す徴候のこともある. 胸痛の部位, 性質, 呼吸との関連, 持続時間, 放散痛の有無など, 十分な問診と観察が必要である.

## 3 動脈血酸素飽和度, 血液検査などのデータ

動脈血酸素分圧(arterial oxygen partial pressure:$PaO_2$), 動脈血二酸化炭素分圧(partial pressure of arterial $CO_2$:$PaCO_2$), 動脈血酸素飽和度(oxygen saturation of arterial blood:$SaO_2$)などがガス交換の指標となる. パルスオキシメーター(指先の動脈などで酸素飽和度を光学的に測定する機器)は簡便に動脈血酸素飽和度を測定でき, 患者の症状と併せてアセスメントする. パルスオキシメーターのセンサーにはクリップ式やテープ式があり, 指に装着する. 正確な値を得るために, 適切に装着されているか, 装着した指に冷感や皮膚の異常はないか観察す

る必要がある[9]．

赤血球数，ヘモグロビン値に加え，長期に呼吸障害がある場合，栄養状態，脱水の有無も把握する．これらのデータは安楽な呼吸を導くうえでも重要である．

### C 呼吸を安楽にする看護技術

ナイチンゲール（Nightingale F）は「患者が呼吸する空気を患者の身体を冷やすことなく，屋外の空気と同じ清浄さを保つことが看護には必要不可欠である」と述べている[10]．呼吸を安楽にする技術を実施する前に，清浄な空気を取り入れることを忘れてはならない．

#### 1 安楽な体位

■ 呼吸困難時の体位

体位によって肺胞換気量や肺血流量は変化する．立位や坐位では胸郭運動が十分行え，呼吸は楽になる．息切れ，呼吸困難によるパニック時には，上半身を何かにもたれかけてやや前傾姿勢をとり，上肢は膝やテーブルの上に置き，肩甲帯を固定するとよい（起坐呼吸）（図V-36）[11]．これによって，頸部の呼吸補助筋（吸息相）の働きが助けられる．また，前傾坐位の姿勢をとることで腹腔内臓器の静水圧が変化し，横隔膜の張力が発生しやすくなって呼吸運動が助けられ呼吸が楽になる[12,13]．

#### 2 呼吸訓練

呼吸訓練法（breathing exercise）の研究は多数あるが，臨床における無作為化比較試験[*1]の困難さから科学的な根拠を踏まえたものは少ない．また，対象となる人が薬物治療や運動療法など複数の治療を受けている場合が多いことから，ひとつの手技の効果を検出しにくいこともある[14]．患者の反応を十分観察しながら実施を重ねていき，根拠を見出していくことは意味あることである．

##### 1. 口すぼめ呼吸（pursed-lip breathing）

鼻から吸った息を口をすぼめてゆっくり呼出すると，気道内圧の陽圧が保たれ（気道の虚脱を防ぐ），呼吸数が減り，1回換気量が増大する（表V-24）．この呼吸法により，呼吸のリズムを調整することができる[15]．呼気圧は30 cm前方にかざした自分の手に息がかかる程度でよい[15]．

##### 2. 腹式呼吸（abdominal breathing），横隔膜呼吸（diaphragmatic breathing）

横隔膜の上下の動きを増大させ，胸鎖乳突筋や斜

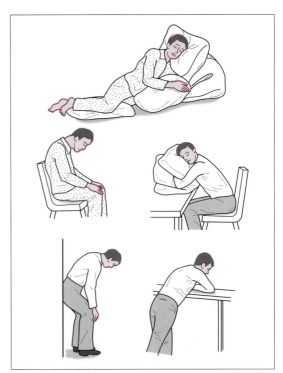

図V-36　パニック時の呼吸姿勢，上肢の固定
［独立行政法人環境再生保全機構ホームページ〔https://www.erca.go.jp/index.html〕を参考に作成．（最終確認：2023年4月29日）］

角筋など吸息相の呼吸補助筋によらない呼吸を行う（表V-25）．呼吸数の減少や1回換気量の増加があるといわれているが，十分なエビデンスは得られていない[12]．

#### 3 排痰法

排痰法（secretion clearance techniques）は，喀出されずに気管支や肺胞内にとどまっている分泌物の移動を促し，気道の閉塞を防ぐ目的で行われる[16]．排痰をより効果的にするには，吸入療法や水分の補給を行い，痰の粘稠度を下げ，線毛運動を正常に保つことが大切である[17]．

排痰法の意義や効果の科学的な根拠もまだ不明な点も多く[18]，患者の状態によっては合併症を起こすことも指摘されている[19]．したがって排痰法の適応[*2]と禁忌[*3]についても把握しておく．

---

[*1] 無作為に振り分けた実験群と対照群で治療やケアの効果を比較する研究デザインのひとつ．
[*2] 医療行為の正当性・妥当性のこと．
[*3] 医療用語として使う場合は（絶対に）適用してはいけないことやもの．患者の人体への悪影響や予後を大きく悪化させる危険性のある治療法，検査，薬物等に対して使われる．

### 表V-24 口すぼめ呼吸

| 方　法 |
| --- |
| ①呼気を通じて唇を軽く閉じてゆっくりと呼出する<br>②吸気は鼻で行う<br>③吸気と呼気の比率は1：2以上で行い，徐々に呼気を長くして1：5を目標とする<br>④徐々に深呼吸訓練を行いながらこの呼吸法を行う |
| 注　意 |
| 1. 呼吸音が聞こえるほど口すぼめで抵抗をかけない<br>2. 腹部周囲筋の過度の緊張をとること<br>3. 最初から極端にゆっくりと呼吸させたり，極端に長い呼気をさせたりしない<br>4. 呼吸数は20/分以下で<br>5. 練習は長時間より回数を多く |

［千住秀明：呼吸リハビリテーション入門，第4版，132-133頁，神陵文庫，2004より引用］

### 表V-25 腹式呼吸（背臥位で行う場合）

| 方　法 |
| --- |
| ①患者に股・膝関節を軽度屈曲した安楽肢位をとらせる<br>②患者の利き手を腹部に，他方の手を上胸部にのせ，その上に指導者の手を同様に重ねる<br>③口すぼめ呼吸で，呼気と吸気時の手の動きに意識を集中させる<br>④手の動きを感じとれば，吸気時に腹部を持ち上げるように指示する<br>⑤練習の時間は5～10分間の短時間で回数を多くするほうが効果がある |
| 指導のポイント |
| 1. 患者の呼吸リズムを乱さないこと．患者の呼吸リズムに合わせた呼吸指導を行う<br>2. 最初から深呼吸をさせない．深呼吸に意識が集中し，呼吸困難が増強する．肺活量の1/2～2/3程度の換気量で練習する<br>3. 吸気で横隔膜が下方に下がり，腹部が上昇する動きを理解させる<br>4. 指導者は斜角筋の収縮で患者の呼吸パターンを把握する<br>5. パルスオキシメーターや鏡により視覚のフィードバックを使う |

［千住秀明：呼吸リハビリテーション入門，第4版，133-135頁，神陵文庫，2004より作成］

## 1. 体位ドレナージ（体位排痰法，postural drainage）

これは末梢の気道に貯留した分泌物を，重力を利用して主気管支へ誘導し排出を促す方法である．分泌物の貯留した肺区域が上側になるように体位をとり，主気管支方向に分泌物を移動させる．したがって効果的に実施するには，分泌物に流動性があり，誘導する気管支に閉塞がないことが条件となる（表V-26）[15]．

1つの体位の保持時間は最低10分で，全体で15～60分とされるが[12]，患者の疲労を考慮して20～30分がよい[14]ともいわれている．また，体位ドレナージと他の排痰法を組み合わせると効果的である．

## 2. 軽打法，振動法，スクイージング

胸壁を軽打して振動を与える軽打法（percussion）は clapping, cupping, tapotement など手の形によって使い分けられているが，いずれの方法でも効果は同じといわれている[20]．

振動法（vibration）は，分泌物貯留部位にもっとも近い胸壁に，実施者の手やマッサージ器を置き，呼気に合わせて細やかな振動を与える方法である．機械を使用すると，線毛運動と同等の周波数12～20 Hzの振動をつくることができ，効果的といわれている[12]．機械的振動法と体位ドレナージを併用して動脈血酸素分圧の上昇を認めた報告もある[20]．ただし，軽打法，振動法は合併症を引き起こす場合があるので注意する（表V-27）[22]．

スクイージング（squeezing）は，目的とする胸郭に実施者の手を置き，呼気時に胸郭の動きに合わせて気管支分岐部（115頁参照）方向に向かって圧迫する方法である．この手技により呼気流速を増加させ，区域気管支から分泌物の移動を促すことができる．しかし，スクイージングは手技の習得がむずかしく，効果が得られにくいとの見解もある[23]．排痰法を実施する場合は，患者の安全を十分考慮して行うべきである．まず「見て，聴いて，触れる」[24]

表V-26 体位ドレナージの適応と禁忌

| 適応 |
|---|
| ・痰の喀出量が 25〜30 mL/日以上で，分泌物のクリアランスが困難<br>・人工気道を有する患者が分泌物の貯留を示すとき<br>・粘液塞栓による無気肺およびその疑い<br>・気管支拡張症，囊胞性肺線維症，有空洞肺疾患の診断<br>・気道内異物 |

| 禁忌 |
|---|
| ・頭蓋内圧（ICP）>20 mmHg<br>・脊髄外科手術直後あるいは急性脊髄損傷<br>・膿胸，肺塞栓，肺水腫<br>・肋骨骨折 |

［古賀俊彦，古賀医学研究所：ポケット版最新呼吸ケアハンドブック—エビデンスに基づく実践ガイドライン，232-234頁，照林社，2006 より作成］

表V-27 軽打法，振動法の合併症と禁忌

- 軽打法
  合併症：疼痛，低酸素血症，不整脈，気管支痙攣，創部出血，皮下出血，気胸，血胸，皮下気腫，その他
  禁　忌：胸部術創，肋骨骨折，気管支喘息，血液凝固異常，急性白血病
- 振動法
  合併症：気胸，血胸，肋骨骨折，その他
  禁　忌：胸部術創，肋骨・胸骨・胸椎骨折
- 両手技の絶対禁忌
  頭部・胸部外傷後，術後不安定期，出血傾向による循環動態不安定期

［真渕 敏：呼吸理学療法の手技．最新包括的呼吸リハビリテーション（兵庫医科大学呼吸リハビリテーション研究会編），242頁，メディカ出版，2003 より引用］

フィジカルアセスメントを実践し，排痰法を選択する．

## 4 吸引療法

吸引（suctioning）とは，気道に存在する分泌物を口腔・鼻腔や人工気道（気管切開カニューラ，気管チューブなど）からカテーテルを用いて分泌物を除去することである．吸引によって肺胞でのガス交換能を維持・改善し，呼吸困難感を軽減する[22,23]．その一方で，吸引によって患者に苦痛を与え，低酸素血症，不整脈，気管の損傷などの合併症，手技や使用物品の管理によっては感染を起こす可能性もある．気管吸引の場合，低酸素血症を防ぐには，人工気道の内径1/2以下の吸引カテーテルを使用し，吸引時間を15秒以内にとどめることが推奨される[25]．吸引圧は，成人の場合−100〜−150 mmHg（−20 kPa）が適切である[25,26]．また，吸引時は手洗いや速乾性手指消毒薬を用いて，手指衛生を常に保たなければならない．

一連の吸引の過程において，患者の観察を怠らないようにする．すなわち，呼吸音の聴取，分泌物の観察，バイタルサイン，経皮的動脈血酸素飽和度（$SpO_2$），呼吸困難感などを観察し，吸引の効果を判定する．

## 5 吸入療法

吸入療法（inhalation）には加湿療法とエアロゾル吸入療法があり，加湿器，ネブライザー，定量噴霧式携帯カートリッジなどの器具を使用する．エアロゾル吸入療法では，薬液を気体，あるいは液体の粒子にして気道内に吸入させる．分泌物の排出の促進だけでなく，気道に生じた感染や，気道狭窄の治療として効果がある．吸入薬剤としては，気管支拡張薬，粘液溶解剤，気道浄化剤，抗菌薬，ステロイドなどがある．喘息や慢性閉塞性肺疾患（chronic obstructive pulmonary disease：COPD）では，気管支拡張薬として「$\beta_2$刺激薬」「抗コリン薬」「テオフィリン薬」を，対象者の重症度に合わせて選択し投与する．これらは心悸亢進，悪心，口渇，振戦などの副作用が出現する危険性があり，観察を要する[27]．長時間作用$\beta_2$刺激薬にはテープ剤もあり，貼付による皮膚のかぶれに注意する．また，気道の炎症を改善するために吸入ステロイド薬を併用することがある．吸入ステロイド薬が口腔内に残ってしまう

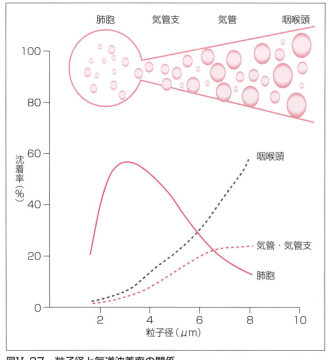

図V-37　粒子径と気道沈着率の関係
[高橋弘毅, 阿部庄作：呼吸器の防御機能. 標準呼吸器病学（泉　孝英編）, 54頁, 医学書院, 2000 より引用]

と，嗄声や喉の違和感などを生じることがあり，吸入後は含嗽して残存する薬剤を洗い流すよう促す[11]．

エアロゾル吸入療法を実施する際には，発生した粒子の大きさや吸入速度よって気道に沈着する部位が異なることに留意しなければならない（図V-37）．粒子が大きいと上気道に沈着してしまい，細い気管支まで到達しない[7]．また，早い速度での吸入は，やはり上気道にとどまるか，呼出されやすい．したがって，目的に合った粒子を発生させ，ゆっくりした呼吸で実施する必要がある．器具を使用する吸入療法は，患者が操作や管理方法を理解するまでに時間がかかる[28]．また，患者が医師の指示どおりに使用していない場合もあるため[29]，適正な使用方法を適宜説明していく．表V-28に超音波ネブライザーの実施手順を示した．

### 6 酸素療法

動脈血酸素分圧が60 Torr（トル：圧力の単位）以下，動脈血酸素飽和度が90％以下は酸素療法（oxygen therapy）の適応となる．低酸素状態に陥った場合，酸素消費量の多い脳や心臓に影響が及び，意識レベル低下，頭痛，頻脈，チアノーゼなどさまざまな症状を呈する[30]．

慢性閉塞性肺疾患（COPD）の患者では，慢性的に$PaCO_2$が上昇しているため頸動脈小体の$CO_2$の感受性が低下しており，呼吸は低酸素刺激によって調節されている．このような状態で高濃度・高流量の酸素を投与すると，$PaO_2$は上昇するが，それまで保たれていた呼吸は抑制され，換気が低下し，その結果，高二酸化炭素血症となり，意識障害を引き起こす（$CO_2$ナルコーシス）[30]．酸素投与時には患者の既往歴や症状を十分把握し，動脈血ガス分析の所見も踏まえて観察する．酸素流量の確認も大切である．

酸素は鼻カニューラ，単純フェイスマスクなどに常温気泡型の加湿器を接続して投与されているが，少量の酸素流量では吸気における酸素の割合も少ないので，4〜5 L/分以下では加湿の必要はないとする報告がある[30]．それよりも室内の空気を適切な温度と湿度に調節することのほうが重要であると指摘されている[31]．

### 7 ケアの評価

これらの看護ケアを実施した後には，患者の自覚症状の変化や，呼吸音，動脈血酸素飽和度などのデータを継続的に評価する．呼吸補助筋を使う呼吸

表V-28 超音波ネブライザーを受ける患者の援助

| 〈必要物品〉<br>超音波ネブライザー，蛇管，吸入用のマウスピースまたはマスク，医師の処方箋または指示箋，薬液，蒸留水，フェイスタオル，含嗽用の水・コップ・ガーグルベースン，ティッシュペーパー，適宜スクリーン ||
|---|---|
| 手順 | 根拠/注意点 |
| 1. 準備<br>【超音波ネブライザーのセット】<br>①ネブライザー本体の作用槽に適正の水位まで蒸留水を入れ，薬液用カップを装着する<br>②指示された薬液を薬液用カップに無菌操作で入れ，噴霧槽を取り付ける<br>③蛇管と吸入用のマウスピースを取り付ける<br>④ネブライザーが作動するか確認する<br><br>【患者の準備】<br>①患者に説明し，同意を得る<br>②保温やプライバシーの保護に留意する（スクリーンやバスタオルを使用する）<br>③呼吸音を聴取し，痰の貯留状況を確認する．必要時，胸部にフェイスタオルをかける<br><br>2. 吸入の実施<br>①患者に起坐位またはファウラー位をとってもらう<br>②ネブライザー本体のスイッチを入れ，風量と噴霧量，蛇管の位置を調整する．適宜タイマーを設定する<br>③患者に軽く口を開けてもらい，マウスピースを軽くくわえるか，口から2〜3cm離して保持する．マスクの場合は口元にあてる<br>④ゆっくり深呼吸をする．吸気の終末に2〜3秒息をこらえてから息をゆっくり吐くようにする<br>⑤口腔内に溜まった唾液や薬液などは，ティッシュペーパーやガーグルベースンに吐き出してもらう<br>⑥パルスオキシメーターを使ってSpO$_2$をモニタリングするなど，呼吸状態を観察する．悪心，咳嗽の増加，呼吸困難などがあれば中止する<br>⑦薬液がなくなったらスイッチを切る．含嗽を行い，口腔内の不快感を取り除く．口の周りについた水分をタオルで拭く<br>⑧寝衣を整え，安楽な体位にする<br>⑨物品を片付ける<br><br>3. 実施後の観察<br>①呼吸・循環状態・全身状態に変化がないか観察する．痰の性状や量，呼吸音の変化の有無を観察する<br>②実施時間，薬液名・量，アセスメント等を記録する | \*物品をセットする前に手指を消毒する．蛇管，マウスピース，薬液カップなどが滅菌されたものか，破損はないか確認する．<br>\*処方箋で患者名，薬液名，用量，目的，方法，実施時間などを確認して準備する<br>\*食事の直前・直後は吐気・嘔吐を誘発することがあるので避ける<br>\*寝衣が吸入剤で濡れないようにする<br><br>超音波ネブライザー<br><br>\*蛇管にたまった水が口側に流れるのを防ぐため，蛇管は患者の頭よりも低い位置に固定する<br><br>\*マウスピースをくわえている場合は，口から吸って，鼻からゆっくりと息を出してもらう<br><br><br>▲マスクでの吸入　　　　▲マウスピースでの吸入<br>マスク(小)で鼻と口を　　マウスピースを口にくわおおうようにして吸入　　　えて吸入<br><br>\*各物品は洗浄・消毒・乾燥を行い，交差感染を防ぐ．ディスポーザブル製品は感染用医療廃棄物として破棄する |

などのために多くの患者はエネルギーを消耗する．呼吸困難による食欲不振から低栄養状態に陥り，免疫力の低下，感染症の罹患など呼吸状態を悪化させる可能性もある．呼吸の障害は日常生活を制限するだけでなく，患者の精神的，社会的な活動にも影響を及ぼす．したがって，安楽な呼吸をサポートするには，栄養状態，精神面も含めた生活状況の評価も併せて行い，患者をトータルにみる視点が必要である．

● 引用文献

1) バージニア・ヘンダーソン（湯槇ます，小玉香津子訳）：看護の基本となるもの，日本看護協会出版会，1995
2) 宮尾秀樹：加温・加湿，気道管理．新呼吸療法テキスト（3学会［日本胸部外科学会・日本呼吸学会・日本麻酔科学会］合同呼吸療法認定士認定委員会編），170-175頁，アトムス，2013
3) 田中美智子：呼吸器系の形態．看護生理学テキスト（深井喜代子，福田博之，襴屋俊昭編），88頁，南江堂，2000

4) 山田峰彦：肺における換気とガス交換．呼吸運動療法の理論と技術（本間生夫監修，田中一正，柿崎藤泰編），26-27頁，メジカルビュー社，2003
5) 桂　秀樹，木田厚瑞：成長・加齢と肺の構造変化．呼吸器と循環 **50**（7）：657-664，2002
6) 長瀬隆英：加齢と肺機能の変化．呼吸器と循環 **50**（7）：665-668，2002
7) 髙橋弘毅，阿部庄作：呼吸器の防御機能．標準呼吸器病学（泉　孝英編），53-55頁，73頁，医学書院，2000
8) 医療情報科学研究所編：呼吸リハビリテーション 病気がみえる vol.4 呼吸器，第3版，42頁，メディックメディア，2018
9) 木本奈津子，小林直樹，鎗田　勝ほか：センサの横ずれが$SpO_2$値へ与える影響．生体医工 **50**（6）：651-657，2012
10) フロレンス・ナイチンゲール（湯槇ます，薄井坦子，小玉香津子ほか訳）：看護覚え書き，9頁，現代社，1984
11) 独立行政法人環境再生保全機構ホームページ〔https://www.erca.go.jp/index.html〕（最終確認：2023年4月29日）
12) 柳原幸治，額谷一夫，山田拓実：呼吸リハビリテーションの基本手技とその理論．呼吸リハビリテーション（石田　暉，江藤文夫，里宇明元編），73-80頁，医歯薬出版，1999
13) 医療情報科学研究所編：呼吸リハビリテーション 病気がみえる vol.4 呼吸器，第3版，267頁，メディックメディア，2018
14) 宮川哲夫：呼吸理学療法のEBM．呼吸運動療法の理論と技術（本間生夫監修，田中一正，柿崎藤泰編），67頁，メジカルビュー社，2003
15) 高橋仁美，宮川哲夫：コンディショニング2．口すぼめ呼吸．動画でわかる呼吸リハビリテーション（高橋仁美，宮川哲夫，塩谷隆信編），第5版，178頁，中山書店，2020
16) 中澤篤人，北村英也：肺理学療法．呼吸器疾患 最新の治療 2023-2024（弦間昭彦，西岡安彦，矢寺和博編），142-145頁，南江堂，2023
17) 塩谷隆信，高橋仁美編：リハ実践テクニック 呼吸ケア 病期別呼吸リハビリテーションとケア・サポートの技術，第4版，193-194頁，メジカルビュー社，2021
18) 石川　朗，原田洋一，山中悠紀ほか：呼吸理学療法の有効性．EB Nursing，48-55頁，中山書店，2006
19) Hess DR：The Evidence for secretion clearance techniques. Respiratory Care **46**（11）：1276-1293, 2001
20) 千住秀明：C 理学療法．呼吸リハビリテーション入門―理学療法士の立場から，第4版，97-114頁，神陵文庫，2004
21) Holody B, Goldberg HS：The effect of mechanical vibration physiotherapy on arterial oxygenation in acutely ill patients with atelectasis or pnumonia. Am Rev Resp Dis **124**：372-375, 1981
22) 真渕　敏：呼吸理学療法の手技．最新包括的呼吸リハビリテーション（兵庫医科大学呼吸リハビリテーション研究会編），246頁，メディカ出版，2003
23) 道又元裕：ナースビギンズ 正しく・うまく・安全に気管吸引・排痰法，南江堂，2012
24) 日本呼吸療法医学会 気管吸引ガイドライン改訂ワーキンググループ：気管吸引ガイドライン 2013（成人で人工気道を有する患者のための）．人工呼吸（Jpn J Respir Care）**30**：75-91，2013
25) Blakeman CT, Scott JB, Yoder AM, et al.：AARC Clinical Practice Guidelines：Artificial Airway Suctioning. Respiratory Care **67**（2）：258-271, 2022
26) 肥後すみ子：呼吸・循環を整える技術・新体系看護学全書 基礎看護学③基礎看護技術Ⅱ（深井喜代子編），第5版，200-205頁，メヂカルフレンド社，2021
27) 相良博典，東田有智監，一般社団法人喘息学会作成：喘息診療実践ガイドライン，36頁，協和企画，2022
28) 駒瀬裕子：吸入療法の利点と注意点．薬剤師，医師，看護師のための明日からできる実践吸入指導（駒瀬裕子，向井秀人監），10-12頁，メディカルレビュー社，2012
29) Tamura G, Ohta K：Adherence to treatment by patients with asthma or COPD：Comparison between inhaled drugs and transdermal patch. Respiratory Medicine **101**, 1895-1902, 2007
30) Perry AG：Oxygen therapy. Clinical Nursing Skill & Techniques, 5th ed, pp. 316-318, Mosby, 2002
31) 宮本顕二：経鼻的低流量（低濃度）酸素吸入に酸素加湿は必要か？ 日本呼吸器学会雑誌 **42**（2）：138-144，2004

## 2-3 排泄する

### 2-3-1 排尿

　排尿（urinary elimination）は生体の内部環境である体液の量，組成，pH，浸透圧などの調整を担う重要な機能であると同時に，心理社会的な側面においても重要な意味をもつ．排尿行為は心身の爽快感をもたらすだけでなく，自力で排尿できるかどうかは社会的生活における自立した存在としての個の自尊感情（self-esteem）にも影響をきたす．また，排尿に関して他者からの援助を受けることは，他者に自分の排尿行為や性器，排泄物を見られることになり，心理的苦痛をもたらす．排尿の援助を行う場合，これらの点を考慮して関わることが大切である．

### A 排尿のメカニズム

　膀胱には，尿を貯留する蓄尿（貯尿）機能と，尿意を感じて尿を排出する排尿機能の2つがある．

　尿は腎臓で1～2 mL/分ずつ生成され，尿管の蠕動的の収縮によって移動して膀胱内に貯留される．膀胱壁は内・外側縦筋層と輪筋層の3層の平滑筋からなり，貯留する尿量に合わせて弛緩する．尿が100 mL程度たまると膀胱内圧は約10 cmH₂O程度に上昇し，約150 mL程度で尿意（micturition desire）を感じ始める．膀胱壁は400 mL前後までは尿量に合わせて弛緩していくため膀胱内圧は20 cmH₂O程度で維持され，排尿を我慢できている．一方，外尿道括約筋（陰部神経支配の骨格筋）は膀胱内の尿量が200 mLをこえるころから活動が増加して膀胱内に尿が貯留されるように機能している．しかし，400～500 mLに達すると著しい膀胱充満感を感じ，排尿筋（膀胱平滑筋）が収縮する．排尿行為を始めると膀胱内圧は急激に上昇し，外尿道括約筋の活動の消失に伴って尿道が弛緩し，尿が排出される（図V-38）．

　排尿は膀胱と尿道を支配する神経系によって調節されている．排尿筋と内尿道括約筋（平滑筋）は下腹神経（交感神経）と骨盤神経（副交感神経）の二重支配を受けている．貯（蓄）尿期には，膀胱が尿で満たされ膀胱壁の伸展受容器（stretch receptor）を刺激することで，その刺激は仙髄（S2～S4）に伝わり，下腹神経を介して膀胱を弛緩させ，内尿道括約筋を収縮させ，同時に陰部神経も興奮して外尿道

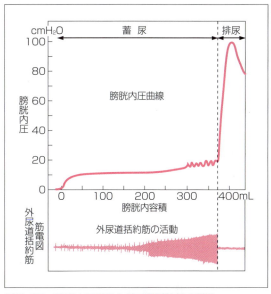

図V-38　膀胱内圧曲線と外尿道括約筋の活動
［佐藤昭夫，佐藤優子，五嶋摩理：自律機能生理学，240頁，金芳堂，1995より引用］

括約筋も収縮し，尿は膀胱内に貯留する．しかし，尿意が最大になると骨盤神経の活動が活発になり，膀胱壁（排尿筋）が収縮して尿が尿道口から排出される．この反射を排尿反射（micturition reflex）という．ところが，外尿道括約筋は随意筋なので，尿意があっても意思によって外尿道括約筋を収縮させて排尿を抑制することができる．このため，排尿は排尿準備が整うまで我慢できるのである（図V-39）．

### B 排尿に影響する要因

　排尿に影響を及ぼす要因は，解剖生理学的要因，心理・社会的な状態，病態・治療の要因など多岐にわたる．これらの事柄を理解しておくことは，排尿に関わる問題や援助の必要性を予測するうえで役に立つ．

　①成長発達段階：自立した排尿の神経系や括約筋の調節に関しては，成長発達に応じた各機能の成熟・発達が不可欠である．また，加齢とともに生理機能の低下が起こり，括約筋の緊張低下や，男性の場合，前立腺肥大などに伴って失禁や排尿時間の延長などが生じる．

　②社会的要因：文化的な，あるいは性（gender）としての規範は排泄のプライバシー観や公共性の感

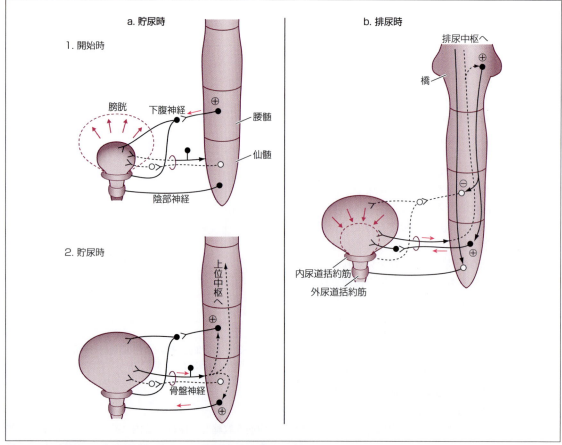

**図Ⅴ-39 貯尿時（a）と排尿時（b）における膀胱と尿道の神経調節**
［佐伯由香：自律神経系，新・看護生理学テキスト（深井喜代子，佐伯由香，福田博之），114頁，南江堂，2008より引用］

③心理的要因：排尿のメカニズムは自律神経支配を受けているので，不安や情動的ストレスの影響を受ける．

④個人の習慣：排尿間隔やトイレの様式（和式，洋式，ウォシュレットなど）は習慣として位置づけられる．

⑤筋力：排尿の終わりには，腹筋を収縮させ腹腔内圧を上昇させて尿排出を助ける．したがって腹筋の筋力も排尿に影響を及ぼす．また，膀胱壁や尿道括約筋（いずれも平滑筋）の収縮力も尿の排出に影響を及ぼす．

⑥水分摂取：水分摂取量や電解質は尿の生成に影響し，またアルコール，カフェインなどの嗜好品や水分の多い果物も尿量に影響する．

⑦薬物：薬物によっては尿の色を変化させ，腎臓における水分・電解質の再吸収を阻害するような作用がある．

⑧疾患・治療：尿の生成・排泄に直接関わる腎・泌尿器系の疾患，神経系の疾患や尿路感染は尿の量・性状の変化や，蓄尿・排泄に影響をもたらす．また，トイレに行く，衣類の着脱，しゃがむ，排尿後紙で拭くといった排尿動作に影響する疾患の有無によっても排尿の自立度は影響を受ける．また，輸液を行っていると直接循環血液量が増加することになり，尿量や尿の回数の頻度を増加させることがある．

## C 排尿に関するアセスメント

排尿に関わる問題現象を明確にし，その原因・誘因と思われる事柄を推測するためと，看護ケアにおいて個人の情報を十分に活用するために，多角的な視点からアセスメントを行う（表Ⅴ-29）．尿の生成，尿の排出機能，尿の貯（蓄）尿機能の異常によって，排尿に関連するさまざまな症状が出現する（表Ⅴ-30）．

表V-29 排尿に関する看護上のニード判別・援助方法選択のためのアセスメント

<ニードは？>
排泄行動の自立に関連？
排泄障害や障害に伴う二次的問題？
自己概念に関連する事柄？

<援助方法>
援助方法を選択するとき，考慮すべきことは？

【主観的情報】→問診
1. 排尿パターン（現在，過去）：回数，間隔，量（1回，1日）
2. 排尿に関連する問題・症状：
   排尿開始までの時間延長，排尿時間の延長，残尿感，排尿時の痛み，尿漏れなど
   いつから，どのように，どのような頻度など経過を踏まえて確認
3. 排尿に影響する要因に関して：
   ・尿路感染などの既往
   ・排尿習慣（過去，現在）
   ・不快，緊張，不安など
   ・排泄に関する価値観，羞恥心，プライバシー，援助を受けることへの考えなど

【客観的情報】
1. 排尿回数，間隔，量（1回，1日）
2. 尿の性状：色，透明度，混入物の有無，臭いなど
3. 排尿に関連する身体機能の状態（疾患を含む）：排泄障害への影響，排泄行動能力など
   腎・泌尿器系，脳神経系，循環器系，呼吸器系，運動器（筋・骨格）系，感染症など
4. 排尿に影響を及ぼす治療・検査・処置
5. 腹部のフィジカルイグザミネーション：恥骨上部（膀胱部）の触診・打診
6. 排尿機能の状態を示す検査所見
   血液一般検査：Na，K，Cl，BUN，Cr など
   尿検査（尿比重，潜血，尿糖，尿沈渣，細菌，pH，ケトン体，尿タンパクなど）
   尿流量測定（尿排出の勢い・程度の検査），膀胱内圧測定，残尿測定
   腎機能検査など
7. 水分摂取量および尿以外の水分の排泄状況（下痢，発汗など）
8. 体重変動
9. 年齢，性別
10. 環境要因

## 1 主観的情報

尿が出始めるまでに時間がかかる，排尿し終わるまでに時間がかかる，排尿時に痛みがある，すっきり尿が出ないなど，排尿に関する症状の訴えを中心に，それらの症状がいつから，どのように生じたのか，症状の変化の有無や，増悪因子の有無などを系統的に問診する．また，その人のこれまでの排尿習慣，使用している排尿関連用具などについても確認する．

## 2 客観的情報

問診によって対象の主観的情報を得ると同時に客観的な情報を収集する．フィジカルイグザミネーションをはじめとする観察（たとえば，膀胱内の尿の貯留に関しては，触診・打診によって確認が可能である．また，膀胱炎などが存在する場合，恥骨上部の圧迫で圧痛や尿意を訴えるなど），そして排尿機能を示す検査結果にも注目する．また，排尿機能や排尿動作に影響を及ぼす疾患や治療・検査，環境要因などの有無を確認する．

## D 排尿の援助にかかわる看護技術

排尿の援助を実施する際，留意することとして次の点が考えられる．
①可能なかぎり排尿の生理的メカニズムを維持する．
②排尿障害が起こった場合は，その原因や誘因を探り，それらを取り除くよう対策を立てて改善へ導く．
③排尿の自立や習慣の維持を促す．
④排尿に関連した身体的不快感を軽減する．
⑤プライバシーの確保や自尊感情に配慮する．

排尿後の十分な拭きとりやシーツ類の汚れ防止，便器・尿器の清潔といった「身体的不快感の軽減」や，排尿時の音，尿を他者に見られないよう処理すること，1人で排尿できること，といった「プライ

表V-30 排尿障害に関連した症状

| | | | |
|---|---|---|---|
| 尿生成の異常 | 尿量の異常 | 乏尿（oliguria） | 尿量が減少し，400 mL/日以下となる状態 |
| | | 多尿（polyuria） | 尿量が増加し，2500 mL/日以上となる状態 |
| | | 無尿（anuria） | 腎臓からの尿の分泌がみられない状態（100 mL/日以下） |
| | 尿の性状の異常 | タンパク尿（proteinuria） | 150 mg/日以上のタンパクが尿中に排出している状態 |
| | | 糖尿（glycosuria） | ブドウ糖が出現している尿．一般に血糖値が170 mg/dL以上となるとグルコース尿細管再吸収極量をこえ出現 |
| | | 血尿（hematuria） | 赤血球が出現している尿．尿中に多数の赤血球が出現し，鮮紅色〜暗赤褐色を呈しているものを肉眼的血尿といい，尿の概観は正常だが，顕微鏡の強拡大で5個以上の赤血球が認められるものを顕微鏡的血尿という |
| 排尿の異常 | 尿の排出障害 | 尿閉（urinary retension） | 膀胱内に尿は貯留しているが排出できない状態 |
| | | 排尿困難（dysuria） | 排尿に過度の腹圧や時間を要し，排尿に努力を要する排尿状態．排尿開始までに時間延長する場合（遷延性）と，排尿開始から終了までの時間が延長する（再延性）場合がある |
| | | 残尿感 | 排尿後も尿が残っているように感じる状態．膀胱から尿道にかけての炎症の刺激で生じる場合や，実際に残尿（residual urine）がある場合がある |
| | | 尿線の異常 | 排尿時，強い尿道痛（urethralgia）を伴い突然尿線が途絶する状態．尿線が1本にならず2本または分散して放出される状態などがある |
| | 尿の蓄（貯）尿障害 | 頻尿（pollakiuria） | 排尿回数が増加すること（1日8〜10回以上が目安）．膀胱容量が小さくなる．残尿があり尿が膀胱容量になるまでの時間が短縮される場合，あるいは膀胱粘膜の知覚過敏によって尿意を感じやすくなっている場合と24時間の尿量が増加している（多尿）の場合がある．また，不安や緊張で引き起こされる場合もある |
| | | 尿失禁（urinary incontinence） | 膀胱に貯留した尿が不随意にまたは無意識に尿道，またはそれ以外の部位を通じて外陰部に漏出する状態．腹圧性尿失禁，切迫性尿失禁，混合性尿失禁，溢流性尿失禁，機能性尿失禁などがある |

バシーの確保や自尊感情への配慮」に関してはとくに留意する．これらの事柄に対する看護者の対応に関して，看護者自身が十分であるという認識に比べ患者は不十分であると認識しているという報告もあり[1]，援助に際しては十分な対応・配慮が求められる．

## 1 自然排尿を促す看護技術

### 1. 排尿習慣の維持

人は排尿に関して個人の習慣をもっている．入院や施設入所においても患者の排尿習慣を組み込んでケア計画を立案し，その人の自然な排尿パターンを促進する．プライバシーは個人習慣のもっとも重要な要素である．音，臭いなども含めて，他者に気兼ねしないように排尿の開始から終了まで配慮することが大切である．また，排尿間隔，排尿時間や音楽を聴くなど，排尿時に個人が行う心地よさも個人習慣の要素となる．さらに，ウォシュレットに代表されるような排尿後の陰部周囲の清潔や手洗いの習慣も，感染予防という視点だけでなく，生活習慣という面からとらえることができる．

### 2. 排尿反射の促進

排尿するかどうかは，自然な排尿体位をとり，外尿道括約筋を制御して排尿しようとする感覚があるかどうかということである．女性の場合は坐位，男性の場合は立位での排尿動作が一般的なので，女性はベッド上では洋式便器で上半身を挙上するか，ベッドサイドでポータブルトイレを用いる．また男性は，ベッドサイドで立位となり尿器を用いるか，ベッド上での排尿では陰茎を尿器内に収めて排尿するよう援助する．いずれも患者の可能な体動範囲を確認して，できるかぎり自然排尿時の体位に近い姿勢になるように排尿用具を用いる．排尿用具は種類によって特徴が異なるため（表V-31），患者の状態

表V-31 排尿用具の特徴

| 尿器の種類 | 利点 | 欠点 |
|---|---|---|
| 洋式便器 | 腰部が支持され安定感がある容量が大きい支えの奥行きが狭いのでベッドの挙上が容易 | 高さがあるため挿入時患者に負担がかかりやすい頭部挙上ができない場合，腰部が持ち上がり排尿しにくい姿勢となる |
| 和式便器 | 差込の傾斜があり，挿入しやすい腰を持ち上げにくい場合使いやすい | 腰部を支持する部分が狭いため不安定になりやすい |
| ゴム便器 | 材質上，軟らかく痛みがない．仙骨部の褥瘡がある患者などに適している | 軟らかいため不安定感がある |
| 女性用尿器 | 腰を上げなくても排尿が可能である | 排尿時，会陰部に密着しにくく，尿が漏れやすい尿器が動きやすいので排尿終了まで保持が必要となる |
| 男性用尿器 | 陰茎に手が届けば，自分で使用できる | 陰茎がうまく受尿口に入っていないと漏れる |
| 安楽尿器 | ベッド脇において，人手を借りることなく自分で排尿できる | あらかじめ，体型に合った高さに調整しておく必要がある |

に合わせて用いる．女性用尿器は嘴を会陰部に密着させるように当て，尿が飛散しないよう陰部にティッシュを当てておく．なお，使用した尿器，差込み便器は手袋をはめて水洗し，ベッドパンウォッシャー（全自動汚物容器洗浄器：強力な水流と高温で自動洗浄）を用いるか，0.1％両性界面活性剤や0.1％次亜塩素酸溶液に30分浸けて消毒する[2]．

また，排尿時は骨盤神経（副交感神経）が優位となり下腹神経（交感神経）の活動が低下することで尿の排出は容易になるので，できるだけリラックスできるような環境に調整するよう工夫する．

### 3. 水分摂取量の調整

自然な排尿を促す方法として，適切な量の水分摂取があげられる．尿として1日に排泄される量は1,000～1,500 mLである．この中に老廃物や生体にとって不要となった物質が含まれ体外に排出される．このような尿量に不感蒸泄や便中の水分が加わったものが水分排出量である．食物中の水分，飲み水，代謝水の総計が水分摂取量であり，これらの水分摂取量と水分排泄量の両者はバランスを保っている．不感蒸泄などの極端な増減がないかぎり，水分摂取量が減少すると尿量は減少する．心不全，腎不全のような水分制限がないかぎりは1日1,500～2,000 mL程度の水分摂取は，適当な排尿量を維持するためにも重要である．

| 月　　日 | | | | | |
|---|---|---|---|---|---|
| 時間 | 排尿量(mL) | 失禁量(g) | 残尿量(mL) | 水分摂取量(mL) | 備考(尿意の有無など) |
| 6:45 | 130 | | | お茶100 | 起床 |
| 8:00 | | 80 | | 牛乳120<br>お茶100 | 食事中に漏れた<br>尿意あり |
| 10:20 | 100 | | | | |
| 11:45 | 80 | | 200 | お茶50 | |
| 12:50 | 150 | | | ジュース100<br>お水50 | |
| 1:15 | | 150 | | | トイレに間に合わず<br>尿意あり |
| 4:40 | | 120 | 50 | | トイレに間に合わず<br>尿意なし |
| 合　計 | 820 | 720 | | 1,300 | 回数：日中9回，夜間4回<br>失禁5回 |

図V-40　排尿日誌の例

## 2 蓄(貯)尿障害に対する看護技術

頻尿や尿失禁など膀胱内に尿をためられない状況では、おむつ・尿パッドを使用することがある．これらを使用する際は、尿量にあわせた吸収量のものを使用し、その人の体型や活動状況に合わせたものを選択し、当て方を工夫して尿漏れの防止に努める．

排尿状況の実態を知るためには、排尿日誌(図V-40)を記録していくことが役立つ．1日の排尿状況を記録することで、その人の1回の尿量や排尿パターンを把握でき、それらをふまえた対応によっておむつから適正な吸収量の尿パッドへの移行、そして排尿パターンに合わせたおむつ交換、また計画的な排尿誘導によってトイレでの自然排泄へと促すことも可能である．排尿日誌は、アセスメントならびにケアの効果の評価指標ともなる[3,4]．また、排尿日誌に残尿測定結果を記録することで、蓄尿、排出障害のタイプやパターンを明らかにすることもできる．残尿測定については、膀胱用超音波検査機器が開発され、普及している．

尿失禁のうち女性に多い腹圧性尿失禁の場合、原因として加齢による筋力低下、妊娠出産などによる骨盤底筋への負荷、更年期のホルモン分泌の変化による尿道周囲の筋組織の弾力性の低下などがあげられている．このような腹圧性尿失禁では骨盤底筋訓練が失禁予防として有効と推奨されている[5]．

## 3 排出障害に対する看護技術—導尿

尿道口(urethral orifice)からカテーテルを膀胱内に挿入し、膀胱内の尿を対外に人工的に排出させる方法を導尿(urethral catheterization)という．導尿は、尿路が閉塞している場合、神経因性の尿閉、外科手術後の回復促進、重症者の尿量を正確に測定する場合などに適応となる．導尿には、尿の排泄が終了したらカテーテルを抜去する一時的導尿と、カテーテルをそのまま膀胱内に留置して持続的に尿を流出させる持続的導尿がある．導尿の具体的手順を表V-32に示す．

### 1. カテーテルの種類と素材

市販されている尿道カテーテルの太さは外径6〜30 Fr (195頁参照)である．一般的に小児用としては6〜10 Fr、成人用には12〜18 Frを用いる．成人では一時的導尿では12〜15 Frを、持続的導尿では16〜18 Frを使用することが多いが、患者の病態に合わせた使い分けが基本である．カテーテルの太さはカテーテルの挿入のしやすさや、浮遊物や凝血塊などによるカテーテルの閉塞のしやすさ、尿道粘膜への刺激や圧迫の程度に影響をする．

尿道に挿入するカテーテルの形状は図V-41に示すとおりである．主に一時的導尿で使用されるネラトンタイプと、長期に膀胱内に留置される膀胱留置用カテーテルであるフォーリー(Foley)タイプ(バルーンカテーテルともいう)がある．膀胱留置カテーテルでは、バルーン(膀胱からカテーテルが抜けないように固定するため)に滅菌蒸留水注入用の副管のあるtwo wayタイプが汎用されている．チーマン(Tiemann)タイプは先端が曲がっており、男性の尿道の走行に沿って挿入しやすくなっているため、とくに尿道狭窄のときに用いられる．three wayタイプは膀胱洗浄を行う場合などに用いられ、第3の副管から膀胱内に洗浄液を灌流することができるようになっている．カテーテルの素材は、オールシリコン製、ラテックスのゴム製にシリコンを

表V-32 一時的導尿，持続的導尿の実施手順
●一時的導尿

〈必要物品〉
滅菌トレー，滅菌鑷子（必要に応じて），導尿カテーテル，滅菌潤滑剤，消毒綿（塩化ベンザルコニウム，ポビドンヨードなど），滅菌手袋，膿盆，尿器，処置用シーツ，アルコール手指消毒薬，使い捨てエプロン

| 実施手順 | 理由/根拠 |
|---|---|
| （準備）<br>1. 導尿の目的，理由，方法を説明し，患者に了解を得る<br>2. 必要物品はすべて準備して，手洗いをした後，ベッドサイドへ行く | ・実施途中に不足物品を取りにいくことは，患者のプライバシー確保，安心感の提供，無菌操作の実施を困難にする<br>・尿道・膀胱内は無菌状態なので，感染予防のため手洗いを行い，かつ滅菌物品を使用する |
| 3. 患者に綿毛布あるいはバスタオルをかけ，処置用シーツを腰の下に敷き，下着を外して体位を整える<br>〔女性〕仰臥位で膝関節を軽く屈曲して股間を開く姿勢<br>〔男性〕仰臥位 | ・保温とプライバシーを保持する<br>・無菌操作，正確な操作を行うため，体位は，尿道口を確認しやすい姿勢にする |
| 4. 確実に無菌操作を行うために，必要物品を正常（通常）作業域に配置する<br>①膿盆，尿器を無菌操作ができて，カテーテルの挿入後，尿がこぼれない位置に置く<br>②滅菌トレーを無菌操作で取り出し，潤滑剤，消毒綿，カテーテルを準備する<br><br>③滅菌手袋を指先までフィットするようにはめる | ・無菌操作の必要性のない物品の準備は，滅菌手袋装着前にすべて行っておく<br>・準備ができたら，滅菌手袋をはめる前に，再度物品配置を確認し，アルコール手指消毒薬で手指衛生を行う<br>・尿道・膀胱内に菌を挿入しないように滅菌手袋を使用．また細かい操作を行うので指先を手袋とフィットさせる |
| 5. 外尿道口を露出して，カテーテル挿入時に尿道口周囲の菌を尿道・膀胱内に挿入しないように，カテーテルが触れる部位の消毒を行う（図A）<br>〔女性〕効き手でないほうの指で陰唇を開く．この指は，カテーテル抜去まで支持したままとする<br>消毒は前から肛門方向へ消毒綿で拭き，消毒綿は1拭きごとに捨てる．拭く順序は尿道口→右→左→尿道口とする<br>〔男性〕効き手でないほうの指で陰茎を支持し，外尿道口から外側に向かって消毒をする | ・女性の場合，尿道口は腟，肛門に近接しているので十分に消毒を行う．また，腟，肛門部の汚染を尿道口に広げないために，方向は前から肛門部方向とし，1回ごとに消毒綿を交換する |

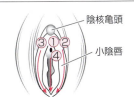

小陰唇を開き，外尿道口および小陰唇部の消毒を行う．順序は①→②→③→④とする（①→②→③の場合もある）

〈女性の場合〉　〈男性の場合〉

包皮を反転して外尿道口を開いた状態で外尿道口から外に向けて消毒する

図A 尿道口の消毒方法

| 6. カテーテルの先端部に潤滑剤をつける | ・カテーテル先端で尿道粘膜を損傷しないように，また挿入時の刺激による痛みを緩和するため潤滑剤を用いる |

(表V-32 つづき)

| 実施手順 | 理由/根拠 |
|---|---|
| 7. 挿入時，患者に声をかけ，口呼吸してもらい緊張を解くように配慮する | |
| 8. カテーテル挿入時，カテーテル末端が汚染されないよう長さを調節して持ち，またカテーテルを閉じるようにしてつまんでおく | ・カテーテル末端の汚染による上行感染予防と，尿の流出を予防する |
| 9. 静かにゆっくりカテーテルを挿入する<br>〔女性〕4～6 cm 挿入<br>〔男性〕陰茎を腹壁側に向けて垂直に引き上げながらゆっくりと挿入し，途中，前立腺部尿道で閉塞感を感じたら，陰茎の角度を腹壁側から逆の方向に変えて 18～20 cm 挿入していく．膀胱内に達したら陰茎を自然の位置に下げて尿を流出しやすくする（図B） | ・尿道の解剖学的長さ+1～2 cm，つまり女性の尿道の長さ（3～4 cm），男性尿道（15～20 cm）+1～2 cm の長さを目安にする<br>・男性の場合，尿道が直線ではないので，陰茎を腹壁側に向けて垂直に引き上げることで尿道を直線的にしてゆっくりと挿入する |
| 図B 男性の導尿時の陰茎支持角度 | |
| 10. カテーテル末端を膿盆や尿器に触れないようにして，保持したままで尿を排出させる | ・カテーテル末端からの汚染（上行感染）を予防する |
| 11. 尿の流出が終了したら，残尿感を確認し，患者の恥骨上部を軽く圧迫して（患者自身に押してもらってもよい），カテーテルを静かに抜く | |
| 12. 尿道口に潤滑剤が付着している場合は，清浄綿など（トイレットペーパーでもよい）で拭いて陰唇を閉じる | |
| 13. 患者に導尿が終了したことを伝え，手袋を外し，患者の大腿を閉じ，下半身を綿毛布・タオルでおおい，処置用シーツを取り除き，衣類・掛け物を整える | ・尿や関連器具に接触した後は手袋，エプロンを外した後に流水と石けんによる手洗いをする |
| （後片づけ）<br>14. 観察・記録<br>時間，実施した処置名，実施した結果（尿量，尿性状，残尿の有無，尿道口などの疼痛の有無など），施行者のサイン<br>15. 尿の付着したものは感染物として取り扱い，処理する | |

（表V-32 つづき）
● 持続的導尿

手技は一時的導尿と同様に実施する．異なるのは下記の手順の箇所となる
〈必要物品〉
滅菌トレー，滅菌鑷子（必要時），膀胱留置カテーテル，蓄尿バッグ（閉鎖式），注射器，滅菌蒸留水，固定用テープ，滅菌潤滑剤（単包の1回使いきりのものが望ましい），消毒綿，滅菌手袋，膿盆，処置用シーツ，使い捨てエプロン
※鉱物性や油性の潤滑剤は，ラテックスゴムを劣化させカテーテルのバルーンを破損させることがあるため使用しない．蓄尿バッグは感染予防の視点から閉鎖式のものを使用する

| 実施手順 | 理由/根拠 |
|---|---|
| （準備）<br>4．必要物品を正常（通常）作業域に配置する<br>　①膿盆を陰部の近くに置く<br>　②あらかじめカテーテル末端と蓄尿バッグとを接続しておく．蓄尿バッグの底にある採尿口のクランプをする．滅菌蒸留水を注射器に必要量吸ってカテーテルのバルーン口に注射器を接続し，滅菌蒸留水を注入し，バルーンが膨らむことを確認し，滅菌蒸留水を抜いておく． | ・尿は蓄尿バッグに流入されるので，尿器は不要である<br>・カテーテルのサイズによってバルーンの蒸留水の量は異なるので，確認をして必要量を吸っておく |
| 9．静かにゆっくりカテーテルを挿入する<br>カテーテル内に尿の流出が確認できたら，膀胱内でバルーンを膨らませるために，さらに2～3cm膀胱内に挿入し，カテーテルの副管から注射器で滅菌蒸留水を注入してバルーンを膨らませる | ・カテーテルのバルーン内に生理食塩水を用いると結晶が析出して排出できなくなる危険性があるので，滅菌蒸留水を用いる[6]|
| 9'．軽くカテーテルを引き，抜けないことを確認する | ・膀胱内で確実にバルーンが膨らんでいることを確認する |
| 10．カテーテル・チューブの重さや身体の動きに伴い，バルーンやカテーテルで粘膜が圧迫され粘膜が損傷するのを予防するために，カテーテルをテープで固定する（図C，D）<br>〔女性〕大腿内側に固定<br>〔男性〕側腹部に陰茎を持ち上げるようにして固定テープは直接皮膚に接触しないように固定する | ・男性の場合，大腿部に固定すると陰茎と陰嚢の移行部でカテーテルによって圧迫が起こり，血行障害を起こし，尿道瘻を形成してしまう危険性がある（図D）<br>・チューブ内の尿が膀胱内に逆流しないよう，チューブの位置にも留意する |

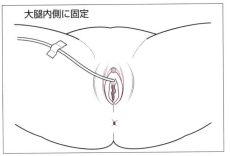

図C　膀胱留置カテーテルの固定（女性）

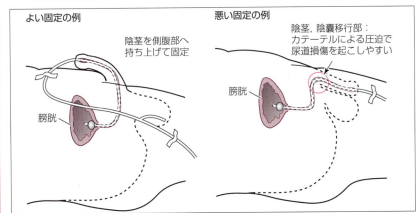

図D　膀胱留置カテーテルの固定（男性）

| | |
|---|---|
| 10'．常に尿がバッグに流入するように身体（膀胱）より下に蓄尿バッグを固定する | ・蓄尿バッグが膀胱より上になると尿が逆流する機会が増え，細菌が膀胱内に侵入するリスクが生じる |

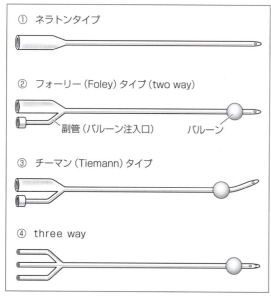

図V-41 種々の尿道カテーテルの形状

コーティングしたもの，親水性コーティングしたもの，親水性銀コーティングされたものなどがある．

### 2. 一時的導尿および膀胱留置カテーテル挿入中（持続的導尿）の看護

#### 1）感染予防

膀胱内や尿道内は，尿の排出による自浄作用や膀胱粘膜の感染防御機構によって，尿道口から尿道や膀胱内へ細菌が侵入することを阻止している．しかし，カテーテルの挿入は感染のリスクを伴う．したがって，カテーテルを留置することによって常に外部から細菌が侵入する経路がつくられ，物理的刺激が膀胱・尿道粘膜に加わり，尿路感染のリスクが高くなる．膀胱留置カテーテルを使用すると細菌尿が発生するリスクは，1日に3～10％で，30日目には100％になる[7]．その起因菌としては緑膿菌，大腸菌，腸球菌，黄色ブドウ球菌などがある[8]．そこで，導尿における看護では尿路感染を予防すること，あるいは発症を予防することが重要となる．

導尿によって尿路感染が起こりやすい要因は図V-42に示したとおりである．米国疾病予防管理センター（Centers for Disease Control and Prevention：CDC）はカテーテル関連尿路感染の予防のためのガイドライン（2009）[11]として以下のような事柄を勧告している．

①尿道カテーテルの適正な使用：尿道カテーテルの留置は尿路感染の原因となるので，急性の尿閉や膀胱排尿障害等に限り，留置は必要期間のみにすることなど．

②尿道カテーテル挿入のための適切な手技：カテーテル挿入では確実な手指衛生，手袋・ガウンなどの標準予防策の実施，滅菌器材を用いた無菌操作など感染予防対策を確実に実施することなど．

③尿道カテーテル管理のための適切な手技：尿道カテーテルを無菌的に挿入後，閉鎖式ドレナージシステムを維持，またカテーテル内の尿流を妨げないようカテーテル・チューブの屈曲を避け，排尿バッグを膀胱レベルより下げる．尿道カテーテルや排尿バックの交換は定期的な間隔ではなく，感染や閉塞，閉鎖式システムに障害が生じたときに交換など．

④管理体制等：施設において感染のリスクを減らすため，尿道カテーテルの適正使用，手指衛生の遵守，尿道カテーテル挿入や管理・抜去に関する教育など．

また，膀胱内にカテーテルを留置する場合は適正に固定し（表V-32，図C，D），カテーテルによる物理的な刺激による粘膜損傷を予防する[12]．

とくに，カテーテル留置中には，「尿の流出を妨げない」よう注意することが大切である．患者の移動や体動でカテーテルやチューブが屈曲あるいは閉塞して，チューブ内に尿が停滞しないよう配慮し，必ず患者の膀胱より低い位置に蓄尿バッグ（drainage bag）を維持し，尿の逆流による汚染を防ぐ．制限がなければ水分を1日1,500～2,000 mL程度は摂取し，適当な尿流・尿量を維持することによって尿による自浄作用（self-purification）を高め，カテーテル閉塞の防止に努める．またカテーテル留置中は日常の清潔習慣として，清拭や入浴，シャワー時にカテーテル尿道口接合部周囲を洗浄し，保清するという外尿道口周囲の衛生管理を行う[13]．

#### 2）カテーテルによる不快感，拘束感，自尊感情に対する配慮

膀胱留置カテーテルによって膀胱・尿道粘膜が刺激され，異物感を感じることが多い．カテーテル・チューブにつながっていることでの拘束感，カテーテル挿入時に陰部を露出すること，また尿が体外に排出・蓄尿され，排泄物が他者の目にさらされることによる羞恥心や自尊感情の低下に配慮することが大切である．処置に伴う陰部の露出は必要最低限とし，膀胱留置カテーテル用具を携えて病棟内を移動する際には，蓄尿バッグにおおいをかけるなどの工夫も必要である．

#### 3）膀胱留置カテーテルに伴う2次的問題の早期発見・対処

カテーテル留置に伴い，尿中浮遊物に尿の塩類が

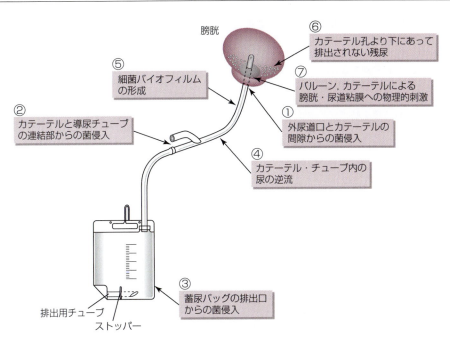

**【菌の侵入：①〜④】**
① カテーテルの外側を通るルートで，カテーテル挿入時に膀胱内に菌が押し込まれて侵入する場合と，会陰や直腸に定着している菌がカテーテルとの間隙から侵入する場合がある
②，③，④はカテーテルの内側を通るルートである．カテーテルとチューブの連結部の閉鎖が外れて菌がチューブ内に侵入する場合，蓄尿バッグの排出口から菌が侵入して尿を汚染する場合，また，いったんカテーテル・チューブ内に排出された尿が逆流して膀胱内に流入するとともに菌が侵入する場合がある

**【菌の増殖：⑤，⑥】**
⑤ カテーテルに菌が付着したさい，菌体外多糖類（グリコカリックス，glycocalyx）を生産して，菌集団がグリコカリックスの層におおわれて（バリアとなり），抗菌薬や生体の抗菌作用に抵抗を示すようになった状態をバイオフィルムという．バイオフィルム内で菌はゆるやかに分裂・増殖を続ける[9, 10]．このバイオフィルム内から持続的に菌が漏れ尿路感染を引き起こす
⑥ 膀胱留置カテーテルがバルーンによって固定され，かつバルーンより先のカテーテルの先端に尿を排出するための孔があるため，その孔より下部に尿がたまった状態となる．つまり残尿が常に存在するため菌が増殖しやすい状態となっている

**【粘膜の防御機構への影響：⑦】**
⑦ カテーテルやバルーンによって尿道や膀胱粘膜に直接的な圧が加わり粘膜を損傷してしまう可能性がある．粘膜が損傷することは生体の感染防御機構の低下をもたらす

図V-42　膀胱留置カテーテル挿入で尿路感染を引き起こす要因

付着して結石が形成されたり，蓄尿バッグの移動や体位変換などの際に外尿道口の皮膚に加重がかかって裂傷などを引き起こすなどの問題が生じることもある．これらの問題を早期発見するため，尿の性状や外尿道口の皮膚の性状などの観察を行うと同時に，尿量を確保し，尿の流出を促し，カテーテルの固定などを確実に実施していく．

また，長期間のカテーテル留置によって膀胱壁の伸展・収縮が行われなくなるため，膀胱の廃用性萎縮（disuse atrophia）を生じるともいわれており[14]，カテーテル留置は必要最低限の期間にとどめるようにすることが原則である．

## ●引用文献

1) 東あゆみ，樋口マキエ：床上排泄援助内容における患者と看護者の受けとめ方のずれ．日看会誌 **13**（1）：36-44，2004
2) 日本泌尿器科学会 尿路管理を含む泌尿器科領域における感染制御ガイドライン作成委員会（編）：CQ1 泌尿器科病棟における 蓄尿の意義は？ 尿路管理を含む泌尿器科領域における感染制御ガイドライン，第2版，29頁，メディカルレビュー社，2021
3) 中村泰之，小林達子，森山大介：無理のない排泄自立支援への取り組み．訪問看護と介護 **11**（4）：361-365，2006
4) 高崎良子，西村かおる：病棟看護師が押えておきたい知識と技術③排泄．看護学雑誌 **74**（5）：81-90，2010
5) 谷口珠美：骨盤底筋訓練を含めた行動療法の予防効果は？．ケアの根拠，第2版（道又元裕監），69頁，日本看護協会出版会，2012
6) 森山信男，塩原真弓：尿道カテーテル 総論と新しい知見．看護教育 **42**（11）：1002-1008，2001
7) 坂本史衣：カテーテル関連尿路感染を防ぐ多角的介入．環境感染誌 **34**（1）：1-6，2019
8) 高橋 聡：カテーテル留置複雑性尿路感染症—そのリスク因子と発症のメカニズム．看護技術 **49**（7）：581-585，2003
9) 山崎 透：カテーテル感染症の発症のメカニズム—バイオフィルムとカテーテル感染症．INFECTION CONTROL **5**（3）：236-242，1996
10) 松本哲朗：尿路感染対策からみた膀胱留置カテーテルの管理．看護技術 **49**（7）：590-594，2003
11) Gould CV, Umscheid CA, Agarwal RK, et al.：Guideline for prevention of catheter-associated urinary tract infections 2009. Infect Control Hosp Epidemiol **31**（4）：319-326, 2010
12) 澤野磨奈美：エビデンスに基づいた尿道留置カテーテル感染の管理．INFECTION CONTROL **12**（2）：146-150，2003
13) 戸ヶ里泰典，山田正己，泉キヨ子：尿路感染予防のための尿路カテーテル管理—外尿道口ケアに関する文献検討．日本看護研究学会雑誌 **27**（1）：115-123，2004
14) 江上直美：導尿・膀胱留置カテーテル挿入患者の看護；その合併症と予防．看護技術 **45**（11）：1170-1175，1999

## 2-3-2
# 排便

## A 排便の意義とメカニズム

### 1 人間の健康と排便

　口から入った食物は，食道，胃，小腸，大腸と消化管を通るうちに消化・吸収され糞便（feces）となる．糞便とは直腸に送られた半固形状のもので，消化されなかった食物残渣，粘液，腸内細菌，水分が含まれる．糞便を結腸，直腸，肛門およびその周辺，さらに呼吸や姿勢筋の運動を含む一連の排便反射（defecation reflex）機構の働きによって一気に排出することを排便（defecation）という．

　一般的に，快眠，快食，快便は健康の証であるといわれる．糞便をはじめとした排泄物には身体内部で不要となった物質が含まれているため，排泄物を体外に排出することは，良好な体内環境の維持に欠かせない．消化管の運動や消化液の分泌は，副交感神経（parasympathetic nerve）によって促進され，交感神経（sympathetic nerve）によって抑制される．そのため，正常な排便を維持するためには，生理的・精神的機能，食事などの日常生活習慣，ストレスなど，さまざまな要因のバランスをうまく保たなければならない．

　心地よい排便は生理的・精神的快感をもたらすだけでなく，人々の自尊心や睡眠，食事などの生理的機能にも好影響をもたらす．規則的で快適な排便は人間のさまざまなニードと深く関わっているのである．

### 2 排便のメカニズム

#### 1. 便の生成（図 V-43）

　口腔から摂取された食物は咀嚼され，唾液によるデンプンの消化が行われる．嚥下された食物は食道を通過し胃に送り込まれ，胃液によってタンパク質は分解される．十二指腸では膵液や胆汁による脂肪の消化と吸収が行われる．その後，十二指腸から空腸，回腸を通過する間に，腸液による消化がさらに進み，単糖類，アミノ酸，モノグリセリド，脂肪酸，グリセロールなどの栄養素が水分とともに小腸で吸収される．これらの消化・吸収の結果，大腸に到達した内容物はほとんど栄養素を含んでいない．

　結腸（大腸）は消化酵素を産生しないが，結腸内に存在する細菌群が残存する栄養素を代謝して，ガス（メタンや硫化水素）を1日約500 mL産生する．便は60〜70％が水分であり，セルロース，消化されなかった食物残渣，腸内細菌や細菌の死骸，腸の上皮細胞が含まれる．糞便の30〜80％は腸内細菌であり，腸の上皮細胞なども含むために，疾患などで食物を摂取できなくても便は生成される．

#### 2. 排便の機序（図 V-44）

　排便が正常に行われるためには，①口側から肛門側へと消化管が運動すること，②消化液が分泌され消化・吸収が正常に機能すること，③直腸と肛門が機能することが必要である．これらのどこかに異常が起これば，排便は円滑に行われない．

　消化器全体では，常時，伝播性の運動である蠕動（peristalsis）が生じており，腸の内容物が口側から肛門側へと移送されている．大腸では口側から肛門側への蠕動に加え，逆向きの逆蠕動（antiperistalsis）がみられる．逆蠕動によって便は結腸内に留まるため，通常は直腸内は空である．食物が摂取されて胃，とくに十二指腸に食物が入ると，胃-大腸反射が起こって大腸の運動が活発になり小腸の内容物が大腸に移送される[1]．内容物の移送によって大腸の内圧が高まると，大腸の大部分に波及するような力強い収縮波である大蠕動（mass peristalsis）が出現する．大腸で常時起こっている蠕動は緩徐で，内容物の移送にはあまり寄与しないが，大蠕動は内容物を一挙にS状結腸や直腸へ移送する．

　通常，肛門は内・外肛門括約筋の緊張性収縮によって，20〜120 mmHgの圧で閉鎖されている．糞便の直腸内への侵入によって直腸内圧が40〜50 mmHgに上昇すると，求心性の刺激が骨盤神経（pelvic nerve）を介して脊髄を上行し，脳幹を経て大脳皮質を刺激することによって便意が生じる．便意が生じても大脳皮質から橋排便反射中枢の活動を抑制できるため，排便を我慢することができる．また糞便が肛門管を通過しようとするとき情報が大脳に伝達され，陰部神経（pudendal nerve）支配である外肛門括約筋（骨格筋）を随意的に弛緩させ，腹圧をかけ便を排出するか，それとも肛門を閉じて，排便を一時的に遅延させるかを決定することができる．しかし，次の大蠕動の波が直腸に到達したときには，再び排便反射が誘発される．

　便を排出してもよい状況が整うと，便の排出を補助するために，呼息位で声門を閉じ，横隔膜や腹直筋などの呼息筋を同時に収縮させて，腹腔内圧（腹圧）を上昇させる"いきみ（straining）"動作を行う．いきみと同時に内・外肛門括約筋が弛緩し，肛門挙筋を収縮させて肛門を引き上げ，S状結腸と直腸が

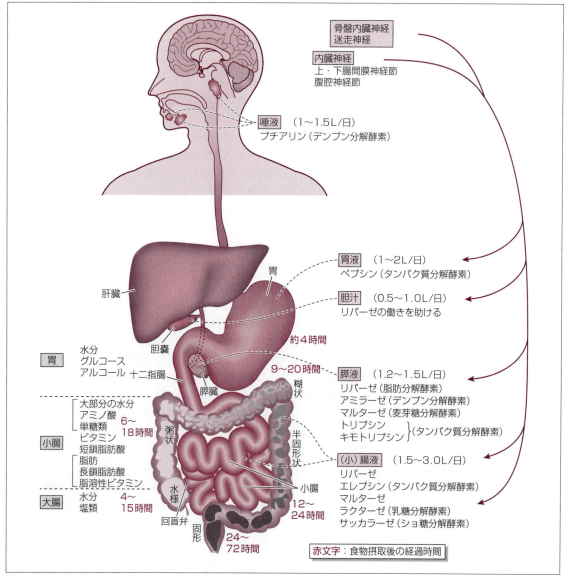

図Ⅴ-43　消化と便の性状

強く収縮することによって便が排出される.

### 3 排便に影響を及ぼす因子

　排便は，年齢，生活習慣，疾患や治療などさまざまな因子と密接に関連している．乳幼児期は，排尿や排便の世話をしてもらうことを通して，親との基本的信頼感を育んでいき，それが自尊感情や自立心の獲得にも大きく関わってくる．しかし，糞便は臭気を伴うことや汚いものといったイメージが強く，日常生活の会話の中で取り上げることはタブー視される．そのうえ，排便器官は生殖器官と隣接していることもあり，羞恥心を伴うものである.

　以上のように排便はきわめて個人的なものであることから，排便に影響を及ぼす因子について理解することは，適切な援助を考えるうえで欠かせない．

#### 1. 食事と水分摂取

　食事や水分の摂取は排便ともっとも密接に関わっている．排便反射がもっとも起こりやすいのは朝食後だといわれる．これは前日に摂取した食物が消化吸収を終えて大腸に到達しているために，摂食によって胃-大腸反射が起こると，すぐに直腸に内容物が移送されるからである．

　便の性状は摂取した食物の量や内容，水分量によって変化する．セルロース，ヘミセルロース，ペクチンなどの食物繊維は消化酵素で分解されない．そのため，食物繊維を含む食物を多く摂取すると腸

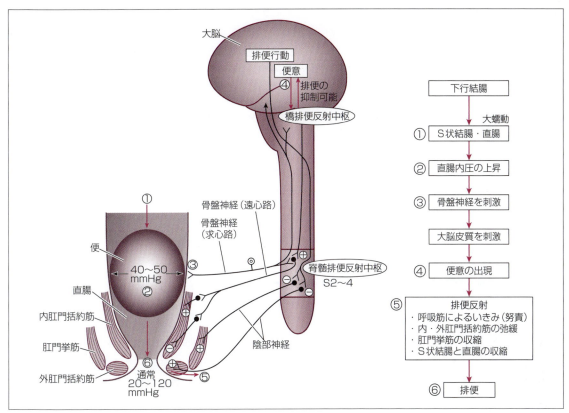

図V-44 排便の機序

の内容量が増加し，短時間で多量の内容物が直腸に到達する．腸管内容の通過速度が速くなると，大腸での水分の吸収時間も短いので便は軟化し，排泄しやすくなる．同様に，水分量が増えると，横行結腸以降での停滞時間が短くなるため，排泄しやすくなる．

野菜，果物，海草，豆などは腸に刺激を与え，排便を促進するのに対し，ハンバーグ，カレー，レトルト食品は食物残渣が少ないうえに，腸管にへばりついて便の排出を困難にする．良好な腸内細菌の分布は，排便反射を助ける．しかし，便が長期に腸内に存在すると異常発酵が起こり，腸内細菌のバランスが崩れてしまう．腸内細菌環境を整えるような食事，たとえば腸内嫌気性細菌の一種であるビフィズス菌の摂取も排便を促す効果がある．

### 2. 運動

運動制限があると食欲低下，筋力低下，血液循環の悪化をきたし，腸の蠕動運動が抑制される．また，臥床で排便する場合や筋力が低下している場合には，いきみによる腹圧がうまくかけられずに便の排出が困難になることがある．

### 3. 生活リズム

生活リズムや生活習慣によって，個別の排便習慣が形成される．しかし，環境の変化によって日常の生活習慣が維持されなくなると，生体のリズムが乱され，排便リズムも狂ってくる．

便意が起こっても排便せずに便意を抑制すると，腸の内容物は直腸に侵入できないため，大腸の逆蠕動が起こる．内容物が大腸に停滞すると長時間水分が吸収されるので，便は次第に硬化し，排出が困難になる．

### 4. ストレスなどによる精神状態

心配事やストレスが加わることによって消化能力が低下して，便秘になることがある．また，過度な緊張や興奮は交感神経を刺激し，下痢をきたす．ストレスは精神的緊張状態を引き起こし，胃腸機能に影響を及ぼし，排便の異常を引き起こすことがある．

### 5. 加齢

高齢になると，生理的機能が低下するため，便秘を訴える人が多くなる．腸管の動きが正常であっても，腸管の弛緩によって排便反射が減少するため，排便が遅延し，便が硬くなる．硬い便を排出するた

表V-33 便の正常と異常

| | 正　常 | 異　常 |
|---|---|---|
| 回数 | 1～2回/日 | 増加➡下痢，減少➡便秘 |
| 量 | 100～250 g/日<br>動物性食事—少ない<br>植物性食事—多い | 増加➡腸管上部疾患<br>減少➡腸管下部疾患 |
| 色調 | 黄褐色～茶色 | タール便➡上部消化管出血<br>黒色便➡鉄剤服用<br>緑色便➡緑色野菜，溶血性黄疸<br>赤色便➡大腸下部の出血，赤痢，コレラ<br>灰白色便(脂肪便)➡肝臓疾患，膵臓疾患，バリウム検査後 |
| 形状・硬度 | 固形または有形 | 泥状便，水様便➡下痢<br>硬便，宿便(硬糞塊)➡便秘<br>鉛筆様便➡直腸狭窄，大腸のけいれん性収縮 |
| 臭気 | インドール・スカトール臭<br>(肉食➡腐敗臭，糖質食➡酸臭) | 粘液臭➡赤痢<br>腐敗臭➡直腸がん |
| pH | 6.9～7.2<br>(糖質・脂肪の多量摂取，糖質食➡酸性) | アルカリ性➡腸内腐敗<br>酸性➡腸内異常発酵 |
| 混入物 | なし | 病的産物➡血液，粘液，膿汁，異物 |

めには強いいきみが必要となるが，呼吸筋群や腹筋の低下から効果的ないきみが行えずに，さらに便の排出が困難となる．

高齢者の便秘には，食事量の減少，疾患，下剤の濫用も関連している．

### 6. 排尿

排尿と同時に排便が起こることがある．膀胱に尿がたまると，直腸支配の骨盤神経の活動は抑制されるが，尿が排泄されるとリバウンド現象(rebound phenomenon)[*1]が起こり，直腸の骨盤神経の活動は促進される[2)]．尿意を我慢することは，排便反射を抑制することにもなる．

### 7. 疾病や治療

疾患による食欲の変化や腸の蠕動運動の異常から，排便の変化がみられたり，疼痛や創傷があるために排便を我慢し，便秘になることがある．また，向精神薬，抗生物質，放射線治療など，薬や治療によっても，排便の異常をきたすことがある．

## B 快適な排便を促す援助

### 1 排便のアセスメント

1) 通常の排便習慣や排便に関連する生活習慣を把握する

正常か異常を判断するためには，まず通常の排便状態(排便回数，排便量，排便時刻，便の形状と硬度，便意や排便に伴う自覚症状)を把握する必要がある．

摂取された食物は24～72時間で直腸に糞便として到達するため，健康成人では1日に1回か，2日に1回排便があるのが普通である．しかし排便習慣には個人差があるため，規則正しく，苦痛を感じることなく自然に便通があれば，回数はとくに問題はない．しかし，回数の急激な変化や，便の量・形態・色調・臭気の変化，混入物，腹部膨満や食欲不振などの不快感，排便時に努力や苦痛を伴うときには，注意が必要である(表V-33)．

また，排便に影響を及ぼす食物摂取や食習慣，水分摂取，ストレス状態，服薬を把握することによって，いつどのようなケアを行うべきかの指標を得ることができる．

2) 腸蠕動や腹部の状態を把握する

腹腔内で聞こえる腸雑音(腸音)(peristaltic sound, abdominal sound, bowel sound)は消化管内の内容物やガスが移動するときに発生し，消化管の運動を反映する．腸音は不規則で1分間に15～20回生じる．腸音の欠如は腸管運動の停止を示唆し，高調音で大きい腹鳴(ふくめい)(borborygmus)は腸蠕動の亢進時に聴かれる．

便が腸に充満している場合，腹部を触診すると丸く硬い塊が触れる．膀胱が充満している場合には，恥骨部の上に平滑で丸い張りを感じるので区別できる．

---

[*1] 刺激因子除去後に起こる，それ以前とは逆の生体反応．

### 3）運動や活動のレベルを判断する

　身体の活動が低下することによって血液循環が悪くなり，消化管運動の低下や腹筋や腰背部の筋力低下を引き起こす．その結果，便が硬くなったり，効果的ないきみが加えられないために，排便が困難になる．

　また運動制限がある場合には排便に適した体位の保持がむずかしく，排便が困難になることがある．

### 4）排便に伴う苦痛や不快感の有無を確かめる

　疼痛があると体動に制限をきたしたり，排便や排便に伴う動作に支障をきたす可能性がある．疼痛が強い場合には，疼痛を緩和するための鎮痛薬の使用や，緩下剤や浣腸を使用して便を排出しやすい状態にすることによって，排便をスムーズに行うことができる．

### 5）排泄の環境を整える

　排便は精神状態と密接に関連していることから，落ち着いてトイレに入っていられない環境では，快適に排便することはむずかしい．小学生を対象に"なぜ学校のトイレが嫌われるか"，その理由を調査した結果，汚い・くさいが一番多く，次がトイレのドアの上の空間からいつ覗かれるかわからないという理由であった[3]．この結果は，排泄場所や物品の清潔や環境が，排便行為と密接に関わっていることを示している．

　また，多くの人々は，自分自身でトイレへ移動して排便することを望む．患者の排便に関する障害の程度や排便行動の自立度をアセスメントし，自然排泄が可能で，トイレまで移動できる場合は，トイレでの排便を援助する．しかし，トイレまでの移動が困難な場合には，援助する場の設備環境，患者や看護師の安全・安楽を考慮して，排泄の援助方法や用具を選択しなければならない（表V-34）．

## 2 自然排便を促す援助

　自然排便は，生理的快感だけでなく，爽快感やくつろぎ感を与え，精神的満足感をもたらす．表V-35に示すように，排便時に行ういきみによる循

**表V-34　行動制限による排便の方法と注意点**

| 患者の状態 | 排便の方法と注意事項 |
|---|---|
| 行動制限なし | 患者自身がトイレ（和式・洋式）で行う<br>※保温に注意する |
| 障害はあるが，トイレまでの移動は可能 | 患者自身がトイレ（和式・洋式・身体障害者用）で行う<br>※保温に注意する<br>※手すり・ベルの設備が望ましい |
| ベッドから降りられるが，トイレまでの移動ができない | ベッドの近くでポータブル便器を使用<br>※ポータブル便器の排泄物の始末は迅速に行う<br>※人目に触れにくい位置にポータブル便器を置く |
| ベッド上での排便が必要 | ベッド上で差し込み便器を使用<br>※介助が必要（☞表V-37） |
| 腰殿部が拳上できない　便失禁がある | ベッド上で紙おむつを使用<br>※介助が必要 |

**表V-35　息こらえ（バルサルバ操作，Valsalva's maneuver）による循環系への影響**

| 動作 | | 循環系の変動 | 機序 |
|---|---|---|---|
| 息こらえ | 筋肉の収縮<br>腹腔内圧の上昇 | 血圧が上昇<br>（2～3秒間） | 筋肉の収縮による血管の収縮と，腹圧による大動脈の圧迫 |
| | | 血圧と脈圧の低下 | 腹腔内圧の上昇により心臓への還流血液量が減少し，心拍出量が減少する |
| | | 再び血圧の上昇と心拍数の増加 | 血圧と脈圧の低下に対する圧受容器の作用（昇圧反射機序）により血管収縮が起こる |
| 呼吸の再開 | 腹腔内圧の減少 | 血圧上昇 | 腹腔内圧の減少に伴い大動脈圧が低下し，心拍出量が増加 |
| | | 心拍数の減少<br>↓<br>徐々に安静時の血圧に落ちつく | 血圧上昇に対する圧受容器の作用（減圧反射機序）による心拍出量の減少と血管の拡張 |

［William F Ganong（岡田泰伸ほか訳）：医科生理学展望，原著20版，631-632頁，丸善，2002より引用］

| 腹部マッサージ[4] | 腰背部温罨[5] |
|---|---|

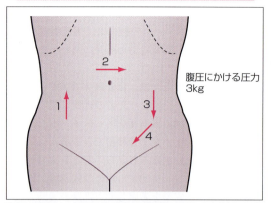 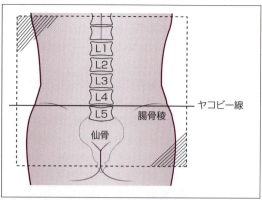

両手の第2～4指をそろえて腹壁に当て，大腸の走行に沿いながら，回盲部付近から左鼠径部に向かって「の」の字回りに，約3kgの力（腹壁が2～3cmくぼむ程度）を1秒ずつ1～4の順に加えていく（1～3までは3回ずつ，4は1回圧迫）．20周連続して行って1回とする（所要時間1周15秒，計5分）．

6枚重ねのタオルを，70℃の湯で絞り，ヤコビー線（左右腸骨稜を結んだ線）を中心にして腰背部に当て，ビニールおよびバスタオル1枚でおおう．バスタオルでおおうときに，手掌で押さえ，温タオルを皮膚に密着させる．

| 腸音の出現頻度 | 腸音の変化 |
|---|---|

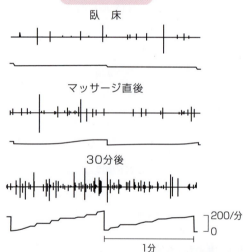 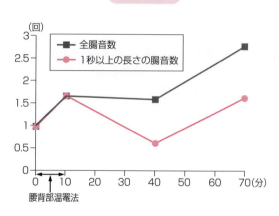

上段は，心音用マイクロホンで導出した腸音波形
下段は，その出現頻度曲線（波形加算時間1分）

温罨法の温度の違いによる排便状況の違い[7]　　平均±標準偏差

| 温罨法の温度と時間 | 40℃　5時間（n=28） | | 60℃　10分間（n=27） | |
|---|---|---|---|---|
|  | 非罨法時 | 罨法時 | 非罨法時 | 罨法時 |
| 便秘の週数（週） | 3.1±1.15 | 1.7±1.41 | 3.0±1.31 | 2.6±1.25 |
| 排便総数（回） | 20.8±12.75 | 22.9±10.91 | 18.9±6.35 | 22.1±7.92 |
| 下剤使用日数（日） | 3.7±6.96 | 3.6±7.35 | 3.9±6.43 | 2.0±3.13 |

$P<0.05$：40℃；排便総数，下剤使用日数．$P<0.001$：40℃；便秘の週数．便秘の自覚症状の改善には40℃温罨法が，また下剤の使用を減らすには60℃温罨法が有効である．

図V-45　腸蠕動を促進するための腹部マッサージや腰背部温罨法の方法

表V-36 便器の種類と特徴

| ポータブル便器 | 差し込み便器 | | |
|---|---|---|---|
| | 和式 | 洋式 | ゴム製 |
| ベッドから降りることができる患者には便利である．排泄物はすぐにしまつしないと臭気が発散する可能性がある | 差し込む部分が低いので挿入しやすいが，排泄物が入る部分が浅いために不安感が生じる | 排泄物が入る部分は深いが，差し込む部分の高さが高いため，腰を高く持ち上げなければ挿入しにくく，不安定である | 空気が入っているため，不安定であるが，やせた患者や褥瘡がある患者には疼痛が少ない |

環系への影響は大きいことから，高血圧や心疾患のある人は過度ないきみは避けなければならない．そのためにも，スムーズに排出できるような状態に便を整えることが必要である．

1) 日常生活リズムを整え，排便習慣を確立する

生理的に起こった便意は我慢することなしに排便することがもっとも重要である．そのためには，排便のしくみや影響する要因についての理解を深め，自分の都合のよい時間に，規則的な間隔で，排便がスムーズにできるような排便習慣を獲得できるような日常生活の調整が必要となる．

2) 便意をもよおしたら，我慢せずに排泄する

3) 排出しやすい便の生成に向けた食事の調整と水分摂取

食物繊維の豊富な食品の摂取，乳酸菌などの腸内細菌叢を整えるような食習慣や早朝の冷水飲用，1日あたり1.5〜2Lの水分摂取は，便の排出を促す．

4) 全身の活動性を高める

全身的な運動が不可能な患者には，横隔膜や腹筋を動かすような腹式呼吸や，下肢の屈伸運動を援助する．

5) 腸蠕動を促すためにマッサージや腰背部温罨法を行う（図V-45）

早朝空腹時に，仰臥位で大腸の走行に沿ってマッサージすることによって，間接的に腸管を刺激し，直腸から肛門までの糞便の通過を促す[4]．また，腰背部を温罨法で温めると血流の増加や体性-内臓反射が起こり，腸蠕動が亢進する[5]．腸管の運動促進には2℃以上の皮膚温の上昇が必要である可能性が示されている[6]．

6) 精神的なストレスの解放を支援する

### 3 床上での排便の援助

立位，坐位の保持が困難な場合や全身の安静が必要な場合には，床上で便器を用いる方法を選択する（表V-36）．また，便失禁がある場合や腰殿部の挙上が非常に困難な場合には，おむつを使用してベッド上で援助する方法がある．

排便は，臭い，音，羞恥心などから，周囲に人がいるような環境ではリラックスしてできない．排便介助の際には，精神的緊張を取り除き，安楽な体位で，少しでも満足度が高まるように援助することが必要である（表V-37）．看護者の不用意な言葉や表情が患者を傷つけてしまうこともあるので気をつける．高齢者の場合には肛門括約筋の調節能が低下しているために，要求されたら，できるだけ迅速に対応する．

便は腸内細菌を含めさまざまな細菌を含んでいることから，上行性感染を起こしたり，看護師を介して医療関連感染が広がる可能性がある．手洗い，手袋の着用や，適切な手技による感染予防策を確実に実施することが必要である．

## C 排便の異常に対する援助

排便の異常には消化器機能や便の排出に関わる機能の障害によるものがあり，便秘（constipation），下痢（diarrhea），便失禁（feces incontinence）などに分けられる．ここでは便秘と下痢について述べる．

表V-37 差し込み便器による排便の援助

| 〈必要物品〉差し込み便器，便器カバー，防水布，ちり紙，使い捨て手袋，使い捨てエプロン |
|---|
| （必要時）タオルケット，ピッチャー，湯 |

| 手　順 | 根拠/注意点 |
|---|---|
| 1. 準備<br>　①便器に湯を入れて便器全体を温める（表面温度 38～40℃）<br>　②便器の周囲を乾いた布で拭き，カバーをかけて患者のもとへ運ぶ<br>　③患者に説明し，ドアまたはカーテンを閉める<br>　④ベッド柵を上げ，ベッドの高さを看護師の援助しやすい高さに調節する<br>　⑤手袋とエプロンを装着する | ※便器を冷たいままで殿部に直接当てると不快なだけでなく，筋肉が緊張し，排泄困難をきたす原因ともなる<br><br>※患者側には転倒防止や自力での体位変換の補助の目的があり，看護師側にはボディメカニズムを有効に使うという目的がある |
| 2. 便器の挿入<br>保温に注意して，タオルケットをかけ，寝具は足元に扇子折りにする（使用中の掛け寝具のままでもよい）<br>（患者が殿部を持ち上げられる場合）<br>　①患者の膝を立て，看護師は患者の頭部側の上肢で腰部を支えて殿部を挙上し，他方の手で上着を腰の上までたくし上げ，下着を膝まで下げる<br>　②腰部から仙骨部に手を入れ，腰部を挙上するのを援助しながら，防水布と便器を腰に押しつけないようにしながら挿入する<br>　③膝は立てたままにして，殿部をおろす<br>（殿部は挙上できないが側臥位になれる場合）<br>　①側臥位にしたときに下になるほうの下着を大転子部まで下げる<br>　②上肢が身体の下にならないように注意しながら，反対側の肩関節と大転子部をかかえ込み，手前に引いて側臥位にする<br>　③患者の身体を片手で支え，他方の手で下着を下げる<br>　④防水布を敷き，便器を殿部に当て，位置がずれないように便器の上側を看護師の手で押さえ込むようにして両手で支えながら仰臥位に戻す | ※タオルケットや掛け物をかけたままにして，掛け物の横から手を入れて行い，不必要な露出は避ける<br><br>※腰を持ち上げるとき背中が過伸展にならないように注意する<br>※便器をあてる部位は，仙骨部の殿裂が消失する手前あたりが便器の穴の上縁に当たるように調節すると，肛門の位置が穴の上縁から 3～4cm 入る．排便時は副交感神経優位になっているので，排尿も一緒に起こる可能性が高いが，この位置であると排便と排尿が同時にでき，排尿がこぼれない<br><br>※男性の場合は尿器で排尿をすませてから排便を誘導する方法と，便器と尿器を同時に使用する方法がある |
| 3. 排便時<br>　①可能ならば患者の頭側を 30～60°挙上し，腰に小枕やロールタオルを入れ，心地よい体位とする<br>　②尿の飛散を防ぐために，トイレットペーパーを二つ折り，または三つ折り（約 7～9cm 幅）にして恥骨部に当てて押さえる<br>　③自分で排泄できる患者の場合は，トイレットペーパーを枕元に置き，ベルを手の届くところに用意して，音や臭いに対する配慮を行う<br>　④手袋を取り除き，手を洗う<br>　⑤ベッドを低くし，手すりをつけて患者の安全を確保し，終わったら連絡するよう説明して席を外す | ※臥位よりも坐位のほうが腹圧をかけやすい<br><br><br><br><br><br>※排泄中は特別な場合を除き，患者の羞恥心やそれに伴う排泄困難を考慮して席を外す |
| 4. 排便後<br>　①挙上していたベッドの頭部を下げ，作業しやすい高さに調節し，ベッドサイドに椅子などを置いて，取り除いた便器を置く場所を確保する<br>　②新しい手袋を装着する | |

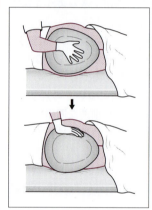

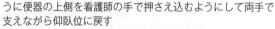

(表Ⅴ-37 つづき)

| 手　順 | 根拠/注意点 |
|---|---|
| ③排泄が終わったら，患者が自分で拭ける場合は自分で拭いてもらい，できない場合は尿道口から肛門のほうに向かって拭き，トイレットペーパーは便器に捨てる<br>④拭き終わったら，腰を持ち上げてもらうか，側臥位にして，便器を外し，汚染された部分を内側にして，手袋を外す<br>⑤下着・寝衣を整え，安楽な体位にし，エプロンを外す<br>⑥患者の手は洗うか，おしぼりタオルで拭く<br>⑦寝具を整え，カーテンを開け，換気をする<br>⑧ベッドを低くし，ナースコール，飲料水などをとりやすいところに置く<br>⑨排泄物の形・固さ・量・臭い・色・混入物・回数などを観察し，新しい手袋を装着して便器にカバーをかけ，排泄物はトイレに捨て，便器を消毒して物品を片づける | ※とくに女性の場合には，拭くときに肛門部に付着している大腸菌による感染を防ぐために，尿道口から肛門部に向かって拭く<br>※必要なら温湯で肛門周囲を洗って乾かす<br>※便器を引き抜いたり，押しつけたりすると皮膚を損傷するので，注意する<br>※水洗装置で流せない（溶けない）ティッシュペーパーは所定の容器に入れる<br><br>※排泄物や関連器具に接触した場合は手袋，エプロンを外した後に，流水と石けんによる手洗いをする |

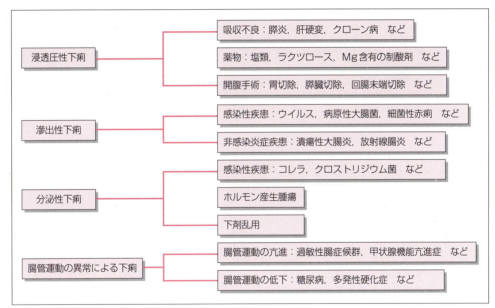

図Ⅴ-46　下痢分類と原因

# 1 下痢時のケア

## 1. 下痢の原因とアセスメント

　下痢は，水様（水分が90％以上）または泥状（水分が80〜90％）の便が頻回に排出される状態をいい，単なる食べ過ぎや飲み過ぎで起こる場合もあるが，不十分な咀嚼，消化器疾患，自律神経の乱れ，消化管感染，腸管粘膜の炎症などによる腸の蠕動運動の亢進，腸液などの分泌過多，大腸での水分の吸収障害によって起こる（図Ⅴ-46）.

　下痢を起こすと，腹鳴，胃腸痛，不快感を伴うだけでなく，体内の水分やナトリウム，クロール，重炭酸塩などの塩分が失われるため，脱水を起こし，生命に危険を及ぼすこともあるので，十分な観察が必要である．下痢時のアセスメントについては表Ⅴ-38に示した．

## 2. 下痢時の看護

　下痢によって水分や栄養を消失するので，体力の消耗を最小限にする．

1）下痢の原因を除去する

2）安静を保つ

　運動を制限し，仰臥することによって腹部内臓の循環血液量を増加させ，消化吸収を助けて炎症などの回復を早める．

表V-38 下痢患者の情報収集とアセスメント

| 観察項目 | 観察内容 |
|---|---|
| 下痢の原因 | ・健康時の排便状態<br>・いつごろからどのように始まったか<br>・現在までどのように変化したか<br>・食物あるいは薬など発症のきっかけはあったか<br>・手術の既往，合併症はあるか<br>・環境の変化があったか<br>・ストレスはなかったか<br>・関連する基礎疾患はないか |
| 下痢の状態 | ・経過や期間<br>・回数<br>・便の固さ：水様便，泥状便，不消化便<br>・便の混入物：血液，粘液，表皮細胞，寄生虫<br>・臭い：腐敗臭，酸臭 |
| 排便時の状態 | ・下痢の頻度<br>・裏急後重（しぶり，tenesmus）*の有無<br>・便意があっての排便か<br>・排便時の痛み：腹痛，肛門痛<br>・食事摂取と排便の関係<br>・残便感 |
| 随伴症状 | ・消化器症状：食欲不振，腹鳴，空腹感，飢餓感，悪心・嘔吐，胃および腸の痛み<br>・一般症状：発熱，全身倦怠感，頭痛，脈拍の変化，睡眠障害，眩暈<br>・脱水，電解質異常<br>・低栄養状態<br>・圧痛が上腹部より腰部にかけてあり，悪心・嘔吐と比較的大量の下痢便を伴う胃・小腸炎型<br>・圧痛が主に下腹部にあり，下腹部痛，粘液便，しぶりを伴う大腸炎型 |
| 検査所見 | ・糞便検査の結果：細菌学的検査<br>・小腸・大腸のX線検査，内視鏡<br>・電解質，BUN，血清タンパク，アルブミン，ヘモグロビン |
| 排泄行動の状態 | ・トイレまで歩行可能か<br>・衣類の着脱がスムーズか<br>・衣類の汚れはないか |

*疼痛を伴う頻回な便意があるが，外肛門括約筋のけいれんがあり，排便困難な状態をいう．

3）保温に注意する（とくに腹部と下肢）

積極的な腹部の温罨法は腹部の循環血液量を増加させ，酵素の働きを高めるので有効である．

4）肛門周囲を清潔に保つ

下痢による機械的および化学的刺激によって肛門周囲の皮膚の発赤，びらんをきたし，苦痛や感染の原因となることがある．そこで排便の処理は柔らかいちり紙や濡れガーゼで皮膚を刺激しないように清拭し，必要に応じて洗浄や坐浴（sitz bath）を行い，しっかりと乾燥させる．

水分欠乏や食物摂取の減少によって，口渇や口臭が現れることがあるため，含嗽などを行い，口腔を清潔にする．

5）食事摂取に注意し，水分の補給に努める

一般に脂肪や繊維の多い食品を避け，消化がよく，腸に対する刺激の少ないもの（例：粥，半熟卵，茶碗蒸し，白身の魚，野菜の裏ごし，煮込みうどん，梅干など）を温めて，少量ずつよくかんで摂取する．

下痢を助長しないように注意しながら，温かい飲み物で水分を補給する．甘味の強いジュースや炭酸飲料はガスが発生しやすいため，避けたほうがよい．

6）不安を緩和し，精神的安定をはかる

頻回の下痢は，不安やストレスの原因となり，不安や精神的緊張は自律神経の失調をきたし，腸管の蠕動や粘液分泌を亢進させ，下痢はますます悪化する．楽な体位をとり，疼痛を緩和させたり，リラックスできる環境を整える．

## 2 排便困難時のケア

便秘とは，「さまざまな原因により大腸内容が大腸内に停滞し，その通過あるいは直腸からの排出が遅れ，便通または便の量が減少した状態」をいう．この定義は，生活者の視点に立った，いわゆる看護

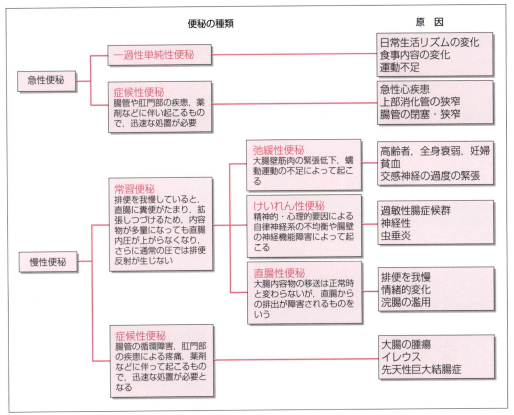

図Ⅴ-47　便秘の分類と原因

モデルによる便秘のとらえ方を示す．これに対して，医学モデルでは，主に診断・治療を目的とした新しい便秘の定義，分類が公表されている（325頁，および486頁の付録参照）．便秘の原因には，加齢，運動不足，腹圧の低下，自律神経の乱れや薬物等による腸蠕動運動の減弱，腸管のけいれん，脊髄障害による排便反射の消失，肛門痛などの痛みに対する恐怖心など，身体的・精神的・社会的要因が関連している（図Ⅴ-47）．

便秘が起こると安易に緩下剤（laxative）を使用する傾向がみられるが，下剤の使用は自然な排便習慣を障害し，逆に常習性便秘に陥らせる原因となることがあるので，注意を要する．可能なかぎり自然排便を促すような援助を行うが，腹痛，腹部膨満，腹部不快感などが生じた場合には，緩下剤の投与，浣腸（enema），摘便(てきべん)（removal fecal impaction disitally）などの援助を考慮する．緩下剤としては，弛緩性便秘には副交感神経刺激薬，けいれん性便秘には副交感神経遮断薬を用いなければ逆効果となるので注意して用いる．

### 1. 浣　腸

便秘や麻痺によって自然に排便やガスの排出がみられない場合や，検査や治療で腸内の老廃物を除去する必要がある場合に浣腸が用いられる．浣腸には下剤を含む少量の液を注入する場合（グリセリン浣腸，表Ⅴ-39）と，腸壁の洗浄を目的として大量の液を注入する高圧浣腸（large-volume enema，表Ⅴ-40）があるが，これらは肛門からカテーテルを挿入して薬剤を注入することによって腸壁を刺激し，蠕動を高めて排便反射が促されることを利用している．そのほか浣腸は検査（バリウム浣腸）や薬物療法の目的で用いられることもある．

成人の結腸は750〜2,000 mLの溶液を保留することができるといわれているが，危険を伴うために，浣腸液は特別な場合を除いて1,000 mL以上は用いてはならない．

成人の場合，高圧浣腸では一般的に1〜2％薬用石けん液，生理食塩水，微温湯などを500〜1,000 mL用いる．普通の圧で1,000 mLの液を使用すると5分後には上行結腸にまで到達するが，効果が現れるまでには10〜15分を必要とする．排便反射が引き起こされるときに，腸内の水分が誘導され電解質のバランスが崩れることがあるので注意を要する．

表V-39 グリセリン浣腸の手順

| 〈必要物品〉 ディスポーザブルのグリセリン液入り浣腸器，または50％グリセリン液・グリセリン浣腸器，ネラトンカテーテル10〜15号（英式），クレンメまたはコッヘル，潤滑油，ちり紙またはガーゼ，膿盆，防水布，ディスポーザブル手袋（必要時）タオルケットまたは綿毛布，便器，尿器 | カテーテルNo.と大きさの関係 |
|---|---|

カテーテルNo.と大きさの関係

| 種類＼外径mm | 2 | 3 | 4 | 5 | 6 | 7 | 8 | 9 | 10 |
|---|---|---|---|---|---|---|---|---|---|
| 仏式 No.（Fr） | | 6 | 9 | 12 | 15 | 18 | 21 | 24 | 27 | 30 |
| 英式 No.（号） | 2 | | 4 | | 6 | 8 | 10 | 12 | 14 | 16 | 18 |

(注) 仏式では No.（号数）÷3＝外径（mm）
　　 英式では［No.（号数）＋2］÷2＝外径（mm）

| 手　順 | 根拠/注意点 |
|---|---|
| （アセスメント）<br>・日常の排便パターン，肛門疾患の有無，バイタルサイン<br>・便秘の場合には，とくに食事摂取状況，薬剤の使用，自覚症状，腸音の聴取，腹部の触診など<br>・検査・治療の目的の場合は，とくに浣腸の目的や方法について理解と同意が得られているか<br>1．準備<br>　①医師の指示を得て準備する<br>　②粘膜を傷つけないようにカテーテルの先端にはワセリンまたはオリーブ油などの潤滑油を塗って滑りやすくしておく<br>　③グリセリン液は40〜41℃にしておく<br>　④直腸内に空気を入れないようにカテーテル内にグリセリンを満たし，クレンメまたはコッヘルで止めておく<br>　　※ストッパーがついている場合は先端から5〜6cmにセットする<br>浣腸器<br>ディスポーザブル<br>2．実施<br>　①患者に説明し，プライバシーを保護するためにカーテンをする<br>　②体位を左側臥位（シムス位）にし，膝を曲げてもらう<br>　③手袋を装着する<br>　④患者の殿部の下に防水布を敷き，肛門部分だけが見えるようにタオルケットでおおう<br>　⑤患者に口を開けて呼吸をするよう促し，腹筋の力を抜いてもらう | <br><br><br><br><br><br><br><br><br>※直腸温より低い場合は末梢血管の収縮によって血圧上昇が起こったり，寒気が生じる場合がある．また43.3℃以上になると細胞組織を損傷し，炎症を起こす<br><br><br><br><br><br><br><br><br><br><br><br><br><br>※シムス位になるとS状結腸のカーブに沿って液が注入され，浣腸液を保持することができる<br>※立位や立位で前屈した体位は禁忌である<br><br>※肛門の括約筋の緊張が緩和し，カテーテルが挿入しやすくなる |

(表V-39 つづき)

| 手順 | 根拠/注意点 |
|---|---|
| ⑥患者を支える手の母指と示指で肛門部を開き，カテーテルを4〜5cm[8])挿入する<br>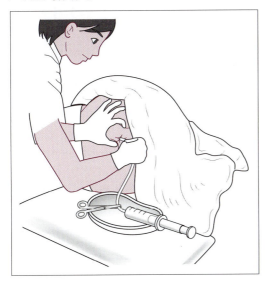<br>⑦クレンメまたはコッヘルを外して静かにグリセリン液をゆっくり注入する（目安100 mL/30秒以上）<br>⑧浣腸器で追加する場合には，コッヘルまたはクレンメでカテーテルを止め，浣腸器を外して追加して，再び注入する．左手はカテーテルを固定し，右手のみで操作するため，肛門の近くに膿盆，追加の浣腸液を置いておく<br>⑨注入が終わったら，ちり紙またはガーゼで肛門部を押さえながらカテーテルを抜いて，膿盆に入れ，患者には腹圧をかけないように，また指で肛門部を閉じておくように注意する．実施者は手袋を外す<br>⑩浣腸が終わったら，そのままの姿勢または仰臥位で3〜5分間我慢するように説明する<br>⑪我慢できなくなったらトイレに行くか，便器で介助する<br>⑫排便が終わったら衣類を整え，掛け物をかけ，窓を開けて換気をしてから使用した物品を片づけ，手を洗う<br>⑬排泄物を観察し，記録する | ※カテーテルの挿入の方向は，肛門括約筋を損傷しないように直腸の位置を考えて，肛門から脊椎にやや沿わせるように挿入する．また，実施者の冷たい手で触れると括約筋が収縮して挿入が困難になるので，実施者の手は温めてから行う<br>※ディスポーザブルのグリセリン浣腸器の場合は，徐々に折り畳みながらしぼって注入し，最後まで手をゆるめない．ゆるめると浣腸器の中に便の混ざった液が逆流するとともに，患者の不快感が著しい<br>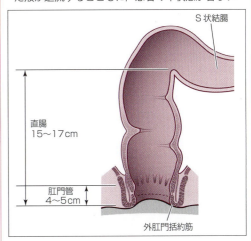<br>[日野原重明（総監）：看護技術マニュアル（II），ナーシング・マニュアル15，170頁，学習研究社，1994より引用]<br>※浣腸液（50〜100 mL）が腸壁を刺激して蠕動運動が起こるまでに約3分は必要だといわれる．患者に麻痺がある場合には，肛門を閉じるのを介助する<br>※重症患者や心臓疾患の患者は症状が変化することがあるので，排便が終わるまで付き添う<br>※老廃物の排出が少なく，浣腸液のみの排出であった場合は再度施行することを考慮する |

## 2. 摘　便

　腸内に便が長時間留まると，便の水分が吸収され，自力では排泄できなくなるほど硬くなる．その結果，直腸の不快感，食欲不振，悪心・嘔吐，腹痛，腹部膨満，頻尿などを引き起こし，腹壁からでも便塊が触知できるようになる．このような状態の便塊を取り除くには，指先を肛門から挿入し，便を取り除く摘便しか方法がない（表V-41）．摘便は患者にとって，身体的・心理的にも苦痛が大きいため，自力で排泄できるような事前のケアが重要である．

　摘便の操作に伴う迷走神経の刺激によって心拍数の減少などを引き起こすために，循環動態が不安定な患者には避ける．また，過度の直腸の操作は粘膜の損傷や出血を引き起こすことがあるので，十分に注意して行う．

表V-40 高圧浣腸の手順

〈必要物品〉
浣腸用イリゲータ，ゴム管，ガラス連結管，クレンメ，1〜2％薬用石けん液または生理食塩水，微温湯，ネラトンカテーテル10〜15号（英式），潤滑油，ちり紙またはガーゼ，膿盆，防水布，ディスポーザブル手袋
（必要時）タオルケットまたは綿毛布，便器とちり紙，尿器

| 手　順 |
| --- |
| ①手順はグリセリン浣腸に順ずる<br>②結腸内への溶液の注入速度を一定にするために，イリゲータ内の浣腸液の表面と肛門の距離を常に45〜50 cmに保つように調整する（速度の目安100 mL/分，5〜10分で注入終了）．早く注入しすぎると腸粘膜を損傷したり，有効な効果が得られない<br>③注入時に不快感，腹痛などを訴えた場合には，注入を一時中止するかイリゲータの高さを低くして，深呼吸をさせ様子をみて，症状が増強するようであれば中止する<br>④注入後は便意が強くなるまで5〜15分我慢してもらう<br>⑤注入時，注入後は呼吸，血圧，脈拍などのバイタルサインや顔色などに注意して観察する |

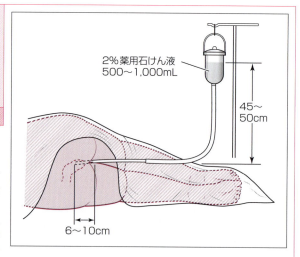

表V-41 摘便の手順

〈必要物品〉
ゴム手袋または指嚢，潤滑油，差し込み便器または紙おむつ，処置用シーツ，ガーゼ，トイレットペーパー，蒸しタオル，タオルケット，小膿盆，使い捨てエプロン，マスク，ゴーグル（必要に応じて）

| 手　順 | 根拠/注意点 |
| --- | --- |
| （アセスメント）<br>・心疾患や肛門・直腸・泌尿器系の手術などの既往歴<br>・日常の排便パターン，食習慣，活動のレベル，向精神薬などの服用<br>・最終の排便，便意，直腸の不快感，食欲不振，悪心・嘔吐，腹痛，腹部膨満などの自覚症状<br>・バイタルサイン，腸音の聴取と腹部の触診 | ※虚血性心疾患，心不全などの循環動態が不安定な人は心拍数の変化を起こしやすいので，どうしても必要な場合は，施行中，心拍数を観察しながら行う<br><br>※バイタルサインは直腸刺激による心拍数の変化を判断するための指標となる |
| 1. 準備<br>①患者に摘便の必要性を確認し，患者の承諾を得て，事前に排尿をすませておく<br>②必要物品を準備する<br>③患者のプライバシーを守るために，病室のドアを閉めるかベッド周囲のカーテンを引く<br>④感染予防のために，手を洗い，手袋，エプロン，マスクを装着する<br>⑤患者の緊張をほぐし，安楽な体位を整える<br>　・看護師が操作しやすい高さにベッドを調節する<br>　・患者の下着を下ろして，不必要な露出を避けるようタオルケットで体幹と足をおおい，膝を屈曲した左側臥位とする<br>　・殿部の下に処置用シーツを敷く<br>　・差し込み便器，または紙おむつを当てる | <br><br><br><br><br><br><br><br>※患者の安全と看護師の適切なボディメカニクスのためにどの高さがよいかを判断する　※危険防止のためにベッド柵を上げる |
| 2. 実施<br>①ゴム手袋または指嚢の示指に潤滑剤を十分につける<br>②肛門周囲の皮膚の状態を観察する<br>③患者に深呼吸を促し，処置中はできるだけ口で呼吸をして腹壁を緊張させないように説明する<br>④肛門周囲をマッサージして，肛門括約筋が弛緩したところで示指をゆっくり肛門に挿入する．<br>⑤直腸壁に沿ってらせんを描くようにゆっくりと示指を進める | <br><br><br><br><br>※排便時痛を誘発しそうな炎症がある場合には肛門周囲の皮膚のケアを行う |

(表V-41 つづき)

| 手　順 | 根拠/注意点 |
|---|---|
| ⑥便塊に触れたら，便に指を沿わせ，回しながら，少しずつ砕き出す<br>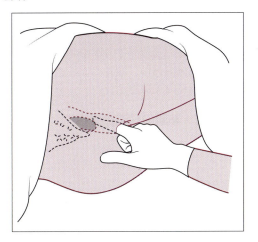 | ※指をあまり強く動かすと，腸粘膜や肛門を刺激して疼痛や出血を起こしやすい<br>※疼痛・出血・心拍数の減少，息切れ・発汗などを観察し，症状が出現したら中止する<br>※硬便が排出されると，それに続いて多量の排便や下痢となることがあるので観察しながら行う<br>※大きな便塊の場合には，浣腸液で表面を軟らかくしたり，中指も入れてはさみのような動きで少しずつ砕き出す． |
| ⑦直腸の出口まで便がおりてきたら，小さな便塊を静かに少しずつ外に出す<br>⑧便の排出後には，患者に残便感，腹部膨満感の有無をたずねる | ※排便があまりみられないときは，指示によって浣腸を行う |
| ⑨終了後，肛門周囲を洗浄したり，蒸しタオルで圧迫するように拭き，乾燥させる<br>⑩差し込み便器または紙おむつを取り除き，便の色，固さ，量を観察する<br>⑪ゴム手袋を外側の汚れたほうが内側になるように小さく丸めてひっくり返して外して捨てる<br>⑫後始末を行い，手を洗う<br>⑬摘便に要した時間，摘便時の患者の状態，患者の反応，症状の変化，バイタルサイン，腸音，腹部の状態を観察し，必要事項を記録する | ※肛門部が開いたままにならないように，軽く圧迫する<br><br><br><br>※徐脈の場合には1時間ほど注意して観察したほうがよい |
| (患者指導)<br>再発防止のために，食事，水分摂取，運動などの生活面の指導を行う | |

●引用文献

1) 岡田博匡，深井喜代子：イヌの胃；大腸反射に対する橋排便反射中枢の役割．自律神経 **16**：230-236，1979
2) Fukuda H, Fukai K, Okada H：Effects of vesical distension on parasympathetic out flow to the colon of dogs. Kawasaki Medical Journal **9**：1-0, 1983
3) 小林純子：変わる学校のトイレ 子どもの思いを形にする，草土文化，2002
4) 岡崎久美，米田由美子，深井喜代子ほか：腹部マッサージが腸音と排便習慣に及ぼす影響．臨床看護研究の進歩 **12**：113-117，2001
5) 菱沼典子，平松則子，春日美香子ほか：熱布による腰背部温罨法が腸音に及ぼす影響．日看科会誌 **17**（1）：32-39，1997
6) 菱沼典子，山崎好美，丸山朱美ほか：乾熱温罨法の有無による血液透析患者の腰部皮膚温の比較．聖路加看護大学紀要 **34**：1-7，2008
7) 菱沼典子，山崎好美，井垣通人：腰部温罨法の便秘の症状緩和への効果．日本看護技術学会誌 **9**（3）：4-10，2010
8) 栗田　愛，佐藤好恵，篠崎恵美子ほか：グリセリン浣腸による損傷部位や有害事象についての文献検討．日本看護技術学会誌 **9**（2）：57-73，2010

## 2-4 清潔を保つ

### A 身体を清潔に保つことの意義と看護の役割

#### 1 清潔の意義

皮膚の清潔（hygiene）が保たれている状態とは，一般に「あか（垢）」とよばれているもの，すなわち分泌された汗・皮脂や皮膚の角化によってできた落屑などと，外界からの付着物質が混じり合ったものを取り去った，身体表面が汚れていない状態をいう．身体を清潔に保つことは，人間の基本的なニードであり，さまざまな目的や意義がある．

身体を清潔にすることは，皮膚の生理機能を良好に保持・増進する．心理・社会的側面では気持ちがさっぱりとして爽やかな気分になり，自分に自信がもて，肯定的な自尊心が維持される．こうした精神面の効果は，よりよい対人関係を育むことにも結びつく．

疾患や治療上の制限や障がい等（以下「疾患等」）によっては，身体を清潔に保持することは困難さを増すが，その重要性は高まる．創傷からの滲出液，発汗やドレーンからの排液等により皮膚は汚染しやすく，感染予防の視点から身体の清潔が必要となる．また，汚染した皮膚は，皮膚からの薬物の吸収を阻害し，治療を遅らせる場合もある．

入浴や清拭によって，能動的・受動的に身体を動かすことは，関節や筋肉の運動になり，筋萎縮や関節拘縮の予防にもなる．また身体を清潔にすることでストレスが軽減し気力が高まる，他者と積極的に関わっていけるなど，精神的・社会的意義も大きい．

看護者は清潔のケアをとおして対象者の身体の観察を行いコミュニケーションを深めるとともに，従来の清潔習慣を支え，状況によっては新たな清潔ケアの方法をともに考える．

#### 2 皮膚・粘膜の構造と機能

体の外表面は皮膚でおおわれ，消化器官，呼吸器官等の，空気や食物に接する内表面は粘膜でおおわれている．

皮膚は表皮，真皮，皮下組織の3層で構成されているが，粘膜も同様に，粘膜上皮，粘膜固有層，粘膜下層の3層構造である．粘膜は，体の外面をおおっている皮膚と，それらの器官の開口部で移行し，顔の皮膚は口唇の後縁で口腔粘膜に，眼瞼は結膜とよばれる粘膜に移行している[1]．

皮膚の附属器には，脂腺・汗腺・毛・毛包・爪などがある（図Ⅳ-8, 118頁参照，表Ⅴ-42）．

### B 清潔のニードのアセスメント

#### 1 身体状況のアセスメント

##### 1. 皮膚・粘膜機能のアセスメント

皮膚の汚れは汗腺，皮脂腺の分布や衣服の着用の有無にも影響を受ける．通気性の悪い衣服を着用していると局所に汗が貯留し，皮膚表面に細菌が増殖する原因となる．一方，衣服を着用していない部分では，空気中のほこりや粉塵・化学物質などの汚れ

---

表Ⅴ-42　皮膚の機能

1. 保護作用
  ・体外からの刺激（微生物，化学物質，機械的刺激，熱，紫外線，水分喪失）から体を守る．
2. 分泌・排泄作用
  ・皮脂腺からは弱酸性の皮脂が分泌され，皮膚の乾燥を防ぎ，細菌の増殖を抑制する．
  ・体内の老廃物（尿素，塩分，水分など）を汗腺から汗として体外に排泄する．
3. 体温調節作用
  ・体温上昇に伴い，視床下部の発汗中枢の働きで発汗を行い，汗の蒸発によって熱を放散する．
4. 知覚作用
  ・触覚・圧覚・振動覚，痛覚，温覚や冷覚，痛覚の（感覚）受容器が分布している．
5. 経皮吸収機能
  ・皮膚に接触した物質の多くは毛包，脂線を経由して吸収される．
6. ビタミンD生成
  ・コレステロール誘導体からビタミンDが合成される．

がつきやすい．それらは，皮膚に刺激を与え，悪影響を及ぼすことがある．身体の中で頭皮は皮脂腺や汗腺が多く，皮脂や汗の分泌量の多い頭皮・頭髪は汚れやすい部位である．毛髪に付属する皮脂腺からは皮脂が分泌され，汗と混じって皮脂膜を形成する．汚染状態が続けば微生物が繁殖し，皮脂膜が酸化してできた種々の化学物質が皮膚を刺激し，ふけや脂漏性皮膚炎の原因となる．

適切な清潔の援助計画を立案するための皮膚のアセスメントとして，頭部（頭皮・頭髪），顔面（額，頬，顎），眼（結膜，眼瞼），耳（外耳道，耳介），鼻（鼻腔），口腔（歯，舌，口蓋）や全身の皮膚の汚染状況を，視診（必要に応じて触診）によって把握する．また，骨突出部位で皮下組織が薄い褥瘡の好発部位では，とくに皮膚損傷の有無を観察する．毛髪については，分布・質・量や頭皮の傷や出血の有無などを観察する．全身の皮膚については，その病変や損傷，浮腫，発汗，色，皮膚の湿度，手触り，緊張度など，爪については，その形，色調，清潔，厚さなどを観察する．

### 2. 一般状態・疾病・治療状況などのアセスメント

性別や年齢，一般状態（バイタルサイン），疾病の症状，障害の種類・部位・程度，安静度，治療の状況などによって，清潔のニードや清潔の援助方法・配慮事項が異なってくる．それらを十分に考慮して清潔援助を行う必要がある．

## 2 清潔行為・行動のアセスメント

対象者が身体の適切な清潔行動が行えるか否かを判断するためには，対象者の日常の清潔習慣や個人的な嗜好の様態，適切な清潔習慣を実行するための知識や運動能力の程度，さらにそれを継続して行う意思の有無や程度の視点と，セルフケア能力（154頁参照）の観点からアセスメントする必要がある．

### 1. 生活習慣

疾患等があると，身体の清潔が適切に保てなくなり，清潔習慣が従来どおりに行えないことと相まってストレスが生じる．看護者は，対象者の清潔習慣について情報収集を行い，病状や症状の回復を阻害する要因がないかアセスメントする．また，入院時から退院後の生活を視野に入れ，在宅で生活する際に支障がないか，対象者が清潔のケアを継続できるかなどを検討する．

### 2. セルフケア能力のアセスメント

セルフケア能力の中でも運動・活動能力（清潔行動・更衣の自立度）のアセスメントは，対象者の身体の清潔を行う能力を判断するうえで重要である．アセスメントの結果から，対象者の活動能力を最大限に活用し，できるだけ自立して行える方法を考える．看護者が一部もしくは全面介助を行う場合であっても，より活動能力を引き出す方法を検討する．一方で，運動・活動能力が身体の清潔を行うのに十分であると判断しても，体調不良や倦怠感，共同浴槽への抵抗感など，さまざまな理由によって，実際には適切な清潔行動がとれない場合も考慮しておきたい．

運動・活動能力のアセスメントには，バーセルインデックス（BI）がよく用いられる（120頁，252頁参照）．

対象者が清潔行動について適切に判断し実行できるように，看護者は必要な情報を提供し，対象者の意思決定を尊重し，見守り，支援する．また，知的・意思表現能力（清潔・更衣に関する理解度・認識・表現力）についてもアセスメントする．

### 3. 清潔に関する心理・社会的側面からのアセスメント

疾患等によって，身体の清潔が十分に行えない場合，ストレスや疲労が蓄積し抑うつ的になり，自己肯定感をもてなくなることがある．また，対人関係が煩わしくなるなど，社会性にまで影響を及ぼすことがある．反対に，身体を清潔に保つことで闘病意欲や社会性が高まることもある．このように身体の清潔の状態は対象者の心理・社会的側面に深く影響を与える．

## C 清潔の援助技術

看護者はまず初めに対象者の清潔のニードをアセスメントし，清潔援助の必要性を的確に判断する．清潔援助の実施においては，個別性を考慮して援助する．その際，看護者は対象者にもっとも適した方法を対象者と話し合って選択する．清潔の援助には，施設・設備・物品などの物的環境や人的環境も関わってくる．これらの環境を最大限に活用するとともに，物品や方法などを応用・工夫し，ケアを新たに創造することも必要となる．

身体の清潔の援助では，対象者は皮膚を露出することになるため，個人の尊厳やプライバシーの保護に留意しなければならない．皮膚に触れる際は対象者の許可を得るとともに，スクリーン等を活用し，タオルや綿毛布で露出部分を最小限にするなど，対象者の羞恥心への配慮が必要である．

具体的な援助方法には，入浴，シャワー浴，全身清拭および部分清拭，陰部洗浄・清拭，足浴，手

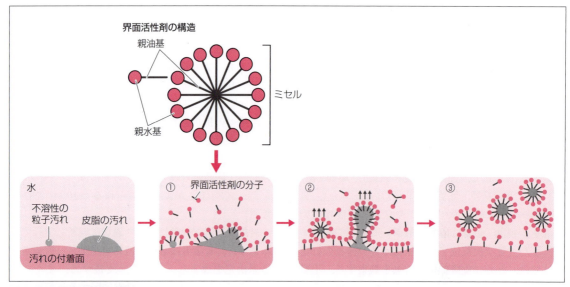

図V-48 界面活性剤の働き

浴，洗髪，結髪，口腔の清潔（歯磨き，ブラッシング）・含嗽・清拭・洗浄，眼・耳・鼻の清拭・洗浄などがある．これらのケアを同時に行う場合と，部分的に実施する場合がある．対象者の清潔のニードに応じて，これらのケアを組み合わせて援助計画を立てる．

## 1 石けんと洗浄剤の洗浄効果

石けんや洗浄剤に含まれる界面活性剤の分子には水になじみやすい親水基と油になじみやすい親油基があり，ミセル（界面活性剤の集合体）を形成する．図V-48に示すようなミセルの3つの作用で，汚れが除去される．

## 2 全身清拭と部分清拭

清拭（bed bath）は，身体を拭くことによって汚れをとる清潔の援助方法である（表V-43）．全身を一度に清拭する全身清拭と，対象者の状態や汚れの限局度によっては部分的に実施する部分清拭がある．

〈清拭の留意事項〉
①室温調整
一般に清拭時の室温は24±2℃に調節する．23℃以上の室温で清拭するとき，交感神経系の緊張が低下してリラックスした状態になることや[2]，清拭施行前から終了時まで，室温が20℃の場合と24℃の場合を比較すると24℃のほうが有意に皮膚温が高かった[3]．こうしたことからも24℃が適切な室温と考えられる．

②タオルと湯の温度
ウォッシュクロスが皮膚にあたるとき，人が温かいと感じる温度は40℃から42℃である．そのため，手を入れることのできる最高温の湯（55〜58℃が目安）を用意し，清拭開始時の湯の温度を55℃程度とする．それは，室温24℃の室内で54℃の湯10Lをポリバケツに放置すると10分間で約3℃湯音が低下し[4]，56℃の湯で開始した清拭においてウォッシュクロスを7回ゆすぐと湯は50℃に下がる[5]からである．

皮膚に分布する温線維は45℃にもっともよく反応することが知られており，それ以上の温度になると痛覚線維が反応する．したがって，皮膚に当たるウォッシュクロスの温度は45℃以上にならないように注意する．

③拭き方
清拭（bed bath）は，入浴ができない対象にベッド上で臥床のままで行いうる清潔の援助方法である．全身を同時に清拭する全身清拭と，対象者の状態や限定した部位の汚れ等によって行う部分清拭がある．全身清拭と部分清拭の方法は基本的に同じであるので，ここでは全身清拭の方法を述べる．

拭き方の原則としては，一方の手で関節部を大きく支え，適度な圧を加え，リズミカルに拭く．また，皮溝を拭きもらすことのないようにする．末梢循環促進には，清拭圧や拭く回数を変えること[6]や，末梢から中枢か往復方向の清拭が効果的である[7]ことから，対象者が快適に感じる圧や回数，拭き方を工夫するのがよい．

表V-43 清拭の手順と根拠

〈物品〉
ピッチャー大・小（各1），ベースン（2），ウォッシュクロス（あるいはフェイスタオル）（2〜3）
フェイスタオル（1），バスタオル（2），綿毛布（あるいはタオルケット）（1），バケツ（2）（湯用1，汚水用1），水温計，着替え用衣類
（必要時）
石けんおよび石けん入れ（各1），タルカムパウダー＊，50％エタノール，保湿クリーム，新聞紙，爪切り，水温計，手袋，エプロンおよびその状況に適切な個人防護用具の選択

| 手　順 | 根拠／注意点 |
|---|---|
| ①綿毛布（タオルケット）をかけながら，掛け物を足元に扇子折りにする<br>②寝衣を脱がせ，身体の下にバスタオルを縦長に敷き両肩をおおう<br>（顔・耳介・頸部の清拭）<br>　a）綿毛布の襟元をバスタオルでおおい，フェイスタオルを首元から耳介の後ろのほうに敷く<br>　b）石けんのついていないウォッシュクロスで眼瞼を目頭から目尻のほうに拭く（図A）．眼脂があればそれを眼全体に広げないよう除去してから拭く．ウォッシュクロスをすすぐか，面を変えて他方の眼瞼も同様に拭く<br>　c）額，鼻筋，小鼻から鼻の下，頬，顎，耳介とその周囲を拭く（図A）．一般に顔は石けんを用いないが，汚れの状況などによっては用いる<br>　d）首元に敷いたフェイスタオルで顔を押さえ拭きし，水分を拭きとる<br>　e）側頭部，前頭部を拭き，首元に敷いたフェイスタオルで押さえ拭きをする<br>（上肢の清拭）<br>　a）上肢を露出しバスタオルで包むようにおおう（図B） | ※段階的に脱がせる方法もある．和式寝衣の場合は両袖を脱がせて広げた状態で行ってもよい<br>※綿毛布が濡れるのを防ぐため，襟元をバスタオルでおおう<br>※石けんは目に刺激がある<br>※鼻涙腺に組織片やごみが入らないように目頭から目尻のほうに拭く<br>※細菌感染を防ぐために片眼を拭いたら，拭く面を変える<br>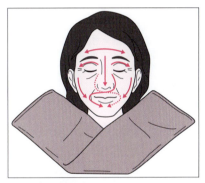<br>図A　顔の拭き方 |

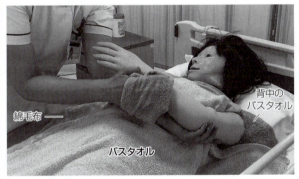

図B　上肢のバスタオルの敷き方

| 手順（続き） | 根拠／注意点（続き） |
|---|---|
| b）一方の手で関節部をしっかり支え，適度な圧でリズミカルに拭く．まず湯につけて絞ったウォッシュクロス（フェイスタオル）で拭いてから，石けんをつけたウォッシュクロスで拭く．すすいだウォッシュクロスで3回程度拭いて石けん分を取り除く．最後に速やかにバスタオルで押さえ拭きをする<br>c）上肢を挙上し，腋窩を拭く<br>d）手を拭く（あるいは手浴を行う）<br>（頸部・胸部の清拭）<br>a）胸部にバスタオルをかけ，胸部が露出できる位置まで綿毛布を下にずらし，下に敷いたバスタオルで両肩・両上肢をおおう（図C）<br>b）バスタオルを腹部側に下げて，胸部を縦に拭く（図D）．乳房は乳頭に触れないで，乳房にそって輪状に拭く．乳頭が汚れている場合は軽く拭きとる．バスタオルで速やかに押さえ拭きをする | ※皮膚に水分を残したままにすると気化熱が奪われ，体温低下の原因となる．速やかに乾いたタオルで拭き取り，綿毛布でおおうことで，体温低下を防ぐ．<br>※右上肢での実験の結果，末梢から中枢，または往復方向の清拭によって血液循環が促進されることが示唆された[7]．不快と感じた摩擦方向は中枢から末梢であったことから，「末梢から中枢」方向または「往復」方向の拭き方がよい．<br>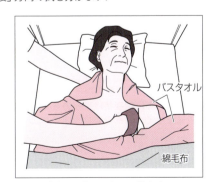<br>図C　胸部のバスタオルの敷き方 |

(表Ⅴ-43 つづき)

| 手　順 | 根拠/注意点 |
|---|---|
| （腹部の清拭）<br>　腹部は胸部よりも温度に敏感で適温も高いので，お湯を変えるか差し湯をする<br>　a）バスタオルを縦長に胸腹部にかけ，綿毛布は恥骨部上縁まで下げる．綿毛布の上端をフェイスタオルでおおう<br>　b）腹部をおおっているバスタオルを胸部側に折り曲げて腹部を出し，腸の走行に沿って押さえすぎないように拭く（図D）．バスタオルで速やかに押さえ拭きをする． | 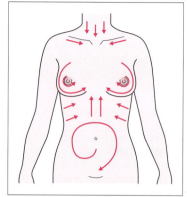<br>図D　頸部，胸部，腹部の拭き方<br>※太った人の場合，腹部の皮膚が重なっている部分は臭気や皮膚損傷を引き起こす可能性があるので，清潔に気をつける |
| （下肢の清拭）（図E）<br>　a）一方の下肢を露出し，バスタオルで下肢をおおう．バスタオルの一方の端は綿毛布の上になるように置く<br>　b）膝関節を軽く曲げ一方の手で支えながら，大腿部と下腿部の足首まで素早く縦に大きく拭き，バスタオルで押さえ拭きをする<br>　c）下肢を伸ばし，足関節，足を拭き，バスタオルで押さえ拭きをする<br>　d）もう一方の下肢も同様にする | ※静脈血の還流を促すためには，足首から大腿に向かって拭く<br>※続いて足浴をする場合は，足関節以下は省いてよい |

図E　下肢の清拭

| 手　順 | 根拠/注意点 |
|---|---|
| （後頸部・背部・腰部の清拭）<br>　背部は冷覚がもっとも敏感な部分なので熱い湯で清拭をする<br>　a）側臥位にする<br>　b）清拭部位だけを露出するよう綿毛布を上げ，バスタオルの端を上側面をおおっている綿毛布の下に入れ，背部をおおう（図F）<br>　c）拭く際は，上にかけたバスタオルを下から上に持ち上げ，上側面（綿毛布）に置く．上側の肩を一方の手で支え身体の固定をしながら，頸部の後ろ側と背部を頭側の方向に向けて，左右対称に螺旋状に少し力を入れて拭く．タオルを2つ折りにして，背部をおおうように広げて押さえて拭く．このことで，皮膚表面の血流を増やすことができる（熱布清拭）． | 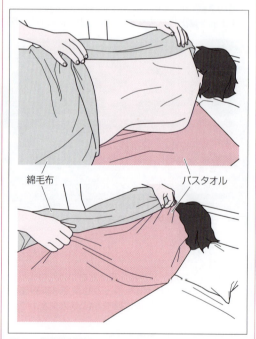<br>図F　背部清拭時のタオルの用い方<br>※側臥位を維持することが困難な場合は2名の看護者で行う<br>※マッサージすることによって末梢血管を刺激して血液循環を促進し，疲労物質や病的産物の排出を効果的にする．脊柱の両側に手を置き，仙骨部より頸椎に向けて大きくゆっくりとマッサージをする（ストローキング，stroking）（図G） |

(表V-43 つづき)

| 手順 | 根拠/注意点 |
|---|---|
| (殿部の清拭)<br>褥瘡の好発部位である仙骨部や排便で汚染しやすい肛門部があるため，清拭の機会によく観察する．必要時，手袋を装着する<br>　a) 綿毛布で背部をおおい，綿毛布の下にバスタオルの端を入れ，殿部のみを露出し，バスタオルでおおう<br>　b) 左右の殿部を円を描くように大きく拭く．肛門部が汚染されている場合は同じタオルは使用せず，使い捨てタオルなどで拭きとる．ただし，陰部清拭，陰部洗浄を行う場合は，そのさいに肛門部も清潔にするのが望ましい<br>③下着と寝衣を交換する<br>④対象者の状態を観察する<br>⑤後始末をし，環境を整える | 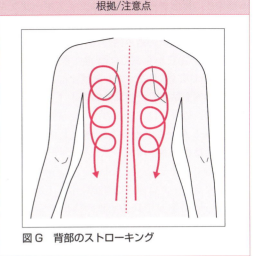<br>図G　背部のストローキング |

\*タルカムパウダー：滑石という鉱石の一種であるタルク（talc）を主原料につくられた粉末．非常に細かい結晶をもつので肌への密着性がよく，汗の蒸散を助ける．ベビーパウダーはこれを乳幼児用に成分調整したものである．

④水分の拭き取りと被覆

　ウォッシュクロスで拭いたあとはすぐに水分を拭き取りバスタオルでおおう．不必要に皮膚を露出しない．水分は蒸発するとき気化熱が奪われる（水1gが蒸発するとき0.58 kcalの熱量を体から奪う）ので，冷感を感じさせない配慮が必要である．水分を拭き取らない場合，清拭後30秒程度で冷汗の訴えがもっとも多くなり[8]，女性は男性に比較して水分の拭き取りをしなかった場合，皮膚温が低下する傾向がある[9]．いずれの場合も，冷感を感じさせない配慮が必要である．

⑤石けんの拭き取り

　石けん清拭は快適な清拭であり汚れも除去できるが，洗い流しや拭き取りが不十分であると，病原性細菌の増殖を促進させる危険や皮膚障害を起こすことがある．

　通常，ヒトの皮膚の表面は弱酸性（pH 4.5〜6.5）に保たれており，アルカリ性の石けんや洗浄剤は，皮膚の酸性度を低下させ，常在菌の存在を脅かす．石けんは十分に除去しなければならない．したがって石けんはよく泡立てて使い，しぼったタオルでよく拭き取ることが重要である．

　2回の拭き取りで石けん清拭前の皮膚のpHに戻った[10]，石けんを十分に泡立てると拭き取り回数を少なくできた[11]等の研究結果から，よく泡立てた石けんで清拭し，往復で2から3回程度拭き取ればよいといえよう．アルカリ洗浄剤と弱酸性洗浄剤が皮膚のバリア機能に及ぼす影響には大きな違いはない[12]といわれているが，皮膚を極端な酸性やアルカリ性にさらすと，一時刺激皮膚炎を引き起こすので注意したい．

⑥必要物品は状況に応じて工夫・応用する

　施設内の物品の保有状況によって，方法を工夫する．たとえば，タオルはウォッシュクロスでもフェイスタオルでもよく，タオルが冷めないうちに素早く拭くようにすればよい．

　また，個室であるかどうかや水まわりの設備の状況によっては必要物品も変わってくる．皮膚に傷がある，排泄物に触れるなど感染の危険性が考えられる場合は，手袋を着用する．

⑦清拭車で加温したタオルを使用する場合

　清拭車で加温した蒸しタオルを清拭に用いることもある．清拭車の熱布タオルに起因するセレウス菌（*Bucillus cereus*）による感染があり，清拭タオルの適切な管理が指摘されている．多量の水を含んだタオルは中まで高温に達するのに長時間を要するので，よく洗ったタオルに必要最小限の水を含ませ，80℃で90分以上加温することが必要である[13]．ICUで利用される清拭タオルでは，清拭車による100℃3時間の蒸気殺菌により*Bacillus*属の検出が皆無となったという報告もある[14]．タオルの中でセレウス菌の増殖を予防するために，清拭車の蒸しタオルを使用する際は，タオルや清拭車の清潔管理が必須である．タオルは清潔なものを使用するが，使用する前に清拭車で加温し，長時間の保温は避ける．清拭車は毎回湯を抜き清潔に保ち乾燥させるな

ど，基本的な使用方法を遵守する．清拭車に起因する感染症の懸念から，最近ではディスポーザブルタオル〈不織布製〉が用いられるようになった．

⑧熱布貼用と清拭の組み合わせ

清拭車で70℃から80℃で保温し絞った50℃前後の熱布タオル（蒸しタオル）を腰背部に貼用した場合と，熱布を貼用した後に熱布タオルでの清拭を組み合わせた場合では，後者のほうが皮膚温の上昇がより持続した[15]ことからも，熱布貼用と清拭の組み合わせは快適さを増す．

⑨背部のマッサージ

皮膚マッサージは末梢血管を刺激して血液循環を促進し，疲労物質や病的産物の排出を効果的にする．背部のマッサージや指圧の効果には，心拍数が減少し，リラックス感が高まる[16]．スローストローク（slow stroke）の背部マッサージでは血圧が下降し，皮膚温が上昇し，リラクセーション効果がある[17]．効果的にマッサージを組み合わせて，快適な清潔ケアを行う．

⑩感染症とディスポーザブルタオルによる清拭

対象者が感染症やその疑いがある場合には，ディスポーザブルタオル（不織布製）が用いられる．対象者の状況やケアの内容に応じて用いてもよい．

## 3 入浴およびシャワー浴

### 1．入浴

多くの日本人にとって，入浴は疲れを癒し，翌日への活力を見出す文化的な清潔習慣であり，身体を清潔に保つこと以上の意味がある．入浴（bath, bathing）は皮膚を清潔にし，血液・リンパの循環を促し，代謝を促進し，適度な温熱刺激は筋肉の緊張を緩和する．これらには入浴のもつ温熱作用，静水圧作用，浮力作用の三大作用が影響している．入浴中のエネルギー代謝量は，40℃の浴槽での10分間の全身浴で2.8±0.3 kcal，半身浴20分で2.7±0.5 kcal，シャワー浴10分間1.2±0.4 kcalであり，入浴による消費エネルギー量は小さい[18]．一方，入浴には循環動態の変化や転倒や熱傷事故などの危険性もある．したがって対象者にあった適切な温度や入浴法を考慮する必要がある．

浴室・浴槽は年々改良されており，さまざまな型・種類があるが，援助対象の状態を考慮して選択し，安全・安楽に入浴できるように工夫する．

〈入浴の留意事項〉

①入浴前後の健康状態をチェックする

一般状態（バイタルサイン，顔色，気分，息切れ，咳など），運動障害の程度，視力障害の有無を観察し，入浴前後にバイタルサインを測定する．これらの状態から，入浴の適否，入浴時間，湯の温度，入浴用品の選択，介助者の人数などを検討する．入浴後は一般状態や気分をチェックし，入浴の影響を評価する．状況に応じて医師に報告する．

②脱衣室・浴室内の温度

脱衣室・浴室内の温度は約22〜26℃に調整する．脱衣室・浴室内の環境温の差を少なくすることによって，寒冷曝露の生体への影響を軽減させる．高齢者の入浴中の心肺停止は外気温が10℃を下回る時期から増加し，その発生には脱衣場，浴室内の温度の低さが関係しており[19]，とくに冬季の室温に注意が必要である．

③食前食直後の入浴は避ける

入浴により皮膚血管が拡張し血流が皮膚に移動するため，胃腸の血流量が減少し，蠕動運動の抑制，胃液の分泌が低下する．そのため，入浴は食後1時間以上経ってからが望ましい．

④湯の温度や水位を対象の状態や入浴の目的に合わせて調節する

湯の温度は対象者の状態や好みに合わせて準備する．湯温38℃は，循環動態と体温調節機能への影響が小さく，心血管機能に障害があるものや高齢者にとって比較的安全な入浴温度である[20]．一方で，湯の温度によっては入浴直後に急激な血圧上昇が生じるため，湯を体にかけるときは足元から徐々に上のほうにかけていく．とくに高齢者は，入浴中の血圧変動幅が大きいので注意する．また，高齢者においては41℃以上の湯温は心肺への負荷がかかるといわれている[21]．高齢者における160/100 mmHg以上の血圧，37.5℃以上の体温は入浴関連の体調不良や事故の危険因子の可能性がある[22]ので十分な観察と清潔のケアの変更が必要である．また，心窩部までの入湯など，静水圧が低い半身浴は全身浴に比べて循環系や呼吸器系への負担が少ない[23]．転倒防止の観点から，洗い場や浴槽の滑り止めや手すりなどを備え，入浴中は滑らないように注意する．

⑤入浴後の休息と水分補給

入浴後は一般に体重が減少する．これは温熱作用による体温調整機能の発動から発汗が増加したこと，静水圧作用による利尿の結果である．発汗は入浴後も続く．入浴後は，水分の補給を行うとともに，休憩をとるようにする．寒冷期では湯冷めしやすくなるので留意する．入浴後，湯船から出て静水圧がなくなると，血管抵抗が低下して血圧が下降するので注意する．また，入浴により皮脂膜が消失し乾燥しやすくなるため（とくに高齢者），保湿ク

表V-44 陰部洗浄の手順と根拠（ベット上・臥位で行う場合）

〈物品〉
防水布およびカバーシーツ（1），便器・便器カバーまたは紙おむつ（1）
シャワーボトル（1）またはピッチャー（小）（1），綿毛布（またはタオルケット）（1）
バスタオル（2），石けんおよび石けん入れ（必要時），ガーゼ（数枚），タオル（1），
ディスポーザブル手袋（2），膿盆（またはナイロン袋）（1），エプロン

| 手　順 | 根拠／注意点 |
|---|---|
| ①陰部洗浄について説明し，同意を得る<br>②綿毛布（タオルケット）をかけ，掛け物を足元に扇子折りにする<br>③薄い掛け物の場合はかけた状態で，衣類を殿部から外す．殿部の下に防水布およびカバーを敷く<br>④温めた便器を当てる．便器の代わりに紙おむつを使用してもよい<br>⑤両下肢をバスタオルでおおう<br>⑥腹部に温湯が流れないように，温タオルを恥骨上部に置き，セミファウラー位にする<br>⑦看護者は手袋を装着し，湯を看護者の前腕内側にかけて温度を確認した後ピッチャー（またはシャワーボトル）で対象者の大腿部にも少量のお湯をかけて，対象者に湯加減を確認しながらガーゼで恥骨から肛門部に向けて洗う<br>男性の場合，陰茎を軽く支えながら裏側を洗い，①亀頭部分は包皮を下げて，②円を描くようにして陰茎を洗う（図A）．女性の場合，大陰唇を開いて中央から周囲を，上（腹側）から下（背側）に洗う（図B）<br>⑧終わったら，乾いたガーゼで水分を拭きとる<br>⑨便器または紙おむつを取り去り，乾いたガーゼで殿部を拭く．ガーゼは膿盆またはナイロン袋に捨てる<br>⑩看護者は手袋を外す．バスタオルを取り去り，綿毛布（タオルケット）でおおう．衣類をつけ，防水布およびカバーシートを取り除く<br>⑪体位を安楽にし，着衣・掛け物を整える．対象者の状態を観察する<br>⑫後始末をし，環境を整える | ※女性は尿道が4cmと短く，陰部が不潔になると尿路感染症を起こしやすい<br><br><br><br>※お湯は体温程度とする<br><br>※2面の接する部分（陰茎と陰囊，陰囊と肛門部，陰唇）は不潔になりやすいので，丁寧に洗う．汚れがひどい場合は石けんを用いて洗い，十分に洗い流す<br><br>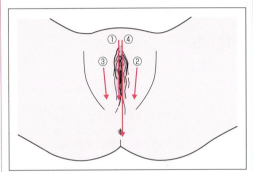<br>図B　陰部洗浄の手順（女性）<br><br>片手で会陰部を開き，もう一方の手でガーゼを持って①〜④の順に拭く．中心部は2回拭く（①と④）．①〜④は腹側から背部へ向かって（矢印の方向）拭くこと．ガーゼを使用する際は，1回ずつ拭く面を変えて感染予防に努める． |

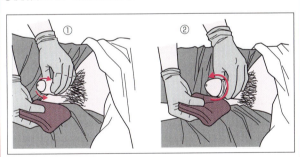

図A　陰部洗浄の手順（男性）

リーム等でスキンケアを行う．

### 2. シャワー浴

シャワー浴は入浴に比べて全身への温熱・水圧・浮力による影響が少なく，体力の消耗や時間が少なくてすむ．清潔への効果も大きい．身体の一部が入浴に適さない場合に行う．

### 4 陰部の清潔

陰部は便や尿，分泌物などによって汚染され不潔になりやすい（表V-44）．とくにおむつ使用患者の殿部は細菌による汚染が著しい．また，尿失禁患者の殿部皮膚は，尿からアンモニアが生成されてアルカリ性に傾き[24]，皮膚トラブルの原因になる可能性がある．入浴・シャワー浴が不可能な場合は，陰部を拭くよりも洗い流すほうがよい．羞恥心の強い部位であるので，できれば同性の看護者が援助するか，自分でできる場合はやってもらう．大腸菌の外尿道口への侵入を防ぐため，陰部は前（腹側）から

表V-45　足浴の手順と根拠（仰臥位で行う場合）

〈物品〉
防水布（1），バスタオル（1），ベースン（1），ガーゼ（数枚）またはウォッシュクロス（1），ピッチャー（1），水温計，安楽枕，綿毛布（タオルケット）（1），石けんおよび石けん入れ
ディスポーザブル手袋（1）（必要時，あるいは白癬菌などによる感染のおそれがある場合）

| 手　順 | 根拠/注意点 |
|---|---|
| ①綿毛布を用い膝の下で両足を包み込み，膝を立てる | ※必要時膝窩に安眠枕を挿入する． |
| ②足の下に防水布とバスタオルを敷く | |
| ③温湯の入ったベースンに，温度を確認しながら，少し足をつけ対象者に適温かどうかを確認する | ※湯温は対象者の好みを考慮するが，一般には40±1.1℃を準備する． |
| ④ガーゼまたはウォッシュクロスを使って指，指間，足底，足背を洗う（必要時石けんを使う） | ※踵部の皮膚の角質化が著しい場合は，しばらく足を湯に浸け皮膚を軟化させて洗うとよい． |
| ⑤洗い終わりにピッチャーの湯をかけ，ベースンを取り去る | |
| ⑥ベースンの下に敷いたバスタオル上に足を置き，水分を拭きとる．皮膚が乾燥している場合はクリームなどを塗り保護する | |
| ⑦後始末をし，環境を整える．対象者の状態を観察する | ※爪が軟らかくなったところで，爪切りを行うと容易にできる |

肛門部（背側）に向けて拭く．

拭く順序は男性の場合，陰茎から陰嚢，肛門の順に拭く．女性の場合は，尿道口から膣口，肛門の順に拭く（表V-44）．

## 5 部分浴

部分浴は身体の一部を湯の中に入れて洗う方法で，足浴（foot bath），手浴（hand bath）などがある．

### 1．足浴

足浴には，副交感神経活動の賦活化，入眠に効果的，主観的睡眠感の向上，脳血流の増加[25]等のさまざまな効果がある．健常な成人男子であれば41℃で30分の足浴でエネルギー代謝の有意な変化が認められず，比較的安全に行えるケア[26]とされる一方で循環器変動の激しい患者であれば部分浴であっても，対象者の状況を十分アセスメントしてケアを組み立てる．清拭と組み合わせて行うと一層よい（表V-45）．

### 2．手浴

手浴は，足浴と同様に，指先から手首までを湯に浸して洗うことで，皮膚の汚れを除去し，循環の促進やリラクセーション効果，爽快感や気分転換などの効果がある．加えて，手浴とハンドマッサージが睡眠効率改善への可能性がある[27]など，足浴とともに応用範囲の広い看護技術と言える．活動制限のある患者の手指は，自立している患者より汚染度が高い[28]ので，セルフケアができない対象者の手指汚染の状態を看護者は把握し，積極的に清潔を促す必要がある．また，感染症拡大時期の手指衛生は，とくに重要である．

一般に流水と石けんを用いた手洗い方法が感染予防上よいとされているが，それがむずかしい場合はベースンに40℃前後の湯を用意し，対象者に湯の温度を確かめてもらった後，指間やしわの中を含めて石けんで洗う．湯を取り替えてしっかりすすぐ．必要に応じて爪の手入れも行う．手浴を全身清拭の中に取り入れて実施するなど，排泄後や食事前，あるいはもっとも細菌数が増加しているとされる起床時と昼食後[28]にも手指の清潔を目的に実施することが推奨される．

## 6 洗髪

頭部は毛髪が密集しているために汚れやすく，皮脂量も多いため，洗髪をしないでいるとべとつき，悪臭を放ち，瘙痒感が出てくる．頭部の遊離脂肪酸（悪臭や瘙痒感，炎症の原因となる）の増加時期，瘙痒感の発生時期などのデータから，洗髪は少なくとも72時間以内に次の洗髪を実施するのが望ましい[29]．洗髪は頭皮に付着した汚れを除去する援助であり，かゆみをとり，頭皮の血行を促進させ，爽快感をもたらすことから，適切な頻度で行うようにする．

臥位での頭髪の清潔援助法には，ケリーパッド（表V-46：図A-a），洗髪台（表V-46：図A-b），洗髪車，洗髪シート，ドライシャンプーを用いる方法がある．身体状態や施設の設備を考え，どの方法にするか対象者と話し合い同意を得る．ケリーパッドはもともと産科等に用いられており，本製品を用いた洗髪の技術はわが国独自とも言われている[30]が，その技術はさまざまな場での各種物品を用いた洗髪においても応用可能性が高い．

表V-46 洗髪の手順と根拠

〈物品〉
(仰臥位，ケリーパッド使用の場合)
防水布(1)，バスタオル(1)，綿毛布(またはタオルケット)(1)，ケリーパッド(1)
ピッチャー(大，小各1)，フェイスタオル(1あるいは2)，眼をおおうタオル(1)
防水用ケープ(頸部にスポンジの入った二重のケープ)(1)，バケツ(湯用，汚水用各1)，38〜41℃の湯
シャンプーリンス(1)，ブラシ(櫛)(1)，青梅(おうめ)綿(耳栓用)，
小枕(あるいはバスタオルをたたんだもの)(1)，安楽枕(1)，ドライヤー(1)，手鏡(1)，新聞紙
(必要時)手袋，エプロン，ゴーグル

| 手順 | 根拠/注意点 |
|---|---|
| ①綿毛布(タオルケット)をかけ，掛け物を下にずらす．膝を曲げ膝窩に枕を入れる | ※腹部の緊張を緩和する |
| ②湯が入らないように頭にタオルを巻き，必要時防水ケープを付ける． | |
| ③ベッドの頭部に防水布・バスタオルを敷き，ケリーパッドを置き排水路をつくる．ケリーパッドは初めにやや多めに空気を入れておき，患者に当ててその量を調節する．排水がスムーズにいくようケリーパッドの下にたたんだバスタオルを置くなどの工夫をする(図A) | ※援助の対象者の身体の位置は，病状やベッド周囲の空間，ベッド柵が外せるかどうかなどを考慮し決定する |
| ④呼吸を妨げないよう留意して，タオルで眼をおおう．腹筋の緊張を和らげるよう，膝は軽く立て膝下に安楽枕を入れる | |
| ⑤まず頭皮・毛髪の状態を観察しながら，ブラッシングを行う | ※頭皮の汚れを浮き上がらせることができ，また毛髪のもつれを予防する |
| ⑥耳に水が入るのを防ぐため耳栓を入れる | ※冬季はシャンプー剤の冷たさを感じさせないよう配慮する |
| ⑦毛髪全体を濡らす．シャンプーを手に取り十分に泡立て，頭皮をマッサージしながら洗う(図B) | ※マッサージは頭皮を傷つけないよう指腹を使って行う．頭部を振動させないよう，片手で常に頭部を支えながら洗う |
| ⑧泡をさっと拭きとった後，湯をかけ洗い流す．湯が耳に入らないように手を使ってガードしながらすすぐ | |
| ⑨耳栓，顔にかけていたタオルを外し，タオルで毛髪を包み込み，防水用ケープ・ケリーパッドを取り除き，タオルで水分を十分に拭きとる | ※泡をフェイスタオルでよく拭きとると，すすぎの時間を短縮できる |
| ⑩バスタオルを頭の下に広げたままブラシ(櫛)で髪を毛先からとき，ドライヤーで乾かし，髪を整える | |
| ⑪バスタオル，防水布を取り除き，体位・寝衣を元どおりにし枕を当てる．綿毛布(タオルケット)を取り除きながら掛け物をかける | |
| ⑫対象者の状態を観察し，周囲の環境を整える | |

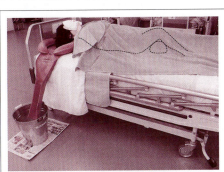

A-a ケリーパッドでの洗髪

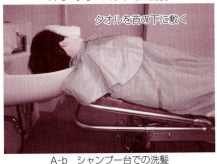

タオルを首の下に敷く

A-b シャンプー台での洗髪

図A 洗髪時の安楽な体位の設定

・左右に

・外から中心へ

・下から上へ
・左右に

皮膚割線に沿って洗う

図B 洗い方とマッサージの方法

〈洗髪の留意事項〉（表Ⅴ-46）
①体位と時間

　洗髪中の体位は筋緊張を強いることが多い．椅座前屈位では，上腕三頭筋，大腿二頭筋に非常に強い負担がかかるほか，下腿三頭筋，僧帽筋，橈側筋にも負担が及ぶ[31]．

　また，水平仰臥位は胸鎖乳突筋を緊張させ，頭が後方に落ち込むと，交感・迷走神経，頸動脈洞が圧迫され，心拍数と血圧が変化しやすい．洗髪時に上半身を20°まで挙げても生体への負担は少ない[32]ことから，体位は仰臥位から20°の範囲で挙上するよう調整する．ケリーパッドの使用時には，膝を軽く立て膝下に枕を入れるなどの安定した姿勢になるよう工夫する．

　洗髪は対象者の疲労を考慮して短時間で終了することが望ましい．頭皮マッサージを付加することでストレス指標であるコルチゾールの値が有意に低下した[33]ことから，頭皮マッサージの併用が効果的である．

　洗髪時には，頸部に当たる部分にクッションなどを敷いて頭部・頸部を支持し安定させる（表Ⅴ-46：図A-a）．また，洗髪時の頸部の過伸展や頸部回旋時に一過性脳虚血発作が起こる危険があるとされている[34]．したがって，洗髪中は頭部・頸部の安定・支持に努め，頸部の角度・回旋は，無理のない範囲でゆっくりと行う．しばしば対象者の訴えを聞き，実施中は観察を怠らないようにする．めまい，頭痛，耳鳴，嘔気，かすみ目，前失神状態などがあった場合はただちに中止し，医師に報告する．

②洗髪の生理的影響を考慮する

　洗髪体位としての半坐位と前屈位を比較すると洗髪前後のエネルギー代謝の増加量に有意差はない[35]．血圧の経時的変化については，洗髪台へ移動し洗髪を始める前から洗髪を終了し体位を戻すまでの間で高値を示すことがわかった．とくに前屈位での洗髪に際しては，終了後ゆとりをもって次の行動に移す，洗髪時間の短縮を図るなどの配慮が必要である．洗髪後の移動にも注意が必要である．

③すすぎの湯量

　すすぎに必要な湯量は頭髪の長さやシャンプー量によって変化する．湯の準備は10L[36]から13L[37]を目安にし，洗い方の工夫を加える．

## 7 口腔の清潔

　口腔を清潔にする目的には，齲歯や歯周病の予防や悪化の防止，誤嚥性肺炎の予防，味覚を取り戻す，摂食・嚥下機能を維持する，患者の意欲を引き出す等があり，口腔ケアは重要視されている．

　齲歯，歯周病は歯科領域の2大疾患である．齲歯の原因菌にはStreptococcus mutansとStreptococcus sobrinus，歯周病の原因菌にはProphyromonas gingivalis等が知られている[38]．健康な人の場合，口腔内は唾液分泌や咀嚼による自浄作用，あるいは飲食物などの作用によって常在菌のバランスがとれ，清潔が維持されている．口腔や口腔に関わる疾患や，口腔内への薬物の使用やなんらかの治療，あるいは経口摂取できない場合には，唾液の量や性質が変化し，食物残渣が停滞する．このようなときには，病原菌の侵入などによって口腔内の衛生状態が悪くなり，舌苔ができ，口臭が生じる．そうなれば，不快感が生じるばかりでなく，味覚神経の末端が分布している味蕾を舌苔がおおうことで味覚が低下する．口腔内の不潔は細菌が食物とともに気管や肺に入って誤嚥性肺炎が引き起こされる原因にもなる．患者の口腔内細菌は朝食前に最高値を示し[39]，介護老人保健施設入所中の高齢者の口腔を調査した結果，カンジダ，肺炎桿菌，緑膿菌の検出率が高く，これら3種の微生物は全検出微生物の80％以上を占めた[40]．自分で口腔ケアができない対象者への援助が必要である．継続した口腔ケアの効果に，要介護高齢者の誤嚥性肺炎の予防や発熱予防効果があげられる．

　口腔内疾患の予防や感染対策には，プラークの形成抑制や付着抑制が重要である．そのためには，歯ブラシやデンタルフロス，歯間ブラシを用いた機械的口腔内清掃と口腔内細菌の増殖を抑制する化学的口腔内清掃としての洗口液を用いる方法がある．口腔ケアの方法には，歯と歯茎のブラッシング，舌苔の除去，頬や舌のマッサージ，口腔内清拭，洗口液を用いた含嗽，義歯の洗浄，口腔内の保湿等がある．口腔内の状態をアセスメントし，ケアを適宜組み合わせて実施する．

### 1．歯磨き

　ベッド上で歯ブラシを用いて看護者が行う口腔清拭法を表Ⅴ-47に示す．ブラッシング法にはさまざまな方法がある（表Ⅴ-48）．それぞれの方法の特徴を知り，対象者の歯の形態や状態，実施しやすさを考慮し，目的が達せられる方法を用いる．

### 2．義歯の清潔

　一般に，義歯の義歯床や人工歯の部分にはアクリル系樹脂（プラスチック）が，クラスプ（残存している歯に義歯が外れないために用いられる維持装置）には金属がそれぞれ用いられている．アクリル系樹脂はわずかな衝撃で破損しやすいうえに，多孔性で吸水性があり，表面に微細な凹凸があるので汚

## 表Ⅴ-47　歯磨きの手順と根拠

〈物品〉
歯ブラシ，デンタルフロス*または歯間ブラシ，舌ブラシ，スポンジブラシ，歯磨き剤，吸い飲み，舌圧子（必要時），ガーグルベースン，フェイスタオル，手袋，膿盆あるいはナイロン袋，使い捨てエプロン・マスク・ゴーグル（必要時）

| 手順（臥位の場合） | 根拠/注意点 |
| --- | --- |
| ①水で寝具・寝衣が濡れるのを防ぐために，襟元にフェイスタオルをかける | ※誤嚥を防ぐために，できればやや上半身を挙上する |
| ②顔を横に向け，吸い飲みの吸い口を口角から入れ，水またはぬるま湯を含ませ含嗽させる | ※水を口の中央から注ぐと誤嚥することがある |
| ③看護者は両手に手袋をはめ，ブラッシング圧が強くなりすぎないよう鉛筆を持つ（ペングリップ）ようにして歯ブラシを持ち，下の奥歯から1〜2本ずつ磨いていく．必要時，舌圧子を用いる．次いで上の奥歯に移り，丁寧に磨く | ※歯間に食物残渣・歯垢が残っている場合，デンタルフロスまたは歯間ブラシを使用する<br>※舌苔がある場合は奥から前にブラッシングする．または舌ブラシを用いて，舌苔を掻きだすように取り除く． |
| ④舌苔の除去，舌・舌下・口蓋・頰内側などの粘膜の清掃を行う． | ※ガーグルベースンを頰に押し当て，口角より少しずつ水を吐き出させる |
| ⑤水またはぬるま湯を十分に含ませ含嗽（うがい）させる．液がきれいになるまで続ける | |
| ⑥口唇やその周囲の濡れた部分をフェイスタオルで拭く．口腔内を観察する．物品を片づける | |
| ⑦体位を元に戻し，患者の状態を観察する | |

*歯と歯の間の歯垢を取り除くためのナイロン製の清掃用具

## 表Ⅴ-48　歯磨きの方法

| 種類 | 適応 | 歯磨き法 |
| --- | --- | --- |
| スクラッピング法 | ・良好な歯肉<br>・軽度の歯肉炎<br>・歯列不整<br>・歯肉退縮，楔状欠損<br>・知覚過敏歯 | ・毛先を歯面に垂直にあて，小刻みに動かす |
| バス法 | ・歯肉腫脹，出血<br>・痛み<br>・深い歯肉ポケット<br>・外科処理の術後<br>・腫脹の軽減が見られたら，他の方法に移行する | ・歯ブラシの毛先を歯軸に対して45°の角度で歯肉と歯頸部にあて，歯肉溝を前後に軽く振動させる |
| フォーンズ法（描円法） | ・幼児や細かい操作が困難な場合<br>・ブラッシングの仕上げに歯磨剤を使用する場合 | ・歯ブラシの先端を使って円を描くように歯と歯肉をこする<br>・臼歯部舌側は，歯ブラシの毛先の前後運動で清掃する |
| ローリング法 | ・比較的健康な歯肉<br>・細かい操作が困難<br>・歯肉露出がある場合には不適当 | ・歯ブラシの脇腹を歯の根元に垂直にあて，歯冠に向かって回転させる |

れやすい．粘膜に接する「義歯床（ぎしょう）」といわれる部分にはカンジダが付着しやすく，義歯性口内炎の原因となるため，この部分の清潔が大切である．義歯を一時的に使用しない場合は水（義歯洗浄剤がよい）につけて保管する．義歯洗浄法には機械的方法の1つとして流水下で歯ブラシを使用する方法があるが，義歯の細かい部分の清掃には限界があり，さらにクラスプや義歯を変形，破折，磨耗させるおそれもある．そのため，細部に付着したデンチャープラーク（入れ歯に付着する歯垢）などの微生物を除去する義歯用除菌洗浄剤での洗浄や浸漬等の化学的洗浄法を併用する．

### 8 眼・耳・鼻の清潔

#### 1．眼

眼は外界と直結しているため，異物が侵入したり，感染の門戸になることがある．健康な人は，涙の分泌や瞬目反射によって角膜・結膜表面が潤い，洗浄されるので，とくにケアを必要としない．しかし，高齢者は慢性の涙嚢炎などにより眼脂が増えることがあり，清潔ケアの対象となる．眼は全身状態を反映することが多いので，観察が重要である．眼の清潔法には清拭，洗眼，点眼などがある．清拭については，全身清拭の眼の清拭の方法と同様である．

#### 2．耳

耳を清潔にすることは，外耳道の耳垢栓塞による聴力障害を予防し，外耳道の炎症を防ぐ．また，外観を良くし，気分も爽快になる．自分でできない対象には，定期的に観察し，ケアを行う．看護者は手袋をはめ，外耳道をペンライトで照らしながら（あるいは照明つき耳かきを用いる），綿棒で静かな操作で耳垢や汚れを取り去る．外耳道がまっすぐになるよう，看護者は耳介をつまんでやさしく後上方に引くとよい．綿棒が汚れたら新しいものに換える．耳介は，温湯で固く絞ったタオルあるいはガーゼで丁寧に拭く．

#### 3．鼻

鼻を不潔にすると，鼻粘膜の生理的機能を弱め，炎症を起こしやすくなる．鼻粘膜を清潔にすることは生理的機能を高めるだけでなく，気分を爽快にする．鼻垢を自分で除去できない対象者には，観察を行い，蓄積している場合にはケアを行う．看護者は手袋をはめ，鼻粘膜を傷つけないように注意しながら，温湯に浸した綿棒で鼻腔内を清拭する．最後に，温湯で絞ったタオルで顔を拭き，襟元に敷いたタオルで水分を拭きとる．

### 身体の清潔ケアの探究

本来，自分で行う入浴や足浴または清拭等の清潔行為は，気持ちの良いものである．疾患等により看護者が一部あるいは多くの部分を援助することで，対象者が不快な思いをするのであれば，それを看護といえるだろうか．その援助が快適なものあれば，対象者により良い変化を起こすきっかけにもなる．看護者は，対象者の状況を十分にアセスメントし，最適な方法をともに話し合い，対象者に安楽を齎す清潔ケアを常に探求していくことが必要である．ここでは，その基本的な一例を示したに過ぎない．

### ●引用文献

1) 藤田恒太郎：人体解剖学，改訂第41版，138頁，南江堂，1993
2) 嶋田ラク子，国中久美子，田中紀美子ほか：高室温時および低室温時における全身清拭の生理機能に及ぼす影響．熊本大学医療技術短期大学部紀要 **6**：13-22，1996
3) 山本敬子，菅屋潤壹，加藤雅子ほか：室温の違いによる背部清拭が皮膚温，鼓膜温および温熱感覚に及ぼす影響．日本生理人類学会誌 **8**(4)：63-69，2003
4) 深井喜代子，關戸啓子：清拭時の湯温と皮膚温の変化に関する実習．看護教育 **40**(8)：722-728，1999
5) 見城道子，江上京里：清潔の援助における湯の温度変化．東京女子医科大学看護学会誌 **2**(1)：37-44，2007
6) 須藤小百合，青木 健，冨岡真理子ほか：圧力の異なる末梢部温湯清拭が皮膚血流反応に及ぼす影響．日本看護研究学会雑誌 **31**(1)：121-128，2008
7) 中村久美子ほか：清拭時の摩擦方向が四肢の循環に及ぼす影響について．月刊ナーシング **20**(9)：148-153，2000
8) 遠藤芳子，松永保子，沼沢さとみほか：温湯清拭による前腕皮膚温度変化の測定清拭直後に乾布水分を拭き取る科学的意義．山形保健医療研究 **2**：41-44，1999
9) 黒川雄平，廣瀬仁美，立石礼望ほか：若年健康成人男女における清拭時の乾布の有無が及ぼす生理的・主観的反応．日本生理人類学会誌 **25**(4)：79-88，2020
10) 谷澤智子，石塚香奈子，山元照美ほか：石けん清拭の皮膚残留度における拭き取り回数の分析―患者群と看護師群の比較．看護技術 **51**(4)：68-70，2005
11) 深田美香，宮脇美保子，高橋弥生ほか：石鹸清拭の効果的な方法に関する検討―石鹸の泡立てによる石鹸成分の除去効果について．日本看護研究学会雑誌 **26**(5)：169-178，2003
12) 河村景子，大垪美樹，笠城典子：弱酸性洗剤を用いた清拭による皮膚バリア機能への影響：アルカリ性洗剤との比較において．米子医誌 **58**：129-140，2007
13) 宮木祐輝，増田美登里，栗原博子ほか：感染防止のための清拭車取り扱い―加温処理中のタオル温度の変化．Infection Control **18**(8)：90-95，2009
14) 井沢義雄，伊藤 誠：Bacillus cereus による偽アウトブレイクと清拭タオルの管理について．日本臨床微生

物学雑誌 **15**（2）：82-89，2005
15）松村千鶴：清拭における温熱刺激及び摩擦刺激が身体に及ぼす影響―熱布清拭と熱布貼用の比較．香川県立医療短期大学紀要 **5**：1-10，2003
16）柳　奈津子：入院患者に対する背部マッサージ・指圧の効果．看護研究 **39**（6）：11-20，2006
17）Meek SS：Effects of slow stroke back massage on relaxation in hospice clients. J Nurs Scholarsh **25**：17-21, 1993
18）美和千尋，河原ゆう子，岩瀬　敏：全身入浴，半身浴，シャワー浴がエネルギー消費量に及ぼす影響．自律神経 **41**（5）：495-501，2004
19）重臣宗伯，佐藤ワカナ，柴田繁啓ほか：高齢者の入浴中心肺停止と地域性．蘇生 **20**（2）：145-148，2001
20）美和千尋，岩瀬　敏，小出陽子ほか：入浴時の湯温が循環動態と体温調節に及ぼす影響．総合リハビリテーション **26**（4）：355-316，1998
21）樽木晶子，長弘千恵，長家智子ほか：入浴中の循環動態の変化に関する基礎的研究　高齢者を対象に．日本循環器病予防学会誌 **3**（1）：9-14，2004
22）早坂信哉，原岡智子，尾島俊之：入浴介護に関連した体調不良・事故発生と入浴前血圧，体温との関連　症例対照研究．日本温泉気候物理医学会雑誌 **79**（2）：112-118，2016
23）大塚吉則：入浴時の静水圧と心肺機能への負担（Q & A）．日本医事新報 **4353**：87-88，2007
24）大谷将子，丸市美穂，小倉眞喜子ほか：看護研究　尿失禁患者の臀部皮膚 pH 変化の検証．泌尿器ケア **16**（12）：98-102，2011
25）Maeda K, Kashiwagi M, Okawara C, et al.：Effects of warm footbath on cerebral activity in the prefrontal cortex. Journal of the Ochanomizu Association for Academic Nursing **14**（1/2）：1-14, 2020
26）中村雅俊，藤堂　萌，海老根直之ほか：足浴がエネルギー代謝に及ぼす影響の検討．日本温泉気候物理医学会雑誌 **81**（2）：70-75，2018
27）Kudo Y, Sasaki M：Effect of a hand massage with a warm hand bath on sleep and relaxation in elderly women with disturbance of sleep：A crossover trial, Japan Journal of Nursing Science **17**（3）：1-11, 2020

28）岡田淳子，深井喜代子：活動制限のある入院患者の手指汚染度と清潔ケアの検討．日本赤十字広島大学紀要 **6**：21-27，2006
29）加藤圭子，深田美香：日常のケアを測定する　生活行動援助の発展をめざして　頭部の細菌と洗髪―洗髪による頭皮皮表細菌の変化．臨床看護 **26**（4）：573-582，2000
30）小林宏光，ケリーパッドの歴史と由来．石川看護雑誌 **16**：101-107，2019
31）深田順子，米澤弘恵，石津みえ子ほか：椅座前屈位洗髪時における筋負担．日本看護研究学会雑誌 **21**（2）：29-37，1998
32）中川真帆，滝内隆子，花岡美智子ほか：洗髪車を用いた洗髪における生体負担―水平仰臥位と上半身 20°挙上の比較．日本看護技術学会誌 **5**（1）：51-57，2006
33）桑田知佳，小嶋文子，小原千尋ほか：新たな洗髪時リラクゼーション法の考案とその有用性の検討．看護技術 **58**（4）：81-87，2012
34）坂口　学，北川一夫，松本昌泰：頭部回旋時に生じる頸骨脳底動脈系の一過性脳虚血発作．治療学 **37**（9）：112-117，2003
35）橋口暢子，井上範江，石橋圭太ほか：洗髪台使用時における洗髪動作が生理心理反応に及ぼす影響―洗髪体位の違いによる検討―．日本生理人類学会誌 **6**（2）：57-64，2001
36）社本生衣：細菌汚染減少に効果的な洗髪技術の検討．日本看護科学雑誌 **38**：245-254，2018
37）本多容子，緒方　巧，小川美津子：基礎看護技術洗髪における「すすぎ」の研究―界面活性剤残留濃度と洗浄量の分析―．藍野学院紀要 **18**：95-103，2004
38）一般社団法人全国歯科衛生士教育協議会監修：第 2 章　う蝕と歯周病の基礎知識．最新歯科衛生士教本　歯科予防処置論・歯科保健指導論，第 2 版，28-43 頁，医歯薬出版，2020
39）内宮洋一郎：ADL が低下した患者における口腔内細菌数の日内変動．日摂食嚥下リハ会誌 **14**（2）：116-122，2010
40）森崎直子，澤見一枝，幸福秀和ほか：介護老人保健施設入所高齢者の誤嚥性肺炎起炎口腔内微生物の種類．医学と生物学 **155**（12）：875-880，2011

# 2-5 活動する

人間は身体を動かし，活動することによって，日常の生活行動を生み出すことができる．身体を動かすことは人間の基本的ニーズであり，運動機能によって営まれている．しかし，その人が疾病や障害などによって「動くこと」ができなくなると，今まで営んできたその人らしい生活行動が制限されるとともに，たとえば好きな映画鑑賞や山登りをするなど，趣味や楽しみといった行動にも支障が生じる．

看護には対象とするその人がその人らしくいきいきと心も身体も健康に生活することを支援するという第一義的な役割がある．疾病の回復，健康の保持・増進およびニーズ充足に向けた生活行動を援助し，対象となるその人の目標を達成することは，生活への充足感が得られるとともに，自然治癒力や闘病意欲を高めるためにも重要である．

活動することは，身体を動かすこと，すなわち身体面に着目した「運動」による生理的な意義のみならず，活動することによる心理的・社会的な意義も大きい．この項では，活動・運動についての基本的事項を解説した後，活動を促す援助，さらに療養生活におけるレクリエーションについて言及する．

## A 活動・運動に関する基礎知識

### 1 活動・運動の意義

サーカディアンリズム（概日リズム，circadian rhythm）に沿った適度な活動・運動は，新陳代謝および骨・筋肉・神経の発達，関節拘縮や筋力低下の予防，呼吸運動・胃腸運動などの生理機能を促進するとともに，適度な疲労を生み，よりよい休息・睡眠を導き，疾病の回復，健康の保持・増進を促す．

#### 1．活動と運動

一般的に，活動とは「はたらき動くこと．いきいきと，また積極的に行動すること」（広辞苑，第七版）といわれている．日常生活行動（daily life behavior）とは，人間が成長，発達し，社会活動を営むための基本的な欲求を満たすための食事・排泄・清潔など習慣化された行動の総称である（日本看護科学学会学術用語検討委員会）[1]．また川島は生活行動を「人間が人間らしく生きていくうえで欠かせない日常的な営み」とも表現している[2]．そして「食べる」「トイレに行く」など，生命に直接，間接に影響する営みと，「身だしなみを整える」「趣味を持ったりレクリエーションをする」など，生命にはかかわらないが，いずれも人間らしくある営みと述べている．看護者は対象とするその人の生活行動を生活習慣や文化的背景，価値観など幅広い視点からとらえていく必要がある．そして，身体的・心理的・社会的な統合体として丸ごとその人を把握し，看護の目標達成のために活動を促す支援を行うことが重要である．

一方，人間は運動によって体位を適切に保持し，身体を自らの意思に沿って目的とする活動を行う．ヘンダーソン（Henderson V）は，基本的看護ケアの1つとして，「歩行時および坐位，臥位に際して患者が望ましい姿勢を保持するよう助ける．また患者がひとつの体位からほかの体位へと身体を動かすのを助ける」をあげている[3]が，これは人間が行う「運動」そのものを支援することを意味している．すなわち，対象とするその人が身体を動かすことができない場合，看護者はその人が少しでも自立できるよう運動機能向上に向けて看護することが重要である．

#### 2．活動・運動の意義

##### 1）生理的意義

人が活動し，その人らしい生活行動を行うことを可能にしているのは，生理学的には筋，関節，骨の働きによる運動（movement, exercise）である．運動することによって，体外から多くの酸素を全身の細胞に取り込み，二酸化炭素を排出する．運動中は，呼吸数・脈拍数・換気量が増加し，心臓への還流血液量の増大および血圧の上昇が起こる．また，筋収縮時に発生する熱によって体温が上昇し，血管拡張や発汗などで熱放散が促進される．しかし，運動時に筋肉への酸素供給が不十分な場合，乳酸が筋肉中に蓄積され，筋疲労が生じる．疲労回復のために，糖分・ビタミン$B_1$の補給や，マッサージや入浴などによって筋肉の血液循環を促し代謝老廃物の排出を促進させることは有効である[4]．また，継続的に運動（exercise）を行うことによって，筋力・筋持久力の増強を図ることもできる．

##### 2）心理的意義

疾病や障害などで自ら動くことが制限されている場合，運動することによって活動が拡大していくことは生理的な側面だけでなく，心理的な意義も大きい．たとえば，寝たきりで終始臥床していた人のベッドをギャッジアップするだけで，その人の視界は一気に拡がり，他者とのコミュニケーションの増大につながる．人と関わり，自らの力で動く範囲を

表V-49 健康づくりのための身体活動基準2013

| 血糖・血圧・指数に関する状況 | | 身体活動（生活活動・運動）*1 | | 運動 | | 体力（うち全身持久力） |
|---|---|---|---|---|---|---|
| 健診結果が基準範囲内 | 65歳以上 | 強度を問わず，身体活動を毎日40分（＝10メッツ・時/週） | 今より少しでも増やす（例えば10分多く歩く）*4 | — | 運動習慣をもつようにする（30分以上・週2日以上）*4 | — |
| | 18〜64歳 | 3メッツ以上の強度の身体活動*2を毎日60分（＝23メッツ・時/週） | | 3メッツ以上の強度の運動*3を毎週60分（＝4メッツ・時/週） | | 性・年代別に示した強度での運動を約3分間継続可能 |
| | 18歳未満 | — | | — | | — |
| 血糖・血圧・脂質のいずれかが保健指導レベルの者 | | 医療機関にかかっておらず，「身体活動のリスクに関するスクリーニングシート」でリスクがないことを確認できれば，対象者が運動開始前・実施中に自ら体調確認ができるよう支援した上で，保健指導の一環としての運動指導を積極的に行う | | | | |
| リスク重複者またはすぐ受診を要する者 | | 生活習慣病患者が積極的に運動をする際には，安全面での配慮がとくに重要になるので，まずかかりつけの医師に相談する | | | | |

*1 「身体活動」は，「生活活動」と「運動」に分けられる．このうち，生活活動とは，日常生活における労働，家事，通勤・通学などの身体活動を指す．また，運動とは，スポーツ等の，とくに体力の維持・向上を目的として計画的・意図的に実施し，継続性のある身体活動を指す．
*2 「3メッツ以上の強度の身体活動」とは，歩行またはそれと同等以上の身体活動．
*3 「3メッツ以上の強度の運動」とは，息が弾み汗をかく程度の運動．
*4 年齢別の基準とは別に，世代共通の方向性として示したもの．

［全国厚生労働関係部局長会議説明資料］

拡大し活動することによって，自己表現の場が拡がり，達成感を経験することができる．「他者に意思を伝達し，自分の欲求や気持ちを表現する」ことは人間の高次の基本的欲求であり[3]，まさにこの欲求の充足は自らの独自性を発揮できる活動によるといえる．

また，人は活動を通して気分転換を図り，心地よさや楽しさを感じることができる．その中でも，レクリエーションはその活動を通して心理的安寧をもたらすので，生活への活力や闘病意欲を高める．

### 3) 社会的意義

人は幼少期の頃から家庭や教育の場で生活行動の方法やマナーを学習し，社会の中で生活する術（すべ，手段，てだて）を獲得している．人はその術を使って生活行動を創造・活用し，それぞれの家庭や学校，職場，地域の中で役割を持ち，他者との関係を築きながら社会生活を送っている．看護者は，対象となるその人が，これまで培ってきた社会の中で役割を果たし，社会生活を全うできるよう，少しでも自立してさまざまな活動ができるよう支援していく．

### 3. 健康にとっての運動の意義

適度な運動を生活の中に組み入れ継続することは，健康の保持・増進，生活習慣病の予防や疾病の回復，さらに心理面の改善にも有効である[5]．2000年に，厚生省（現・厚生労働省）は国民の健康寿命の延伸などを実現するための対策として，「21世紀における国民健康づくり運動（健康日本21）」を策定した．2011年には，「健康日本21（第2次）」として引き継がれ，身体活動や運動は国民の健康増進のための基本要素として位置づけられ，生活習慣病予防のみならず生活の質（quality of life：QOL）の向上のためにも重要であるとされている．さらに2013年には，これまでの「運動基準」について見直し，「健康づくりのための身体活動基準2013」を策定し公表している（表V-49）．この基準をもとに各ライフステージ，健康レベルに応じた健康づくりのための身体活動を推進するため，さまざまな場で具体的目標を掲げ評価しながら進められている．2018年の中間報告では，運動習慣者の割合をさらに増加するため，国土交通省と連携・協力し，より安全に，より楽しく，より自然に歩ける環境を広げていくことなどが追加された（厚生科学審議会地域保健健康増進栄養部会）．このように，運動することは，身体面だけでなく，心理面やQOLにも影響するため，生活の中に組み入れて楽しく継続していくシステム作りが必要である．

## 2 活動・運動の身体への影響

### 1. 「動くこと」の生理学的メカニズム

人間は，体位を適切に保持し，身体を自らの意思

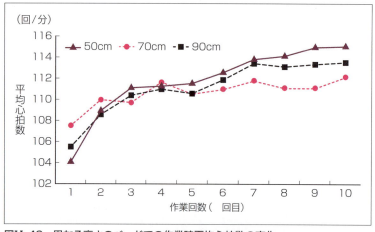

図V-49 異なる高さのベッドでの作業時平均心拍数の変化
[伊丹君和,藤田きみゑ,寄本 明ほか:看護作業姿勢からみた腰部負担の少ないベッドの高さに関する研究(第3報).滋賀県立大学看護短期大学部学術雑誌第6:43-47,2002より引用]

に沿って目的とする活動を行うための随意運動を行っている．このように意図的に動くことができるのは骨格筋(随意筋)によるものである．人体には約400の骨格筋があり，体重の40〜50%を占めている．人がどう動くかという意思は大脳皮質の前頭連合野で形成され，大脳基底核や小脳に伝えられて，その運動を行うためのプログラムが組まれる．そして，そのプログラムにしたがって大脳皮質の運動野(第4野，6野)から指令が出され，下行路(錐体路，錐体外路)によって脊髄前角の神経細胞，さらに遠心性の運動神経に電気的な興奮として目的とする骨格筋に伝えられる．

しかし，このような骨格筋の働きだけでは人間は動くことはできない．運動は，動くことを指令する中枢神経系でのプログラムのもと，人間の支軸としての骨格および骨と骨を連結する関節，そして骨格に対して関節をまたぐように結びついている大小さまざまな骨格筋の絶妙な連携によってはじめて成立する．たとえば，膝関節を屈曲させる場合には，大脳皮質の運動野からの指令が大腿二頭筋に伝わって筋収縮が起こり，膝関節が屈曲する．反対に，膝関節を伸展させる場合には，大腿四頭筋に収縮の指令が出され，膝関節が伸展する．このような一連の過程を経て，人間は意図的に運動することが可能となり，さまざまな活動や生活行動を生み出している．

また，骨格筋による運動の主なエネルギー源は，TCA回路によって供給されるATP(アデノシン三リン酸)である．この反応を円滑に進めるには酸素やブドウ糖，ビタミンB群およびこれらを筋に供給する血流が必要となる．図V-49は，3段階のベッドの高さでベッドメーキングを連続して行った際の心拍数の変化を比較検証した結果であるが，すべての作業において，実施回数が増えるにつれて心拍数が増加したことがわかる[6]．このように，運動するほど多くの酸素を全身の細胞に取り入れる必要があり，それに伴って呼吸数・脈拍数および心拍数・換気量は増加し，心臓への還流血液量は増大する．さらに，筋収縮時に発生する熱によって体温が上昇し，血管拡張や発汗などで熱放散が促進される．

対象とする人の日常の生活行動を援助していくうえで看護が具体的に働きかけているのは，このような骨格筋の働きによる運動を伴う日常生活上の活動である．

## 2. 運動機能低下の活動への影響

前述した「健康づくりのための身体活動基準」においても，「今より10分多く歩く」など，基本的な運動として「歩くこと」があげられている．通常，人は歩くことによって，下肢の筋肉が収縮し，その間を流れている静脈血が筋ポンプ作用によって下肢の末端から心臓方向へと向かって血液を還流させている．長期間ベッド上での安静を強いられている場合，末端の静脈血が還流できず血栓を生じることがある．これは，同じ体位を長くとり続けることによって起こる深部静脈血栓症(エコノミークラス症候群)であり，重症例では死に至ることもある．図V-50は，健康な成人に下肢マッサージをした際の腰部脊柱起立筋のヘモグロビン動態を検証した結果である[7]．マッサージ10分から酸素化ヘモグロビン，筋組織酸素飽和度ともに有意に上昇し，血流促進がみられた．このことから，自力で動くことがで

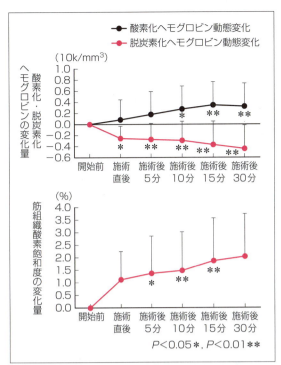

**図V-50　下肢マッサージが腰部脊柱起立筋のヘモグロビン動態に及ぼす影響**

[関　恵子, 西岡靖貴, 伊丹君和ほか：あん摩手技を用いた下肢マッサージが腰部脊柱起立筋のHb動態に及ぼす影響―看護師の腰痛ケアの検討. 第40回日本看護科学学会学術集会講演集：a91370, 2020より引用]

きず，下肢ポンプ作用がうまく働かない人が対象の場合，他動的に下肢を刺激することによって血流改善できることが示唆された．

　一方，人が仰臥位で臥床した場合，身体各部にかかる荷重の割合は殿部が約45％を占めている．同一部位に長時間の体圧が加わると，末梢血管が閉塞して血流阻害を引き起こし，組織の壊死に陥り褥瘡に至る場合もあるため，予防や対処が必要である（VI④「褥瘡の予防ケア」，294頁参照）．

　同様に，身体を動かすことができない状態が長期に及ぶと，筋力低下が起こるだけでなく，関節周囲の軟部組織が硬化・萎縮し，関節が動きにくくなり，関節周囲の関節包・靱帯が弾性を失って短縮する（拘縮，contracture）．さらに長期化すると，関節両面の線維性または骨性癒着のために運動性が失われ（強直[*1]，ankylosis），自力では動けない状態に陥る．

　動けないことは，このような循環器系・筋骨格系

---

[*1] 関節部の骨や軟骨が変形あるいは癒着して関節可動範囲が小さくなること．筋肉が硬化する硬直（rigor）とは異なる．

の機能低下にとどまらず，呼吸器系の症状や骨粗鬆症，失禁，便秘，抑うつなど，全身性のさまざまな症状を招来する．このように，身体を動かせない状態が長期化することによって引き起こされるさまざまな症状を「廃用症候群」という．厚生労働省は，このような廃用症候群を少しでも軽減し国民の運動機能の向上を図るとともに，健康寿命延伸につなげるよう，廃用症候群を「生活不活発病」という分かりやすい言葉で表現し，ホームページを通じて国民への周知を図っている[8]．

## B　活動・運動機能のアセスメント

　運動機能の低下が活動への弊害をもたらすため，まずはその人の「動くこと」の能力，すなわち運動機能を多方面から評価する必要がある．さらに，その人らしい日常の生活行動の遂行に関する能力や動くことへの意思，生活行動を支える生活環境，活動と休息のバランスなど，看護の視点から幅広くアセスメントする必要がある．

### 1　運動機能の評価

　運動機能の評価では，その人が可能な体位において姿勢保持ができているか，不自然な姿勢となっていないか，左右差はないか，体格や変形の有無など，全身像をまず丁寧に観察する．移動することが可能な場合は，ベッドから車椅子への移乗動作や歩行の際のバランスや調和など，骨・筋肉系や神経系に問題はないかなども含めて観察する．さらに，身体を動かす際に痛みがあるかなどの主観的情報を得るとともに，必要に応じて客観的評価としての関節可動域を測定する．筋力を簡便に測定できる徒手筋力テスト（manual muscle test：MMT）も運動機能の客観的評価として有効である（IV①「身体的健康状態のアセスメント」，120頁参照）．

　また，運動機能を低下させる要因として，呼吸・循環機能および視覚・聴覚などの感覚機能障害の有無，廃用症候群の有無，心身の緊張や興奮，抑うつなど精神状態，疾病治療上の行動や体位制限の影響，生活リズムの変化による影響なども観察する必要がある．

### 2　日常生活行動の遂行に関するセルフケア能力

　看護者は，対象とするその人の生活行動を生活習慣や文化的背景，価値観など幅広い視点からとらえ，身体的・心理的・社会的な統合体として把握し，目

標達成に向けて活動を促す支援をする専門職である．したがって，日常の生活行動における基本的な動作（日常生活動作，activities of daily living：ADL）のセルフケア能力について評価する必要がある．

たとえば，人は朝起きてトイレや洗面台に向かうまでに，仰臥位の状態から起き上がるという起居動作を行った後，車椅子や自らの足を使うなどして移動動作を行っている．洗面台で身だしなみを整える際も，洗面，歯磨きを行った後，好みの髪型に整えるなど，さまざまな整容動作を行う．そして，その日身に着ける衣服を選び，更衣した後，食卓に向かい食事をする．職場や学校などに向かってからも，さまざまな人とコミュニケーションを図り，学習や仕事を行う中でさまざまな動作を行う．帰宅後，入浴を行う際には，浴室まで移動し，好みの石けんで体を洗い，好みの温度のお湯に必要時入浴剤を入れ入浴するなど，自らの力で多種多様な日常生活上の動作を行い，その人らしい生活行動を形成している．ADLのうち，食事の支度や洗濯，買い物などは，手段的日常生活動作（instrumental activities of daily living：IADL）とよばれる．

ADLの客観的な評価指標は，リハビリテーション医学や看護において種々のスケール（アセスメントツール）が開発されている．代表的なものとしてはバーセル指数（Barthel Index：BI）がある．これは，食事や車椅子からベッドへの移動，整容，トイレ動作，入浴などの10項目について全介助から自立までを採点する機能評価表で，厚生労働省が具体的な測定法を動画付きで配信している[9]．

### 3 動こうとする意思

運動機能やセルフケア能力が維持されていても，自ら動こうとする意思が何らかの理由で欠落していると，自らの力で動くことができず援助が必要な状態となりうる．動くことは，自己役割を果たす活動の遂行や闘病意欲にも通じるものであり，自ら動こうとする意思および動くことの必要性の理解について情報を得ておく必要がある．

### 4 生活行動を支える生活環境

人間は社会の中で他者との関わりを持って共に生活している．地球環境の下で生活している人間は，その自然環境の恩恵を得てはじめて健康な生活を維持することができる．また，その人が生活している社会の健康や福祉への価値観は，保健医療や福祉の制度にも反映される．人間はこうした環境の中で，日常の生活行動を行っている．このように，その人が生活する環境を広い視点からとらえることは，その人らしく健康に生活行動を行うことを支えるために重要である．看護者は，対象とするその人の睡眠や休息，排泄，食事，入浴の場など，生活行動を行う場としての環境が安全性や安楽性，自立性を考慮されているか，阻害している要因はないかなどを丁寧に観察する必要がある．

### 5 活動と休息のバランス

人間が運動・活動するためには，心身ともに休息することが必要となる．休息することは活動への力（身体活動の準備が整った状態）となり，闘病意欲を高めるためにも不可欠である．人体に備わっているサーカディアンリズムに沿って活動と休息・睡眠のバランスがとれているか，1日の生活リズムは整いメリハリのある生活であるか，などの観察が必要である（V②-7「睡眠と休息」，263頁参照）．

## C 活動を促す援助

活動することは，身体を動かすこと，すなわち身体面に着目した「運動，movement」による生理的な意義のみならず，活動することによる心理的・社会的な意義も大きい．対象とするその人が身体を動かすことができない場合，看護者はその人が少しでも自立した生活行動ができるよう，運動機能の向上を図るとともに，活動を促す援助を行うことが重要である．

ここでは，長期間動かないことの弊害を解消するための体位変換の援助，車椅子への移乗・移送の援助を中心に述べる．しかし，体位変換や移乗動作は援助する看護者の職業性腰痛の一因ともいわれているものであり，対象とする人の安全性，安楽性，自立性への配慮のみならず，看護者自身の腰痛予防も考慮した援助についても言及する．

### 1 体位変換の援助

体位変換はポジショニング（positioning）とも呼ばれ，長期臥床を余儀なくされた人の褥瘡予防や心肺機能の維持・向上を図るとともに，その人が日常の生活行動を拡大することを促すための基礎となる重要な援助である（V②-6「ポジショニング」，256頁参照）．

#### 1. 安全性，安楽性を考慮したボディメカニクス

ボディメカニクス（body mechanics）は，人間の身体の構造や機能を力学的に無駄や無理なく行える

よう考える理論である．ボディメカニクスの原理を適切に活用することは，援助する側・される側の安全性，安楽性を守るためにも重要である．看護者の職業性腰痛の問題は深刻であり，ボディメカニクスの原理を十分に理解したうえで適切に活用できるよう技術習得しておく必要がある（Ⅲ③「看護動作とボディメカニクス」，91頁参照）．以下，検証データもふまえて活用のポイントを示す．

1）看護動作時のベッドを適切な高さに調整する

看護実践の場では患者の安全性を考慮し，万一ベッドから転倒しても危険回避できるよう高さは低く設定されている．動作時のベッドの高さを検証した結果，成人ベッドの高さの平均が51.7 cm（$n=2025$）という低さであることが明らかになった[10]．さらに，多くの看護者は低いベッドの高さのままで看護動作を行っており，88.3％の看護者に動作時の腰痛があることが示された．わが国でも「ノーリフト」の概念が浸透しつつあるが，医療や介護現場での活用例は未だ少ない現状である．2013年には厚生労働省により「職場における腰痛予防対策指針」の改定が行われたが，看護・介護現場における腰痛軽減は十分に図れていない[11]．研究データでも，作業ベッドが高くなるにつれて看護者の腰部に負担がかかる姿勢（前傾姿勢90°以上）となる割合は有意に減少し，ベッド高/身長比は45％以上で腰部負担が少ないことが示唆された[12]．これは，人間工学的に推奨されているベッドの高さの範囲と一致しており，看護動作時には患者の安全を十分に確保した後，看護者の腰部に負担のかかる前傾姿勢とならないよう，ベッドの高さを個々の身長を目安に調整し，動作時の腰部負担を少しでも軽減する必要がある．

2）援助者・被援助者にとって身体負荷が少ない姿勢

人間の身体機能を構造的にとらえて，無理のない自然な動きで体位変換などの援助を行う．体位変換の援助を行うにあたっても，援助される側が動かされるという感覚ではなく，自然な動きによって自力で動こうとする意識を高めることが重要である．したがって，体位変換時には自然な動きの中で，両者にとって身体負荷が少ない姿勢を保つよう意識的にボディメカニクスを活用する習慣を身につけておく．

## 2．安全性，安楽性，自立性を考慮した体位変換の援助

1）安全性

①運動機能低下の身体への影響の観察と予防
・体位変換によって循環血液量や血圧，心拍数などが変化するため，体位変換前後の一般状態を観察する．
・長期臥床患者を急に起こすと起立性低血圧を起こす危険性があるため，段階的に進める．
・側臥位では，圧反射によって下側の生理機能が低下するため（体温・血圧の低下，発汗減少など），麻痺側が下になる場合は十分に観察する．
・麻痺や意識障害のある患者の場合は，関節拘縮や尖足の予防，良肢位（Ⅴ②-6「ポジショニング」，259頁参照）の保持を行う．

②転倒・転落，事故・損傷の予防
・転倒や転落，事故や損傷を防止するよう，ベッド柵やベッドの高さ，危険物品の除去，身体の支え方などを考慮し整える．
・体位変換によって，創部の圧迫やチューブ類の閉管・抜管などがないかを必ず確認する．

③褥瘡の予防

長期臥床によって，臥床側の骨突出部位の皮膚に体圧が集中し褥瘡が発生しやすくなる．体位の違いによって体圧のかかる部位は異なるが，褥瘡を起こさないようそれぞれの体位で体圧を分散するよう基底面積を広くするなどを工夫する．また，シーツのずれや摩擦などにも注意して，圧抜き[*2]なども適宜取り入れる．

④感染の予防

病床環境を清潔に保つとともに，看護者の不潔な行為によって抵抗力の低下した患者が感染しないよう注意する．

2）安楽性

安静臥床を余儀なくされている患者の苦痛の緩和やエネルギーの消耗による疲労を考慮し，効率よく心身ともに負荷がかからない援助を行う．

また，安楽な体位を保つ工夫をするとともに，体位変換に伴う援助時のプライバシーへの配慮や保温の確保，不安が軽減し闘病意欲が増すような言葉がけや療養環境の調整も必要である．さらに，動けないことで生活行動においてさまざまな援助を受けなければならない患者の気持ちを受けとめ，患者の自尊心を配慮した援助の工夫が必要である．

3）自立性

患者自らが体位を変えることができるよう，ベッド柵の位置を調整したり，柵に紐を付けるなど，自立しやすい療養環境に整える．また，スライディン

---

[*2] 身体の一部がベッドや椅子などに接触し，その部分に体重がかかって組織を圧迫しているような場合，クッションを挟んだり空間を作るなどして減圧すること．褥瘡予防の手段の一つ．

グシートなどの用具を活用することも患者の自立支援に向けて有用である（Ⅲ③「看護動作とボディメカニクス」，91頁参照）．

## 2 車椅子への移乗・移送の援助

日常の生活行動を行うためには，重力に逆らってベッドから少しずつでも身体各部を離す時間を作り，自ら動き，起き上がることが重要である．そのため，体調管理をしながらベッドから起き上がり，背面開放坐位（端坐位）となる時間を少しずつ増やしていく（Ⅴ②-6「ポジショニング」，256頁参照）．この姿勢を長時間保持できることは，運動機能の改善のみならず，視野の拡大によって多くの刺激を得て意識レベルや表情の改善などにもつながる．

その後段階的に，車椅子や椅子への移乗・移送，さらに歩くことへの援助へと離床を進めていくことが，その人らしい生活行動を拡大する支援となる．

### 1. 援助者・被援助者の安全性，安楽性を考慮したボディメカニクス

看護者・介護者を対象に，片麻痺患者への車椅子移乗動作における実態調査を行った結果，中足法（患者の両足の間に看護者の片足を置く方法）が約85％（$n=673$）ともっとも多く，外足法（患者の患側の足の外側に看護者の片足を置く方法），その他は約5％にすぎなかった[13]．さらに，中足法と外足法を用いて，車椅子移乗時における援助する側・される側両者の身体負荷計測および安全性，安楽性，自立性について自覚症状を調査した結果，中足法は外足法と比較して看護者が動作時に前傾姿勢50°以上となる率が有意に高かった．

動作を詳細に分析すると，中足法のほうが患者を立ち上げようと「構え」る際と「座らせ」る際にさらに深く前傾していることが示された（図Ⅴ-51）．一方，動作時の安全性，自立性を比較したところ，看護者および患者の両者ともに外足法のほうが高値を示していた．安楽性では，患者の患側を固定し健側を活用してもらう外足法は，看護者の自覚疲労度は低いが，患者の疲労度は有意に高いことが示唆された．

こうした研究結果をふまえながら，移乗援助を行う際は，援助が必要な人の自立性，安全性，安楽性を十分考慮しながら，援助する側である看護者の腰部負担の少ない方法については，さらに検証していく必要がある．

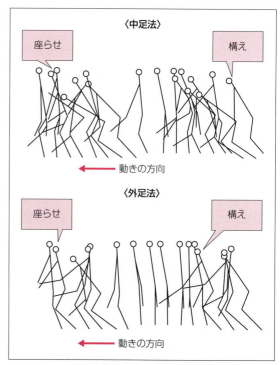

図Ⅴ-51　車椅子移乗動作時（看護者）のスティックピクチャー典型例

［伊丹君和，藤田きみゑ，横井和美ほか：片麻痺模擬患者への車椅子移乗援助に関する研究．人間看護学研究 **1**：19-28，2004 より引用］

### 2. 安全性，安楽性，自立性を考慮した車椅子移乗・移送の援助

1）安全性

①適切な車椅子の選択および事故防止のための安全確認
・患者の身体機能や体格などにより，適切な車椅子を選ぶ．
・車椅子の安全点検（空気の量，ブレーキなど）を必ず行っておく．

②転倒・転落の防止
・ベッドから車椅子への移乗時，患者をしっかりと支え，患者から注意をそらさない．
・ベッドと車椅子との距離や角度に注意する．
・床面に水滴や滑りやすいマットなどがないかを確認しておく．

③事故・損傷の防止
・ベッドから車椅子への移乗時，ベッド柵や車椅子への衝突による損傷を防止する．
・移送の際にはスピードに注意し，常に前方確認を行い不意の衝突事故を防止する．
・掛け物や衣服の車輪の巻き込みによって起こる急停止による事故を防止する．

④褥瘡予防
・長期に車椅子を使用している患者の場合は，車椅子坐位時に坐骨に褥瘡ができないよう注意する．
⑤身体機能の低下・疲労の早期発見
・援助前後に一般状態の観察を行う．
・移送先までの距離や環境の変化などを考慮して体力の消耗や疲労の状態など，患者の状態を常に観察しながら援助する．

2) 安楽性

車椅子移送時は病室外に出る場合がほとんどであり，環境の変化も大きい．したがって，あらかじめ移動先までの環境温度を予測し保温への配慮を行う．車椅子で病室外に出ることは，終始臥床を余儀なくされている患者にとって社会との接点をもてる機会ともなるので，外出の際には患者の自尊心へも配慮し，服装や身だしなみを整える．さらに，スピードの出しすぎによる恐怖心や段差などの振動，車椅子坐位時の乗り心地の悪さなど，安楽を阻害する因子を予測し留意する．

3) 自立性

車椅子への移乗・移送において患者が自分でできる部分を阻害しないよう，待つ姿勢を示しながら，できるところは安全確保を確認したうえで自立を促していくことが大切である．エレベーターに乗る場合は，健康時と同様に前方が見える形で乗り，出るときもそのまま前向きで出ていくなど，視覚的にも自分で歩行している状態に近づけていく．

## D 療養生活におけるレクリエーション

人間は身体を動かし，活動することによって，日常の生活行動を生み出している．しかし，その人が疾病や障害などによって「動くこと」ができなくなると，今まで営んできたその人らしい生活行動が制限されるとともに，その人が通常行っていたレクリエーションにもつながる行動に大きな支障が生じることとなる．ヘンダーソン（Henderson V）は，基本的看護ケアの1つとして，「患者のレクリエーション活動を助ける」をあげている[3]．

レクリエーション（recreation）とは，遊びや楽しみの中で再創造（re-creation）[*3]へとつなげていくことであり，日常の生活の中で心身の緊張が解き放たれる時間ともなり，看護として意識的に取り入れていく必要がある．四季の移り変わりや年中行事，個人のイベントなどもレクリエーションとして取り入れ，患者の状態や個別性に応じてその方法を工夫する．また，このような活動を支えるボランティアの存在も大きい．

以上のように，療養生活におけるレクリエーションは，活動することに支援が必要な患者の闘病意欲の向上，さらにその人らしく活動することにつながるものであり，基本的ニーズ充足の支援として重要である．

### ● 引用文献

1) 日本看護科学学会看護学学術用語検討委員会：看護学学術用語．19頁，1995
2) 川島みどり：生活行動とは．生活行動援助の技術，1-2頁，看護の科学社，2014
3) ヴァージニア・ヘンダーソン（湯槇ます，小玉香津子訳）：基本的看護の構成要素．看護の基本となるもの，35-82頁，日本看護協会出版会，2020
4) 堺 章：筋肉とエネルギー代謝．目でみるからだのメカニズム，128-129頁，医学書院，2002
5) 藤林真美，梅田陽子，松本珠希ほか：運動トレーニングが心身の健康へ及ぼす影響．心身医学 51（4）：336-344，2011
6) 伊丹君和，藤田きみゑ，寄本 明ほか：看護作業姿勢からみた腰部負担の少ないベッドの高さに関する研究（第3報）．滋賀県立大学看護短期大学部学術雑誌第 6：43-47，2002
7) 関 恵子，西岡靖貴，伊丹君和ほか：あん摩手技を用いた下肢マッサージが腰部脊柱起立筋のHb動態に及ぼす影響－看護師の腰痛ケアの検討．第40回日本看護科学学会学術集会講演集：a91370頁，2020
8) 厚生労働省：生活不活発病の予防．東日本大震災関連情報，2022
〔https://www.mhlw.go.jp/shinsai_jouhou/kojin.html〕
9) 厚生労働省：Barthel Index（BI）の測定について．科学的介護，2022
〔https://www.youtube.com/watch?v=d4Sb83VgxPA〕
10) 藤田きみゑ，横井和美，古株ひろみほか：看護作業姿勢と腰部への負担に関する研究―滋賀県下湖東，湖北地域における病院のベッドの高さ―．滋賀県立大学看護短期大学部学術雑誌 3：1-7，1999
11) 中野千香子：急性期一般病院における看護職員の腰痛・頸肩腕痛の実態調査．医療労働 563：11-18，2016
12) 伊丹君和，藤田きみゑ，寄本 明ほか：看護作業姿勢からみた腰部負担の少ないベッドの高さに関する研究．滋賀県立大学看護短期大学部学術雑誌 4：21-27，2000
13) 伊丹君和，藤田きみゑ，横井和美ほか：片麻痺模擬患者への車椅子移乗援助に関する研究．人間看護学研究 1：19-28，2004

---

[*3] 再創造 re-creation．一度分解して再び創り上げること．芸術の領域でよく使われる概念．"レクリエーション"の語源である．

# 2-6 ポジショニング

## A ポジショニングと体位

　身体の重力に対する位置関係を体位（position）という．体位変換（changing position, positioning）とは，対象の生理的・心理的満足を目的として全身または身体の一部を適切な位置に置くことをいい，最近では原語のまま，ポジショニング（positioning）とも呼ばれる．具体的には，枕などの補助具を用いて安楽な体位を工夫したり，体位を変換したりする．重症患者や術後など急性期の患者，あるいは慢性的に同一体位を強いられる患者は褥瘡や呼吸・循環障害の危険にさらされているが，ポジショニングはこうした患者の褥瘡予防や心肺機能管理のための看護介入として発達してきた．

　通常，ヒトの循環動態は立位での生活に合わせて自動的に調節されている．坐位と立位を繰り返しても，ほとんど自覚症状が生じないのはそのためである．ところが，健康者でも安静臥位から急に坐位または立位姿勢をとると，血圧低下（起立性低血圧，いわゆる立ちくらみ）が起こる．これは一時的な静脈還流の低下で上半身の血液量が減少することによる．このとき反射性に交感神経活動が高まり，末梢の動・静脈の緊張と心拍数の増加が起こる（循環調節反射[*1]）．立ちくらみや失神などの生理的な不具合が生じるのはこのためである．このような急激かつ大きな体位変化に対応して血行動態が一時的に大きく変化することは，重力のある地球上で生活する人体に備わった特徴で，宇宙などの無重力状態では体位という概念そのものが成り立たない．つまり，体位は重力に対する身体の位置・方向を示すものととらえなければならない．

　ポジショニングの看護介入では，臥位・立位・坐位などの姿勢変化を重視するとともに，看護介入分類（NIC[*2]）の *Positioning* の項に示されるように，ポジショニングは寝る・排泄する・活動するなど基本的な生活状況に密接に関わることを理解する（表Ⅴ-50）．NIC（7th. ed., 2018）では，ポジショニングは「生理学的/心理的な安寧を促進するために，患者や身体の一部の体位変換を行うこと」と定義されている．さらに，「ポジショニング：車椅子」では，「快適性を高め，皮膚の統合性を促進し，自立を促すために，適切に選択された車椅子に患者を乗せること」，「ポジショニング：術中」では，「不快感や合併症のリスクを低減または排除しながら，手術部位の露出を促進するために，患者や患者の身体の一部の位置を整えること」，「ポジショニング：神経学的」では，「脊髄損傷や脊椎の易刺激性のある患者，またはそのリスクのある患者の身体アライメント（姿勢）の最適化を達成すること」，としてポジショニングに関する4つの看護介入が提示されており，具体的な看護行動を参考にしたい[1]．言い換えれば，人間が直立歩行して生活するために必要な正しい姿勢保持ができ，生理学的な不具合を生じないように支援することである．

## B 基本的な全身ポジション

### 1 臥位（lying position）

#### 1. 仰臥位

　寝床に仰向けに横たわった体位を仰臥位（supine/dorsal position）という（図Ⅴ-52a）．全身の筋緊張がもっとも少ない体位で，消費エネルギーも少ない[*3]．全身の血液循環，とくに腹部内臓の血液循環は良好に保たれる．ただし，心肺機能障害がある場合には心肺に負担がかかる（☞ 2 坐位）．

#### 2. ファウラー位

　上半身を30〜60°挙上した体位をファウラー位（Fowler's position）または半坐位という（図Ⅴ-52b）．背部を45°以上挙上すると，仙骨部から大腿後面にかけて体圧が集中するので，横隔膜や内臓が下がり呼吸しやすい．呼吸困難のあるときや，坐位をとる際に適用する．

#### 3. 側臥位

　一方の体側を下に横向きに横たわる臥位を側臥位（side lying/lateral position）という（図Ⅴ-52c）．側臥位をとると背部から殿部の体圧が除去できるが，圧反射により下側（圧迫側）の生理機能が低下するので長時間は避ける．腹筋の緊張が緩和できるため，腹痛時に適応する．また，誤嚥を起こしにくい

---

[*1] 圧受容器反射ともいう．インパルスの一過性消失による．

[*2] Nursing Intervention Classification の略で，アイオワ大学の McCloskey と Bulechek が開発した，看護者が実施する看護ケアの分類である．初版は1992年に発表され，第7版（2018）まで発表されている．

[*3] 基礎代謝量は仰臥位，安静状態で計測される．

## 表V-50 ポジショニングの定義と看護介入

| 定義 | 生理学的/心理的な安寧を促進するために，患者や身体の一部の体位変換を行うこと |
|---|---|
| 行動 | □適切な治療マットレス/ベッドの上に寝かせる<br>□しっかりしたマットレスを提供する<br>□これから体位変換を行うことを患者に説明する [適切な場合]<br>□体位変換への参加を患者に奨励する [適切な場合]<br>□体位変換前後の酸素化状態をモニタリングする<br>□体位変換前に前投薬を投与する [適切な場合]<br>□指定された治療的体位にする<br>□ケアプランに好みの睡眠体位を加える [禁忌でなければ]<br>□適切なアライメント（姿勢）に体位を整える<br>□患部を固定する，または支持する [適切な場合]<br>□患部を挙上する [適切な場合]<br>□呼吸困難を緩和する体位をとる（例：セミファウラー位）[適切な場合]<br>□浮腫領域のサポートを提供する（例：腕の下に枕を置く，陰嚢を支える）[適切な場合]<br>□換気血流が調和するように体位を整える（健側の肺を下にする体位）[適切な場合]<br>□能動的または受動的な関節可動域運動を奨励する [適切な場合]<br>□頸部の適切なサポートを奨励する<br>□疼痛を増悪させる体位を患者がとらないように援助する<br>□切断部位を屈曲位にするのは避ける<br>□患者の位置を決め，体位変換時に摩擦とズレを最小限に抑える<br>□ベッドにフットボードを取りつける<br>□ログロール（丸太転がし）法を用いて体位変換をする<br>□排尿を促進する体位をとる [適切な場合]<br>□創傷が突っ張らないように体位を整える [適切な場合]<br>□背もたれで支える [適切な場合]<br>□静脈還流を改善するために，患肢を心臓よりも20度以上高く上げる [適切な場合]<br>□どのような活動を行っているときでも，よい姿勢とよいボディメカニクスを用いる方法を，患者に指導する<br>□牽引装置が正しい位置になっているか確認する<br>□牽引の位置と整合性を保つ<br>□ベッドの頭側を挙上する [適切な場合]<br>□皮膚状態に応じて体位変換を行う<br>□体位変換のためのスケジュールを作成する [適切な場合]<br>□具体的なスケジュールに従って，少なくとも2時間ごとに体動制限がある患者の体位変換を行う<br>□手足をサポートするために，適切な器具を使用する（例：ハンドロールと転子ロール）<br>□頻繁に使用するものは手の届く範囲に置く<br>□手の届く範囲にベッド用のスイッチを配置する<br>□手の届くところにナースコールのスイッチを置く |

[黒田裕子監訳：看護介入分類（NIC），原著第7版，613-614頁，エルゼビア・ジャパン，2018およびElsevier社より許諾を得て転載]

ため，悪心・嘔吐時にも適応する．

### 4. 腹臥位

腹臥位（prone position）（図V-52d）では背部から殿部の体圧が完全に除去でき，仙骨部の褥瘡の予防と治療に適している．また，股関節の屈曲拘縮が予防できる．下腹部の疼痛軽減，不安軽減に効果がある．悪心・嘔吐時（乳幼児を除いて）の誤嚥予防ができる．胸郭運動が抑制されるため呼吸抑制が起こりやすい．

#### ■腹臥位療法（prone positioning therapy）

腹臥位療法の原型は，パーキンソン病患者にみられる後方突進現象を矯正する治療（Cure de Procubitus）である．仰臥位を持続すると体幹背部に刺激が集中し，項部が過伸展して脊柱伸筋の筋緊張に悪影響を及ぼす．頭部後屈位では迷路のレセプターが刺激を受け続けるため身体は後方に傾く．これらを回避する手段として，立位に近い腹臥位（図V-53）が取り入れられた．その原理を脳血管障害患者に応用して，褥瘡・関節拘縮・上肢関節可動域制限・嚥下障害・排泄障害・体幹平衡機能・精神障害などの改善目的として提唱されたのが腹臥位療法である[2]．この方法では手掌をベッドに接した腹臥位を1日10分程度とることにより，上行性網様体賦活系を刺激して感覚遮断や感覚性無関心を軽減するため，前述の障害が改善できると考えられている．

### 5. シムス位

シムス位（Sims' position）（図V-52e）は，左半腹

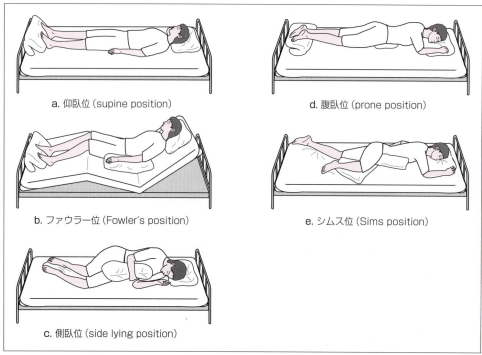

図V-52 基本的な体位

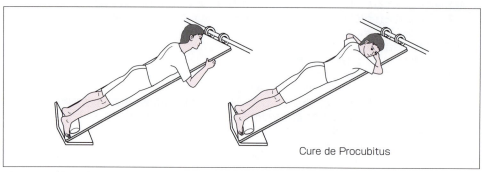

図V-53 腹臥位療法

臥位ともいう．右側の胸腹部は開放されており，左上肢は下方伸展位となり，右側の肘関節と肩関節および股関節と膝関節は屈曲するので支持面積が広く安定する．脊柱に重力が加わらないため，脊髄神経の緊張が緩和できる．また，呼吸抑制が少なく，悪心・嘔吐時の誤嚥予防になる．

### 2 坐位 (sitting position)

坐位では体圧は左右の坐骨結節に集中する．坐位は静脈還流の調節を妨げない，心肺への負担が少ない体位である．坐位は仰臥位に比べて楽に呼吸できる（起坐呼吸）．

坐位には，背もたれのある椅子に腰掛ける椅(子)坐位 (sitting on chair)（図V-54a）と，ベッドの端に腰掛けるなど上体を背もたれに置かない端坐位 (sitting on the edge of a bed) がある（図V-54b）．前述したファウラー位は半坐位ともいうが，体表面の支持面積の大きさから，本書では臥位に分類する．

### 背面開放坐位 (sitting without back support)

足底を床面に接地した背面密着型坐位（いわゆる椅坐位）と背面開放坐位（端坐位）で自律神経活動を比較すると，後者では前者より副交感神経活動の低下と，交感神経活動の亢進が顕著にみられることがわかった[3]．このことから，背面開放坐位の姿勢は，寝たきり高齢者の意識の賦活化などへの応用が考えられる．

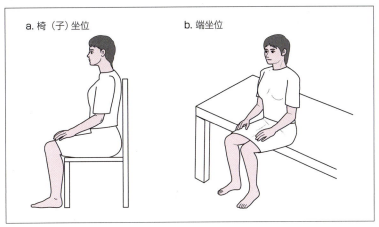

図V-54　坐位

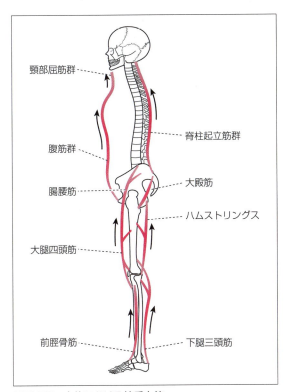

図V-55　立位における抗重力筋

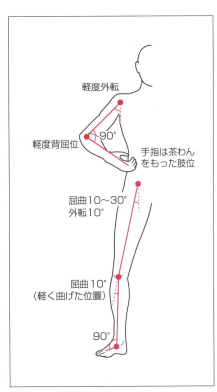

図V-56　良肢位

### 3 立位（standing position）

　私たちは日中，睡眠・休息以外は，ほとんど立位や坐位で過ごす．立位姿勢では脊椎には生理的彎曲（頸椎と腰椎には前彎，胸椎には後彎）がみられるが，上半身の体重は腰椎にかかっている．立位姿勢を保つには，重力の反対方向（上方）へ骨格を引き上げようとする筋，すなわち抗重力筋が軽度，持続性に収縮している[*4]（図V-55）．

　図V-56のような四肢の関節位を良肢位（または機能的肢位）という．良肢位は寝たきり患者など，関節の拘縮が予測される患者に適応される．良肢位では立位・坐位を基本とし，日常生活動作がしやすい関節位となっている．

---

[*4] 骨格筋は関節を隔てて骨に付着しているが，重力によって関節は常に曲がろうとする（抗重力筋が伸展される）．これによって抗重力筋内の伸張受容器である筋紡錘（Ia線維）が持続的に興奮して伸張反射が起こる．伸張反射によってα運動ニューロンが働き，抗重力筋が持続性収縮を保つ結果，立位姿勢が保持される．

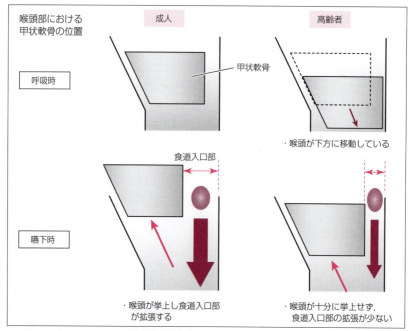

**図Ⅴ-57 健康成人と高齢者の嚥下運動の比較**
[古川浩三：老人の嚥下．耳鼻・頭頸部 MOOK12 老年者と耳鼻咽喉科（設楽哲也編），149頁，金原出版，1989より引用]

## C 日常生活に必要なポジショニング

### 1 体位変換とポジショニング

1960～70年代にかけてKosiakによる褥瘡予防の動物実験が発表されて以来[4,5)]，臥床患者の2時間ごとの体位変換が推奨されてきた．しかし，その後，高齢者や対麻痺患者，また低蛋白血症患者を対象とした臨床研究によって，体位変換時間を2時間未満に短縮する必要があることが報告された[6)]．NICでも特定のスケジュールにより，体動不能患者は少なくとも2時間ごとに体位を変換すると提言されている（**表Ⅴ-50**）．しかし，日本褥瘡学会では2時間ごとの体位変換がすべての体動不能患者に対して有効であるとはいえない，という疑問が出されており，患者の状態を見極めたポジショニングが重要である．

体位を適正に保つためには，寝具や車椅子，椅子などの選択も重要な要素となる．

### 2 食事ケアとポジショニング

安静臥床が必要な患者や寝たきりの高齢者など，摂食運動[*5]の口腔期，咽頭期に嚥下障害がある患者に食事介助をする場合，水平仰臥位では頸部が伸

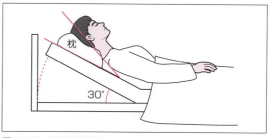

**図Ⅴ-58 頸部前屈位**

展し，喉頭の挙上が制限されるため誤嚥を起こしやすい（**図Ⅴ-57**）．誤嚥を回避するためには，ベッドを30～60°の仰臥位（ファウラー位）にしたうえに，頭部に枕を入れ頸部を少し前屈させる頸部前屈位（neck anteflexion position；誤嚥防止姿勢ともいう）にする（**図Ⅴ-58**）．この姿勢では食道が気管より下に位置するようになるので，重力によって飲食物も下方（食道）に流れ，気管に流れ込むのを防ぐことができる．

嚥下障害患者を対象に体位と嚥下難易度について

---

[*5] 摂食から嚥下終了までの運動は，①先行期（食べ物が口腔内に入る前），②準備期（食べ物を口腔内に入れ，咀嚼し，食塊にするまで），③口腔期（舌で食塊を咽頭に送るまで），④咽頭期（喉頭を挙上し，気道を閉鎖して食塊を食道に送るまで），⑤食道期（食塊が食道に入るまで），の5期に分類される．

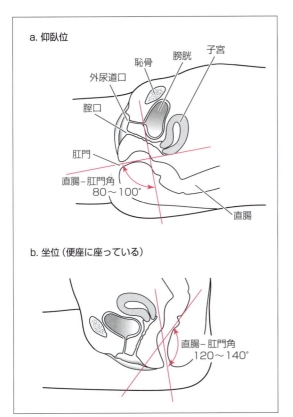

図V-59 直腸-肛門角と体位(女性の場合)

るので,適宜背部を挙上する.

一方,男性に排尿障害がある場合には,立位より坐位(洋式・和式トイレ)のほうが,仰臥位より側臥位(もしくは腹臥位)のほうが,それぞれ排尿しやすい[10].

臥位で排便する場合も同様に腹圧をかけにくいので,硬便や直腸に貯留した便は排出しにくい.また,仰臥位姿勢では直腸-肛門角がほぼ直角となり,解剖学的にも便を排出しにくい(図V-59a).これに対して,坐位で排便する場合は,座ることによって直腸-肛門角が約120°以上開くので便排出が容易になる(図V-59b).坐位で前傾姿勢をとると,腹圧はさらにかけやすくなる.直立2足歩行のヒトでは,便座に腰かけ,上体を前傾させる姿勢がもっとも自然な排便姿勢といえる.

### 4 清潔ケアとポジショニング

#### 1. 入浴

健康者が立位姿勢でシャワー浴をする際,下腿を洗うとき心拍数が増加することから,立位からの前屈位は心臓に負担をかけることが指摘されている[10].また,高齢者や心疾患患者では入浴前後に心拍数,血圧が変動しやすい[*6]ので,湯温を低めにする,入浴時間を短時間にするなどの配慮が必要である[11].また,入浴後は血管拡張によって血圧が下降するため,すぐに体位変換は行わず,坐位もしくは臥位で安静を保つようにする[12].

#### 2. 洗髪

洗髪車とケリーパッドによる洗髪の身体負担度を筋電図・呼吸・脈拍・エネルギー代謝量などの生理指標を用いて比較したところ,前者では頭部固定が不安定となり,胸鎖乳突筋,腹直筋の緊張が高まり,消費エネルギーが増大することがわかった[13].洗髪車を用いて安全に洗髪するためには,頭部固定を確実にし,肩に小枕を入れて胸鎖乳突筋の緊張を和らげ,膝を屈曲させて腹直筋が緊張しないようにする.

また,洗髪時の頸部過伸展位(図V-60)によって迷走神経が刺激され,呼吸抑制ならびに一過性の脳虚血が起こる可能性があるので,洗髪時のポジショニングとしては頸部の角度が重要となる[14].

調査した報告によると,誤嚥がもっとも少なかったのは60°のファウラー位,逆にもっとも多かったのは90°の坐位であることがわかった[7].そして,30°のファウラー位の頸部前屈位でも誤嚥が減少したことが示されている[8].

また,片麻痺患者を臥位で食事介助する場合は,患側を上にした45°側臥位のほうが90°側臥位よりも誤嚥が起こりにくいという[9].これは,側臥位では食物は重力によって下側(筋運動が保たれている健側)に落ちるためと考えられる.

### 3 排泄ケアとポジショニング

ベッド上で排泄(床上排泄)することは,羞恥心など心理面だけでなく排泄体位においても困難である.たとえば,女性が仰臥位で排尿する場合,尿道口が上向きに位置する上に腹圧をかけにくい姿勢となる.仰臥位では尿排出は主に膀胱内圧上昇によるため,膀胱平滑筋の働きが弱いと尿は出にくい.したがって,床上排泄の体位はファウラー位とするのがよい.また,膀胱内にカテーテルが留置されている患者でも,水平仰臥位の場合はカテーテルの先端が膀胱底まで達しないため残尿がみられることがあ

---

[*6] 心拍数と収縮期血圧の積を二重積(pressure rate product:PRP)ともいう.心筋酸素摂取量の指標として用いられる.

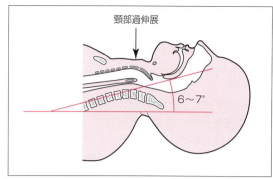

図Ⅴ-60 洗髪のポジショニング

●引用文献

1) 黒田裕子監訳：看護介入分類（NIC），原著第7版，614-618頁，エルゼビア・ジャパン，2018
2) 有働尚子：中枢神経疾患のリハビリテーション—寝たきりゼロへの具体的戦略．治療 85（5）：1645-1657，2003
3) 大久保暢子，向後裕子，水沢亮子ほか：坐位による背面開放が自律神経活動に及ぼす影響—両足底を床面に接地しての背面密着型坐位との比較．日看会誌 11（1）：40-46，2002
4) Kosiak M：An effective method of preventing decubital ulcers. Arch Phys Med Rehabil 47（11）：724-729，1966
5) Kosiak M：A mechanical resting surface：its effect on pressure distribution. Arch Phys Med Rehabil 57（10）：481-484，1976
6) Sanada H, Kanagawa K, Inagaki M, et al.：A study on the prevention of pressure ulcers：The relationship between transcutaneous $PO_2$ in the sacral region and predictive factors for pressure ulcer development. Wounds 7（1）：17-23，1995
7) 才藤栄一，木村彰男，矢守 茂ほか：嚥下障害のリハビリテーションにおけるvideofluorographyの応用．リハビリテーション医学 23（3）：121-124，1986
8) 藤島一郎，小島千枝子，藤島百合子ほか：脳卒中後嚥下障害の摂食訓練に体位の選択がきわめて有効であった症例．J Clin Rehabil 2（7）：593-597，1993
9) Drake W, O'Donoghue S, Bartrman C, et al.：Eating in side-lying facilitates rehabilitation in neurogenic dysphagia. Brain Injury 11（2）：137-142，1997
10) 後藤百万，大島伸一：高齢者排尿管理マニュアル 尿失禁・排尿困難，24頁，愛知県健康福祉部高齢福祉課，2001
11) 肥後すみ子，川西智恵美：心筋梗塞患者の初回入浴における身体負担の評価．第23回日本看護科学学会講演集，196頁，2003
12) 美和千尋，岩瀬 敏，小出陽子ほか：入浴時の温湯が循環動態と体温調節に及ぼす影響．総合リハビリテーション 26（4）：355-361，1998
13) 深田順子，米澤弘恵，石津みえ子ほか：椅座前屈位洗髪時における筋負担．日看研会誌 21（2）：29-37，1998
14) 斎藤 真：洗髪時の体位とその負担（Ⅲ）—頸部角度の変動について．日看研会誌 16（2）：87-88，1993

## 2-7 睡眠と休息

### A 睡眠・休息の定義・機能と看護者の役割

　休息（rest）とは，元気を回復しているという感覚がもてるような身体活動の減少状態である．活動の減少は心身の緊張を緩和し，エネルギーの消耗を最小限にする．一方で，「休息」は単に活動を休止，あるいは減少することだけにとどまらず，「活動すること」を意味することもある．実際に人々は戸外で自然に囲まれ，新鮮な空気のもとで歩くなど，活動を伴った休息を積極的に行っている．休息になりうる活動の程度や内容は個人によって異なるため定義はむずかしい．

　この項では，休息は「活力回復のために，活動を減少している状態」とする．活動を伴う休息は，「レクリエーション（余暇活動）」としてとらえ，別の項で詳細に述べられている（「活動する」255頁参照）．

　休息の究極の状態として睡眠（sleep）がある．睡眠は人間の生理的ニードのひとつで，誰もが日常的に体験しているにもかかわらず，そのメカニズムは十分解明されていない．鳥居は「睡眠は周期的に繰り返して起こる意識喪失の状態をいう．睡眠の本体やその意味はまだ十分にわかっていないので，睡眠時の特徴をあげて睡眠を定義することもある」と述べ，「長く続く無動状態，外来刺激に対する閾値上昇，特有な眠り姿勢，脳波の徐波化，サーカディアンリズム」の5つの特徴をあげている[1]．

　このように，睡眠の本質的な機能はよくわかっていないが，単なる活動停止ではなく，脳が高度な生理機能を営むための適応行動であり，生体防御の役割を担うといわれている．また，断眠実験から，睡眠は主に精神機能の回復に関係していることもわかっている．

　複雑な現代社会においては，さまざまな要因によって睡眠ニーズの充足が十分でないことが多い．わが国で行われた大規模調査例では，対象者30万人のうち男性の26.1％，女性の27.1％が不眠症（アテネ睡眠尺度（AIS）≧6）であるとともに短い睡眠時間（6時間未満）であった[2]．また厚生労働省が行った2019（令和元）年 国民健康・栄養調査（20歳以上の約5,700人が対象）では，男性の32.3％，女性の36.9％の人が「日中眠気を感じた」，男性の21.6％，女性の22.0％の人が「睡眠全体の質に満足できなかった」と回答している．睡眠確保の妨げとなる点について，男女ともに20歳代では「就寝前に携帯電話，メール，ゲームなどに熱中すること」，30～40歳代男性では「仕事」，30歳代女性では「育児」と回答した者の割合がもっとも高かった[3]．

　病気で入院している患者においては，睡眠を阻害する因子はさらに多い．昼夜を問わず治療が続けられているICUなどの急性期病棟では，環境因子だけでなく，痛みや安楽な体位がとれないこと，不安などの原因で，睡眠が十分にとれないことが多い．また，高齢者が入居する施設では，環境の変化や夜間頻尿，失禁ケアなどの看護援助によって良質な睡眠（良眠）が確保されにくい．病気の回復を促しQOLを向上させるためにも，あらゆる健康レベルの人を対象によりよい睡眠を促すことは看護者の重要な役割のひとつである．

### B 睡眠の生理学的基礎知識

#### 1 睡眠の調節法

　睡眠は「睡眠恒常性維持機構」と「概日リズム（サーカディアンリズム，circadian rhythm）」の2つのメカニズムの相互作用によって制御されると考えられる[4]．「睡眠恒常性維持機構」はどれだけ覚醒していたか（睡眠負債がどれだけたまったか）によって睡眠の量が調整されるメカニズムである[5]．睡眠恒常性維持機構のメカニズムには睡眠物質が大きな役割を果たし，覚醒中に睡眠物質（睡眠促進物質）がたまることによって睡眠欲求が高まり，十分な睡眠をとることによって睡眠欲求が低下して覚醒するという考え方もある[4]．

　人には光や温度といった24時間で変動する外部環境の情報を絶った環境でも，約24時間周期のリズムを保持するしくみがある．このような内在性の生体リズムのことを「概日リズム」という．睡眠も「概日リズム」の制御下にある．このしくみにより，人は夜間は眠り日中は起きるといった睡眠をとるタイミングを調節する．「概日リズム」は分子レベルでは時計遺伝子の支配を受け，組織レベルでは視交叉上核による制御を受けている．視交叉上核は睡眠・覚醒リズムにも関与している[5]．

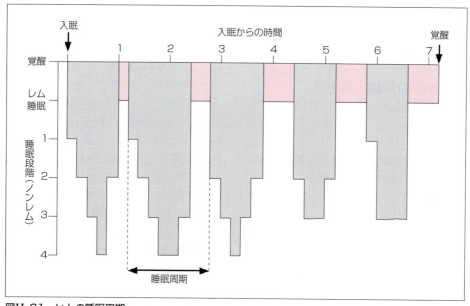

**図V-61　ヒトの睡眠周期**
灰色部分はノンレム睡眠期，赤色部分はレム睡眠期を表す．約7時間の睡眠中にレム睡眠期は5回出現している．
［深井喜代子：中枢神経系．新・看護生理学テキスト（深井喜代子，佐伯由香，福田博之），92頁，南江堂，2008より引用］

## 2 睡眠段階と周期

図V-61は一晩の健康成人の睡眠の経過を示す．睡眠段階（sleep stage）はレム睡眠およびノンレム睡眠4段階の計5段階に分類される．1から4に進むにつれて睡眠は深くなるが，レム睡眠の深度については定まっていない．睡眠段階は，睡眠脳波，眼球運動，筋電図などによって特徴づけられる．

ノンレム睡眠は脳を休めるための眠りといわれており，成人では全睡眠時間の75～80％を占める．4つの段階に分けられ，入眠時に出現する第1段階から始まり，軽く寝息をたてる眠りの第2段階，深く寝入った状態で呼びかけなど外界の刺激にも反応しにくい第3・第4段階（ぐっすり眠った状態＝熟睡）と進む．

第1段階において，睡眠ポリグラフ上では覚醒時にみられる脳波のα波が減少し，周波数の低いθ波（4～8 Hz）が現れる．第2段階では紡錘波と，K複合波（K-complex）という特徴的な波形が出現し，第3と第4段階では図V-62のように脳波は高振幅の徐波になる（ノンレム睡眠）．この2つの段階は生理的・心理的特徴に著明な差がないので，2つを合わせて徐波睡眠（slow-wave sleep：SWS）と呼ぶ．

レム睡眠は運動器を休めるための眠りであるといわれ，成人では全睡眠時間の20～25％を占める．図V-62にみられるように，速い眼球運動の群発がみられ，筋緊張の低下や反射活動が強く抑えられているのが特徴である．脳波は第1段階に近く，複雑な内容の鮮明な夢がよく起こる．

ノンレムとそれに続くレム睡眠までをひとつの睡眠単位として睡眠周期（sleep cycle）と呼ぶ．1周期は約90分で，一夜に5～6回繰り返される．さらに最初の2周期（寝入ってから約3時間）の間に，第3・第4段階の深いノンレム睡眠がまとめて出現する（図V-61）．

## C 睡眠に影響する要因

睡眠に影響する要因は非常に多く，酸素供給や代謝に影響を与える疾患，排泄障害（夜間頻尿なども含む）といった種々の疾患，治療による体位の固定，睡眠薬（hypnotics）・抗うつ薬・抗精神病薬，抗パーキンソン病薬，降圧薬などの薬物のほか，概日リズムと一致しないライフスタイル，抑うつ，恐怖，日中の頻回の昼寝，心理的ストレス，疼痛や不快感，環境の変化，食事やアルコール・カフェイン・タバコなどの嗜好品，日中の活動不足などが睡眠の量的・質的変化をもたらす．また，対象者側の要因だけでなく，看護師の夜間のケアが睡眠を妨げることもある．

最近は思春期，青年期における夜間のメディア・

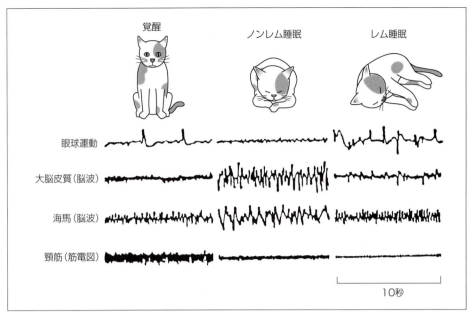

図Ⅴ-62　ネコの覚醒と睡眠のときのポリグラフ記録
［鳥居鎮夫：生物行動としての睡眠．睡眠学ハンドブック（日本睡眠学会編），11-16頁，朝倉書店，1994より引用］

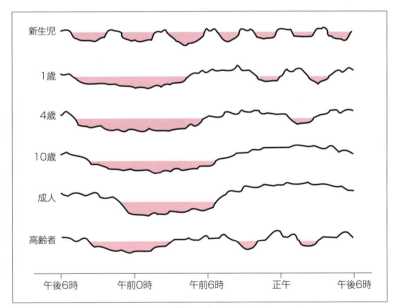

図Ⅴ-63　1日の睡眠パターンの年代別変化
色アミ部分は睡眠を表す．
［平沢秀人：高齢者の睡眠—小児から老人までの加齢変化．睡眠学ハンドブック（日本睡眠学会編），36-41頁，朝倉書店，1994より引用］

通信端末の使用による睡眠への影響も見逃せない．夜間のスマートフォン使用は睡眠時間の短縮や睡眠の質の悪化を招くことが指摘されている[6]．実際に，国民健康・栄養調査[3]によると，20～29歳の42.9％が「就寝前に携帯電話，メール，ゲームなどに熱中すること」が睡眠の確保の妨げになっていると回答している．

また，睡眠パターンや時間は年齢や性別によっても生理的に変化する．図Ⅴ-63は24時間の睡眠・覚醒パターンの年齢による変化を示している．成人期までは成長に伴い睡眠は夜間に集中するようになり，午睡がなくなるとともに睡眠時間も短くなる．

高齢者では加齢により深い眠りが減少し，夜間の中途覚醒が増え，早期覚醒も増える．睡眠時間が短くなり，起床時刻が早くなることによって，再び午睡が始まるという特徴がある．高齢者の午睡は夜間の睡眠の質の悪化を招くのではないかと考えられているが，短い午睡（午後1〜3時間の間に30分間程度）の習慣は，良質な睡眠健康の保持に有効な生活習慣であることが明らかになっている[7]．一方，若年成人の場合は，30分以上の午睡は徐波睡眠出現による睡眠慣性（起床直後に生じる眠気や作業成績の一時的な低下）が生じるため，10〜15分程度がよいとされている[8]．性別に関しては，男性よりも女性のほうが睡眠を阻害されやすい．女性ではホルモン分泌の変化により月経期に眠気が強まったり，妊娠中や産褥期，更年期に睡眠の長さや満足度が低下することが知られている．

一般的に7〜8時間の睡眠時間が望ましいといわれるが，最適な睡眠時間は個人によって大きく異なり，6時間以下の短時間睡眠者から9時間以上の長時間睡眠者までさまざまである．

## D 症状のとらえ方

睡眠障害というと夜間の睡眠ばかりに目が向きがちであるが，24時間で睡眠をとらえることが大切である．図V-64のように睡眠と覚醒を24時間時計で表すとわかりやすい．この図には，主に治療を必要とする睡眠障害があげられている．看護者が主体的に関わるべき睡眠障害は，通常はよく眠れる人になんらかの原因で一時的に生じた不眠である．

## E よりよい睡眠への看護援助

### 1 アセスメント

前述したように，睡眠に影響を及ぼす要因は非常に多く，個人差も著しいため，適切な問題設定と援助の方向性を決定するためには，丁寧なアセスメントを行い，問題の程度と要因を明らかにする．

まず，主観的情報として睡眠歴を知る．就寝時刻，離寝時刻，寝ようとしてから実際に寝つくまでの時間，覚醒時刻，途中覚醒の頻度・時刻，再入眠の時刻，一晩の睡眠時間の合計などを尋ねる．また，夜間の睡眠状態だけでなく，昼間の活動と休息・睡眠の状況についても尋ねる．さらに，起床時の熟睡感などといった睡眠の満足感や，睡眠について困っていること（早く目が覚める，なかなか眠れ

ない，すぐに目が覚める，一晩に何度も起きる）なども重要な情報となる．これらの睡眠習慣や生活リズムを長期間把握するには，睡眠日誌（sleep diary, sleep log）（図V-65）を利用する方法もある．本人が自分の睡眠状態を自身で経時的に記録するので認知療法としての効果も期待できるが，高齢者やナルコレプシー[*1]患者など昼寝が多い人には正確な記録はむずかしいので，使用にあたっては注意が必要である．

フィジカルイグザミネーションでは表情や行動，眼瞼の腫脹や目の周囲の暗さ，結膜の充血の有無，イライラした様子，落ち着きがない様子，注意力散漫，ゆっくりしたしゃべり方，落ち込んだ姿勢，手の震え，あくび，眼をこする，自閉症状，混乱，協調不能などに注意して観察や視診を行う．

### 2 看護援助の実際とその根拠

アセスメントで問題状況を分析し，援助の方向性が決定したら，実際に援助計画を立案する．2014（平成26）年に最新の研究成果に基づいて一般の人向けに，「健康づくりのための睡眠指針2014」（表V-51）が厚生労働省から出されたが，看護者が実施する睡眠を促す援助の根拠や効果はすべて明らかになっているわけではない．以下に，根拠と効果がある程度明らかになっているものを中心に，援助を紹介する．

#### 1. 個人への働きかけ
1）漸進的筋弛緩法，背中のマッサージ

これらはいずれも身体的緊張をとき，リラックスして睡眠への移行をスムーズにするために行われる（身体への生理的影響と実施方法は311頁「リラクセーション」，314頁「漸進的筋弛緩法」を参照のこと）．漸進的筋弛緩法（progressive muscle relaxation）は入眠時間の短縮，夜間覚醒の回数の減少，不安の軽減などの効果がある．

2）受動的な身体の加温（passive body heating）

温かいお湯を用いた入浴や足浴は，清潔の援助だけでなく睡眠促進の援助としてよく用いられる．

入浴や足浴を行うと体温が一時的に上昇する．その後，体温は低下するが，その体温低下の過程が入眠時の生理的変化と深く関係して入眠しやすくなる．実際に1,094人の高齢者（平均年齢72.0歳）に就寝前の入浴と睡眠との関係を調べたところ，就寝前の入浴は眠るまでの時間（睡眠潜時）を短縮させ

---
[*1] 突然に抗しがたい眠気を催し，眠りに陥る．睡眠障害のひとつ．

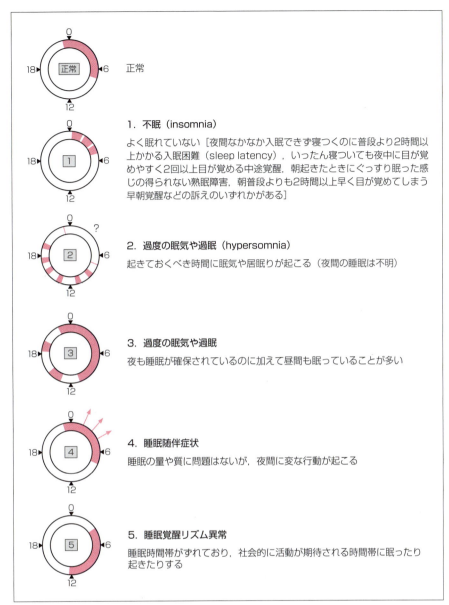

図V-64 睡眠と覚醒に関する症状のとらえ方
[立花直子:睡眠ケアのエビデンス.臨牀看護 29(13):1887-1896, 2003より図と説明をもとに改変し解説を加えた]

ることが明らかになった[10]).

また,睡眠の質にもよい影響を及ぼす.不眠の高齢女性に就寝1.5時間前に40〜40.5℃の風呂と37.5〜38.5℃の風呂に入ってもらって,その夜の睡眠の主観的評価と睡眠ポリグラフでの評価をしたところ,40〜40.5℃の風呂に入浴した後には,睡眠の継続において有意な改善と徐波睡眠の増加傾向がみられた[11]).足浴にも入浴とほぼ同様の効果が認められる.不眠を訴える入院患者に対して,40℃前後のお湯を用いた足浴を行ったところ,足浴を行った日は,行わなかった日と比較して,交感神経活動を反映するLF/HFが低く,主観的睡眠感も高かったという報告がある[12]).熱すぎる湯は交感神経活動を活発にして入眠を妨げるので,就寝前30〜60分に入浴する場合は40℃前後のぬるめの湯を準備するほうが望ましい.

3) 就寝儀式の実施

就寝前に歯をみがいたり寝衣に着替えたり,短時間読書をするといった睡眠への条件反射を導き出す一連の動作・行動や習慣を就寝儀式(sleep routine)

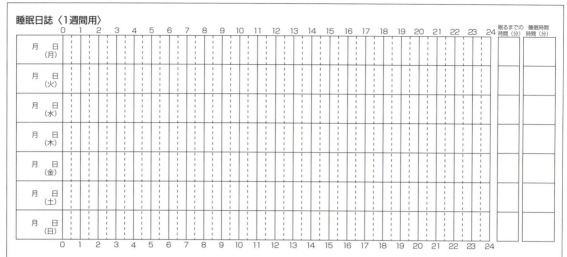

図V-65 睡眠日誌

表V-51 健康づくりのための睡眠指針2014（睡眠12箇条）

1. 良い睡眠で，からだもこころも健康に．
2. 適度な運動，しっかり朝食，ねむりとめざめのメリハリを．
3. 良い睡眠は，生活習慣病予防につながります．
4. 睡眠による休養感は，こころの健康に重要です．
5. 年齢や季節に応じて，ひるまの眠気で困らない程度の睡眠を．
6. 良い睡眠のためには，環境づくりも重要です．
7. 若年世代は夜更かし避けて，体内時計のリズムを保つ．
8. 勤労世代の疲労回復・能率アップに，毎日十分な睡眠を．
9. 熟年世代は朝晩メリハリ，ひるまに適度な運動で良い睡眠．
10. 眠くなってから寝床に入り，起きる時刻は遅らせない．
11. いつもと違う睡眠には，要注意．
12. 眠れない，その苦しみをかかえずに，専門家に相談を．

［厚生労働省健康局：健康づくりのための睡眠指針2014〔https://www.mhlw.go.jp/file/06-Seisakujouhou-10900000-Kenkoukyoku/0000047221.pdf〕最終確認：2022年4月7日］

と呼ぶ．高齢者を対象にした調査で，就寝儀式を行うことと良好な睡眠パターンの間には相関関係があり，就寝儀式のない人に睡眠パターンの障害が多いという報告からも，個人1人ひとりの就寝儀式を考慮して睡眠促進の援助をすることは非常に効果的であると考えられる．しかし，不眠者によくありがちの「アルコールを飲む」という就寝儀式に関しては，寝つきはよくなるが夜間後半の睡眠が浅くなり中途覚醒が増え，睡眠の質の悪化を招くので推奨されていない．

## 2. 環境への働きかけ

### 1）就寝環境を整える

睡眠に影響を及ぼす環境要素の中で，寝室の温湿度，光（照明），音（騒音）が三大要因である．これらの要素は，感覚器官を通して聴覚，視覚などの刺激となり交感神経活動を活発にし，入眠や中途覚醒に影響を及ぼす．さらに，光刺激はメラトニンの分泌抑制を招き，サーカディアンリズムの位相を変えるといった影響もある．これらの環境を睡眠に最適になるよう調整することが重要である．しかし，ICU・CCUなど急性期病棟では，救命を最優先にするため医療機器による騒音，正確な治療やケア実

施のための照明などの調整は一般にむずかしい．このような状況の中，患者に耳栓やアイマスクを用いると効果的であったという報告もある[13,14]．

2）昼間の光環境を調整する

よりよい睡眠のためには，睡眠-覚醒リズムを整えることが重要である．そのためには，就寝環境だけでなく昼間の光環境も考慮すべきである．とくに高齢者は，入院や入所，身体不調により外出の機会が減少すると，サーカディアンリズムの同調因子のひとつである「光」を浴びる機会が少なくなり，睡眠・覚醒リズムが乱れがちになる．ある研究によると，昼間に強い光を浴びている高齢者は，夜間の中途覚醒を起こしにくい[15]ことが報告されている．このように，睡眠促進のための援助は，夜間だけでなく，昼間の光環境を意識した生活習慣の改善など，1日を通じて生体リズムを整える視点が欠かせない．

● 引用文献

1) 鳥居鎮夫：睡眠．医学大辞典（伊藤正男・井村裕夫・高久史麿編），1318頁，医学書院，2003
2) Ito K, Kadotani H, Okajima I, et al.：Large questionnaire survey on sleep duration and insomnia using the TV hybridcast system by Japan Broadcasting Corporation（NHK）．Int J Environ Res Public Health. 7；18（5），2021
3) 厚生労働省：令和元年度　国民健康・栄養調査報告．〔https://www.mhlw.go.jp/content/000710991.pdf〕（最終確認：2022年1月28日）
4) 睡眠障害の診断・治療ガイドライン研究会（内山　真編）：睡眠に関するミニマムエッセンス．睡眠障害の対応と治療ガイドライン，15-39頁，じほう，2019
5) 安垣進之助，林　悠：睡眠とは．睡眠学，第2版（日本睡眠学会），11-13頁，朝倉書店，2020
6) Kawada T, Kataoka T, Tsuji F, et al.：The relationship between a night usage of mobile phone and sleep habit and the circadian typology of Japanese students aged 18-30 yrs. Psychology 8（6）：892-902，2017
7) 田中秀樹，平良一彦，上江洲榮子ほか：長寿県沖縄と大都市東京の高齢者の睡眠健康と生活習慣についての地域間比較による検討．老年精神医学雑誌 11（4）：425-433，2000
8) 林　光緒：昼寝．睡眠学，2版（日本睡眠学会），326-330頁，朝倉書店，2020
9) 厚生労働省健康局：健康づくりのための睡眠指針2014．〔https://www.mhlw.go.jp/file/06-Seisakujouhou-10900000-Kenkoukyoku/0000047221.pdf〕（最終確認：2022年4月7日）
10) Tai Y, Obayashi K, Yamagami Y, et al.：Hot-water bathing before bedtime and shorter sleep onset latency are accompanied by a higher distal-proximal skin temperature gradient in older adults. Journal of Clinical Sleep Medicine 17（6）：1257-1266, 2021
11) Dorsey CM, Lukas SE, Teicher MH, et al.：Effects of passive body heating on the sleep of older female insomniacs. J Geriatr Psychiatry Neurol 9：83-90, 1996
12) 古島智恵，井上範江，児玉有子ほか：不眠を訴える入院患者への足浴の効果．日本看護科学会誌 29（4）：79-87, 2009
13) Jones C, Dawson D：Eye masks and earplugs improve patient's perception of sleep. Nurs Crit Care 17：247-254, 2012
14) Hu RF, Jiang XY, Zeng YM, et al.：Effects of earplugs and eye masks on nocturnal sleep, melatonin and cortisol in a simulated intensive care unit environment. Crit Care 14（2）：R66, 2010
15) Shochat T, Martin J, Marler M, et al.：Illumination levels in nursing home patients：effects on sleep and activity rhythms. J Sleep Res 9（4）：373-379, 2000

# 2-8 心地よさと看護ケア

　私たちにとって毎日の生活の中で感じる「心地よさ」には，どのような意味があるだろうか．看護師は，患者の状態をアセスメントし，患者の個別性に応じて，これらの生活援助を計画し，実施する．痛みやつらさを抱えて療養している患者が「気持ちいいなぁ」ともらす声や，穏やかな表情をしながら自分の思いを話し始めたり，ケア実施後に「おかげさまでさっぱりしたから散歩に行ってみようかな」といった言葉に私たち看護師はやりがいを感じる．

　この項では，こうした「心地よさ」をもたらす看護ケアを受けた患者の身体的・心理的反応や効果について考える．

## A 「心地よさ」とは

　一般に，「心地よい」とは，気持ちがよい，気分がさわやかである，快い，快適であり，気持ちを表す言葉であり，類語には，快い，爽快，快適などがある（デジタル大辞泉，小学館，2021）．

　ここでは，看護ケアによって患者が感じる「気持ちがいい，気分がさわやかである，快い，快適である」などの気持ちを総称して「心地よい」と表現し，「心地よさ」とは「心地よい」状態を指すものと定義する．

## B 「心地よい」と感じるときの心身のメカニズム

　看護師が清拭時に「温かいタオルをあてますね」と患者に声をかけ，蒸しタオルを患者の背中にあてたとき，患者の体内ではどのような現象が生じているだろうか．看護師の声は聴覚を，看護師の表情は視覚を，タオルの匂いは嗅覚を，タオルの温かさと密着の度合いは触覚，温度覚，圧覚をそれぞれ刺激し，すべての感覚刺激は大脳皮質の感覚野から扁桃体に至り快・不快の評価が行われる．

　扁桃体で快と評価されると，視床下部を介して自律神経系や内分泌系に作用し，また快感神経系である腹側被蓋野（A10神経）が活性化されてドーパミンが放出され，〈中脳辺縁系ドーパミン経路〉が作動し，「気持ちいい〜」という「心地よさ」の反応がもたらされる（図V-66）．

　A10神経は，視床下部（自律神経とホルモン分泌の中枢），海馬（記憶），扁桃体（快・不快，危険・安全の判断），尾状核・被殻（表情・態度），中隔核（怒りの制御），側坐核（やる気），そして前頭連合野（意志・創造）まで連絡している．扁桃体で快と判断されるとともにA10神経が活性化され，ドーパミンやノルアドレナリンなどのモノアミンが放出されて[1,2]，自律神経や内分泌反応，記憶や連想，

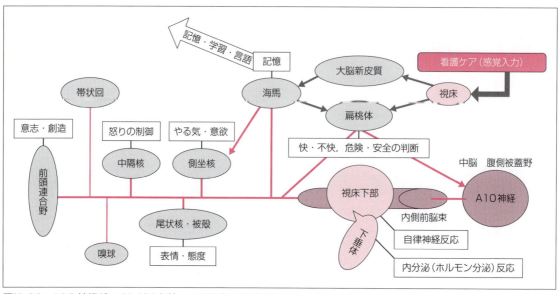

図V-66　A10神経がつくりだす心地よさの反応―中脳辺縁系ドーパミン経路―

感情や意欲，意思や社会的意味など多様な反応をもたらす[3]．

蒸しタオルを用いた清拭ケア後に患者は心地よさを感じて明るい表情になり，「お風呂に入ったみたいで気持ちよかった」と入院前の入浴時の「心地よい」記憶を想起したり，「何だかやる気が出てきたから病棟を歩いてみるよ」と意欲をみせたり，ケアをきっかけに自分の思いを語りだすなどコミュニケーションや周囲への関心が広がったりと，多彩な反応を示す．こうした反応はA10神経と海馬，扁桃体，尾状核・被殻，側坐核，前頭連合野との連携の結果であると考えられ清拭ケアだけではなく，「心地よさ」をもたらす看護ケア全般にみられる反応でもある．

また，A10神経は視床下部を経て自律神経系とも連絡し，「心地よさ」の反応として自律神経活動に影響している．健康な人を対象とした基礎研究では，意図的に負荷を与え交感神経活動を賦活化させて一定のストレス状態に統制したうえで，「気持ちよい」と感じる看護介入を実施し，その結果，副交感神経活動が賦活化，交感神経活動が抑制され，ストレス状態からの回復がみられることを検証した研究がある[4]．

一方，婦人科外科患者を対象に腰背部蒸しタオル温罨法ケアを実施した縄（2002）の研究では，ケアによって一律に副交感神経活動が亢進し，交感神経活動が抑制されるとはいえないことがわかった．ケア前に交感神経活動が亢進し過度に緊張しているような場合にはケア後に副交感神経活動が亢進すること，逆にケア前に副交感神経活動が亢進し脱力しているような場合にはケア後に交感神経活動が亢進する，という反応がとらえられた．これらのことから，「気持ちいいよさ」をもたらす看護ケアは，交感神経活動と副交感神経活動を「ある（安定した）バランス」に整える作用があることが示唆された[5]．このように，「気持ちいい」反応は，単に副交感神経活動を優位にすることだけではなく，もともとの自律神経活動の状態によって反応が異なる．本来のある状態つまりホメオスタシスの維持をもたらすことが推察される．

## C 「心地よさ」をもたらす看護ケアの効果

### 1 看護ケアを受けた人の反応

大橋ら（2017）の「気持ちよさ」をもたらす看護ケアに関する統合的文献レビュー[6]によると，ケアを受けたときの対象者の気分・心理行動的側面の反応・効果は，基礎研究では【気分のよさ】【症状の緩和】【活力の高まり】が，臨床研究では上記に加えて【関係性の広がり】【生活行動の拡大】【生活リズムが整う】というカテゴリーが抽出された．さらに，ケアを受けたとき，患者は単に心地よさを感じたり症状が和らいだりするだけでなく，その後の生活行動にも変化が表れることが報告されている[7,8]．

### 2 看護師がとらえる患者・家族の変化と自分自身の変化

縄ら（2019）[9]は，「気持ちよさ」をもたらす看護ケアを実施している看護師の認識を明らかにするために，全国の内科系，外科系，緩和ケア，回復期病棟に勤務する常勤看護師を対象に質問紙調査を実施した．その結果，看護師は気持ちよいケアの患者への効果として，〈笑顔になる〉〈爽快感がある〉〈温かくなる〉といった【気持ちよさがもたらす健やかさ】や，〈自発性が高まる〉〈治療を受け入れる〉〈周囲への関心が高まる〉〈生活行動が拡大する〉といった【意欲と生活拡大による自信の獲得】，そして〈話題が広がる〉〈会話が深まる〉という【コミュニケーションチャンネルの開放】を認識していたことがわかった．

また，その場にいる家族への効果については【患者と家族と看護師の絆が深まる】ことを感じていた．その背景には，看護師が「気持ちよさ」をもたらすケアを計画するとき，「患者に気持ちよさを提供したい」という目的だけでなく，「患者との関係性を築きたい」「患者を理解したい」「家族の思いを受け止めたい」という患者との信頼関係を基盤とした人間関係の形成を見据えたうえで実践していたことが示唆された．

加えて，「気持ちよさ」をもたらす看護ケアの実施は，直接ケアを受けている患者だけでなくケアの実践者である看護師自身への変化をもたらしていた．看護師は「気持ちよい」ケアの実施後に，【患者とともにあるケアへの満足感】や【ケアへの自信と向上への意欲】を感じ，さらに【チームでのケアの共有】をすることによってチームメンバーをも巻き込むようにして患者へのケア方法を検討していた．

つまり，「心地よさ」をもたらすケアは，患者・家族のみならず，看護師自身やその周囲の医療従事者にもよい変化をもたらしていることがわかる．澁谷（2019）も，「清拭は，看護師から患者へ一方向的に提供されるだけでなく，看護師自身にもやりがいや喜びをもたらす技術」であり，「清拭は，患者と

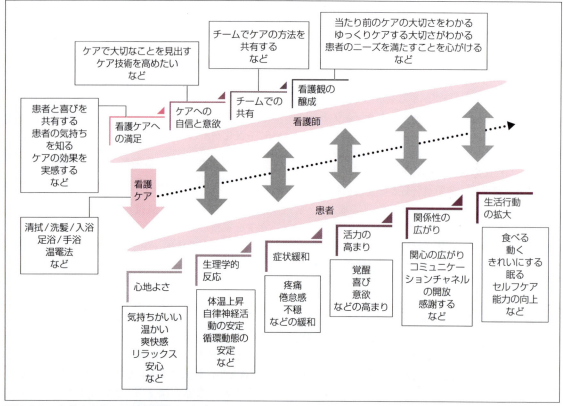

図V-67　心地よさをもたらす看護ケアモデル

看護師双方にとっての心地よさやよい状態をもたらす実践」と説明している[10].

「心地よさ」をもたらすケアの多くは清拭や入浴,手浴や足浴など清潔に関するケアであり,日常生活援助として位置づけられている.ここでは,「心地よさ」をもたらすことが看護ケアとしてどのような意味や意義があるかを考えてきた.図V-67は,「心地よさ」をテーマにした研究を統合した「心地よさ」をもたらす看護ケアモデルである.「心地よさ」をもたらす看護ケアは,患者に生理学的反応,症状緩和,活力の高まり,関係性の広がり,生活行動の拡大を連続的・段階的に生じさせ,看護師と患者の相互作用を通して関係性を構築し,患者のみならず看護師にもケアへの満足感,ケアへの自信や意欲が生じ,チームでの共有や看護観の醸成がもたらされることを示していると言える.

● 引用文献

1) NHK取材班:NHKサイエンス・スペシャル　驚異の小宇宙・人体2　脳と心4 人はなぜ愛するか〜感情,1994, 84.
2) 本間研一監修:標準生理学　第9版, 449, 491-496頁, 医学書院, 2019
3) 気谷昭広:「快・不快による支配」からの脱却―脳科学的人間論―, 12-13頁, 43-44頁, 東京図書出版, 2019
4) 小笠原映子, 椎原康史, 小板橋喜久代ほか:柑橘系精油におけるアロママッサージのリラクセーション効果およびリフレッシュメント効果について. 日本看護研究学会誌 30 (4):17-26, 2007
5) 縄　秀志:婦人科外科患者における背部温罨法ケアの気分, 痛み, 自律神経活動への影響. 日本看護技術学会誌 1 (1):36-44, 2002
6) 大橋久美子, 縄　秀志, 佐居由美ほか:国内における「気持ちよさ」をもたらす看護ケアに関する統合的文献レビュー. 日本看護技術学会誌 16:41-50, 2017
7) 矢野理香, 石本政恵, 品地智子ほか:脳血管障害患者における手浴―7事例の検討を通して―日本看護技術学会誌 8 (3):101-108, 2009
8) 有田秀子, 福田陽子, 菊本由里:認知症高齢者の情緒面の変化. 日本認知症ケア学会誌 15 (4):838-847, 2017
9) 縄　秀志, 佐居由美, 大橋久美子ほか:「気持ちよさ」をもたらす看護ケアに対する看護師の認識. 聖路加看護学会学術大会講演集, 24頁, 39頁, 2019
10) 澁谷　幸:看護師にとっての清拭の意味. 日本看護研究学会雑誌 42:43-51, 2019

# VI

## 治癒促進と症状緩和のケア技術

# 1 患部の保護

## A 患部の保護と包帯法の歴史

患部の保護には古くから包帯（bandage）が用いられ，もっとも古い記述は紀元前2500年頃古代メソポタミアのリネンを用いた被覆法であるとされている．また，古代エジプトでは防腐処理を施したミイラの体表面を細く裂いた布でおおったという記録があり[1]，古くから創の保護に用いられたと考えられる．この時代には布のほかに蛙の皮膚や獣脂，羊毛なども用いられていた．その後，近代細菌学の萌芽や抗生物質の発見によって，清潔で保護的な創傷管理が行われるようになり，乾燥した清潔なリント（lint）[*1]布やガーゼが包帯に使われるようになった．そして，1957年にはGimbelらが「熱傷の水疱は破らないほうが早く治癒する」ことを報告し，感染のない創を湿潤環境におくことが推奨された．さらに近年では，サイトカイン[*2]の発見によって，これらを駆使した創傷管理が行われている[2,3]．このように，包帯は古くから人々の生活の中に存在し，看護技術としても最古の技術のひとつといえる．

## B 包帯法の基礎知識

包帯とは身体に比較的長時間装着して用いる材料や器具をいい，その方法を包帯法（bandaging）という．ここでいう包帯には，一般に知られる木綿布を巻いた巻軸帯（roller bandage）や伸縮ネット（tubular bandage）のほか，ドレッシング（dressing），広くは離被架やギプスも含まれる．

### 1 包帯の目的

包帯の目的には主に以下のようなものがある．
①被覆：化学的物理的刺激からの保護
②支持：衛生材料や薬剤の支持，四肢・腹部の支持
③圧迫：止血，静脈還流の促進，浮腫の消退，瘢痕形成の抑制
④固定：骨や関節の安静
⑤牽引と矯正：骨格の位置異常や変形の是正
⑥保温：体熱放散の調節
⑦吸湿または保湿：体液・滲出液の調節
⑧創傷治癒の促進：創表面の酸塩基平衡・酸素の調節，湿潤環境の維持
⑨安楽：倦怠感や疼痛の軽減，外見の変化をおおう

## C 包帯法に共通する実施上の原則

### 1 目的にあった材料や方法である

包帯法には必ず目的があり，その目的が達せられていることが不可欠である．そのため，目的に合った材料や方法を選択し，対象の状況に応じた用い方をする．包帯は，意図した効果が得られる半面，対象にとっては束縛感や不便さをもたらすため，最小の負担で最大の効果を上げることが必要である．また，目的が達せられているかどうかを常に評価することが求められる．

### 2 循環障害を予防する

包帯による圧迫は，毛細血管への動脈血の流入や静脈還流（venous return）を妨げて循環障害を引き起こし，一過性の虚血や浮腫，不可逆性の組織壊死・神経損傷などを生じさせることがある．包帯は体表面に密着・固定して用いることが多いため，圧迫による循環障害には細心の注意を払う．とくに，骨突出部や関節部は容易に圧迫がかかることを念頭におく．また，四肢や手指などは可能なかぎり全周性に用いることを避け，観察のために末梢部を露出させる．

### 3 運動障害を予防する

運動障害に関しては，筋量が変化しない短期間の固定であっても，末梢性および中枢性の変化から筋力低下をきたすことや[4]，低下した筋力の完全な回復にはリハビリテーションが必要であることが示されている[5]．したがって，固定や矯正が目的である場合を除いて，四肢や体幹の自然な動作を妨げな

---

[*1] リンネル（亜麻の繊維で織った薄地の織物）の片面を毛羽立たせた柔らかい布．軟膏を塗って湿布として貼用したり，包帯として患部に巻きつけて使用する．
[*2] 細胞が産生するタンパク質で，サイトカイン受容体をもつ細胞に作用して細胞の増殖や分化，機能発現を担う．

方法をとる．関節の固定角度は良肢位（functional position, 259頁も参照）*3とし，日常生活動作への影響を最小限にする．圧迫による運動神経の末梢性麻痺が生じないよう，神経走行など人体の解剖を理解して実施するとともに，視覚・聴覚・触覚といった感覚器の働きを妨げない配慮をする．適切に包帯を用いれば，疼痛の軽減や動作の安定が期待でき活動性が維持される．

### 4 感染を予防する

皮膚は体温調節や体液の保持など生体の恒常性（homeostasis）を維持するために欠かせない器官である．また，人の皮膚表面には弱酸性を呈する「酸外套（acid mantle）」といわれる防御機能があり[6]，病原微生物や化学的刺激から生体を守る重要な働きをしている．しかし，包帯が必要な対象は，外傷や皮膚疾患などによってこれらの機能が低下していることが多く，衛生材料の取り扱いや無菌操作など，感染予防にはとくに留意する必要がある．

包帯法は清潔な環境と材料で実施し，常にスタンダード・プリコーション（standard precautions）（82，84頁参照）を遵守する．包帯交換は感染拡大の機会となる可能性が高いため，手指衛生や個人防護具の着用，使用後の包帯材料の適切な処理を徹底する必要がある．また，外因性感染だけでなく内因性感染についても予防する．

### 5 安楽である

保護・治療が目的であっても，包帯材料は人体にとって異物である．身体に付着した包帯材料が不安定では，始終それを気にかけなければならず不快であるため，常に安定していることが求められる．また，体表面に使用されるものであり，美的配慮がなされているかどうかが精神的安楽に影響する．

また，包帯材料は，適宜，調節が可能であることが安楽につながる．必要に応じて看護者が調節する，あるいは対象者自身で調節できる方法や範囲をあらかじめ指導しておく．

## D 包帯とドレッシング

包帯は，布や副子を加工して用いる「包帯」と，創傷に用いる「ドレッシング」の2種類に分類される．実際には両者を合わせて用いることが多く，実施上の原則はどちらにも共通する．

### 1 包帯

単に包帯と表現した場合には巻軸帯を想起するが，「包帯」には巻軸帯以外に表Ⅵ-1のようなものがある．医療現場で使われるのは，綿包帯よりも伸縮包帯であることが多い．伸縮包帯は，体表面に密着させやすく，綿包帯ほど巻き方に熟練を要しないことから普及している．伸縮包帯の使用にあたっては，肘関節などの可動部位に用いた場合のずれやすさ[7]や，時間経過とともに緊縛が強まるなどの特徴を理解して用いる（表Ⅵ-1）．

#### 1．巻軸帯の名称と巻き方
巻軸帯には各部に名称がある（図Ⅵ-1）．綿包帯は伸縮性がないため，身体の形状に合わせた巻き方をする（図Ⅵ-2〜7，表Ⅵ-2，3）．

#### 2．包帯の継ぎ方
前の包帯を上に，新しい包帯を下にして重ね，環行帯で固定した後，巻き進める．包帯を継ぐ場所は，関節や患部の上は避け，安定した部位とする．

#### 3．包帯の解き方
安定した姿勢をとり，患部を動揺させないように解く．包帯が滲出液などで創部に固着している場合は，生理食塩水などで融解しながら外し，疼痛や組織の損傷が生じないように行う．解いた包帯は左右の手に交互に持ち替え，小さくまとめながら解く．包帯を実施するときと同様に，スタンダード・プリコーションを遵守する．

#### 4．伸縮ネット包帯の用い方
伸縮ネット包帯は伸縮性のある繊維を網状に編んで，筒型にした材料である．使用方法が簡便で，包帯材料の固定や被覆に広く使われている．使用部位の径に応じたサイズを用い，切り込みや穴を開けることでさまざまな形状に適用できる．ただし，腋窩や鼠径部，耳介など皮膚が薄く，圧迫や摩擦の起こりやすい部位に用いた場合には褥瘡を発生させるおそれがあるため注意が必要である．また，皮膚に直接用いた場合，ときに瘙痒感を引き起こすことがある．そのため，切り込みの位置や大きさが適切か，適度なゆとりがあるか，ガーゼや綿花での保護の必要性があるかなどを確認する（図Ⅵ-8）．

#### 5．布帛包帯の用い方
布帛包帯とは布片をひねる・畳む・巻きつけるなどの方法で用いる包帯をいう．使用目的に合わせて布に若干の加工が施されている．しわや結び目の位置に配慮して実施する（図Ⅵ-9）．

---
*3 日常生活動作にもっとも支障のない位置で固定された肢位をいう．

表Ⅵ-1 包帯の種類

| 種類 | 代表的なもの | 形状・性質 |
|---|---|---|
| 巻軸帯 | 綿包帯 | 木綿布を長く裂いたもので伸縮性はない |
| | 伸縮包帯 | 綿やレーヨン素材で伸縮性があり，形状にフィットしやすい |
| | 弾力包帯 | 厚めの綿やゴム素材が含まれ，強い伸縮性があり，圧迫などに用いる |
| | 粘着包帯 | 巻軸包帯の片面にアクリル樹脂などが塗布されており，粘着性があるため巻き終わりに固定の必要がない |
| 布帛包帯 | 三角巾 | 一辺が約1mの正方形の布を対角線で裁断した三角形の布．主に木綿 |
| | 腹帯 | 3枚の長方形の布を中央で縫い合わせ，そのうちの1枚に切れ目を入れたもの．腹部の保護に用いることが多い．マジックテープ式のものもある |
| | T字帯 | 長方形の布の短辺にヒモを縫いつけT字にしたもの．手術や検査時等に下着の代わりに使う |
| 複製包帯 | 耳帯・眼帯など | 耳や顔面など複雑な形状の部位を保護するために加工したもの |
| 伸縮ネット包帯 | | 伸縮性のある糸を網状に編み，筒状にしたもの |
| 硬化包帯 | ギプス | 装着後に熱や乾燥で硬化する材質を使用し，骨折の治療などに使用する |
| 副子包帯 | 副子 | 骨折や脱臼部位にプラスチックや木製の板を添えて固定し局所の安静を図る |
| 安静包帯 | 砂嚢 | 患部を固定するために四肢や頭部の両側に置いたり，圧迫が必要な部位に乗せて使用する砂の入った袋 |
| | 離被架 | 患部に寝具や衣服がかかることを防ぐ籠状の架台 |
| その他 | 弾性ストッキング | 下肢静脈瘤や手術後に下肢に着用する圧迫力の強いストッキング |
| | ラパック | 人工肛門に装着する |

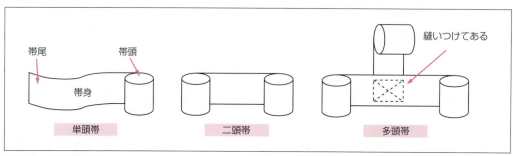

図Ⅵ-1 巻軸帯の名称

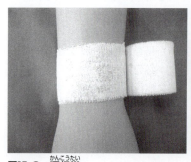

図Ⅵ-2 環行帯
どの巻き方でも最初と最後は環行帯で巻く．

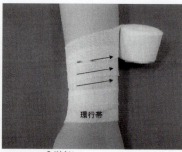

図Ⅵ-3 螺旋帯

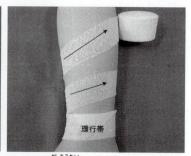

図Ⅵ-4 蛇行帯

1 患部の保護 **277**

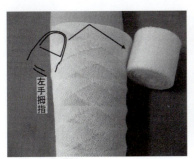

図Ⅵ-5 折転帯（せってんたい）
帯身をねじって折り返す．

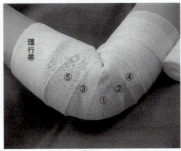

図Ⅵ-6 離開亀甲帯（りかいきっこうたい）
肘を屈曲し環行帯から①へ

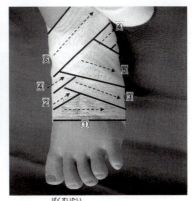

図Ⅵ-7 麦穂帯（ばくすいたい）
①は環行帯．②は足関節後面を回り③へ
①を足関節部にしてもよい．

### 表Ⅵ-2　巻軸帯の巻き方の実際（例：綿包帯で上肢を被覆する）

| 準　備 |
|---|
| ◎目的の理解<br>　・包帯法を実施する目的について，対象者・看護者の双方が理解する<br>◎方法と材料の選択<br>　・目的と対象者の状況に応じた施行方法・材料を選択する<br>◎清潔な手と材料の準備<br>　・手洗いをし，必要時個人防護具を着用する．準備した包帯は清潔な状態を保つ<br>　・湿った巻軸帯は乾燥によって収縮し循環障害を起こす危険があるため乾燥したものを用いる<br>　・対象者の安楽と看護者の作業効率を考慮して場所・物品・時間を確保する |

| 実　施 | 根拠/注意点 |
|---|---|
| ①説明する<br>　対象者に目的と方法を説明し了解と協力を得たのち，一般状態の確認，保温，プライバシー保護を行う | ・説明は，対象者が理解しやすい言葉を使用する |
| ②安楽な体位をとる<br>　包帯を装着する部位に応じて安楽な体位をとる．上肢に巻く場合には，肘関節を椅子の肘掛けや架台にのせるなど安楽に配慮する．看護者は対象者に向き合い，立位または坐位で行う | ・四肢を浮かせておく姿勢は対象者の負担となるため，適切に保持する・看護者のボディメカニクスに留意する |
| ③巻き始める<br>　患部は下から支え，動揺しないようにする．帯頭が帯身の上にある状態で，帯頭を体表面から離さず転がすように巻く．右利きであれば帯尾を左に帯頭を右にして持つ（図A）<br>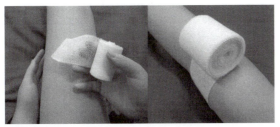<br>図A　持ち方 | ・帯頭が帯身の下にあると転がらず，帯身を引き出しにくいため，余計な張力をかけることになる・伸縮包帯はとくに張力がかかりやすいため，帯身の上に帯頭をのせる持ち方を徹底する |
| ④手関節に環行帯を巻く<br>　巻き始めは，帯尾を中枢側に向け，上肢に対して斜めに置き，1周したところで三角形に出た部分を折り返し，その上を重ねるようにもう1周巻く（図B） | ・環行帯はゆるみやズレを防ぐために巻き始めと巻き終わり，巻き方変更時や包帯を継ぐときに行い，いずれも，安定した場所を選ぶ |

| 準備 | 根拠/注意点 |
|---|---|
| 図B　巻き始め | |
| ⑤末梢から中枢へ螺旋帯で巻く<br>　巻き進めやすく，静脈還流を妨げない意味で，包帯は末梢から中枢へ向けて同じ力で巻く．螺旋帯の重なりは包帯幅の1/3〜1/2とし，等間隔でしわがないように巻く（☞図Ⅵ-3） | ・同じ力をかけた場合，径が大きくなるほどかかる圧力が小さくなる（ラプラスの法則）ことから，上肢のように末梢側が細く中枢側が太い形状では末梢から中枢へ同じ力で巻くことで，静脈還流を促す段階的圧差（graduated compression）ができる[8]<br>・巻きムラやしわがあると，体表面への圧差や摩擦が生じ皮膚への刺激となることで，瘙痒感や疼痛，褥瘡の原因となる |
| ⑥前腕の円錐状の部位に折転帯を巻く<br>　折転をかけた部位が1列に並ぶように巻く．折転帯から，亀甲帯や麦穂帯などに移行する際には折転をかけるのは偶数回（帯頭が帯身の上に戻る）とし，環行帯をしてから次の巻き方に移る（☞図Ⅵ-5） | ・綿包帯で円錐状の面に螺旋帯を巻くと体表面との間に隙間ができてずれやすくなる．折転帯を用いると体表面に沿うため摩擦が大きくなり，ずれにくくなる<br>・折転帯は不安定なため最後は環行帯で固定する<br>・伸縮包帯を用いる場合は円錐状の部位でも隙間ができにくいため螺旋帯で巻けるが，細い側にずれやすい |
| ⑦肘関節は良肢位で亀甲帯を行い，上腕は形状に応じて折転帯を用いる（☞図Ⅵ-6） | ・亀甲帯は，関節の動きを妨げない巻き方である<br>・上肢と体幹，手指など皮膚が隣り合う場所は皮膚が接しないよう別々に巻く．これは，発汗や不感蒸泄によって皮膚が浸軟することや，摩擦・圧迫といった機械的刺激を避けるためである<br>・伸縮包帯を関節に用いると螺旋帯でも動きを妨げない利点がある．ただ，被覆目的の場合は動きによってずれやすいため亀甲帯を用いるほうがよいとの実験結果もある[8] |
| ⑧必要な部分まで巻いたら，環行帯を巻く<br>できるだけ形状が単純な部位で行う | ・形状が複雑な部位や関節などの動く部位は，ずれやすいため避ける |
| ⑨包帯を留める<br>　留める場所は身体の前面か外側とし，患部や関節，身体後面および内側は避ける．固定方法は，テープ・結び留めなどから適切な方法を選択する（図C） | ・患部の上は痛みを誘発する<br>・関節部は関節運動の妨げとなる<br>・内側の皮膚は比較的薄く傷つきやすい<br>・身体の後面は仰臥位や坐位で体圧がかかり，疼痛や褥瘡の原因となる |

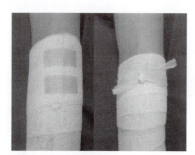

図C　包帯の留め方

(表Ⅵ-2 つづき)

| 準　備 | 根拠/注意点 |
|---|---|
| ⑩実施中を通して観察をする<br>　包帯実施中を通して緊縛感，疼痛，しびれなどの不具合がないかを尋ね，最後にも確認する | ・安全かつ安楽に実施するため |
| ⑪衣類などを美しく整える<br>　袖，襟，裾を整え，衣類による圧迫がないかを確認する | ・長時間装着するものであり，対象への身体的・精神的社会的影響を考慮し，美しく整える |
| ⑫終了したことを告げる<br>　協力への感謝とねぎらいの言葉をかける．起こり得る症状を説明し，不快な状況があればすぐに知らせるよう協力を求める | ・異常や苦痛への速やかな対応のため |
| ⑬使用した物品を片づける<br>　感染性廃棄物を適切に廃棄する．物品の移動や周囲の汚染があれば，元に戻す | ・感染予防と安全のため |

表Ⅵ-3　巻軸帯のサイズと適応部位の目安

| 規格（幅） | 2裂<br>15〜16 cm | 3裂<br>10〜11 cm | 4裂<br>7.5〜8 cm | 5〜7裂<br>4〜6 cm | 8裂<br>3.7〜4 cm |
|---|---|---|---|---|---|
| 適応部位 | 胸部・背部 | 鼠径・大腿 | 頭部・四肢 | 頭部・上腕<br>下腿・足 | 手指足指 |

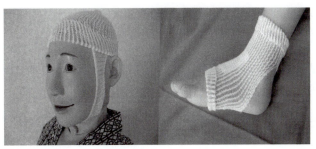

図Ⅵ-8　伸縮ネット包帯の用い方

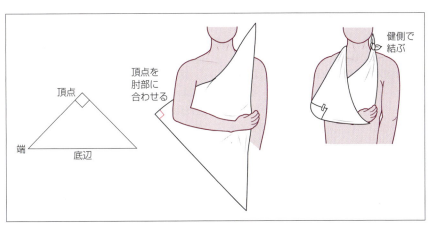

図Ⅵ-9　布帛白包帯（三角巾）の用い方（提肘三角巾）

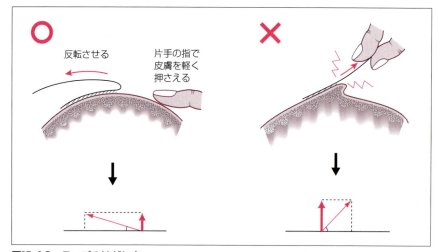

図Ⅵ-10 テープのはがし方
下のベクトル図形の上向きの↑（皮膚にかかる力）が大きいほど、皮膚への刺激が大きい．

#### 6. 包帯装着中の看護の要点
①目的の効果が得られているかを観察する．
②対象に苦痛がないかを確認する．
③循環状態，ずれやゆるみの有無を観察する．とくに，意識障害や麻痺がある場合は慎重に観察する．
④四肢や体幹の径は，患部の腫脹・浮腫のほか，日内変動や食事・体位などで変化するため，適宜巻き直しをする．
⑤湿潤や汚染がみられたときには，速やかに巻きかえる．
⑥包帯の継続が必要かどうかを常に評価する．

### 2 ドレッシング

ドレッシングとは主に創の修復や保護を目的とした衛生材料を指す．目的，創の深さや感染の有無，滲出液の量，ドレーンの有無などによって選択する．ドレッシング材の選択や用い方に関しては専門書を参照されたい．

〈実施時の留意点〉
治療に伴うドレッシングは医療チーム内での連携のもと，医師の診断・指示で実施する．ドレッシング材を交換・除去するときには，疼痛や表皮の傷害が少ない方法をとる．また，取り除いた後は，漫然と同じ種類のものを使用するのではなく，十分に観察・評価したうえで適切なものを選択する．
テープでドレッシング材を固定する場合は十分にテープを引き出してからテープ先を皮膚に貼り，ドレッシング材上を渡し，適切な長さに切った後，引っ張らずに貼付する．原則として，テープを貼り替えるさいには同一箇所に貼付しないが，避けられない場合には低刺激性の材質を選び，接着面を最小限にする，角を丸く切り落とすなど愛護的な方法をとる（図Ⅵ-10）．ドレッシング材でも同様の配慮をする．

## E 症状緩和技術としての包帯法

### 1 下肢圧迫包帯による静脈還流の促進

包帯による症状緩和効果のひとつとして，下肢静脈還流の促進を例示する．包帯による下肢の圧迫は，下肢静脈瘤に対する硬化療法などと併用され，効果が検証されているほか[9,10]，術後肺動脈塞栓症の予防法として医療現場で活用されている[11]．また，汎自律神経失調に伴う起立時血圧低下に対する効果が示唆されている[12]．

静脈還流は筋ポンプ作用の補助と微小循環の改善によって促される（図Ⅵ-11）．表在静脈を圧迫することで静脈血の深部静脈への流入が促進され，筋を物理的に圧迫することで，筋ポンプ作用を補助する．人では主にヒラメ筋静脈洞がポンプ作用を担うとされている．また，圧迫によって組織圧が上昇して浮腫が軽減され，微小循環が改善する．下肢圧迫のための包帯材料には主に弾力包帯と弾性ストッキングが使われる．

弾力包帯は着脱が容易で廉価な半面，圧が一定に維持しにくく美的に劣る．弾性ストッキングは圧迫圧が維持でき美的に優れるが，着脱がむずかしく比較的高価である．最近では，圧迫圧が高いストッキ

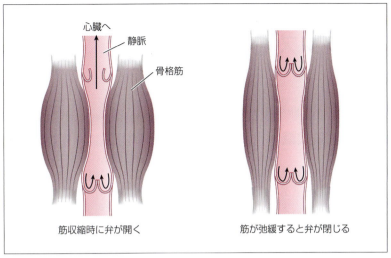

図Ⅵ-11 筋肉のポンプ作用
［佐伯由香：循環系.新看護生理学テキスト（深井喜代子，佐伯由香，福田博之編），201 頁，南江堂，2008 より引用（一部改変）］

ングの履きにくさを解決する方法として，やや低い圧迫圧のものを 2 枚を重ねて履く方法や弾力包帯と組み合わせる方法などが工夫されている[13]．

弾力包帯には軽度から高度の伸縮性のものがある．両者を比較すると，高度伸縮性包帯は，柔軟で複雑な形状の足関節部にも密着するため段階的圧差を維持しやすいが，立位では下腿の径に追随しやすいため，ポンプ作用に影響しにくい．軽度伸縮性のものは柔軟性に欠け，足関節部への効果的な圧迫を加えにくいが，ポンプ作用を促すといわれる[8]．

### 2 生活支援技術としての包帯法

包帯法は，起立時の血圧低下を予防し，浮腫による関節可動域制限や動作時の疼痛などの症状を緩和することで，日常生活動作を間接的に支援することができる．

### ●引用文献

1) Herrmann EK：The dying art of bandaging. Western J Nurs Res **14**：791, 1992
2) Thomas A, Harding KG, Moore K：Alginate from wound dressing activate human macrophages to secrete tumor necrosis factor-$\alpha$. Biomaterials **21**：1797-1802, 2000
3) Grzybowsky J, Oldak E, Antos-Bielska M, et al.：New cytokine dressing I-Kinetics of the in vitro rtG-CSF, rtGM-CSF, and rhEGF release from the dressings. Int J Pharm **184**：173-178, 1999
4) 山田 洋，木塚朝博，増田 正ほか：短期筋固定が最大随意収縮に与える影響の Twitch Interpolation 法による解析．体力科学 **52**：51-64，2003
5) 榊間春利，甲斐 悟，小澤淳也ほか：ギプス固定によるラット下腿の萎縮と回復．理学療法学 **27**：174-179，2000
6) 樋口謙太郎：皮膚 pH および中和能について．皮膚科の臨床 **9**：89-98，1966
7) 服部素子，榎田守子，蛭子真澄ほか：診療援助技術における包帯法の検証．神戸市看護大学短期大学紀要 **22**：19-31，2003
8) 平井正文，牧 篤彦，岩田博英ほか：弾力包帯における下肢各部位圧迫圧の検討．静脈学 **11**：53-57，2000
9) Wertheim D, Melhuish J, Williams R, et al.：Measurement of forces associated with compression therapy. Med Biol Engineer Comput **37**：31-34, 1999
10) 平井正文：下肢静脈硬化療法後の圧迫療法．静脈学 **11**：217-223，2000
11) 山口正秀，山根哲郎，中島 晋ほか：胃癌・大腸癌術後肺動脈塞栓症の検討と弾性ストッキングによる予防法．日本臨床外科学会誌 **64**：785-790，2003
12) 阿部和夫，佐藤睦美，高梨まや子ほか：「起立性低血圧に対する弾性包帯の効果」—近赤外線スペクトロピーによる検討．リハビリテーション科診療近畿地方会誌 **2**：14-16，2001
13) 平井正文，岩田博英，宮崎慶子ほか：圧迫療法の正しい応用，継続使用への戦略．静脈学 **23**（4）：389-395，2012

# 2 体液バランスを保つケア

## A 体液についての基礎知識

　地球上の生命は1個の細胞からなる単細胞生物として出現し，複数の細胞で構成される多細胞生物へと進化する過程で組織（特殊な機能を持った細胞群に分化）が形成され，地球誕生から数十億年を経て人類 Homo sapience が誕生した．すなわち，人間（人）は「細胞」からできている．皮膚を外界との境界として60兆個もの細胞からなる個体としてのヒト（human beings）は，体内の海と言うべき海水の成分に似た液体の中に細胞を浸らせ，その液体から酸素や栄養を取り入れ，老廃物を排出することで細胞は生き，人は生きている．

　この体内の中の液体を体液（body fluid）と言い，細胞外液や細胞内液といったさまざまな液体が存在するが，体液はそれらの総称である．

### 1 体液の区分

　体液は，大きく「細胞内液」と「細胞外液」に分類される．細胞内液は細胞の中にある体液であり，細胞の代謝と恒常性維持（homeostasis）のために細胞膜を通して電解質，非電解質を細胞外液から浸透圧によって輸送されている．細胞外液は細胞の外にある体液であり，血管の中を流れる「血漿」と，細胞と細胞の間に存在する「組織間液（組織液）」がある（図Ⅵ-12）．細胞外液は外界からの刺激に対応しながら組成を変化させ，細胞内液の恒常性維持のために電解質，非電解質を輸送し，細胞の代謝でできた老廃物を細胞から受け取る．

### 2 体液の量・分布

　体液の総量は成人で体重の60％に相当する．細胞内液が40％，細胞外液が20％であり，細胞外液はそのうちの15％が組織間液，5％が血漿である（図Ⅵ-12）．この体液の総量は，体型や年齢によって比率が異なる．体液の総量は，新生児や乳児では70〜77％程度あり，成人になると60％程度に減っていく（図Ⅵ-12）．

### 3 体液の成分

　体液には，溶液の中でイオンとして解離する電解

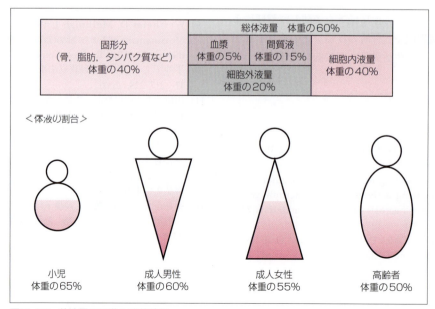

図Ⅵ-12　体液量の区分と総体液量

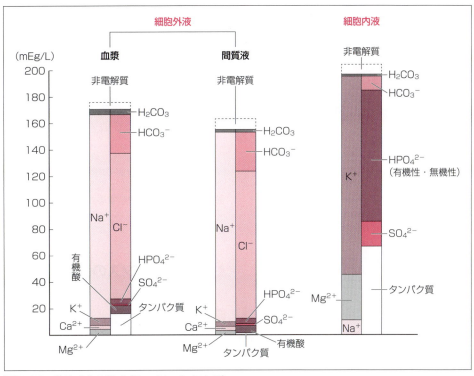

図Ⅵ-13 体液成分の組成（Gamble JL による）

質（electrolyte）と，溶液中で解離しない非電解質が含まれる．電解質の主なものは，$Na^+$ [*1]，$K^+$，$Cl^-$，$Ca^{2+}$，$Mg^{2+}$，$HCO_3^-$，$PO_4^{2-}$ などであり，非電解質は，ブドウ糖，脂質，尿素，尿酸などである．タンパク質（アルブミン）は，陰イオンであり，アミノ酸類は両性イオンである．

細胞外液の主な成分が，$Na^+$，$Cl^-$，$HCO_3^-$ であるのに対して，細胞内液は $K^+$，リンが主で，タンパク質も重要な部分を占めている（図Ⅵ-13）．

### 4 体液バランス（成分バランスと体液量バランス）

体液の恒常性の維持は，体液が体内で不変であるということではなく，たえず体液つまり溶液と溶質が出入りを繰り返しながら，一定の安定した状態を維持しているということである．体液が身体の外から入り，身体の外に出るものとの差し引きを体外バランスと呼び，組織間液と細胞内液との間での出入りを体内バランスと呼ぶ．

体外バランスとして，一般的に言われている水分出納がある（表Ⅵ-4）．体内に取り入れられる水分

表Ⅵ-4 水分の摂取と排泄（体重70 kg，1日あたり，Gamble JL による）

| 摂取（mL） | | 排泄（mL） | |
|---|---|---|---|
| 食物として | 1000 | 排尿・排便 | 1600 |
| 飲み水 | 1200 | 呼吸や汗として | 900 |
| 代謝水（体内でつくられるもの） | 300 | | |
| 計 | 2500 | 計 | 2500 |

は，飲水，食物中の水分，体内で糖や脂肪が酸化された時にできる燃焼水（代謝水とも呼ばれる）であり，排泄される水分は，尿，便，汗・涙・鼻汁のほかに，呼気や皮膚からの不感蒸散（もしくは不感蒸泄ともいう）である．不感蒸散とは，気道や皮膚から感じることなく水分喪失することであり，汗や鼻汁などの感覚として認識できる水分の喪失は含まない．体内で生じた不要物質を排出するために成人でおよそ1,200～1,500 mL/日の尿を排出し，体内の恒常性を維持している．体外に排出される総水分量は 1,200～1,500 mL（尿）＋800 mL（不感蒸散）＋100 mL（便）＝2,100～2,400 mL となる．表Ⅵ-4に示すように，代謝を含む総水分摂取量も通常は 2,500 mL程度であるので体液バランスが保たれる．水分摂取量が多くなった場合，不感蒸散は一定であ

---

[*1] $Na^+$：ナトリウムイオンと読む．本書ではイオン化物は化学式で表し，そうでない原子や分子はナトリウム（Na）と表記する．

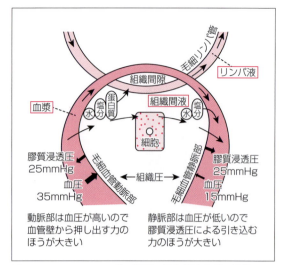

**図Ⅵ-14 スターリングの仮説に伴う体液移動の機構**
[菱沼典子:図1-3 体液の移動の機構,看護形態機能学,日本看護出版会,2019を参考に作成]

**図Ⅵ-15 血漿のpH**

$$pH=6.1+\log\frac{HCO_3}{H_2CO_3}$$

炭酸を分解すると水と二酸化炭素になる.分解後,揮発性の二酸化炭素を肺から体外に,多少の水分も含ませ排出し,pHの恒常性を保っている.

$$CO_2 + H_2O \Leftrightarrow H_2CO^3 \Leftrightarrow H^+ + HCO_{3-}$$

腎臓ではH⁺を能動的に排出することと,HCO₃⁻を再吸収することでpHの恒常性を保っている.

**図Ⅵ-16 pH値を決定する式**

るので多量発汗や下痢がない限り希釈尿として尿量が増え,逆に水分摂取量が減少すると濃縮尿として尿量を減少させる.体内の水分量はこのように調節されている(水分の出納バランス).

体内バランスとして,水分は,血漿,組織間液,細胞内で自由に行き来し,電解質も血漿と組織間液の間で行き来している.水分は,スターリングの仮説*2に従い,浸透圧と血圧の関係で血漿,組織間液,細胞内を移動し,筋肉の動きによって分子の大きいタンパク質や異物,不要な水分はリンパ管にも移動している(図Ⅵ-14).

体液のバランスとしてもっとも重要視されるのがpH(potential Hydrogen, power of Hydrogen:水素イオン指数)である.pHの許容範囲は狭く,7.35〜7.45である(図Ⅵ-15).pHは血液中の炭酸($H_2CO_3$)濃度と重炭酸イオン($HCO_3^-$)濃度によって決まり(図Ⅵ-16),肺と腎臓を使って調節されている.

---

*2 スターリングの仮説:静水圧(密度×重力の加速度×深さ)で表される圧力と膠質浸透圧の差により,毛細血管領域で濾過と再吸収が行われているとする説(生理学用語集,日本生理学会編 南江堂).

## B 体液バランスの乱れ

### 1 脱水症

#### 1. 病態生理

体液量の欠乏した状態が脱水症(dehydration)である.脱水は,水分の体外への排出量が体内への摂取量より多くなったために体液量の減少,とくに細胞外液の欠乏が生じた結果,起こる病態である.体液の溶質,とくにNa⁺の変動を伴うことが多い.細胞外液の水とNa⁺の割合により,等張性脱水症,高張性脱水症,低張性脱水症に区別される(図Ⅵ-17,表Ⅵ-5).

#### 2. 種類

1) 等張性脱水症

大量出血などによって細胞外液とほぼ同じ組成の体液が喪失する場合に起こる.等張性脱水が生じると,腎性調節が働いて尿中へのナトリウムの排泄を制限し,細胞外液中のNa⁺濃度を正常に保とうとする.組織間液や循環血液量の減少のために,心拍出量の低下,血圧低下,脈拍数の増加,皮膚緊張(ツルゴール,turgor)の低下などが生じる(287頁参照).循環血漿量の減少が高度になればアシドーシスや腎不全をきたす.しかし,細胞内の水,電解質は保たれているので,意識障害やけいれんなどの神経症状は現れない.

2) 高張性脱水症

主に水分の喪失によって体液が濃縮された状態である.この脱水症では,細胞外液中のNa⁺やブドウ糖などの浸透圧物質の上昇により,細胞外液の浸透圧が上昇する.そのため細胞内の水が細胞外に移動し,細胞内脱水を起こす.腎臓は,細胞外液中のNa⁺などの浸透圧物質を尿中に排泄して細胞外液を

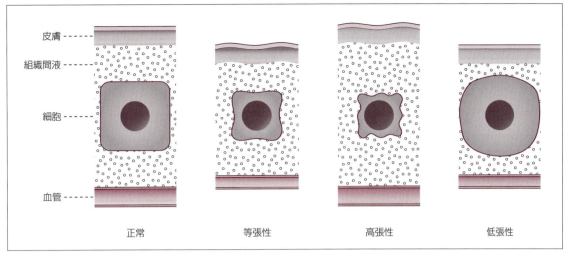

図Ⅵ-17　各種脱水の模式図

[野崎　修：脱水．臨牀看護 16（4）：2114，1990 より引用]

表Ⅵ-5　脱水をきたす原因

| 等張性脱水 | 高張性脱水 | 低張性脱水 |
|---|---|---|
| 大出血<br>急性嘔吐<br>急性下痢 | 熱射病<br>日射病<br>尿崩症<br>糖尿病性昏睡<br>高張液輸液 | 多量飲水<br>長期嘔吐<br>長期下痢<br>腎障害<br>副腎皮質機能不全 |

等張性にしようとする．細胞内からの水の移動により細胞外液量は比較的保たれる．そのために心拍出量や血圧は維持され，尿量減少は軽度である．しかし細胞内脱水が生じるために分泌細胞の機能は低下して，強い口渇，精神的不穏，けいれん，昏睡などの神経症状や発熱が出現する．

3）低張性脱水症

　脱水と同時に $Na^+$ 欠乏を認める状態である．細胞外液の $Na^+$ 濃度の低下のためにその浸透圧は低下して，細胞外液中の水が細胞内に流入する．そのために細胞の膨化，細胞内電解質濃度の低下が生じ，細胞の正常な活動が障害される．皮膚緊張は低下しないが，脱力感，傾眠状態を認める．細胞外液が体外に失われるだけでなく，細胞内へ移行するので，循環血液量の減少が生じ，血圧低下，頻脈，尿量減少，皮膚蒼白などをきたす．低張性脱水時に電解質を含まない水のみを補給すると，大量の水が細胞内に入って細胞内浮腫が高度になり，脳浮腫をきたし，悪心，嘔吐，昏睡などの神経症状が出現する．

## 2 浮腫

### 1．病態生理

　浮腫（edema）とは局所または全身的な細胞外液量，とくに組織間液が病的に増加した状態であり，日常的には「むくみ」といわれている．メカニズムとしては，血管から組織へ多量の体液成分が移動すると，血管内の血液が減少する．この結果，レニン-アンギオテンシン-アルドステロン系の作用で体内に $Na^+$ の貯留が起こり，次に下垂体から抗利尿ホルモンが分泌され，腎臓における水の排出を抑制して循環血液量を保つ．このため，浮腫が起こると尿量が減少し体重が増加する．浮腫の発生因子は大別すると2つである．1つは，局所的に水と $Na^+$ が血管から組織間隙に出入りする機構に関係する局所性因子と，もう1つは，腎臓での水と $Na^+$ の排泄機構の調節にかかわる全身性因子もしくは腎性因子がある．これらを図Ⅵ-18に示す．

### 2．種類

　全身の組織に体液が蓄積する場合を全身性浮腫，身体の一部の組織に貯留する場合を局所性浮腫という（表Ⅵ-6）．

1）腎臓性浮腫

　糸球体濾過量（glomerular filtration rate：GFR）の低下に伴って尿中の $Na^+$ 排泄量が減少する場合と，尿細管の $Na^+$ 再吸収が亢進して，尿中 $Na^+$ 排泄量が低下する場合がある．ネフローゼ症候群の浮腫は，血漿タンパク質が尿中に排出され，血漿内のタンパク質濃度が低下し（低アルブミン血症），血漿の膠質浸透圧が低下することによって生じる．

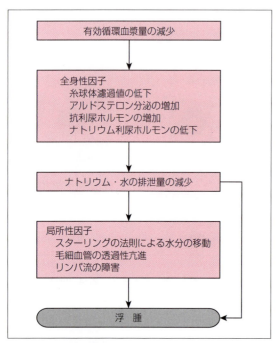

図Ⅵ-18 浮腫の要因
[山門 實：浮腫(むくみ), JJNスペシャル No.42, 13頁, 医学書院, 1994より引用]

表Ⅵ-6 浮腫の型

1. 全身性浮腫
   1) 腎臓性浮腫
   2) 肝臓性浮腫
   3) 心臓性浮腫
   4) 内分泌性浮腫
   5) 栄養性浮腫
   6) 妊娠時の浮腫

2. 局所性浮腫
   1) 顔面の浮腫：クインケの浮腫, 血清病, 顔面の炎症, 上大静脈の狭窄
   2) 胸壁・背部の浮腫：膿胸, 大動脈瘤, 縦隔洞の疾患, 上大静脈の狭窄
   3) 上肢の浮腫：縦隔洞腫瘍, 大動脈瘤, リンパ節腫, 片麻痺, 静脈血栓
   4) 一側下肢の浮腫：股静脈炎, 象皮病, リンパ管炎, 片麻痺
   5) 両側下肢の浮腫：腹部に下大静脈を圧迫する原因がある場合

[阿部正和：浮腫の種類, 看護生理学, 第2版, 116頁, メヂカルフレンド社, 1985より引用]

### 2) 肝臓性浮腫

肝臓機能の低下によってアルブミン合成の低下が起こり, 低アルブミン血症が生じる. そのため血漿の膠質浸透圧が低下して浮腫が生じる. 加えて, 肝臓疾患による線維の増加や結節の形成により, 肝静脈枝や門脈枝が圧迫され, 肝内の静脈圧や門脈圧が上昇し, 水分を組織中に押し出してしまうことも浮腫の原因である. 肝臓浮腫の場合は腹部周辺に体液が貯留することが多く, 腹水という症状で現れる.

### 3) 心臓性浮腫

うっ血性心不全による場合が多い. うっ血性心不全では, 心臓のポンプ機能が低下した結果, 末梢の静脈圧が上昇し, 血漿中の水分が組織間質に移動して浮腫が生じる. それ以外の心不全による浮腫は, 心拍出量, 血圧の低下によって循環血液量が減少することから, 腎臓の$Na^+$の再吸収が亢進し, 血漿浸透圧が上昇し水分を移動させるため生じる.

## C 体液バランスのアセスメント指標

### 1 日常生活の中で判断できる指標

体液の過不足を日常生活上で判断するには以下の内容がないか確認をする. 高齢者の脱水はとくに自覚症状が少なく意識障害となってから発見される場合も少なくない. 普段よりも「舌・口腔内が乾燥する, 皮膚が乾燥し弾力性がない, 疲れやすく, 立ちくらみがある, 意識の鈍化など」を認める場合, 脱水の可能性もある.

一方, 上記の症状は脱水のみの症状ではないため, 検査や診察所見を合わせて判断していく必要がある. 指で皮膚を圧迫すると, 通常は陥没が元に戻るが, 浮腫の場合は戻らず陥没したままである. 眼球の陥没や涙の減少も脱水の指標となる場合がある. 乳児の場合は大泉門の陥没を認めることがある.

### 2 検査所見

#### 1. 体重測定

体液水分量の変化を鋭敏に表す指標であり, 簡便さも考慮すると非常に有用な指標である. しかし測定誤差が生じやすい点もある. 衣服の重さや車椅子の重さなどを考慮して毎日の体重変化を見ていく必要がある. 排泄をすませ, 同じ測定時刻に測定する. 一般に, 体重1kgの増減は体内の水分1Lの増減に相当する.

#### 2. 尿検査

尿量, 尿比重, 尿中$Na^+$濃度を測定し, アセスメントする. 腎臓は血漿量の増減に影響を受けやすい臓器である. 血漿量が低下すると糸球体濾過量も低下し, 尿量は低下する. 尿量が少ない場合, 尿比

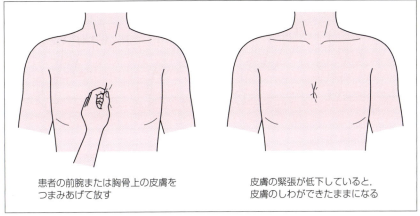

患者の前腕または胸骨上の皮膚をつまみあげて放す　　皮膚の緊張が低下していると、皮膚のしわができたままになる

図Ⅵ-19　つまみ試験（ツルゴール反応）

重が高くなるので、濃い尿が観察されることが多い。逆に尿量が多い場合は、尿比重が低くなり、薄い尿が観察できる。血管内脱水の際に腎臓は細胞外液量を増加させるために$Na^+$を保持しようとする。そのため尿細管での$Na^+$の再吸収は促され、尿中$Na^+$濃度は25 mEq/L 未満になる。

### 3. 血液検査

脱水で血漿量が減少し、血液が濃縮されると、ヘマトクリットや血清タンパク濃度が高くなる。血漿量の減少によって$Na^+$の再吸収が増加して尿素窒素の再吸収も増加することで血液中の尿素窒素（BUN）が上昇する。

### 4. 水分出納

体内に取り入れられる水分量と体外に排出される水分量のバランスを測定する。ドレナージや吐物などがある場合はそれも排出量として含めることを忘れないようにする。

## 3 診察所見

### 1. 腹囲測定

腹水貯留の程度と変化を推測する。体重と同様、測定時間を決めておく。患者に仰臥位になってもらい、膝を曲げ腹部の緊張を和らげて、臍平面の胴囲（腹囲）を巻尺で測定する。

### 2. バイタルサイン

1）脈拍

緊張が高く圧迫しても簡単に減退しない場合は、心拍出量が多いことを示し、逆に圧迫するとすぐに減退する場合は、心拍出量の低下を示す。

2）呼吸

呼吸の数と深さが同時に増加し、不感蒸散が増加して体液喪失を招く。

3）血圧

心拍出量によって変化するため、心拍出量低下で拡張期血圧よりも収縮期血圧が低下する。

4）体温

発熱によって代謝が亢進すると発汗が生じること、呼吸数の増大で不感蒸散が増加すること、腎臓からの排泄が促されることで、体液の喪失を招く。

5）意識

体液バランス（酸塩基平衡）が崩れることで意識障害を引き起こす。

### 3. 皮膚，粘膜の状態

1）ツルゴール

ツルゴール（turgor）とは、皮膚の緊張のことを指す。体液量が不足すると胸骨や鎖骨などの骨が目立つ部位の皮膚をつまむと、その皮膚が数秒間戻らずテント状になることを「ツルゴールが低下する」と表現する（図Ⅵ-19）。一般に前胸部で検査することが多い。とくに小児脱水時に有用な所見といわれている。

2）皮膚・粘膜の乾燥

腋窩の湿り気度合、舌の乾燥、口腔粘膜の乾燥で体液量の不足がアセスメントできる。口腔粘膜の乾燥は、指で頬部と歯肉の間をなぞって乾燥しているか確認してみる。

3）浮腫

体液量が過剰である場合は、皮膚を示指で数秒間圧迫し、指を離した際の圧迫部の陥没の程度を評価する（図Ⅵ-20）。

### 4. 中心静脈圧の測定

中心静脈圧の正常値が5〜12 cm $H_2O$ である。5 cm $H_2O$ 以下であれば体液量の不足、12 cm $H_2O$ 以上であれば、体液の過剰を予測できる。

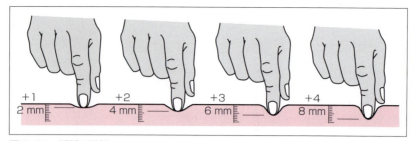

図Ⅵ-20 浮腫の評価

[Elkin M：Nursing Intervenstions and Clinical Skill, p.174, Mosby, 1996 より引用]

## D 体液バランスを整えるためのケア

### 1 日常生活におけるケア

1) 年齢による体液量の変化を考慮して体液バランスのケアを行う

小児や高齢者は脱水になりやすいと言われている。小児は成長発達過程であることから代謝が激しいこと，体表面積が大きいことから，成人よりも不感蒸散や尿量が多い．一方，高齢者は，成人よりも体液量が少ないために少量の体液喪失でも脱水を起こす可能性が高い．また感知能力が低下しているため体液量が低下していても口渇を感じにくい．そうしたことから高齢者の場合，脱水が進んでから発見されることが多いため積極的に水分摂取を促すようにする．

2) 炎天下の活動や急激で多量の発汗時には水分と塩分の補給を促す

猛暑時の活動や激しいスポーツの後は，発汗が多く水分だけではなく塩分も体外に排出されている．そのため水分のみの補給ではなく，塩分も含まれた水分の補給を勧め体液バランス調整に努める．

3) 下痢や嘔吐時は水分と電解質を補給する

下痢や嘔吐時は水分とともに電解質も喪失する．そのため水分補給だけを行っていると電解質バランスが崩れ，低張性脱水に陥る．発熱や口渇感，皮膚・粘膜の乾燥も少ないため，進行するケースも少なくない．進行すると全身倦怠感や眠気がみられ，手足は冷たく脈拍が弱くなる．留意しながら電解質が含まれた水分＊を補給をすることが重要である．

### 2 輸液の管理

1) 何の目的の輸液管理かを理解する

輸液を行う目的は，薬物を投与するため，喪失した体液を補充するため，栄養補給，体液内の恒常性が崩れているのを戻すため，などがある．目的によって輸液の種類も変わることから，医師が処方した薬物の目的が達成できるように適切に患者に投与できているか観察する．

2) 循環血液量を維持するための維持輸液を管理する

前述した輸液の目的の1つである喪失した体液の補充と，体液内の恒常性の崩れを戻すために維持輸液が処方される．実際に失われた水と電解質を補うので，血液ならびに尿検査結果も見ておく必要がある．また尿・便，不感蒸散も考慮して輸液量，輸液内容を管理していく．

3) 輸液速度を管理する

輸液製剤によって輸液速度の上限は決まっており，それに基づいて医師から指示が出される．したがって，輸液速度が指示どおり守られているかを随時管理する必要がある．急速な輸液の注入は心臓に負担をかけ，体液バランスを崩すので注意する．

●参考文献

1) 深井喜代子, 佐伯由香, 福田博之編：新・看護生理学テキスト　看護技術の根拠と臨床への応用, 南江堂, 2008
2) 増田敦子：解剖生理をおもしろく学ぶ, 医学芸術新社, 2008
3) 星猛他共訳：医科生理学展望, 医学生理学の一般的および細胞学的基礎, 丸善, 2002
4) 黒川　清：水・電解質と酸塩基平衡, 南江堂, 1996
5) 和田孝雄：臨床家のための水と電解質：医学書院 1984
6) 本間研一監：標準生理学, 第9版, 医学書院, 2019
7) 阿部正和：看護生理学, メヂカルフレンド社, 1985
8) 菱沼典子：看護形態機能学 生活行動からみるからだ, 第4版, 日本看護協会出版会, 2017

---

＊無糖のものを選ぶようにする．

# 3 浮腫のケア（用手リンパドレナージ）

## A リンパ浮腫の基礎知識

### 1 浮腫の原因と背景

　浮腫は，飲酒後や終業後の夕方など，日常生活で目にする症状である．一方で，疾患や治療に伴う症状であることから，浮腫のケアのためには，第一に浮腫の鑑別が重要である．

　体液の循環システムを担う脈管系には血液循環系とリンパ循環系がある．血液循環系は心臓から血液が拍出されることから始まり，諸臓器や四肢に送られる体循環と肺に送られる肺循環からなる．血液循環によって，すべての細胞に酸素や栄養素などを送る．毛細血管では，赤血球から受け取った酸素や栄養素，水分を豊富に含んだ血漿が漏れ出して組織間液となり，細胞は組織間液から代謝に必要な物質を受け取り，代わりに二酸化炭素などの不要な物質を放出する．この組織間液の約90％は静脈系の毛細血管で再吸収されるが，残りの10％程度はリンパ管で回収され心臓に戻る．後者をリンパ循環系という[1-2]．

　医学的には浮腫（むくみ）とは，細胞外液量，とくに組織間質液が貯留した状態（水が増えている）[2]をいう．つまり水分の動脈側からの供給と，静脈側およびリンパ管からの回収のバランスが崩れることにより生じる[2]．本項で取り上げる用手リンパドレナージは，原因が明らかなリンパ浮腫（慢性の病的状態[2]）に対して行うことを想定している．

### 2 リンパ浮腫の鑑別とケアの重要性

　リンパ浮腫とは，国際リンパ学会（International Society of Lymphology：ISL）では，「リンパの輸送障害に組織間質内の細胞性蛋白処理能力不全が加わって高蛋白性の組織間液が貯留した結果起きる臓器や組織の腫脹[3]」と定義されている．リンパ浮腫には大きく原発性（一次性）と続発性（二次性）がある（表VI-7）．

　臨床現場では，複合的治療を用いてセラピストや専門教育を受けた医療職による治療と，医師の指示の下で看護職が行う患者へのセルフケア教育に大別

表VI-7 リンパ浮腫の分類

| 原発性（一次性）リンパ浮腫 | 続発性（二次性）リンパ浮腫 |
|---|---|
| 先天性リンパ浮腫 | 手術（子宮がんや乳がんなど）の際のリンパ節郭清に伴うもの |
| 特発性リンパ浮腫（早発性，晩発性） | 放射線照射<br>感染症（蜂窩織炎，リンパ管炎など）<br>外傷，熱傷など<br>寄生虫（フィラリア）<br>深部静脈血栓症<br>悪性腫瘍の増悪 |

以下の文献を元に著者作成．
［佐藤佳代子編：リンパ浮腫の治療とケア，12頁，表2-2，医学書院，2005］
［北村　薫：リンパ浮腫全書，24-25頁，へるす出版，2010］

される．複合的治療は，感染予防目的のスキンケア，弾性包帯や弾性着衣による圧迫療法および圧迫療法下の筋肉ポンプを活用した運動療法，リンパの流れを促進する医療徒手リンパドレナージ（manual lymph drainage：MLD）[*1]，生活指導を含む．この中でも「手」を使ったケアは看護師のタッチの効果[4]と関連し，リンパ浮腫の症状緩和にも有用なケア[5]と期待できる．さらに，無治療のまま長期間経過すると，皮膚の乾燥・硬化そして象皮症などの合併症や，浮腫の悪化から関節機能障害なども生じる（図Ⅳ-21）．リンパ浮腫は一度発症すると完治が困難ともいわれていることから，24時間看護を提供する看護師が用手リンパドレナージ（manual lymphdrainage：ML）[*1]によるケアを実施することで，常に，皮膚の触診と視診そして自覚症状などの問診が可能となるなど，浮腫の早期発見・早期治療につなげられる重要なケアともいうことができる．

---

[*1] 本項では manual lymph drainage（MLD）と manual lymph-dranage（ML）を以下のように区別して使用する．
MLD：リンパ療法士などの有資格者や，リンパ浮腫治療に特化した講習会などを受講し専門的な知識と技術を持っている医療職者が行う用手リンパドレナージ．
ML：上記以外の看護職が，自己学習や院内教育などで技術を学び実施する用手リンパドレナージ．リンパ浮腫予防の患者教育の早期介入は重要であるため，専門家以外の看護師が患者と一緒に実施するケースをMLとする．

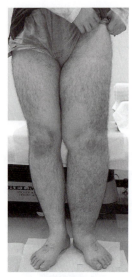

図Ⅵ-21　リンパ浮腫
[中尾富士子ほか：福岡医学雑誌 100（6）：235-241, 2009 より引用]

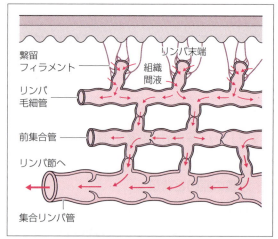

図Ⅵ-22　皮膚組織内のリンパ管の解剖
リンパ末端で組織間液を吸収し，リンパ毛細管→前集合管→集合リンパ管と運搬され，弁のはたらきにより逆流することなく中枢にリンパ液を輸送する．
[小川佳宏：月間ナーシング 29（13）：10, 2009 より引用]

表Ⅵ-8　病期分類（国際リンパ学会）

| | |
|---|---|
| 0期 | リンパ液輸送が障害されているが，浮腫が明らかでない潜在性または無症候性の病態． |
| Ⅰ期 | 比較的蛋白成分が多い組織間液が貯留しているが，まだ初期であり，四肢を挙げることにより軽減する．圧痕がみられることもある． |
| Ⅱ期 | 四肢の挙上だけではほとんど組織の腫脹が改善しなくなり，圧痕がはっきりする |
| Ⅱ期後期 | 組織の線維化がみられ，圧痕がみられなくなる |
| Ⅲ期 | 圧痕が見られないリンパ液うっ滞性象皮病のほか，アカントーシス（表皮肥厚），脂肪沈着などの皮質変化がみられるようになる． |

[日本リンパ浮腫学会編：総論．リンパ浮腫診療ガイドライン 2018 年版, 15 頁, 金原出版, 2018 より許諾を得て転載]

ただし，MLD と ML は区別が必要である[6]ため，リンパ浮腫の病期 0 期または I 期（表Ⅵ-8）などの早期[7]から専門家との協働によるケアができる体制作りも検討すべきである[8]．

## B 用手リンパドレナージ（ML）の実際（看護者が行うもの）

### 1 リンパ管系の走行

リンパ管系は，四肢や体幹の表面に近い表在リンパの1つである毛細リンパ管から始まり，段階的に深部リンパ管へリンパ液を運び，最終的に心臓に戻る．毛細リンパ管は皮膚側とつながった繋留フィラメント（anchoring filaments）[*2]で固定されており，これにより皮膚を動かすことで繋留フィラメントが毛細リンパ管の内皮細胞をけん引し，タンパク質などの高分子の物質でさえも回収できる構造となっている（図Ⅵ-22）．毛細リンパ管に入った組織間液はリンパ液と名前を変え，前集合管（最小リンパ管）を通り，集合リンパ管へと流れ込む．集合リンパ管以降は逆流防止弁が備わることからリンパ液の流れは一方向で進み，さらに合流を繰り返しながら深部のリンパ本幹へ流入し，最終的には左右の静脈角から静脈に合流し血液循環に戻る[11]（図Ⅵ-23）．

用手リンパドレナージ（ML）は表在リンパ管をターゲットとするため，リンパ管系の走行とリンパ液の流れ（図Ⅵ-23），主要なリンパ節（図Ⅳ-38, 142 頁参照）とリンパ分水嶺（図Ⅵ-24），そして，毛細リンパ管から回収し静脈までの輸送時間は 12〜24 時間[2]と非常に遅いスピードで動いていることなどを理解して実施することが必要となる．

---
[*2] リンパ管内皮細胞を皮膚に繋留（つなぎとめる）するコラーゲン線維．

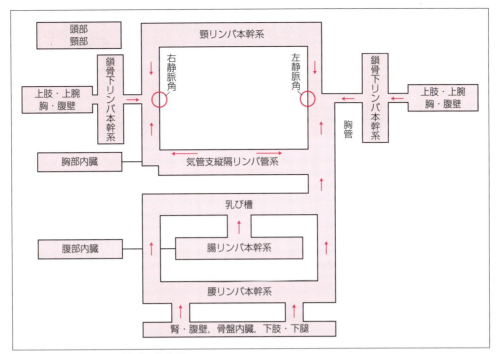

**図Ⅵ-23 全身のリンパ管系の模式図**
[大橋俊夫：リンパ管系の携帯と機能；リンパ浮腫との関連から．リンパ浮腫診療の実際―現状と展望（加藤逸夫監），4頁，文光堂，2003より引用]

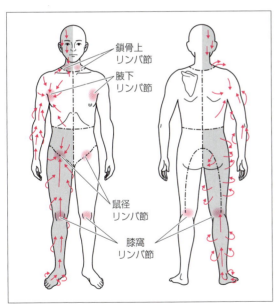

**図Ⅵ-24 リンパ分水嶺と表在リンパ管の走行**
破線はリンパ分水嶺を示す．
[佐藤佳代子：リンパ浮腫に対する保存的療法「複合的理学療法」．リンパ浮腫診療の実際―現状と展望，67頁，文光堂，2003を参考に作成]

リンパ分水嶺とは，毛細リンパ管同士のつながりが発達していない境界線である．そのため，この境界線を境にした上下左右の範囲のリンパ液は，同一範囲に所属する主要リンパ節に流れ込む．

### 2 MLの実施時期

臨床現場で広く実践されている複合的治療のうち各療法に関するエビデンスレベルの高い既存研究は少なく，とくに手を用いたドレナージ単独の介入に関する効果については疑問視されている．一方で，上肢リンパ浮腫の発症早期では改善した症例もあるという[10]．

リンパ浮腫の予防目的を含む複合的治療は病期分類の0期（**表Ⅵ-8**）から行う．ML単独のケアであっても，圧迫感，重量感，疼痛など種々の自覚症状を訴える場合や，浮腫の早期発見から治療へつなげるなど，二次的な効果を期待する立場としては0期からの実施も有用であると考える．ただし，「必ず浮腫を予防する」という断定はできないので，患者への説明の際には十分な説明と納得が必要であろう．

### 3 MLの方法

**1．健康なリンパ節にリンパ液を誘導する場合**

身体には多数のリンパ節が存在するが，そのうちMLDやMLでは，鎖骨上リンパ節，腋窩リンパ節，鼠径リンパ節などの主要なリンパ節（**図Ⅳ-38**参照）を利用する．

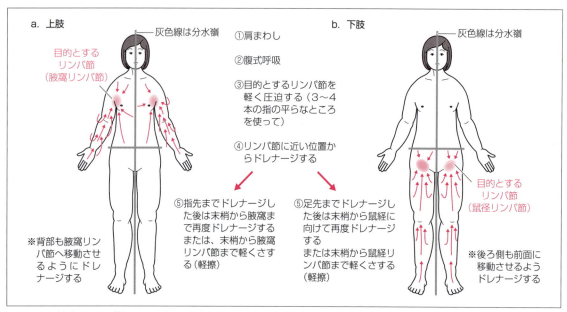

図Ⅵ-25 健康なリンパ節にリンパ液を誘導する方法（上肢・下肢）

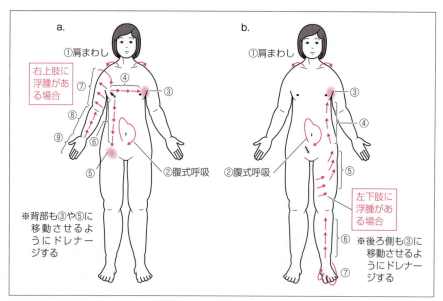

図Ⅵ-26 がん手術後の用手リンパドレナージ（ML）例
a. 右側乳がん症例（③と⑤の処理はどちらを先にしてもよいので順番は例としてのもの）
b. 腹腔内主要リンパ節郭清例

図Ⅵ-25はリンパ節にリンパ液を誘導する方法を示しているが、上肢（a），下肢（b）ともドレナージは図中の番号の順に実施する．図中の矢印は皮膚を動かす方向である．ドレナージではリンパ液を流す方向は，分水嶺で分けられた範囲にあるリンパ節の方向に向かってリンパ液を流す（図Ⅵ-24）．

## 2. がんの手術に伴うリンパ節郭清後のリンパ液を誘導する場合

図Ⅵ-26に，乳がんおよび婦人科がんを例にMLの実施例を示す．基本的には，切除したリンパ節の近隣にある健康なリンパ節を目指してリンパ液を誘導する．両図ともドレナージの順番は図中の番号どおりであり，矢印は皮膚を動かす方向である．

図Ⅵ-26aは，右側乳がんにより同側の腋窩リン

パ節郭清をした場合の例である．代替リンパ節は，左側の腋窩リンパ節（図中の③）と右側の鼠径リンパ節（図中の⑤）とした．

**図Ⅵ-26b** は，婦人科がんなど腹腔内の主要リンパ節をすべて郭清した場合の例である．腹腔内に近隣のリンパ節がないため，患肢側の腋窩リンパ節（図中の③）を目指したドレナージを行う．下肢の場合は，健側の下肢に浮腫が発症する可能性があるため，目指す主要なリンパ節やドレナージの方向に注意し，専門家や主治医と相談し実施することを推奨する．

### 3．実施前の準備

- 患肢の皮膚の状態を観察し熱感や炎症などがないことを確認する．乾燥が強い場合は，事前に，普段使用しているオイルやクリームなどで保湿する．
- 看護師は手を温め，手荒れがある場合は事前に保湿するなど患者の肌に触れた際に刺激にならないようにする．
- ML の際にオイルやクリームで滑らないよう，塗布時間と実施時間を調整する．
- 深部リンパ管へのアプローチは身体侵襲の危険性から専門的知識と技術を要する．ML および患者のセルフリンパドレナージの際には肩回しと腹式呼吸で代用する．

### 4．ML の実施手順

- 看護師は手掌全体で患肢の皮膚に密着させるように置く．
- 患肢に圧を加えることなく皮膚に平行に動かし，誘導する方向へ皮膚をストレッチさせる．皮膚と毛細リンパ管をつなぐ繋留フィラメントを引っ張ることで内皮細胞の隙間を広げ，そこから高分子のタンパク質などを流入させることをイメージするとよい．
- 皮膚をストレッチさせる際には，看護師の手掌と患肢の皮膚を擦ることや揉むなどの強い摩擦や1ヵ所を強く圧迫する指圧などはしないこと，ML は患者に痛みや不快感を与えるような手技はしないことを理解して実施する．
- 手を動かすスピードは，浮腫がある患肢は1秒間に1回を目安にゆっくりと行う[2]．
- 皮膚にかける圧迫力は 40 mmHg 程度が推奨[11]されている．ただし，リンパ浮腫が悪化し象皮症など硬化が著しい場合は専門家へ相談することが必要である．
- 感染症の急性期や炎症を起こしている時期，心臓や腎臓などの疾患に起因する浮腫，深部静脈血栓症の急性期，がんの進行などに伴う浮腫（緩和ケアを目的とする場合は除く），妊婦，などは避ける[2]．

### ●引用文献

1) 小川佳宏，佐藤佳代子：リンパ系の解剖・生理．リンパ浮腫の治療とケア，第1版（佐藤佳代子編），1-8頁，医学書院，2005
2) 北村 薫：浮腫（むくみ）．リンパ浮腫全書，第1版（北村薫編），8-12頁，107-108頁，へるす出版，2010
3) 小川佳宏，佐藤佳代子：リンパ系の解剖・生理．リンパ浮腫の治療とケア，第1版（佐藤佳代子編），10頁，医学書院，2005
4) 村上美華：タッチのケア．基礎看護学テキスト，第2版（深井喜代子，前田ひとみ編），321-323頁，南江堂，2015
5) 中尾富士子，古谷 彰，吉村耕一ほか：蜂窩織炎を契機に発症した二次性リンパ浮腫患者に対する複合的理学療法に基づく介入プログラムの効果．福岡医学雑誌 **100**（6）：235-241，2009
6) 中尾富士子，樋口有紀，小濱京子：「手」を用いる看護技術の重要性を改めて問う―女性の下肢の「むくみ」と用手リンパドレナージの効果に関する研究を通して―．看護研究 **52**（4）：308-311，2019
7) 中尾富士子：第1章 循環器系疾患 リンパ浮腫．根拠がわかる疾患別看護過程，第3版（新見明子編），92頁，南江堂，2021
8) 中尾富士子，江川幸二，作田裕美ほか：アクションリサーチによるがん治療に伴う続発性リンパ浮腫の予防と悪化防止に関する看護実践尾課題と解決過程．インターナショナル Nursing Care Research **18**（4）：41-50，2019
9) 中尾富士子：各論：がん患者へのケアとエビデンス「リンパ浮腫」．がん看護1・2月号増刊号 根拠がわかるがん看護ベストプラクティス **17**（2）：253-257，2012
10) 小川佳宏：エビデンスに基づいたリンパ浮腫の保存的治療．静脈学 **24**（4）：447-456，2013
11) Kettenhuber G, Shetty-Lee A, Heim C：Dr. Vodder's Manual Lymph Drainage. Lecture Notes for Basic Course. Dr. Vodder Schule.

# 4 褥瘡の予防ケア

## A 褥瘡の定義

褥瘡（pressure ulcer）は，2006年に日本褥瘡学会により，次のように説明されている[1]．「身体に加わった外力は骨と皮膚表層の間の軟部組織の血流を低下，あるいは停止させる．この状況が一定時間持続されると組織は不可逆的な阻血性障害に陥り褥瘡となる．」

近年では，外力による阻血性障害だけでなく，図VI-27に示した再灌流障害，リンパ系機能障害，機械的変形がさまざまに関与して発生すると考えられている[2]．

看護ケアが褥瘡発生または治癒促進に大きく影響するのは，発生原因である外力が床（とこ）や椅子といった，健康障害をもった患者の生活の場や，体位変換，姿勢保持といった看護技術によってもたらされるからである．

## B 褥瘡の重症度分類と状態評価

褥瘡は組織の損傷の程度，すなわち深さによって分類されるのが一般的である．わが国では，日本褥瘡学会が開発したDESIGN-R® 2020（図VI-28）の項目のDepth（深さ）を用いて分類している[3]．褥瘡はd0（皮膚損傷・発赤なし）からDU（壊死組織に覆われ深さの判定が不能）の8段階に分類される．

褥瘡状態はDESIGN-R® 2020にて評価する．これは，褥瘡の経過評価と治癒の予測ができるスケールとして開発された．深さ（Depth），滲出液（Exudate），大きさ（Size），炎症／感染（Inflammation/Infection），肉芽組織（Granulation），壊死組織（Necrotic Tissue）の6項目で構成され，ポケット（Pocket）が存在するときには，末尾にPを付記する．点数が高いほど重症度が高く治癒に時間を要することを示している．臨床ではDESIGN-R® 2020に準拠した褥瘡予防・管理ガイドライン[4]が用いられている．

## C 予防ケアの基本

予防ケアの基本は，全身の皮膚観察，とくに骨突出部上の皮膚観察，褥瘡発生に関するリスクアセスメント，ケア計画立案，実施，評価である．

褥瘡の主たる原因は外力である．しかし，褥瘡に進展するか否かについては，外力の強度，外力の持続時間，組織耐久性（皮膚とその支持組織双方が，傷害なしに外力に耐えうる許容力）に依存している．組織耐久性を低下させるリスク因子として皮膚の湿潤または乾燥，栄養不良があり，さまざまなリスクアセスメント・スケールに採用されている．

外力の強度，外力の持続時間に関するリスク因子への対策として，体位変換・ポジショニング，体圧

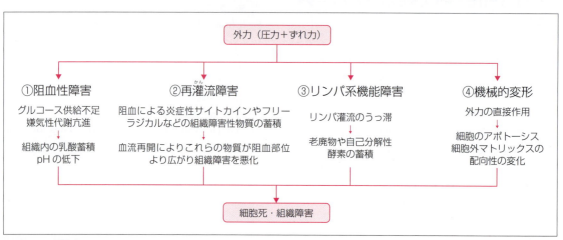

図VI-27 褥瘡発生のメカニズム
［日本褥瘡学会（編）：褥瘡ガイドブック，第2版，褥瘡予防・管理ガイドライン第4版準拠，18頁，照林社，2015より許諾を得て転載］

| | | | | | カルテ番号（　　　　　　　　　）<br>患者番号（　　　　　　　　　　） | | 月日 | / | / | / | / | / | / |
|---|---|---|---|---|---|---|---|---|---|---|---|---|---|
| Depth*1　深さ　創内の一番深い部分で評価し、改善に伴い創底が浅くなった場合，これと相応の深さとして評価する | | | | | | | | | | | | | |
| d | 0 | 皮膚損傷・発赤なし | | 3 | 皮下組織までの損傷 | | | | | | | | |
| | 1 | 持続する発赤 | D | 4 | 皮下組織を越える損傷 | | | | | | | | |
| | | | | 5 | 関節腔，体腔に至る損傷 | | | | | | | | |
| | 2 | 真皮までの損傷 | | DTI | 深部損傷褥瘡（DTI）疑い*2 | | | | | | | | |
| | | | | U | 壊死組織で覆われ深さの判定が不能 | | | | | | | | |
| Exudate　滲出液 | | | | | | | | | | | | | |
| e | 0 | なし | E | 6 | 多量：1日2回以上のドレッシング交換を要する | | | | | | | | |
| | 1 | 少量：毎日のドレッシング交換を要しない | | | | | | | | | | | |
| | 3 | 中等量：1日1回のドレッシング交換を要する | | | | | | | | | | | |
| Size　大きさ　皮膚損傷範囲を測定：[長径（cm）×短径*3（cm）]*4 | | | | | | | | | | | | | |
| s | 0 | 皮膚損傷なし | S | 15 | 100以上 | | | | | | | | |
| | 3 | 4未満 | | | | | | | | | | | |
| | 6 | 4以上　　16未満 | | | | | | | | | | | |
| | 8 | 16以上　　36未満 | | | | | | | | | | | |
| | 9 | 36以上　　64未満 | | | | | | | | | | | |
| | 12 | 64以上　　100未満 | | | | | | | | | | | |
| Inflammation/Infection　炎症/感染 | | | | | | | | | | | | | |
| i | 0 | 局所の炎症徴候なし | I | 3C*5 | 臨界的定着疑い（創面にぬめりがあり，滲出液が多い，肉芽があれば，浮腫性で脆弱など） | | | | | | | | |
| | 1 | 局所の炎症徴候あり（創周囲の発赤・腫脹・熱感・疼痛） | | 3*5 | 局所の明らかな感染徴候あり（炎症徴候，膿，悪臭など） | | | | | | | | |
| | | | | 9 | 全身的影響あり（発熱など） | | | | | | | | |
| Granulation　肉芽組織 | | | | | | | | | | | | | |
| g | 0 | 創が治癒した場合，創の浅い場合，深部損傷褥瘡（DTI）疑いの場合 | G | 4 | 良性肉芽が創面の10%以上50%未満を占める | | | | | | | | |
| | 1 | 良性肉芽が創面の90%以上を占める | | 5 | 良性肉芽が創面の10%未満を占める | | | | | | | | |
| | 3 | 良性肉芽が創面の50%以上90%未満を占める | | 6 | 良性肉芽が全く形成されていない | | | | | | | | |
| Necrotic tissue　壊死組織　混在している場合は全体的に多い病態をもって評価する | | | | | | | | | | | | | |
| n | 0 | 壊死組織なし | N | 3 | 柔らかい壊死組織あり | | | | | | | | |
| | | | | 6 | 硬く厚い密着した壊死組織あり | | | | | | | | |
| Pocket　ポケット　毎回同じ体位で，ポケット全周（潰瘍面も含め）<br>[長径（cm）×短径*3（cm）]から潰瘍の大きさを差し引いたもの | | | | | | | | | | | | | |
| p | 0 | ポケットなし | P | 6 | 4未満 | | | | | | | | |
| | | | | 9 | 4以上16未満 | | | | | | | | |
| | | | | 12 | 16以上36未満 | | | | | | | | |
| | | | | 24 | 36以上 | | | | | | | | |

部位［仙骨部，坐骨部，大転子部，踵骨部，その他（　　　　　　　　　）］　　　　　合計*1

*1：深さ（Depth：d/D）の点数は合計には加えない
*2：深部損傷褥瘡（DTI）疑いは，視診・触診，補助データ（発生経緯，血液検査，画像診断等）から判断する
*3："短径"とは"長径と直交する最大径"である
*4：持続する発赤の場合も皮膚損傷に準じて評価する
*5：「3C」あるいは「3」のいずれかを記載する．いずれの場合も点数は3点とする

©日本褥瘡学会
http://www.jspu.org/jpn/member/pdf/design-r2020.pdf

図Ⅵ-28　DESIGN-R® 2020　褥瘡経過評価用

分散マットレスの選択がある．組織耐久性低下に関するリスク因子への対策としてスキンケア，栄養がある．

### D 全身皮膚観察

姿勢によって，床または椅子から外力を受けやすい骨突出部位が異なる（図Ⅵ-29）．そこで，体位変換，皮膚の清潔ケア，排泄ケアごとに，外力が加わっていた骨突出部上の皮膚を観察する．

骨突出部上の皮膚に発赤がみられた場合は，指押し法またはガラス板圧診法で，発赤が持続性のものか，一時的なものかをアセスメントする必要がある[2]．指押し法またはガラス板圧診法は，観察された発赤が持続性のもの（血管の破綻により赤血球が血管外に漏出）か，一時的なもの（真皮層の微小血管の拡張）かを判定するものである．持続する発赤はd1に相当する褥瘡である（図Ⅵ-30）．

また，褥瘡と紛らわしい皮膚疾患として，排泄物による失禁関連皮膚炎（incontinence-associated dermatitis：IAD），真菌感染，末梢循環不全による皮膚壊死等があることを知っておくべきである．褥瘡か否か判断に迷う場合は，皮膚科医に相談する．

### E リスクアセスメント

褥瘡は，原因である外力以外に種々の要因が複合して発生し，また原因や要因が，取り除かれるか，あるいは適切に管理されなければ治癒へ向かわない．したがって，個々の患者のもつリスク因子を適切にアセスメントすることが必要である．

リスクアセスメントは，科学的に開発されたリスクアセスメント・スケールを使用するのが有効である[2,4]．

現在，わが国で使われている代表的なリスクアセスメント・スケールは，ブレーデンスケール（The Braden Scale），金沢大学式褥瘡発生予測尺度（K式スケール），OHスケール，厚生労働省の褥瘡発生危険因子評価票がある．ここでは国際的に普及しているブレーデンスケールと筆者らが日本の寝たきり高齢者用に開発したK式スケール，診療報酬に使用される厚労省労働省 褥瘡発生危険因子評価票を紹介する．

#### 1 ブレーデンスケール[5,6]（図Ⅵ-31）

ブレーデンスケールはその概念図において，褥瘡発生を圧迫と組織耐久性の低下により発生するととらえている．これら圧迫と組織耐久性の低下を，看護が日常生活で観察できる6項目からアセスメントし，「摩擦とずれ」の項目は1から3点で採点し，それ以外の項目は1から4点で採点を行う．合計6から23点の範囲で，点数が低いほど褥瘡発生の危険が高いとされる．

日中のほとんどをベッド上ですごす寝たきり状態，あるいは椅子上ですごす座りきり状態になったら採点を開始する．採点頻度は，急性期は48時間ごと，慢性期は2週間ごと，高齢者は最初の1ヵ月は毎週，その後は3ヵ月に1回である．ただし，対

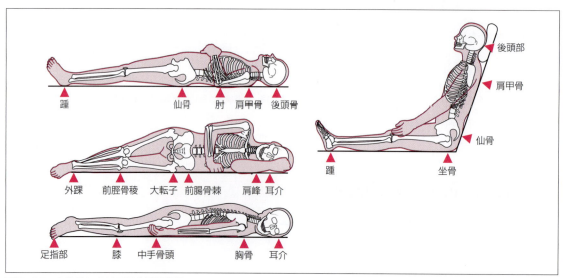

図Ⅵ-29　各体位における褥瘡好発部位

［真田弘美，宮地良樹編：NEW 褥瘡のすべてがわかる，15頁，永井書店，2012より引用］

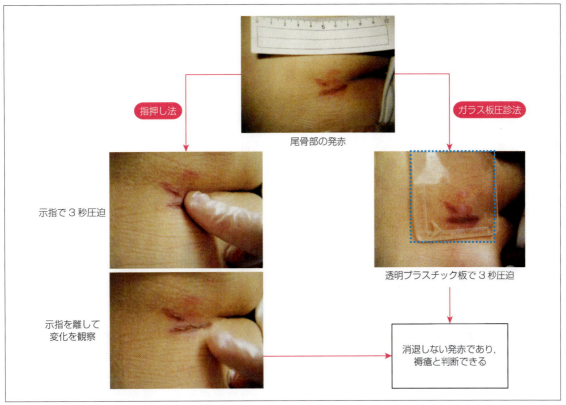

図Ⅵ-30　発赤・d1褥瘡の判定法（ガラス板圧診法，指押し法）
[日本褥瘡学会（編）：褥瘡ガイドブック，第2版，褥瘡予防・管理ガイドライン第4版準拠，129頁，照林社，2015より許諾を得て転載]

象者に変化があればその都度採点する．危険点は，病院では14点以下[7]，施設では17点以下[8]である．

### 2 K式スケール[9]（図Ⅵ-32）

褥瘡の前段階要因と引き金要因を2段階方式で評価し，該当すれば1点，該当しなければ0点とし，得点を合計する．点数が高いほど褥瘡発生の危険が高い．

前段階要因には，「自力体位変換不可」「骨突出」「栄養状態悪い」，引き金要因には「体圧」「湿潤」「ずれ」が含まれている．ブレーデンスケールと異なる点は，二者択一回答方式とした点と客観的指標を採用した点である．

骨突出[10]（bony prominence）は，寝たきりによる広背筋，殿筋の筋萎縮と皮下組織減少により，通常の骨突出部が異様に突出してみえる状態であり，わが国における固有の褥瘡発生要因である．

前段階要因は月1回，引き金要因は週1回採点する．前段階要因が1つ以上あり，引き金要因が1つでも追加されれば褥瘡発生危険ありと判断する[11]．

### 3 厚生労働省 褥瘡発生危険因子評価票（表Ⅵ-9）

障害高齢者の日常生活自立度（寝たきり度）判定基準による寝たきりに相当するランクB，Cの対象者に用いる．各因子の有無をアセスメントするが，先の2つと異なり総合点の算出は行わない．わが国の病院，入院病床をもつ診療所で広く使用されている．

## F 圧迫・ずれ力の管理

### 1 体位変換・ポジショニング

#### 1．体位の整え

臥位または坐位のとき，背部または殿部の皮膚はベッドまたは椅子から押されている状態となる．とくに骨突出部上では強い圧力が加わり，皮膚組織の毛細血管がその圧力によって潰される．健康な体は痛みやしびれ等の感覚を発生させ，これらの苦痛を除去するために寝返りをしたり，座り直しをしたりしている．この反応は睡眠中であっても無意識に行

患者氏名：＿＿＿＿＿＿　評価者氏名：＿＿＿＿＿＿　　評価日（　／　）

| | 1 | 2 | 3 | 4 | 評価日（　／　） |
|---|---|---|---|---|---|
| 知覚の認知 | 1. 全く知覚なし<br>痛みにのみ反応する（うめく、つかむなどはしない）。あるいは、意識レベルの低下や鎮静による。あるいは、体のおおよそ全体にわたり痛覚の障害がある | 2. 重度の障害あり<br>痛みにのみ反応する。不快感を伝えるときは、うめくことや身の置き場なく動くことしかできない。あるいは、知覚障害があり、体のおおよそ1/2以上にわたり痛みや不快感の感じ方が完全ではない | 3. 軽度の障害あり<br>呼びかけに反応する。しかし、不快感や体位変換のニードを伝えることがいつもできるとは限らない。あるいは、いくぶん知覚障害があり、四肢の1、2本において痛みや不快感の感じ方が完全ではない部分がある | 4. 障害なし<br>呼びかけに反応する。知覚欠損はなく、痛みや不快感を訴えることができる | |
| 湿潤 | 1. 常に湿っている<br>皮膚は汗や尿などのために、ほとんどいつも湿っている。患者を移動したり、体位変換するごとに湿気が認められる | 2. たいてい湿っている<br>皮膚はいつもではないが、しばしば湿っている。各勤務時間中に少なくとも1回は寝衣寝具を交換しなければならない | 3. 時々湿っている<br>皮膚は時々湿っている。定期的な交換以外に、1日1回程度、寝衣寝具を追加して交換する必要がある | 4. めったに湿っていない<br>皮膚は通常乾燥している。定期的に寝衣寝具を交換すればよい | |
| 活動性 | 1. 臥床<br>寝たきりの状態である | 2. 坐位可能<br>ほとんど、またはまったく歩けない。自力で体重を支えられなかったり、椅子や車椅子に座るときは、介助が必要であったりする | 3. 時々歩行可能<br>介助の有無にかかわらず、日中時々歩くが、非常に短い距離に限られる。各勤務時間内に、ほとんどの時間を床上で過ごす | 4. 歩行可能<br>起きている間は少なくとも1日2回は部屋の外を歩く。そして少なくとも2時間に一度は室内を歩く | |
| 可動性 | 1. 全く体動なし<br>介助なしでは、体または四肢を少しも動かさない | 2. 非常に限られる<br>時々体幹または四肢を少し動かす。しかし、しばしば自力で動かしたり、または有効な（圧迫を除去するような）体動はしない | 3. やや限られる<br>少しの動きではあるが、しばしば自力で体幹または四肢を動かす | 4. 自由に体動する<br>介助なしで頻回にかつ適切な（体位を変えるような）体動をする | |
| 栄養状態 | 1. 不良<br>決して全量摂取しない。めったに出された食事の1/3以上を食べない。タンパク質・乳製品は1日2皿（カップ）分以下の摂取である。水分摂取が不足している。消化態栄養剤（半消化態、経腸栄養剤）の補充はない。あるいは、絶食であったり、透明な流動食（お茶、ジュースなど）なら摂取する。または末梢点滴を5日間以上続けている | 2. やや不良<br>めったに全量摂取しない。普段は出された食事の約1/2しか食べない。タンパク質・乳製品は1日3皿（カップ）分以下の摂取である。時々消化態栄養剤（半消化態、経腸栄養剤）を摂取することもある。あるいは、流動食や経管栄養を受けているが、その量は1日必要摂取量以下である | 3. 良好<br>たいていは1日3回以上食事をし、1食につき半分以上は食べる。タンパク質・乳製品は1日4皿（カップ）分以上摂取する。時々食事を拒否することもあるが、勧めれば通常補食を食べる。あるいは、栄養的におおよそ整った経管栄養や高カロリー輸液を受けている | 4. 非常に良好<br>毎食おおよそ食べる。通常タンパク質・乳製品は1日4皿（カップ）分以上摂取する。時々間食（おやつ）を食べる。補食する必要はない | |
| 摩擦とずれ | 1. 問題あり<br>移動のためには、中程度から最大限の介助を要する。シーツでこすれずに体を移動することは不可能である。しばしば床上や椅子の上でずり落ち、全面介助で何度も元の位置に戻すことが必要となる。痙攣、拘縮、振戦は持続的に摩擦を引き起こす | 2. 潜在的に問題あり<br>弱々しく動く、または最小限の介助が必要である。移動時、皮膚は、ある程度シーツや椅子、抑制帯、補助具などにこすれている可能性がある。たいがいの時間は、椅子や床上で比較的良い体位を保つことができる | 3. 問題なし<br>自力で椅子や床上を動き、移動中十分に体を支える筋力を備えている。いつでも椅子や床上で良い体位を保つことができる | | 合計　点 |

* Copyright: Braden and Bergstrom, 1988.
訳：真田弘美（金沢大学医学部保健学科）、大岡みち子（North West Community Hospital, USA）

図VI-31　ブレーデンスケール

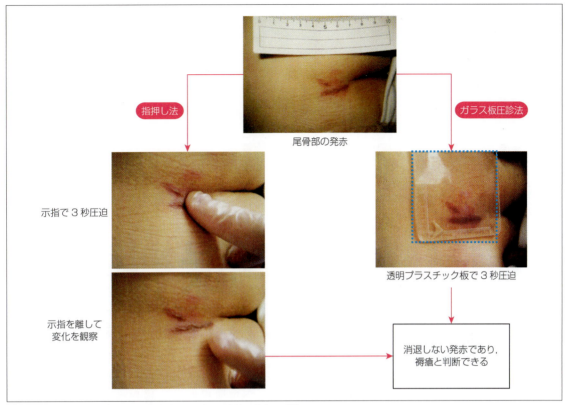

図Ⅵ-30　発赤・d1 褥瘡の判定法（ガラス板圧診法，指押し法）
［日本褥瘡学会（編）：褥瘡ガイドブック，第2版，褥瘡予防・管理ガイドライン第4版準拠，129頁，照林社，2015より許諾を得て転載］

象者に変化があればその都度採点する．危険点は，病院では14点以下[7]，施設では17点以下[8]である．

### 2 K式スケール[9]（図Ⅵ-32）

褥瘡の前段階要因と引き金要因を2段階方式で評価し，該当すれば1点，該当しなければ0点とし，得点を合計する．点数が高いほど褥瘡発生の危険が高い．

前段階要因には，「自力体位変換不可」「骨突出」「栄養状態悪い」，引き金要因には「体圧」「湿潤」「ずれ」が含まれている．ブレーデンスケールと異なる点は，二者択一回答方式とした点と客観的指標を採用した点である．

骨突出[10]（bony prominence）は，寝たきりによる広背筋，殿筋の筋萎縮と皮下組織減少により，通常の骨突出部が異様に突出してみえる状態であり，わが国における固有の褥瘡発生要因である．

前段階要因は月1回，引き金要因は週1回採点する．前段階要因が1つ以上あり，引き金要因が1つでも追加されれば褥瘡発生危険ありと判断する[11]．

### 3 厚生労働省 褥瘡発生危険因子評価票（表Ⅵ-9）

障害高齢者の日常生活自立度（寝たきり度）判定基準による寝たきりに相当するランクB，Cの対象者に用いる．各因子の有無をアセスメントするが，先の2つと異なり総合点の算出は行わない．わが国の病院，入院病床をもつ診療所で広く使用されている．

## F 圧迫・ずれ力の管理

### 1 体位変換・ポジショニング

#### 1．体位の整え

臥位または坐位のとき，背部または殿部の皮膚はベッドまたは椅子から押されている状態となる．とくに骨突出部上では強い圧力が加わり，皮膚組織の毛細血管がその圧力によって潰される．健康な体は痛みやしびれ等の感覚を発生させ，これらの苦痛を除去するために寝返りをしたり，座り直しをしたりしている．この反応は睡眠中であっても無意識に行

患者氏名：＿＿＿＿＿＿＿＿＿　評価者氏名：＿＿＿＿＿＿＿＿＿　　　　　　　　　　　　　　　　　評価日（　／　）

|  |  |  |  |  |
|---|---|---|---|---|
| 知覚の認知<br>圧迫による不快感に対して意味のある反応を示す能力 | **1. 全く知覚なし**<br>痛みに対する反応（うめく、避ける、つかむなど）なし。この反応は意識レベルの低下や鎮静による、あるいは、体のおおよそ全体にわたり痛覚の障害がある | **2. 重度の障害あり**<br>痛みにのみ反応する。不快感を伝えるときは、うめくことや身の置き場なく動くことしかできない。あるいは、知覚障害があり、体の1/2以上にわたり痛みや不快感の感じ方が完全ではない | **3. 軽度の障害あり**<br>呼びかけに反応する。しかし、不快感や体位変換のニードを伝えることがいつもできるとは限らない。あるいは、いくぶん知覚障害があり、四肢の1、2本において痛みや不快感の感じ方が完全ではない部分がある | **4. 障害なし**<br>呼びかけに反応する。知覚欠損はなく、痛みや不快感を訴えることができる |
| 湿潤<br>皮膚が湿潤にさらされる程度 | **1. 常に湿っている**<br>皮膚は汗や尿などのために、ほとんどいつも湿っている。患者を移動したり、体位変換するごとに湿気が認められる | **2. たいてい湿っている**<br>皮膚はいつもではないが、しばしば湿っている。各勤務時間中に少なくとも1回は寝衣寝具を交換しなければならない | **3. 時々湿っている**<br>皮膚は時々湿っている。定期的な交換以外に、1日1回程度寝衣寝具を追加して交換する必要がある | **4. めったに湿っていない**<br>皮膚は通常乾燥している。定期的に寝衣交換をすればよい |
| 活動性<br>行動の範囲 | **1. 臥床**<br>寝たきりの状態である | **2. 坐位可能**<br>ほとんど、またはまったく歩けない。自力で体重を支えられなかったり、椅子や車椅子に座るときは、介助が必要であったりする | **3. 時々歩行可能**<br>介助の有無にかかわらず、日中時々歩くが、非常に短い距離に限られる。各勤務時間内に、ほとんどの時間を床上で過ごす | **4. 歩行可能**<br>起きている間は少なくとも1日2回は部屋の外を歩く。そして少なくとも2時間に一度は室内を歩く |
| 可動性<br>体位を変えたり整えたりできる能力 | **1. 全く体動なし**<br>介助なしでは、体または四肢を少しも動かさない | **2. 非常に限られる**<br>時々体幹または四肢を少し動かす。しかし、しばしば自力で動かしたり、または有効な（圧迫を除去するような）体動はしない | **3. やや限られる**<br>少しの動きではあるが、しばしば自力で体幹または四肢を動かす | **4. 自由に体動する**<br>介助なしで頻回にかつ適切な（体位を変えるような）体動をする |
| 栄養状態<br>普段の食事摂取状況 | **1. 不良**<br>決して全量摂取しない。めったに出された食事の1/3以上を食べない。タンパク質・乳製品は1日2皿（カップ）分以下の摂取である。水分摂取が不足している。消化態栄養剤（半消化態、経腸栄養剤）の補充はない。あるいは、絶食であったり、透明な流動食（お茶、ジュースなど）なら摂取する。または末梢点滴を5日間以上続けている | **2. やや不良**<br>めったに全量摂取しない。普段は出された食事の約1/2しか食べない。タンパク質・乳製品は1日3皿（カップ）分以下の摂取である。時々消化態栄養剤（半消化態、経腸栄養剤）を摂取することもある。あるいは、流動食や経管栄養を受けているが、その量は1日必要摂取量以下である | **3. 良好**<br>たいていは1日3回以上食事をし、1食につき半分以上は食べる。タンパク質・乳製品は1日4皿（カップ）分以上摂取する。時々食事を拒否することもあるが、勧めれば通常補食する。あるいは、栄養的におおよそ整った経管栄養や高カロリー輸液を受けている | **4. 非常に良好**<br>毎食おおよそ食べる。通常タンパク質・乳製品は1日4皿（カップ）分以上摂食する。時々間食（おやつ）を食べる。補食する必要はない |
| 摩擦とずれ | **1. 問題あり**<br>移動のためには、中程度から最大限の介助を要する。シーツでこすれずに体を移動することは不可能である。しばしば床上や椅子の上でずり落ち、全面介助で何度も元の位置に戻すことが必要となる。痙攣、拘縮、振戦は持続的に摩擦を引き起こす | **2. 潜在的に問題あり**<br>弱々しく動く、または最小限の介助が必要である。移動時、皮膚は、ある程度シーツや椅子、抑制帯、補助具などにこすれている可能性がある。たいがいの時間は、椅子や床上で比較的良い体位を保つことができる | **3. 問題なし**<br>自力で椅子や床上を動き、移動中十分に体を支える筋力を備えている。いつでも椅子や床上で良い体位を保つことができる | |

合計　　点

* Copyright : Braden and Bergstrom. 1988.
訳：真田弘美（金沢大学医学部保健学科）、大岡みち子（North West Community Hospital, USA）

図VI-31　ブレーデンスケール

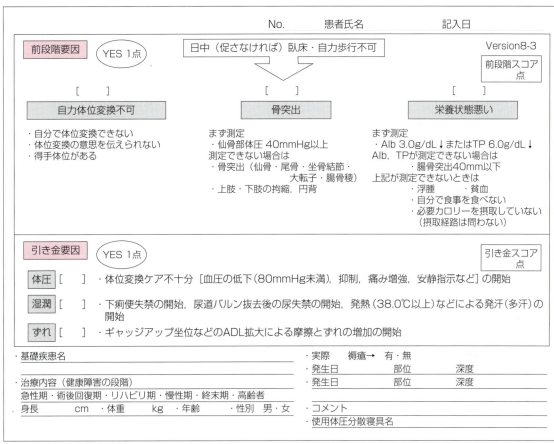

図Ⅵ-32 K式スケール（金沢大学式褥瘡発生予測スケール）

表Ⅵ-9 褥瘡に関する危険因子評価表（厚生労働省）

| 危険因子の評価 | 日常生活自立度　J (1, 2)　A (1, 2)　B (1, 2)　C (1, 2) | | | 対処 |
|---|---|---|---|---|
| | ・基本的動作能力　（ベッド上　自力体位変換）<br>　　　　　　　　　（イス上　坐位姿勢の保持，除圧） | できる<br>できる | できない<br>できない | 「あり」もしくは「対処できない」が1つ以上の場合，看護計画を立案し実施する |
| | ・病的骨突出 | なし | あり | |
| | ・関節拘縮 | なし | あり | |
| | ・栄養状態の低下 | なし | あり | |
| | ・皮膚湿潤（多汗，尿失禁，便失禁） | なし | あり | |
| | ・皮膚の脆弱性（浮腫） | なし | あり | |
| | ・皮膚の脆弱性（スキン-テアの保有，既往） | なし | あり | |

われており，この反応のおかげで皮膚の血流が維持され，褥瘡は発生しない．したがって，自力で体位変換できない対象に，看護師または介護者が定期的に体位変換を行い，圧迫の持続を除去しなければならない．臥位時の体位変換は原則的に2時間間隔で行う．これは，70〜100 mmHg の圧力が2時間皮膚に加わると組織に圧力による損傷の徴候があらわれるからである[12]．臥位時のポジショニングについては，「V②-6 ポジショニング」(256頁)を参照．

### 2. 半坐位（頭側挙上姿勢）

可能なら頭側挙上角度は30°までとする．その理由は，頭側挙上するにしたがって上半身の体重が殿部に集中するからである．頭側挙上角度45°では上半身の50％の重さと殿部の重さが，頭側挙上角度70°では上半身の88％の重さと殿部の重さが加わり，仙骨下から尾骨にかけての圧力が増加する[13]．

頭側挙上時直後は，マットレスと身体との接触面に強いずれ応力を生じている（図Ⅵ-33）．このずれ

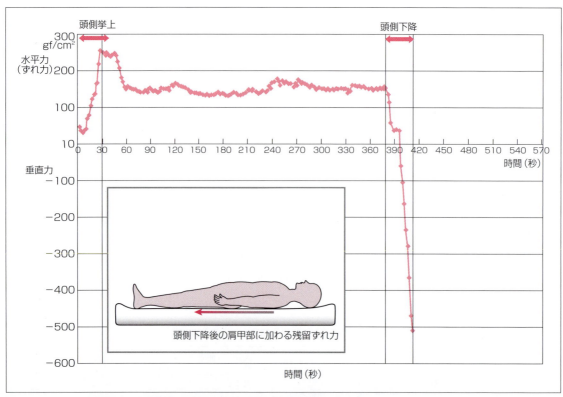

**図Ⅵ-33　ベッド頭側挙上・下降操作に伴う水平力の変化（肩甲骨部）**
頭側挙上時には，頭方向に力が加わり，ベッド上で坐位姿勢を保持している間，肩甲骨部に水平力が加わり続ける．頭側下降時には，足元方向にもっとも大きな力が加わる．このまま仰臥位を保持すると肩甲骨部に残留ずれ力が加わり続ける．

力を排除するために背抜き（腰背部に空間を設けること）を行い，姿勢を整える[14]．頭側下降直後も，マットレスと身体との接触面に強いずれ応力を生じている．このずれ力を排除するために，頭側下降後に患者を側臥位にする．

### 3．踵部の除圧

踵部（かかと）は身体の中で受圧面積が狭いことから仰臥位時の体圧は高く，褥瘡の好発部位となる．踵部の除圧ケアには下腿部にクッションをあて，踵部全体を浮かせるのが良い．

円座を使用したほうが，褥瘡発生率が高かったという報告があり[15]，円座は褥瘡予防用具として適切ではないことがわかってきた．その理由は，円座使用時は接触部皮膚が引っ張られ，かつ圧迫が加わり，虚血状態となるからである[16]．

## 2 体圧分散寝具の使用

### 1．体圧分散寝具の定義

2019年European Pressure Ulcer Advisory Panel (EPUAP)，National Pressure Injury Advisory Panel (NPIAP) & Pan Pacific Pressure Injury Alliance (PPPIA) が合同制作したPrevention and Treatment of Pressure Ulcers/Injuries：Clinical Practice Guideline[17] では，サポート・サーフェス（support surface），すなわち褥瘡予防または管理が必要な人に使用する用具を次のように記している．「サポート・サーフェスとは組織への外力を管理するための圧再分配，寝床内環境調整，その他の機能を特別に設計された用具である．具体的には，ロボテックス，交換マットレス，上敷きマットレスである．あるいは，坐位クッションまたは上敷き坐位クッションである．」

ヒトの身体には凹凸，すなわち生理的彎曲があり，身体とマットレスなどの平面との接触領域には限りがある．圧再分配とはこの接触領域で発生する身体に加わる圧を，接触面積を広げる，または外力が加わる時間を短くする機能によって分配し，圧を低くすることである．

### 2．体圧分散マットレスの分類

体圧分散マットレスの分類には，使用方法，素材，機能からみた分類がある（**表Ⅵ-10〜12**）．標準マットレス（圧再分配機能のないマットレス）における褥瘡発生率を1とした場合の，体圧分散マットレスの相対リスクは0.46〜0.63であり，体圧分散

表VI-10 使用方法からみた体圧分散寝具の分類

| 分　類 | 長　所 | 短　所 |
|---|---|---|
| 特殊ベッド（ロボテックスマットレス） | ・コンピュータ制御により，患者がとるどの体位においても除圧環境が提供できる | ・維持管理が煩雑<br>・高価<br>・これまでのベッドの保管場所が必要 |
| 交換マットレス | ・厚みが15cm以上あるため頭側挙上角度45°までなら減圧環境が提供できる<br>・付属ポンプとエアセル構造の特性によって低圧保持機能を有するマットレスがある | ・高さがあるためICUベッドなど柵の低いベッドで使用すると転落の危険あり<br>・厚みのため足底が接地せず，端坐位が不安定となる<br>・通常のマットレスの保管場所が必要 |
| 上敷きマットレス | ・使用が簡単<br>・上記2つに比べて安価<br>・超薄型マットレスは足底が接地するため端坐位が安定する<br>・付属ポンプとエアセル構造の特性によって低圧保持機能を有するマットレスがある | ・厚みがないものが多く，頭側挙上角度30°までのみ減圧環境提供 |
| リバーシブルマットレス | ・患者の褥瘡発生リスク状態に応じて両面を使い分けできる<br>・マットレスを2枚購入する必要がない | ・厚みがないものが多く，頭側挙上角度30°までのみ減圧環境提供 |

表VI-11 素材からみた体圧分散寝具の分類

| 分　類 | 長　所 | 短　所 |
|---|---|---|
| エア | ・マット内圧調整により個々に応じた体圧調整ができる<br>・セル構造が多層のマットレスは低圧保持できる（現在，2層と3層がある） | ・自力体位変換時に必要な支持力，つまり安定感が得にくい・鋭利なものでパンクしやすい<br>・付属ポンプのモーター音が騒音になる場合がある<br>・付属ポンプフィルターの定期的な保守点検が必要<br>・付属ポンプ稼働に動力を要する<br>・圧切替型の場合，不快感を与える場合がある |
| ウレタンフォーム | ・低反発のものほど圧分散効果がある<br>・反発力の異なるウレタンフォームを組み合わせることで圧分散と自力体位変換に必要な支持力，つまり安定感を得ることができる<br>・動力を要しない | ・個々に応じた体圧調整はできない<br>・低反発ウレタンフォーム上に身体が沈みこみすぎ，自力体位変換に支障をきたす場合がある．とくに可動性が低下している対象には注意が必要<br>・水に弱い<br>・年月が経つとへたりが起こり，圧分散力が低下する |
| ハイブリッド | ・2種類以上の素材の長所を組み合わることができる<br>・エアとウレタンフォームの組み合わせがある | ・体圧分散効果を評価するための十分なデータが不足 |

表VI-12 機能からみた体圧分散寝具の分類

| 分　類 | 長　所 | 短　所 |
|---|---|---|
| ローリング | ・体位変化に伴う圧移動が行われる<br>・介護者が少ない労力で体位変換できる | ・体位変換の動きに身体が適合しない場合，ずれ力や姿勢のねじれが生じる |
| スモールチェンジ | ・夜間の睡眠はさまたげない<br>・介護者が少ない労力で圧移動ができる | ・長時間のスモールチェンジによる呼吸機能などへの影響がある<br>・日中は通常の体位変換を行う必要がある |
| 姿勢保持 | ・ベッド上でのギャッジアップ（頭側挙上），坐位時の姿勢が適切に保持され圧迫とずれ力が軽減できる | ・身体が適合しない場合，圧迫とずれ力が生じる<br>・高価 |

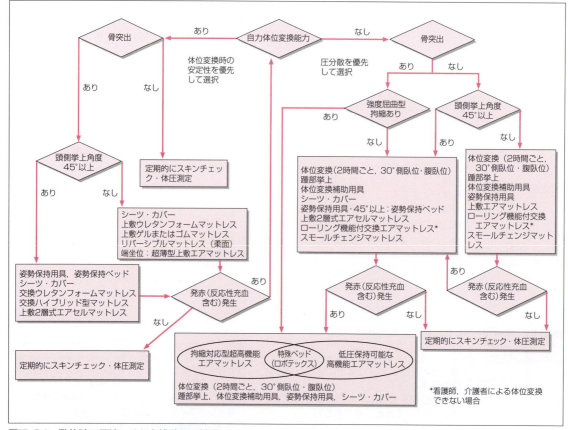

図Ⅵ-34 臥位時の圧迫・ずれ力排除ケア基準

マットレスは褥瘡予防に有効である[18].

### 3. 体圧分散マットレス選択基準

患者に適切な体圧分散マットレスは，個々の患者の外力による発生リスクに応じて選択する．図Ⅵ-34に，その具体例を示した．

### 3 圧管理を評価する

簡易体圧測定器を用いて骨突出部にかかる体圧値を測定して評価する（**図Ⅵ-35**）．体圧分散マットレスを必要とする体圧値の目安は，仰臥位仙骨部値が50 mmHg以上である[19]．また，**図Ⅵ-36**に示すような体圧分布測定器機を利用して，患者のポジショニングについて検討することも有効である．このような客観的評価法を用いることで褥瘡対策のチームアプローチが容易になったり，患者または家族教育を効果的に進めたりできる．

## G スキンケア

### 1 皮膚の清潔

皮膚が汚染されたとき，または定期的に皮膚を石けんまたは洗浄剤で洗い，汚れを除去する．高温の湯，皮膚刺激の強い石けんまたは洗浄剤使用は避ける．また，皮膚に過度な力が加わらないように洗う．

### 2 保湿

褥瘡発生危険の高い，または褥瘡を有する高齢者に多くみられるドライスキン（水分や皮脂の不足により皮膚が乾燥した状態）は，皮膚が摩擦によって容易に損傷を受けやすい．失われた皮脂や角質細胞間脂質を人工代用物，たとえば保湿クリームなどで補う．また，室内の温・湿度調整を行い，皮膚の乾燥を防ぐ．

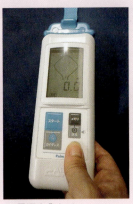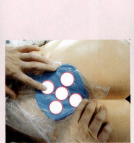

1. センサーパッドをモニター部に装着する．センサー部は汚染防止のためディスポーザブルのビニール袋でおおう．
2. 電源を入れる
3. 中央部センサーを測定したい骨突出部上の皮膚に直接当てる．写真は仙骨部での測定である．センサーは中央に1個，その周囲に4個配置されている．
4. 対象者を測定したい体位（仙骨部の場合は仰臥位）にし，スタートボタンを押す．約10秒後に測定値が，センサーごとに表示される．

図Ⅵ-35　マルチパッド型簡易体圧測定器による体圧測定方法

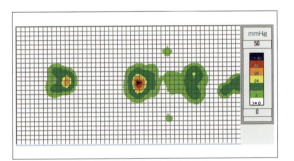

図Ⅵ-36　全身体圧分布図

### 3 マッサージの禁止

骨突出部上の皮膚または発赤のみられる部分の皮膚をマッサージしてはいけない．

### 4 便・尿失禁などの湿潤からの回避

便・尿失禁がある患者の殿部には，皮膚が直接排泄物に接触しないように，撥水性クリーム[*1]を塗布する（図Ⅵ-37）．下痢便失禁が頻繁にある場合は，便失禁用装具を使用する．

発汗が多い場合は，吸湿性と速乾性のある衣類（登山用アンダーウェアなど）で調整する．

### H 栄養

より詳細な栄養状態のアセスメント，栄養所要量の算出，算出した栄養所要量と摂取量との比較，適切な栄養補給方法による適切な栄養介入を行う．これらは管理栄養士，栄養に特化した医師，看護師，言語聴覚士，歯科医師などを含む栄養サポートチームと協働で行うとよい．とくに，日本の褥瘡発生リスクを有する高齢者はタンパク質・エネルギー低栄養状態（protein energy malnutrition：PEM）が多い．PEM改善に向けて適切な栄養管理が必要となる．

---

[*1] クリームに含まれる撥水性（水をはじく性質）成分が皮膚を保護する．

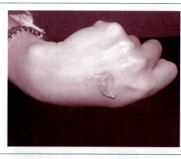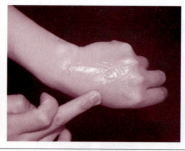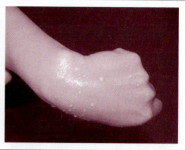

**図Ⅵ-37 撥水性クリーム**
撥水性クリームを適量とり,皮膚に広くなじませるように塗る(写真中央).塗布後,撥水している状態を示している(写真右).

## ●引用文献

1) 日本褥瘡学会:科学的根拠に基づく褥瘡局所治療ガイドライン,照林社,2005
2) 日本褥瘡学会:褥瘡ガイドブック,第2版,照林社,2015
3) 一般社団法人日本褥瘡学会編:改定 DESIGN-R 2020 コンセンサス・ドキュメント,照林社,2020
4) 日本褥瘡学会学術教育委員会ガイドライン改訂委員会:褥瘡予防・管理ガイドライン(第5版).褥瘡会誌 **24**(1):29-85,2022
5) Braden BJ, Bergstrom N:Risk assessment and risk-based programs of prevention in various settings. Ostomy Wound Management **42**(10A suppl):6-12, 1996
6) Braden BJ, Bergstrom N:A conceptual schema for the study of the etiology of pressure sores. Rehabilitation Nursing **2**(1):12-16, 1987
7) 真田弘美ほか:日本語版 Braden Scale の信頼性と妥当性の検討,金大医短紀要 **15**:101-105,1991
8) 真田弘美ほか:特別養護老人ホームでの褥創ケアアルゴリズムの有効性の検討,第25回日本看護学会集録―老人看護:170-174,1994
9) 真田弘美,須釜淳子,紺家千津子ほか:褥創発生予測試作スケール(K式スケール)の信頼性と妥当性の検討,日本創傷・オストミー・失禁ケア研究会誌 **2**(1):11-18,1998
10) 真田弘美,永川宅和,須釜淳子ほか:高齢者の褥創発生と骨突起との関係―日本ET協会学術雑誌 **1**(1):34-41,1997
11) 大桑麻由美,真田弘美,須釜淳子ほか:K式スケール(金沢大学式褥瘡発生予測スケール)の信頼性と妥当性の検討―高齢者を対象にして―,日本褥瘡学会誌 **3**(1):7-13,2001
12) Kosiak M:Etiology of decubitus ulcers, Arch PhysbMed rehabil **42**:19-29, 1961
13) 田中靖子ほか:褥瘡発生予防と治療に関する研究(第3報)―体位による体圧の研究,神戸市立看護短期大学紀要 **13**:1-11,1994
14) 田中マキ子監修:ポジショニング学―体位管理の基礎と実践,中山書店,2013
15) Crewe RA:Problems of rubber ring nursing cushions and a clinical survey of alternative cushions for ill patients. Care-sci pra **5**(2):9-11, 1987
16) 真田弘美ほか:踵部の褥創予防における円座の有効性の検討―研究指導のプロセスとその成果,看護教育 **39**(11):892-903,1998
17) European Pressure Ulser Advisory Panel, National Pressure Injury Advisory Panel and Pan Pacific Pressure Injury Alliance:Prevention and Treatment of Pressure Ulcers/Injuries. Clinical practice guideline. Emily Haesler (Ed.). EPUAP/NPIAP/PPPIA:2019. 〔https://www.biosanas.com.br/uploads/outros/artigos_cientificos/127/956e02196892d7140b9bb3cdf116d13b.pdf〕
18) Shi C, Dumville JC, Cullum N, et al.:Beds, overlays and mattresses for preventing and treating pressure ulcers:an overview of Cochrane Reviews and network meta-analysis. Cochrane Database of Systematic Reviews Review.〔https://www.cochranelibrary.com/cdsr/doi/10.1002/14651858.CD013761.pub2/full〕
19) 大桑麻由美,SALDY USUF, SUPRIADI ほか:新マルチパッド型簡易体圧測定器の臨床における信頼性と妥当性の検討.褥瘡会誌 **14**(2):129-133,2012

# 5 ストーマケア

ストーマ (stoma) とは，ギリシャ語で「口」という意味であるが，わが国では「消化管や尿路を人為的に体外に誘導して造設した開放孔」を意味する[1]．ストーマには，排泄物を貯留し，排泄を調整する機能がない．そのため，ストーマ保有者（ostomate：オストメイト）が，ストーマ装具を用いて新たな排泄の自立のために自ら管理を行う必要がある．しかし，ストーマ保有者の管理が不十分であると，排泄物がストーマ周囲皮膚に付着して皮膚障害を起こし，疼痛やかゆみによる身体的苦痛が生じる．さらに，ストーマ周囲皮膚障害（peristomal skin disorder）によりストーマ装具の粘着力が低下すると，排泄物がいつ装具から漏れ出るかという不安のために外出ができないといった状況等になり，ストーマ保有者の QOL に大きく影響する．

そこで，本項では，ストーマとストーマ装具について概説した後，ストーマ保有者の新たな排泄の自立に向けてのストーマケアについて説明する．

## A ストーマの種類

ストーマは排泄経路によって消化管ストーマと尿路ストーマに区分される．

消化管ストーマは，造設部位によって上行結腸ストーマ，横行結腸ストーマ，下行結腸ストーマ，S状結腸ストーマとよばれ，これら結腸を腹壁に出して造設されたストーマを総称してコロストミー（colostomy），回腸を腹壁に出して造設されたス

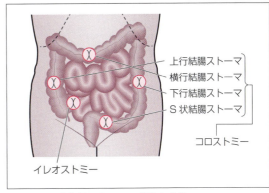

図Ⅵ-38 消化管ストーマの部位と名称

トーマをイレオストミー（ileostomy）という（図Ⅵ-38）．

尿路ストーマ（urostomy：ウロストミー）には，尿管を腹壁の皮膚に吻合する尿管皮膚瘻と，遊離した回腸の口側に尿管を吻合し，これを尿の導管として腹壁にストーマとして開口する回腸導管がある（図Ⅵ-39）．

## B ストーマ装具

ストーマ装具（ostomy appliance）は，排泄物を収集するストーマ袋（ostomy bag）とストーマ袋を身体に固定するための面板（faceplate）からなる．装具は，ストーマ袋と面板が一体となった単品系装具と，ストーマ袋と面板をフランジで接合させて使

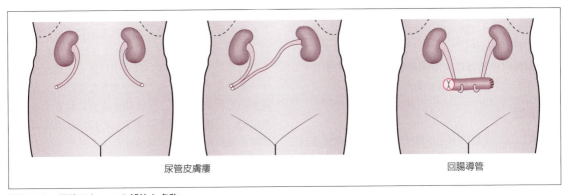

図Ⅵ-39 尿路ストーマの部位と名称

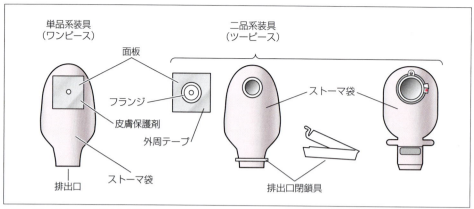

図Ⅵ-40　ストーマ装具の名称

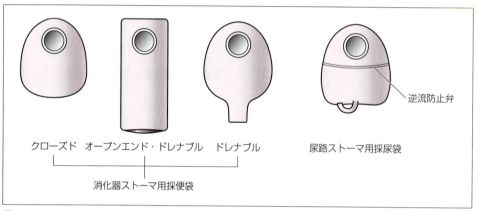

図Ⅵ-41　ストーマ袋の種類

用する二品系装具がある（**図Ⅵ-40**）．

### 1 ストーマ袋

　消化管ストーマか尿路ストーマによって，ストーマ袋の排出口の形状が異なる（**図Ⅵ-41**）．

　消化管ストーマはクローズド，オープンエンド・ドレナブル，ドレナブルの3つに分類される．ドレナブルのタイプでは排出口閉鎖具をつけるが，近年ではストーマ袋に内蔵されている場合が多くなった．

　尿路ストーマは排出口が管状になっており，尿が排出しやすい形状になっている．さらに，排出された尿の袋内の逆流による尿路感染を予防するために，ストーマ袋に逆流防止弁が付いている．

### 2 面板

　面板には，皮膚障害を予防するために皮膚保護剤（skin protecting barrier）が用いられているが，皮膚への粘着面が皮膚保護剤単独のものと，ストーマ周囲皮膚の粘着部は皮膚保護剤でその外周はテープで構成されているものがある．

　皮膚保護剤の組成は，吸水性のある親水性ポリマーと粘着性のある疎水性ポリマーである．親水性ポリマーは，不感蒸泄や汗などを吸水する．さらに，親水性ポリマーは酸性のため皮膚保護剤は弱酸性となる．弱酸性の環境下では，静菌作用により貼付部の細菌数を制御し，緩衝作用により便や感染尿といったアルカリ性の排泄物が付着すると酸性に傾けるため，皮膚に直接アルカリ性の刺激が影響を及ぼさない．疎水性ポリマーは，親水性ポリマーをつなぎ合わせて皮膚保護剤の形状を維持させ，粘着力により皮膚保護剤を皮膚に貼付させることができる．ただし，水分の多い環境下であると親水性ポリマーをつなぎ合わせることができなくなり，皮膚保護剤の形状が崩壊し，排泄物が皮膚に付着する．そのため，皮膚障害を予防するためには皮膚保護剤の溶解の程度を確認し，適宜交換する必要がある．

## C ストーマの基本的なケア

新たな排泄の自立のためには，ストーマ装具を患者が自分で交換できることが望ましい．そのため，患者自らがストーマ装具交換を行えるように基本的なケアを術前から始める．そして社会復帰後も自分自身で継続して管理できるように，ストーマ周囲皮膚障害の早期発見とその対応も理解しておく必要がある．

### 1 ストーマ造設前のケア

#### 1. ストーマサイトマーキング

装具装着などのセルフケアが行いやすく，ストーマ傍ヘルニアなどの術後合併症を起こりにくくするために，ストーマの位置を決めるストーマサイトマーキング（stoma-site marking）を実施する．実施時には，医師のほか，相互関係を深めるために家族の同席も考慮する．

ストーマサイトマーキングの手順は，クリーブランドクリニックの原則[2]（表Ⅵ-13）の5項目に従いながら，マーキングディスクを腹壁に置き平面が得られる位置を決めていく．面板の安定性を得るためには，少なくとも成人では直径5〜6 cm，小児では直径3〜4 cmの平面が必要であり[3]，そのためにサイズの異なる円盤型のマーキングディスクを使用する．しかし，この5項目を満たす位置が必ずしもあるとは限らない．そのため，臍より低い位置と腹部脂肪層の頂点を満たす位置でなくても，平面が確保できる位置を選択することが重要といわれている[4]．さらに，あぐらの姿勢で過ごす時間が多い職業の場合，通常よりその姿勢では腹部に深いしわが入りやすい．そのため，患者の職業や生活習慣を確認し，通常よくとる姿勢で腹壁の状態をみて患者の日常生活に適したストーマの位置を決めることが重要である．

なお，ストーマサイトマーキング手技の腹直筋を貫く位置（表Ⅵ-13）の確認は，仰臥位の患者に頭を軽く挙げてもらい腹直筋を緊張させてから，医療者が腹壁を触診して腹直筋外縁を見極めるため技術を要する．近年では，とくに緊急患者等ではそのような体位をとると腹痛などの苦痛が増強するため，超音波エコーを用いて確認する方法が行われている[5]．

患者，医師，さらには家族とともに望ましいストーマの位置が決定したら，油性ペンで印をつける．

表Ⅵ-13 ストーマの位置を決める際のクリーブランドクリニックの原則（ストーマサイトマーキング）

1) 臍より低い位置
2) 腹部脂肪層の頂点
3) 腹直筋を貫く位置
4) 皮膚のくぼみ，しわ，瘢痕，前上腸骨棘の近くを避けた位置
5) 本人が見ることができ，セルフケアしやすい位置

#### 2. ストーマ袋は新たな直腸，膀胱

術前にストーマ造設の受け入れができている場合には，ストーマ装具について説明をすることで術後のボディイメージの再構築が行われやすくなる．具体的には，ストーマ袋が新たな直腸・膀胱であること，ストーマ袋の排出口が新たな肛門・尿道口であること，その排出口の閉鎖具が新たな括約筋であることを説明する．さらに，ストーマ袋は防臭対策がなされており，排泄物が貯留していてもにおいが漏れないことを説明する．このような説明を行うことで，術後排泄物がストーマ袋に貯まったら，においが漏れ出るのではないかと気にして1日に何回もトイレに行くことを予防できるほかに，トイレが近くにないと外出できないという行動制限も予防できる．

また，下着と同じ感覚で，温泉や旅行などTPOに合わせてストーマ装具を変更することで，ほぼ従来どおりの生活が可能であることを伝えておくことも重要である．

### 2 ストーマ造設後のケア

#### 1. ストーマ装具交換

装具から排泄物の漏れがなくても，適宜自分自身で装具交換ができることが望まれるため，以下のような看護が重要である．

まず患者がセルフケアに対して好印象を持つようにかかわる．セルフケアの印象を決める重要な場面は，初回の装具交換場面である．看護師が時間をかけて装具交換を行ったにもかかわらず装具から排泄物が漏れ出た場合，患者は看護師にとってもむずかしい手技であると認識し，自分ではできないものと理解する．したがって，造設初期の段階は，ストーマケアに熟達した看護師が行うことが望まれる．

次に，セルフケア教育の進め方を配慮する．一般的には，まずストーマを直視できるようになり，次に排泄物の排出ができ，最後に装具交換ができるという手順で進めると言われている．しかし，ストーマを直視できない場合には，まず排泄物の排出，次

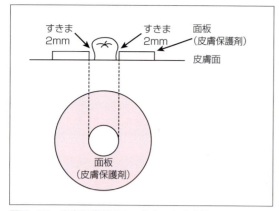

図Ⅵ-42　皮膚保護剤のホールカットの方法
ストーマより4mm大きく穴をあけ，ストーマに直接面板が触れないように注意する．

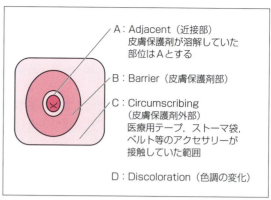

図Ⅵ-43　ABCD-Stomaの観察部位
観察はストーマ粘膜部位を除いて行う．
[2014 日本創傷・オストミー・失禁管理学会：ABCD-Stoma®とその使用法を一部改変]

に装具交換，最後にストーマの直視という手順をたどるとセルフケアができるようになることがある．これは，ストーマ袋の排出口が新たな肛門であるというボディイメージを再構築することにより，ストーマ装具に対する嫌悪感が軽減し，ストーマケアに関心をよせることができるからである．しかし，ストーマを無理に見せようとすると嫌悪感が増強し修得が遅れ，他者にストーマケアを依存してしまう可能性がある．近年では，入院期間が短縮しているため，術前から装具交換の教育を始めることもある．その場合は，まず術前に模型等を用いて装具交換手技を修得し，術後にストーマを直視し，最後に排泄物の排出という手技を修得するという手順で行う．

装具交換の具体的な方法としては，まず可能であれば粘着剝離剤を使用し，愛護的に面板をはがす．次に，弱酸性の洗浄料を使用してストーマ周囲皮膚を洗浄する．その後，ストーマの大きさを測定し，ストーマ，ならびにストーマ周囲皮膚に異常がないかを観察する．面板にストーマより4mm大きく穴をあける（図Ⅵ-42）．皮膚が濡れていないことを確認してから，面板を貼付する．この時，ストーマ周囲から外側に向かって，圧迫しながらなでるように貼付する．二品系装具の場合は，ストーマ袋をつける．最後にはがした面板の裏面を観察し，皮膚保護剤の溶解状況としわを確認し，次回の装具交換間隔を決定する．漏れがなくても10mm以上皮膚保護剤が溶解していれば，交換間隔を1日早める．ただし感染を予防するために1週間以上継続して貼用しない．

**2. ストーマとその周囲皮膚の医療者による継続支援**

患者が自分でストーマケアが行えるようになっても，体調による排泄物の性状の変化，加齢や体重の変動により腹壁の形態の変化，水泳を始めたいなど活動範囲の変化がある場合には，しばしば造設時のストーマ装具では対応できないことがある．そのため，ストーマ外来（stoma clinic）がない医療施設では，退院後の相談窓口を明らかにしておくことが重要である．

## D ストーマ周囲皮膚障害の早期発見とその対応

ストーマ周囲の皮膚障害を早期に治癒させるためには，ケアにかかわる医療者が同じ視点で皮膚障害の状態を評価し，原因をアセスメントした上で適切なケアを提供する必要がある．さらに，ストーマ保有者は，社会復帰後には自己で異常を早期発見する必要がある．そこで，医療者と患者が皮膚障害を共通理解できる評価ツールとして，ストーマ周囲皮膚障害重症度評価スケール ABCD-Stoma[6,7]が開発されている（図Ⅵ-43）．

ABCD-Stomaは，Adjacent（近接部），Barrier（皮膚保護剤部），Circumscribing（皮膚保護剤外部），Discoloration（色調の変化）から命名されたも

表Ⅵ-14　全身状態に関連した皮膚障害の原因と要因

| 全身状態に関連した原因 | 要因 |
|---|---|
| 皮膚の脆弱化 | 免疫力の低下<br>治療による副作用<br>疾患に伴う二次的障害 |
| 皮膚の菲薄化 | 皮膚の菲薄化 |
| ストーマケア阻害行動 | 認知機能の低下<br>セルフケアに関する技能の低下 |

ので，ストーマ粘膜の評価は行わず，ストーマ周囲皮膚障害の部位と程度，ならびに色調の変化の有無によって評価する．

また，ABCD-Stoma の採点結果から，スキンケア方法が導き出せる ABCD-Stoma ケア[8]が開発されている．この ABCD-Stoma ケアの使用方法を以下に示す．

まず全身状態（表Ⅵ-14），障害部位（表Ⅵ-15）とその程度（表Ⅵ-16）のそれぞれのチェック項目から患者に該当する項目を選択すると，ストーマ周囲皮膚障害の原因と要因が示される．加えて，患者に適したスキンケアの目標と，ストーマ装具の選択や交換手技などのケア方法が提示される[9]．なお，ABCD-Stoma ケアのそれぞれのチェック項目は医療従事者であれば誰でも選択可能で，ケア方法はストーマケアに従事した看護師であれば実践可能な内容になっている．

ストーマ保有者の新たな排泄の自立とは，ストーマ周囲皮膚は身体的にも QOL にも影響を及ぼす皮膚障害がなく，基本的にはストーマ保有者が容易にストーマ装具を交換でき，ストーマ造設前と変わらない生活を送れることである．そのためには，看護

表Ⅵ-15　障害部位に関連した皮膚障害の原因と要因

| 図Ⅵ-43の障害部位 | 障害部位に関連した原因 | 要因 |
|---|---|---|
| A | 排泄物の付着 | 皮膚保護剤の浮き<br>皮膚保護剤の溶解<br>刺激性の強い排泄物<br>不適切なホールカット |
| B | 機械的刺激 | 面板剥離時の刺激<br>面板による摩擦<br>凸型嵌め込み具による圧迫 |
|  | 感染 | 不適切なスキンケア |
|  | 化学的刺激 | 皮膚保護剤の組成による刺激 |
| C | 機械的刺激 | 医療用テープ剥離時の刺激<br>ベルト等の固定具による摩擦 |
|  | 感染 | 不適切なスキンケア |
|  | 化学的刺激 | 医療用テープの組成による刺激<br>被膜剤の組成による刺激<br>ストーマ袋の材質による刺激 |
| D | 機械的刺激 | 面板剥離時の刺激<br>医療用テープ剥離時の刺激<br>ベルト等の固定具による摩擦<br>皮膚の洗浄手技による刺激 |
|  | 正常な治癒過程 | 皮膚障害の治癒後 |

表Ⅵ-16　皮膚障害の程度に合わせたスキンケア

| 皮膚障害の程度 | ケア |
|---|---|
| びらん，水疱・膿疱がある場合 | ・皮膚保護剤貼付時には，びらん部に粉状皮膚保護剤を散布してから貼付する（余分な粉状皮膚保護剤が残っていると面板の接着が悪くなるので，余分な粉状皮膚保護剤を払い落す）．<br>・水疱がある場合は，剥離剤を使用して皮膚保護剤や医療用テープを剥離する．<br>・皮膚障害部の薬剤の塗布に際しては，可能な限りローションタイプの処方を依頼する．ローションタイプの外用剤がなく，軟膏，クリームタイプが処方された場合は，塗布後しばらく時間をおいてから軽くふき取り，その後貼付する． |
| 潰瘍・組織増大がある場合 | ・早急に医師に報告する．<br>・皮膚保護剤貼付時には，潰瘍部に粉状皮膚保護剤，あるいはアルギン酸塩ドレッシング材を用いてから貼付する．<br>・皮膚障害部の薬剤の塗布に際しては，可能な限りローションタイプの処方を依頼する．ローションタイプの外用剤がなく，軟膏，クリームタイプが処方された場合は，塗布後しばらく時間をおいてから軽くふき取り，その後貼付する． |

［2014 日本創傷・オストミー・失禁管理学会：ABCD-Stoma® ケアの皮膚障害の程度によるケアを一部改変］

師がケアに苦慮した際には，ストーマケアの専門家である皮膚・排泄ケア認定看護師 (Certified Nurse in Wound, Ostomy and Continence Nursing, WOCN) への相談を検討する必要がある．

## ●引用文献

1) ストーマリハビリテーション講習会実行委員会編：ストーマリハビリテーション学術用語集，63頁，金原出版，1997
2) Erwin-Toth P, Barrett P：Stoma site marking — a primer. Ostomy Wound Manage 43 (4)：18-25, 1997
3) Hampton BG, Bryant RA：Ostomies and continent diversions, pp5-8, Mosby-Year Book Inc., 1992
4) 大村裕子，池内健二，大塚正彦ほか：クリーブランドクリニックのストーマサイトマーキングの原則の妥当性．日本ストーマ学会誌 14 (2)：33-41, 1998
5) 定田喜久世，末平智子：腹部エコーを使用した緊急サイトマーキングの有用性．STOMA 19 (1)：22-25, 2012
6) 紺家千津子，溝上祐子，上出良一ほか：ABCD-Stoma®：ストーマ周囲皮膚障害の重症度評価スケール．日本創傷・オストミー・失禁管理学会誌，16 (4)：361-369, 2012
7) 紺家千津子，木下幸子，松井優子ほか：オストメイトにおける ABCD-Stoma の意義：信頼性とストーマ周囲皮膚障害画像における医療相談の判断．日本創傷・オストミー・失禁管理学会誌 18 (1)：37-41, 2014
8) 紺家千津子，溝上祐子，上出良一ほか：ABCD-Stoma® ケア：ABCD-Stoma® に基づくベーシック・スキンケア選択ツール．日本創傷・オストミー・失禁管理学会誌 17 (4)：319-335, 2013
9) 一般社団法人日本創傷・オストミー・失禁管理学会：ABCD-Stoma® に基づくベーシック・スキンケア ABCD-Stoma® ケア，照林社，2014

# 6 安楽・安寧を保つケア

## A こころと身体の調和を保つ

　こころと身体は常に影響しあっている．心身一如（東洋医学の用語）といわれるように，こころと身体の状態が調っており穏やかであることこそ健康の条件である．積極的に心身の調和を図っていくことで日々の生活の平穏さや安寧を保つことができる．このような観点から，相補・代替医療[*1]への関心が高まり，ホリスティック（holistic）[*2]な看護介入法としてリラクセーション（relaxation）法が活用されるようになってきた．

### 1 リラクセーションの基礎知識

#### 1. ストレス応答システム

　リラクセーション法の基盤には，ストレス対処とホメオスタシス機構の再調整に関する生体内フィードバックシステムの理論がある．

　キャノン（Cannon WB）は生体が外界からの刺激を受けて歪みの状態を起こすことに対してストレスという概念を用い，そこに生じる非特異的反応を「ストレス反応」と呼んだ[1]．ストレス反応自体は外敵に対する自己保全と適応のための反応であり，恒常性（homeostasis）維持機構といわれるものである．

　ストレス状態では，視床下部－副腎皮質系の反応であるストレスホルモンの分泌量の増加と自律神経系のアンバランスが生じる．ストレス反応は自律神経支配域の効果器の反応あるいはホルモン分泌の変化や免疫細胞の変化として現れるほか，大脳活動の変化およびその関連器管や組織の変化として局所的・全身的に出現する（図Ⅵ-44）．セリエ（Selye H）はこうしたストレス反応を時間とともに警告反応期，抵抗期，疲憊期（適応障害期）の3段階を経て進行する汎適応症候群として説明した（ストレス学説）[2]．ストレスが持続（長期化）すると，コルチゾールの分泌量が増えたままになる．セロトニンの分泌が減り，ドーパミンの作用も低下し，抑うつ的な気分，疲労感が強くなることが知られている．また，ウォルフ（Wolf S）や池見はストレス理論をヒトに適用し，病因としての心身症について明らかにした[3,4]．このように，こころの状態と身体の状態は深く関連しあっていることが明らかにされ，今日では人のストレス応答システムは精神神経免疫学（psycho-neuro-immunology：PNI）として説明される[5]．

　ヒトのストレス認知機序は他の動物にない複雑さを示す．概念化・記憶・判断処理機構が発達したヒトの大脳は，その情報処理過程においてその人特有の意味や価値判断が加えられ修飾される．つまり，情報の意味づけのしかたによってはストレスを自らつくりだす可能性もある．また交感神経は副交感神経よりも精神現象との関係が比較的深く，精神的な緊張・興奮の際は交感神経系の緊張が高まる[6]．

　一般に，ストレスが加わると視床下部－自律神経を経て心肺反応の亢進が起こると同時に，大脳－視床下部－中脳網様体－骨格筋系が作動して骨格筋が緊張する（図Ⅵ-44）．急性のストレス反応では，正のフィードバックによってこれらの反応系が働く．ところが，高いレベルの筋緊張が長時間持続すると，大脳－視床下部－脳幹網様体－骨格筋系に負のフィードバック機構が作動しはじめる．ストレス対処がうまくいかず持続的な緊張状態が続いたり，繰り返しストレスにさらされると，ストレス対処姿勢として，逆に否定的な身構えができてしまう．神経質な人の筋緊張度は正常な人の2～3倍であったという[7]．筋緊張の高い部位としては，表情筋，僧帽筋，呼吸筋，腹部や腰部の筋肉，大腿部の筋群などがあげられる．

#### 2. リラクセーション法の作用機序

　リラクセーション法には，筋弛緩法のように末梢の骨格筋の随意コントロール機能を利用して上行性にストレス刺激をコントロールする方法と，イメージ法や自律訓練法，瞑想法のように中枢の認知機能に焦点を当てて認知レベルでのリラックス状態の誘発を図り，それをもとに全身のリラクセーション反

---

[*1] Complementary and Alternative Medicine（CAM）の訳．相補・代替医療（CAM）とは西洋医学以外の治療法の総称である．漢方医学・鍼灸・気功などを含む中国医学に代表される伝統的な東洋医学や心身コントロール法，ハーブ療法，健康食品，指圧・マッサージなどがこれに属する．

[*2] 全人的と訳され，対象を身体的・精神的・社会的など，あらゆる側面から考慮することをいう．全人的医療，全人的看護などの用語がある．

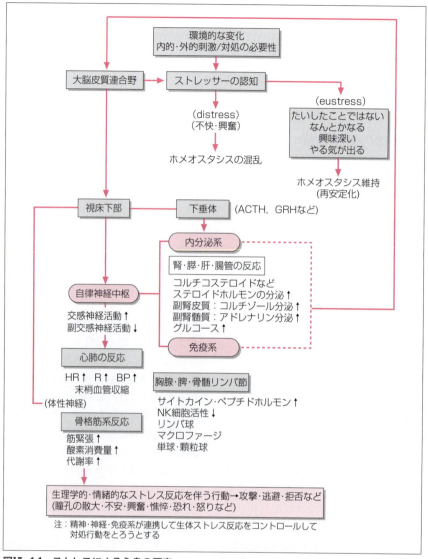

図Ⅵ-44　ストレスによる心身の反応
[荒川唱子, 小板橋喜久代(編)：看護に活かすリラクセーション技法, 10頁, 医学書院, 2001より引用]

応に広げていこうとする方法とがある．基本手技といわれる漸進的筋弛緩法によるリラクセーション反応の機序は図Ⅵ-45に示すとおりである．

漸進的筋弛緩法は，ストレス反応は神経性の緊張が骨格筋系に現れるという神経生理学的モデルを基盤にしている（図Ⅵ-44）．筋緊張と意識水準は関係しており，驚きや思考活動，注意力の集中は筋の緊張度を高める．筋緊張が残っていると筋紡錘がその残余緊張を感受して，脳幹網様体への刺激量を増やし，橋・間脳にある睡眠中枢を興奮させるために寝つけなくなる．

### 3. リラクセーションの効果

リラクセーションによってストレス反応とは逆の反応が現れてくる[8]．自律訓練法や筋弛緩法による直接的あるいは短期的な反応として，血圧値の低下・安定や脈拍数の減少が認められる．練習を積み重ねていくことによって，中期的には日常生活場面でのストレス対処ができるようになる．長期的には心理的平衡が一層深まり自己効力感の自覚，他者との関係性の改善，肯定的態度の保持といったセルフコントロール力の高まりが得られる（図Ⅵ-46）．

### 2 リラクセーションのための看護技術

リラックスするには音楽や香りなども役立つが，ここではリラクセーション反応を引き起こすことを目的にプログラムされたマニュアルによる自己訓練

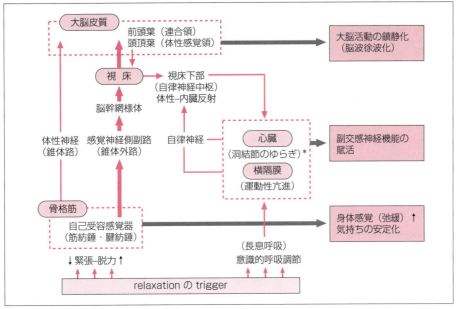

**図Ⅵ-45　筋弛緩法によるリラクセーションの機序**
*交感神経と副交感神経の活動のバランスにより洞結節（洞房結節）からの電気信号は変動している（ゆらいでいる）．

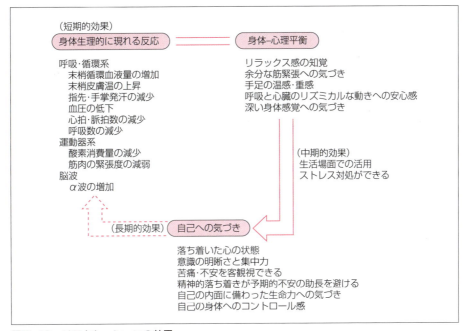

**図Ⅵ-46　リラクセーションの効果**
［小板橋喜久代：痛み・不安を軽減するための技術（リラクセーション療法）．臨床看護学叢書第3巻治療・処置別看護（陣田泰子，平松則子編），306-307頁，メヂカルフレンド社，1997より引用］

技法を取り上げる．つまり，自らの意思に基づいて自己の身体-心に働きかけるもので，一定期間の訓練を要する．以下に，もっとも基本的な呼吸リラクセーションと筋弛緩法を紹介する．

### 1．呼吸リラクセーション

呼吸筋は随意的な調節がある程度可能であるために，身体と精神のパイプ役といわれる．呼吸を調えることは心身の調和によるリラックスを促す[9]．横

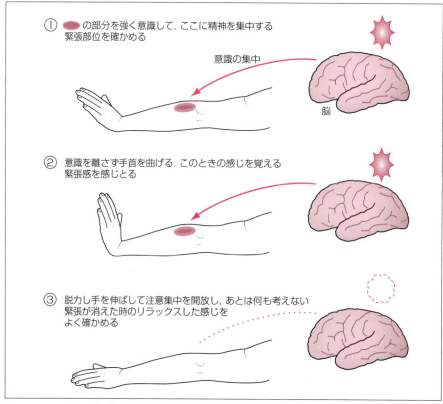

図Ⅵ-47　緊張-弛緩の進め方

隔膜を支配する副交感神経は呼息時に優位になると考えられ，長い呼息がリラクセーション反応を導く*．

1) リラクセーションに適した外的条件

① 静かな場所，他人にじゃまされずに落ち着いて一定時間過ごせる専用の空間を確保する．

② ゆったりとした衣類（ベルトや時計をゆるめる，または外す）で椅子に深く腰かけるか，臥位をとり，目を軽く閉じる．視覚情報を閉ざすと，自然に身体内部に意識が向いてくる．

③ さらに，気持ちを呼吸に集中させていき，ほかのことが浮かんできてもただそのまま受け流すようにする（いわゆる注意集中と受動的態度）．そのためには，一息ずつ丁寧に気持ちを込めて吐き出し，ゆっくりと吸い込む．このことはすべてのリラクセーション法の基本である．

2) 呼吸リラクセーションの実施

呼吸リラクセーションは呼息から始める．口をすぼめ加減にして空気が少しずつ漏れるように吐き出していく．横隔膜を押し下げるような気持ちで腹部に向けて息を吐き下ろし，呼息に合わせて身体の力をゆるめることを意識するのがポイントである．丁寧に吐き出していき，これ以上吐き出せないところまで完全に吐ききる．次に，鼻からゆっくりと空気を吸い込む．このとき舌先を上顎に押しつけるようにすると横隔膜呼吸になる．吸息と呼息の時間比を1:2とする．およその目安として，4秒吸って1秒止め，8秒かけて吐ききるようにする．呼吸に合わせて「ひとーつ」と唱えると一層意識を集中しやすい．

3) 消去動作

終了時の注意として，上肢・下肢の屈伸を行い，首や肩を回してストレッチして意識を通常の状態に戻す．これらの動作を消去動作といい，リラクセーションによって鎮静化した状態を消去させ，元の身体感覚に戻す効果がある．そのまま眠ってしまう時以外は，いずれのリラクセーション法でも必ず消去動作をとる必要がある．

## 2. 漸進的筋弛緩法

漸進的筋弛緩法には，普段は気づきにくい骨格筋の緊張性に気づくプロセスと，その緊張を取り除き

---

*ゆっくりした呼吸運動は副交感神経の働きを亢進させ洞結節のゆらぎを大きくし心拍数を低下させ，リラックスした状態を促す．

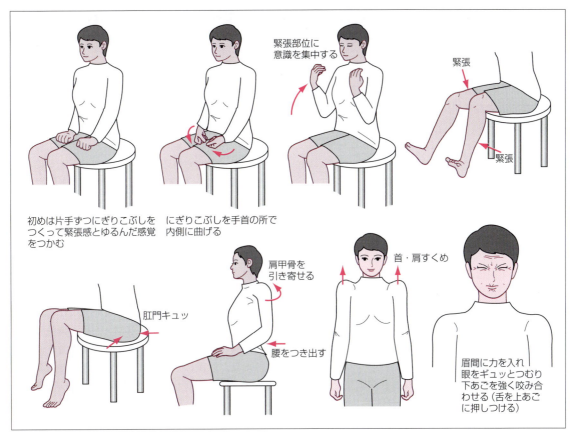

**図Ⅵ-48　漸進的筋弛緩法の実際**
両腕から始めて下肢へ，体幹部は殿部→腰→腹→胸→肩へと上がってくる．さらに首→顔と進め，人目にさらされて緊張しやすい部位を弛緩させる．最後は口腔内の発語筋（舌・口唇）も弛緩させる．
長息の呼吸を繰り返しながら全身の弛緩感覚をもう一度かみて十分にリラックス感を味わったら終了する．終了時の消去動作は呼吸法と同じである．必ず弛緩の知覚に十分な時間をとる．

ゆるんだときの感覚（リラックス感）を知覚するというプロセスがある．ゆるめたときに感じられる弛緩感覚を十分に"味わい"，リラックスしたときのからだの心地よい感覚を目覚めさせる．筋弛緩の順序は四肢（手・腕から下肢へ）から始めて体幹部へ，最後に首から顔に進め，精神機能のリラクセーションを行う（図Ⅵ-47, 48）．リラックス状態は徐々に，段階的に，からだ全体に定着していくので，最初はうまくできなくても繰り返し練習していくことが大切である．

### 3　リラクセーション法の適用と効果

呼吸法や筋弛緩法は比較的容易に実施できるのでリラクセーション法の練習に取り入れられている．主な適応領域は高血圧患者の血圧コントロール[10]，術後痛の緩和[11]，不眠症の入眠促進[12]，がん患者の吐気・嘔吐[13]や不安の軽減[14]，がん性疼痛のコントロール[15]，がん患者への継続指導による唾液中の免疫グロブリン（IgA）の上昇[16]，周術期の乳がん患者の不安・疼痛の軽減[17]，術後のリハビリテーションによる苦痛の軽減[18]，心筋梗塞後のリハビリテーション[19]，2型糖尿病患者のストレス軽減[20]など，さらにパニック障害の鎮静，片頭痛の軽減などで，このほかに妊婦の健康教室にも活用される．

### 4　ケアのポイントと留意事項

ケアのポイントについては，以下のとおりである．
①練習は1日2回くらいとし，食後の1～2時間を避ける．
②その人にとっての練習の目的・目標を明確にしておく．多少面倒でもその都度練習経過をチェックし，チェック表やリラクセーション練習日誌をつけると効果がわかりやすい．リラクセーション反応を評価することで効果を高める．
③筋弛緩法は図Ⅵ-48に示した身体全体をゆるめて

いく練習は一度に行わないで，数日間に分けて練習するとよい．たとえば始めは腕だけ，次に脚，さらに体幹部，最後に肩首あごというように分けて練習するのもよい方法である．

④慣れてきたら，緊張させないでゆるめるだけの受動的な方法でもリラックス感が得られるようになる．

⑤セルフコントロール法には適切なフォローアップが必要である．どのような方法を勧めるのがよいか，いくつかの方法を試して確認する．

⑥決して無理強いしてはいけない．あくまで症状緩和が目的である．

リラクセーション法は日常生活における心身のアンバランスを未然に防ぎ，無駄なエネルギーの消耗を防ぎ，疲労回復を促す．最近では，生活習慣病管理のためのセルフケア技法として，また，看護者の心身コントロールの方法として活用されるようになった．実践の場でこころと身体のバランスを保つための方法としてリラクセーション技法を活用していくためには，まずは，看護師自身がセルフケアにとり入れてその効果を確かめることが重要である．そのうえで対象者に適した技法の選択，適切な指導，そして継続のためのフォローアップが必要である．

## B 温熱・寒冷刺激による安楽・安寧の促進

### 1 温熱・寒冷刺激の基礎知識

身体の一部または全身を温め，冷やす行為は一般家庭でも簡便に活用できる身体的ケアのひとつである．外部から温熱刺激を補ったり取り除いたりすることを温熱・寒冷刺激と呼ぶが，これによって生物は体温を適正に調節することができる．体温を適正に保つことで代謝機能は安定し，生命活動の恒常性が維持される．同時に，痛みや倦怠感などの不快症状を軽減させたり，心理的な安楽をもたらす効果もある．医療の場では，身体の一部または全身への温熱・寒冷刺激を応用した療法を温罨法（hot compress），冷罨法（cold compress）と呼び，理学療法治療として，また看護ケアのひとつとして用いられている．

#### 1．温熱・寒冷刺激に対する受容器の特徴

皮膚には外界の情報をとらえる受容器が備わっている．温度刺激に対して「熱さ」を感受するのが温受容器（温点），「冷たさ」を感受するのが冷受容器（冷点）である．これらの受容器はいずれも神経自由終末で，Aδ線維（有髄）とC線維（無髄）がある．

温点と冷点の体表分布は部位によって異なっており，それによって外気温との温熱の取引が安定的に行われている．たとえば，体幹部（胸腹部・背部）や腰部大腿部など外気温の変化に左右されずに恒温状態が維持される必要がある部位では，冷点が密に分布して冷たさに敏感である．これに対して温点は寒冷刺激に耐えられるよう顔面や四肢，とくに指の掌側，指背など外気にさらされやすい部位に多く分布している．

#### 2．温度への順応と快・不快感覚

一定の環境温度や皮膚に直接触れている物体の温度に対する感覚は，その温度が皮膚温に近い範囲である場合，次第に消失する．この現象を温度に対する順応（adaptation）という．順応が生じる温度は生体に安全な範囲（10～40℃）であるが，皮膚温，曝露または接触する皮膚の部位・面積，持続時間によって異なる．発熱しているとき寒冷刺激を快適に感じたり，低温にさらされているとき高温刺激を快適に感じるのは，こうした皮膚の順応の特徴による．

#### 3．加齢と温度感受性

加齢（または老化，aging）によって暑さ・寒さに対する感受性が低下する．冷点の減少によって寒冷刺激に対する皮膚血管収縮反応が遅延し，血管収縮力も低下するので，皮膚からの放熱抑制が効きにくくなり，体温低下が起こりやすくなる．温熱刺激に対しても皮膚血管拡張による皮膚温上昇と発汗開始が遅れるため，高温曝露時に熱射病などを起こしやすい．このように，高齢者では深部体温（core temperature）が外気温に影響されやすくなるので，温度環境にはとくに注意しなければならない[*3]．

### 2 温熱刺激の安楽・安寧促進効果

#### 1．温熱刺激と生体反応

生体表面が温熱刺激されると，熱は表皮から真皮に伝えられて末梢毛細血管を拡張させるとともに，血液の温度が上昇して粘張性が低下する．そのため，血液やリンパ液の流れが速まり，炎症産物の排除と吸収，浮腫の改善が進む．また，骨格筋の弛緩によって痛みが軽減し，皮膚の伸縮性が高まって関節可動域が広がる．さらに，細胞の新陳代謝は増進し，皮膚呼吸が促進する[21]．

---

[*3] 体温調節中枢の機能が未熟な新生児の体温（体表温度・深部体温）も外気温の変化に影響を受けやすい．

表Ⅵ-17　罨法の種類

| 温罨法 | 湿性 | 温湿布，ホットパック |
|---|---|---|
| | 乾性 | 湯たんぽ，かいろ，電気あんか，CMC*製品，電気毛布，電気シーツ，光線照射（遠赤外線） |
| 冷罨法 | 湿性 | 冷湿布（エタノール，アクリノールなど） |
| | 乾性 | 氷枕，氷嚢，CMC*製品，アイスマット |

\* carboxy methyl cellulose の略．温水にも冷水にも溶ける水溶性高分子化合物．温度安定性が高いので，製品は温めると温罨法として用いることができ，冷やせば冷罨法として用いることができる．

　罨法によるリラクセーション効果の特徴は，このような身体症状の改善と精神的な安寧作用が相伴って現れるところにある．温罨法や足浴などの温熱刺激によって交感神経は瞬時に緊張するが，その後，緊張は低下してリラックス反応が現れてくる．

　温熱あるいは温浴によるケアは皮膚に水分を補給し柔軟性を高めるとともに，身体の緊張をとり精神的な鎮静と安寧促進効果をもたらす[22]．腰背部への温熱刺激は消化管の蠕動運動や排泄を促進し[23,24]，下腹部や腰背部の温熱刺激は月経痛を軽減させる効果もある[25]．背部温罨法により化学療法を受けている患者の倦怠感を軽減させるという報告[26]，術後患者の症状緩和や生活行動を拡大させるという報告がある[27]．足浴によってNK細胞[*4]活性が高まるという報告もある[28]．

### 3 寒冷刺激の安楽促進効果

#### 1. 寒冷刺激の生体作用

　寒冷は生体に温熱刺激とは逆の反応を引き起こす．すなわち，寒冷刺激によって循環速度の遅延や血流減少がもたらされ，血液の粘性が高まり，組織の新陳代謝が低下する．その結果，物質の移動がゆるやかになり，平滑筋は緊張傾向となる．寒冷刺激には外傷時の炎症・発熱・頭痛やその他の痛みの緩和，不穏状態の鎮静化，止血などの効果がある．10℃以下（冷水なら16℃以下）の寒冷刺激は痛覚を生じさせる．動脈を冷やすことによって体温が低下し，腫脹は軽減し，血液や滲出液の漏出が減少する．

### 4 温度刺激としての罨法の活用

　温度刺激は物理的に温度差のあるところに浸透していく．皮膚表面に貼付された温度が体内に伝導し，神経を刺激し内臓諸器官に及ぶ．つまり，罨法による身体表面のケアが体腔に及ぶということである．身体の温度環境は酵素反応速度（代謝活動）に影響することから，自律神経反射を高めるために交互浴が用いられることもある．

　温熱・寒冷療法は生体機能そのものの活性化あるいは鎮静化を通して症状緩和を図るとともに，安楽さを引き出すことができる技法であるといえる．

### 5 罨法の種類と実際

#### 1. 罨法の種類

　罨法は温罨法と冷罨法に大別されるほかに，貼用部分が湿った状態であるかどうかで，湿性と乾性に分類される（表Ⅵ-17）．湿性のものは水分によって熱伝導率が高くなるため，乾性のものよりも皮膚温との温度差をより感じやすい．ただ，同時に気化熱が多く奪われるため冷めやすい．

　簡便さと経済性から，一般に温罨法では湯たんぽやホットパック，冷罨法では氷枕，氷嚢（アイスバッグ）とともにクールパック（枕）が多く用いられる．

#### 2. 罨法の実際

1）温罨法の看護技術

　温罨法には温湿布[*5]，湯たんぽ，温枕などがある．温熱または寒冷刺激の生理的必要性を考慮すると，罨法の温度は本人が気持ちよい刺激と感じる温度にすればよい．一般に，乾性よりも湿性のほうが熱伝導性が高いので，深部組織まで熱が浸透し，心臓副交感神経活動も高まりやすい．湿熱刺激で脳波上のα波帯域が増幅されたという報告もある[29]．

　温罨法を実施する際には，次のような点に留意する．

①創傷部位や炎症のある部位や熱性疾患に対して，温熱は症状を増悪させるおそれがある．
②出血傾向のある人には禁忌である．

---

[*4] ナチュラルキラー（natural killer）細胞と呼ばれる，細胞傷害性をもつ大型リンパ球のひとつ．

[*5] 湯を含ませたタオルをビニール袋で包んで局所にあてる方法や，パップ（巴布，pap）〔動植物の細胞や分泌物や鉱物からつくった薬剤（生薬）を糊状にして布や紙につけ，皮膚の炎症部に貼る〕がある．冷湿布も同様の方法でつくる．

表Ⅵ-18 温罨法の実際：湯たんぽの場合

| 〈使用物品〉 ピッチャー，湯（60～70℃），湯たんぽ（金属製・ゴム製・プラスチック製），湯たんぽカバー（厚地ネル・毛布地），温度計 ||
|---|---|
| 手　順 | 根　拠 |
| **（準備）**<br>①まず，湯たんぽに少量の湯を入れ，湯たんぽの破損，漏れの有無，栓のパッキングの摩滅による湯漏れがないかを確認し，湯を捨てる<br>②温度計で湯の温度を測定して60～70℃に調節する　ゴム製の湯たんぽ使用時や乳児，高齢者，意識不明患者，麻痺患者に使用するさいは60℃程度にする<br>③湯を湯たんぽの2/3程度入れる<br>④ゴム製湯たんぽは平らに置いて湯を口まで出して空気を抜いてから栓をする．そして，逆さにして栓またはふたの部分から湯漏れがないかを確かめる<br>⑤湯たんぽの周囲についている水分を拭きとり，カバーをかける | ・安全確認用の湯で湯たんぽが温まり，次に湯を入れたとき，温度の低下を防げる<br><br>・50℃以下の湯は冷めやすい<br>・ゴム材質は70℃で変質する場合がある<br><br><br>・湯が少ないと冷めやすく，多いと安定性が悪く，湯が漏れる危険がある<br>・湯たんぽの中に空気が入っていると，熱伝導が悪くなったり，空気の膨張によって栓から湯が漏れることがある |
| **（湯たんぽの貼用）**<br>①患者に湯たんぽを貼用することを説明する<br>②湯たんぽには必ずカバーをかけ，皮膚面から10 cm離し，表面温度が45℃以上にならないように注意する<br><br>③熱かったり，湯が漏れるなどの異常があれば，すぐ連絡するよう説明する<br>④状態を観察する　バイタルサイン，貼用部の発赤，熱傷症状の観察，主観的な情報など | <br><br>・麻痺のある患者では43℃で熱傷を起こすことがある（低温やけど\*）ため，表面温度が42～43℃以上にならないようにする必要がある<br>・湯こぼれを防ぐため，ベッドのへこみの少ない側に栓を向けて湯たんぽを置く |
| **（後片づけ）**<br>　湯を捨て，物品を十分乾燥させる．ゴム製品は変質しやすいので，内部に新聞紙などを差し込んでおく | |

\*低温やけどとは，体温より少し高い程度の心地よく感じる温度でも，同一部位の皮膚が長時間にわたってその温度に接していることによって発生するやけどである．ちなみに，31℃の温度の接触している皮膚表面温は40℃になる．
　低温やけどの発生する温度と接触時間の目安は，44℃：3～4時間，46℃：30分～1時間，50℃：2～3分とされている．予防には，厚手のカバーを用いる，皮膚から20～30 cm離して用いる，寝具内をあらかじめ温めたら湯たんぽを取り除く等であるが，低温やけどが生じてしまったとき（皮膚の変色や痛み）は，皮膚表面よりも内部にやけどが浸潤しているので受診する必要がある．

［山田幸生：低温やけどについて．製品と安全第72号，製品安全協会より引用］

③意識レベルの低下している人，乳幼児，高齢者，麻痺のある人は感覚機能が低いので，実施温度に気をつけるとともに，頻回にチェックする．

### 2）冷罨法の看護技術

冷罨法には，冷湿布，氷，冷水，冷却パックなどがある．目的の部位に適切に貼用し，貼用部位の反応を確認しながら，皮膚の循環障害や凍傷を起こさないようにする．頻回に確認しないと貼用部位がずれたり，冷えすぎたりすることがあるので注意する．

温罨法と冷罨法の実際を表にまとめた（**表Ⅵ-18, 19**）．

## 表VI-19 冷罨法の実際：氷枕・氷嚢（アイスバッグ）の場合

〈使用物品〉
氷枕，氷嚢（アイスバッグ），止め金，カバー（タオル，ガーゼ，三角巾など），氷，水，ピッチャー，タオル，温度計

| 手　順 | 根　拠 |
|---|---|
| **（準備）**<br>①氷枕，氷嚢の破損・漏れの有無を確認する．氷枕は水を入れ止め金をして押さえる．氷嚢は空気を入れて膨らませる<br>②フレークアイスはそのまま使用するが，ダイヤアイスなど角のある氷は水に入れ，角をとって使う<br>③準備した物品に，目的に合った氷，水を入れる | ・角があると器具を傷つけたり，使用時の感触が損なわれる可能性がある |
| **（氷枕）**<br>①氷を1/2〜2/3入れ，コップ1〜2杯の水を入れる<br><br>②氷枕の中から空気を出すため，氷枕を平らな場所に置き，口の近くに水が見えるまで氷枕を押さえ，2本の止め金で交互に止める<br>③逆さにして水が漏れないことを確かめ，外側や口の部分を乾いたタオルなどで拭いてからカバーをかける<br>④患者に説明し，止め金を床頭台の反対側に向くようにし，止め金の部分がベッド柵側にくるように置く．口を上向きに置くようにする<br>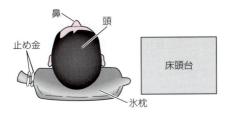 | ・水を入れることによって氷と氷の隙間がなくなり，氷枕表面の温度差がなくなる．また，氷のゴロゴロ感をなくし，枕全体の高さや安定感を調整できる<br>・空気があると熱伝導が不良となり，加冷効果が低下する<br><br><br>・床頭台側は患者が頻回に顔を向けるので，止め金があると顔を傷つけるおそれがある<br>・氷枕の口を上にしておくと，頭の重さや，氷中の圧縮された空気包が溶けることによる体積と圧力の増加が起こっても，水はこぼれない |
| **（氷嚢）**<br>①母指頭大の氷またはフレークアイスを準備する<br>②氷嚢に氷を約2/3（こぶし大）と，氷の隙間を埋める程度の水を入れる<br>③氷の部分から口のほうへ氷嚢をねじって空気を抜き，キャップをする<br>④水が漏れないことを確かめ，周囲や口の部分を乾いたタオルなどで拭く<br>⑤患者に説明し，必要に応じタオルなどで温度を調整して貼用する<br><br>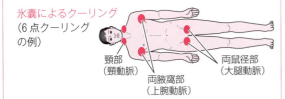 | ・布による断熱を行っても，毛髪のない部分に用いる場合は凍傷の危険性が高くなる．氷嚢の表面温度は15℃くらいが適温である |
| **（貼用後）**<br>①冷たすぎたり，水が漏れるなどの異常があればすぐ連絡するよう説明する<br>②状態の観察をする<br>　バイタルサイン，貼用している部位の発赤・凍傷症状の観察，主観的な情報など | |
| **（後片づけ）**<br>氷と水を捨て，物品を十分乾燥させる．ゴム製品は変質しやすいので，内部に新聞紙などを差し込んで保管する | |

## ●引用文献

1) Cannon WB（舘隣，舘澄江訳）：からだの知恵（講談社学術文庫），240-244頁，講談社，1988
2) Selye H（杉靖三郎訳）：現代社会とストレス，法政大学出版局，1988
3) Wolf S, Goodell H（多田井吉之介訳）：ウオルフのストレスと病気，協同医書出版，1970
4) 池見酉次郎：PNIと心身医学．Imago 3（3）：43-49，1992
5) 神庭重信：こころと身体の対話―精神神経免疫学の世界，34-54頁，文藝春秋社，2000
6) 佐藤優子：体性―自律神経反射．Clinical Neurosci 64：404-406，1997
7) Jacobson E（向後英一訳）：積極的休養法，創元社，1974
8) ハーバート・ベンソン（中尾睦宏ほか訳）：リラクセーション反応，100-118頁，星和書房，2000
9) 柳　奈津子：呼吸法．看護に活かすリラクセーション技法（荒川唱子・小板橋喜久代編），18-29頁，医学書院，2001
10) Pender NJ：Effects of progressive muscle relaxation training on anxiety and locus of control among hypertensive adults. Res Nurs Health 8：67-82，1985
11) 森谷美利，佐藤敬子ほか：術前の状況不安に対しリラクセーションを試みて．オペナーシング 10（10）：76-81，1995
12) Johnson JE：Progressive relaxation and the sleep of older noninstitutionalized women. Nurs Res 4：165-170，1991
13) Arakawa S：Relaxation to reduce nausea, vomiting, and anxiety induced by chemotherapy in Japanese patients. Cancer Nurs 20：342-349，1997
14) Gift AG, Moore T, et al.：Relaxation to reduce dyspnea and anxiety in COPD patients. Nurs Res 41：242-246，1992
15) 吉田亜紀子：がんの痛みに対する漸進的筋弛緩法とイメージ法の効果．高知女子大学看護学会誌 27：51-58，2002
16) 近藤由香：がん患者に対する漸進的筋弛緩法の継続介入の効果．日本がん看護学会誌 22（1）：86-97，2008
17) Mimowa C, Koitabashi K：Effects of autogenic training on perioperative anxiety and pain in breast cancer patients — A Randomized controlled trial. The Kitakanto Medical Journal 60（1）：1-11，2013
18) 武田宣子ほか：人工膝関節全置換術後痛，持続的他動運動後痛および術後早期関節可動域に対する漸進的筋弛緩法の効果．日本整形外科看護研究学会誌 3：56-63，2008
19) 鈴木恵理：急性心筋梗塞後に心臓リハビリテーションを行っている患者．リラクセーション法入門（小板橋喜久代，荒川唱子編），167-171頁，日本看護協会出版会，2013
20) 片田裕子：2型糖尿病患者．リラクセーション法入門（小板橋喜久代，荒川唱子編），184-188頁，日本看護協会出版会，2013
21) 野島良子ほか（監訳）：こころと身体の調和を生むケア，72-80頁，へるす出版，1998
22) 長谷部佳子，中山栄純ほか：温罨法が臥床中の生体の快適感，体温・皮膚血流に及ぼす影響．日看研会誌 22（5）：37-45，1999
23) 菱沼典子，平松則子，春日美智子ほか：熱布による腰背部温罨法が腸音に及ぼす影響．日看科会誌 17（1）：32-39，1994
24) 菱沼典子ほか：熱布による腰背部温罨法の排ガス・排便に対する臨床効果．聖路加看護学会誌 4（1）：30-35，2000
25) 細野恵子ほか：蒸気温熱シートによる若年女性の月経随伴症状緩和の有効性．日本看護技術学会誌 9（2）：39-47，2010
26) 谷地和加子：倦怠感のある外来がん化学療法患者への背部温罨法の有用性．日本看護技術学会誌 11（3）：46-55，2013
27) 縄　秀志：術後患者の回復過程における腰背部温罨法ケアモデルの構築．日本看護技術学会誌 5（2）：12-20，2006
28) 豊田久美子：フットケア！看護技術としての驚くべき効果．看護後術 47（6）：17-20，2001
29) 落合龍史：湿熱刺激が脳波および自律神経に及ぼす影響．自律神経 38（6）：450-454，2000

# 7 悪心・嘔吐のケア

## A 悪心・嘔吐の基礎知識

### 1 悪心・嘔吐の定義

嘔吐（emesis, vomiting）は摂取された有害物質を体外へ排出するための生体防御機構のひとつであり，悪心（nausea），空えずき（retching；吐き気がありながら吐けない），吐出（expulsion）から構成される一連の反射（reflex）である（図Ⅵ-49）．悪心は咽頭や上部消化管の不快感を伴う主観的な現象と定義される．嘔吐には空えずきと吐出が含まれる．空えずきでは横隔膜と腹筋の定期的な嘔吐様収縮が起こるが，消化管内容物の吐出は伴わない．これに対し，吐出は胃，十二指腸，小腸の内容物が口腔から強制的に排出されることをいう．空えずきと吐出の動作（反射性の運動）そのものは観察によって区別することはむずかしい．

逆流（regurgitation）は下部食道括約筋の障害や食道切除術後などに生ずる嘔吐によく似た現象であるが，嘔吐に関与する筋群の収縮を伴わないことが多い．

## 2 悪心・嘔吐のメカニズム

悪心は主観的なものであるが，唾液の分泌亢進，冷汗，顔面蒼白などの自律神経症状を伴う．胃電図法（electrogastrography：EGG）[*1]により，悪心時に胃の運動機能障害（dysgastria）が生じていることが明らかになった[1,2]．

吐出では，横隔神経を介して横隔膜が下降した位置で固定され，脊髄神経を介して肋間筋および腹直筋が収縮することによって腹圧が約 100 mmHg まで上昇し，胃が圧迫される[3]．同時に，十二指腸および胃底部の強い収縮，胃体部および噴門部の弛緩が起こり，胃内容物は口側に押し出される．そして，軟口蓋と喉頭蓋によって鼻腔と気管への経路が閉鎖され，下顎反射が抑制されて開口し，吐出が起こる（図Ⅵ-50）．

---

[*1] 胃平滑筋の電気的活動を経皮的に記録し，非侵襲的に胃の運動機能を評価する臨床的診断方法．

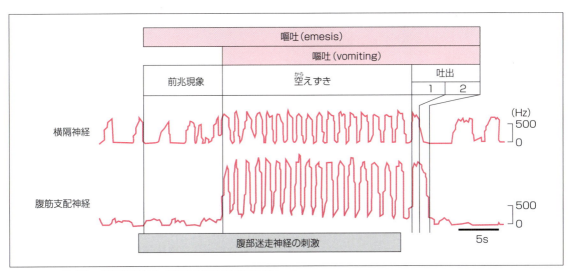

図Ⅵ-49 嘔吐時の横隔神経および腹筋支配神経の活動パターン
[Fukuda H：The site of the antiemetic action of NK1 receptor antagonist. Antiemetic Therapy（Donnerer J Graz ed），p.36, S. Karger AG, 2003 より引用]

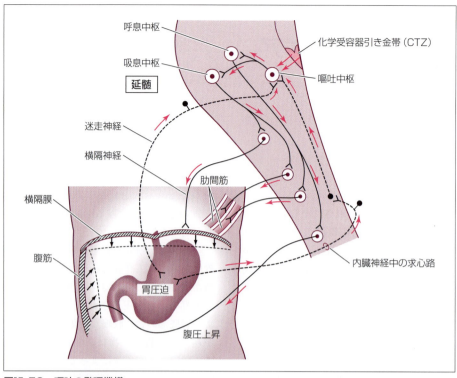

図Ⅵ-50　嘔吐の発現機構
[岡田博匡：自律神経系．図説生理学テキスト（中山 沃編），93頁，中外医学社，1984 より引用]

表Ⅵ-20　嘔吐の発生原因

| 刺激部位 | 主要な原因 |
| --- | --- |
| **中枢性嘔吐** | |
| 1) 大脳皮質 | 頭蓋内圧亢進（脳腫瘍，脳血管障害，頭部への放射線照射） |
| 2) CTZ | 催吐性薬物（抗がん薬，オピオイド，抗生物質，抗けいれん薬，ジギタリス，アポモルフィン等）<br>代謝性疾患（アルコールの多量摂取，肝不全，尿毒症など）<br>妊娠初期のつわり<br>中毒（細菌性食中毒，化学物質など） |
| 3) 精神性 | 不安などの心因反応（予期的嘔吐）<br>摂食障害 |
| **末梢性嘔吐** | |
| 1) 求心性腹部迷走神経末端の 5HT₃ 受容体 | 抗がん薬・オピオイド<br>放射線治療 |
| 2) 内臓求心性神経 | 消化管の通過障害・運動障害<br>胃粘膜の局所刺激<br>催吐反射 |
| 3) 前庭器官・小脳 | 乗り物酔い<br>内耳障害（メニエール病）<br>視覚・味覚・嗅覚刺激 |

（注）CTZ：chemoreceptor trigger zone（化学受容器引き金帯），5HT₃：セロトニン

## B 悪心・嘔吐の原因

嘔吐を引き起こす中枢神経機構は非常に複雑であり，延髄網様体に嘔吐運動を形成する神経活動パターンがあるとされている[4]．催吐性刺激の入力経路は中枢性と末梢性に大別される（表Ⅵ-20）．

### 1 中枢性嘔吐

中枢性の嘔吐は，頭蓋内圧亢進や不安などの心因反応により大脳皮質から直接刺激されて起こる場合と，化学物質が化学受容器引き金帯（chemoreceptor trigger zone：CTZ）（図Ⅵ-50）を刺激して起こる場合がある．通常，血液中の化学物質は脳への透過を血液脳関門（blood-brain barrier：BBB）により制限されているが，第4脳室最後野（area postrema）にあるCTZは血液脳関門の防御を受けないため，催吐性物質はCTZを刺激し，嘔吐が誘発される．

### 2 末梢性嘔吐

末梢性嘔吐では，抗がん剤や放射線照射により，消化管に存在するクロム親和性細胞からセロトニン（$5HT_3$）が遊離されセロトニン受容体に結合し，求心性神経を介して嘔吐が誘発される経路と，消化管の狭窄による腸管の伸展や，炎症による腸管粘膜の損傷が求心性神経を介して嘔吐を誘発する経路がある．

動揺病（motion sickness）とも呼ばれる乗り物酔いでは，揺れや振動によって内耳の三半規管や耳石器が刺激され，前庭神経から小脳を介して催吐性刺激が延髄に達し，嘔吐を誘発する．また，実際に揺れや振動を受けなくても，動揺性の視覚刺激によってこの経路で嘔吐が誘発される．

## C 悪心・嘔吐のケア

### 1 アセスメント

悪心・嘔吐は多くの要因によって発生するため，看護師は悪心・嘔吐の状況を観察し，原因を推測し，適切に対処する必要がある．アセスメントに必要な項目を表Ⅵ-21にあげた．

悪心は必ずしも嘔吐に先行して発生する症状ではなく，たとえば，頭蓋内圧亢進による嘔吐では悪心を伴わないことが多い．そのため，悪心，空えずき，嘔吐の有無と出現頻度や持続時間などの程度を把握する．次に，嘔吐の原因を特定するために，吐物の性状，食事時間との関連や随伴症状を観察することが重要である．吐物の性状からは消化管の潰瘍や出血の有無などを，食事時間との関連からは消化管の狭窄部位や食中毒の原因菌を推定することが可能である．嘔吐を引き起こす原因が消化管以外にある場合には，めまい，意識障害，痛みなどの随伴症状を伴うことが多い．

表Ⅵ-21 嘔吐のアセスメント項目

1. **嘔吐の出現状況・履歴**
    - 悪心，空えずき，嘔吐の有無
    - 悪心，空えずき，嘔吐の出現頻度と持続時間
2. **嘔吐物の性状（臭いと混入物）**
    - 酸性臭：胃・十二指腸潰瘍（胃酸過多）
    - 糞便臭：下部消化管の閉塞
    - 腐敗臭：胃残渣物の細菌増殖
    - 胆汁混入：幽門部の開存，胃切除後
    - 血液混入（コーヒー残渣様あるいは新鮮血性）：上部消化管の潰瘍または腫瘍
3. **食事時間との関連**
    - 空腹時：頭蓋内圧亢進，妊娠
    - 食直後：食道の狭窄，摂食障害
    - 食後1～4時間：胃・十二指腸病変，黄色ブドウ球菌食中毒
    - 食後12～48時間：幽門部から十二指腸の狭窄
    - 食事とは無関係：胃がんまたはその他の悪性腫瘍
4. **随伴症状**
    - 自律神経系の反応：顔面蒼白，脈拍数の増加，唾液の分泌亢進，冷汗
    - 腹部症状：腹部膨満，圧痛，下痢
    - 痛み：腹痛，頭痛，疝痛
    - めまい，耳鳴り
    - 意識障害

### 2 制吐治療に伴うケア

嘔吐は栄養分の喪失だけでなく体力も消耗する，患者にとって大きな苦痛を伴う症状である．したがって，嘔吐が予測される場合には，制吐薬を使用してその予防をはかる必要がある．すなわち，嘔吐ケアにおいては薬物療法が第1選択肢である．制吐治療における看護師の役割は，制吐薬の有効性を判断することである．

### 3 安全・安楽な体位

嘔吐による誤嚥防止のために，嘔吐時は頭を低くし，側臥位または前屈位にして吐出を助ける．また意識障害がある場合には顔を横に向ける．

嘔吐は不随意に生じる現象であるため，体位による予防は困難である．しかし，嘔吐とよく似た症状の逆流である場合には，ファウラー位またはセミファウラー位にすることによって胃内容物の排出を予防することができる．

### 4 食事・栄養状態への配慮

悪心・嘔吐が軽減されない場合，経口摂取が困難となる．電解質異常，脱水，栄養障害などの2次的な影響が生じ，患者の生活の質（QOL）や予後へも

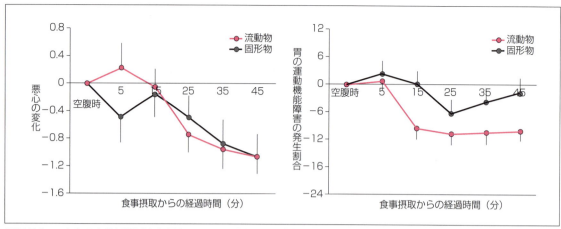

**図Ⅵ-51　つわりのある妊婦が食事摂取したときの悪心および胃運動機能への影響**
つわり症状のある妊婦が400 kcalの食事をしたときの悪心および胃の運動機能障害の程度を評価した．空腹時を基準として食事摂取後の悪心および胃の運動機能障害の変化を示している（平均±標準偏差）．その結果，少量の食事を摂取することにより悪心の軽減と胃運動機能障害の改善がみられた．
[Jednak MA, Shadigian EM, Kim MS, et al.：Protein meals reduce nausea and gastirc slow wave dysrhythmic activity in first trimester pregnancy. Am J Physiol 277：G858, 1999 より引用]

関係する[5]．経口摂取が困難な患者には静脈栄養が行われるが，化学療法（chemotherapy）に伴う骨髄抑制によって免疫能が低下している場合には，感染のリスクを増加させることがある[6]．

悪心・嘔吐時に好まれる食品としては，冷たいもの，あっさりしたもの，喉ごしのよいものがある．味覚障害を併発する場合にはインスタント食品などの味の濃いものが，嗅覚障害を併発する場合には臭いの少ない冷たいものが好まれる．また，妊娠初期に生じるつわり（悪阻）では，空腹を避け少量ずつ摂取することにより悪心および胃の運動機能障害を軽減することができる（図Ⅵ-51）．

### 5 精神面のケア

妊娠や治療に伴って生じる嘔吐の場合，鍼治療やリラクセーション技法により悪心・嘔吐を緩和することができる[7,8]（311頁参照）．悪心・嘔吐の緩和に用いられるリラクセーション技法は，漸進的筋弛緩法（progressive muscle relaxation：PMR）やイメージ療法（guided imagery：GI）が用いられることが多く，単独あるいは組み合わせて行われる．その作用機序はまだ明らかではないが，自律神経系を介して効果を発揮すると考えられている．

●引用文献

1) Jednak MA, Shadigian EM, Kim MS, et al.：Protein meals reduce nausea and gastric slow wave dysrhythmic activity in first trimester pregnancy. Am J Physiol 277：G855-861, 1999
2) Gianaros PJ, Stern RM, Morrow GR, et al.：Relationship of gastric myoelectrical and cardiac parasympathetic activity to chemotherapy-induced nausea. J Psychosom Res 50：263-266, 2001
3) Andrews PL, Hawthorn J：The neurophysiology of vomiting. Baillieres Clin Gastroenterol 2：141-168, 1988
4) 福田博之：嘔吐を誘発する中枢神経機構．Clin Neurosci 17：47-50, 1999
5) 外崎明子, 数間恵子, 石黒義彦：癌化学療法による患者の栄養状態の変化に関する検討．日看科会誌 13：12-19, 1993
6) American College of Physicians：Parenteral nutrition in patients receiving cancer chemotherapy. Ann Intern Med 110：734-736, 1989
7) Molassiotis A, Yung HP, Yam BM, et al.：The effectiveness of progressive muscle relaxation training in managing chemotherapy-induced nausea and vomiting in Chinese breast cancer patients：a randomized controlled trial. Support Care Cancer 10：237-246, 2002
8) Garcia MK, McQuade J, Haddad R, et al.：Systematic review of acupuncture in cancer care — a synthesis of the evidence. J Clin Oncol 31(7)：952-960, 2013

# 8 排便障害のケア

排便障害とは正常な排便が障害された状態をいい，便秘，下痢，便失禁の大きく3つの症状に分類される．主に健常者にみられる便秘と下痢時のケアについてはⅤ章（219頁）を参照されたい．よって本項では他項とやや異なる構成となるが，臨床の視点から排便を扱うこととする．すなわち臨床的に重要な便秘と便失禁，および近年注目されてきた大腸がん手術後の排便障害とそのケアについて説明する．

## A 医学モデルにおける便秘

### 1 診断・治療を目的とした便秘の定義

看護モデルでは，便秘は日常生活に支障をきたす苦痛症状としてとらえ，その苦痛を軽減するためのケアが実施される（228-229頁参照）．これに対して，医学モデルでは，便秘は診断・治療を主目的に定義され，分類される．以下では，医学モデルの最新の定義を紹介しておく．

便秘は，2023年に発表された日本消化管学会による「便通異常症診療ガイドライン2023─慢性便秘症」で，「本来排泄すべき糞便が大腸内に滞ることによる兎糞状便・硬便，排便回数の減少や，糞便を快適に排泄できないことによる過度な怒責，残便感，直腸肛門の閉そく感，排便困難感を認める状態」と定義され[1]，新しい慢性便秘症の分類が提示された（486頁，付録参照）．腸そのものの機能に原因があるか一部は腸の器質的原因による「一次性便秘症」と，（腸以外の）他の疾患が原因で生じる「二次性便秘症」に大別されている．また，症状の観点からは「排便回数減少型」と「排便困難型」に分類されるが，双方が合併することもある．

### 2 検査

便秘はまず症状から診療が進められ，腹部X線検査，注腸X線検査，大腸内視鏡検査などにより診断される．また，大腸通過時間検査や排便造影検査などの専門的検査を行える場合には，「大腸通過正常型便秘症」「大腸通過遅延型便秘症」「機能性便排出障害」の診断が可能となる．便秘症状の評価ツールとしてよく用いられるものに，Constipation Scoring System（CSS）[2]がある（表Ⅵ-22）．

### 3 便の性状

患者と医療者間ならびに医療者間でも便性について共通言語を持つことは有用である．ブリストル便性状スケール（表Ⅵ-23）はわかりやすく，広く用いられており，有用である．

表Ⅵ-22 Constipation Scoring System（CSS）

| Constipation Scoring System (CSS) | 0点 | 1点 | 2点 | 3点 | 4点 |
|---|---|---|---|---|---|
| 排便回数 | 2回より多い/週 | 2回/週 | 1回/週 | 1回未満/週 | 1回未満/月 |
| 排便困難：痛みを伴う排便努力 | まったくない | まれに | ときどき | たいてい | いつも |
| 残便感 | まったくない | まれに | ときどき | たいてい | いつも |
| 腹痛 | まったくない | まれに | ときどき | たいてい | いつも |
| 排便に要する時間 | 5分未満 | 5〜9分 | 10〜19分 | 20〜29 | 30分以上 |
| 排便の補助の有無 | なし | 刺激性下剤 | 用指介助または浣腸 | ─ | ─ |
| 排便しようとしても出なかった回数/24時間 | 0 | 1〜3 | 4〜6 | 7〜9 | 10回以上 |
| 便秘の病悩期間（年） | 0 | 1〜5 | 6〜10 | 11〜20 | 21年以上 |

［Agachan F, Chen T, Pfeifer J, et al.：A constipation scoring system to simplify evaluation and management of constipated patients. Dis Colon Rectum 39（6）：681-685, 1996 より引用］

表VI-23 ブリストル便性状スケール

| タイプ | 名称 | 消化管通過時間 | 便のイメージ | 性状 |
|---|---|---|---|---|
| タイプ1 | コロコロ便 | 非常に遅い ↑ | | 固い兎糞状の便 |
| タイプ2 | 硬便 | | | ソーセージ状で固い便 |
| タイプ3 | やや硬い便 | | | ソーセージ状で表面に亀裂のある便 |
| タイプ4 | 普通便 | | | ソーセージ状（あるいはとぐろ巻状）で表面が滑らかで柔らかい便 |
| タイプ5 | やや柔らかい便 | | | 柔らかくしわのある半分固形の便 |
| タイプ6 | 泥状便 | | | 不定形の小片便で辺縁は不整 |
| タイプ7 | 水様便 | ↓ 非常に速い | | 固形物を含まない液体状の便 |

## B 便失禁

### 1 定義

便失禁とは「無意識または自分の意思に反して肛門から便がもれる症状」と、便失禁診療ガイドライン2017年版で定義されている。便失禁の症状により「漏出性便失禁」と「切迫性便失禁」に分類される。便失禁の発症原因は肛門括約筋の機能低下、脊髄障害、肛門疾患、腸管運動の機能低下、直腸がん術後、陰部神経障害、中枢神経障害、もしくは認知機能の低下による排泄行動異常や身体運動機能の低下や障害により生じるものなど多数存在し、複数の原因や病態が存在することも多い。直腸に糞便塞栓が生じ、その塞栓部の周りから水分の多い便が流れ出て便失禁が生じていることもある。また、不適切な下剤の使用（下剤の乱用など）により便性が柔らかくなり便失禁を生じていることもある（この場合は下痢と便秘をくり返す）。

### 2 疫学

わが国の便失禁の有症率は65歳以上で男性8.75%、女性6.6%という1997年の報告がある[3]。また介護施設に入所している65歳以上の高齢者を対象とした陶山らの調査（2006）[4]によると約35%に便失禁がみられ、在宅で療養している便失禁のある高齢者は比較的多いことが推測される。

### 3 便失禁がもたらす問題

無意識や自身の意思に反して肛門から便が漏れることは自尊心を低下させ、普段どおりに社会生活を送ることに困難を伴う状況を招来する。排泄をコントロールできないことで外出できなくなり、それに伴い社会活動を送ることが困難となる。排泄の悩みは他者に打ち明けにくいため対処が遅れることもある。また便失禁により便が皮膚に接触して発症する失禁関連皮膚炎（incontinence-associated dermatitis：IAD）を予防するためには、便の皮膚への接触を回避することと、便が接触した時に速やかに除去することが重要となる。

## C 直腸がんで肛門温存術後に生じる排便障害

医原的でありながら、その個別的かつ複雑な症状

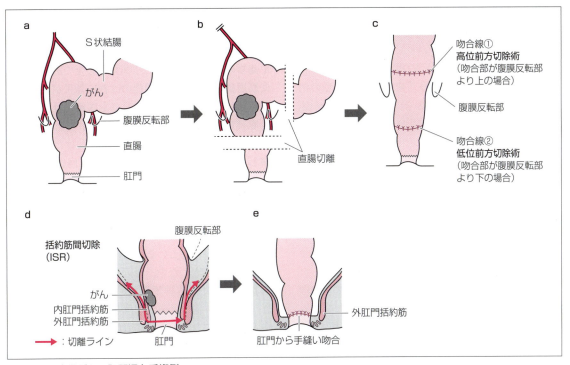

図Ⅵ-52　直腸がんの肛門温存手術例

のために医学的な対応がきわめて困難で，これまで取り上げられることが少なかったものに直腸がんの手術後の排便障害がある．以下ではこの特異な様相を呈する直腸がん術後の排便障害について解説する．

## 1 直腸がんの手術

直腸がんの手術は，肛門を切除し人工肛門を造設する手術と肛門を温存する手術に大別される．直腸は骨盤腔内の奥深い位置にあるため（**図Ⅵ-52a**），直腸がんを切除し，肛門と残った腸管をつなぐ手術手技は容易ではない（**図Ⅵ-52b, c**）．そのため直腸がんの位置が肛門に近くなるほど肛門を温存する手術は難しく，永久的人工肛門を造設する手術（腹会陰式直腸切断術）が行われてきた．しかし，腸管の吻合を手縫いではなく器械で吻合する自動吻合器が開発されたことで，肛門に近い部位でも残存腸管を吻合することが可能となり，人工肛門を造設しない手術が積極的に行われるようになった．

肛門を温存する手術は，吻合部の位置が腹膜反転部よりも上の場合を高位前方切除術（high anterior resection：HAR），下の場合を低位前方切除術（low anterior resection：LAR）という．またさらに肛門に近い部位にできた直腸がんでも，内肛門括約筋を切除する括約筋間直腸切除術（intersphincteric resection：ISR）により肛門を温存することが可能になってきた（**図Ⅵ-52d, e**）．直腸がんで永久的人工肛門を造設する割合は施設により差はあるが，現在では10〜30％程度といわれている．

## 2 低位前方切除術後症候群について

### 1）症状と日常生活への影響

永久的人工肛門を造設せず肛門を温存することができたものの，手術後に特徴的な排便障害が生じる．その排便障害は低位前方切除術後症候群（low anterior resection syndrome：LARS）と表現される．LARSの臨床症状が90％以上の患者に生じたという報告もある[5]．いつ便意が起きるのか予測できない，便性状が一定しない，短時間に何度もトイレに通う，排便回数の増加，便を出し切れない感じ，便意を我慢できずトイレへ駆け込む，便失禁，下着やパッドが汚れる程度の少量の便漏れなどである．これらの症状に伴い，トイレから離れられなかったり，便を出すことへ執着したり，排便に満足できないことになり，心理面や日常生活や社会活動へ影響が及ぶ[6]．すなわち，LARSは便秘や下痢，便失禁という排便障害の症状にとどまらず，さまざまな症状とそれによる生活への影響も含めたものとして定義されている．

## 2) 発症のメカニズム

LARS は複雑な症候群でありその成因についての全容は未だ解明されていない[7]．便を貯留する直腸を喪失しただけでなく，正常な排便を構成する「便意」「トイレまで排便の我慢」「便の排出」「便意の消失」という一連の知覚や運動をつかさどる神経や組織・器官が手術により傷害されることにより生じる．直腸周辺の骨盤神経叢，下腹神経，骨盤内蔵神経，肛門挙筋神経，陰部神経など複数の神経や，骨盤底筋を含む直腸肛門周囲の組織が手術により広範かつ複雑なダメージを受ける．また大腸の蠕動運動の変化や，直腸の代用となった新直腸の蠕動運動も原因である可能性も示されている．

## 3) エビデンスに基づく LARS を抱える患者への援助

術後に生じた排便機能障害に応じた生活を送るための援助は，手術による機能障害のメカニズムの理解が基盤となる．しかし LARS 発症のメカニズムは未だ不明な点が残されている．正常な排便では，便意を感じたら排泄可能な環境のトイレへ行くまで我慢でき，安心して排泄できる環境でいきむことで苦痛なく便を排出でき，排便後はすっきりと爽快感が得られ，便意は消失する．ところが，LARS を抱える患者は，単に便を十分量かつ快適に排出することができない一般の便秘とは大きく異なり，前述した便排出の一連の営みに著しく障害をきたしている．

LARS への治療およびケアについては，残念ながらエビデンスが希有で確立したものはない．術式の検討や工夫，内服薬をはじめとした治療だけで症状の改善は図れず，術前からの機能評価や術後の食事や薬物の調整，カウンセリングが必要であり，骨盤底筋運動は肛門括約筋機能の改善に効果があることも示されている．いずれにしても医師だけではなく多職種によるアプローチの必要性が唱えられている[8]．患者はがん治療のため手術を受けた後に，経験したこともない LARS を発症し，回復の見通しも持てず人にも話せず苦悩する日々を送る．こうした患者自身が LARS を抱えながらもうまく付き合い生活できるように支援する看護師の役割は重大である．

しかしながら，この領域の研究の蓄積は甚だ不十分である．そうした中，最近，看護援助として患者自身が手術による排便機能の変化に対処できるよう，患者の苦悩に共感的理解を持ち，術後の変化に患者が対処できる力を身に着ける援助が有効である可能性が示された[9]．それは，なぜ LARS の症状が生じているのかを理解し，便貯留がなくても生じている便意や残便感について知り，常に意識している便意や残便感から注意を転換させる方法を生活へ取り入れることである．また肛門括約筋機能の回復に骨盤底筋運動は一定の効果が期待できるが，正しい効果的な方法で継続することの支援も課題である．この領域の研究が学際的に発展することでケア技術が確立することが期待される．

---

## コラム　臨床判断

看護における臨床判断（クリニカル・ジャッジメント，clinical judgement）とは，患者ケアについての方向性や方法などを決定することで，看護師の実践能力の重要な一部である．臨床判断は，さまざまな知識や経験に基づいて客観的な情報や主観的な情報から解釈や分析を行う臨床推論に基づいている．すなわち，臨床判断とは，臨床推論の結果として導かれた判断であり，推論に至る思考プロセスを含めることもある．

臨床判断はまた，さまざまな医療専門職がそれぞれの専門性を基盤として行うものであるが，もっとも基盤となるのは医師によるもので，医学診断や治療法の決定，治療効果の評価について臨床判断が行われる．臨床判断により治療やケアの方向性が定まるので，適切な臨床判断は質の高い医療の実践に必要不可欠なものであるといえる．

臨床判断は 1990 年にコーコラン（Corcoran SA）[i]によって日本に紹介された．ミネソタ大学のコーコランは「クリニカル・ジャッジメントには，認知的な熟考および直観的な過程が関与する．適切な患者のデータ，臨床的な知識及び状況に関する情報が考慮される」と説明している．後に臨床判断モデルを提唱したオレゴン健康大学のタナー（Tanner CA）[ii]は「臨床判断とは患者の健康に関するニーズや心配，懸念，また健康の問題に対しての解釈をしたり結論づけたり，もしくはある行動をとるかとらないかを決定することで，アプローチの方法は患者の反応によって決めていく」と厳密に定義している．

■引用文献

i ) Corcoran SA：看護における Clinical Judgement の基本概念．看護研究 23（4）：351-360，1990
ii ) Tanner CA（松谷美和子訳）：臨床判断モデルの概要と基礎教育での活用．看護教育 57（4）：700-706，2016

## ●引用文献

1) 日本消化管学会編：便通異常症診療ガイドライン 2023―慢性便秘症，2頁，南江堂，2023
2) Agachan F, Chen T, Pfeifer J, et al.：A constipation scoring system to simplify evaluation and management of constipated patients. Dis Colon Rectum 39 (6)：681-685, 1996
3) Nakanishi N, Tatara K, Naramura H, et al.：Urinary and fecal incontinence in a community-residing older population in Japan. J Am Geriatr Soc 45 (2)：215-219, 1997
4) 陶山啓子，加藤基子，赤松公子ほか：介護施設で生活する高齢者の排便障害の実態とその要因．老年看護学 10 (2)：34-40，2006
5) Bryant CL, Lunniss PJ, Knowles CH, et al.：Anterior resection syndrome. Lancet Oncol 13 (9)：e403-408, 2012
6) Keane C, Fearnhead NS, Bordeianou LG, et al.：International consensus definition of low anterior resection syndrome. Dis Colon Rectum 63 (3)：274-284, 2020
7) 幸田圭史，小杉千弘，平野敦史ほか：主題Ⅱ：直腸・肛門部疾患に対する各種肛門内手術後の排便機能障害 排便のメカニズムからみた ISR 後の LAR syndrome とその対策．日本大腸肛門病学会雑誌 69 (10)：507-512，2016
8) Christensen P, Im Baeten C, Espín-Basany E, et al.：Management guidelines for low anterior resection syndrome-the MANUEL project. Colorectal Dis 23 (2)：461-475, 2021
9) 佐藤正美：低位前方切除術後早期の排便障害を軽減する看護介入プログラムの効果．千葉看護学会会誌 27 (1)：13-21，2021

# 9 痛みのケア

　病気に罹（かか）っている人はなんらかの苦痛を体験している．苦痛（discomfort, suffuring, pain）という表現には痛みのほかに倦怠感や疲労感など日常生活活動（activities of daily living：ADL）を不自由にする全身症状も含まれるので，身体局所に明らかな痛みの自覚がある場合には痛み（pain）という用語が使われる．臨床痛（clinical pain）を疼痛という場合もあるが，この項ではより包括的な術語[*1]として「痛み」を用いる．本書ではまず，この項で一般的な痛みについて，次項で治療ガイドラインをもつがんの痛みについて，と2つの項目を設けて痛みとそのケアについて扱うことにする．

## A 侵害受容としての痛み

　生物学的には，痛みは感覚の一種である痛覚（pain sensation）に位置づけられる．痛覚は体性感覚と臓器感覚に含まれ，皮膚，筋・関節，内臓などに痛覚受容器が存在する（表Ⅵ-24）．痛覚受容器は組織を障害（ラテン語でnoxa）するような強い刺激（侵害刺激，noxious stimulus）を受けて興奮することから，侵害受容器（nociceptor）とも呼ばれる．近年の遺伝学の進歩により，痛みの受容器は分子レベルで構造と機能が次々と解明されていった．たとえば，侵害性の熱刺激を感知する TRPV1（43℃以上）や TRPV2（52℃以上），冷刺激を感知する TRPA1（15℃以下），さらに針刺しや切り傷など機械刺激を感知する piezo 1，2 などがある[*2]．これらの受容器は Aδ 線維（有髄神経）またはC線維（無髄神経）のいずれかの神経支配を受け，その神経末端である自由神経終末（free nerve ending）上に分布している．Aδ 神経支配の終末は針刺しなど強い刺激で反応することから高閾値機械受容器，C線維支配の終末は触・圧刺激や温度刺激にも応じることからポリモーダル受容器ともよばれる．また，Aδ 線維支配の痛みは一次痛（速い痛み，または刺痛 pricking pain），C線維支配の痛みは二次痛（遅い痛み，または鈍い痛み〔dull pain〕）ともよばれる．痛みを感知する自由神経終末（痛点，pain point）は体表面に 100〜200 個/cm² 分布する．注射痛がほぼ必然的に生じるのはこのためである．体表の痛点分布密度は，触・圧覚（数十個）や温覚（1個未満）や冷覚（数個以下）に比べてもっとも高い．

　侵害刺激が侵害受容器（痛覚受容器）で受容され痛み信号（活動電位）が発生すると，その信号は求心性神経（感覚神経）を介してまず脊髄後角に入る（表Ⅵ-24）．脊髄に入った信号はニューロンを交代して反対側に移行し，脊髄内を上行して視床に到達した後，さらに上位脳に到達して痛みが知覚される．痛み信号が中枢（ヒトでは大脳）で知覚されるまでの過程を侵害受容（nociception）という．侵害

---

[*1] 学術用語（technical term）の略語．特定の学問分野・領域における独自の専門用語のことをいう．言語学など特殊な学問領域を除き，術語は基本的には原語（現在では英語が主流）であるが，各国の専門の学術団体が用語委員会をつくり，その国の言葉に翻訳して原語と併用している．わが国の看護分野でも，学会等で術後の邦語と原語との対応について検討されている．

[*2] TRPV は transient receptor potential vanilloid の略号．vanilloid は唐辛子の辛味成分であるカプサイシンの受容体である．piezo は押すという意味のギリシア語．

表Ⅵ-24　痛覚神経系の構成

| 発生部位による分類 | 例 | 受容器・神経線維（共通） | 末梢神経 | 脊髄 | 上行性伝導路 | 視床 | 大脳 |
|---|---|---|---|---|---|---|---|
| 皮膚痛覚 | 刺痛，熱傷など | 自由神経終末：有髄線維（Aδ，Ⅲ群）無髄線維（C，Ⅳ群） | 体性神経中の求心性線維 | 後根 脊髄後角—ニューロン交代（体側へ移行） | 外側脊髄視床路（部位覚） | 腹側基底核群 被殻領域 | 大脳皮質 1次体性感覚野 |
| 深部痛覚 | 筋肉痛，関節痛，頭痛など | | | | | | |
| 内臓痛覚 | 胆石，腎結石，潰瘍など | | 交感神経または副交感神経中の求心性線維 | | 前脊髄視床路（情動） | 髄板内核群 | 大脳辺縁系（前帯状回，島，扁桃体など）皮質の広範領域 |

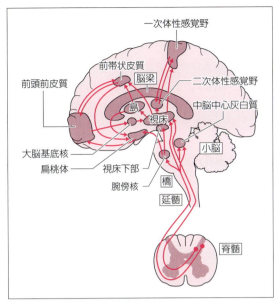

図Ⅵ-53　痛み信号の脳内処理機序

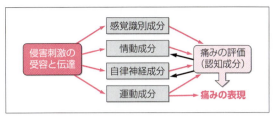

図Ⅵ-54　痛みの構成要素
[Schmidt RF：Nociception and pain. Human Physiology (Schmidt RF, Thews G, eds), 2nd ed, p.225, Springer-Verlag, 1987 より引用]

受容器から脳へいたる経路のどこかが刺激されれば痛覚が生じる。痛覚の上行性経路には、大脳皮質の1次体性感覚野に投射する特殊視床投射系のほかに、情動や記憶に関係する辺縁系や広範な皮質領域へ投射する系がある。近年、痛みの認知に関する脳内機序の解明が進んでいる（図Ⅵ-53）。

痛みには組織の障害をいち早く個体に知らせる意義があることから、「痛みは生体の警告信号（warning signal）である」ともいわれる。

神経生理学者のSchmidtは、ヒトの痛みを包括的に理解するために図Ⅵ-54のような模式図を示した[1]。これによると侵害性信号は感覚性、情動性、自律神経性、運動性（反射性）の痛みの4成分を活性化させ、それらが統合されて痛みの評価が決定される。これら4成分には、末梢では体性神経系と自律神経系が広範に関与し、中枢内では各経路は独立しながらも部分的には関連をもつと考えられる。各成分は同時に現れることもあれば、個々に出現することもある。

### B 体験としてのヒトの痛み

痛みは味覚や聴覚とは異なり、ただ「不快な」感覚しか生じない。また、痛みはそれを体験するものだけが感じる、主観的・個人的な感覚で、他者はそれを共有することができない。こうした痛みを、国際疼痛学会（IASP）[*3]は「実際の組織損傷もしくは組織損傷が起こりうる状態に付随する、あるいはそ

れに似た、感覚かつ情動の不快な体験」と定義している（2020年に改訂）。初版（1979）の定義では組織の実質的な障害が痛みの基本条件であったが、この改訂版では、本人の痛みの訴えを重視する方針に変わった。他方、痛みの看護学者であるマッカフェリー（McCaffery M）は自身の臨床経験から、すでに1979年に出た著書の中で「痛みはそれを体験している人が表現するとおりのもので、その人が痛いと言うときに存在するもの」と、痛みの主観性を強調していた[2]。たとえば、大ケガを負った患者でも、まったく痛みを訴えなければ創部の治療は行うが痛み止めは投与しない。逆に、外見上、あるいは検査によって痛みの原因となるような病変がまったく見出せなくても、患者が「痛い」といえば鎮痛薬が処方され、鎮痛ケアも実施される。看護者はこのような痛みの主観的性質をよく理解したうえで、痛みを訴える患者の声に真摯に耳を傾けなければならない。そして、痛みの特徴をよく観察し、痛みによる患者の日常生活障害の程度を絶えず観察しながら、ケア計画を立てていく。

### C 痛みの種類と特徴

表Ⅵ-24に示したように、痛みは侵害受容器が存在する皮膚、深部、内臓などの組織から発生する。内臓の痛みは平滑筋の過度の収縮や伸展によって生じる。虚血によって起こる血管痛も内臓痛の一種である。有髄神経性の痛みは刺痛（pricking pain）のように速く、鋭い痛みで、無髄神経性の痛みは刺激からやや遅れて生じ、期間の長い鈍い痛み（dull pain）である。痛みが生じる身体部位によって、頭

---

[*3] International Association for the Study of Painの略。痛みの理解、予防、治療のための研究、教育、そして政策を推進するために結成された国際的学術団体（ホームページ〔https://www.iasp-pain.org/〕）。

痛，歯痛，腰痛，胸部痛，胃痛（腹痛），疝痛[*4]，月経痛（生理痛），産痛（分娩痛），筋肉痛，関節痛，創部痛（術後痛）などがある．

痛みはその持続時間によって急性痛（acute pain）と慢性痛（chronic pain）に分類される（表Ⅵ-25）．急性痛は痛みの原因となる組織の病変や障害が顕在する場合の比較的短期間の痛みで，治癒が進めば消失する．これに対して，創傷が治癒してなお持続する痛みを慢性痛と呼ぶ．がん疼痛はがん細胞が侵害受容器を含む周囲の組織に次々に浸潤することによって生じる痛みで急性痛の性質をもつ．がん疼痛はがんの進行に伴って長期間続くので慢性痛としての性質ももつが，器質的原因[*5]が明らかな点で非がん性慢性痛とは区別される．痛みが持続的あるいは繰り返し生じると，痛覚閾値は低下し，痛覚過敏になる．つまり痛みは他の感覚と異なり，順応しない．しかし，しばしば痛みは順応すると誤解されることがある．これは，繰り返し痛みを訴える患者では血圧上昇，心拍数の変動，呼吸抑制や表情など（これらを痛み反応という）が次第に減弱するためである．医療者は痛み反応は順応するが，対象の痛みそのものは原因が取り除かれない限り順応しないことを熟知しておかなければならない．原因がなんであれ，長時間続く痛みは生活動作を困難にしたり，仕事や学業の妨げとなったり，家族や友人との関係を悪くするなど，生活の質（quality of life：QOL）を冒す一因となる．痛みは個体維持のための警告信号であるはずだが，不必要に長く続く痛みは，むしろ人間生活にとって有害な存在になることを，医療に携わるものは留意しておくべきである．

最近，注目されている痛みに神経障害性疼痛（neuropathic pain）がある（表Ⅵ-25）[3]．IASP（2011）はこれを体性感覚神経（皮膚，筋，骨，関節を支配）の病変や疾患によって生じている痛みと定義している．帯状疱疹後の神経痛，三叉神経痛や座骨神経痛などがこれに属する．慢性痛の2割が神経障害性疼痛だといわれる[3]．痛覚受容器でなく，途中の神経が傷害されて生じる痛みなので通常の鎮痛薬が効きにくく，うつ病やてんかんの治療薬が使われる[*6]．

さらに，痛みの神経メカニズムとして，痛覚変調性疼痛（nociplastic pain）（器質的原因でなく，痛みの知覚異常・過敏により生じる疼痛）というまったく新しい概念も登場した[4]．

ヒトの痛み研究は近年著しい進歩を遂げている．IASPとWHOによる慢性疼痛の実用的な分類の提案によって，国際疾病分類（ICD-11）の慢性疼痛の分類と定義が更新された[5]．

## D 痛みの測定・評価の方法

痛みのある患者を理解するには，患者とその痛みを多角的に観察し，適切な痛みの評価をすることが必要である．以下に，代表的な痛みの測定・評価の方法をあげる（表Ⅵ-26）．

### 1 問診

医師や看護師などが患者の訴えを組織的に聞くことを問診という．看護者が行う場合，面接（interview）または相談（consultation）という場合もある．痛みは個人的体験であるから，本人の訴えは問診のさいのもっとも重要な手がかりである．看護者は患者の置かれた状況，性格，また過去の痛み体験など痛みの感受性に影響する要素とともに，①痛みの部位，②痛みの質，③痛みの持続時間，④痛みが増強する動作，⑤痛みが軽減する動作，⑥いつ痛みが増すか（痛みの増強因子）について具体的にたずねる．

### 2 フィジカルアセスメント

痛みを生物学的視点で観察または測定し，標準値と比較しながら評価する．

#### 1. バイタルサイン

一般の体温，心拍数，脈圧，血圧，呼吸数と性状（深さやリズム），発汗[*7]，瞳孔径などを測定・観察する．

#### 2. 体表および身体機能

皮膚痛のあるとき，発赤，腫脹，局所温，痛覚過敏の有無を観察する．運動器の痛みの場合は握力などの筋力や関節の可動域を測定する．

#### 3. 心理社会的評価尺度による痛みの評価

表Ⅵ-26にあげたような既成の疼痛評価尺度を用いて，痛みを数量化し，評価の手がかりとする．

---

[*4] 腹部臓器の平滑筋の反復性収縮による痛みをいう．痛みの強さはさまざまで，締めつけられるような痛み（絞扼痛），刺すような痛み（穿刺痛），引っ張られるような痛み（牽引痛），焼けつくような痛み（灼熱痛）などと表現される．

[*5] 病原微生物や免疫系の異常，悪性腫瘍など，病気や症状を引き起こす物質的原因をいう．

[*6] 脳内の痛みの認知レベルを下げることで鎮痛効果が期待できる．

[*7] 痛み反応としての精神性発汗を調べる．温熱性発汗と異なり，手掌，前額部，腋窩などの局所でよく観察されるので，局所発汗ともいう．

表VI-25 多次元モデルによる痛みの分類

| 痛みの特徴と理論モデル | | 一般的分類 | 急性痛 | 慢性痛 | | |
|---|---|---|---|---|---|---|
| | | | | がん疼痛 | 非がん疼痛 | |
| | | 痛みの名称または原因疾患名 | 切傷，骨折，熱傷などの痛み；胃潰瘍や狭心症の痛み；術後痛，会陰切開痛など | | 慢性関節リウマチ，椎間板ヘルニア，顎関節症，線維筋痛症など | 神経障害性疼痛（帯状疱疹痛，三叉神経痛，糖尿病末梢神経障害など） |
| 生物学モデル | | 痛みの持続時間 | 短期間 | 長期間持続 | | |
| | | 痛みの原因 | 組織の障害，病変による痛覚線維の刺激 神経障害性の痛み（慢性痛へ移行の可能性） | 腫瘍の組織への浸潤による痛覚線維の刺激 長期化による運動器の機能障害，褥瘡などがん治療 | 組織の障害や病変による痛覚線維の刺激 神経障害性の痛み 長期化による運動器の機能障害など | 末梢神経異常 中枢神経異常 心理的機序 |
| | | | 原因除去で痛み消失 | 原因疾患は難治性 | | 原因特定は困難 |
| | | 痛みの現れ方の特徴 | 一過性原因となる障害，病変の治癒経過とともに減弱 | 持続性の痛みに，不定期・不規則な反復性の急性痛が重畳，または後者のみが出現 | | 痛みの訴えに一貫性がない（急性疾患の治癒後に発生） |
| | | | | 病変の進行または転移による増強 | 病変の進行や増悪による増強 | |
| | | 痛みの意味 | 生体警告信号の役割 | 無意味な痛み | | 意味のある痛み？ |
| | | 自律神経系の反応（痛み反応） | 血圧上昇・呼吸促進・筋緊張亢進・精神性発汗 | | | 反応は微少またはほとんどなし |
| | | | 順応しにくい | 順応しうる | | |
| 医学モデル | | 鎮痛薬への反応 | あり | | | ない場合がある プラセボが有効 |
| | | 鎮痛薬投与量 | 原因となる障害，病変の治癒経過とともに減量可能 | 病変の進行による痛の増大に対して増量の必要性 | 原因となる障害，病変の治癒経過とともに減量可能 | 病変の程度と相関がない |
| | | 診断 | 痛みは『症状』 | | | 痛み自体が『病気』 |
| 看護学モデル | | 日常生活への影響 | 患部の運動障害によるADLやセルフケア能力低下，睡眠障害・食欲不振・便秘・易疲労感など基本的ニードの不充足 | | | |
| | | | 大きい | | | 関係性が低い |
| | | 自尊心 保健意識 | 保持 | 低下 | やや低下 | 一貫性のない意識 |
| 心理学・社会学・行動学モデル | | 社会活動への不参加 | ときにあり（痛みが強いとき・急性期） | あり（痛みが強いとき・病状が悪化したとき） | | 一貫性のない行動 |
| | | 社会的役割の拒否 | | | | あり |
| | | 不安 死への恐怖 QOLの低下 | ほとんどなし | 常にあり | ときにあり（痛みがコントロールできないとき） | 一貫性のない心理 |
| | | 自信喪失・失望・孤独・いらいら感・抑うつ気分・心気症・欲求不満 | なし | ときにあり（痛みがコントロールできないとき） | | あり |
| | | 痛みのとらえ方 | 全否定 | 半受容・半否定 | | 否定的固執 |

［深井喜代子（編著）：看護者発―痛みへの挑戦，10頁，へるす出版，2004を一部改変］

1) visual analogue scale (VAS)

VASは通常10 cmのスケールに0（痛みのない状態）から10または100（耐えられない痛み）の目盛りをつけ，対象者には目盛りが見えないようにして現在の痛みを答えさせる．VASは主観的だが，簡便で，比尺度として扱える利点がある．少し訓練すればVASの数値を自己申告してもらっても信頼性の高い回答が得られる（340頁参照）．

2) マックギル疼痛質問票（MPQ）

MPQ (McGill Pain Questionnaire) はメルザック

表VI-26　痛みの観察・測定方法と評価のポイント

| 観察項目 | | ポイント | 観察および情報収集手段，測定用具 |
|---|---|---|---|
| 全身の組織，器官 | | 皮膚性状，痛覚過敏の有無 | 痛みのある部位の観察<br>感覚毛，刺激針，関節角度計など |
| 自律神経反応 | | 交感神経系亢進兆候 | バイタルサイン，血圧計，聴診器 |
| 痛みの心理的要素 | | 心理テスト，人格検査との併用 | visual analogue scale (VAS)<br>マックギル疼痛質問票 (MPQ) (Melzack, 1975)<br>簡易版マックギル疼痛質問票 (SF-MPQ) (Melzack, 1987)<br>簡易版マックギル疼痛質問票2 (SF-MPQ-2) (Dworkin ら, 2009)<br>痛み行動評価尺度 (Dalton ら, 1994；Philips ら, 1996)<br>7角形プロフィール (佐藤, 1991)<br>フェイス・スケール (Wong ら, 1988；Bieri ら, 2001)<br>ペイン・ダイアリーの記録 |
| 痛み行動・生活習慣 | 表情 | 苦痛の表情 | 薬物投与情報<br>インタビュー<br>行動の観察<br>家族などからの痛み関連情報<br>看護記録など |
| | 会話 | 声，速さ，発語数など | |
| | 身体運動性 | 運動制限の有無 | |
| | 外観 | 清潔，服装 | |
| | 睡眠と休息 | 休息・睡眠の質と量，途中覚醒 | |
| | 食事 | 食欲，栄養状態 | |
| | 排泄 | 排泄動作の障害，便秘 | |
| | 情緒反応 | 不安，集中力 | |
| 社会生活 | 家族関係 | 疎通性，役割行動 | |
| | 友人関係 | 疎通性，役割行動 | |
| | 社会生活 | 社会参加度，役割行動 | |

(Melzack R) が開発した信頼性・妥当性のあるの痛みの質問票[6]で，世界各国でその翻訳版が利用されている．78もの痛みを表現する言葉を感覚，感情，評価などの成分に分けて評価するもので，慣れれば数分以内で回答できる[7]．臨床ではMPQの短縮版であるSF-MPQ[7]や，より汎用性の高いSF-MPQ-2[8,9]が用いられている．

3) 痛み行動評価尺度 (BPP)

BPP (Biobehavioral Pain Profile) はダルトン (Dalton JA) らが開発した痛みの行動評価尺度である[10]．57の質問項目 (item) が社会活動や身体症状など5つのカテゴリーに分けられ，各項目を0〜7の8段階で評価する．慢性痛患者特有の痛み行動を調べる尺度も開発されている[11] (その日本語版は文献[12]を参照)．

4) ペイン・ダイアリー (pain diary)

形式は自由だが，横軸を時間 (24時間)，縦軸を痛みのVAS値とし，たとえば2時間ごとのVAS値を記録する．生活出来事や，女性なら月経周期も書き込めるようにしておく．医師など医療の専門家に相談する際の資料になるほか，自分自身の痛みの変化や周期を知ることができ，痛みの予測が可能になる．

5) フェイス・スケール (face scale)

痛みを笑顔から泣き顔までの6つの表情で評価するスケールで[13]，痛みを言語表現できない意識障害

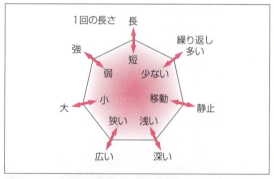

図VI-55　痛みの七角形プロフィール
[佐藤愛子：痛みの感覚と強弱は測れるか？痛みの話 (佐藤愛子，奥富俊之，谷口俊治ほか著)，82-121頁，日本文化科学社，1991より引用]

者や乳幼児の痛み評価に用いる (340頁参照)．成人の表情を用いたツールも開発されている[14]．

6) 七角形プロフィール

痛みの感覚的要素を長さ，頻度，動き，深さ，広さ，大きさ，強さの7成分に分け，これらを正七角形の頂点に位置づけ，各成分を5段階で評価する (図VI-55)[15]．

**4．行動の観察**

痛みを訴えているときとそうでないとき，痛みが強いときと弱いときなどの患者の表情や行動を比較する．

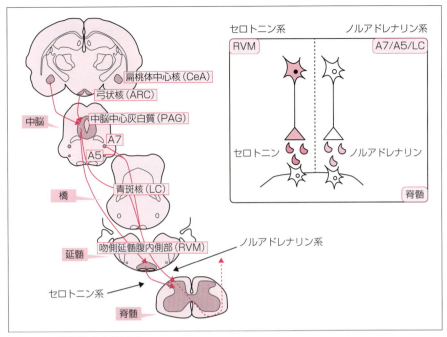

**図Ⅵ-56　下行性疼痛抑制系**
[小山なつ：増補改訂新版 痛みと沈痛の基礎知識，144頁，図2-41，技術評論社，2016 より許諾を得て転載]

#### 5. 社会的制約の評価

家族や友人関係，社会生活や役割行動を振り返ることによって，痛みのために患者の社会生活がどの程度制約を受けているかを知る．この情報によって，患者の心理状態やサポート・ネットワークの密度を推測することができる．

痛みは個人の体験なので，体温のように簡便な道具を使って測定することは，現代の科学ではできない．しかしながら，実験痛（圧迫や熱刺激など）の閾値を調べることはできる．また，最近，臨床痛のある患者に痛覚神経を電気刺激して痛みの強さを調べる方法が開発されている（475頁，Ⅸ-⑨参照）．

### Ｅ　鎮痛のメカニズム

前述したように，痛覚信号を上行性伝導路のどこかで遮断すれば痛みは減弱または消失する．鎮痛薬には非ステロイド性抗炎症薬（NSAIDs）のように末梢性に痛みをブロックするものと，オピオイド（モルヒネ様物質の総称）のように中枢性にブロックするものがある（脳幹レベルと脊髄レベルの2ヵ所で作用する）．痛みが減弱することを，痛覚喪失（analgesia）（あるいは鎮痛，除痛），（疼痛）緩和（alleviation）などという．

生体には，激しい痛みを体験しているときは視床下部からホルモン（β-エンドルフィン）が放出さ れ，それが引き金（trigger）となって中脳から脊髄後角（末梢からの痛覚神経が収束するところ）に下行する系が作動して鎮痛が起こる下行性抑制のしくみがある（内因性疼痛抑制系）（**図Ⅵ-56**）．下行性疼痛抑制系は通常は抑制されているので，痛みは鋭敏に認知される．オピオイドはこの抑制を解除して下行性抑制系を作動させて著明な鎮痛効果をもたらす．

指圧や鍼・灸などの東洋医学やアロマテラピーも代替療法として薬物療法と併用して実施されるようになってきた．代替療法は何世紀も前から経験的に行われてきたが，その鎮痛メカニズムはまだ解明されていない．しかし，鎮痛薬の使用量を減らして生体の負担を軽くするので，次第に注目されるようになった．

### Ｆ　鎮痛ケアの方法

看護者が主体的に実施する鎮痛ケアはいずれも非侵襲的・非観血的で，副作用がなく，日常生活の中で簡便に実施できる（**表Ⅵ-27**）．看護者が実施するマッサージや罨法も代替療法の一種といえる．このほかにも，表中のオペラント条件付けを発展させた認知行動療法も痛みの治療に導入されている[16]．これらのケア技術にも何らかの鎮痛効果があることは多くの研究者によって実証されつつある．患者と患者の痛みにもっとも効果的なケア方法を模索し，工

表VI-27 痛みのケア技術

| ケアの種類 | ポイント |
|---|---|
| 薬物療法の管理 | 観察，投与量，副作用の観察 |
| 体位・肢位の工夫 | 補助用具の使用 |
| 皮膚の機械的刺激 | 触刺激，圧刺激，振動刺激 |
| 皮膚の温度刺激 | 温罨法，冷罨法 |
| リラクセーション法 | 呼吸法による筋緊張の除去 |
| 気分転換法 | 心地よい音楽やドラマなど聴覚媒体の活用 |
| 患者教育 | 痛みに関する情報提供 |
| 嗅覚刺激 | 患者の好む香りの使用（アロマテラピー） |
| 支持療法 | 非支持的対話法による積極的傾聴 |
| オペラント条件づけ | 無意味な痛み行動の矯正 |
| 家族療法 | 家族成員間の関係調整 |

［深井喜代子：痛みのある患者のための看護技術．看護技術 46（2）：31，2000，一部改変］

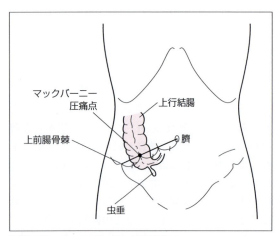

図VI-57 マックバーニーの圧痛点

夫しながら行う．セルフケア行動として患者自身が実施できるようにすることも必要である．

## G 関連痛

脊髄後角ニューロンには皮膚からの痛覚神経と内臓からの痛覚神経の両方から信号を受けるものがある．このため，痛覚信号を受けた固体（対象）はその痛みが皮膚からくるのか，内臓からくるのかが判断できない．これを関連痛（referred pain）とよぶ．たとえば，虫垂炎の患者には右下腹部に強い内臓痛が知覚されるが，それと同時に患者は同部位の腹壁（皮膚）[*8]にも痛みを感じる（図VI-57）．皮膚には何ら傷害は見当たらないにもかかわらず，腹部を軽く触診しただけで患者は激しい痛みを訴える．体表には内臓痛を反映する関連痛を生じる部位が多数見いだされており，高度診断技術が進歩する以前には，関連痛は重要な診断技術であった．こうした関連痛の知識は，現在でも内臓痛のアセスメントに役立つ．

---

*8 マックバーニーの圧痛点という．上前腸骨棘と臍部を結ぶ直線上の上前腸骨棘から3分の1の点である．虫垂炎が軽度なときは腹壁全体に痛みを感じるが，重度になるにつれて痛みはこの圧痛点に限局してくる．

### ●引用文献

1) Schmidt RF：Nociception and pain. Human Physiology（Schmidt RF, Thews G eds），2nd ed, pp.223-236, Springer-Verlag, 1987
2) McCaffery M：Nursing Management of the Patient with Pain, Lippincott, 1979
3) Bouhassira D, Lantéri-Minet M, Attal N, et al.：Prevalence of chronic pain with neuropathic characteristics in the general population. Pain 136：380-387, 2008
4) 猪狩裕紀，牛田享宏：慢性疼痛のメカニズムとアセスメント．Jpn J Rehabil Med 58（11）：1216-1220，2021
5) 慢性疼痛診療ガイドライン作成ワーキンググループ編：慢性疼痛診療ガイドライン，真興交易（株）医書出版部，2018
6) Melzack R：The McGill pain questionnaire：major properties and scoring methods. Pain 1：277-299, 1975
7) Melzack R：The short-form McGill Pain Questionnaire. Pain 30（2）：191-197, 1987
8) Dworkin RH, Turk DC, Revicki DA, et al.：Development and initial validation of an expanded and revised version of the Short-form McGill Pain Questionnaire（SF-MPQ-2）. Pain 144：35-42, 2009
9) 圓尾知之，中江 文，前田 倫ほか：痛みの評価尺度・日本語版 Short-Form McGill Pain Questionnaire 2（SF-MPQ-2）の作成とその信頼性と妥当性の検討．Pain Research 28：43-53，2013
10) Dalton JA, Feuerstein M, Carlson J, et al.：Behavioral

pain profile : development and psychometric properties. Pain 57 : 95-107, 1994
11) Philips HC, Rachman S : The psychological management of chronic pain : a treatment manual, 2nd ed, pp. 248-249, Springer Publishing Company Inc., 1996
12) 深井喜代子編：看護者発―痛みへの挑戦, 18頁, へるす出版, 2004
13) Beyer JE, Aradine CR : Content validity of an instrument to measure young children's perceptions of the intensity of their pain. J Pediatr Nurs 16 : 386-395, 1986
14) Bieri D, Reeve RA, Champion GD, et al. : The Faces Pain Scale for the self-assessment of the severity of pain experienced by children : development, initial validation, and preliminary investigation for ratio scale properties. Pain 41 (2) : 139-150, 1990
15) 佐藤愛子：第5章　痛みの感覚と強弱は測れるか？痛みの話, 佐藤愛子, 奥富俊之, 谷口俊治他著, 82-121頁, 日本文化科学社, 1991
16) Knoerl R, Lavoie Smith EM, Weisberg J : Chronic pain and cognitive behavioral therapy : An integrative review. Western Journal of Nursing Research 38 (5) : 596-628, 2016

# 10 がん疼痛のケア

## A がん疼痛に関する看護の実践範囲

がんの痛みと疼痛管理（pain management）の問題は世界的な規模で注目され，対応がなされている．世界保健機関（World Health Organization：WHO）はがんの痛みの除去のためのプログラムに取り組み，世界各国で組織的にプログラムの普及に努めている．この背景には，がん患者の2/3にがんの痛みが出現すること，痛みは複雑な現象で多様な側面をもち，がん患者の生活行動をはじめとする生活のいろいろな側面に影響を与え，がん患者の生活の質を低下させていることなどがある．しかしながら，痛みをマネジメント（管理）するためのさまざまな方法や技術が進歩しているにもかかわらず，医療の専門家はその知識や技術を効果的に使えないという状況にある．看護師には患者の痛みのマネジメントにおける問題を明らかにし，痛みを緩和するケアを行うという責務がある．

以下に述べる内容は，がんの痛みをマネジメントする看護師がケアのアプローチの第一歩として理解しておくべき内容である．

## 1 がん疼痛を緩和する看護師の倫理的責務

Oncology Nursing Society（ONS：米国がん看護学会）は，がんの痛みに関する見解の中に「倫理」に関する章を設け，看護師の倫理的な責務について「がんの痛みをもつ患者は，最適な痛みの緩和を受ける権利がある．患者をケアする看護師には，痛みを緩和するために看護実践の範囲内で可能なすべてのことを探求する倫理的な義務がある」と述べている[1]．痛みのケアに携わる看護師は痛みの緩和が倫理的な責務をもつということをよく自覚してケアに当たることが必要である．

## 2 看護のためのがん疼痛の知識

### 1. 痛みの特徴

がん疼痛には身体的側面だけでなく，精神的・社会的・スピリチュアルな側面があり，トータルペイン（total pain）といわれる[2]（図Ⅵ-58）．また，がん疼痛のマネジメントにはさまざまな医療職者がチームで当たる．そのため，患者に関わる医療職者の間でがん疼痛の定義を明確にし，共有することが重要である．そうすることにより看護活動の評価の焦点

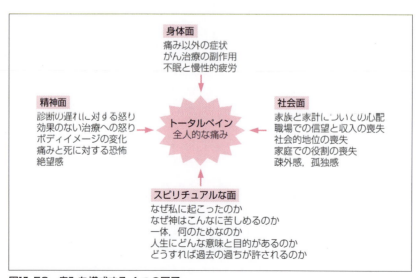

図Ⅵ-58　痛みを構成する4つの因子
［Rトワイクロス，Aウィルコック（武田文和監訳）：トワイクロス先生のがん患者の症状マネジメント，18頁，医学書院，2003より引用］

も明確になる．

## 2．がん疼痛の分類とメカニズム

痛みのメカニズムやその患者にとってどのように症状が現れるのかを理解することによって，看護師は痛みに伴ってみられる徴候に気づくことができる．そして，それに対してどのようなケアが有効なのか検討することができる．看護師自身が痛みに関連する身体や心理的変化を正しく理解していなければ，患者や家族が理解できるように説明することはできない．

がん疼痛の分類は，痛みの性質と痛みのパターンによるものがある．痛みの性質では神経学的な分類が用いられ，侵害受容性疼痛（体性痛，内臓痛）と神経障害性疼痛がある．痛みのパターンによる分類では，持続痛と突出痛がある[3]．

### 1）神経学的な分類
#### ①侵害受容性疼痛

侵害刺激によって生じる疼痛で，障害を受けた組織で発痛物質が産生され，痛覚神経を刺激する．内臓痛と体性痛に分類される．

内臓痛は刺激により内臓痛覚線維が興奮して生じる痛みである．疼痛の部位は不明瞭で，鈍い痛みとして表現される．患者は，「言葉では言い表せない痛み」「奥のほうの痛み」「締めつけられるような痛み」などと表現する．圧痛や関連痛（放散痛）がみられ，嘔気・嘔吐，発汗などの随伴症状を伴うことが多い．

体性痛とは体性感覚線維が興奮して生じる痛みで，皮膚や体表の粘膜，骨格筋，靱帯，骨膜などに分布する神経が関与して生じる．患者は疼痛の部位が限局している場合は「差し込む痛み」と表現し，痛みの部位の特定が不明瞭なときは「うずく痛み」と表現する．代表的な痛みは骨転移による痛みであり，体動によって痛みが増強する．

#### ②神経障害性疼痛

神経障害性疼痛（neuropathic pain）は末梢神経や中枢神経の損傷や障害によってその支配領域に生じる痛みであり，疼痛症候群と呼ばれる．神経の損傷は，損傷した部位の器質的な変化だけでなく，通常では痛みを起こさない刺激で痛みが引き起こされる状態（アロディニア，allodynia）が出現することもある．患者は「電気が走るような痛み」「焼かれるような痛み」「しびれるような痛み」「火箸でえぐられるような痛み」など，神経の支配領域に一致した痛みを表現する．この痛みは，オピオイドに反応しにくい痛みであり，疼痛の緩和のためには鎮痛補助薬を併用する．

### 2）痛みのパターンによる分類
#### ①持続痛

24時間のうち12時間以上経験される平均的な痛みとして患者によって表現される痛みである．

#### ②突出痛

突出痛（breakthrough pain）には統一した定義はないが，わが国のがん疼痛の薬物療法に関するガイドラインでは「定期的に投与されている鎮痛薬で持続痛が良好にコントロールされている場合に生じる短時間で悪化し自然消失する一過性の痛み」とされている．突出痛には体動などで生じる予測できるものと誘因が明確でなく予測できないものがある[4]．

## 3 薬物的介入

### 1．鎮痛薬

鎮痛薬を大別すると，オピオイドと非オピオイドに分類される．オピオイドは中枢神経や末梢神経にあるオピオイド受容体と結合して鎮痛効果を示す．麻薬といわれてきた鎮痛薬はオピオイドのことであるが，麻薬という言葉は薬理学的に不適切であり，誤解や偏見もあるため現在は使用されなくなってきている．

### 2．鎮痛補助薬

鎮痛補助薬には薬理学的作用としての鎮痛効果はないが，鎮痛薬と併用すると鎮痛効果を高めたり，特定の状況下で鎮痛効果を出現させたりする特徴がある．鎮痛補助薬は，オピオイドを適切に使用したにもかかわらず十分な除痛が得られない場合や副作用のためオピオイドを増量できない場合，除痛は得られているが副作用のためオピオイドの減量が必要な場合などに適応される．

### 3．モルヒネの副作用

強オピオイドであるモルヒネには悪心・嘔吐，便秘，眠気，排尿障害，瘙痒感，口渇，発汗，幻覚・錯乱などの副作用がある[5]．これらの副作用のうちもっとも頻度が高いのは便秘であるが，予防的に緩下薬を使用することで対処できる．また，モルヒネの投与初期には，耐性が生じるまでの期間，悪心・嘔吐が生じやすい．悪心や嘔吐は，モルヒネの服薬拒否につながることもあるため，制吐薬を予防的に使用する．このように，モルヒネは十分な副作用対策をすることにより継続して使用することが可能である．

## 4 非薬物的介入

がんの痛みをマネジメントする非薬物的介入として，ONSは，マッサージ・バイブレーション・指

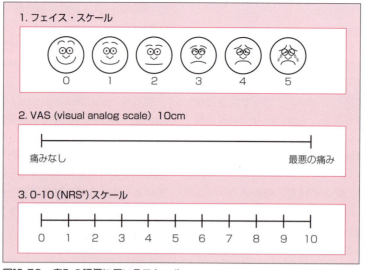

図Ⅵ-59 痛みの評価に用いるスケール
*NRS：Numeric Rating Scale（数値的評価スケール）

圧などの皮膚の機械的刺激方法，運動・安全な動作・電気的刺激などの身体的療法，リラクセーション，イメージ療法，音楽療法，ユーモア，祈り，ポジティブシンキングなどの認知・行動療法，温熱療法，呼吸法，カウンセリングなど，さまざまな種類の療法（代替療法［alternative therapy］ともいう）をあげている[1]．患者がこれらの非薬物的介入を希望する場合には，患者に許可されている療法であるかどうかを検討して行うことが必要である．

## B がん疼痛のケア

### 1 患者の痛みを理解する

がん疼痛の緩和には，患者の痛みの理解とそのアセスメントが重要である．そのために看護師は「痛みを傾聴する技術」「痛みを客観的に問う技術」「痛みに伴うサインを監視（モニタリング）する技術」が必要とされる．

#### 1. 痛みの体験を傾聴すること

痛みは主観的なものであるため，他者にはわかりくい．そのため痛みを体験している患者自身に自分の感じている痛みを表現してもらうことが重要である．がん疼痛はトータルペイン（total pain）[*1]といわれるように身体的な要因だけでなく，心理的な要因や患者の個人的な経験，社会・文化的背景が影響している．そのため，看護師は傾聴という技術を通して，症状をもつ患者個人を理解する．それまで痛みを抱えてきた患者の思いに共感しつつ，患者の表出する気持ちに焦点を当てる．

また，看護師は積極的な傾聴を用いて患者の語ることを要約して確認したり，理解できたことを言葉で返していくことが重要である．看護師が傾聴の技術を通して患者に関わることで，患者は自分の痛みを理解してくれる人がいると感じ，主体的に症状マネジメントに取り組めるようになる．

#### 2. 痛みを客観的に問う技術

看護師はがん疼痛についての知識をもとに，患者の痛みについて客観的な質問を行う．傾聴では聞き出せなかった患者の痛みの表出を助ける．患者が表現に困ったら痛みのメカニズムや発生機序から考えて予測できる痛みについて，「たとえば，このような痛みですか？」と問いかけてみる．また痛みの程度の理解にあたっては，主観である痛みを客観的に理解するために，ペインスケール（図Ⅵ-59）を有効に活用する[5]（332頁参照）．トワイクロス（Twycross R）は痛みのある患者の評価のために必要な6つの因子として，palliative factors（軽減因子），provocative factors（増悪因子），quality（痛みの性質），radiation（痛みの放散），severity（痛みの強さ），temporal factors（痛みの様式）をあげている[2]．

さらに，食事，睡眠，排泄，清潔，移動など痛みによる日常生活の変化を明らかにする．看護師は痛みによって変化している患者の日常生活について，

---

[*1] 英国の内科医でホスピス創始者のソンダース（Saunders, DC）が，末期がん患者の痛みを「全人的痛み」としてとらえる考え方を示した．

できるだけその人の元の生活習慣に近づけるよう，または痛みをもちながらの生活を再構築できるように具体的な生活の様子を聞き，方略を患者とともに考える．

患者の痛みを包括的にとらえるために，それぞれの医療施設では疼痛アセスメントシート（図Ⅵ-60）が用いられている．これらのシートは，痛みを体験している患者自身の痛みのとらえ方を知るうえでも，患者本人に直接記入をしてもらうことが望ましい．

### 3. 痛みに伴うサインをモニタリングすること

患者の外観，皮膚の状態，浮腫の有無，服薬できているかどうかなど，がん疼痛に伴い患者が表現するサイン（徴候）を観察する．そのためには患者の痛みの発生機序の理解が不可欠である．

## 2 がん疼痛のマネジメントのために患者と周囲が行っている方略を明らかにする

がん疼痛の症状マネジメントに関わる人々，すなわち患者，家族，医療提供者がどのような方略をとっているのかを明らかにする．症状マネジメントの方略には医療機関の方針や患者の文化的な背景，患者や看護師が有している資源などが影響している．

がん患者の痛みを緩和する方略を検討するうえでは，患者が痛みをどのようにとらえ，痛みに対しどのような問題解決のための知識，技術をもっているのかを明らかにすることが重要である．また，家族をはじめとして患者を支えるソーシャルサポートがどのようになっているのかを明らかにし，家族の協力は得られるのか，得られない場合，それを補う専門職の介入は可能であるのかなどを検討する．

症状マネジメントが成功するためには，患者，家族，医療提供者の連携が必要である．そのため，看護師は医師，薬剤師と連携をとり，お互いの方略についての範囲を規定しておくことも重要である．医学モデルによる症状マネジメントでは，薬物の処方によって対処されることが多い．わが国では薬物の処方権をもっている医師は症状マネジメントにおいて重要な役割を担っている．したがって，症状マネジメントにどのように取り組むのかという医師の方略を分析することは大変重要なことである．医師とコミュニケーションをよくとり，患者情報の共有を図るようにする．とくに，痛みのメカニズムや治療方針の確認は必須である．患者の中には医師に対して何も言わないのが良い患者であると思っていたり，短時間の診察では上手に症状を表現できない場合もあるので，薬物治療において患者の痛みを評価する場合は看護師が患者の代弁者となることも必要である．

患者がオピオイドを内服するにあたっては，薬剤師がその服用に関する注意事項，副作用の管理など専門的な立場で患者指導を担うことが多い．薬剤師の指導後，患者がその内容をどのくらい理解しているのか，自宅に帰って継続していける方法であるか，より患者の生活に即して再検討することが看護師の重要な役割となる．

このように，症状マネジメントに関係する人々の方略を明らかにすることによって，それぞれの専門性を活かしたケアが提供できる．方略を明らかにした後，それぞれの専門家と連携をとり意見調整を図ることが重要である．看護師は医療チームの調整を図りながら，がん疼痛のケアを進めていく．

## 3 痛みをマネジメントする患者のセルフケア能力を査定する

患者の痛みの理解，患者が痛みのマネジメントに対して行っている方略の理解を通して，看護師は患者の症状マネジメントへの準備性，症状マネジメントに対するセルフケア能力を明らかにする．

症状マネジメントに取り組む患者のセルフケア能力の評価にあたっては，がん疼痛の緩和に必要な知識を理解できるか，症状を表現する能力や症状を評価する能力はどうか，医療者にお任せでなく自らが主体的に疼痛緩和に取り組もうとしているか，自らの症状を緩和するための方略に工夫がみられているか，自分にできないことは他者に依頼することができているか，などについて検討する．

## 4 患者のセルフケア能力に応じて必要な知識，技術，サポートを提供する

### 1. 患者に提供する知識

患者に提供する知識は，患者が自分のがん疼痛を理解するために必要な知識，がん疼痛をマネジメントするための技術を習得するために必要な知識，そして患者自身が到達すべき結果を理解するための知識である．患者が必要としている最低限の知識は何であるかを見極めることが重要である．

【知識の例】
- がんの痛みは取り除くことができるものであること
- 痛みはあなた自身のものなので（主観的なもの），治療にあたっては，自分の痛みを医師や看護師に伝える必要があること

# 疼痛初期アセスメント表

日付　　年　月　日

患者ID：＿＿＿＿＿＿＿＿　患者氏名：＿＿＿＿＿＿＿＿＿　年齢：＿＿＿歳
診断名：＿＿＿＿＿＿＿＿　担当医師：＿＿＿＿＿＿＿＿＿　記入した看護師：＿＿＿＿＿＿

1. 痛みの部位

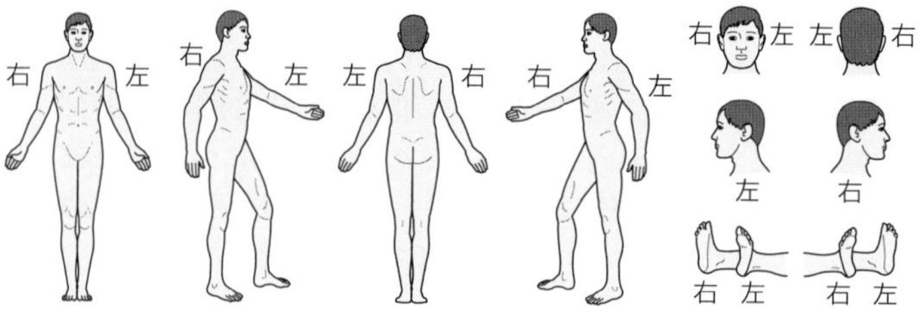

   右　左　　右　左　　左　右　　右　左　　右　左　　左　右
   　　　　　　　　　　　　　　　　　　　　　　　左　　　右
   　　　　　　　　　　　　　　　　　　　　　　　右左　右左

2. 痛みの程度・強さ・性質
   ・どのように痛みますか？
   ＿＿＿＿＿＿＿＿＿＿＿＿＿＿＿＿＿＿＿＿＿＿＿＿＿＿＿＿＿＿＿＿

3. 痛みの開始，持続時間，1日の変化・リズム
   ・いつから，どのくらいの期間痛みがありますか？
   ＿＿＿＿＿＿＿＿＿＿＿＿＿＿＿＿＿＿＿＿＿＿＿＿＿＿＿＿＿＿＿＿

   ・最初の痛みから強さや性質に変化がありますか？（当てはまるものを○で囲む）
   　　　　ある　　　　ない　　　　わからない
   「ある」場合，どのように変わりましたか？
   ＿＿＿＿＿＿＿＿＿＿＿＿＿＿＿＿＿＿＿＿＿＿＿＿＿＿＿＿＿＿＿＿

   ・1日のうち特定の時間に痛みが強くなったり，弱くなったりしますか？（当てはまるものを○で囲む）
   　　　　する　　　　しない　　　　わからない

4. 痛みの増強因子，緩和因子
   痛みは何によって軽減しますか？
   ＿＿＿＿＿＿＿＿＿＿＿＿＿＿＿＿＿＿＿＿＿＿＿＿＿＿＿＿＿＿＿＿
   ＿＿＿＿＿＿＿＿＿＿＿＿＿＿＿＿＿＿＿＿＿＿＿＿＿＿＿＿＿＿＿＿

   痛みは何によって増強しますか？
   ＿＿＿＿＿＿＿＿＿＿＿＿＿＿＿＿＿＿＿＿＿＿＿＿＿＿＿＿＿＿＿＿
   ＿＿＿＿＿＿＿＿＿＿＿＿＿＿＿＿＿＿＿＿＿＿＿＿＿＿＿＿＿＿＿＿

5. 痛みや鎮痛薬に対する認識（当てはまるものを○で囲む）
   ・痛み止めの薬を何か使用していますか？　　　　はい　　　いいえ
   「はい」と答えられた方，薬の効果について教えてください．
   ＿＿＿＿＿＿＿＿＿＿＿＿＿＿＿＿＿＿＿＿＿＿＿＿＿＿＿＿＿＿＿＿

   ・自分の痛みを医師に伝えることはむずかしいですか？　はい　　いいえ
   「はい」と答えられた方の場合，それはなぜですか？
   ＿＿＿＿＿＿＿＿＿＿＿＿＿＿＿＿＿＿＿＿＿＿＿＿＿＿＿＿＿＿＿＿

   ・痛み止めの薬を使うことに抵抗はありますか？　　はい　　いいえ
   「はい」と答えられた方の場合，それはなぜですか？
   ＿＿＿＿＿＿＿＿＿＿＿＿＿＿＿＿＿＿＿＿＿＿＿＿＿＿＿＿＿＿＿＿

6. 痛みによる生活および気持ちの変化
   痛みによる影響について当てはまるものがあれば□内に✓を入れてください．（　）内は内容を書いてください．
   □身体の症状　たとえば吐き気，便秘など（　　　　　　　　　　　　　　　　　　　）
   □睡眠（　　　　　　　　　　　　　　　　　　　　　　　　　　　　　　　　　　　）
   □食事（　　　　　　　　　　　　　　　　　　　　　　　　　　　　　　　　　　　）
   □身体活動（　　　　　　　　　　　　　　　　　　　　　　　　　　　　　　　　　）
   □他の人との人間関係（　　　　　　　　　　　　　　　　　　　　　　　　　　　　）
   □気持ちの変化（　　　　　　　　　　　　　　　　　　　　　　　　　　　　　　　）
   　　たとえば気持ちがめいる，不安が強くなるなど
   □仕事や家庭内の役割（　　　　　　　　　　　　　　　　　　　　　　　　　　　　）
   □その他（　　　　　　　　　　　　　　　　　　　　　　　　　　　　　　　　　　）

7. 痛みの緩和を助けてくれる人
   ・痛みのマネジメントを助けてくれる人がいますか？（当てはまるものを○で囲む）
   　　　　いる　　　　いない
   「いる」と答えられた方，それはどなたですか？（　　　　　　　　　）

8. 痛みの緩和に対する希望
   ・痛みのマネジメントに対するあなたの希望を具体的にお話しください．
   （　　　　　　　　　　　　　　　　　　　　　　　　　　　　　　　　　　　　）

図VI-60　疼痛アセスメントシート例

- 痛みを緩和するためには十分な量の痛み止めの薬が必要であること
- 痛み止めの薬は，時間どおりに定期的に飲む必要があること
- 自分に合った痛み止めの薬の投与方法があること
- 痛み止めの薬で中毒になることはないこと
- 痛み止めの薬の副作用（便秘，吐き気，眠気）は確実に予防することができること
- 頓服薬（rescue dose，レスキュー・ドーズ，一般にはレスキューと呼ばれる）を使って，痛みのない状態をできるだけつくること
- 痛みの増強時は我慢せず，医療者に連絡すること

### 2. 患者に提供する技術

がん疼痛のマネジメント技術を患者自身が行う場合，最低限に限定することによって，患者が「この症状マネジメントの技術はできる」という自信をつけていくことが可能である．基本的技術の習得においては，技術を正しく行うこと，タイミングよく継続的に行うこと，指示された技術を行いその効果をアセスメントする能力をもつこと，などに重点を置き，指導していく．

【技術の例】
- スケールを用いた痛み評価の方法
- 痛み止めの薬の管理方法
- レスキュー・ドーズの使用方法
- ペイン・ダイアリー（pain diary）をつけること（334頁参照）
- 副作用の症状管理方法
- 服用した薬の効果を評価する方法
- 医師や看護師とコミュニケーションをとる方法

### 3. 患者に提供するサポート

患者ががん疼痛の症状マネジメントを行うためには看護師によって提供される支援・相互的ケアが必要である．患者ができているところを保証し，さらに続けて行えるようにする．また，退院後や在宅などの場合，必要に応じて電話によるサポートなどを行う．

【サポートの例】
- がん疼痛は取り除けるものであり，そのために医療者は努力していきたいと思っていることを伝える．
- 初期アセスメントでの関わりから，患者ができていることを認め，ポジティブなフィードバックを行う．
- 患者・家族が困難と感じていることについて共感し，その対処法を共に考えていきたいということを伝える．
- 質問があればいつでもできるように相談窓口の連絡先を伝える．
- 必要時は看護師から患者に電話を行い，困ったことや，わからないことはないかを確認する．

### 5 ケアの効果を評価し，修正する

痛みをもつ患者の諸側面で評価を行い，改善を目指すことが重要である．とくに重要なことは，痛みの軽減とそれに伴う患者の生活の質はどのようになっているのかということである．痛みが緩和されているときは，患者が症状緩和のために行った事柄に対して，ポジティブフィードバックをして，継続して症状マネジメントができるようにサポートを行い，さらに質問があればいつでもできるようにする．痛みが緩和されていないときは，患者に必要な知識，技術，サポートの内容を再検討し，どうして効果がなかったのか，患者の症状マネジメントの障害になっている事柄を明らかにしてケアを導き出す．新たな痛みが出現し，痛みの部位や種類が異なるときは患者の痛みの理解に戻り，再評価を行う．

### ●引用文献

1) Spross JA, McGuire DB, Schmitt RM：Oncology Nursing Society position paper on cancer pain, part 1. Oncol Nurs Forum 17（4）：604-605, 1990
2) Twycross R, Wilcock A（武田文和監訳）：トワイクロス先生のがん患者の症状マネジメント，18-20頁，医学書院，2003
3) 日本緩和医療学会緩和医療ガイドライン統括委員会（編）：がん疼痛の薬物療法に関するガイドライン2020年版，22-26頁，金原出版，2020
4) 日本緩和医療学会緩和医療ガイドライン統括委員会（編）：がん疼痛の薬物療法に関するガイドライン2020年版，26頁，金原出版，2020
5) Hanks G, Cherny N：Opioid analgesic therapy. Oxford Textbook of Palliative Medicine（Doyle D, Hanks G, MacDold N, eds），pp.331-335, Oxford University Press, 1998
6) Wong DL, Baker C：Pain in children：comparison of assessment scales. Pediatric Nursing 14（1）：9-17, 1988

### コラム　チーム医療

がん疼痛に対する緩和ケアチームの介入のように，複数の職種の医療専門職者がチームを組んで医療を提供している．日本では，医療の専門分化がすすみ，医療技術が進歩するにともなって，最近ではチーム医療の重要性が強調されている（厚生労働省，2010）[i]．ヒューマン・サービス組織の成果の是非や可否を決定する最大の要因は，多くの職種の複合的な関係に，機能的な連携が成り立つことであると指摘されている（田尾，1995）[ii]．近年では，連携に関する教育も重要視され，多職種連携教育（inter-professional education：IPE）も普及している．

ただし，チーム医療を機能させることは容易なことではない．その原因は，それぞれが専門職であること，スポーツ団体等のチームとは異なり，非常に複雑な集団構造をもっていること等にある．どのようにすればチーム医療の効果を最大化できるかに関する一般化された理論はまだ明らかにされていない．以下は，チーム医療に役立つチームワークの研究例である．

どのようなチーム医療が有効かを説明するためには，チームワーク（チーム医療）の，①可視化，②発達，③効果性の研究蓄積が必要である．チーム医療の程度を客観的で具体的な数値で測定し，それがどのような要因によって発達し，どのような指標に有効なのかを明らかにすることが望まれるが，いい加減な測定（可視化）では意味がない．チーム医療の程度を的確に信頼性の高い測定を行うことが大切である．そのためには緩和ケアチームや栄養サポートチーム等，多様なチームで共通して使用できる測定ツールの開発が期待される．

■引用文献
i ）厚生労働省：チーム医療の推進について．チーム医療の推進に関する検討会 報告書，2010〔http://www.mhlw.go.jp/shingi/2010/03/dl/s0319-9a.pdf〕
ii）田尾雅夫：ヒューマン・サービスの組織．法律文化社，1995

# 11 タッチのケア

## A タッチの基礎知識

### 1 タッチの伝達メカニズム

　痛みのある部位をさすったり，不安な気持ちを聴きながら肩にそっと触れたりするタッチ（touch）は，看護師の手が患者の身体に触れることにより成立する．看護師のタッチは，患者の皮膚を通して触覚，圧覚，温度覚（温覚・冷覚），痛覚として感じ取られており，その刺激は表皮から皮下組織にかけて存在する感覚受容器（神経終末）で受容される．感覚受容器の閾値や分布密度は一定ではなく，手や顔などは肩や背中に比べて敏感な部位であるためタッチする際に考慮する必要がある．

　感覚受容器で感受された刺激は，顔面においては三叉神経で伝達されるが，それ以外は脊髄を上行して視床を経由し，最終的に大脳皮質感覚野や連合野に到達する．タッチによる「なでる（触覚）」といった刺激は，大脳皮質で認知され，大脳辺縁系に伝わる．そこで，情動による評価が行われ，その情報が視床下部に伝わり生体反応がもたらされると考えられている（図Ⅵ-61）．つまり，タッチが受け手にとって気持ちいいと感じられると，心拍数の減少といった自律神経系の変化が生じ，リラックスした状態が引き起こされる．一方で，単なる皮膚感覚による刺激の認知ではなく，情動による評価を伴うために，タッチは同じ方法で行えば誰でも常に同じ効果が得られる訳ではない．タッチする際は，患者との関係性やそのときの状況を判断し，患者の気持ちを感じ取りながら実施する必要がある．

### 2 看護師が行うタッチの種類

　実際の看護場面で用いられているタッチは，その特徴からいくつかのタイプに分類されている（表Ⅵ-28）[1,2]．しかし，看護師が行うタッチは同時に複数の意味を持つことがあり境界があいまいなため，清拭などで触れることを単に「Task touch」と分類することはむずかしい．看護師の関心が何に向けられているか，どのような意図で触れたかが重要である．

　また，集中治療室の看護師を対象とした調査では，経験年数の短い看護師のほうがCaring touchを多く使用していることが明らかになっている[3]．その理由として，管理業務が増加すると直接的なケアが少なくなることや，看護師のバーンアウトが考えられている．Caring touchには人を援助したいという看護師の動機と実行できる十分なエネルギーが必要といわれる[1]．タッチが単なる接触ではなく，患者の心身に寄り添ったケアとして成立するためには，患者の力になりたいという看護師の意図がタッチに込められ，さらに患者がその行動をメッセージとして解釈することが必要である．

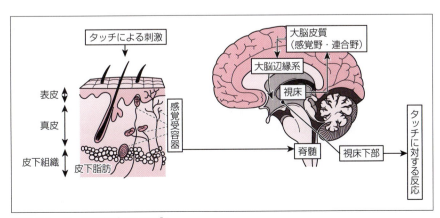

図Ⅵ-61　タッチの伝達メカニズム

表VI-28 タッチの種類

| Estabrooks (1989) | Caring touch<br>意図的・肯定的な感情をこめて行うタッチ | Task touch<br>清拭や脈拍測定など仕事のために使用するタッチ | Protective touch<br>患者の身体や,看護師の身体・感情を守るためのタッチ |
|---|---|---|---|
| Bottorff (1994) | Comforting touch<br>心地よさを与えるタッチ | Working touch<br>患者の世話をするときのタッチ | Social touch<br>社会的な関係を作るためのタッチ |
| | Connecting touch<br>関係を作り続けていくためのタッチ | Orienting touch<br>アセスメントをするためのタッチ | |

[Estabrooks CA:Touch;A Nursing Strategy in the Intensive Care Unit. Heart & Lung 18(4):392-401, 1989 および Bottorff JL, Morse JM:Identifying Types of Attending;Patterns of Nurses' Work. Journal of Nursing Scholarships 26(1):53-60, 1994 をもとに作成]

## B タッチのケア

### 1 タッチのプロセスとアセスメント

タッチのプロセスは,Entering と Connecting の2つの局面から成り立つとされ,言語・非言語的コミュニケーションを通してタッチの必要性を判断し,適した方法を選択することが重要である.これはCueing(キューイング)といわれ,患者の言葉,表情やアイコンタクトなどを注意深く観察しアセスメントすることである[4].筆者の研究においても,困難な状況に直面しているがん患者に対して,看護師はタッチの場面にいたる前から必要な臨床判断を行っており,効果的なタッチを実践するためには,患者の言葉や視線を敏感にとらえてタッチのタイミングをつかみ,タッチするか否かを慎重に判断しながら目的に応じた方法を選択する必要がある.また,タッチのプロセスでは,患者の心の動きに添うようにして触れつつ,看護師のさまざまな心の動きや思いを伝えるすなわち相互関係を深めることも重要である.

### 2 タッチの方法と効果

現在までにタッチの標準的な手技は確立されていないが,看護師が用いるタッチは肩や手を触れる・軽くさする,手を握るタッチが多いと報告されている[5].これは,身体の中で手,腕,肩,背中の上部がタッチを受け入れやすい部位と言われている[6]ことと一致している.そして,距離が近く,前方に人がいるほうが心理的な緊張を高める[7]ことが明らかになっている.

「手を握る,手や肩に触れる」タッチは,重症患者とのコミュニケーション[8]や患者の不安軽減[9]に有用であるとされる.手背や肩に触れることで心拍数の減少が認められており[10],これはタッチにより緊張が緩和して交感神経系の活動が抑制されたためと考えられる.一方で,POMS[*1]の「緊張-不安」得点の高低により,「手背に触れる」タッチの効果を比較した研究では,高得点群はタッチ介入後よりも安静時のほうが心電図R-R間隔は高値を示す,すなわちタッチにより心拍数が増加するという結果を得ている[11].これは,患者の特性によってはタッチに敏感に反応し,緊張を感じることで一時的に交感神経系の活動が優位になると考えることができ,注意が必要である.

「身体をさする」タッチは,心拍数や拡張期血圧を低下させたり[12],FAS[*2]による不安レベルやオキシトシン濃度[*3]を減少させたり[13,14],唾液中コルチゾール値[*4]を低下させる[15]など,患者のストレス緩和に有益であると考えられている.また,同一体位(仰臥位)保持に付随した苦痛を緩和する[16],胃内視鏡のような苦痛を伴う検査を受ける患者の心身の緊張を和らげる[17]効果を持つとされる.加えて,実施時間の差異による,前腕・手をなでる,包む効果を比較した研究では,短時間の実施でもストレス

---

[*1] Profile of Mood States の略.「緊張-不安」「抑うつ-落込み」「怒り-敵意」「活気」「疲労」「混乱」の6つの尺度から気分や感情の状態を簡便に測定できる.

[*2] Faces Anxiety Scale の略.5つの表情から1つを選び患者の不安の程度を測る.

[*3] オキシトシンは脳下垂体後葉から分泌される.子宮収縮作用があることで知られているが,「calm-and rest hormone」と言われ,強いストレスを受けると分泌が減少すると考えられている.

[*4] コルチゾールは,糖質コルチコイドの主要なものである.ストレスが加わると視床下部からCRH(コルチコロトピン放出ホルモン)が分泌され,それが脳下垂体前葉を刺激しACTH(副腎皮質刺激ホルモン)を分泌させる.その結果,コルチゾールの血中濃度が高まる.

度の低下とリラックス度の上昇を認めている[18]．

これらのことをふまえ，患者にタッチする際は患者の状態や特性を考慮し，患者との関係性に応じて適した部位・方法を選択する必要があるといえる．

● 引用文献

1) Estabrooks CA：Touch；A Nursing Strategy in the Intensive Care Unit. Heart & Lung **18**（4）：392-401, 1989
2) Bottorff JL, Morse JM：Identifying types of attending；Patterns of nurses' work. J Nurs Scholarsh **26**（1）：53-60, 1994
3) Adomat R, Killingworth A：Care of the critically ill patient：the impact of stress on the use of touch in intensive therapy units. J Adv Nurs **19**：912-922, 1994
4) Estabrooks CA, Morse JM：Toward a theory of touch；the touching process and acquiring a touching style. J Adv Nurs **17**：448-456, 1992
5) 藤野彰子，橋本紀子：終末期がん看護における「タッチ」に関する研究．女子栄養大学紀要 **29**：73-85, 1998
6) リッチモンドVP，マクロスキーJC（山下耕二編訳）：第9章 接近性とコミュニケーション．非言語行動の心理学～対人行動とコミュニケーション理解のために，164-190頁，北大路書房，2006
7) 松尾太加志：コミュニケーションの心理学～認知心理学・社会心理学・認知工学からのアプローチ，57-69頁，ナカニシヤ出版，2008
8) Knable J：Handholding：One means of transcending barriers of communication. Heart Lung **10**（6）：1106-1110, 1981
9) Glick MS：Caring touch and anxiety in myocardial infarction patients in the intermediate cardiac care unit. Intensive Care Nursing **2**：61-66, 1986
10) 森下利子，松下正子，草川好子ほか：意図的Touchによる心拍および脳波への影響と主観的応答に関する研究．三重県立看護短期大学紀要 **17**：25-31, 1996
11) 森下利子，池田由紀，長尾淳子：意図的タッチによる心身への影響に関する研究～POMSの「緊張-不安」スコアによる対照群別比較．三重県立看護大学紀要 **4**：9-14, 2000
12) Weiss SJ：Effects of differential touch on nervous system arousal of patients recovering from cardiac disease. Heart Lung **19**（5）：474-480, 1990
13) Henricson M, Ersson A, Määttä S, et al.：The outcome of tactile touch on stress parameters in intensive care. Complementary Therapies in Clinical Practice **14**：244-254, 2008
14) Henricson M, Berglund A-L, Määttä S, et al.：The outcome of tactile touch on oxytocin in intensive care patients：a randomized controlled trial. J Clin Nurs **17**：2624-2633, 2008
15) 金子有紀子，小板橋喜久代：健康女性への意図的タッチによって引き起こされる生理的・情緒的反応．看護研究 **39**（6）：23-34, 2006
16) 木下典子，二渡玉江，内海滉：仰臥位保持におけるタッチングの苦痛除去効果～皮膚電位水準による分析を通して．群馬県立医療短期大学紀要 **3**：25-30, 1996
17) 加悦美恵，井上載江：苦痛を伴う検査時の看護師のかかわり～話しかける介入と話しかけながらタッチする介入の対比．日本看護科学学会誌 **27**（3）：3-11, 2007
18) 見谷貴代，小宮菜摘，築田誠ほか：短時間のハンドマッサージによる生理的・心理的効果の検証―実施時間の差異によるランダム化比較試験―．日本看護技術学会誌 **17**：125-130, 2018

# 12 味覚異常のケア

## A 味覚の基礎知識

### 1 味覚のメカニズムと神経支配

味覚（sense of taste）は食物中の化学物質が口腔内に存在する乳頭の味蕾（taste bud）で受容されて生じる感覚である．味蕾は主として舌表面にある有郭乳頭・葉状乳頭・茸状乳頭にあり，成人では約8000～1万個存在する（図VI-62）．味蕾には味細胞があり，味細胞の興奮が延髄の孤束核，視床を経て大脳皮質の味覚中枢へと伝わり，味のよしあしや身体に害のない食物かどうか判断される[1]．

味蕾細胞の寿命は約10日で，絶えず新しい細胞に交替する．新しい味蕾細胞におきかわる際には，亜鉛が必要である．ヒトが感じる味覚（狭義の）は，甘味，酸味，塩味，苦味，旨味の5基本味である．旨味[*1]は2000年に基本味に追加され，5基本味となった．味覚の神経支配は，舌前方2/3が鼓索神経（顔面神経），後方1/3が舌咽神経，下咽頭から喉頭蓋が迷走神経，そして軟口蓋が大錐体神経である．

### 2 味覚に影響する要因

味覚には狭義と広義がある．5基本味を狭義の味覚という．これに，匂い（嗅覚），歯ごたえや舌ざわり（触覚），見た目（視覚），咀嚼音（聴覚）など，口腔内で感じるすべての感覚で総合的に判断した味覚を広義の味覚という．さらに，味覚は生理的・精神的状態や嗜好の影響を受ける．

#### 1. 生理的影響

味覚閾値には性差があり，旨味を除く4基本味すべてで女性のほうが男性よりも感受性が高い[2]．また旨味に関しても若い女性で男性よりも感受性が高いとする報告がある[3]．味覚閾値（taste threshold）は加齢により軽度上昇する[4]．70歳代ではそれより若い年代の人よりも塩味，酸味と苦味の閾値が有意に上昇したという報告がある[3-5]．妊娠によっても塩味の閾値が上昇するため，妊婦は非妊娠時に比べ塩辛い味を好むようになるという[5]．さらに，喫煙が苦味と塩味の感受性を鈍くするという報告もある[6]．

---

[*1] だし昆布に含まれるグルタミン酸（旨味物質の1つ）が旨味を生じさせることが，1908年，池田菊苗によって見いだされた．

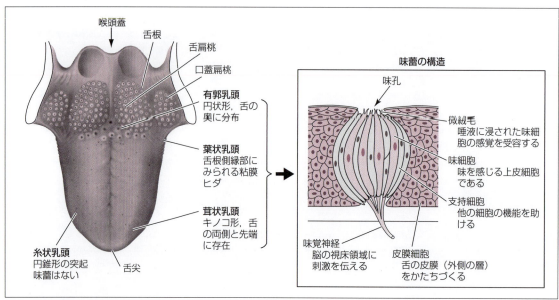

図VI-62 味蕾の存在する舌乳頭と味蕾の構造

## 2. 精神的影響

精神的なストレス (stress) 負荷により苦味感受性が鈍くなることが知られている[7]．また，快感情で塩味の感受性が高まり，逆に不快感情では鈍くなったという報告がある[8]．

## B 味覚異常

### 1 味覚異常とは

味覚異常 (dysgeusia) とは，ものを食べても味を感じなかったり，逆に味を強く感じる状態をいう．味覚異常症状は量的味覚障害と質的味覚障害に大別される（**表VI-29**）．味覚異常を訴えて外来を訪れる患者には味覚低下（hypogeusia）がもっとも多く，自発性異常味覚（pantogeusia：口腔中に何もないのに金属味や苦味などが持続）がこれに続く．味覚異常症状の大別による割合をみると，近年では質的味覚異常が増加している[10, 11]．

### 2 味覚異常の原因

**表VI-30**は異なる研究者が調べた味覚異常の原因を著者がまとめたものである．表に示すように，心因性・特発性味覚障害が多い．研究者により違いがあるが，口腔疾患や薬剤性味覚障害，亜鉛欠乏も多くなっている[9, 10]．味覚異常の原因は**表VI-31**のように分類されるが，統一した見解はない．

亜鉛は DNA，核酸およびタンパク合成能に関与

表VI-29 味覚異常症状の種類

| 名　称 | 症　状 |
|---|---|
| 量的味覚異常 | |
| 味覚低下 (hypogeusia) | 食物の味を薄く感じる |
| 味覚消失 (ageusia) | 味がまったくわからない |
| 解離性味覚障害 (dissociated taste disorder) | ある特定の味質がわからない |
| 質的味覚異常 | |
| 自発性異常味覚 (pantogeusia) | 口内に何もないのに特定の味質がする |
| 異味症 (heterogeusia) | 本来の味と異なっている |
| 悪味症 (cacogeusia) | 何とも言えない嫌な味に感じる |
| 味覚過敏 (hypergeusia) | 特定の味質や全体的に味を強く感じる |

表VI-30 味覚異常の原因別頻度（%）

| | 坂口ほか[*1] 1999-2010年 | 山下ほか[*2] 2010-2017年 |
|---|---|---|
| 症例数 | 1059 例 | 271 例 |
| 心因性 | 17.6 | 35.8 |
| 口腔疾患 | — | 21.4 |
| 特発性 | 18.2 | 19.9 |
| 亜鉛欠乏性 | 13.5 | 6.3 |
| 全身性 | 6.0 | 5.9 |
| 嗅覚障害 | — | 3.3 |
| 医原性 | 2.8 | 3.0 |
| 感冒後 | 12.5 | 2.6 |
| 薬剤性 | 16.9 | 1.8 |
| その他 | 3.5 | 0 |

以下の文献による．
[*1] 坂口明子ほか：味覚障害 1059 例の原因と治療に関する検討．日耳鼻 116：77-82，2013
[*2] 山下映美ほか：味覚障害患者における臨床的特徴と治療成績に関する検討．北海道歯学雑誌 39 (2) 122-130，2019

表VI-31 味覚異常の原因

| 原　因 | 内　容 |
|---|---|
| 亜鉛欠乏 | 欠乏により味細胞の形態が変化して細胞の置換わりが延長する． |
| 薬剤性[*] | ・亜鉛キレート（亜鉛の吸収を抑制）作用がある薬<br>・唾液分泌を抑える薬<br>　例：降圧薬，消化性潰瘍薬，抗うつ薬，抗腫瘍薬，抗菌薬など 200 種類以上 |
| 全身疾患 | 糖尿病，腎障害，肝障害，甲状腺機能障害 |
| 口腔疾患 | 舌炎，口腔カンジダ，シェーグレン症候群（口腔乾燥） |
| 末梢神経障害 | 口腔内関連手術，顔面神経麻痺，ギラン・バレー症候群など |
| 中枢神経障害 | 脳血管障害，脳腫瘍，頭部外傷など |
| 心因性 | うつ，神経症，心理的ストレス |
| 特発性 | 明らかな誘因・原因が不明 |

*［厚生労働省：重篤副作用疾患別対応マニュアル　薬物性味覚障害　令和 4 年 2 月改定．〔https://www.mhlw.go.jp/topics/2006/11/tp1122-1s.html.pdf〕（最終確認：2022 年 4 月 15 日）〕

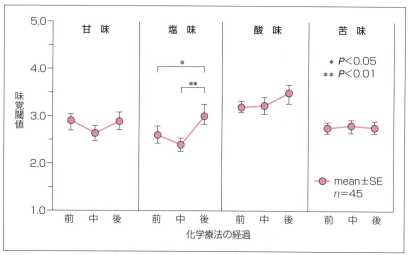

図Ⅵ-63　がん患者の化学療法に伴う味覚識別閾値の縦断的変化
[神田清子：がん化学療法に伴う味覚閾値の変化に関する研究. 日本がん看護学会誌 15 (2)：55, 2001 より引用]

する．現代の日本人における成人の1日亜鉛摂取量は少なくなっている[11]．亜鉛の欠乏（69 mg/dL 以下）は味蕾細胞の新陳代謝を遅らせ，味細胞の感受性低下をもたらすといわれる．小児では亜鉛摂取不足で成長が遅れ，2次性徴が止まる．一方，成人では味覚異常のほかに嗅覚異常が出現するほか，皮膚炎，脱毛，爪の異常，うつ病様の精神症状，食欲不振，下痢，免疫力の低下などが起こる[12]．

また，薬物が原因と考えられる味覚障害例のうち約1/2は血清亜鉛値の低下を認める．すなわち，亜鉛と反応を起こす化合物を持つ薬物（降圧薬，利尿薬，抗腫瘍薬など200種）の投与で亜鉛欠乏をきたし，味覚障害を引き起こすことが知られている[13]．

### 3 疾病・治療に関連した味覚異常

#### 1．新型コロナウイルス感染症と味覚障害

感染症により味覚障害や嗅覚障害がよく見られるが，その原因は特定されていない．愛場らは2020年3月～2021年2月末までの新型コロナウイルスによる入院患者を分析した結果，味覚障害は約30％に出現し，そのうち1/4は嗅覚と味覚の両方に障害があったことを報告している[14]．

#### 2．がん治療と味覚異常

胃がん患者では胃切除後に甘味と苦味の感受性が敏感になることが報告されている[15]．放射線治療（radiotherapy）を受ける頭頸部がん患者では，味覚閾値が上昇し，回復に約3ヵ月かかったという報告もある[16]．放射線治療は摂食障害を引き起こすことも報告されている[17]．

がん化学療法によって生じる味覚変化（gustatory change/taste change）の出現率は40～80％台といわれる．研究者により違いがあるが，味のすべてに認められ，食事摂取やQOLに影響がある[18]．また，Amézagaらは152名の対象者のうち76％に変化があり，味覚喪失（43％），金属味（40％），口の中の悪味（45％），口渇（64％）が高いことを報告している[19]．

著者らの研究では，化学療法終了後10日目に明らかな塩味の感受性低下を認めた（図Ⅵ-63）[20]．

システマティックレビューでは，レジメン[*2]による味覚変化の客観的アセスメントでは，パクリタキセルとカルボプラチンで苦味と旨味，パクリタキセルとカルボプラチンで甘味・塩味・酸味・苦味が敏感になる傾向であるということが示されている[21]．

また，ドセタキセル水和物（DTX：タキソテール®）を用いたレジメンは異味や悪味などが高くなるという報告もある[21]．

#### 3．その他の疾病と味覚異常

甲状腺機能が低下すると味覚閾値は著しく上昇する．シェーグレン症候群で唾液分泌不全のある患者は味覚不全を併発する．腎不全患者でも高度の味覚障害があることが知られている[22]．

---
[*2]薬物療法の治療計画のこと．

表Ⅵ-32 味覚異常のアセスメントとケア

| | 手法 | 内容 |
|---|---|---|
| アセスメント | 問診 / 自覚症状の聴取 | ①味覚異常の種類（表Ⅵ-29参照）<br>②何の味がいつ，どのように変化したか<br>③食欲不振の有無<br>④口渇の有無<br>⑤匂いの変化 |
| | 問診 / 原因検索のためのヘルスヒストリーの聴取 | ①食生活習慣<br>　食事回数・偏食・インスタント食品摂取頻度など<br>②嗜好（タバコ・辛いものの摂取）<br>③既往疾患と治療<br>　使用薬剤・放射線治療・手術療法の有無<br>　抗腫瘍薬使用の有無：シクロホスファミド，カルモフール，テガフール，テガフール・ウラシル，ドキシフルリジン，フルオロウラシル，メトトレキサート，塩酸ピラルビシン，ドセタキセル水和物，パクリタキセル，硫酸ビンデシン，硫酸ビンブラスチン，塩酸ファドロゾール水和物，塩酸ミトキサントロン，カルボプラチン，シスプラチン，フルタミドなど<br>④精神・心理状態<br>　ストレスの多い出来事やその対処，うつ状態 |
| | 観察 / 他覚症状 | ①口腔粘膜・舌の状態<br>　発赤・潰瘍・腫脹の有無，白苔・感染の有無<br>②唾液分泌状態<br>③精神・心理状態：表情，行動，会話 |
| | 検査 / 客観評価 | ①血清亜鉛値：79 μg/dL 以下（要注意），69 μg/dL 以下（低値）<br>②味覚閾値検査<br>　電気味覚検査法：鼓索神経領域　8 dB 以下<br>　　　　　　　　　舌咽神経領域 14 dB 以下<br>　　　　　　　　　大錐体神経領域 22 dB 以下<br>　濾紙ディスク法（1〜5段階）：3以下が正常値<br>③10分間ガムテスト（唾液分泌）：10 mL 以下は異常 |
| ケア | 予防・症状緩和 / 口腔ケア | ①免疫能低下状態にある患者の口腔ケアの徹底：含嗽<br>②シェーグレン症候群患者・唾液分泌減少患者の分泌促進ケア：10％レモン炭酸水含嗽・人工唾液補充<br>③白苔：舌ブラッシング |
| | 予防・症状緩和 / 食事指導 | ①亜鉛豊富な食品の紹介<br>　50 mg/100 g 以上：抹茶，緑茶煎茶（一番茶），カキ，数の子<br>　10 mg/100 g 以上：玄米茶，ココア，いわしみりん干し，煮干し，タラバガニ（茹），さざえ，海女ノリ，あさくさノリ，きなこ，赤色辛みそ，カシューナッツ，アーモンド，ごま（炒り）<br>②唾液分泌促進・味蕾刺激<br>　果物ジュース，レモン（酸味食品） |
| | 予防・症状緩和 / ストレス緩和 | ①リラクセーション<br>②バイオフィードバック療法 |

## 4 味覚異常のアセスメント

味覚異常のアセスメントは問診，観察および検査によって進める．

### 1. 問診・観察

味覚異常がどのように出現しているか，食欲不振があるかどうか尋ねる．味覚は食習慣や嗜好，既往疾患とその治療など，表Ⅵ-32に示したようなさまざまな要因の影響を受けるので，病歴や生活習慣を尋ねる．自覚症状に加え，口腔内状態や白苔(はくたい)[*3]の有無，唾液分泌，精神状態なども観察する．

### 2. 味覚異常の検査

原因を特定していくために，医師または検査技師などにより血清亜鉛濃度の検査，味覚閾値検査およびガムテスト（唾液分泌量の測定）が行われる．味覚閾値の検査法には，①電気味覚検査法，②濾紙

---

[*3] 舌背に分布する糸状乳頭の上皮が角化して苔状になったもので，口腔内を不潔にすると細菌の温床になりやすく口臭の原因となる．舌苔が多いと味覚感受性が低下する．

ディスク法がある．
1) 電気味覚検査法

　直径5mmのプローブを鼓索神経，舌咽神経，大錐体神経領域部位の左右6ヵ所に当てて電流を流し，味を感じたらボタンを押してもらう方法である．

2) 濾紙ディスク法

　5mmの濾紙に含ませた4基本味（甘・塩・酸・苦）の溶液を舌の一定部位に貼付し，評価する[23]．基本味それぞれに5段階の濃度の溶液が用意されている．

　それぞれの検査の前に，異常が予測される場合は，検査や治療に先立ち口腔内の状態の観察を行い，食習慣や嗜好，食欲などを把握しておく．

### 3. 化学療法に伴う味覚変化症状アセスメントスケール

　このスケールは18項目，4下位尺度で構成される．塩味や旨味などの「基本味の低下」，食欲低下や肉類などへの嫌悪感などの「不快症状」，口の中に苦みを感じるなどの「自発性異常味覚・錯味」，異味症や悪味症などの「全般的味覚変化」の4下位尺度からなる．各患者の各症状特性に役立つ[24]．

## C 味覚異常を予防・緩和するケア

　味覚異常を予防・緩和するケアに際しては，前述したような味覚に影響する生体要因を踏まえたアセスメントを行い，原因が特定できるものは，それを除去するための治療とそのケアを行う．

### 1. 口腔ケア

　口内炎や白苔は口腔内の不潔や唾液分泌低下によってできやすく，味細胞の感受性を低下させる．予防には，うがいや歯みがきなどの一般的な口腔ケア（mouth care）のほか，10％レモン炭酸水による含嗽など唾液分泌を促すケア[25]が役立つ．また，そうしたセルフケアの方法を身につける教育を行うことも重要である．必要時には人工唾液（エアロゾル剤など口腔内の湿潤を保つための薬液）を医師に処方してもらう．

### 2. 食事指導

　バランスのよい食事をとる教育が何よりも大切である．とくに亜鉛欠乏が原因である味覚異常の場合には，**表Ⅵ-32**にあげた亜鉛の豊富な食品を勧める．化学療法によって塩味や甘味の感受性が鈍くなっている患者では，食前に酸味の効いた飲み物で味細胞を刺激する．塩分制限のない患者では一時的に少し多めに塩分を取り入れたり，少し強い甘味をつけて味にメリハリをもたせるなど工夫して，おいしい食事を提供するようにする．また，化学療法に伴う味覚変化症状には**表Ⅵ-33**に示すような対応法が提案されている[21]．

　さらに，外来化学療法により味覚障害のある乳が

**表Ⅵ-33　化学療法に伴う味覚変化症状に対する対応法**

| 工夫＼症状 | 基本味の低下 | 不快症状 | 自発性異常味覚・錯味* | 全般的味覚変化 |
|---|---|---|---|---|
| 酸味の利用 | ◎ | ◎ | ◎ | ○ |
| 甘みの利用 | ○ | ◎ | ○ | ○ |
| こく味の利用 | ◎ |  | ○ | ○ |
| 野菜の甘みやうま味の利用 | ○ | ○ |  |  |
| 塩味の調整 | ○ |  |  | ○ |
| 喉ごしのよい食品の利用 | ○ | ◎ | ○ | ○ |
| 丼物などの利用 | ◎ | ◎ | ○ | ○ |
| イモ類やカボチャの利用 | ◎ | ○ | ○ | ○ |
| 冷まして食べる |  | ◎ |  |  |
| テンポよく食べる | ◎ | ○ | ◎ | ○ |
| においが気になる調理法の回避 |  | ◎ |  |  |
| 苦味を感じる食品の回避 |  | ◎ | ○ |  |
| 亜鉛の摂取 | ◎ |  |  |  |
| 症状の改善を待つ | ○ | ◎ | ◎ | ○ |

◎：とくに有効，○：有効，無印：直接的な効果は期待しにくい
*異味ともいう．本来とは異なる味を感じること．

［狩野大郎：化学療法に伴う味覚変化—症状評価スケールを用いた評価と症状に合わせた対処の工夫．がん看護 18（4）：424，2013より引用］

ん患者を対象として，認知行動療法のひとつであるセルフモニタリング法を実施した結果，一定の効果があることもわかっている[26]．

● 引用文献

1) 久野みゆき，安藤啓司，杉原泉ほか：味細胞は5つの基本味に特異的に応答する．カラー図解人体の正常構造と機能 IX　神経系（2），第4版，80-81頁，日本医事新報社，2021
2) Mojet J, Christ-Hazelhof E, Heidema J：Taste perception with age：Generic or specific losses in threshold sensitivity to five basic tastes? Chemical Senses 26：845-860, 2001
3) Barragán R, Coltell O, Portolés O, et al．：Bitter, sweet, salty, sour and umami taste perception decreases with age：sex-specific analysis, modulation by genetic variants and taste-preference associations in 18 to 80 year-old subjects. Nutrients 10（10）：1539：2018
4) 河合美佐子：高齢者の味覚．味嗅覚の科学　人の受容体遺伝子から製品設計まで（斉藤幸子、小早川 達編），142-154頁，朝倉書店，2018
5) Bowen DJ：Taste and food preference changes across the course of pregnancy. Appetite 19（3）：233-244, 1992
6) Krut LH, Perrin MJ, Brote-Stewart B：Taste perception in smokers and non-smokers. Br MedJ 1（5223）：384-387, 1961
7) 中川　正：ストレスと苦味．味覚の科学（佐藤昌康，小川 尚編），58-76頁，朝倉書店，1997
8) 川出貴子，草川好子，河合富美子ほか：情動による味覚閾値の変動に関する研究．三重看護 17：19-23, 1996
9) 任　智美：味覚障害．MB ENTONI 257：95-100，2021
10) 山下映美，佐藤　淳，浅香卓哉ほか：味覚障害患者における臨床的特徴と治療成績に関する検討．北海道歯学雑誌 39（2）：122-130，2019
11) 厚生労働省：日本人の食事摂取基準（2020年版），322-330頁，2020〔https://www.mhlw.go.jp/content/10904750/000586553.pdf〕（最終確認：2022年4月11日）
12) 池田　稔：亜鉛欠乏と味覚障害．優しい味覚障害の自己管理（池田　稔編），19-20頁，医薬ジャーナル社，2009
13) 厚生労働省：重篤副作用疾患別対応マニュアル　薬物性味覚障害　令和4年2月改定〔https://www.mhlw.go.jp/topics/2006/11/tp1122-1s.html.pdf〕（最終確認：2022年4月15日）
14) 愛場庸雅，森　淳子，小島道子ほか：COVID-19 患者に見られる嗅覚味覚障害の有症率と予後　大阪市立十三市民病院での調査結果から．日耳鼻 125：43-49, 2022
15) 安達秀雄，井山寿美子，福井美香ほか：胃手術患者の摂食状況と味覚変化—3事例における栄養充足度にもとづいた食事援助—．鳥大医短部研報 14：5-14, 1990
16) Mirza N, Machtay M, Devine PA, et al．：Gustatory impairment in patients undergoing head and neck irradiation. Laryngoscope 118：24-31, 2008
17) McLaughlin L, Mahon SM：Taste dysfunction and eating behaviors in survivors of head and neck cancer treatment. Medsurg Nursing 23：165-170, 184, 2014
18) 海津未希子，小松浩子：化学療法による味覚変化が栄養と QOL に与える影響—システマティックレビュー—．日がん看会誌 32：1-11，2018
19) Amézaga J, Alfaro B, Ríos Y, et al．：Assessing taste and smell alterations in cancer patients undergoing chemotherapy according to treatment. Support Care Cancer 26：4077-4086, 2018
20) 神田清子：がん化学療法に伴う味覚閾値の変化に関する研究．日本がん看護学会誌 15（2）：52-61，2001
21) 狩野太郎：化学療法に伴う味覚変化-症状評価スケールを用いた評価と症状に合わせた対処の工夫．がん看護 18（4）：419-424，2013
22) 下田妙子，中村永友，藤永三千代：血液透析患者の味覚機能低下に及ぼす血中亜鉛・レチノール結合タンパク質ならびに降圧剤の影響．日本栄養・食料学会誌 52：3-11，1999
23) 富田　寛，池田　稔，奥田雪雄ほか：濾紙 disc による味覚定性定量検査（SKD-3）の臨床知見．薬理と治療 8（8）：2711-2735，1980
24) Kano T, Kanda K：Development and validation of a Chemotherapy-induced Taste Alterations Scale. Oncology Nursing Forum 40：79-85, 2013
25) 神田清子，狩野太郎，村上博和：がん化学療法の味覚障害患者に対するレモン炭酸水含嗽の生理・心理学的影響．平成15年度〜平成16年度 科学研究費補助金基盤研究（C）(2) 研究成果報告書，1-70頁，2005
26) Kinjo T, Kanda K, Fujimoto K：Effects of a self-monitoring intervention in breast cancer patients suffering from taste alterations induced by chemotherapy：A randomized, parallel-group controlled trial. Euro J Oncol Nurs 52：101956. doi：10.1016/j.ejon.2021.101956. Epub 2021 Apr 14.

# 13 視覚障害者のケア（ロービジョンケア）

## A ロービジョンケアの基礎知識

わが国の視覚障害者は身体障害者福祉法に基づき，「視力と視野障害を有しているもの」と定義されている．国際的には，良いほうの矯正視力が基準である．視覚障害は盲（blindness）とロービジョン（low vision）に分類される．米国では，ロービジョンは良いほうの視力 0.1 以上 0.5 未満，失明は良いほうの視力 0.1 以下である．視覚障害者とは，ロービジョン者と失明者の両方を指す[1]．わが国では，ロービジョンとは，目前手動弁（目前の手の動きが見えること）以上の視力で，矯正しても日常生活に支障があり困難を感ずる状態である[1]．

ロービジョンケアは，視覚障害者のリハビリテーションであり，その保有視機能を最大限に活用し，QOL（quality of life）の向上を目指すケアである[2,3]．早期にリハビリテーションを生活者の視点で行うことは重要であるが，視覚障害のある多くの患者はロービジョンケアを知ることなく，経過観察や治療のために通院している．

最近のロービジョンケア（図Ⅵ-64）では，最初に失明告知を行うのではなく，疾患名や失明の告知の有無にかかわらず，まず視覚障害による生活の不自由に対処することから始まる[4]．視覚障害者は，治療をしている医療機関においてプライマリロービジョンケアを行い，補助具の活用により「見える」「できる」という体験をする．次に基礎的ロービジョンケアとして，看護師やメディカルソーシャルワーカーが基礎的な歩行訓練，補助具などの選定など福祉サービスの紹介を行う．さらに実践的ロービジョンケアとして，多様な機関・多職種と連携・協働に日常生活訓練，歩行訓練，コミュニケーション訓練そして職業訓練あるいは雇用継続支援助へと展開していく．さらに新たなリハビリテーションを創造していくことも必要である．

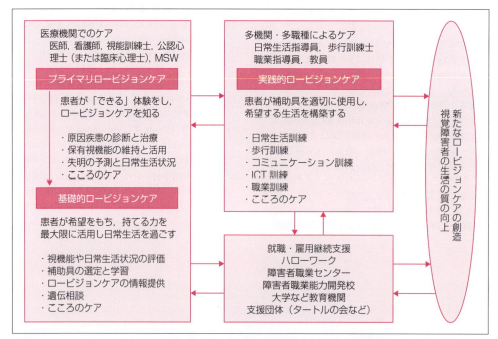

図Ⅵ-64　ロービジョンケアと包括的（医学的・心理的・教育的・社会的・職業的）リハビリテーション
［高橋　広：働く視覚障害者にはロービジョンケアを．日本職業・災害保存学会会誌 61（1）：6, 2013 を参考に著者作成］

表Ⅵ-34　視覚障害の原因疾患（年齢別）　　　　　　　　　　　　　　　　単位：人数（％）

| 原因疾患 | 全体 | 18～59歳 | 60～74歳 | 75歳以上 |
|---|---|---|---|---|
| 合計人数 | 1584 | 392 (24.7) | 559 (35.3) | 633 (40.0) |
| 緑内障 | 418 (26.4) | 45 (11.5) | 115 (20.6) | 258 (40.8) |
| 糖尿病網膜症 | 377 (23.8) | 123 (31.4) | 183 (32.7) | 71 (11.2) |
| 網膜色素変性 | 271 (17.1) | 134 (34.2) | 93 (16.6) | 44 ( 7.0) |
| 黄斑変性 | 185 (11.7) | 14 ( 3.6) | 46 ( 8.3) | 125 (19.7) |
| 高度近視 | 157 ( 9.9) | 29 ( 7.4) | 62 (11.1) | 66 (10.4) |
| 白内障 | 66 ( 4.2) | 11 ( 2.8) | 20 ( 3.6) | 35 ( 5.5) |
| 外傷 | 56 ( 3.5) | 22 ( 5.6) | 17 ( 3.0) | 17 ( 2.7) |
| 脳卒中 | 54 ( 3.4) | 14 ( 3.6) | 23 ( 4.1) | 17 ( 2.7) |

身体障害者手帳新規交付者（18歳以上，平成13～16年度）2034名を対象に調査した．
割合（％）は，上記8疾患において算出した．
［厚生労働省科学研究費補助金　難治性疾患克服事業脈絡膜・視神経萎縮症に関する研究
平成17年度総括分担研究報告書，263-267頁，2006］を基に著者が作成．

## 1 視覚障害者の動向

わが国では，2016年における視覚障害による身体障害者手帳所持者は31万2千人である[5]．視力0.1以下の者9万人，視力0.5未満の者164万人であり，視覚障害の発生時の年齢は40歳以上が43.8％である[6]．視覚活用が可能なロービジョンが多いといえる．

視覚障害の原因疾患は緑内障，糖尿病網膜症，網膜色素変性，黄斑変性などである（表Ⅵ-34）[7]．また，年齢別の原因疾患をみると，18～59歳では網膜色素変性と糖尿病網膜症が65.6％を占める．60～74歳では糖尿病網膜症，緑内障，網膜色素変性の順である．75歳以上では緑内障40.8％，黄斑変性19.7％であり，あわせて60.5％である．また，視覚障害者のうち60歳以上が75.3％を占め，高齢社会により2030年には約200万人とピークに達すると予測されている[1]．

## 2 視覚障害者の理解

看護者は，人生半ばでロービジョンや失明状態になることがどのような状況かを理解し，適切なロービジョンを実践するために重要である．ここで数編の研究から視覚障害者の実態を紹介する．

眼科受診者の日常生活の困難に関する調査では，移動，情報および家事など日常生活上に困難がある人は70％で，視力が低下するにしたがって移動に不自由を感じていた．また，視力0.1未満の人が0.1以上の人より有意に情報入手の不自由を感じていた[8]．視覚障害等級と生活不自由度との関連を原因疾患別（緑内障，黄斑変性，糖尿病網膜症）に検討した結果，緑内障のみ両者間に相関関係がなかった[9]．したがって，視覚障害者の見え方は，障害等級だけで判断しないで，同一疾患であっても個別的な状況があり個別性を把握したうえでケアを行う必要があろう．

また，ロービジョン者は視覚障害の初期では白杖に，また自立に近い時期では身体障害者手帳の申請に抵抗を感じている[10]．そして，一度でも自殺を考えたことがある人は約40％，失明の不安は80％の人が抱いていた[10]．一方，ロービジョン者には，読み書きや移動について強いニーズがある（図Ⅵ-65）[11]．視覚障害者105名の初診時のニーズでは，読み書きや移動の不自由さを改善するための補助具の紹介45％，羞明の軽減44％そして視機能評価41％であった．医師には状態や今後について説明を求めていた[12]．また，眼科外来患者のQOLは，社会的・経済的状況，情緒，友人関係，人生の目標，自分への満足度といった心理・社会的因子と関連するという報告もある[13]．

## B 視覚障害者のアセスメント

視覚障害者のアセスメントでは，医学的な視機能の評価と生活者として日常生活行動の状況や見え方を把握する．さらに，ロービジョン者の希望を知ったうえでケアプランを決定することが重要である．また，視機能の評価は人間の発達と老化を考慮して行う必要がある．

### 1 視機能のアセスメント

視機能検査には屈折検査，調節検査，視野検査，

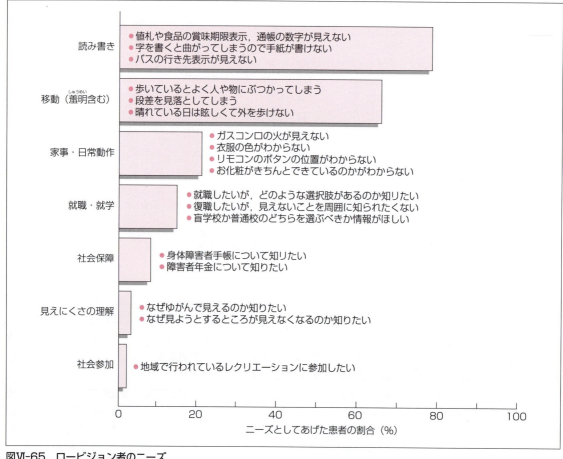

図Ⅵ-65 ロービジョン者のニーズ
[西脇友紀ほか：ロービジョンケアに適したQOL評価表の試作．臨床眼科 55(6)：1297, 2001 より引用]

固視検査，コントラスト感度，グレア検査（眩しさの感度検査），色覚検査，両眼視機能の検査がある．視力1.0は生理学的な標準値であるが，臨床的には感覚器，運動器，中枢神経などすべてが機能していると判断される[14]．

視機能の評価は人間の発達と老化を考慮して行う必要があるため，眼科で行う視機能検査のほかに，日常生活状況に近い条件での評価を行い，ロービジョン者の保有視機能が最大限に発揮できる環境を明らかにしていく．

### 2 日常生活状況や見え方のアセスメント

日常生活状況や見え方のアセスメントをすることで，ロービジョン者のニーズを引き出し，具体的な解決策を提案することができる．眼科外来でのアセスメントツールとして，高橋による日常生活評価表[14]，Sumiらの調査票[15]，Low Vision初期評価表[16]，ロービジョンケア外来用の質問票（図Ⅵ-66)[17]などがある．これらはまた臨床実践で活用されている段階であり，アセスメントツールの妥当性を検討し洗練化していく必要がある．

## C ロービジョンケアの実践

ロービジョンケアでは，医療機関で患者として治療中の段階から保有視機能を最大限に活かすケアを開始し，患者が「できる体験」を積み重ねていくことが望ましい．

### 1 保有視機能の維持

視覚障害の原因疾患を治療し，現状の視覚を維持する．通常は眼を使うことで病態が悪化することはない．矯正眼鏡や遮光眼鏡を常用する，眼の外傷や努責を避ける，規則的な生活を心がける，などによって眼の負担を軽減できる．

### 2 網膜像の拡大

文字や絵など見たい対象自体を大きく書いたり，

年　月　日　　主治医（　　　　　）　担当（　　　　　）

| 診断名（緑内障・糖尿病・網膜色素変性・加齢黄斑変性・　　　　　） | ID　　名前 |
|---|---|
| 身体障害者手帳　級（視力・視野）　　　　　無・申請希望　職業 | 障害年金　有　無・申請希望 |
| （指定）難病　有　　　　　　　　無・申請希望　遠視力 RV（ ）LV（ ） | 近視力 RV（ ）LV（ ）（ ）/（ ）cm |
| 眼鏡　無・あり　遠用単焦点・近用単焦点・遠近両用　　遮光眼鏡　無・有 | |
| 来院の動機 | 読み書き・夜盲・羞明・移動・補助具・日常生活・学業・就労・身障手帳・障害年金・介護保険・遺伝相談・その他 |
| 家族構成・患者会・その他 | 独居・家族（　　）人暮らし |
| 使用中の補助具 | ルーペ・拡大読書器・単眼鏡・白杖・その他（　　　　） |

| 分類 | | 質問 | 回答 | ロービジョンケア・プラン |
|---|---|---|---|---|
| 夜盲 | | 夜間の外出はできますか | はい/いいえ | フラッシュライト・同行援護・暗所視支援眼鏡（MW10） |
| 羞明 | 屋外 | 手をかざした方が見やすいですか | はい/いいえ | 屋外にて遮光観察トライアルキットでカラー選定 |
| | | 天気の良い日は信号の色がわかりにくいですか | はい/いいえ | 遮光眼鏡（補装具）・サンバイザー・帽子・日傘 |
| | 室内 | テレビの画面が白っぽく見えますか | はい/いいえ | 屋内にて遮光観察トライアルキットでカラー選定 |
| | | パソコンの画面が見づらい時がありますか | はい/いいえ | 遮光観察（補装具） |
| 歩行・移動 | | 屋内や知っているところを歩くことができますか | はい/いいえ | 高コントラスト環境整備・日常生活訓練 |
| | | 屋外や知らないところを歩くことができますか | はい/いいえ | 白杖（補装具）・歩行訓練・同講援護・眼球運動トレーニング |
| | | 段差がわかりますか | はい/いいえ | |
| | | 人や物にぶつからずに歩けますか | はい/いいえ | |
| | | 白杖の歩行訓練を受けたことがありますか | はい/いいえ | |
| 読み書き | | 新聞を読むことはできますか | はい/いいえ | 眼鏡調整・拡大鏡・拡大読書器（日常生活用具）・眼鏡型ルーペ（補装具） |
| | | 手紙や書類を読み書きできますか | はい/いいえ | タイポスコープ・デスクライト・書見台・タブレット端末 |
| | | パソコンを使っていますか | はい/いいえ | 拡大ソフト/音声パソコンソフト（日常生活用具）・パソコンの簡単操作 |
| 見え方（遠方） | | テレビを見ることができますか | はい/いいえ | 眼鏡調整 |
| | | 人の顔がわかりますか | はい/いいえ | 中心暗点あり→偏心視トレーニング |
| | | 駅のサイン（時刻表・トイレなど）は見えますか | はい/いいえ | 単眼鏡（補装具）・タブレット端末 |
| 日常生活 | | 車の運転をしていますか（事故歴） | はい/いいえ | 無自覚の視野障害あれば説明・運転の危険性指導 |
| | | 料理はできますか（ガス器具使用の有無） | はい/いいえ | 音声付き電磁調理器（日常生活用具） |
| | | 薬の管理はできますか | はい/いいえ | ピルケースや点眼薬に大文字ラベル・触知シールの貼付 |
| | | 携帯電話を使用できますか | はい/いいえ | 音声対応電話・アクセシビリティ機能・電話料金の身体障害者割引制度 |
| | | 時刻はわかりますか | はい/いいえ | 音声時計/触知時計（日常生活用具） |
| | | 硬貨・紙幣の区別はできますか | はい/いいえ | 仕分け財布・紙幣見分け板・コインフォーム |
| | | 爪は自分で切ることができますか | はい/いいえ | 爪やすり |
| | | お化粧/ひげそりはできますか | はい/いいえ | LED照明付き10倍拡大ミラー・化粧身だしなみ訓練 |
| 心理 | | 落ち込んだり，不安になることはないですか（食欲・睡眠） | はい/いいえ | 心理的ケア・患者会紹介 |
| | | 趣味・スポーツ・楽しみはありますか | はい/いいえ | 心理的ケア・患者会紹介・視覚障害者スポーツ&ヨガ |

**図Ⅵ-66　ロービジョンケアのニーズ質問表（鹿児島大学病院）**

［斉之平真弓：マンガでわかる！できる！ロービジョンケア．眼科ケア 23（6）：65，2021 より許諾を得て転載］

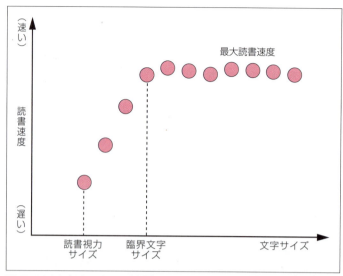

図Ⅵ-67　文字サイズによる読書速度の違いと視力・臨界文字サイズ
[小田浩一, 新井三樹：近見視力評価. わたしにもできるロービジョンケアハンドブック―残存視覚の有効利用と患者のケア（新井三樹編）, 34頁, メジカルビュー社, 2000より引用]

拡大コピーしたものを用いる，眼にものを近づけて見る，凸レンズなどの補助具を用いる，といった方法で視物体の網膜投影像を拡大することができる．そのために日常的な読書速度が達成できる文字サイズ（臨界文字サイズ，critical point size）を明らかにしておく（**図Ⅵ-67**）[18]．

近見視用光学的補助具にはルーペ（虫眼鏡），拡大読書器などがある．ルーペ（凸レンズ）の倍率は2～10倍であるが，倍率が高くなると有効視野は狭くなる．拡大読書器は文字の大きさを30倍まで拡大できるほか，白黒反転や色の組み合わせを変えられる機種もある．

### 3 グレアの軽減

グレア（glare）とは眩しくてものが見えづらい状態をいう．ロービジョン者は暗さや羞明を主訴とすることが多く，照度が2,000 Lxをこえると，眩しさと見えにくさを訴える[19]．対象が眩しさを感じる照度を明らかにし，屋内用または屋外用の遮光眼鏡，偏光レンズ，カラー・コンタクトレンズなどから適当な補助具を選択する．

遮光眼鏡は波長400 nm以下の紫外線や羞明の原因となる500 nm以下の光を遮断し，暗順応を容易にする．黄色から褐色のカラー・コンタクトレンズは羞明を完全に取り除くことができる[20]．また，コンタクトレンズは角膜に密着するので視野を広く保つことができ，眼鏡で防止できない視野の上下や側面の光を遮断できる[10]．

### 4 コントラスト感度

コントラスト感度（contrast sensitivity function）とは，物体の明るい部分と暗い部分の違いを識別する能力である．ロービジョン者が視物体を識別するには，より明るい光が必要である．ペンライトを用いて見たい部分にピンスポットを当て明るくするなど，眼の負担を軽減する照明器具を選択する．

コントラスト感度を高めるには，色の属性である明度・彩度・色相を考慮する．たとえば，色模様のついた茶碗に白い米飯を盛る，コーヒーカップを白にする，白紙に赤・黒・青などの色マジックで太い文字を書くなど，明暗や補色，鮮やかな色を組み合わせてコントラストをつけることで見えやすくなる．

### 5 コミュニケーション能力の改善

コミュニケーションはロービジョン者の情報の伝達および入手の手段となる．点字や音声を使う前に，一般文字（墨字）による情報入手や伝達ができるかを検討する．

#### 1. ICTの活用

ロービジョン者は，障害者用ではなく「誰もが使用しているICT（information and communication technology）機器」を活用できる[21]．また，ICTスキルの活用により，本来は視覚による情報を入手できる．

ICT機器の機能は，①文字の拡大，②画面の背景色の反転，③音声アシストによる読み上げなどが単一の機器によって可能である．また，ICT機器はインターネットとつながり，あらゆる情報を得る手段となるe-mailやSNSを活用して他者と通信できるなど，コミュニケーションをサポートできる．こうしたICTを使用して，視覚障害者の社会参加や就労を支援する．

### 2. 補助具の活用

太く濃いペンは文字のコントラスト感度を高める．罫線が太い（行幅が広い）ノートを使用する．タイポスコープ（typoscopes）[*1]を活用することによって，文字を書く位置が見えやすくなり，はみださずに書くことができる．ルーペ類や眼鏡も併用する．

### 3. 点字の活用

点字は紙面上に作られた凸状の点の組み合わせを指腹で触れ，文字として読む．点字による文字は，縦3つ，横2列の計6つの点の数と位置によって作られている．

## 6 歩行（移動）の支援

ロービジョン者は保有視機能と，それを補う聴覚・嗅覚・皮膚感覚などを活用して環境情報を入手しながら歩行する．優位眼の視力が0.1以上では動作にほとんど不便はない．前方5mにいる人が誰かはわからないが，性別は判断できる．0.05以上の視力では2〜3m以内なら，大体判断できる．視力0.01では人の性別は判断しづらいが，歩道と車道の区別や大きな標識の識別は可能であり，慣れた道ならば1人で歩ける[22]．

歩行（移動）には2地点の移動（mobility）と同時に，自分自身がどこにいてどこに行こうとするのかという定位（orientation）の技術が必要である．歩行には単独歩行，誘導歩行（手引き歩行，guide help）のほかに白杖，盲導犬，超音波による歩行などがある．いずれの歩行となるにしても，ロービジョン者は医療の場で初歩的な歩行訓練を行っておくことが望ましい．

### 1. 白杖を使用しない歩行

白杖を使用せずに歩く方法としては，壁や家具を手で触れて位置や方向を確認し歩行する伝つたい歩きがある．また，手引き歩行の場合は，ロービジョ

図Ⅵ-68 手引き歩行
[坂部 司：歩行訓練．見えない人見えにくい人のリハビリテーション（高柳泰世編），62頁，名古屋大学出版会，1996を参考に作図］

ン者が晴眼者（正常視力の人）の肘を握り，半歩後を歩くことが基本である（図Ⅵ-68）．そのさい，ガイドヘルパーはまわりの状況を説明しながら歩行する．

### 2. 白杖を使用する歩行

ロービジョン者の歩行では，保有視機能と実際場面での歩行状況をチェックする．安全で効率のよい歩行を行うためには，白杖の使用が望ましい．しかし，ロービジョン者の半数が白杖の使用方法を学習しておらず，6割が外出時に白杖を使用していなかったこと，また，白杖を抵抗なく使用できるまでには5〜6年を要することなどが報告されている[10]．

一方，白杖で歩行することは，他者から視覚障害者であると見なされる体験でもある．私たち看護者は視覚障害者の安全だけでなく，こうした心理的側面にも配慮してケアを行う必要がある．

## 7 日常生活行動の工夫

ロービジョン者の日常生活行動を支援するケアには，行動パターンを変える，補助具を用いる，保有視機能を活用し視覚以外の感覚を用いるなどの方法がある[19]．

ロービジョン者が自分自身で食事を摂取できるための援助としては，①保有視機能としてのコントラスト感度のほか，位置感覚や運動感覚を活用する，②クロックポジション[*2]を活用して食器や調味料の位置を説明する，③食事の内容，温度について説

---

[*1] 黒い遮蔽板に1行ほどの枠を空け，それをずらしながら文字を読む道具．読み書きしたい場所を黒い囲みで強調し，行間違いを防ぎ，白い紙面からの光の反射を抑える効果がある．

明する，などがある．

調理については，視覚障害をもつ前からの経験と工夫，保有する感覚の活用，反復練習で動作・操作に習熟する，などによって，全盲であっても揚げ物・煮物・サラダなどほとんどの料理が可能である[23]．

清潔や身だしなみについては特別の訓練は必要ない．補助具の使用により，歯みがき・手洗い・洗顔・髭剃りは自力でできるようになる．比較的困難なのは衣服を組み合わせることである．上下の衣服を組み合わせ，まとめてハンガーに準備しておくと便利である．

ロービジョン者が視覚情報に頼らなくても安全に移動できる住環境を整える必要がある．ロービジョン者が不自由なく行動できるために，①足元に物を置かない，②家具や物品の位置を変更するときは事前に説明する，③使用後は定位置に片づける，④扉は開けておくか閉じておくか，決めたとおりにする，などを注意して実行する．また，照明器具によって視力を補う明るさを調節することも忘れないようにする．

### 8 遺伝カウンセリング

網膜色素変性症などの遺伝性疾患によってロービジョンとなった人は遺伝をめぐる偏見により悩むことがある．疾患や遺伝に対する理解を促すよう，遺伝カウンセリング[*3]の場を設ける[24]．

### 9 ロービジョン者のこころのケア

視覚障害者の約半数は「仕事や生活が困難になったとき死を考えたことがある」という[8]．ロービジョン者の病気や生活に対する不安や悩みを解決するために，看護者は話をよく聴き，多様な情報を提供することが重要である．

### 10 雇用継続支援

見えない＝何もできない＝働けないという先入観をもつ人は多い．しかし，視覚障害者が安全に通勤し，ICT機器を活用して勤務している．視覚障害者の就労支援を行うタートルの会では，「視覚障害者の雇用継続支援実用マニュアル」[25]を作成し，関係機関の連携・協働そして調整のあり方や多様なロービジョン者の雇用継続支援の事例を提示している．

## D ロービジョンケアの課題

看護師の役割は視覚障害者のもつ能力を引き出し，十分発揮できることを支援することである．看護師は視覚障害者が受診した医療機関で最初に出会う専門職である．看護師がロービジョンケアを実践し視覚障害者のその後の人生や生活の質の向上に貢献できるといえよう．しかし，2004年九州地区21の医療施設の調査によると[26]，看護師はコミュニケーション訓練や歩行訓練をまったく実施せず，約10％が補助具の活用，日常生活訓練，就労支援を行っていたにすぎない．一方で，看護師は診療の介助，検査，与薬指導，相談や情報提供はよく実施していた．こうした現状から，保健・医療・福祉・教育と看護を統合した包括的ロービジョンケアのプログラムを構築し，チーム医療の時代における看護の機能について探求することが差し迫った課題であるといえよう．なお，どこでロービジョンケアを受けることができるかは，日本ロービジョン学会のホームページが参考となる．

### ●引用文献

1) 社団法人日本眼科医会：報道用資料　視覚障害がもたらす社会損失額，8.8兆円!!～視覚障害から生じる生産性やQOLの低下を初めて試算～，2009〔http://www.gankaikai.or.jp/info/20091115_socialcost.pdf〕（最終確認：2014年10月2日）
2) 高橋　広，山田信也：産業医科大学病院眼科におけるロービジョンケア．日本眼科紀要 **49**：856-860，1998
3) 安藤伸朗：わが国におけるロービジョンケアの歴史．新しい眼科 **35**（5）：567-571，2018
4) 高橋　広：働く視覚障害者にはロービジョンケアを．日本職業・災害医学会誌 **61**（6）：1-7，2013
5) 厚生労働省：平成28年生活のしづらさなどに関する調査（全国在宅障害児・者実態調査）〔http://www.mhlw.go.jp/toukei/list/dl/seikatsu_chousa_c_h28.pdf〕（最終確認：2022年3月29日）
6) 厚生労働省：平成18年身体障害児・者実態調査〔http://www.mhlw.go.jp/toukei/saikin/hw/shintai/06/〕（最終確認：2014年10月2日）
7) 厚生労働省科学研究費補助金　難治性疾患克服研究事業脈絡膜・視神経萎縮症に関する研究　平成17年度総括・分担研究報告書，263-267，2006〔http://rtechueno.com/consumer/shikakushougai.html〕（最終確認：2014年10月2日）
8) 高橋　広：北九州市内19病院眼科における視覚障害者の実態調査 第3報—視覚障害者の視機能と日常生

---

[*2] 物の置いてある位置関係を時計の文字盤に置き換えて説明する方法．視覚障害のある人に物の位置を理解してもらうのに役立つ．
[*3] 遺伝性疾患で悩む人に対して，臨床遺伝専門医と認定遺伝カウンセラー，また遺伝看護専門看護師など医療職によって行われるカウンセリング．

活状況. 臨床眼科 **53**：653-657, 1999
9) 国松志保, 加藤　聡, 鷲見　泉ほか：ロービジョン患者の生活不自由度と障害等級. 日眼会誌 **111**（6）：454-458, 2007
10) 山田幸男ほか：中途視覚障害者のリハビリテーション第6報―視覚障害者の心理・社会的問題, とくに白杖, 点字, 障害者手帳, 自殺意識について. 日本眼科紀要 **52**：24-29, 2001
11) 西脇友紀ほか：ロービジョンケアに適した QOL 評価表の試作. 臨床眼科 **55**：1295-1300, 2001
12) 久保真奈子, 玉谷晴代, 別府美鈴ほか：北九州市立総合療育センター眼科でのロービジョンケア―視覚障害児・者のニーズ. 日本視能訓練士協会誌 **37**：171-177, 2008
13) 正木陽子, 澤田道子, 中村久美子：眼科外来通院患者の QOL の実態―視力障害との関連をみる. 看護技術 **44**：107-111, 1998
14) 高橋　広編：ロービジョンケアの実際―視覚障害者の QOL 向上のために, 第2版, 39頁, 医学書院, 2006
15) Sumi I, Shirato S, Matsumoto S, et al.：The relationship between visual disability and visual disability and visual field in patient with glaucoma. Opthalmology **110**：332-339, 2003
16) 井手浩一, 亀井久美, 山中雅恵：熊本大学眼科におけるロービジョンケア―現況と Low-Vision 初期評価用の有用性. 日本視能訓練士協会誌 **33**：127-129, 2004
17) 斉之平真弓：ロービジョンクリニックを始めるために揃えるものはこれ！. 眼科ケア **15**（1）：72-78, 2013
18) 佐渡一成：病歴の重要性. わたしにもできるロービジョンケアハンドブック―残存視覚の有効利用と患者のケア（新井三樹編）, 16-18頁, メジカルビュー社, 2000
19) 簗島謙次：ロービジョンケアの実際と将来への展望. 眼科 **41**：1515-1522, 1999
20) 高橋　広ほか：産業医科大学病院眼科におけるロービジョンケア　第4報―羞明を訴える患者への対応. 日本眼科紀要 **52**：510-513, 2001
21) 社会福祉法人 日本視覚障害者団体連合：視覚障害者の就労のために効果的な ICT 訓練の実施に向けた調査研究事業―報告書―, 2021
22) 視覚障害者の実情. 視覚障害者のリハビリテーション―とくに中途障害者の日常生活のために（山田幸男, 小野賢治編著）, 20頁, 日本メディカルセンター, 1989
23) 植田喜久子, 宮武広美：中途視覚障害者の調理行動の分析. 日本赤十字広島看護大学紀要 **1**：39-47, 2000
24) 早川むつ子：遺伝相談. ロービジョンケアマニュアル（簗島謙次, 石田みさ子編）, 151-164頁, 南江堂, 2002
25) タートルの会企画・編集：視覚障害者の雇用継続支援実用マニュアル, 社会福祉法人日本盲人福祉施設協議会, 2007
26) 高橋　広：私のロービジョンケア 11　ロービジョンの担い手　看護師の役割. 臨床眼科 **58**：274-278, 2004

# 14 ターミナルケア

## A ターミナルケアの基礎知識

### 1 ターミナルケアとは

「終末期」はターミナルステージ（terminal stage）という言葉の和訳だが，一般的には老衰・病気・障害の進行により「現代医療において可能な集学的治療の効果が期待できず，積極的な治療がむしろ患者にとって不適切と考えられる状態で，通常，生命予後が6ヵ月以内と考えられる段階」と定義され[1]，健康レベルから見た病状の進行状況と終末期に行われる医療形態の意味に限定して用いられている．

ターミナルケア（terminal care）とは，死が不可避となった状態から死の時まで終末期の患者に対して全人的苦痛を緩和・軽減することによって，QOL（quality of life）を維持向上できるように，また神聖で尊厳ある死を迎えることができるように，患者および家族を援助することである[2]．ターミナルケアの同義語のエンド・オブ・ライフケア（end of life care）は，診断名，健康状態，疾患名，年齢にかかわらず差し迫った死あるいはいつかは来る死について考える人が最期まで最善の生を生きることができるように支援すること[3]を意味している．

### 2 終末期にある患者の理解

終末期の患者は，老衰・病気・障害の進行により特定の臓器不全または多臓器不全になっている状態であるが，ここでは，わが国の死因の第1位であるがんの終末期に限定して述べる．終末期がん患者の苦痛は単に身体的苦痛だけでなく，精神的・社会的・スピリチュアルな苦痛から構成される全人的痛み（total pain）である．終末期がん患者を全人的苦痛をもつ人間として理解したうえで，ターミナルケアを提供する必要がある．

#### 1. 身体的苦痛

終末期がん患者は痛みをはじめとして，倦怠感，食欲不振，便秘，不眠，呼吸困難，悪心・嘔吐，咳嗽，胸水，腹水，腸閉塞などの身体的苦痛（physical pain）を経験している．終末期がん患者の生存期間を通した調査結果によれば，主要な症状の出現から1ヵ月以上の時期には痛みの出現頻度がもっとも高く，2ヵ月ごろから倦怠感，食欲不振，便秘，不眠などの症状が増加する傾向がみられている[4]．この知見から，症状の出現頻度と出現時期に一定の傾向があることや，死亡前1ヵ月間の重点的な症状緩和が必要であることが示唆されている．

#### 2. 精神的苦痛

多くの終末期がん患者は，状態の悪化に伴い"死の予期"だけでなく，さまざまな喪失あるいは喪失の予期を経験している．すなわち，コントロール感[*1]，自立，安全性，生産性，身体的・精神的・認知的能力，楽しみ，計画を実現する能力，夢や希望，大切な人，慣れた環境や所有物，自分らしさ，意味，尊厳などの喪失を経験している[5]．

これらの経験に伴い，患者は恐怖や不安，不確かさ，怒りや敵意，悲嘆，罪責感，孤独感，抑うつなどの精神的苦痛（psychological pain）を感じるようになる．

#### 3. 社会的苦痛

終末期がん患者は，病状の進行に従い従来の生活パターンの変化を余儀なくされ，次第に社会との関わりを失っていく．患者が抱える社会的問題（社会的苦痛，social pain）として，ケアの資源上の問題（高齢・少人数世帯で介護力が期待できない，子世代による日常的な支えがないなど），役割上の問題（親役割が果たせない，家事ができなくなり主婦役割が果たせない，職場での役割が果たせないなど），意思決定上の問題（治療しないという意思決定に自信がないなど），経済的問題（個室料金や介護費用が負担，休職・失業など）[6]や，人間関係上の変化（家庭内でのコミュニケーションパターンの変化，友人や親戚との人間関係の変化など）がある．

#### 4. スピリチュアルな苦痛

終末期がん患者は自らの死を予期することにより，これまで培ってきた人生の基盤（価値観，能力，社会的地位など）が崩れ，自分の「存在の意味」がわからなくなってしまう．それに伴って，深い自信喪失や自己嫌悪，罪責感，無力感等に陥ってしま

---

[*1] さまざまな状況に対処していくために，自らの方向性を決定し目標に到達することができるという認識をいう．

表Ⅵ-35 一次性倦怠感の病態生理に関するメカニズム

| 種々の説 | メカニズム |
|---|---|
| 炎症性サイトカインの調節障害説（炎症性サイトカインの活性化） | がんとがんの治療により炎症性サイトカインである腫瘍壊死因子が活性化され，直接的に倦怠感を引き起こしている．また炎症性サイトカインが貧血や悪液質，代謝異常，食欲不振，発熱，感染，抑うつ，概日リズムの乱れの要因となって間接的に倦怠感を引き起こされる． |
| セロトニン（5-HT）調整障害説（中枢性セロトニンの障害） | がんやがんの治療に伴い脳内の一部で血中セロトニン濃度が上昇し，5-HT 受容体の賦活によって，体制運動野の興奮が抑制され，視床下部-下垂体軸へ影響する結果，身体活動能力の低下として倦怠感が認知される． |
| 視床下部-下垂体軸機能不全説（視床下部-下垂体軸の障害） | がんやがんの治療自体が直接または間接に，視床下部-下垂体軸の機能に変化を及ぼし，倦怠感につながるような内分泌異常が引き起こされる． |
| 迷走神経求心性仮説（迷走神経求心性線維の活性化） | がんやがんの治療による神経伝達物質の放出に伴って迷走神経求心性に刺激が惹起され，骨格筋の活動を抑制することにより倦怠感が引き起こされる． |
| 筋肉の代謝仮説（ATP 再生の障害） | がんやがんの治療の影響によって，骨格筋での ATP（アデノシン三リン酸）新生が欠乏することにより活動性が低下し，倦怠感が引き起こされる． |

以下の文献を参考に著者作成．
［大仲俊宏，岸本寛史監訳：MD アンダーソンサイコソーシャル・オンコロジー，141-142 頁，メディカルサイエンス・インターナショナル，2013］

う（スピリチュアルな苦痛，spiritual pain）．

そして，多くの患者は，「死んだらどうなるのか」という死後の世界について問い，「なぜ，自分がこんな病気で苦しまなければならないのか，何も悪いことはしていないのに」という不公平感や「罰が当たったのか，あんなことしなければよかった」という罪責感に苦悩する．さらに，「どうせ治らない病気なら生きていてもしかたがない，家族や他人の負担になりたくない」というような無価値観や「誰もわかってくれない」という孤独感に悩み苦しみ，「神も仏もいない」という絶望感に陥ってしまうこともある[7]．

## B 終末期患者の身体的苦痛を緩和する技術

### 1 倦怠感とは

倦怠感（fatigue）は健常人においても一般的な症状であるが，がん患者の倦怠感はがん関連倦怠感（cancer related fatigue）といわれ，健常人の倦怠感とその性質がかなり異なっている．がん関連倦怠感は，全米総合がん情報ネットワーク（NCCN）では，「最近の活動に合致しない，日常生活機能の妨げとなるほどの，がんや治療に関連したつらく持続する主観的な感覚で，身体的，心理的かつ／または認知的倦怠感または消耗感」[8]と定義されている．本項では，以後，がん関連倦怠感を倦怠感（fatigue）と示す．

倦怠感は終末期がん患者の 60〜90％ の高頻度で発症[9]しており，死亡前 1 ヵ月ごろから急激に増加する傾向があり，生存期間の短い患者はより強い症状を経験している．倦怠感は終末期がん患者の QOL に否定的な影響を及ぼす[10]，もっとも負担の大きい症状の 1 つである．

### 2 倦怠感の病態生理とメカニズム

倦怠感の病態には複数の要因が関連し，がんの病期とともに変化することが多い．倦怠感の罹患率が高いにもかかわらず，病態生理に関わる正確なメカニズムはほとんどが解明されていない．

欧州緩和ケア学会（European Association for Palliative Care）は，倦怠感を病態生理学的に，一次性倦怠感と二次性倦怠感に分類することを提唱している[11]．一次性倦怠感はがんそのものによる倦怠感で，現時点で報告されているメカニズムは，炎症性サイトカイン調節障害，視床下部-副腎軸障害，中枢性セロトニンの障害，ATP 再生の障害，迷走神経求心性線維の活性化などがある[12]（表Ⅵ-35）．二次性倦怠感は，さまざまな要因に関連して生じる倦怠感で，要因として，悪液質や貧血，感染症，代謝異常，電解質異常，精神的苦痛，睡眠障害，薬物などがある[13]（表Ⅵ-36）．

### 3 倦怠感の感覚

倦怠感の感覚は身体的感覚，精神的感覚，認知的感覚に分類され，身体的感覚として「体が重い」「横になっていたい」「身の置き所がない」「身体が思うように動かない」などと表現され，精神的感覚として「気力がわかない」「何もしたくない」「憂うつ・不安」

表Ⅵ-36 終末期がん患者に二次性倦怠感を引き起こすと考えられる要因

| 要因 | 説明 |
|---|---|
| 悪液質 | 終末期がん患者の悪液質は，がんの増殖による栄養奪取，重篤な食欲不振や嘔気などに起因する飢餓状態，がん進行による組織破壊，サイトカインなどが関与して生じている．悪液質において，基礎代謝率が維持あるいは亢進するためエネルギー消費の亢進をきたし，その際の低栄養やそれに伴う筋肉量の減少が倦怠感の要因になる． |
| 貧血 | 終末期がん患者は，腫瘍部分からの慢性的失血や臓器障害や食欲不振に起因するタンパク質や鉄分，ビタミン類などの吸収不良により貧血になることがある．貧血によりヘモグロビン濃度が減少すると，体内が慢性的な酸素不足が倦怠感の要因になる． |
| 感染症 | 感染症もがんと同様にサイトカインを誘導し，倦怠感を生じさせる．がんやがん治療に伴う免疫不全状態は感染症の危険性を高め，二次性倦怠感の要因になる． |
| 代謝異常 | がん細胞が糖質を取り込んでしまうため，不足した糖質を補うために，体の筋肉や脂肪が分解され，脳や赤血球だけでなく，がんにもエネルギーを与える異常な代謝のサイクルが生じる．がんが進行するほど代謝異常が進み，筋肉も脂肪も減少し，やせ衰えて体力も消耗することが倦怠感の要因になる． |
| 電解質異常 | がんの進行とともに高カルシウム血症や低ナトリウム血症，低カリウム血症などの電解質異常が生じることが多い． |
| 精神的苦痛 | 不安と抑うつ症状は倦怠感と関連していることが報告されている．終末期がん患者は終末期であることに対する苦悩や死に対する予期的悲嘆などのつらい症状を抱えながら療養を続けており，心身にともに多大なストレスが加わって，倦怠感を増強する要因となっている． |
| 睡眠障害 | 終末期がん患者の睡眠障害は，がん患者の疼痛や倦怠感などの身体症状，あるいは不安感やせん妄などの精神症状を助長し，日中の眠気の原因となりQOL (quality of life) を低下させる．睡眠障害は倦怠感を生じやすくし，倦怠感があると睡眠障害をきたすという悪循環が形成される． |
| 薬物 | オピオイド，抗うつ薬，抗ヒスタミン薬，ベンゾジアゼピン系抗不安薬，抗精神病薬，抗てんかん薬，β遮断薬，利尿薬，およびこれらの薬剤の組み合わせにより倦怠感が生じる．また，コルチコステロイドはミオパチーを誘発することで，倦怠感の要因になることがある． |

以下の文献を参考に著者作成．

[日本緩和医療学会編：専門家をめざす人のための緩和医療学，改訂第2版，91-92頁，南江堂，2019]

「いらいらする」などが含まれ，認知的感覚として「思考の低下」「集中力の低下」など[14]が含まれている．

## 4 倦怠感のアセスメント

### 1. 倦怠感のアセスメント項目

倦怠感はさまざまな要因が複雑に絡み合って生じるため，多側面からアセスメントする必要がある．また，倦怠感は主観的な症状であるため，患者自身がその症状をどのようにとらえ，どのように対処しようとしているのかを理解し，症状緩和に活用する．

終末期がん患者の倦怠感を把握するために，①倦怠感の状態（倦怠感の程度や強さ，症状出現の時期，経過，パターン，持続期間，日内変動，生活への影響），②倦怠感の関連要因と増強要因（栄養状態や貧血，電解質異常，肝機能・腎機能障害などの臨床検査データの把握，痛みやその他の症状と関連しているか），③日常生活の変化（食事摂取内容，生活と睡眠のリズム，休息と活動のバランスなど），④心理状態（抑うつ，不安，集中力の低下など），⑤処方内容との関連（倦怠感を惹起する可能性の高い薬剤の使用の有無など），⑥患者の倦怠感のとらえ方と意味づけ，⑦倦怠感への対処方法，をアセスメントする．

### 2. 倦怠感の測定尺度の活用

終末期がん患者の主観的な症状を客観的に定量化するためには測定尺度を活用する．1次元尺度として，visual analogue scale (VAS) やnumeric rating scale (NRS) などがあり，簡便で患者の負担も少ないため，倦怠感の程度を頻回に評価することに適している．多次元尺度として，Piper Fatigue Scale (PFS)[15]やBrief Fatigue Inventory (日本語版：簡易倦怠感調査票)[16]，Cancer Fatigue Scale[17]などが開発されている．Cancer Fatigue Scale は，がん患者の倦怠感を測定するためにわが国で開発され，信頼性・妥当性が検証された尺度である．本尺度は，15項目で3下位尺度（身体的・精神的・認知的倦怠感）から構成され，「いいえ：1点」から「すこし：2点」「まあまあ：3点」「かなり：4点」「とても：5点」の5段階で評価する．簡便で終末期患者にも活用が可能な尺度である（図Ⅵ-69）．

| 氏名　　　　　　　　様 | | 記入日 | 　年　 | 　月　 | 　日　 | 　時 |
|---|---|---|---|---|---|---|

この質問票ではだるさについておたずねします．各々の質問について，
現在のあなたの状態に最も当てはまる番号に，ひとつだけ○をつけて下さい．
あまり深く考えずに，第一印象でお答え下さい．

| いま現在… | いいえ | すこし | まあまあ | かなり | とても |
|---|---|---|---|---|---|
| 1 疲れやすいですか？ | 1 | 2 | 3 | 4 | 5 |
| 2 横になっていたいと感じますか？ | 1 | 2 | 3 | 4 | 5 |
| 3 ぐったりと感じますか？ | 1 | 2 | 3 | 4 | 5 |
| 4 不注意になったと感じますか？ | 1 | 2 | 3 | 4 | 5 |
| 5 活気はありますか？ | 1 | 2 | 3 | 4 | 5 |
| 6 身体がだるいと感じますか？ | 1 | 2 | 3 | 4 | 5 |
| 7 言い間違いが増えたように感じますか？ | 1 | 2 | 3 | 4 | 5 |
| 8 物事に興味をもてますか？ | 1 | 2 | 3 | 4 | 5 |
| 9 うんざりと感じますか？ | 1 | 2 | 3 | 4 | 5 |
| 10 忘れやすくなったと感じますか？ | 1 | 2 | 3 | 4 | 5 |
| 11 物事に集中することはできますか？ | 1 | 2 | 3 | 4 | 5 |
| 12 おっくうに感じますか？ | 1 | 2 | 3 | 4 | 5 |
| 13 考える早さは落ちたと感じますか？ | 1 | 2 | 3 | 4 | 5 |
| 14 がんばろうと思うことができますか？ | 1 | 2 | 3 | 4 | 5 |
| 15 身の置き所のないようなだるさを感じますか？ | 1 | 2 | 3 | 4 | 5 |

図Ⅵ-69　Cancer Fatigue Scale
使用に際しての注意事項および点数計算方法などの詳細は原典を参照．
[国立がん研究センター先端医療開発センター精神腫瘍学開発分野：Cancer Fatigue Scale〔https://www.ncc.go.jp/jp/epoc/division/psycho_oncology/kashiwa/020/CFS-Manual.pdf〕（最終確認：2023年3月15日）より許諾を得て転載]

## 5　倦怠感の緩和ケア（palliative care）の方法

### 1．倦怠感の原因へのアプローチ

　倦怠感への対応の第1は，原因を正しく判断し，可能な限り明らかになった原因を除去することである．原因が明確で比較的頻度の高い病態として，栄養障害，電解質異常（高カルシウム血症，低ナトリウム血症），貧血，感染症，不眠，脱水，抑うつなど[18]に対して，原因を改善する治療を行う．看護師は，原因を明らかにできるように，また治療の効果を評価できるように，倦怠感のアセスメントを行い，患者-医師-看護者の三者で情報交換をしながら，適切に対応できるように努めていく．

### 2．倦怠感緩和のための非薬物的アプローチ

　終末期がん患者の倦怠感は，さまざまな原因が複雑に絡み合った多次元性の症状で，症状緩和が困難である場合が多い．しかし，倦怠感は緩和ができないものとしてあきらめるのではなく，患者の倦怠感のアセスメントを十分に行い，患者の意向を尊重し，時間やタイミングを見計らいながらさまざまな緩和方法を提供していくことが重要である．

1）エネルギー保存と活動マネジメント
　過剰なエネルギー消費は倦怠感の増強につながるので，エネルギー消耗を予防するために，エネルギーを必要とする活動を制限する．そして，患者の身体状況や能力に応じて活動の優先順位やペースを

決定し，他人に任せたり，エネルギーが最大のときに活動できるよう予定を組むようにしたり，活動と活動の間に休息をとるなど[19]，患者とともに1日のスケジュールを計画する[20].

2) 良質な睡眠を得る

睡眠障害は患者の倦怠感を増強させるので，睡眠の質を改善するための認知行動療法が用いられる．認知行動療法の「刺激制御療法」として，眠い時に寝ることや決まった時間に寝起きする，眠くなってベッドに入っても入眠困難な場合にはいったん床を出てみるなどがある．「睡眠制限療法」としては，長時間や遅い時間の昼寝を避けることや，ベッドで臥床している時間の総計を制限することで睡眠障害の改善を図るなどがある．また，「睡眠衛生」としては，睡眠前のカフェイン摂取を避け，良質な睡眠を促すために，暗くて静かで快適な環境を整え静かな音楽を聴くなど，就寝前のリラクセーションを行うなどを実施する[21]．これらの認知行動療法の活用により，サーカディアンリズム（circadian rhythm）（163頁参照）を強化することが可能になる[22,23].

3) 適度な運動

患者は病状の悪化に伴い体力の低下と気力の低下を経験しており，これらの状況が活動量の低下と筋力低下を引き起こしてくる．そして，運動不足が生じると，グリコーゲンとしてエネルギー源を筋肉に取り込み蓄積することができなくなり[24]，ますます運動が困難になるという悪循環をきたしていく．

倦怠感に対する適度な運動の効果が明らかにされている[25]．体動が少なくなっていくことによる悪循環を絶っていくためにも，運動（無理のない適度の四肢の自動運動，他動的関節可動運動，患者自身が行える運動など）を患者の状況に合わせながら計画し実施し，活動と休息のバランスを整えていく．どのような運動を取り入れていくかは，患者や医師，理学療法士と相談して決めていく．

4) 気分転換

倦怠感に注意を向けないように気分転換を図るために，生活のリズムに合わせて活動を計画する[26]．自然との触れあい（車椅子での散歩や花や植物を観賞する等）や好みの気晴らしの方法（好みの音楽や朗読を聞く，テレビを見る等）を1日の生活の中に組み込む．

5) リラクセーション

倦怠感の軽減に対するリラクセーション効果についての研究成果が多く報告されている[27]．不安や抑うつ，あるいは睡眠障害が倦怠感に影響していると考えられる場合には，リラクセーション技法（マッサージ[28]とアロマセラピー[28-30]，漸進的筋弛緩法，呼吸法など）を患者の好みや意向を尊重しながら試みる（311, 369頁参照）．

リラクセーション技法はホリスティックアプローチと見なされており，身体と精神の統合・調和・バランスを重視している[31]．さまざまな要因が複雑に絡み合った多次元性の症状である倦怠感緩和のための好ましい援助方法である．

6) セルフケア

患者に気分転換の方法やリラクセーションの方法について情報を提供し，患者がもっとも好ましい方法を選択し，毎日の生活の中に組み込んでいけるように援助する．このような援助は，主観的な症状である倦怠感に対して，患者自身が主体的にかかわり緩和できるというセルフケア感覚を得て，自尊感情やQOLを高めることにつながる[32].

また，患者は，病状の悪化や意欲の低下などにより他者との交流の機会が少なくなるため，たとえば，子どもや孫と何かを一緒にやる時間をもつことや好みの活動（音楽鑑賞，朗読など）を行うよう勧める．これらの援助により患者のセルフケア感覚を高めることが可能となる．

7) 食事の工夫

病状の進行とともに，終末期がん患者には食欲不振や悪心・嘔吐，下痢などの症状が出現し，倦怠感の原因となる代謝異常や貧血，脱水，電解質異常などの症状を引き起こしてくる．倦怠感を少しでも改善できるように，高タンパクで消化吸収の良い食事の摂取を家族の協力も得ながら進めていく．患者の好みのものを食べやすく，少量ずつ，回数を多くして，患者の食べたいときに食べられるように工夫する．消化吸収の良い食事を少量ずつ摂取することは，消化に必要なエネルギーの消費を少なくする意味もある．

8) 情報提供と意思の尊重

患者が倦怠感の存在や影響について表現できるように率直なコミュニケーションを保ち，倦怠感に関する情報や倦怠感が出現した場合に活用できる治療や看護援助方法について情報を提供する[33]．倦怠感が生じてきている状況に対して，正しい認知を促進したり，問題を明らかにしたり，治療への積極的な参加を勧めるために，患者の必要に応じて，できるだけ同じ看護師が話し合いをもつようにする．患者が，自らの価値観や信念に基づいて判断し意思決定できるように支え，患者の意思を尊重しながら共にケア計画を立案し実施する．

9) 快の刺激の提供

　終末期がん患者は病状の悪化に伴い，自ら動くことが困難になってくる．不動性は倦怠感をさらに増強させるという悪循環になる．倦怠感を改善していくために，患者への入浴ケアや手浴・足浴のケアを行い，血液循環の改善を促していく．清潔ケアは患者に快の刺激をもたらし，日常性を保つことを可能にする[34]．

### 3. 倦怠感への薬物によるアプローチ

　現在，終末期がん患者の倦怠感の薬物療法として，悪液質症候群を起こす炎症性サイトカインの産生を抑制すると考えられているコルチコステロイド（副腎皮質ホルモン）が使用されることが多い[35]．コルチコステロイドは，終末期がん患者の倦怠感だけでなく，食欲不振，痛み，悪心などの複数の症状緩和にも有効である[36]．倦怠感が非薬物的アプローチで緩和されない場合には医師と相談し，ステロイド剤の使用を検討する．非がん疾患による場合と異なり，終末期がん患者の場合には，副作用の有無にかかわらず死亡するまで使い続けるという特徴がある．あまり早い時期からステロイド剤を使い始めると重篤な副作用が出現する可能性が高まるため，推定余命が1～2ヵ月と考えられる時期を目安に使用されている．同時に，副作用への対策を実施していく．

　病状の進行に伴い，コルチコステロイドの効果は徐々に低下し，終末期に近づけば近づくほど倦怠感は増強してくることが多い．死亡前数日に出現する倦怠感は症状緩和に難渋することが多く，苦痛緩和のための鎮静[*2]（palliative sedation）が必要となる場合もある．

## C 精神的苦痛を緩和する技術

### 1 不安とは

　入院中の終末期がん患者を対象とした調査[37]によれば，精神症状として不安症状を示している患者が多い．不安は単独でなく，しばしば抑うつと合併する．

　不安（anxiety）とは対象のない漠然とした恐れであり，危険にさらされた自己の存在が脅かされたときに起こる情動である．不安が極度に強くなり，コントロールされないと日常生活に支障をきたし，心理社会的な機能を妨げる可能性もある．

### 2 不安の成因

　不安の成因として，①不十分な症状緩和（痛み，呼吸困難など），②身体の変化（ボディ・イメージの変容，ADLの障害，依存度の増大など），③医学的処置との関連（検査や処置に伴う苦痛，大量のステロイドの使用，オピオイドの増減や中止，抗不安薬の中止），④医療従事者の不十分な対応（説明不足，意見の食い違い，不誠実な対応など），⑤病名や予後への疑惑，⑥特定の心配事や恐怖（仕事の整理，経済的な問題，家族の将来），⑦家族や他の人間関係からくる不安や孤立，孤独感，⑧実存的不安（無茶な生活をしてきたことへの後悔や自責の念，死の恐怖，自己存在が脅かされる，感情のコントロールができない，スピリチュアルな不安など），⑨性格傾向，⑩精神障害の既往（不安障害，気分障害，パーソナリティ障害など）がある[38]．

### 3 不安のサインとなる反応

　不安のサインとして，①情緒・心理的反応，②行動上の反応，③生理的反応（表Ⅵ-37）が出現し，不安の増大によって激しくなる．

### 4 不安のアセスメント

　終末期がん患者の不安に対し適切な援助を提供するために，不安の成因や不安のサインとなる反応とその程度，不安の持続状況，患者の不安のとらえ方と対処行動，日常生活への影響などを注意深く観察し，アセスメントする．

### 5 不安を測定する尺度の活用

　終末期がん患者の不安を測定する尺度として，つらさの寒暖計[*3][39]や病院不安と抑うつ尺度（Hospital Anxiety and Depression Scale：HADS）[40]などが活用されている．

　つらさの寒暖計は，米国国立総合がん情報ネットワーク（National Comprehensive Cancer Network, NCCN）により開発された尺度で，不安を明確に測定する尺度ではないが，情緒的，心理的，社会的，

---

[*2]苦痛緩和を目的とした鎮静は，難治性症状からの耐え難い苦痛を鎮静薬の適切な使用により意識レベルを低下させて緩和することをいう．

[*3]つらさの寒暖計はワンクエスチョンインタビューが日本語訳されたが特異度が劣っていたため，つらさの寒暖計をベースに生活への支障度等の質問を追加し，「つらさと支障の寒暖計（Distress and Impact Thermometer：DIC）」[41]が開発された．

表Ⅵ-37　不安のサインとなる反応

| 反応の種類 | 不安のサインとなる反応 |
|---|---|
| 情緒・心理的反応 | 憂うつ，自己卑下，自信がない，無力感，恐怖，緊張，落ち着かない感じ，焦燥感，感情をコントロールできない，注意力低下など |
| 行動上の反応 | 表情の変化（こわばる，暗い），声の調子の変化，いらいらしている，落ち着かない，リラックスできない，じっとしていられない，批判的言動，怒りっぽい，まとまりや一貫性のなさ，興奮，不穏など |
| 生理的反応 | 脈・呼吸数の増加，動悸，胸部痛，絞扼感，紅潮，ため息，あくび，息の詰まる感じ，息苦しさ，過換気，呼吸困難，口渇，喉の詰まる感じ，嚥下困難，胸やけ，食欲不振，悪心・嘔吐，尿回数の増加，排尿困難，頭痛，頭重感，めまい感，発汗，冷感，振戦，筋肉の緊張，不眠など |

スピリチュアルな不快の体験であるつらさ（distress）という感情をVASで測定する．この尺度はつらさを助長する可能性のある35の問題リスト（家族の問題，身体的問題，情緒的問題，スピリチュアル・宗教上の問題，現実的な問題）を含んでいる．

HADSは日本語版[42]が作成されており，不安と抑うつに関する質問を7項目ずつ含んだ14項目の自記式尺度で4者択一方式になっている．

## 6 不安のある患者への看護ケア

不安のある患者への看護ケアとして，①心理教育的介入/心理社会的介入，②薬物療法，③支持的介入，④リラクセーション，⑤身体症状の緩和，⑥現実の認識を深める，の6点があげられる．

### 1. 心理教育的介入/心理社会的介入

心理教育的介入や心理社会的介入は不安軽減に有効と報告されている．心理教育的介入として，不安のマネジメントに活用できる知識や技術を提供し安心感が得られるように支援することや，心理社会的介入方法として認知行動療法（cognitive behavioral therapy）[43]を行う．認知行動療法とは，認識の再構築をする認知療法と，自律訓練法や漸進的筋弛緩法，リラクセーション法などの行動療法を組み合わせることで，不安を軽減させ患者のコントロール感を高める方法[44]である．

### 2. 不安症状に対する薬物的アプローチ

不安のレベルが強度である場合には，一時的な対症療法として薬物療法が行われる．効果的な薬物療法として，抗不安薬，抗うつ薬，抗ヒスタミン薬，非定型抗精神病薬などがあげられる[45]．薬物療法の導入は，医師と相談する．薬物療法が開始されたなら，あくまでも一時的な対症療法との認識のもとに，その効果と副作用を十分にモニタリングし，薬物療法の効果を高めるように援助していく．抗うつ薬は効果出現までに2～4週間ほどの時間を要するため，終末期がん患者に投与する場合，治療効果を得るための十分な投与期間があるかどうかも考慮する必要がある[46]．

### 3. 支持的介入

1) 傾聴し共感的に理解する

傾聴（listening）とは，温かい受容的な雰囲気をつくり，患者の感情にじっくりと耳を傾け，内容について批判せず中立的な立場で聴くこと，すなわち，死の不安や孤立感に苦しんでいる患者の"精神的苦悩"を聴くのである．看護師の役割は患者に精神的苦悩に直面させることではなく，患者が望むときに精神的苦悩についてオープンに話せるような安全な場所とサポートを提供することである．

また，共感的理解とは，終末期がん患者の不安の感情をあたかも自分自身のものであるかのように感じとり，自分自身の不安の感情と混同しないで理解することである[47]．共感（empathy）が成立するためには，患者-看護師間に信頼関係が存在することが前提条件となる．

坂口らは，傾聴や共感的理解といったカウンセリング的な関わりが，終末期がん患者が人生の意味を見いだすきっかけになっていたと報告している[48]．また，Linnらは末期がん患者の精神的苦痛に対する介入（否認や希望・死について表現する，情緒的サポートを提供する）を行った結果，介入群は対象群よりも不安レベルが低く，自尊感情が高くなっていたことを明らかにしている[49]．

2) 受容する

受容（acceptance）とは，患者をありのまま認め，温かく受けいれることである．終末期がん患者は看護師にありのままの自分を認められ，受け入れられることによって，他者から関心（愛情）を受けたいというニーズが満たされ，一人の人間として大切にされているという感覚が，患者の孤立感や孤独感，

見捨てられるという不安の緩和につながる．

また，患者は受け入れられることによって自分自身への理解が深まり，自分の感情や自分の意思に気づき，自分の秘められた「生きる力」に気づくようになる．

### 4. リラクセーション

不安が生じると交感神経が優位になり，緊張が生じ，動悸，落ち着きのなさ，いらいらなどの生理的反応が出現する．このような緊張を改善し，心の安定を図ることを目的としてリラクセーション（relaxation）技法を用いる．Stuartらは，リラクセーションは患者のストレスレベルがその人の機能する能力や生産性を妨げるときに効果を発揮すると述べている[50]．

これまで，リラクセーション技法は不安を経験する進行がん患者や終末期がん患者に適用されてきた．Sodenらはホスピスに入院中のがん患者を対象としてアロマテラピーとマッサージによる介入を行い，不安に対して短期的に効果があったと報告している[51]．Cainら[52]は49名のがん患者の精神的苦痛に対して介入（がんに関する考え方や感情を話し合う，漸進的筋弛緩法，家族とのコミュニケーション）した結果，精神的苦痛は対照群よりも有意に改善がみられたとしている．このほかに，タッチ[53]の活用などがある．

### 5. 身体症状を緩和する

疼痛や呼吸困難，不眠などの症状が緩和されていない場合，これらの症状は不安を助長させ，不安は痛みや呼吸困難などの症状をさらに悪化させるという悪循環が生じる．患者の身体症状の訴えに対して積極的に症状を緩和していくことが重要である．

### 6. 現実の認識を深める

終末期がん患者の感情の表出を促し，患者の体験をたどりながら，患者自身の不安と自分が取っている行動との関係に気づくように話を進める．すなわち，患者の自己洞察を深めていけるように，患者に寄り添いながら，患者の状況に応じて情報を提供する．不安の元になっている知識不足や誤解がある場合には，情報提供を行う．

### 7 不安のある患者とのコミュニケーション技術

不安のある患者との言語的コミュニケーションは重要である．援助的コミュニケーション技術（communication skills，67頁参照）を用いて，患者に共感的理解を示し，患者をありのままに受容する．しかしながら，患者-看護師間のコミュニケーションがうまくいかず，2者間に認知のずれが生じることも多い．そのため，たとえば以下のような，コミュニケーションを難しくする状況について理解し，援助者としての傾向を自覚しておく必要がある．

#### ■ コミュニケーションを難しくする状況

患者を理解した気になる：患者の言葉を表面的に受け取り，患者の感情を「つらいに違いない」，「○○という不安があるに違いない」と思いこむ．

患者の不安に向き合えない：専門家として，患者の言葉に対して，"納得させる言葉"や"よい答え"をするべきだと感じるため，不安を表出され，どうしてよいかわからないときに「先生に聞いてみましょうね」と医師を持ちだしたり，「弱音を吐いたら家族が悲しみますよ」と家族を持ち出したりして，患者の不安に向き合うことを避ける．

患者の感情でなく自分の感情に反応している：終末期がん患者に関わる看護師（自分）の不安が反映し，患者は病名や病状に不審を抱き確かめてきているのではないかというおそれをもったり，患者は自分の苦悩を早く解決して欲しいと思っていると感じたりする．

### ●引用文献

1) 淀川キリスト教病院ホスピス編：緩和ケアマニュアル，第5版，24頁，最新医学社，2007
2) 河野友信編：ターミナルケアのための心身医学，2頁，朝倉書店，1991
3) 宮下光令編：ナーシング・グラフィカ成人看護学(6)：緩和ケア，第3版，27頁，メディカ出版，2022
4) 淀川キリスト教病院ホスピス編：緩和ケアマニュアル，第5版，3頁，最新医学社，2007
5) Rando TA（ed）：Grief, Dying, and Death：Clinical Interventions for Caregiver, pp.227-250, Research Press Company, 1984
6) 本間美恵子：がん患者・家族が抱える社会的問題．日本がん看護学会誌 **13**（2）：11-13，1999
7) 窪寺俊之：スピリチュアルケア入門，三輪書店，2000
8) National Comprehensive Cancer Network：Cancer-related fatigue guideline, 2008
日本語版 NCCN 腫瘍学臨床実践ガイドライン，第1版〔http://www.jccnb.net/guideline/images/gl16_fati.pdf〕（最終確認：2022年5月20日）
9) 恒藤 暁：系統緩和医療学講座　身体症状のマネジメント，62頁，最新医学社，2013
10) 奥山 徹：終末期の倦怠感．ターミナルケア **11**（Suppl）：268-271，2001
11) 日本緩和医療学会編：専門家をめざす人のための緩和医療学，第2版，92頁，南江堂，2019

12) 大仲俊宏，岸本寛史監訳：MDアンダーソンサイコソーシャル・オンコロジー，141頁，メディカルサイエンス・インターナショナル，2013
13) 鈴木志津枝，小松浩子監訳：がん看護PEPリソース 患者アウトカムを高めるケアのエビデンス，157頁，医学書院，2013
14) 平井和恵，神田清子，細川　舞ほか：日本人がん患者の倦怠感の感覚に関する研究．Kitakanto Med J **64**：43-49, 2014
15) Piper BF, Dibble SL, Dodd DM., et. al.：The Revised Piper Fatigue Scale：Psychometric evaluation in women with breast cancer. Oncology Nursing Forum **25**（4）：677-684, 1998
16) Okuyama T, Wang XS, Akechi T,et al.：Validation study of the Japanese version of the Brief Fatigue Inventory（簡易倦怠感尺度日本語版の検証研究）. J Pain Symptom manage **25**（2）：106-107, 2003
17) 奥山　徹，明智龍男，杉原百合衣ほか：我が国で開発されたがん患者の倦怠感アセスメントスケール Cancer Fatigue Scale. Expert Nurse **15**（10）：54-56, 1999
18) 宮下光令編：ナーシング・グラフィカ成人看護学（6）：緩和ケア，第3版，92頁，2022
19) 日本がん看護学会教育・研究活動委員会コアカリキュラムワーキンググループ編：がん看護コアカリキュラム日本版　手術療法・薬物療法・緩和ケア，350頁，医学書院，2017
20) 恒藤　暁：系統緩和医療学講座　身体症状のマネジメント，71頁，最新医学社，2013
21) 大仲俊宏，岸本寛史監訳：MDアンダーソンサイコソーシャル・オンコロジー，145-146頁，メディカルサイエンス・インターナショナル，2013
22) 恒藤　暁：系統緩和医療学講座　身体症状のマネジメント，63-64頁，最新医学社，2013
23) Barsevick AM, Whitmer K, Sweeney C, et al.：A pilot study examining energy conservation for cancer treatment-related fatigue. Cancer Nursing **25**（2）：333-341, 2002
24) Barnett ML：Fatigue, Oncology Nursing, 3rd ed, Mosby, 1997
25) 平井和恵：がん患者へのケアとエビデンス，倦怠感．がん看護 **7**（2）：186-189，2012
26) 日本緩和医療学会編：専門家をめざす人のための緩和医療学，第2版，95頁，南江堂，2019
27) 鈴木志津枝，小松浩子監訳：がん看護PEPリソース 患者アウトカムを高めるケアのエビデンス，159頁，医学書院，2013
28) Cssileth BR，Vickers AJ：Massage therapy for symptom control：outcoma study at a major cancer center. J Pain Symptom Manage **28**：244-249, 2004
29) 宮内貴子，小原弘之，末広洋子：終末期がん患者の倦怠感に対するアロマセラピーの有効性の検討―足浴とリフレクソロジーを実施して―．ターミナルケア **12**（6）：526-530，2002
30) 相原由花，二木　啓，江川孝二ほか：終末期ケアを受けるがん患者におけるアロマセラピーマッサージの有効性．日本統合医療学会誌 **9**（1）：85-93，2016

31) 荒川唱子，小板橋喜久代：看護にいかすリラクセーション技法　ホリスティックアプローチ，医学書院，2001
32) Given B, Given CW, McCorkle R, et al.：Pain and fatigue management：results of a nursing randomized clinical trial. Oncology Nursing Forum **29**（6）：949-955, 2002
33) Allison PJ，Nicolau B, Archer J, et al.：Results of feasibility study for a psycho-educational intervention in head and neck cancer, Psycho-Oncology **13**（7）：482-485, 2004
34) 高橋智子：終末期がん患者の清潔ケアにおける緩和ケア病棟看護師の実践知．日本看護研究学会誌 **41**（1）：73-83, 2018
35) 池永昌之，恒藤　暁：倦怠感の薬物療法．ターミナルケア **11**（Suppl）：273-276，2001
36) 恒藤　暁：系統緩和医療学講座　身体症状のマネジメント，70頁，最新医学社，2013
37) 淀川キリスト教病院ホスピス編：緩和ケアマニュアル，第5版，176頁，最新医学社，2007
38) 恒藤　暁：最新緩和医療学，身体症状のマネジメント，180頁，最新医学社，2013
39) 鈴木志津枝，小松浩子監訳：がん看護PEPリソース 患者アウトカムを高めるケアのエビデンス，42頁，医学書院，2013
40) Zigmond AS，Snaith RP：The hospital anxiety and depression scale. Acta Psychiatr Scand **67**：361-370, 1983
41) Akizuki N, Yamawaki S, Akechi T, et al.：Development of an impact thermometer for use in combination with the distress thermometer as a brief screening tool for adjustment disorders and/or major depression in cancer patients. Journal of Pain & Symptom Management **29**（1）：91-99, 2005
42) 八田宏之，東　あかね，八城博子ほか：Hospital Anxiety and Depression Scale日本語版の信頼性と妥当性の検討―女性を対象とした成績―．Jpn J Psychosom Med **38**：309-315, 1998
43) 鈴木志津枝，小松浩子監訳：がん看護PEPリソース 患者アウトカムを高めるケアのエビデンス，42頁，医学書院，2013
44) Lloyd-Williams M編（若林佳史訳）：緩和ケアにおける心理社会的問題，183-184頁，星和書店，2011
45) 鈴木志津枝，小松浩子監訳：がん看護PEPリソース 患者アウトカムを高めるケアのエビデンス，43頁，医学書院，2013
46) 宮下光令編：ナーシング・グラフィカ成人看護学（6）：緩和ケア，第3版，227頁，メディカ出版，2022
47) 野末聖香：カウンセリングの基本を看護に活かすには．Nursing Today **16**（2）：20-23，2001
48) 坂口幸弘，柏木哲夫，山本一成ほか：家族・スタッフがもたらす精神的安楽．死の臨床 **30**（1）：53-58，1997
49) Linn MW, Linn BS, Harris R：Effects of counseling for late stage cancer patients. Cancer **49**：1048-1055, 1982
50) Stuart GWほか編（樋口康子ほか訳）：不安．精神看護学Ⅰ，194-225頁，医学書院，1986

51) Soden K, Vincent K, Craske S et al.：A randomized controlled trial of aromatherapy massage in hospice setting. Palliative Medicine **18**（2）：87-92, 2004
52) Cain EN, Kohorn EI, Quinlan DM, et al.：Psychosocial benefits of a cancer support group. Cancer **57**：183-189, 1986
53) 鈴木志津枝，小松浩子監訳：がん看護PEPリソース　患者アウトカムを高めるケアのエビデンス，47頁，医学書院，2013

# 看護の教育的役割

# 1 看護の教育的役割

## A 学習者の依存度に応じて教育的役割を発揮する必要性

　「やってみせ，言ってきかせて，させてみて，ほめてやらねば人は動かじ．話し合い，耳を傾け，承認し，任せてやらねば，人は育たず．やっている姿を感謝で見守って，信頼せねば，人は実らず」．これは，有名な山本五十六の言葉である．教育者の役割は，最終的には学習者が自立して学習することができ，課題を自己解決できるところまで導くことである．山本五十六の言葉を解釈すると，人を育てる教育者の役割とは，第一には，丁寧な「手ほどき」をすること．第二には，自立に向かっている学習者を尊重し話を聴いて，「任せる」こと．第三には，成長した学習者を信頼し，「見守る」ことである．学習者がまだ何もわからず自信がなく不安なときに，放任するのは無謀であるし，学習者が自立して行動したいときに干渉しすぎると学習者は信頼されていないと感じ，やる気を失うこともあるだろう．

　諏訪は，Hersey P & Blanchard KHの開発した発達対応モデルを参考に，独自の4段階の階段モデルを提唱している[1]．このモデルは，学習者の自立度を依存・半依存・半自立・自立の4段階に分け，それぞれに適した関わり方として，指示・助言・支持（コーチング，coaching）・非関与を示したものである．学習者がまったく自己解決できない依存状態のときには，教育者は明確な「指示」を出す．学習者が少しは自己解決できる半依存状態のときには，教育者は的確な「助言」をする．学習者がおおよそ自己解決できる半自立状態のときには，教育者は「支持（コーチング）」をして導く．学習者が自己解決できる自立状態のときには，教育者は「非関与」で見守るのが適した教育的関わりだというのである（図Ⅶ-1）．諏訪のモデルは，学習者の依存度に応じた学習支援の重要性を明確に示しており，山本の示した教育者の役割にも通じる．

　教育者は学習者の状況を判断し，モデルを示す，説明する，指示する，助言する，励ます，誉める，聴く，支持する，認める，委任するなど，さまざまなアプローチ法を用いながら教育的役割を果たそう

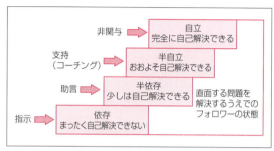

図Ⅶ-1　4段階の階段モデル
[諏訪茂樹：看護にいかすリーダーシップ，医学書院，2002より引用]

とするが，どのようなアプローチ法も学習者の状況に合致していなければ有効な教育的関わりとはいえない．

　看護者は患者やその家族あるいは地域住民に対して教育的役割を担うだけでなく，新たな看護の担い手である看護学生や新人看護師に対しても教育的役割を担う．同じ対象であっても，学習内容によっては学習者の学習に対する自立度が異なるため，学習者の学習内容に対する習熟度や学習レディネスを考慮して教育的役割を発揮することが重要である．

## B 知識・技術を身につける支援をする

### 1 「指導型」から「学習援助型」への意識の転換

　自己決定（self-determination）[*1]し，課題を自己解決できるためには，まずは学習者に十分に情報が与えられている必要がある．看護において，患者が自分のこととして状況を受け入れ，どのように行動したらよいかを自己決定できるために必要な知識と技術を提供することは，看護者の第一義的な教育的役割である．患者の既存知識や技術，その学習内容に関連した経験の有無，理解度，視聴覚能力，学習レディネスを考慮し，一方的な押しつけ指導ではなく，患者が主体的に意欲をもって知識・技術を身につけることができるように支援するのである．看護

---

[*1] 人が自分の問題について決断・行動し，その結果に責任をもつこと．

者には，「指導型」から「学習援助型」へとパラダイム・シフト[*2]する教育的役割における意識改革が求められている．

看護者は，患者が医師からの病状や治療についての説明をどれくらい理解しているのかを自然な対話の中で把握しながら，患者がセルフマネジメント（self-management，後述）を行ううえで必要な知識・技術を教える．誤解していたり，間違って覚えている場合には，誤解を解いたり，正しい知識・技術をわかりやすく教える．医師から追加の説明を受けたほうがよいと判断したときには，医師から説明を受ける場の設定を行い，理解が困難な場合には，理解度に合わせて看護者が追加説明を行う．

### 2 わかりやすく教える

看護者は，患者に学んでほしい学習内容を吟味し，精選し，患者に合わせて教材を選択あるいは新たに作成する．学習内容に応じて，既存のビデオ，模型，パンフレット，資料などを選択するときには，使用前に必ず使用する教材の内容を確認し，その患者用にアレンジした説明を加えて使用することがわかりやすさにつながる．

一般的に，わかりやすく教えるためには，やさしすぎず，むずかしすぎない加減を患者に合わせて行う配慮が必要である．やさしすぎると飽きてしまい，むずかしすぎると理解できない．イメージしやすい具体例を加えることも有効である．教える順序としては，患者がすでに知っている内容の上に，新たな知識を積み重ねていくのがよい．また，単純なことからむずかしいことに進むのがわかりやすい．導入としては，患者の"今このとき"の興味・関心のある内容から入るのがわかりやすい．そして何を教えるのかを曖昧にしたまま指導するのではなく，最初に何についてどのくらいの時間教える予定なのかをきちんと伝えておくと，必要な構えができる．今何を教えられているのか自分の学んでいる課題をはっきりと認識できているほうが，患者はわかりやすい．

### 3 セルフマネジメントに必要なテーラーメイドの知識・技術を教える

セルフマネジメント（self-management）とは，患者が，治療に伴う療養生活，社会生活上の変化，病気に伴って生じる自分の感情と上手に付き合っていく力をもつことをいう[2]．看護者は，患者のセルフマネジメントに必要な知識・技術を提供し，患者が自分の病気を受け入れて生活しながら療養していこうという自信，自己効力感を高める援助をすることが教育的役割といえる．このときに提供する知識・技術はテーラーメイド（tailormade，注文仕立の意）の知識・技術であることが理想である．テーラーメイドとは，その人用にあつらえたという意味を持ち，看護者は闇雲に自分が知っている知識・技術をすべて伝授するということではなく，その患者の"今このとき"に必要な知識・技術を提供することを目指す．テーラーメイドの知識・技術の提供ができるためには，患者が話すことに関心を持ち共感的態度でよく聴くことが大切である．同時に看護者には専門家として正確で新しい知識・技術を身につける努力を継続して行う責務がある．

たとえば，食事療法と運動療法だけでコントロールしている糖尿病患者には，低血糖症状についての知識は必ずしも必要ではない．糖尿病を持つことで営業の仕事に支障をきたすと悩んでいる患者には，糖尿病そのものの知識よりも病気を持ちながら生活者としてどのように周りの人との関係をもち，自分の感情を管理したらよいかということについての知識や知恵が必要度の高い知識といえる．また，急性心筋梗塞の患者が退院後に趣味の旅行の可否を質問してきたときには，その患者の心筋梗塞部位と程度をアセスメントし，具体的に可能な運動負荷の程度，脈の取り方を教えるとともに，その自己判断の基準，対処法などを教える．安静が必要といわれる腎臓疾患，肝臓疾患，心臓疾患であっても，1人1人の病態ごとにアセスメントして，その患者用のテーラーメイドの可能な運動についての知識・技術を教えることは看護者が担うべき教育的役割といえる．

### C 自己効力感を高める

自己効力感（self-efficacy）とは，何らかの課題を達成するために必要とされる技能が効果的であるという信念を持ち，実際に自分がその技能を実施することができるという確信のことである．バンデューラ（Bandura A）[3]は自己効力感に影響する情報源として次の4つをあげている．それは，①遂行行動の成功体験（enactive mastery experience），②代理的経験（vicarious experience），③言葉による励まし（言語的説得）（verbal persuasion），④生理的・情動的状態（physiological and affective states）である．

---

[*2] 時代や社会の常識となっている考え方が大きく変化すること．また，社会規範や価値観が変わること．

これらの情報源を効果的に組み合わせて学習者に提供することにより，その課題行動をやれそうだという自己効力感が高まり，学習者が実際に行動を起こす可能性が高いとされている．

上手くやれたという成功体験を味わうと，次にもまたやれそうだという自己効力感が高まる．成功体験をするためには，達成しやすい目標を設定する（スモールステップの目標設定）ことや段階的に目標を上げていき（ステップバイステップ法），小さな成功体験を累積することが効果的である．

やれそうだと思えるようなモデルが身近に存在すると，自分にもできそうだという自己効力感が高まる．患者の病状や環境などが似ているモデルのほうが自己効力感が高まるとされることから，モデルとの類似性に気づいてもらうような説明を加えることは有効である．たとえば，糖尿病の患者会に参加し，同じような忙しい境遇で薬物療法をはじめ食事療法や運動療法を頑張っている患者と知り合いになり，日々の生活の中での工夫や知恵などを聞くことで自分にもやれそうだという気持ちになること，などである．

上手くやれたときに看護者がきちんと誉めて認めることは，専門家からの言葉による励ましを受けたという認識につながり，自己効力感が高まる．患者だから，患者役割行動を取るのは当たり前という態度ではなく，小さなことであっても患者が努力して実施していることに対してきちんと言葉で誉めることは，患者のやる気を高めることにつながる．

またポジティブ（積極的）に気持ちを切り替えるポジティブ・シンキング（positive thinking）などを取り入れることも自己効力感を高める方略として推奨されている．

### D 相手をエンパワーメントする

看護の教育的役割としてもっとも基本的なものは，相手が自立した行動をとれるよう援助するという役割である．エンパワーメント（empowerment）とは「相手の話を傾聴し，対話を通して，相手が自らの目標を達成するために機会や資源を提供して自分で行動していくように支援すること」をいう[4]．

患者，クライエント（来談者；助言を求めて専門家を訪ねる人），利用者（デイケア等の公共サービスを利用する人），地域住民などが自らの力を信じ，自己主導的に行動できるように支援することは，看護の教育的役割として重要である．また，新たな看護の担い手である看護学生や新人看護師をエンパワーすることも重要な役割といえる．

エンパワーメント教育は，もともと1988年にウォールスタイン（Wallstein N）が，ブラジルの識字教育学者フレイレ（Freire P）の考えをもとに提唱した概念である[5]．フレイレは無力感（powerlessness）から抜け出すための戦略としてエンパワーメント教育を提唱した．その方法は，傾聴−対話−行動というアプローチを展開するものである[6]．元来，エンパワーメント教育は何らかの社会的因子のために無力感に陥っている集団を想定していたが，近年ではその概念が広がり，個人や社会へと対象のとらえ方が拡大してきている．患者教育の領域では，個々の糖尿病患者に対する関わり方としてエンパワーメントアプローチが提唱され，効果を上げている[7]．

エンパワーメント教育では患者の言葉を共感的に聴くことが大切である．患者が看護者に自分の気持ちを話して相談したり，一緒にセルフケアについて話したいと思うためには，看護者が「学習的雰囲気」をもっていることが重要である[8]．学習的雰囲気を形成する要素として，①心配を示す，②尊重する，③信じる，④謙虚な態度である，⑤リラックスできる空間を創造する，⑥聴く姿勢を示す，⑦個人的な気持ちを話す，⑧共に歩む姿勢を見せる，⑨熱意を示す，⑩ユーモアとウイット，⑪毅然とした態度を示す，の11要素が報告されている．患者教育を効果的に行うためには，看護師の学習的雰囲気の果たす役割は重要である．

### E 自己教育力を身につける支援をする

知識や技術は常に新しく生まれ変わっていくものである．既存の知識・技術に固執することなく，新たな経験や新しい知識にいつも開かれていて，主体的に学び続けていく力を身につける支援をすることは看護の教育的役割である．

自己教育力とは，「主体的に学ぶ意志，態度，能力」のことであり，真に自立から自律へと自己を鍛えていく力が自己教育力の神髄である．教えてもらう存在から学ぶ存在へ，さらには高次な学習主体としての自己教育力をもった存在へと学習者を変革させて行くことが看護者に求められている．

従来，患者は医療者からの説明に従順に従うこと，つまりコンプライアンス（compliance）がよいことが求められてきたが，近年では医療者からの説明を納得したうえで療養行動を取ること，つまりアドヒアランス（adherance）がよいことが重要だといわれるようになってきた．つまり，患者が自らの

身体に関心をもち，積極的に治療に参加していくことが求められる時代になったといえる．このためには患者が自己教育力を身につける必要があり，その支援をすることは看護者の大切な教育的役割といえる．

また看護学生や新人看護師が生涯にわたり学習し続けていくことを保証する自己教育力を身につけることができるように支援することも，重要な看護の教育的役割といえる．

## F 施設から在宅への支援

超高齢社会に入ったわが国では，医療費の増大，包括支払い制度（diagnosis procedure combination：DPC）やクリティカルパスなどの導入によって一般病棟の在院期間は短縮化され，障害や医療依存度の高い状態であっても在宅療養に移行するようになった．在宅療養に移行する際には，患者の治療だけでなく，地域の社会資源の調整，さらには家族も含めた在宅療養に関する指導や支援が必要になる．治療，経済，地域の医療・介護サービスの連携，メンタル面のサポートも含めたさまざまな課題があることから，看護師だけではなく多職種の連携による支援も必要になる．病院の病棟看護師，地域の訪問看護師，保健師をはじめさまざまな医療場面における看護の継続や看-看連携および多職種連携が展開されている．

### 1 地域包括ケアシステム

高齢者の多くは病気になっても可能な限り住み慣れた地域や自宅で日常生活を送ることを望む．地域における「住まい」「医療」「介護」「予防」「生活支援」の5つのサービスを一体的に提供できるケア体制を構築しようというのが，地域包括ケアシステム[9]（24頁参照）である．地域包括ケアシステムとはそれぞれの地域の状況や特性に合った体制を整備していくものであり，各地域における超高齢社会の状況を想定して地域が目指すケアシステムを構築している．

### 2 医療施設間の機能分化

各医療機関にはそれぞれのステージにある患者の症状の安定を目的とする独自の医療機能がある．各ステージに特化した機能を備えており，患者が効率よく質の高いサービスを利用することができるように機能が分化している[10]（図Ⅶ-2）．

具体的には，①高度急性期機能（急性期の患者に対し，状態の早期安定化に向けて，診療密度がとくに高い医療を提供する），②急性期機能（急性期の患者に対し，状態の早期安定化に向けた医療を提供する），③回復期機能（急性期を経過した患者への在宅復帰に向けた医療やリハビリテーションを提供する），④慢性期機能（長期にわたり療養が必要な患者や重度の障害者，難病患者等に入院環境を提供

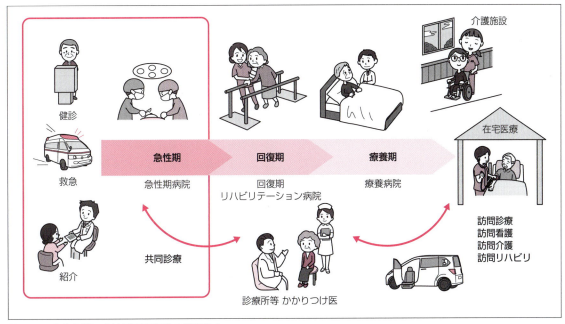

図Ⅶ-2　療養各期における医療施設の機能分化

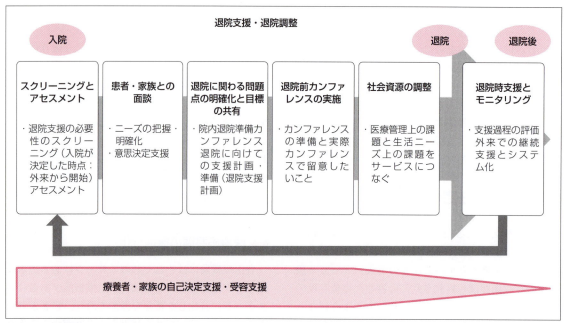

図Ⅶ-3 地域連携クリティカルパス

する)，といった機能分化がみられる．

### 3 病院の種類と継続看護の必要性

病院の種類には，一般病院，地域医療支援病院，特定機能病院という分け方もある．治療を受ける患者がより質の高い生活を送ることができるように看護を展開するために，患者を中心とした病院間の看-看連携体制を築くことも重要である．それぞれの病院で退院調整を行う看護師は，患者と家族の両方の希望や要望を聞いてどのような生活を送ることがよいのかを選択できるサポートを行う．

患者が自宅に戻って生活ができるのか，戻れる場合はリハビリや通院，在宅サービスの利用の必要性などに基づいた退院調整を行う．退院調整カンファレンスでは，退院調整計画をもとに地域医療を支えるケアマネジャーや訪問看護師を交えて行い退院後の在宅ケアを調整する．患者の退院後の在宅療養生活を実現するために，退院調整を行う看護師は病院と地域医療を調整してつなぐ役割を担っている．

### 4 病院における退院支援・退院調整

#### 1. 退院支援・退院調整

退院支援とは，患者とその家族が退院後に生活の場を変えて療養を続けることができるように，入院時(あるいは外来受診時)からのアセスメントやマネジメントを行い，療養場所や生活の場を自ら選択ができることを目標にする支援であり，望む生活の場所に移行するまでのプロセス全体を支援することである(図Ⅶ-3)．そして，患者や家族の治療および療養場所に関する選択も含めた意思決定を支援する．

退院調整とは，在宅療養生活においても必要な医療を受けながら療養生活を継続していけるよう，患者・家族のニーズと社会保障制度や社会資源をつなげることである．具体的には訪問看護や介護などのサービスも含めて，地域包括ケアシステムの資源を効率よく活用することなど，病院と地域医療をつなぎ，入院中から退院後の生活を予測して継続看護や介護サービスを調整し，患者が入院中から退院後の日常生活の自律を支援する(図Ⅶ-3)．

退院調整を行う際は，主治医や病棟看護師，MSW(メディカルソーシャルワーカー)，理学療法士・言語聴覚士・作業療法士などのリハビリテーション部門，管理栄養士などのスタッフとカンファレンスで情報共有を行って，多職種で課題に取り組む．退院調整部門が入院時から退院に向けて関わりを進めることで，退院支援も同時に行う病院もある．

#### 2. クリティカルパスの活用

クリティカルパスとは，良質な医療を効率的かつ安全，適正に提供するために手段として開発された診療計画表で，これを活用することで診療の標準化，根拠に基づく医療の実施(EBM)，インフォームド・コンセントの充実，業務の改善，チーム医療の向上などの効果[11]が期待されている．施設間や施

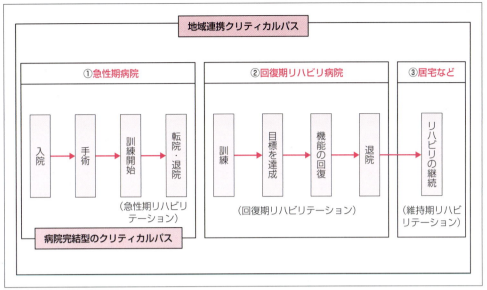

図Ⅶ-4　地域連携クリティカルパスのイメージ

[厚生労働省：「医療改革大綱による改革の基本的な考え方」をもとに筆者作成]

設と自宅における切れ目のない医療を提供するために，地域連携クリティカルパスは作成される．これは従来の施設完結型のクリティカルパスとは異なり，急性期病院から回復期病院を経て早期に在宅療養に移行できるような計画を作成し，治療を受けるすべての医療機関で共有して用いるものである（図Ⅶ-4）．

地域連携クリティカルパスには地域で診療にあたる複数の医療機関が役割分担を含め，あらかじめ診療内容や目標を患者・家族に提示・説明し，治療の基準化・情報共有，質の高いチーム医療の推進の役割もある．2006（平成 18）年に大腿骨頸部骨折の地域連携クリティカルパスが導入されて以来，さまざまな疾患で作成・活用されている．脳卒中，がん，急性心筋梗塞，糖尿病，在宅医療等の具体的な医療連携体制を整備し，数値指標の一つに「地域連携パス利用率（利用医療機関数/医療機関数）」を推奨している．

## 5 介護・医療ニーズの高い在宅療養者への看護

前述したように，高齢者が住み慣れた地域で自分らしい人生を全うできる社会を目指して，2025（令和 7）年を目途に整備が進められているのが「地域包括ケアシステム」である．高齢者を効率よくサポートするためには，家族のメンバーや地域の医療機関，介護施設が連携する必要がある．以下に，地域包括ケアシステムで機能施設の具体的支援活動と，そこで活動する看護職の役割をまとめた．

### 1. 各施設の役割

①地域包括支援センター

対象地域に住んでいる高齢者とその介護者の介護サービスや介護予防サービス，保健福祉サービス，日常生活支援などの相談に応じ，介護保険の申請窓口も担う．地域包括支援センターは地域の高齢者を支えるために，①介護予防ケアマネジメント，②総合相談，③包括的・継続的ケアマネジメント，④権利擁護，の 4 つの業務を担当し，高齢者の支援を行う．

②訪問看護ステーション

訪問看護を行う看護師や保健師，助産師，理学療法士などが所属している事業所である．職員は訪問看護ステーションを起点として利用者の自宅や施設へ出向き，状態観察や医療的ケアなどのサービスを提供する．

③訪問看護

介護保険または医療保険により訪問看護ステーションなどから主治医の訪問看護指示書の交付を受けて開始される．訪問看護ステーションにはとくに医療と介護をつなぐ役割がある．

④療養通所介護

一般の通所介護では受け入れが困難な要介護者が利用できる制度である．具体的には，つねに観察を必要とする難病，認知症，脳血管後遺症の重度な要介護者やがん末期患者，気管切開をしている人や医療処置を必要とする人などが対象となる．

⑤在宅療養支援診療所

24時間を通して往診や訪問看護が可能な体制を整備した診療所である．

⑥介護保険施設

「特別養護老人ホーム（特養）」は中重度の要介護者が生活する施設である．リハビリを提供して在宅復帰を目指す介護老人保健施設（略称は老健），医療行為などがあり，長期療養を目的とした介護療養型医療施設（療養病床）である．

## 2. 介護保険サービスの根幹を担う看護職の役割

①訪問看護師

病気や障害のある人が住み慣れた自宅・地域で療養生活を送れるように，看護師が居宅（ご自宅や介護施設等）を訪問してサポートする（在宅サービス）．医療と生活の両方の視点から「その人らしい暮らし」を支援するのが大きな役割である．

②保健師

行政保健師は，地域における訪問指導，健康相談，健康教育，その他の直接的な保健サービス等の提供，地域包括ケアシステムにおける包括的な保健，医療，福祉，介護等のシステムの構築等を実施できるような体制を整備する．地域包括支援センターに所属する保健師は，介護予防マネジメントをはじめ，介護予防相談などを担当する．

③介護支援専門員（ケアマネジャー）

介護保険制度（2000年）のもとにつくられた介護保険法によって生まれた専門職で，うち4割は看護職である．介護保険サービスを利用するために必要なケアプラン（介護サービス計画書）を作成し，関係する事業者や医療機関，自治体などと連携しながら，利用者一人ひとりに最適な介護サービスを提供できるようマネジメントする．ケアマネジャーは介護職員をはじめとした福祉関係者，医療従事者，行政担当者など幅広い人たちと関わりを持ち，介護保険サービス提供の中心的存在として重要な役割を担っている．

## 6 施設から在宅への支援に必要な要素

近年の研究報告から，施設から在宅への支援に何が必要であるかが明らかになってきた．光武らは病院から在宅移行した患者が多い病院には在宅支援の視点を持つ看護師・医師も多かったと報告している[12]．白髭らはまた，再入院を予防するためには，がん患者等の在宅支援において24時間継続して適切な治療が受けられる体制が重要であると述べている[13]．一方，脳卒中地域連携クリティカルパスが運用されている回復期病院から在宅復帰した患者では，食事や更衣などのセルフケアが良好であることから，回復期病棟のADL獲得が重要であることが明らかにされた[14]．さらに，介護老人保健施設における在宅復帰では，在宅復帰には利用者に対するADL支援とともに，家族介護者への在宅療養に関する教育的支援が重要であることが示された[15]．

### ●引用文献

1) 諏訪茂樹：看護にいかすリーダーシップ，医学書院，2002
2) 安酸史子，鈴木純恵，吉田澄恵：ナーシング・グラフィカ成人看護学（4）：セルフマネジメント，メディカ出版，2013
3) Bandura A：SELF-EFFICACY, Freeman, 1997
4) 安酸史子：糖尿病患者のセルフマネジメント教育—エンパワメントと自己効力，第2版，メディカ出版，2004
5) Wallstein N：Powerless, empowerment, and health：Implications for health promotion programs. Am J Health Promot 6（3）：197-205, 1992
6) パウロ・フレイレ（里美実ほか訳）：伝達か対話か，亜紀書房，1982
7) Anderson RM, Funnell MF, Arnold MS（中尾一和，石井均監訳）：エンパワーメントアプローチを用いた患者の行動変化への援助．糖尿病診療のための臨床心理ガイド，181-191頁，メディカルレビュー，1997
8) 河口てる子編：熟練看護師のプロの技見せます！ 慢性看護の患者教育　患者の行動変容につながる「看護の教育的関わりモデル」，メディカ出版，2018
9) 厚生労働省：地域包括ケアシステム〔https://www.mhlw.go.jp/stf/seisakunitsuite/bunya/hukushi_kaigo/kaigo_koureisha/chiiki-houkatsu/〕（最終確認：2023年3月20日）
10) 厚生労働省：地域連携クリティカルパスとは〔https://www.mhlw.go.jp/shingi/2007/10/dl/s1031-5e.pdf〕（最終確認：2023年3月20日）
11) 厚生労働省：地域医療構想〔https://www.ajha.or.jp/guide/28.html〕（最終確認：2023年3月20日）
12) 光武誠吾，石崎達郎，寺本千恵ほか：大都市圏における在宅医療患者の退院後30日以内の再入院に影響する医療施設要因．日本老年医学会雑誌 55（4）：612-623, 2018
13) 白髭豊，野田剛稔，北條美能留ほか：OPTIMプロジェクト前後での病院から在宅診療への移行率と病院医師・看護師の在宅の視点の変化．Palliative Care Research 7（2）：389-394, 2012
14) 出口貴行，藤本俊一郎，大平隆博ほか：脳卒中地域連携クリティカルパスからみた在宅復帰に影響する関連因子の検討．日本医療マネジメント学会雑誌 12（4）：216-220, 2012
15) 中村豪志：介護老人保健施設から在宅復帰するための要因．理学療法科学 31（5）：765-769, 2016

# 2 ヘルスプロモーションの基本理念と方策

## A WHOの健康戦略としてのヘルスプロモーション

### 1 ヘルス・フォー・オール

　WHOは，1977年の世界保健総会において「ヘルス・フォー・オール（Health for All by the year 2000；2000年までにすべての人々に健康を）」を基本目標においた．ヘルス・フォー・オールには38の到達目標がある[1]．そのうち1～12項目（究極の目標）には，健康における公正，寿命の延長，障害者のノーマライゼーション，疾病・障害の減少，平均余命の延長，乳幼児死亡率の低下，妊産婦死亡率の低下，循環器疾患・がん・事故の減少，および自殺の防止がかかげられている．ヘルス・フォー・オールの目標を達成していくために，以下のような健康戦略が推進されてきた．

### 2 アルマ・アタ宣言，オタワ憲章

　その1つが，1978年のアルマ・アタ宣言である．当初，開発途上国向けの健康戦略として提唱されたプライマリヘルスケア（primary healthcare）は，健康は基本的な人権であるとして，すべての人々に基本的なヘルスケアを届けることをねらいとした[2]．これは，限られた資源を有効に活用しながら住民の主体的な参加によって人々の健康を獲得していこうとする画期的なものであった．
　その後，1986年に先進国向けの健康戦略として，「健康的なライフスタイルづくり」と「健康的な環境づくり」に視点を置いたオタワ憲章（1986年）が提唱された[3]．ヘルスプロモーション（health promotion）とは，単に健康増進のことを指すのではなく，健康を推進する新しい世界的運動として，このヘルスプロモーションに関する国際会議において提唱されたオタワ憲章[3]に則った用語である．
　オタワ憲章では，ヘルスプロモーションを自然科学を中心とした医学モデルの範疇でとらえるのではなく，もっと広く生活モデルとして，さらに社会・経済・政治的視野からとらえる必要性を指摘している．ヘルスプロモーションではヘルシズム（healthism：健康至上主義）を否定し，健康は生きる目的ではなく，生活の資源としてとらえている．また，ヘルスプロモーションは健康の責任を私的（個人）責任ではなく，公的（社会的）責任に置いている．このようなことから，ヘルスプロモーションの実現には，平和，住居，教育，収入，安定した生態系，さらに社会正義や公平性などの前提条件が保証される必要がある．現在では，プライマリヘルスケアとヘルスプロモーションは，開発途上国と先進国の両国にとって必要な健康戦略と理解されている．

### 3 健康における公正

　ヘルス・フォー・オールで示された究極の目標である「健康における公正」に関しては，単に平等な政策や支援を提供していくことをねらいとするのではなく，格差が大きな地域にはそれなりの活動や支援が必要となる．このことは，近年注目されている健康格差対策にも通じる課題といえる．オタワ憲章におけるヘルスプロモーション推進の立役者の一人であるキックブッシュ（Kickbusch I）は，健康格差時代における健康問題の是正においては，ホリスティック医学のパラダイムや社会生態学的パラダイムによるポジティブなアプローチが必要であることを指摘している[4]．
　したがって，これからのヘルスプロモーション推進にあたっては，われわれ保健医療に関わるすべての者がヘルスプロモーションの理念を理解し，その活動においてはホリスティック医学や社会生態学的なパラダイムによるポジティブなアプローチへ転換する必要があると言える．なお，「公正」は健康のための前提条件として掲げられているが，プライマリヘルスケア，ヘルスプロモーションのどちらにとっても重要な視点であることを忘れてはならない．

## B ヘルスプロモーションとは

### 1 オタワ憲章およびバンコク憲章による定義

　オタワ憲章（1986年）では，「ヘルスプロモーションとは，人々が自らの健康をコントロールし，改善することができるようにするプロセスである」と定

義している[3]．また，「身体的・精神的・社会的に完全に良好な状態に到達するためには，個人や集団が望みを確認，実現し，ニーズを満たし，環境を改善し，環境に対処することができなければならない．健康は生きる目的ではなく，毎日の生活の資源である．健康は身体的な能力であると同時に，社会的・個人的資質であることを強調する積極的な概念である．それゆえ，ヘルスプロモーションは保健部門だけの責任にとどまらず，健康的なライフスタイルを超えて well-being にも関わる（下線は筆者による）」としている．

さらに，2005年に採択されたバンコク憲章では，オタワ憲章の定義を基本としつつ，新たにナットビーム（Nutbeam D）らが提唱する「健康の決定要因」が加えられ，「ヘルスプロモーションとは，人々が自らの健康とその決定要因をコントロールし，改善することができるようにするプロセスである」と再定義された[5]．

## 2 健康についての考え方とヘルスプロモーション活動の基礎

### 1. 全人的な健康観

前述のオタワ憲章の草稿に大きな貢献をしたキックブッシュは，ヘルスプロモーションでは特定の病気を持つ人々に焦点を当てるのではなく，日常生活を営んでいるすべての人々に目を向けなければならないと指摘している[4]．すなわち，ヘルスプロモーションの中心課題は人々が自らの健康をコントロールすることであって，専門家が定義した健康観で人々の健康を推進させるものではない．

人々が自分の健康を省みるとき，①疾患の徴候や症状に医学的に注目する医学モデル，②社会的役割が遂行できるか否かに注目する役割遂行モデル，③環境への柔軟な適応を維持し有効な相互作用が可能か否かに注目する適応モデル，④幸せ・満足感・愛情など情緒面に注目する幸福モデル，などに基づく全人的なとらえ方によって，1人ひとりが異なる条件をもつことを認識する必要がある．そして個々の条件の中で自分なりに健康状態を調整していく能力を査定することによって1個人の健康度をみることができる．この考えは全人的（holistic）な健康観として紹介されている．全人的健康観では，健康を身体的，精神的，社会的および環境的側面から健康をとらえる．

### 2. ヘルスプロモーション活動

ヘルスプロモーションの推進においては，自分の人生の主体は自分にあると認識し，セルフエフィカシー（self-efficacy，自己効力感）（375頁参照）を高めていくことが重要である．また，よりよい人生を健康で幸せに生きていくためには，自分のライフスタイル（life style，生活様式）を省みると共に，自分を取り巻く環境や制度との関わり，すなわち自然との関わり，人々との関わりについて深く吟味する必要がある．このようなことがヘルスプロモーション活動の基礎となる．

ヘルスプロモーション活動の中心的な課題は，栄養，身体活動，運動，睡眠，禁煙といった個人の生活習慣の改善はもとより，家庭，学校，職場，病院，地域等の生活の場（環境）の改善，そして人間関係の改善，さらには労働や余暇そして制度といった社会生活の質を改善することまで拡大している．ヘルスプロモーション活動は，健康は共に生み出すものだという理念から，人々の健康課題を共有し，解決し，共に推進することに重点を置いている．それゆえ，ヘルスプロモーション活動においては人々の協働を必要としている．人々の能力を全面的に発揮し，人生を楽しみながら，すべての隣人と共にヘルスプロモーション活動を実践しなければならない．

## C ヘルスプロモーションのプロセス戦略

国際化する世界におけるヘルスプロモーション戦略として，強力な政治的な活動，幅広い参加，持続的な唱道が必要であり，ヘルスプロモーションをより進歩させるために，すべての部門と場で，次のようなプロセス戦略に取り組まなければならないとされている．

### 1 オタワ憲章の3つのプロセス戦略

オタワ憲章（1986年）におけるヘルスプロモーションには表VII-1に示すような3つのプロセス戦略，すなわち①唱道（advocate），②能力の付与（enable），そして③調停（mediate）が必要であることが明示された．

### 2 バンコク憲章の5つのプロセス戦略

バンコク憲章（2005年）では，ヘルスプロモーションのさらなる発展に向けて，強力な政治活動，幅広い分野と人々の参加とともに，持続的な活動が必要であることが示されている．それを受けて，オタワ憲章の3つのプロセスに投資，および法的規制と法制定の2つのプロセスを加えて，5つのプロセ

表Ⅶ-1 オタワ憲章の3つのプロセス戦略とバンコク憲章の5つのプロセス戦略

| オタワ憲章の3つのプロセス戦略 | |
| --- | --- |
| 1. 唱道(advocate) | ・すべての人に対して健康が価値あることをあらゆる場で唱えていくこと. |
| 2. 能力の付与(enable) | ・健康に関する知識や技術を健康教育と学習の方法を駆使し, 人々に伝えていくこと. |
| 3. 調停(mediate) | ・健康問題は, 保健医療分野を超えたさまざまな分野間協力のもと活動を展開. |
| バンコク憲章の5つのプロセス戦略 | |
| 1. 唱道(advocate) | ・健康は基本的な権利の1つ. 人々と連帯意識に基づいた唱道をすること. |
| 2. 投資(invest) | ・健康の決定要因を改善するための持続的な実践や活動に投資すること. |
| 3. 能力形成(build capacity) | ・ヘルスプロモーションの実践, ヘルスリテラシーを高めるための支援と活動. ヘルスプロモーションを推進するための健康政策策定. |
| 4. 法的規制と法制定(regulate and legislate) | ・すべての人々の健康とwell-beingのための平等な機会を保障するための法的規制と法制定. |
| 5. パートナー(協働)と同盟(partner and build alliance) | ・持続可能な活動を創造するために, 行政, 地域, 学校, 民間組織, NGO(非政府組織), NPO(民間非営利組織), ボランティア等多様な組織の連携によりヘルスプロモーションを推進. |

ス戦略, すなわち①唱道(advocate), ②投資(invest), ③能力形成(build capacity), ④法的規制と法制定(regulate and legislate), ⑤協働と同盟(partner and build alliance)について提示された(**表Ⅶ-1**).

## D ヘルスプロモーションの活動の方法

オタワ憲章では, ①健康的な公共政策づくり, ②個人の能力・技術の開発, ③支援環境づくり, ④地域活動の強化, ⑤保健・医療サービスの方向転換, の5つの活動方法が提案され, これらを相互に関係づけることの重要性が指摘されている. バンコク憲章でもこれらは継承・発展されている.

### 1 健康的な公共政策づくり

ヘルスプロモーションはヘルスケアの範囲を超えたものである. より安全で健康的な商品とサービスの提供, より健康的な公的サービスの提供, より清潔で快適な環境の確保などのための政策づくりは必須である. そのため, すべての部門, すべてのレベルの政策決定者が「健康」の視点を認識することが重要であり, そのうえで健康的な政策づくりをすることが求められる.

ヘルスプロモーションは生活モデルに基づいているため, 地方自治体, 保健・医療部門, 社会・経済部門, 民間企業, ボランティア組織, メディアなどすべての部門が人々の健康を推進するという視点で政策決定に当たる必要がある. ヘルスプロモーションの政策には立法, 財政, 税制, 組織改変などさまざまな政策が相互に関連し, その基本としてより公正, より平等な社会を目指そうという意識が必要となる. 健康生活, 健康組織, 健康社会を樹立するためには, 小集団レベル, 組織・機関レベル, 地方自治体レベルのそれぞれの不断の活動の中で, 連携も視野に入れた政策づくりが求められる.

ヘルスプロモーションの考え方を踏まえた政策づくりにおいて, 多くの国の研究者や実践家が注目しているのはグリーン(Green LW)らのプリシード・プロシードモデル(PRECEDE-PROCEED model)である[6]. 図Ⅶ-5のように, 8段階のアセスメントを設定して段階ごとの内容を吟味すると同時に, 段階と段階の関連を重視する. このモデルにヘルスプロモーションの考え方が十分意識されているのは, 第1に生活の質(QOL)の向上を目標にしている点, 第2に個人の能力・技術の開発と法律, 経済, 組織の改変をどのように結びつけて計画・実施・評価に当たるべきかを示している点である.

### 2 個人の能力・技術の開発

ヘルスプロモーションの活動では, 健康のための情報提供, あるいは健康教育を実施し, 生活技術を

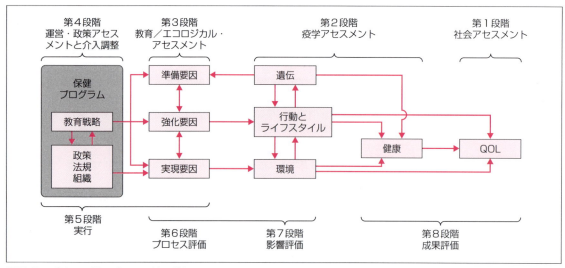

図Ⅶ-5　プリシード・プロシードモデル
〔Green LW, Kreuter MW（神馬従峰訳）：実践ヘルスプロモーション；PRECEDE-PROCEEDモデルによる企画と評価，11頁，医学書院，2005より引用〕

高めることを通じて，個人の健康ならびに健康的な社会の発展を支援する．それによって，人々が自分の健康や環境をよりよくコントロールし，健康になるための選択をする機会を増やすことができるのである．

個人が生活を通じて学び，ライフサイクルのすべてのステージにおいて自ら備え，慢性疾患や傷病に対処していけるようになる必要がある．こうした個人技術の開発を，学校，職場，コミュニティの場で促進する必要がある．

ヘルスプロモーションの実現には，子どもから高齢者まであらゆる年齢の人々が自分の健康状態を認識し，個々人の健康の推進の目標に見合う学習の機会を増やすことが求められる．たとえば慢性疾患や障害をもっている人はそれに対処していけるように，能力・技術の修得ができるようにすることが必要である．このような，ヘルスプロモーションの考え方に則した健康教育として，「健康学習」，「セルフケア教育」，「エンパワーメント教育」などがある．

### 1. 健康学習

健康学習では，医療知識の獲得のみでなく，自分自身の保健行動パターンやライフスタイルを評価し，自分の健康問題を明確化して，人々がその人らしく自己調整できるようにすることに主眼がおかれる．健康学習の特徴は，人々が抱えている問題を出発点とすること，問題解決学習を中心にする点にある[7]．

### 2. セルフケア教育

セルフケア教育では，自助，自己責任，あるいは自主性を重んじる教育を追究する．もっとも重要なのは「自身で考える教育」をいかに教育を展開する過程の中に組み入れるかである．また，グループ学習においては，みんなで考える教育の機会をより多くもつようにすることも大切である[8]．

### 3. エンパワーメント教育

1970年代，ブラジルの教育学者フレイレ（Freire P）は，ラテンアメリカの非識字者たちに対する識字教育において，単に言葉の読み書きを教えるのではなく，「意識化」という手法により，自分たちの境遇を理解し，自分の暮らしや生活をコントロールしていく能力を養うという教育を行った．このような自己のコントロールを取り戻すプロセスをエンパワーメント（empowerment）と名づけた（376頁参照）．

エンパワーメントのプロセスには，①パワーレスになった人々の生活体験に耳を傾ける（傾聴），②パワーレスになった人々の話す言葉に耳を傾け，相互の共感関係を築き，彼ら自身の満たされない状況の根本原因の分析をする（対話），③問題解決のために具体的な行動を起こす（行動）という段階がある．傾聴-対話-行動を繰り返すことにより人はエンパワーメントされ，問題解決の自覚をもって自ら行動することが可能になる[9]．

### 3 健康を支援する環境づくり

コミュニティと自然環境は相互に影響し合う存在

であり，健康への社会生態学的アプローチの基盤をなしている．自然環境および自然資源の保全は，いかなるヘルスプロモーション戦略においても重要であり，国や地方自治体の責任としても保全に努めなければならない．このため，自然資源の保全，地球環境の汚染防止などをヘルスプロモーションの課題として取り組む必要がある．

また，生活をベースにして健康問題に取り組むには，個人のライフスタイルの変容に直接関連する環境づくりが必要である．さらに，労働形態や余暇の過ごし方など人間の生活パターンの変化と健康との関わりを分析し，健康を支援する環境をどのようにつくっていくかについても，公共政策づくりの場，地球環境保全の場，個人能力・技術の開発の場で議論し，行動に移す必要がある．

### 4 地域活動の強化

地域住民の活動を強化するには，住民の主体性を尊重し，自ら健康に関する活動を計画・実行できるよう支援することが求められる．そうすることで，住民自らより良い健康行動を習得できるようになる．このようなコミュニティを発展させるには，自助および共助による社会的支援を強化し，健康問題に関する対策への市民参加とその支援を強化する柔軟なシステムを開発しなければならない．このため，地域の人的・物的資源が鍵となる．また，健康に関する情報提供や学習の機会，資金的援助が十分かつ持続的に得られることも必要である．地域活動を強化し，地域社会に現存する資源の活用，ときには新たな資源をつくりだすことも必要となる．

### 5 保健・医療サービスの方向転換

従来の保健医療サービスは，医師によって判定された異常や疾病を中心に提供されていた．しかし，ヘルスプロモーションにおいては，保健・医療は対象者の自主性を尊重し，万人が健康増進の権利と義務をもつという認識のもと推進していく必要がある．さらに，病気や健康問題がある人のみが対象ではなく，すべての人が対象となる．

ヘルスプロモーションの活動においては，個人，コミュニティグループ，保健医療従事者，さらには政府が，責任を分かち合っている．保健医療従事者の役割は，臨床的・治療的サービスを提供するという責任を超えて，「健康を創造する」といったヘルスプロモーションの方向へ移行しなければならない．

保健・医療計画が医療機関中心から人々の生活基盤である地域社会重視となったことも方向転換のひとつである．医療機関も地域社会の1つの資源として位置づけることが重要である．

### E ヘルスプロモーションの概念図

図VII-6は，島内氏が開発した有名なヘルスプロモーションの概念図である[10]．この図は，健康に影響する要因として遺伝，ヘルスサービス，ライフスタイル，および環境の4つの要因を勘案して創られた．

この概念図では，ヘルスプロモーションが健康という玉を1人の人間が押し上げるイメージで示されている．玉を押し上げていくためには人に力がないと押し上げられない．この坂をライフスタイル，すなわち生涯にわたる生活習慣づくり（運動・栄養・休養・禁煙等）として位置づけられている．健康という玉を押し上げるには，得られた健康に関する知識と技術を身につけて実践する必要がある．しかしながら，すべての人が同じ力ではない．力の弱い人はこの玉を押し上げることが難しくなる．この坂道を緩やかにすれば，力のない人でも玉を押し上げていくことができる．この坂道を緩やかにすることが環境（自然・物理・人間）づくりととらえることができる[10]．たとえば，障害者や高齢者に優しい段差

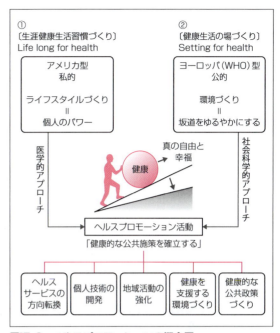

図VII-6　ヘルスプロモーションの概念図
［島内憲夫：ヘルスプロモーションの近未来　健康創造の鍵は？日本健康教育学会誌 23（4）：307-317，2015 より許諾を得て転載］

のない道路づくり，タバコの自動販売機の撤去，きれいな空気・水の確保，健康な生鮮食料の提供，あるいはストレスのない学校や職場づくり等である．

健康を維持・増進するためには，適度な運動が必要となる．しかし，1人で（自助）楽しく運動を継続するには限界がある．地域で運動教室を開催（共助）し，地域住民と一緒に運動すると，より楽しく運動を継続することが可能となる．さらに，行政としては，ヘルスプロモーションを推進するための健康政策として（公助），効果的な運動のやり方を紹介したDVDや万歩計を行政が貸し出すことにより，地域での運動教室を拡充することもできる．このような取り組みにより，住民の健康レベルを向上させ，ヘルスプロモーションをより推進することが可能となる．

## F 日本のヘルスプロモーションと健康政策

### 1 健康日本21

わが国のヘルスプロモーションの代表的な健康政策である「21世紀における国民健康づくり運動（以下，健康日本21）」は，健康寿命の延伸などを実現するため，2000年から開始された．2000～2012年は健康日本21（第1次）が，2013年からは健康日本21（第2次）が推進され，2024年から健康日本21（第3次）が開始される．

#### 1. 健康日本21の導入の背景

1950年代以降，結核などの感染症による日本人の死亡の割合は医療と予防の進歩によって徐々に低下した．一方，生活習慣が主要な原因となる悪性新生物，心疾患，脳血管疾患による死亡の割合は上昇傾向にあり，1990年代には，三大生活習慣病（悪性新生物，心疾患，脳血管疾患）による死亡率が全死亡率の60％を占めていた．生活習慣病は，1996年に公衆衛生審議会が提案した疾患概念で，喫煙，飲酒，食生活，運動などの生活習慣により発症・増悪することが解明されている．このため，生活習慣の改善による予防が急務となっていた．社会保障と医療経済の視点からみても，わが国の医療費は年々増大し，循環器疾患，悪性新生物における医療費は3割以上を占めていた．生活習慣病に関する疾病構造の変化と国民医療費の上昇に対応するため，国は一刻も早く生活習慣病対策を推進する必要があった．このようなことを背景として，2000年に厚生労働省が健康日本21の推進を正式に発表した．健康日本21の内容は，2002年に制定された健康増進法（後述）を基本方針として策定された．これ以降，わが国のヘルスプロモーションに関する健康政策は1次予防を重視し，大きな転換期を迎えた．

#### 2. 健康増進法

健康増進法は，国民の健康増進を図るために，国民，国および地方公共団体，健康増進事業実施者（保険者，事業者，市町村，学校など）のそれぞれの責務と定めている．基本条項は，健康日本21の法制化，国民健康・栄養調査の実施，健康診査など指針の策定（実施，結果通知，健康手帳の交付），都道府県および市町村による保健指導の実施，公共の場における受動喫煙の防止，特定給食施設における栄養管理の推進および食事摂取基準，特別用途表示および栄養表示基準に関する規定を含んでいる．健康増進法はわが国のヘルスプロモーションの法的根拠となっており，健康政策の重要な法律である．

#### 3. 健康日本21（第1次）

健康日本21（第1次）は，わが国の第3次国民健康づくり対策として生活習慣病およびその原因となる生活習慣などの課題について，9分野（栄養・食生活，身体活動・運動，休養・こころの健康づくり，たばこ，アルコール，歯の健康，糖尿病，循環器病，がん）に関する59項目の目標を設定した．健康日本21（第1次）の特徴は，国，都道府県，市町村の3つのレベルにおいて1次予防を重視する基本計画を立て，住民参加など多様な実施主体の連携により実施することであった．2000～2012年の実施結果では，59の目標のうち，10項目（16.9％）を達成し，25項目（42.4％）が改善したと厚生労働省が発表した[11]．

#### 4. 健康日本21（第2次，第3次）

2012年，健康増進法の改正に基づき，厚生労働大臣によって「国民の健康の増進の総合的な推進を図るための基本的な方針」の中に21世紀における第2次国民健康づくり運動（以下，健康日本21〈第2次〉）（2013～2022年）が盛り込まれた[12,13]．2023年には，第2次の基本的な方針が改正された健康日本21（第3次）が公表され，2024（令和6）年4月1日から適用されることになった．

健康日本21（第3次）の基本的な方向は，①健康寿命の延伸と健康格差の縮小，②個人の行動と健康状態の改善，③社会環境の質の向上，④ライフコースアプローチを踏まえた健康づくり，である（表Ⅶ-2）[14]．

表VII-2 健康日本21（第3次）の基本的な方向と目標（概要）

| 基本的な方向 | 指標・現状値 | | 目標値 |
|---|---|---|---|
| 1. 健康寿命の延伸・健康格差の縮小 | (1) 健康寿命の延伸 | 日常生活に制限のない期間の平均[*1]<br>・健康寿命：男性 72.68 歳，女性 75.38 歳<br>・平均寿命：男性 81.41 歳，女性 87.45 歳 | 平均寿命の増加分を上回る健康寿命の増加[*2] |
| | (2) 健康格差の縮小 | 日常生活に制限のない期間の下位4分の1の都道府県の平均[*1]<br>・下位4分の1：男性 71.82 歳，女性 74.63 歳<br>・上位4分の1：男性 73.38 歳，女性 76.50 歳 | 日常生活に制限のない期間の平均の上位4分の1の都道府県の平均の増加分を上回る下位4分の1の都道府県の平均の増加[*2] |
| 2. 個人の行動と健康状態の改善 | 2-1 生活習慣の改善（以下は指標の例示のみ，現状値は略） | | 略 |
| | (1) 栄養・食生活 | ①適正体重を維持しているものの増加，②児童・生徒における肥満傾向児の減少，③バランスの良い食事を摂っている者の増加，④野菜摂取量の増加，⑤果物摂取量の改善，⑥食塩摂取量の減少 | |
| | (2) 身体活動・運動 | ①日常生活における歩数の増加，②運動習慣者の増加，③運動やスポーツを習慣的に行っていないこどもの減少 | 略 |
| | (3) 休養・睡眠 | ①睡眠で休養がとれている者の増加，②睡眠時間が十分確保できている者の増加，③週労働時間60時間以上の雇用者の減少 | 略 |
| | (4) 飲酒 | ①生活習慣病（NCDs）のリスクを高める量を飲酒している者の減少，②20歳未満の者の飲酒をなくす | 略 |
| | (5) 喫煙 | ①喫煙率の減少（喫煙をやめたいものがやめる），②20歳未満の者の喫煙をなくす，③妊娠中の喫煙をなくす | 略 |
| | (6) 歯・口腔の健康 | ①歯周病を有する者の減少，②よく噛んで食べることができる者の増加，③歯科検診の受診者の増加 | 略 |
| | 2-2 生活習慣病（NCDs）の発症予防・重症化予防 | | 略 |
| | (1) がん | ①がんの年齢調整罹患率の減少，②がんの年齢調整死亡率の減少，③がん検診の受診率の向上 | |
| | (2) 循環器病 | ①脳血管疾患・心疾患の年齢調整死亡率の減少，②高血圧の改善，③脂質（LDLコレステロール）高値の者の減少，④メタボリックシンドロームの該当者及び予備群の減少，⑤特定健診審査の実施率の向上，⑥特定保健指導の実施率の向上 | 略 |
| | (3) 糖尿病 | ①糖尿病の合併症（糖尿病腎症）の減少，②治療継続者の増加，③血糖コントロール不良者の減少，④糖尿病有病者の増加の抑制，⑤メタボリックシンドロームの該当者及び予備群の減少（再掲），⑥特定検診審査の実施率の向上（再掲），⑦特定保健指導の実施率の向上（再掲） | 略 |
| | (4) COPD | COPDの死亡率の減少 | 略 |
| | 2-3 生活機能の維持・向上 | | 略 |
| | | ①ロコモティブシンドロームの減少，②骨粗鬆症検診受診率の向上，③心理的苦痛を感じている者の減少 | |
| 3. 社会環境の質の向上 | 3-1 社会とのつながり・こころの健康の維持及び向上 | | 略 |
| | | ①地域の人々とのつながりが強いと思う者の増加，②社会活動を行っている者の増加，③地域等で共食している者の増加，④メンタルヘルス対策に取り組む事業場の増加，⑤心のサポーター数の増加 | |
| | 3-2 自然に健康になれる環境づくり | | 略 |
| | | ①「健康的で持続可能な食環境づくりのための戦略的イニシアチブ」の推進，②「居心地が良く歩きたくなる」まちなかづくりに取り組む市町村数の増加，③臨まない受動喫煙の機会を有する者の減少 | |
| | 3-3 誰もがアクセスできる健康増進のための基盤の整備 | | 略 |
| | | ①スマート・ライフ・プロジェクト活動企業・団体の増加，②健康経営の推進，③利用者に応じた食事提供をしている特定給食施設の増加，④必要な産業保健サービスを提供している事業場の増加 | |
| 4. ライフコースアプローチを踏まえた健康づくり | (1) こども | ①運動やスポーツを習慣的に行っていないこどもの減少（再掲），②児童・生徒における肥満傾向児の減少（再掲），③20歳未満の者の飲酒をなくす（再掲），④20歳未満の者の喫煙をなくす（再掲） | 略 |
| | (2) 高齢者 | ①低栄養傾向の高齢者の減少（一部再掲），②ロコモティブシンドロームの減少（再掲），③社会活動を行っている高齢者の増加（一部再掲） | 略 |
| | (3) 女性 | ①若年女性のやせの減少（一部再掲），②骨粗鬆症検診受診率の向上（再掲），③生活習慣病（NCDs）のリスクを高める量を飲酒している女性の減少（一部再掲），④妊娠中の喫煙をなくす（再掲） | 略 |

[*1]：2019（令和元）年度，[*2]：2031（令和13）年の健康寿命を用いて評価予定．

［厚生労働省：健康日本21（第3次）推進のための説明資料より抜粋，令和5年5月（最終確認：2023年6月12日）］

### 2 特定健康診査・特定保健指導

特定健康診査および特定保健指導は，2008年に開始された生活習慣病を予防する健康政策である[15]．根拠法令は，高齢者の医療の確保に関する法律と国民健康保険法で，実施主体は医療保険者である．

これは，40〜74歳までの公的医療保険加入者全員を対象として，メタボリックシンドロームに着目した特定健康診査を実施し，その結果から，生活習慣病の発症リスクが高い者に対して保健師や管理栄養士などの専門スタッフにより特定保健指導を実施するものである．

## G ヘルスプロモーションの有効性

ヘルスプロモーションの有効性は，健康の推進を左右する要因がうまく改善されているか否かによって査定される．この要因には個人のライフスタイルの変容，社会的・経済的環境状況の改善，保健・医療サービスの供給などがある．ヘルスプロモーションの有効性と根拠（エビデンス）を探求するには，医学・生物学的指標だけではなく，個人の知識，モチベーション，行動の指標のほかに，社会現象を扱うような俯瞰的な視点から評価することが求められる．

● 引用文献

1) WHO Regional Office of Europe：Health for All, 1985
2) Primary Health Care, Report of the International Conference on Primary Health Care, Alma-Ata, USSR, WHO, 1978
3) WHO Regional Office for Europe：Ottawa Charter for Health Promotion, 1986
4) Kickbusch I：The Meaning of Cooperation in Health Promotion, Tha 1st Regional Conference of the IUHPE, Northern Part of the Western Pacific, 2000
5) 島内憲夫，鈴木美奈子：ヘルスプロモーション；WHO：バンコク憲章〈21世紀の健康戦略シリーズ〉，17頁，垣内出版，2012
6) Green LW, Kreuter, MW（神馬従峰訳）：実践ヘルスプロモーション；PRECEDE-PROCEEDモデルによる企画と評価，11頁，医学書院，2005
7) 石川雄一：健康学習の展開．健康教育大要（石井敏弘編），173-177頁，ライフサイエンス・センター，1998
8) 宮坂忠夫：セルフ・ケアと健康教育．健康教育論（宮坂忠夫，川田智惠子，吉田亨編緒），63-68頁，メヂカルフレンド社，1999
9) 吉田 亨：健康学習とEmpowerment Education. Health Sci 10（1）：8-11, 1994
10) 島内憲夫：ヘルスプロモーションの近未来 健康創造の鍵は?．日本健康教育学会誌 23（4）：307-317, 2015
11) 厚生労働省ホームページ：「健康日本21」最終評価の公表〔http://www.mhlw.go.jp/stf/houdou/2r9852000001r5gc.html〕（最終確認：2022年3月1日）
12) 厚生労働省ホームページ：厚生労働省告示第四百三十号〔http://www.mhlw.go.jp/bunya/kenkou/dl/kenkounippon21_01.pdf〕（最終確認：2022年3月1日）
13) 厚生労働省ホームページ：健康日本21（第二次）の概要〔https://www.mhlw.go.jp/topics/2015/02/dl/tp0219-05-05p.pdf〕（最終確認：2022年3月1日）
14) 厚生労働省：健康日本21（第3次）推進のための説明資料（その1）〔https://www.mhlw.go.jp/content/001102731.pdf〕，（その2）〔https://www.mhlw.go.jp/content/001102732.pdf〕，令和5年5月（最終確認：2023年6月12日）
15) 厚生労働省ホームページ：特定健診・特定保健指導について〔https://www.mhlw.go.jp/stf/seisakunitsuite/bunya/0000161103.html〕（最終確認：2022年3月3日）

# VIII

## 診療の補助

# 1 薬物療法の管理

## A 看護師が薬について理解する必要性

日本医療機能評価機構の報告によると日本の医療事故の報告件数は最近10年以上にわたって増加しており，その医療事故の当事者は医師と共に看護師が多い[1]．医療安全の観点から，与薬過程における判断と実践のためには潜在的なリスクを回避するための薬理学の知識と技術を得ておくことが重要である[2]．また，社会においては専門看護師の活躍だけでなく，特定行為研修が行われ，栄養や水分管理，感染，血糖コントロール，疼痛管理，循環動態，精神および神経症状，皮膚損傷など多岐にわたる薬剤投与や投与量調整が看護師に任されるようになっている[3]．つまり，臨床現場において看護職に薬に関する知識は必須であり，その責任は重大である．

## B 看護師が行う与薬・薬物管理とは

「与薬」とは治療や検査の目的で医師の指示のもとに薬を投与することを指す．与薬には「指示受け」，「準備」，「実施」のプロセスがある．そのプロセスにおける看護師の役割は，①医師の指示された薬を正しく与薬する，②「正しい患者」「正しい薬」「正しい用量」「正しい時間」「正しい経路」「正しい目的」の6Rを確認し，処方箋や薬のダブルチェックを行う，③与薬後の患者の効果・有害事象を確認し，必要に応じて医師に報告する，④服薬に関する説明や支援も行うことである．このような与薬およびその後の患者の薬物管理を担うには，看護師は患者が使用している薬の作用と時間（効果発現・消失），予測される有害事象の観察と早期の対応方法を正しく理解している必要がある．

与薬について，医師は患者の病態・症状に応じて標準的な用法・用量に従い処方を行う．薬剤師は医師より処方された内容を確認し，患者に対して薬の効果や有害事象について説明，あるいは一般的な服薬上の注意について指導を行う．そして看護師は実際に与薬し，患者を観察して，薬の効果や有害事象を判断し，医師へ報告する．このように，与薬は多職種が各々の専門性から役割を担うことによって遂

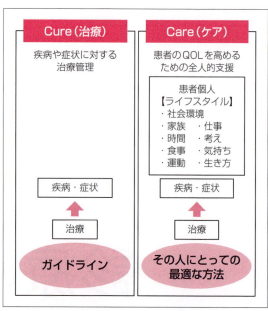

図Ⅷ-1 与薬・薬物管理時における看護の考え方
[赤瀬智子：看護における薬理学教育．日本薬理学会雑誌 151：191-194，2018 より引用]

行される．図Ⅷ-1[4]に示したように，医師は疾病や症状に関してガイドラインの方針に沿って治療を行うが，看護師はその治療に際し，与薬や薬物管理時のケア（患者のQOLを高めるための全人的支援）として，その患者にとっての最適な方法を考えることが重要な役割である．患者個々のライフスタイル，つまり，仕事，社会環境，家族，時間，食事，運動，考え，気持ち，生き方等の情報を得，その人にとって最適な治療を考え支援していく．

## C 与薬・薬物管理の知識・技術

### 1 医薬品とは

医薬品は，人の身体の構造や機能に影響し，人の疾病の診断，治療，予防に使用される化学物質で，医薬品・医療機器等の品質，有効性および安全性の確保等に関する法律（医薬品医療機器等法）で定められ，日本薬局方（厚生労働大臣が定める医薬品の規格基準書）に収められている（医薬品医療機器等

表Ⅷ-1　薬の投与に関係する単位

| 単位 | 解説 |
|---|---|
| 重さ | 1 g＝1000 mg，1 mg＝1000 μg，1 μg＝1000 ng |
| 容量 | 1 L＝10 dL＝1000 mL |
| 濃度（％） | ・％（w/v），％（v/v），％（w/w）の3種類がある<br>・wはweight（重量），vはvolume（容量）を示す |
| 単位（U） | ・生物由来成分の医薬品で多く用いられている成分量の表示<br>・インスリンやヘパリンなど |
| 国際単位（IU） | ・生体に対する効力を国際的に統一して示す単位　・ビタミン製剤やインターフェロン製剤など |
| 滴 | スポイト1 mL＝20滴，輸液セット1 mL＝20滴（一般用）1 mL＝60滴（微量用），目薬1滴 30-50 μL |
| 投与量 | ・体重あたりの投与量：mg/kg，μg/kg　体表面積あたりの投与量：mg/m$^2$<br>・時間（分）・体重あたりの投与量：mg/kg/min，μg/kg/min，ng/kg/min |

法）．

　医薬品は化学物質であるが，その成分は，食品として用いられていたり，人の生体内物質であったりするものもある．たとえば，酢酸は化学物質であるが，人の生体内で生成される成分[5]でもある．さらに皮膚軟化剤として白癬等に使用される医薬品としても使われ，食品の酢でもある．その酢酸の濃度は，医薬品は30％[1]，皮膚軟化剤として使用する際は0.5-1％[1]，食酢は4-5％で，同じ成分でも使用目的によりその濃度は異なる．また，インスリンやヘパリンは処方箋や指示箋に投与量が「単位」で表記されるが，単位と量を誤解する医療事故報告が多い[1]．薬の濃度や単位などの化学的知識は重要である．臨床現場でよく使用される単位を表Ⅷ-1に示す．

　また，医薬品にステロイド薬があるが，人の体内の副腎から出る副腎皮質ホルモンの糖質コルチコイドと同様の機序で作用する．成人では1日20 mgが副腎で産生され，人の身体を動かし，ストレスに対応する副腎の予備力は通常240 mgである[6]．外からステロイド薬としての投与量が20 mg以上であった場合，同様に働いているホルモンの存在する生体への影響を考えなければならない．

　このように，薬の濃度や単位の化学的知識とヒトの身体への影響を理解できる生物学的知識をつなげて総合的に薬を理解する必要がある．

## 2 薬の正しい情報

　ここでは代表的な2つの医薬品情報源を紹介する．いずれも「医薬品医療機器情報提供ホームページ（https://www.pmda.go.jp/）」から誰でも医薬品の正確な情報として入手できる．

### 1．医薬品添付文書

　医療従事者が医薬品を適正に使用するために，医薬品医療機器法等によって医薬品に必ず添付するように規定されている公文書で，製薬会社が作成している．使用上の注意，用法・用量，効能，副作用などの基本的情報が掲載されている．

### 2．医薬品インタビューフォーム（IF）

　医薬品添付文書に載っていない情報を補完し，医療従事者のためのさらに必要な総合的医薬品説明書である．日本病院薬剤師会が策定し製薬会社が作成している．有効成分，製剤の組成，薬物動態，安全性に関する項目などについて理由や詳細なデータが掲載されている．

## 3 薬の取り扱い（保管と管理）

　薬には成分のみではなく，基剤や添加剤が入っており，温度，湿度，光，酸素などによって影響を受けるため，保管・管理条件がある．

### 1．温度

　一般的に低い温度で保管するほど安定しており，高い温度になると成分が分解，変質が起こりやすくなる．添付文書に具体的な数値が指定されている場合と，室温，常温，冷所と記載されている場合がある．指定されている場合は指定温度，室温は1-30℃・常温は15-25℃・冷所は1-15℃（日本薬局方）で保管する．

### 2．湿度

　湿度の高い時期は外観上，湿潤・着色・変色・崩壊することがある．外観上変化がある場合は使用しない．とくに薬が一包化されている場合は変化しやすいため確認する．

### 3．光

　光の影響で薬は分解することがある．薬の分解を防ぐ工夫として褐色アンプルや遮光シートに保管されている．とくにビタミン剤は光分解を起こすため，遮光カバーを使用して投与する必要がある．また，直射日光だけではなく，室内灯でも分解される

表Ⅷ-2　劇薬と毒薬の相違と取り扱い

| 条 | 医薬品医療機器等法の内容（一部抜粋） |
|---|---|
| 第44条<br>（表示） | 毒性が強いものとして厚生労働大臣が薬事・食品衛生審議会の意見を聴いて指定する医薬品（以下「**毒薬**」という．）は，その直接の容器又は直接の被包に，黒地に白枠，白字をもつて，その品名及び「**毒**」の文字が記載されていなければならない．劇性が強いものとして厚生労働大臣が薬事・食品衛生審議会の意見を聴いて指定する医薬品（以下「**劇薬**」という．）は，その直接の容器又は直接の被包に，白地に赤枠，赤字をもつて，その品名及び「**劇**」の文字が記載されていなければならない． |
| 第48条<br>（貯蔵・陳列） | 業務上毒薬又は劇薬を取り扱う者は，**これを他の物と区別して，貯蔵し，又は陳列しなければならない**．前項の場合において，**毒薬を貯蔵し，又は陳列する場所には，かぎを施さなければならない**． |

表Ⅷ-3　麻薬および向精神薬の取り扱い

| 条 | 麻薬及び向精神薬取締法の内容（一部抜粋） |
|---|---|
| 麻薬<br>第34条<br>（保管） | ・**麻薬以外の医薬品（覚せい剤を除く）と区別し，かぎをかけた堅固な設備内に貯蔵して行わなければならない**． |
| 第48条<br>（麻薬管理者の届出） | 麻薬管理者は，前年の十月一日からその年の九月三十日までの間に当該麻薬診療施設の開設者が譲り受けた麻薬及び同期間内に**当該麻薬診療施設で施用し，又は施用のため交付した麻薬の品名及び数量**を都道府県知事に届け出なければならない． |
| 向精神薬<br>第50条の21<br>（保管） | 向精神薬取扱者は，向精神薬の濫用を防止するため，厚生労働省令で定めるところにより，その所有する**向精神薬を保管し，若しくは廃棄し**，又はその他必要な措置を講じなければならない． |

薬もあるため注意する．

### 4. 酸素

　酸素により分解する薬がある．薬の品質を保つため酸化防止剤が加えられている薬やイントラリポス輸液（静注用脂肪乳剤）など酸素バリア性の外装で包装されているものもある．そのため，外袋を使用する直前に開封する．

### 5. 使用期限

　薬は未開封だと製造してから3年は効果が変わらず使用できるよう品質確認試験を行っている（3年未満の薬もあるので注意）．厚生労働大臣が医薬品医療機器等法で安定性が十分に確保される使用期限の表示を定めている．薬の外箱や注射薬，外用薬には使用期限（開封後の期限ではなく適正に保管し未開封の場合の期限）が記載されている．使用期限が切れている場合は有効成分が減少，変質しているおそれがあるため，使用しない．点眼薬の開封後の使用期限については細菌汚染度の危険性がさまざまなため定められていないが，製薬会社では，1ヵ月（内容量5mLの点眼薬は1滴30-50 μL[7]で使用のため100回分，これを1日3回使用すると33日分）を推奨している[1]．また，インスリン製剤は自分で投与するため，大部分は使用開始後室内保存28日となっている[1]．

### 6. 薬の管理

　医薬品医療機器等法により生命や健康を害する危険性の高い医薬品が劇薬・毒薬に指定され，麻薬及び向精神薬取締法の規定のもと，症状緩和や治療を目的として麻薬や向精神薬が医療において使用されている．その取扱いについて**表Ⅷ-2，3**に示す．

## D 薬が効く仕組み

### 1 投与方法

　薬の投与方法には口から投与して消化管を通じて体内に吸収させる内服（経口投与），皮膚や粘膜に投与する外用（点眼，点耳，点鼻，口腔内投与，吸入，経皮投与，直腸内投与），直接体内に薬を投与する注射（皮内注射，皮下注射，筋肉注射，静脈注射）などがある．

### 2 体内における薬の動き

　薬が安全かつ効果的に患者に用いられているか観察し管理していくためには，看護師は薬がどのように身体に取り込まれ，どのような経過をたどり治療効果や薬物有害反応を示すのかを知る必要がある．これらを薬物動態といい，ADME（absorption〔吸収〕，distribution〔分布〕，metabolism〔代謝〕，

excretion〔排泄〕）の過程で示される．

## 1．吸収

　経口投与された薬は消化管を通り小腸へ到達し，小腸管腔壁から門脈を通り肝臓を経由して全身循環として血中に入る．薬が消化管を通過する際，胃酸の分泌状態（空腹時pH 1-2，食後pH 4-5，またその量）や胃腸管血流，胃腸管運動により薬の吸収に影響する．また，吸収過程において，薬は小腸および肝臓で代謝を受ける（初回通過効果）．この初回通過効果を受けることにより，全身に入る薬の量が減少する．外用や注射は，初回通過効果を受けず各部位の血管から直接薬が吸収され有効血中濃度に達しやすい利点から，投与方法として選択される．

## 2．分布

　血液中に存在する薬はタンパク質（主にアルブミン）と結合する結合型と遊離型に分かれ，遊離型のみが血管を通過して作用部位へ到達する．このように，薬が血液中から作用部位（各組織）へ到達する過程を分布という．個人の血清アルブミン量が低栄養等で減少していれば，血中に遊離型薬物が増え過剰な薬効を示すことになる可能性がある．個人の体脂肪量が多い場合は脂溶性薬物が蓄積し，過剰な薬効を示すことにつながる可能性がある（組織内水分量が多い場合は水溶性薬物）．患者の身体状態を理解したうえで，薬の効果や薬物有害反応の予測をすることが大切である．

## 3．代謝

　吸収された薬は主に肝臓で代謝酵素により化学構造が変化し，水に溶けやすく排出されやすくなる．代謝を行う酵素を薬物代謝酵素（cytochrome P450，CYP）といい，その代謝酵素には多くの種類がある．主に肝細胞内にあり，肝臓を通過すると多くの薬が代謝され，薬効を示す薬の濃度（未変化体[*1]の量）は減少する．代謝への影響因子は肝血流量，薬物代謝酵素の種類と量，初回通過効果である．肝臓のほか，肺，腎臓，消化管，皮膚などでも代謝される．

## 4．排泄

　血中の薬は体外に排泄される．排泄の主な経路は尿中（一部胆汁中）で，腎臓が重要な役割を示す．腎臓は糸球体で濾過された薬物や代謝物を尿中に排泄し薬物血中濃度を消失させる．そのため，排泄に影響する因子は糸球体濾過量と腎血流量である．薬の代謝物は薬効にほとんど関係ないが，薬効を示す未変化体の尿中排泄率が重要である．添付文書やインタビューフォーム（391頁参照）に記されている未変化体の尿中排泄率がおよそ70％以上の場合は腎排泄型の薬であり，25％以下の場合は肝代謝型の薬を示す[8]．腎排泄型の薬物は腎機能低下の患者の場合は血中濃度が上がりやすく，肝排泄型の薬物は肝機能が低下した患者の場合に血中濃度が上がり薬の作用時間が延長したり，作用が増強する可能性があるため注意する．

## 3 看護師の薬物療法時の観察ポイント

### 1．与薬後数分は過敏反応の観察をする

　薬の投与により，薬が異物として認識しアレルギー反応を起こすことがある．とくにアナフィラキシーショックでは15-20分で発赤，膨疹等が起こり，生命に危機を及ぼす．アナフィラキシーの初期症状は掻痒感，蕁麻疹，呼吸困難，低血圧，悪心，便意（下痢）などである．アナフィラキシーショックを引き起こしやすい薬はヨード系造影剤，インスリン，βラクタム系抗菌薬（ペニシリン系，セフェム系など），溶解補助剤である[6]．そのため，投与後数分間は十分に観察する．

### 2．薬の作用機序を知ることで効果と薬物有害反応を予測する

　人の体内では神経伝達物質やホルモン，生理活性物質などが細胞間で情報伝達され，さまざまな生理作用を引き起こしている．これらは細胞の細胞膜あるいは細胞内の受容体に結合し作用する．受容体に作用すると細胞内でシグナルが伝達され生理作用を示す．薬の多くはこの受容体と結合し作用を発揮する作動薬と，受容体に結合するが生理作用を示さず，本来の情報伝達物質の結合を阻害し作用を抑制する拮抗薬がある．また，薬の中には特定の酵素の働きを阻害する阻害薬や，細胞膜にあるイオンチャネルを開閉することにより効果を示す薬もある．

　薬にはそれぞれ作用点がある．たとえば，がん性疼痛がある場合，非ステロイド性抗炎症薬（ロキソプロフェン：ロキソニン®等）やアセトアミノフェンで痛みを抑制する．しかし，痛みが強くなった場合はオピオイド鎮痛薬（モルヒネ等）を用いる．非ステロイド性抗炎症薬はシクロオキシゲナーゼ（酵素）を阻害してプロスタグランジン（発痛物質）合成を抑制することにより痛みを抑える．アセトアミノフェンは視床と大脳皮質の痛覚閾値を高めることにより鎮痛作用を示す．さらに痛みが強くなった場合はオピオイド鎮痛薬を用いる．オピオイド鎮痛薬は脳や脊髄のμ受容体に作用し鎮痛効果を示す．同じ痛みを止める同じ目的でも作用機序が相違するた

---

[*1] 肝臓で代謝を受けていない薬物．

表Ⅷ-4　薬物動態パラメータ

| 用語 | 意味 |
|---|---|
| Tmax (hr) | 薬物を投与してから最高血中濃度（Cmax）に達するまでの時間 |
| Cmax (ng/mL) | 薬物投与後に得られる最高血中濃度 |
| AUC (ng/mL・hr) | 血中濃度-時間曲線下面積：血液中に吸収された薬の量 |
| $T_{1/2}$ (hr) | 薬の血中濃度が半分になるまでの時間 |

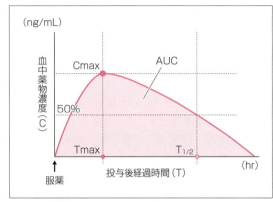

図Ⅷ-2　薬物動態パラメータの概念図

め，3種類の薬の使用が可能である．非ステロイド性抗炎症薬はシクロオキシゲナーゼ（酵素）を阻害するため，この酵素が関与する胃粘膜保護作用が阻害され胃腸障害の出現の可能性がある．オピオイド鎮痛薬はμ受容体に作用するが，消化管にもμ受容体があるため，消化管障害から便秘を引き起こす可能性がある．このように，薬の作用機序から薬物有害反応を予測し対応できる．

### 3. ADMEを知ることで効果と薬物有害反応の時間を予測する

薬を投与し血中濃度が上昇すると，身体に作用する一方で薬物有害反応も出現しやすくなる．添付文書に記載のある薬物動態パラメータの意味[9]を紹介する（表Ⅷ-4）．Tmax（hr）で最高血中濃度に達する時間を確認し，薬の効果や薬物有害反応の発現の目安の時間とする．Cmax（ng/mL）は，投与量により治療域，中毒域などの薬の濃度を知る目安となる．AUC（ng/mL・hr）は薬の効果の強弱を反映する目安となる．$T_{1/2}$（hr）は薬の効果が消失する目安となる．こうした薬物動態を知ることにより，薬がどのくらいの量でどの時間に効くのか，また効果が不十分なのか把握でき観察できる（図Ⅷ-2）．

### 4. 薬の効き方の個人差

服用した際，薬の効き方には差がある場合がある．これはADME（薬物動態，392頁）が人によって異なるからである．ADMEへの影響因子をいくつか示す．

①薬物代謝酵素：人にはこれらの酵素の量や質の差がある．
②遺伝：個人の遺伝子により特定の薬物代謝酵素が欠如もしくは高い場合がある．
③性差：性別により体の大きさ，体脂肪量や筋肉量，ホルモン量が相違する．具体的には女性は脂肪が多いため脂溶性薬物が蓄積しやすいなど，である．
④加齢：身体の生理機能が年齢と共に変化，低下するためである．具体的には加齢により肝・腎機能が低下すると薬の代謝・排泄されるまでの時間が延長し，作用・薬物有害反応が強く出現する可能性がある[10]．
⑤食事：用法によって薬の吸収に影響する．食事の内容によっても吸収や代謝に影響する．
⑥疾患：肝臓や腎臓に疾病があると，薬の代謝や排泄が影響を受ける．また心臓疾患による循環血液量，甲状腺機能の亢進や低下によっても体内動態に影響する[11]．

### 5. 服用時間・投与のタイミング

薬は特性により服用時間が決まっている．服用時間と服用間隔は薬の効き方（血中濃度など）に関わってくる．

#### 1）服用時間の目安

①起床時

朝起きてすぐ服用する．胃の中が空腹で他の薬の影響を受けない．ビスホスホネート（bisphosphonate：BP）製剤[*2]は食事や他の薬の影響を受け吸収されなくなるため，起床時に服用する．また，朝の症状を抑えるために起床時に服用する薬もある．

②食前

食事の30-60分前．食事の影響を受け薬の吸収が低下する薬や吐気など事前に症状を抑える必要がある薬（胃腸機能調整薬，漢方薬など）は食前に服用する．

---

[*2] 破骨細胞の働きを阻害し，骨の吸収を防ぐ薬．

③食直前

食事のすぐ前．食事を始める10分以内に服用する．糖尿病の薬（αグルコシダーゼ阻害薬，速効型SU剤）など食事による血糖上昇抑制には食事前のタイミングが大事となる．

④食直後

食事の後すぐ．遅くとも食後10分以内に服用する．有害事象の予防（ブロモクリプチン：パーロデル®）や吸収をよくする目的（オメガ3脂肪酸エチル：ロトリガ®）のため食直後に服用する．

⑤食後

食後30分以内．食後は食事が胃の中にあるため，胃に負担がなく，かつ胃の蠕動運動が活発であるため，早く腸で吸収される．また脂溶性の薬は食事による油分に溶けて吸収しやすくなるため食後に服用する必要がある．

⑥食間

食後2時間後（食事と食事の間）．食物が消化され少なくなるときであり，空腹時に服用するほうが吸収がよくなる．たとえば漢方薬などである．

⑦就寝前

寝る前30-60分前．飲んですぐ効く睡眠薬や抗不安薬，抗アレルギー薬など眠気が起こりやすい薬，喘息発作など夜から朝にかけて起こりやすい症状をやわらげるために就寝前に服用する．逆に，眠れなくなるステロイド薬やトイレに行きたくなる利尿薬などは就寝前に服用しない．

⑧頓服（とんぷく）

速効性を期待し症状を抑えるために用いられる薬で症状が出そうなときや出たときに使用する．鎮痛薬や制吐薬などである．

2）投与のタイミング

薬の服用間隔を決めて効果を考えていくべき薬がある．抗菌薬，降圧薬，抗凝固薬，免疫抑制薬などである．たとえば，感染症でペニシリン系やセフェム系の抗菌薬を使用する場合，これらは時間依存型の抗菌薬であるため，血液中の薬の濃度が一定以上維持されないと効果が発揮できないため，一定間隔の時間で薬を投与することが大切となる．高血圧患者は血圧の上昇パターンにより，降圧が不十分な時間に効果が示せるように，投与間隔や時間を決め，1日1回や1日2回の服用で血圧が安定するよう観察していく．抗凝固薬は常時作用させる必要があるため，時間どおりに服用する．免疫抑制薬は効果を発揮する濃度と有害事象を起こしやすい濃度の差が小さいため，血中濃度を測定し，適切な範囲に維持する必要がある．そのため，服用量や時間を守らなければならない．

このように，投与タイミングに注意する必要がある薬の場合は患者の理解へのサポートを行うことが重要である．

● 引用文献

1) 日本医療機能評価機構ホームページ：各種医薬品添付文書・インタビューフォーム，報告書〔https//www.medsafe.jp/contents/report/index.html〕（最終確認：2023年3月20日）
2) 小見山智恵子：安全な与薬のために看護基礎教育に何を求めるか．日本薬理学雑誌 156（2）：92-96，2021
3) 厚生労働省：特定行為研修とは〔https://www.mhlw.go.jp/stf/seisakunitsuite/bunya/0000077114.html〕（最終確認：2023年3月20日）
4) 赤瀬智子：看護における薬理学教育．日本薬理学会雑誌 151：191-194，2018
5) 山下広美：酢酸の生理機能．日本栄養・食糧学会誌 67（4）：171-176，2014
6) 古川裕之，赤瀬智子，林正健二ほか：臨床薬理学，第6版，20-23頁，152頁，190頁，メディカ出版，2022
7) 日本眼科医会：点眼剤の適正使用ハンドブック，第1版，3頁，14頁，2011
8) 山村重雄：添付文書活用ハンドブック，第5版，46-54頁，日経メディカル開発，2014
9) 堀岡正義：調剤学総論，，改訂10版，79-92頁，173-182頁，207-208頁，南山堂，2011
10) 日本老年医学会：高齢者の安全な薬物療法ガイドライン，第1版，12-13頁，メディカルビュー社，2015
11) 篠崎公一，平岡聖樹，渋谷正則ほか監訳：薬物動態学と薬力学の臨床応用，第1版，87-88頁，メディカルサイエンスインターナショナル，2009

# 2 注射

## A 薬物療法における注射の意義と看護の役割

### 1 注射の特徴

注射（injection）は，注射器具を用いて生体組織や血管内に直接薬液を注入し，局所または全身に作用させる薬物療法である．

注射には内服に比べて速やかに，かつ消化液や肝臓の代謝の影響を受けることなく，安定して高濃度の薬を患部や組織に到達させるという利点がある．薬物の吸収速度は，静脈内注射＞筋肉内注射＞皮下注射＞経口与薬の順に速い（図Ⅷ-3）．一方で，注射は体内に注射針を刺入する侵襲的な技術であり，ただちに副作用が出現する可能性や，刺入部位の神経・血管を誤って損傷する危険性があり，事故を招くおそれもあるため，十分な理解のうえ安全に留意して実施する必要がある．

### 2 注射における看護の役割

#### 1. インフォームド・コンセント（informed consent）と対象者の権利

注射は苦痛を与え危険を伴うものであるため，対象者の不安は大きい．対象者は注射に関して十分な説明を受け理解したうえで，同意あるいは拒否する権利がある．看護者は対象者の理解の程度や心理状況を把握したうえで疑問や不安を確認し，注射の目的，注射薬の内容・量・作用，可能性のある副作用，注射部位，時間，方法などをわかりやすく説明し同意を得て実施しなければならない．

#### 2. 注射にかかわる法的側面

注射は，医師の指示に基づいて，保健師助産師看護師法第5条で規定される「診療の補助」の範囲内の行為として看護師に認められている．とくに，静脈内注射は2002年に「保健師助産師看護師法第5条に規定する診療の補助行為の範疇として取り扱うもの」へと行政解釈が変更された．看護者は注射にかかわる法的側面を理解し，薬の最新の知識を取り入れ，対象者に安全に正確に注射を実施し，対象者の苦痛を最小限にできるよう努める必要がある．

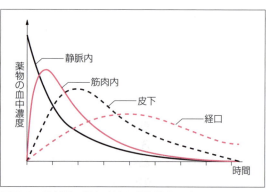

図Ⅷ-3　注射薬の投与方法と薬物濃度の時間経過の概念図
［城武昇市，江戸清人：医療薬剤学，178-181頁，栄光堂，1995より引用］

#### 3. 注射の安全

1）対象と薬剤の確認

安全に注射を行うために，準備や与薬を行う際には以下の留意事項（6つのRight）を守って，処方箋（指示書）と注射薬が一致していることを確認する．

■ 6つのRight（6R）
① Right Patient：正しい対象者（患者）か？
② Right Time：正しい時間か？
③ Right Drug：正しい薬剤か？
④ Right Dose：正しい量か？
⑤ Right Route：正しい与薬方法か？
⑥ Right Purpose：正しい目的か？

■ 6R確認の場面

最低3回以上，処方箋と照合しながら薬液と量の確認を行う．
・薬を準備するとき（手に取るとき）
・薬剤を詰めるとき（注射器に吸い上げる前）
・薬剤を詰め終わった後（注射器に吸い上げた後，アンプルを捨てるとき）
また，与薬の前・後も確認を行う．

■ 6R確認の方法

指差し呼称で声を出して確認し，看護師2人でダブルチェックする．

■対象者確認の方法
・意思疎通ができる場合には対象者にフルネームで名乗ってもらう．加えて，生年月日の確認やネームバンドの照合を行うと一層安全である．
・意思疎通が難しい場合は，必ずネームバンドで確認する．

### 2) 注射時の無菌操作と消毒

注射は体内組織に薬液を直接注入するため，注射器具類や薬液の無菌状態を保つために，注射器や注射針の取り出し・接続，薬液の準備（吸い上げ）等のすべての工程で無菌操作が必須となる．注射を準備する際には清潔な環境を確保したうえで物品を清潔に取り扱う．

針刺入部位の消毒にはアルコールがよく用いられる．アルコールには速効性と速乾性があり，乾燥すると殺菌効果が現れる消毒薬である．注射前にアルコール綿で，刺入部位を中心とし内側から外側に向かって楕円形に拭き残しのないように拭くことが望ましい[1]．アルコールに対してアレルギーがある対象者にはアルコールを含まないクロルヘキシジンや塩化ベンザルコニウムなどを使用する．

### 3) 使用済み注射器具の取り扱い

注射は血液や体液に触れる機会のある技術であり，針刺し事故や血液感染の予防に努める．注射後は抜針したらすみやかに注射針廃棄容器に捨てる．この際にリキャップは厳禁であり，キャップはせずにそのまま廃棄することが重要である．血液が付着した注射針，針付き輸液・輸血セットなどの鋭利な感染性廃棄物は，黄色のバイオハザードマークの付いた廃棄容器に捨てる．

## B 注射実施前のアセスメント

### 1 薬歴・アレルギー，既往歴

#### 1. 注射を安全に実施するために必要な情報収集

対象者の常用している薬品，量，時間，薬理作用等について把握する．薬に対するアレルギー（消毒薬の禁忌，フィルムドレッシング材やテープによるかぶれ）の有無を確認する．

#### 2. 対象者の疾患名や既往歴の把握

疾患名や既往歴，薬の作用を把握する．血液透析シャントのある上肢，乳がん術後の患側上肢は駆血・穿刺禁止である．また妊娠中，授乳中の対象者には催奇性のある薬物は避ける必要があるため，注射前に確認が必要である．

### 2 フィジカルアセスメント（physical assessment）

注射の前に，与薬方法に適した皮下組織・筋肉の厚み，静脈の太さ・深さを観察し，安全に実施できるかをアセスメントする．

皮下注射の場合には，薬液の注入時の吸収力を考慮し，5 mm以上の皮下組織の厚みがあることが望ましい[2]．注射部位の皮膚をつまみ上げて皮下組織厚を推定し，皮下注射が可能であるかをアセスメントして実施する．

筋肉内注射の場合には，注射液量によって三角筋（2 mL以下），中殿筋（5 mL以下）のどちらを選択するか，注射液量によっては数ヵ所に分けて注射することを検討する．皮下組織厚を推定し筋肉内に針を到達できるように刺入深度を検討することや，十分な筋肉の厚みがない場合，他の部位を選択するか，別の投与ルートを選択するか検討する．

静脈内注射の場合には，表在静脈の走行，太さ，深さ，弾力性を視診・触診して適切に行えるか検討する．

バイタルサインに影響を及ぼす注射薬の場合，実施前後でバイタルサインを測定し，評価することが必要となる．

## C 注射の方法

注射には，実施部位の違いにより皮内注射，皮下注射，筋肉内注射，静脈内注射（点滴静脈内注射を含む）などがある．このほかにも，動脈内注射，中心静脈栄養法など，さまざまな部位への注射法がある．

### 1 注射器具の選択

#### 1. 注射器（syringe）

注射器の構造・種類は図Ⅷ-4のとおりである．注射器は外筒と内筒からなる．外筒の先端の筒先は注射針と無菌的に接続して用いる．

注射器には，プラスチック製のものとガラス製のものがあるが，一般的にはプラスチック製のディスポーザブルシリンジが用いられる．注射器の大きさには0.5〜50 mLがあり，薬液量や用途に合うものを選択する．注射器には，予防接種用，ツベルクリン用，ロック付きタイプ，スリップチップ（はめ込み式）タイプのものがある．また，あらかじめ薬が注射器内に入っているプレフィルドシリンジもある．

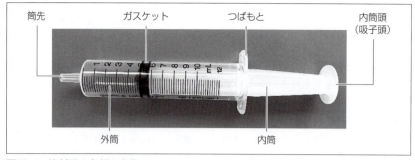

図Ⅷ-4　注射器の各部の名称

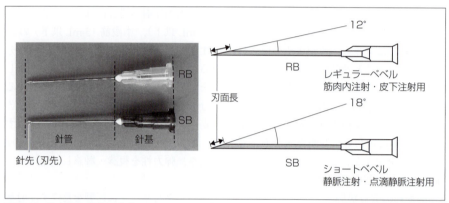

図Ⅷ-5　注射針の各部の名称

## 2. 注射針 (needle)

　注射針は針管と針基からなる（**図Ⅷ-5**）．注射針は針管の外径（ゲージ，gauge：G）と長さで分類される（**表Ⅷ-5**）．針の太さはゲージで表示され，外径（内径）が太くなるほどゲージ数は小さくなる．針の長さはインチで表示され，注射の種類や刺入深度によって選択する．注射針は曲がることはあっても折れる可能性はほとんどないため，筋肉内注射時に長い針を使用するより必要な長さの針を針基まで刺入して用いることで，より簡便に刺入深度を調整する方法も検討されている[3]．

　刃の断面を刃面（bevel）といい，刃面長の長いレギュラーベベル（regular bevel：RB）および短いショートベベル（short bevel：SB）がある（**図Ⅷ-5**）．RBは刃面の角度が12°と鋭利であるため刺入時の痛みが少なくなることから，皮下注射・筋肉内注射に適している．SBは刃面の角度が18°と比較的鈍であり血管を突き破る面積が少ないため静脈内注射に適している．通常の注射針のほかに，翼状針，静脈内留置針がある．

## 2 注射法に共通する手順と留意点

　注射法に共通する手順，実施方法とその根拠を**表Ⅷ-6**に示した．

## 3 各注射法の手順と留意点

　この項では，注射の種類別にその具体的手順と留意点，そしてそれらの根拠を説明する．

### 1. 皮内注射 (intracutaneous injection)

　皮内注射とは，表皮と真皮の間の皮内に微量の薬液を注入し，ツベルクリン反応や抗原抗体反応を調べるときに行われる注射法である．皮内注射は吸収を遅くして薬効を長く持続させたい場合に用いられる．

■注射部位

　皮内反応を判定しやすいように，角質層が薄く，体毛が少なく，発疹や発赤・炎症のない部位を選択する．一般には前腕内側上1/3が選択されることが多いが，胸部，背部，前腕伸側（外側）など実施可能な範囲は広い．

■実施方法と留意点

① 1.0 mLの皮内注射用注射器と26〜27Gの注射

表Ⅷ-5　注射針の種類

| 太さ（G） | 外径（mm） | カラーコード | 刃形* | 長さ　インチ（mm） | 主な用途 |
|---|---|---|---|---|---|
| 18 G | 1.20 mm | pink | RB | 1 1/2"（38 mm） | 輸血 |
| | | | SB | 1 1/2"（38 mm） | |
| 19 G | 1.10 mm | cream | RB | 1 1/2"（38 mm） | |
| | | | SB | 1 1/2"（38 mm） | |
| 20 G | 0.90 mm | yellow | RB | 1 1/2"（38 mm） | |
| | | | SB | 1 1/2"（38 mm） | |
| 21 G | 0.80 mm | light green | RB | 5/8"（16 mm） | 筋肉内注射（油性薬剤） |
| | | | SB | 1 1/2"（38 mm） | 静脈内注射 |
| 22 G | 0.70 mm | black | RB | 1"（25 mm） | 皮下・筋肉内注射 |
| | | | | 1 1/4"（32 mm） | |
| | | | | 1 1/2"（38 mm） | |
| | | | SB | 1 1/4"（32 mm） | 静脈内注射 |
| | | | | 1 1/2"（38 mm） | |
| 23 G | 0.60 mm | deep blue | RB | 1"（25 mm） | 皮下・筋肉内注射 |
| | | | SB | 1 1/4"（32 mm） | 静脈内注射 |
| 24 G | 0.55 mm | light purple | RB | 1"（25 mm） | 皮下・筋肉内注射 |
| | | | | 1 1/4"（32 mm） | |
| 25 G | 0.50 mm | orange | RB | 5/8"（16 mm） | 皮下注射 |
| | | | | 1"（25 mm） | |
| | | | | 1 1/2"（38 mm） | |
| 26 G | 0.45 mm | brown | SB | 1/2"（13 mm） | 皮内注射 |
| 27 G | 0.40 mm | grey | RB | 1"（25 mm） | 皮下注射 |
| | | | | 1 1/2"（38 mm） | |
| | | | SB | 3/4"（19 mm） | 皮内注射 |

＊刃面の角度　RB（レギュラーベベル）：12°　SB（ショートベベル）：18°，図Ⅷ-5参照．
［テルモ注射針｜医療機器製品情報｜テルモ　医療関係の皆様向け情報〔https://www.terumo.co.jp/medical/equipment/me11.html〕テルモ注射針，品種表を参考にして作成］

針を使用し，指示伝票の内容を確認しながら準備する．
②皮内に刺入するために注射部位の皮膚を伸展させて，皮膚面とほぼ平行に浅く1～2 mm程度注射針を刺入する．
③指示量の薬液を注入したら，軽くアルコール綿を当て，針を素早く抜針する．
④皮内反応試験では，正しく判定するために注射部位に刺激を与えない．注射部位をマッサージしたり圧迫したりしないように注意するとともに，対象者にも説明する．
⑤注射後はアレルギー反応を起こす場合があるため，対象の状態を観察し，異常の早期発見，早期対処に努める．

## 2. 皮下注射 (subcutaneous injection)

皮下注射は薬液を皮下組織内に注入し，治療効果を期待する注射法である．皮下組織の多くは皮下脂肪であり，毛細血管が比較的少なく，筋肉内注射や静脈内注射よりも薬液の吸収速度は遅い．そのため，比較的長時間の薬効を持続させたい場合に適用される．等張性，非刺激性，非粘稠性の薬液が注入される．代表的な薬物にインスリン，ワクチンなどがある．

■注射部位

血管や神経の分布が少なく，皮下組織が厚い部位を選択する．皮下組織は疎な結合組織であり，薬液の吸収速度は遅く，少なくとも5 mm以上の皮下脂肪の厚みが必要である[2]．皮下組織には皮静脈や皮神経が走行していることや，誤って刺入すると神経・血管損傷を引き起こす危険性もあるた

表Ⅷ-6　注射の共通手順

| 手　順 | 実施方法 | 留意点・根拠 |
|---|---|---|
| （準備）<br>1. 医師の指示を確認する | ①医師の処方箋（指示書）により、6Rを指でさし、声に出して確認する。 | 6Rの確認は3回（①薬液を準備するとき、②薬液を注射器に吸い上げる直前、③薬液を吸い上げた後）は必ず行う。 |
| 2. 必要物品を準備する | ②衛生学的手洗いを行う。<br>③必要物品の準備を行う。<br>【必要物品】<br>処方箋、指示された薬物、注射器、注射針、プラスチックカニューラ*（吸い上げ用）、アルコール綿、トレイ、膿盆、手袋、手指消毒液、止血パット付き絆創膏、針廃棄容器<br>④医師の処方箋（指示書）と薬物を6Rで確認して準備する（1. 薬液の準備時）。<br>⑤手指消毒をし、手袋・マスクを着用する。<br>⑥処置台を消毒用エタノールで消毒する。<br>⑦トレイをアルコール綿で消毒する。 | ③処方箋に書かれている注射の薬液量と注射方法にあった注射器と注射針を準備する。<br>注：使用期限と滅菌状態も確認する<br><br>④薬液を準備するとき、薬液の色、沈殿、混濁、異物混入などの性状も確認する。<br>⑤清潔操作を実施するため。<br>⑥処置台を清潔区域にする。<br>⑦トレイを消毒して清潔にする。 |
| 3. アンプルから薬液を吸い上げて準備する。 | ⑧注射器とプラスチックカニューラ*を無菌操作で接続する（注射器内の空気を抜く）。<br><br>⑨6Rの確認（2. 吸い上げ直前：ダブルチェック）<br><br>⑩アンプルの頸部より上にたまった薬液を落とす（アンプルを振りおろして薬液を下部に落とすか、アンプル頭部を指ではじいて落とす）。<br>⑪アルコール綿でアンプルの頸部を消毒する。<br><br><br><br>⑫アンプルのイージーカットマークが親指側に来るように持ち、切断面にアルコール綿を添える。<br>⑬イージーカットマークの反対側に向かって、斜め上方向に引き上げるようにアンプルの頸部を折る。<br>⑭プラスチックカニューラのキャップを外し、注射器の内筒に触れず、かつアンプルのカット面や外側にプラスチックカニューラが触れないように必要量の薬液を吸い上げる。<br>⑮内筒を引き、プラスチックカニューラ内にある薬液を注射器に落とし、プラスチックカニューラと注射針を交換する。<br>⑯刃面と注射器の目盛りを合わせる。<br>⑰針を上に向けて注射器を持ち、内筒を引いて、針内にある薬液を注射器内に落とす。<br>⑱注射器内にある空気を指ではじいて注射器の先端に集まるようにする。<br>⑲再度内筒を引いて、注射針内にある薬液を注射器内に落とす。<br>⑳内筒を押して注射器内の空気を押し上げて針先まで薬液を満たす。<br>㉑6Rの確認（3. 吸い上げ終了時）<br><br><br>㉒ラベルを指示箋と確認し、注射器に貼る | ⑧注射器は筒先に触れないように袋から取り出し、筒先と針基を無菌操作で接続する。注射器の内筒がスムーズに動くか確認する。プラスチックカニューラを用いると、針刺し事故を予防できる。<br>⑨他の看護師とダブルチェックすることで誤薬予防につながる。<br>⑩アンプル上部に薬液がたまったままカットすると、薬液が無駄になるだけでなく、アンプルの頸部を不潔にしやすい。<br>⑪カット時にガラス片が混入することがあるため、異物混入・細菌汚染防止の目的からアンプル頸部をアルコール綿でよく拭きカットする[4]。<br>⑫異物混入・手指のケガ予防のため。<br><br><br><br>⑭アンプルの縁は不潔と考え、針を不潔にしないため。また、アンプルのカット面のガラス片が混入するおそれがあるため。<br>⑮プラスチックカニューラ内に残っている薬液を注射器内に戻すため。<br><br>⑯注入量を見ながら刺入・注入できるため。<br>⑰針に残っている薬液を注射器に戻すため。<br><br>⑱空気が上部に集まるようにするため。<br><br>⑲このとき針や筒先に薬液が残ったまま内筒を押すと、薬液があふれ出し、薬液が針を伝って不潔になる可能性があるため。<br><br>㉑吸い上げ終了後、空アンプルの薬品名と注射器に吸い上げた量で、薬液、量が処方のとおりかを確認する。<br>㉒注射器にラベルを貼り、薬液がわかるようにする。 |

*注射器に接続してバイアルから薬液を吸い取る場合などに使う。先端が金属製の針のように鋭利でないので廃棄の際に安全である。

表Ⅷ-6 つづき

| 手 順 | 実施方法 | 留意点・根拠 |
|---|---|---|
| (実施)<br>4. 対象者に注射を実施する. | ①トレイに準備した注射器セット，アルコール綿，手袋，膿盆，注射針廃棄容器（必要時）を対象者の元に持参する．<br>②対象者の確認と注射の説明を行い同意を得る．<br><br>③体位を整え，注射部位を露出する．手袋を着用する．<br>④注射部位の皮膚消毒を行う．<br><br>⑤針の刃面と注射器の目盛りを合わせ，薬液量を確認し，針のキャップを取る．<br>⑥消毒した皮膚が乾燥したら，適切な刺入角度や深度で針を刺入する．<br>⑦対象者の様子を観察しながら，薬液の性状に合わせて無理のない速度で注入する．<br>⑧薬液を注入後，軽くアルコール綿をあてて抜針する．<br>⑨注射針は注射針廃棄容器に捨てる（397頁参照）．<br>⑩対象者の寝衣や掛け物を整える． | ②対象者を確認するために，注射実施前にフルネームを言ってもらう．加えて，生年月日の確認や，ネームバンドの照合を行うと，一層安全である．<br>③注射実施時に安全な体位を整える．<br>④穿刺部位の皮脂や汚れを除去し，細菌の体内侵入による感染を予防するため．<br>⑤目盛りを見ながら薬液を注入できるように合わせる．<br>⑥適切な刺入角度や深度については各注射法を参照する．<br>⑦血液の逆流，しびれの有無などを確認する．観察事項は各注射法を参照する．<br>⑧注射部位をマッサージするかは薬剤の添付文書で確認する． |
| (終了後)<br>5. 対象者を観察し記録する． | ⑪注射後，対象者の状態を観察し，合併症の有無を確認する．<br>⑫物品を片付け，記録する． | ⑪注射の重篤な合併症としてアナフィラキシーショックがあるため十分観察する． |

め，注射部位の皮下組織の厚みや神経・血管の走行について理解し，適切な注射部位を選択する必要がある．一般に注射部位として，上腕後面（伸側）と，肩峰下部（三角筋上層部）が用いられる．また，インスリンの場合は腹壁前面なども用いられる．

①上腕後面部

上腕後面部は，肩峰と肘頭を結ぶ正中線上で，下より1/3の部位（図Ⅷ-6）である．上腕後面（伸側）で注意する神経は橈骨神経（図Ⅷ-6）である．橈骨神経は上肢の伸筋を支配する神経であり，腋窩後方から上腕伸側部を上腕骨に接するように下り肘窩に出る．橈骨神経浅枝は前腕外側を下り，母指や示指などの皮膚を支配する背側指神経になる[5]（図Ⅷ-7）．万一刺入角度を誤って橈骨神経を損傷した場合は，図Ⅷ-7の橈骨神経の支配領域に知覚異常（しびれなど）が生じるため，注射時には「穿刺部位から手先にかけてのしびれ」の有無を確認し[5]，しびれがみられたら速やかに抜針し，医師に報告して神経損傷の予防措置を行う．また，橈骨神経と並行して上腕深動脈が走行しているため，血液の逆流がないかを確認し，血管損傷を予防することも重要である．このように，橈骨神経の走行を避けるため，上腕後面正中線上の下から1/3の部位を選定する．

上腕後側下1/3部の皮脂厚は薄く（男性4.48±1.93 mm，女性7.74±2.91 mm）[2]，とくに男性とや
せた女性では薬液の吸収力が低下することにも注意する．

②肩峰下部（三角筋上層部）

肩峰3横指下の三角筋上層部の皮下組織内である．肩峰下部における皮脂厚は皮下注射に十分な皮下脂肪が発達していない場合もあり，薬液の吸収力が低く，また刺入深度に注意しないと筋肉内注射となる可能性も大きい．上腕の肩峰3横指下部の皮下脂肪厚は男性5.9±1.8 mm，女性7.1±2.3 mmであり，体格との有意な相関関係がある[6]．

■実施方法と留意点

①薬液量に応じた注射器と注射針（RB，22～25 G）を選択し，針の長さは対象者の皮脂厚を見て決める．皮膚をつまみ上げて皮脂厚を判断するか，性別・体格指数（BMI）により推定された皮脂厚をみて刺入深度を判断する[6]．

②対象者の手を腰に当てて注射部位を固定する（肘頭が施行者に向くようにすると橈骨神経の走行を避けることができるため）．非利き手で注射部位の皮膚をつまみ上げ，注射針をできるだけ上腕骨に平行に浅く刺入あるいは皮膚に対して10～30°の角度で皮下組織内に刺入する．

③注射針を刺入したら，疼痛やしびれの有無（神経に接触していないか）を確認する．もし，電撃痛やしびれがあった場合にはただちに抜針し，対象者の状態を観察し，医師に報告し早急に対処が

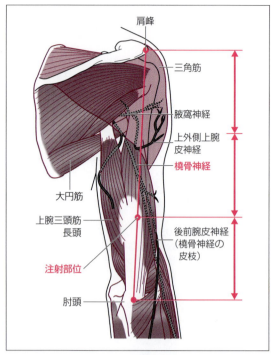

図Ⅷ-6 皮下注射部位（上腕後面）と橈骨神経の走行

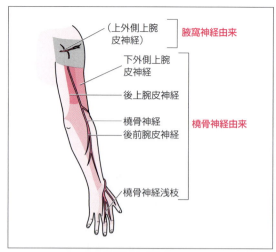

図Ⅷ-7 腋窩神経および橈骨神経の皮膚支配

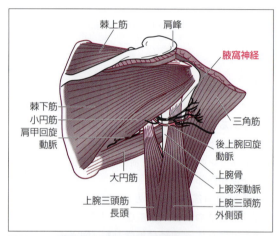

図Ⅷ-8 三角筋注射部位の腋窩神経の走行

必要である．
④注射器を固定し，もう一方の手で，内筒を引いて血液が逆流しないか（血管に刺入していないか）を確認する．もし血液の逆流があれば，すみやかに抜針し，止血を確認後，注射部位を変えて刺入する．
⑤前記③④の症状がなければ，注射器を固定し，指示量の薬液をゆっくりと注入する．
⑥薬液を注入したら，抜針する．軽くアルコール綿を当て注射部位の止血を確認して注射パッドを貼る．皮下注射後のマッサージは行わないことが多いが，薬物の添付文書を確認する．インスリンの場合には，注射後のマッサージは禁忌である．
⑦注射直後に疼痛・麻痺の症状がなくても，二次的な神経麻痺が生じるおそれもあるため，注射実施後は対象者の症状を注意深く観察し，異常の早期発見・早期対処に努める．

### 3. 筋肉内注射（intramuscular injection）

　筋肉内注射は薬液を筋肉内に注入し，主に毛細血管に薬液を吸収させる方法である．筋肉組織は毛細血管に富んでおり，薬物の血中移行は静脈内注射に次いで速い．筋肉内注射は皮下注射には適さない刺激性の強い薬物や，油性剤や懸濁剤など徐々に吸収させ作用を持続させたい場合に行われる．代表的なものにホルモン剤や抗精神病薬などがあり，ワクチンの効果と安全性を高めるための不活化ワクチン（新型コロナウイルスワクチンなど）も筋肉内注射の適用である．
　筋拘縮症や注射部位周囲の神経・血管損傷を起こす可能性がある．また筋注用薬物が皮下組織に注入されると皮下組織障害や硬結を起こすことがある．そのため適切な注射部位を選択し，解剖学的知識の理解が重要である．

■注射部位
　筋肉内注射には，よく発達し十分な厚みのある筋肉を選択し，血管や神経の走行が少なく皮下脂肪が薄い部位が選択される．一般に注射部位として，三角筋，中殿筋，大腿部が選択される．

表Ⅷ-7　筋肉内注射部位の皮下組織厚

男性のBMI区分別エコーによる皮下組織厚と区分別間の有意差

| 区分<br>皮下組織厚 (cm) | a. やせ (BMI 18.5 未満)<br>n=10 | | | | b. 普通 (BMI 18.5〜25 未満)<br>n=110 | | | | c. 肥満 (BMI 25 以上)<br>n=54 | | | | 有意差 |
|---|---|---|---|---|---|---|---|---|---|---|---|---|---|
| | 最小値 | 最大値 | 平均値 | SD | 最小値 | 最大値 | 平均値 | SD | 最小値 | 最大値 | 平均値 | SD | |
| 肩峰3横指下部 | 0.30 | 0.92 | 0.45 | 0.18 | 0.32 | 1.02 | 0.54 | 0.14 | 0.46 | 1.64 | 0.71 | 0.19 | cとa, b*** |
| ホッホシュテッターの部位 | 0.26 | 0.86 | 0.49 | 0.17 | 0.28 | 1.96 | 0.68 | 0.26 | 0.48 | 1.96 | 0.94 | 0.33 | aとb**<br>cとa, b*** |
| クラークの点 | 0.32 | 0.74 | 0.49 | 0.15 | 0.34 | 1.88 | 0.75 | 0.25 | 0.58 | 2.84 | 1.00 | 0.41 | aとb, c***<br>bとc*** |
| 4分3分法の部位 | 0.38 | 0.76 | 0.57 | 0.13 | 0.32 | 1.86 | 0.93 | 0.34 | 0.58 | 3.50 | 1.17 | 0.53 | aとb, c***<br>bとc** |

**$P<0.01$, ***$P<0.001$

女性のBMI区分別エコーによる皮下組織厚と区分別間の有意差

| 区分<br>皮下組織厚 (cm) | d. やせ (BMI 18.5 未満)<br>n=14 | | | | e. 普通 (BMI 18.5〜25 未満)<br>n=112 | | | | f. 肥満 (BMI 25 以上)<br>n=31 | | | | 有意差 |
|---|---|---|---|---|---|---|---|---|---|---|---|---|---|
| | 最小値 | 最大値 | 平均値 | SD | 最小値 | 最大値 | 平均値 | SD | 最小値 | 最大値 | 平均値 | SD | |
| 肩峰3横指下部 | 0.36 | 0.82 | 0.45 | 0.53 | 0.38 | 1.02 | 0.67 | 0.15 | 0.48 | 1.86 | 0.92 | 0.33 | dとf**<br>eとf*** |
| ホッホシュテッターの部位 | 0.24 | 1.16 | 0.49 | 0.83 | 0.38 | 2.22 | 0.92 | 0.33 | 0.50 | 2.84 | 1.14 | 0.58 | dとe***<br>fとd, e* |
| クラークの点 | 0.22 | 1.58 | 0.49 | 0.86 | 0.38 | 2.62 | 1.08 | 0.41 | 0.48 | 2.66 | 1.18 | 0.51 | dとe* |
| 4分3分法の部位 | 0.36 | 1.62 | 0.57 | 1.03 | 0.50 | 3.42 | 1.34 | 0.49 | 0.60 | 3.66 | 1.48 | 0.78 | dとe, f**<br>eとf** |

*$P<0.05$, **$P<0.01$, ***$P<0.001$

[菊池和子，高橋有里，小山奈都子ほか：科学的根拠に基づく筋肉内注射の注射針刺入深度に関する研究．日本看護技術学会誌 8（1）：66-75，2009 より許諾を得て転載]

①三角筋の注射部位

　三角筋中央部は，肩峰から3横指下が選択される．この場合，三角筋を支配している腋窩神経（図Ⅷ-8）の走行に十分注意する．腋窩神経は三角筋の後方から前方に向かって上腕骨を巻くように三角筋の深層を走行している．肩峰から腋窩神経中枝までの距離は 4.9±0.5 cm[7] であると報告されており，肩峰の約3横指下の位置となる可能性がある．また，成人男女の指の幅には個人差があるため三横指下の目安は危険性がある[8]．三角筋の後方は腋窩神経の本幹が走行しており，誤穿刺の危険性が高まるため三角筋後方は避けることが必要である．

　腋窩神経を損傷した場合，注射部位周囲のしびれや三角筋の収縮力が低下する可能性があるため，注射針刺入時には必ずしびれの有無を確認する．また，後上腕回旋動静脈は腋窩神経に沿って走行しているため，これらを損傷する危険性がある（図Ⅷ-8）．そこで，腋窩神経の位置を体表面から相対的に決定して三角筋部の新しい筋注部位が検討された結果，前後腋窩線に肩峰中央部から下ろした垂線との交点[9] が提案された．

　三角筋は中殿筋と異なり，十分に大きな筋肉ではないため，少量の薬液（2.0 mL 以下）あるいは殿部の筋肉が用いられないときなどの場合のみとし，頻回の量の多い注射は避ける．

　三角筋部皮脂厚は性別・体格によって異なるため，刺入角度・深度を判断する（表Ⅷ-7）．刺入深度を BMI からアセスメントする方法として，三角筋部（肩峰5 cm 下部）の場合，$18.5 \leq BMI < 30.0$ では 1.5 cm，$BMI \geq 30.0$ では 2.0 cm が適切である[3]．また $BMI < 18.5$ では皮膚表面から 1.0 cm 程度の刺入で上腕骨に到達する場合もあるため，他部位を選択するのが望ましいことが報告されている[3]．

②中殿筋の注射部位

　中殿筋は筋肉内注射部位としてもっとも筋層が厚く，上殿神経，上殿動脈・静脈を避ければ安全な部位である．注射部位として，クラーク（Clark）の点，ホッホシュテッター（Hochstetter）の部位，四分三分法の点がある（図Ⅷ-9）．殿部の神経と血管の走行を図Ⅷ-10 に示す．上殿神経は，梨状筋上

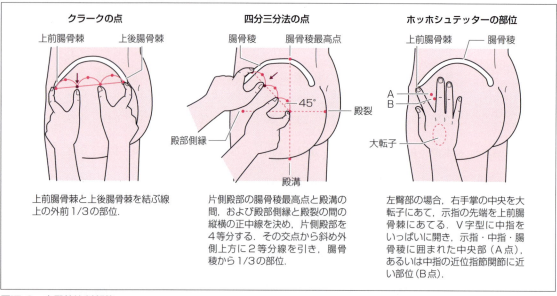

図Ⅷ-9 中殿筋注射部位

[佐藤好恵:注射②筋肉内注射（殿部）.:看護学生のための看護技術よくわかる BOOK，第 1 版（藤井徹也，佐藤道子編），91 頁，メヂカルフレンド社，2012 より許諾を得て転載]

孔を通過して骨盤腔外に出て，中殿筋と小殿筋の間を走行し，中殿筋および小殿筋や大腿筋膜張筋を支配している（図Ⅷ-10）．また上殿動脈・静脈はこの上殿神経に伴走しており，注射針が皮下組織・中殿筋を越えて中殿筋深層まで到達するほど深く刺入すると，これらの神経や血管を損傷するおそれがある．また，四分三分法の点は皮下組織の下層（中殿筋に針が到達する前）に大殿筋が分布していた例や，中殿筋表層を走行する上殿動脈・静脈に近接する例が見られたことも報告されており[10]，注意が必要である．もし上殿神経を損傷した場合は，殿部上外側領域の知覚異常（しびれなど）が起こる可能性があるため，適切な部位を選定したうえで，刺入時にはしびれや血液逆流の有無を確認することが重要である．

坐骨神経は梨状筋下孔から骨盤腔外に出て，大殿筋の下層を下方に走行する神経であるため，殿部上外側部および腹側殿部を選定すれば，損傷の危険性はない．

**クラークの点**（図Ⅷ-9：上前腸骨棘と上後腸骨棘を結ぶ線上の外前1/3の部位）は，皮下脂肪が薄く，中殿筋の厚みもあり，他部位に比べ上殿神経，上殿動脈・静脈の損傷の危険性が低いため，第一優先とされる[10,11]．

**ホッホシュテッターの部位**（図Ⅷ-9）は，皮下脂肪が薄く，中殿筋の厚みがあるため選択され，欧米でよく用いられている．施行者の手掌の大きさによって頭側から尾側にばらつく傾向はあるが[12]，もっとも上殿神経の本幹から離れており安全性が高いとする報告もある[13]．

**四分三分法の点**（図Ⅷ-9）は，注射部位の深層で神経・血管が密集する部位のため，神経・血管損傷の危険性が高い[10,11]．また皮脂厚がもっとも厚く[6]，筋肉内に注射針が到達しない可能性や，中殿筋も有意に薄いことが報告されている[11]．また皮下組織の下層に大殿筋の筋縁部が位置し，中殿筋表層（大殿筋深層）の上殿動脈・静脈に近接する例も報告されていること[11]から推奨されないが，頻回に筋肉内注射を行う必要がある際には十分な注意をして最終選択として用いる場合がある．

刺入深度は，BMIからアセスメントする方法が検討された結果，中殿筋部のホッホシュテッターの部位（側臥位）の場合，BMI<18.5 では 1.5 cm，18.5≦BMI<30.0 では 2.0 cm とし，BMI≧30.0 では他の部位を選択するのが望ましいとされている[3]．

③大腿部の注射部位

大腿部の後面は坐骨神経や血管が走行しているため，大腿前面の大腿部の大転子部と膝蓋骨外縁を結ぶ線上1/2の部位（大腿外側広筋）が選択される．乳幼児では三角筋や殿筋が十分に発達していないため大腿部がよいとされるが，大腿四頭筋拘縮症の危険性があるため，筋肉内注射は必要最小限にとどめる．同一部位への連続注射および頻回の注射は避ける必要がある．

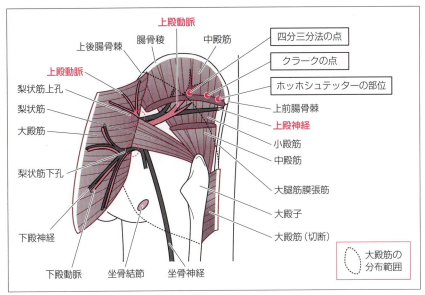

図Ⅷ-10　殿部筋肉内注射部位の神経・血管の走行

■実施方法と留意点

①薬液量に応じた注射器と注射針（RB，21～24 G）を使用し，針の長さは注射部位の皮脂厚に合わせて選択する．

②注射部位を選定する．

・上腕：坐位で三角筋に行う場合，肩を十分に露出し，腕を下におろしリラックスした姿勢をとってもらう[8]．従来のように腰に手を当てて上腕後方を差し出す姿勢は，上腕の後方にある橈骨神経を誤って穿刺する危険性があるため注意が必要である[8]．

・殿部：クラークの点，四分三分法の点は，母趾を内側に向けた腹臥位（クラークの点は側臥位も可能）をとってもらい，筋肉の緊張をとるようにする．ホッホシュテッターの部位は側臥位で軽く下肢を曲げた安定した姿勢をとってもらう．

・注射部位を選定する際に，不必要な露出を防ぐ．

③選定した部位を消毒する．

④注射部位に刺入し，薬液を注入する．

・利き手で注射器を把持し，もう一方の手で皮膚を伸展させる．

・注射器はペンを持つように保持し，注射針は基本的に90°（皮脂厚が薄い場合は30～45°）の角度で刺入し，注射器が動かないように固定する．性別・年齢・BMIを考慮して皮脂厚を推定し，確実に筋肉内に針を刺入できるように，刺入深度を判断する．

・注射針の刺入時に注射部位周囲（三角筋：腋窩神経，中殿筋：上殿神経）のしびれの有無を確認する．神経に接触したり，その周辺に薬液を注入したりすると電撃痛やしびれが起こると考えられるため，必ず神経損傷の有無を確認する．

・注射器を固定し，内筒を引き，血液の逆流がないことを確認する．針が血管に入っていると血液が逆流するため，薬液注入前に血液逆流の有無を確認し，血管に入っていないことを確認する．

・無理な圧をかけず，薬液をゆっくりと注入する（5秒/mL）．

⑤終了後，注射針を素早く抜き，軽くアルコール綿をあてる．注射後のマッサージの有無は薬物の添付文書を確認する．注射部位の止血を確認する．

⑥抜針後は対象の状態を観察し，異常の早期発見・早期対処を行う．

### 4. 静脈内注射（intravenous injection），点滴静脈内注射（intravenous drip）

静脈内注射（点滴静脈内注射を含む）は静脈内に針を刺入し，血管内に直接薬液・水分を注入する方法である．静脈内に確実に薬液が吸収されるので，薬物の投与方法としては吸収速度がもっとも速く，効果的であるが，副作用・中毒・ショック等を引き起こす危険性も高く，十分な注意が必要である．

■注射部位

静脈内注射には表在性の静脈が選択され，一般には橈側皮静脈，肘正中皮静脈が選択されることが多い（図Ⅷ-11）．上肢の皮静脈と皮神経のそれぞれの走行する位置的関係を調べた結果，皮神経は

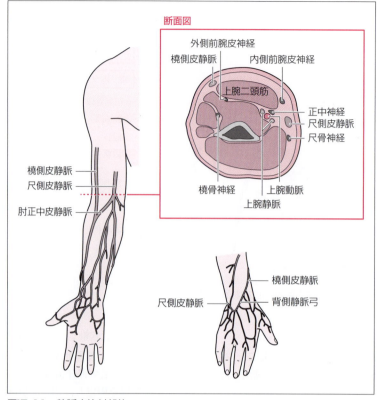

**図Ⅷ-11　静脈内注射部位**
[猪又克子, 清水　芳：Photo & Movie　臨床看護技術パーフェクトナビ, 3頁, 学習研究社, 2008より引用]

尺側皮静脈において多く，肘正中皮静脈でもっとも少なかったことが報告されている[14]．よって，肘正中皮静脈は皮神経を損傷しにくい皮静脈として積極的に選択するべきである．点滴静脈内注射や抗がん薬などの場合には，関節部を避け，前腕や手背に刺入し日常生活行動への支障がないように配慮する．

■実施方法と留意点
〈静脈内注射〉

① 静脈内注射の場合は，注射針は 21〜23 G（SB）を選択し，細い静脈の場合には翼状針を用いる．
② 対象者の体位を整え，前腕肘窩を露出する．肘関節の下に肘枕を置き，針刺入部位より中枢側に駆血帯を巻き，対象者に母指を内側にして手を握ってもらい静脈を怒張させる．静脈穿刺に適切な怒張度を得るためには留め金付きゴム管駆血帯の 85〜90 % の締め付け（駆血圧 70〜95 mmHg），バックル付きニットゴム製駆血帯（ベルト）の 80〜90 % の締め付け（駆血圧 45〜95 mmHg）が必要で，それ以上強く締めても静脈張度は増加せず，苦痛度が増加するのみであったことが報告されている[15]．このことから，必要以上にきつく締めないようにする．
③ 怒張した静脈に触れ，血管の走行・太さ・弾力性を確認し，注射針刺入部位の皮膚消毒を行う．刺入部位を中心に，内側から外側に向かって円を描くように消毒する．
④ 針の刃面と注射器の目盛りが一致しているか，消毒した皮膚が乾燥しているかを確認する．刺入部位の末梢側の皮膚を伸展させ，針先の切断面を上に向けて 10〜20° で穿刺する．
⑤ 針基に血液の逆流があることを確認したら（あるいは内筒を少し引いて血液の逆流を確認したら），駆血帯を外し，対象者には握っている手を開いて楽にしてもらう．
⑥ 刺入部位のしびれの有無を確認し，対象者の状態を観察しながら，薬液をゆっくり注入する．
⑦ 針刺入部にアルコール綿をあて素早く抜針し，注射部位を圧迫止血する．
⑧ 止血を確認し，対象者の状態を観察する．

〈点滴静脈内注射〉

① 対象者に説明し，排泄の必要があれば済ませておく．

②指示伝票を確認し，混入する薬剤があれば準備する．また，輸液の準備を行う．
③ミキシング（mixing，薬液の混合）を行う．バイアルのゴム栓に注射針を刺入する場合には，コアリング（coring，ゴム片が削り取られ薬液に混入すること）を起こさないように注意する．コアリングを予防するために，針をバイアルのゴム栓の中央に垂直に刺すこと，何度も刺し直さないことが重要である．
④プライミング（priming，輸液ルート内を薬液で満たすこと）を行う．
⑤駆血・穿刺・薬液注入時は＜静脈内注射＞の②〜⑥の手順に準じる．

（留置針の場合）
・翼状針と同様に刺入し，針先が血管に入ると，血液が少し逆流する．血液の逆流を確認したら，留置針を少し寝かせて2〜3mm挿入する．外筒の逆血から，外筒が血管内に達していることを確認する．
・内針を固定し，外筒（カテーテル）のみを針基付近まで血管内に押し進める．このとき内針は動かさない．
・外筒が最後まで入ったら，駆血帯を外して内針を抜く．このとき血液が漏れ出てこないように，外筒の先端部分を皮膚の上から押さえて内針を抜く．
・外筒と輸液ルートを接続し，クレンメを開放し滴下を確認後固定する．

⑥注射針の刺入角度が変化しないように必要時，滅菌ガーゼを針の下に敷き，穿刺部を固定する．点滴ルートは引っ張られても針が抜けないようにループをつくり，テープで固定する．
⑦クレンメを動かして滴下数を調節する．注射指示書より，総輸液量を滴下数で算出し，所要時間で割り，1分間の滴下数を割り出す．あるいは，1時間あたりの輸液量の滴下数を60分で割る計算でもよい．

＊輸液セットの違い
　一般用（成人）　　20滴で1mL
　微量用（小児用）　60滴で1mL

$$\text{滴下速度（滴/分）} = \frac{\text{総輸液量（mL）} \times \text{輸液セット1mLあたりの滴下数（滴/mL）}}{\text{所要時間（分）}}$$

・輸液を正確に注入する目的で使用される器械として，輸液ポンプとシリンジポンプがある．輸液ポンプは輸液を長時間一定流量で持続注入する場合に使用し，シリンジポンプはより正確に微量で投与する必要のある薬液や投与輸液量に制限のある新生児・小児の場合に使用される．
・自然落下の場合，点滴スタンドに吊るした輸液バッグと注射刺入部位の高低差，対象者の体位や腕の向き，注射針の刺入角度，薬液の濃度によって滴下速度は変化するため，経時的な滴下状況の確認が必要である．
⑨終了時間を説明し，手の届く位置にナースコールを置く．点滴中の観察を十分に行う．
⑩点滴が終了したら，継続して行う薬液がないかを確認し，クレンメを閉じる．針の刺入部位にアルコール綿をあてて素早く針を抜き，注射部位を圧迫止血する．止血を確認し，寝衣・体位を整え，状態を観察する．

■実施中・実施後の観察
　点滴静脈内注射中は，対象者の全身状態・輸液ラインを頻回に観察する（図Ⅷ-12）．対象者の状態に変化がないかを観察し，体位による苦痛はないか，刺入部位の出血・腫脹・疼痛などはないか，ドレッシング材やテープが剥がれかかっていないか，ルートの屈曲・閉塞はないか，滴下速度は適切か，輸液バッグの残量は適切か，薬液の性状の変化はないか，などを確認する．

●引用文献
1）杉野佳江，内海節子，藤間公子ほか：消毒用エタノール綿による皮膚消毒に関する実験．愛知県立看護短期大学雑誌 3：61-66，1972
2）半田聖子，大串靖子，今 充：確実な皮下注射・筋肉内注射に関する一考察．看護研究 14（4）：43-50，1981
3）高橋有里，菊池和子，三浦奈都子ほか：BMIからアセスメントする筋肉内注射時の適切な注射針刺入深度の検討．日本看護科学学会誌 34：36-45，2014
4）河崎陽一：アンプルカット時に混入する不溶性微粒子に関する研究．薬学雑誌 129（9）：1041-1047，2009
5）春田佳代：注射①筋肉内注射・皮下注射（上腕）．看護学生のための看護技術よくわかるBOOK，第1版（藤井徹也・佐藤道子編），87頁，メヂカルフレンド社，2012
6）菊池和子，高橋有里，小山奈都子ほか：科学的根拠に基づく筋肉内注射の注射針刺入深度に関する研究．日本看護技術学会誌 8（1）：66-75，2009
7）高橋甲枝，清村紀子：三角筋内の腋窩神経の走行 MRIを用いた生体データと解剖体データの比較．日本看護技術学会誌 16（1）：70-76，2017
8）仲西康顕，面川庄平，河村健二ほか：ワクチンの筋肉注射手技の国内における問題点：末梢神経損傷およびSIRVAについて．中部日本整形外科災害外科学会雑

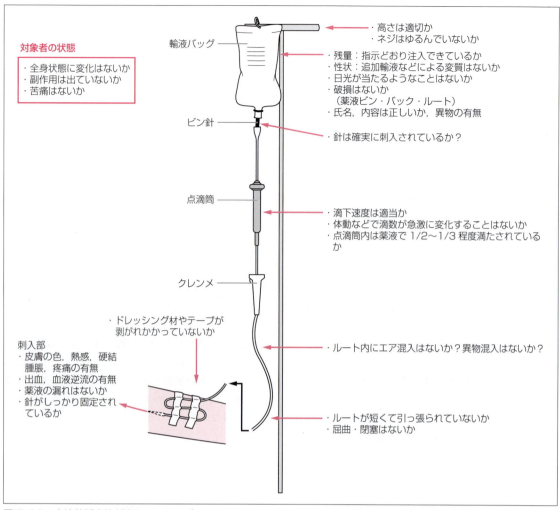

図Ⅷ-12　点滴静脈内注射中のチェックポイント

誌 64（1）：1-9，2021
9) Nakajima Y, Mukai K, Takaoka K, et al.：Establishing a new appropriate intramuscular injection site in the deltoid muscle. Human Vaccines & Immunotherapeutics **13**（9）：2123-2129, 2017
10) 佐藤好恵，藤井徹也，佐伯香織ほか：殿部筋肉内注射部位における中殿筋表層血管および神経損傷の危険性の検討．日本看護技術学会誌 **8**（2）：91-96，2009
11) 佐藤好恵，成田　伸，中野　隆：殿部への筋肉内注射部位の選択方法に関する検討．日本看護研究学会雑誌 **28**（1）：45-52，2005
12) 佐藤好恵，森　將晏：殿部筋肉注射部位の特定方法についての検討—特定部位の分布に注目して—．日本看護技術学会誌 **10**（2）：4-13，2011
13) 岩永秀子，高山　栄：三角筋，中殿筋における筋肉内注射の適切な部位の検討．東海大学健康科学部紀要 **9**：29-33，2003
14) 堀　美保，三浦真弘，荒尾博美ほか：ヒト上肢の皮静脈と皮神経の位置的関係の形態学的研究．日本看護技術学会誌 **8**（2）：20-28，2009
15) 加藤晶子，森　將晏：静脈穿刺に用いる駆血帯装着時の駆血圧と静脈怒張度との関係—上腕周囲径に対する駆血帯の締めつけ割合を指標として—．日本看護技術学会誌 **8**（3）：10-15，2009

# 3 輸血

## A 輸血とは

輸血療法は血液成分の量的な不足や機能障害による病態があるときに，該当する血液成分を補充して改善を図る治療法である．輸血療法の適応と安全対策については常に最新の知見に基づいた対応が求められ，「輸血療法の実施に関する指針」に則って実施される必要がある[1]．

### 1 輸血の目的

血液中の赤血球などの細胞成分・凝固因子などの蛋白質成分が減少，あるいは機能が低下したとき，血液成分を補充して臨床症状の改善を図る．

### 2 輸血の種類

#### 1. 同種血輸血と自己血輸血

同種血輸血は他人の血液から作られた血液製剤を使用するので，ウイルスなどへの感染や同種免疫による副作用の危険性がある．自己血輸血は自分の血液を使用するので免疫反応やウイルス感染の危険がない．

#### 2. 全血輸血と成分輸血

全血輸血では不必要な成分まで体内に入るため，目的以外の成分による副作用や合併症，循環系の負担が生じる．このため成分輸血を行うのが原則となっている．

#### 3. 輸血用血液製剤と血漿分画製剤

輸血用血液製剤は抗凝固薬入りのヒトの血液，あるいはその成分をほぼそのままの形で用いる血液製剤で，赤血球製剤，血漿製剤，血小板製剤がある．血漿分画製剤はヒト血漿を原料に必要成分を分離精製したものであり，アルブミン製剤，免疫グロブリン製剤がある．

## B 輸血時のインフォームド・コンセントと自己決定権

輸血は人体の細胞や体液の一部を体内に補充するものであり，免疫性の副作用や感染症などの合併症を引き起こす危険性がある．そのため，医師は輸血療法の必要性や輸血に伴うリスク，代替療法の有無，輸血療法の注意点などを対象者や家族に説明する．対象者や家族には，十分に理解したうえで自己決定する権利がある．

看護者は対象者の不安や思いを受け止め，彼らが十分理解できるように対応するべきである．対象者（または家族）の同意（同意書への署名）が得られた場合のみ輸血が行われる．

## C 検査と輸血の実施

### 1 輸血の検査

輸血検査は，不適合輸血や免疫反応による溶血，感染症など輸血に伴う副作用を予防する目的で行われる．

#### 1. 血液型判定

ABO式血液型，RhD抗原の検査がある．

#### 2. 不規則抗体スクリーニング

RhD抗原には規則抗体[*]は産生されないが，輸血や妊娠などによって他人の血液が体内に入ると，その血液に反応して抗体が産生される．この抗体を不規則抗体といい，不規則抗体があると輸血による抗原抗体反応が生じる危険性が高くなる．よって不規則抗体スクリーニング検査で不規則抗体が検出された場合は，抗体の特異性を調べるために不規則抗体同定検査を行う．

#### 3. 交差適合試験

交差適合試験は，輸血対象の血液と輸血血液との間に赤血球抗体による抗原抗体反応が起こるかどうかを試験管内で検査するものである．交差適合試験の目的は，もっとも重篤な副作用の一つである抗原抗体反応による溶血反応を予防することである．試験の結果で溶血・凝集がなければ適合（陰性）と判定され，適合輸血製剤として使用する．

---

[*] ABO式血液型では，A型の人は抗B抗体，B型の人は抗A抗体を血液中に持っている．このように自分自身の赤血球とは反応しない抗体を規則抗体という．

## 2 安全に配慮した確実な輸血の実施方法と留意事項

### 1. 血液製剤の受領と輸血の準備
①カルテの決められた位置に血液型検査伝票を貼付する.
②医師から輸血の指示が出たら, 同意書, 血液型など所定の記載事項について確認する.
③輸血部門から血液製剤を持ち出すときは, 必ず2人で (搬出者と輸血部門のスタッフ), 血液型, 血液製造番号, 交差適合試験適合票, 適合試験確認報告書の記載が同じであるか照合する.
④病棟で輸血製剤を受領したら, ただちに対象者の氏名・血液型をカルテと交差適合試験適合票で確認する. 交差適合試験適合票と血液バッグ本体の表示を確認し, 対象者の氏名・血液型と, 血液製剤の血液型・単位数・血液製造番号・有効期限, 交差適合試験の結果, 放射線照射の有無などについて照合し, 医療従事者2名以上で確認する.
⑤看護者は手洗いし, 手袋を着用して準備を行う. 専用輸血セットを用い, 必要なら白血球除去フィルターを併用する. 血液製剤はゆっくり4~5回転倒混和する. 輸血セットのルート内を血液で満たし空気を排除する.
⑥医師は対象に輸血の説明を行う. 看護者は対象の理解度, 排泄の有無を確認し, 状態観察を行う.

### 2. 輸血の実施
①対象のバイタルサイン, $SpO_2$ を測定し全身状態を観察する.
②ベッドサイドで対象者に氏名, 血液型を言ってもらい, さらに血液製剤の種類と単位を医師と看護師で再確認する. 対象者には氏名の他に生年月日を言ってもらったり, ネームバンド, IDのバーコード等で確認したりするなど対象者の確認を十分に行う.
③穿刺部位の下に処置用シーツを敷き, 肘枕・駆血帯を準備する.
④静脈針 (翼状針あるいは留置針) を刺入し, 静脈に刺入できたら駆血帯を外し, 輸血を開始する.
⑤身体の違和感があるときはすぐに知らせるように対象に説明し, ナースコールを対象者の手元に置く. 体位の安楽を図る.
⑥輸血開始から5分間は, 滴下速度を1分間に1mL程度に調整し, 不適合輸血による症状 (血管痛, 不快感, 胸痛, 腹痛など) がないか, ベッドサイドで対象者の状態を観察する.
⑦副作用がなければ10分後, 15分後に副作用の有無を観察して滴下速度を調整する. 以後15~20分ごとに状態観察を行う.
⑧終了時, 輸血ルート内の血液が体内に入った時点でクレンメを止め, ラインを抜去し, 確実に止血を確認する.
⑨輸血終了後の対象者の観察を行い, 副作用の有無を観察する. 気分不快があればバイタルサインを測定し, 自覚症状を聞いて医師に報告する.
⑩実施後, 対象者の氏名, 血液型, 輸血の開始・終了時刻, 使用した製剤名と製造番号, 輸血量, 副作用の有無などを正確に記録し, 自署する.
⑪使用後の輸血バッグなどは感染性廃棄物として廃棄する.
⑫輸血終了1~2時間後, 5~6時間後にも副作用の有無を確認し記録する.

## 3 輸血に伴う副作用と予防・対処

### 1. 輸血に伴う副作用
輸血の副作用は, 感染性, 免疫性, 非免疫性に分けられる.

1) 感染性
ウイルス (HBV, HCVなど), 細菌 (梅毒, グラム陽性菌など) による感染.

2) 免疫性
①即時型副作用：輸血開始10~15分以内に出現
・即時型溶血性反応：ABO型不適合輸血によって起こる. 胸部圧迫感, 顔面蒼白, ショック状態.
・アナフィラキシー反応：輸血後数分で発症する場合が多い. 呼吸困難, 胸部絞扼感, 血圧低下, チアノーゼなど.
・非溶血性発熱反応：発熱, 蕁麻疹.
②遅発型副作用：輸血後数日か数週間後に出現
・遅発型溶血性反応：発熱, 黄疸, 貧血, 褐色尿.
・輸血後移植片対宿主病：発熱, 紅斑, 肝機能障害, 下痢, 下血など.

3) 非免疫性
①即時型副作用：血圧低下, 循環への過剰負荷, 空気塞栓, 低カルシウム血症など.
②遅発型副作用：ヘモクロマトーシス (鉄の過剰負荷による臓器の損傷).

### 2. 輸血に伴う副作用の予防・対処
副作用が起こりうることを前提に, 輸血中あるいは輸血後も慎重な観察を行う.
副作用の症状として発熱, 蕁麻疹, 血圧低下などがある. もっとも多く現れる発熱は, 悪寒戦慄を伴うことも多い. その際には抜針はせずに輸血を中止

し，すぐに医師に報告する．バイタルサインのチェックとともに呼吸困難，胸内苦悶などの症状を確認する．蕁麻疹が出現したら医師に報告するが，さらに呼吸困難，咽頭浮腫，血圧低下が現れてきたらアナフィラキシーショックを疑い，ただちに医師を呼び救急セットを準備する．

● 引用文献

1) 厚生労働省医薬・生活衛生局血液対策課：輸血療法の実施に関する指針（平成17年9月，令和2年3月一部改正），厚生労働省，2020

# 4 検査補助

## A 検査における看護師の役割

高度医療技術の進歩により，近年では検査は疾病・病態診断において客観的な情報を提供するものである．そのため，看護師は正確なデータが得られるように検査が適切に行われ，検査を受ける被検者（患者）が安全で安楽に経過するように援助する必要がある．また，得られたデータは医師のみでなく，看護師も患者の状態を把握し看護診断を行ううえで重要となるため，正しい知識を修得しておく．

多くの診断的価値の高い臨床検査が開発されている．看護師にはこうした最先端の医療に対する看護実践能力が求められている．

### 1 検査の目的と必要性

#### 1. 疾患の予防および早期発見・早期診断

検査の目的は，疾患のより精度の高い診断を行うことである．そして，自覚症状のない疾患を早期に発見することにより，重症化を遅らせたり，発病を未然に防ぐことも可能である．

#### 2. 疾患の程度や予後の正確かつ精密な診断

まず，自覚症状をもとにスクリーニング検査（screening test[*1]）で病態をおおまかに把握する．次いで診断に最小限の検査を行い，仮の診断をつける．この段階で確定診断がつけられないときは，さらに精密検査（close examination）を行い，疑問点の解決や可能性を否定しながら診断の精度を高めていく．

#### 3. 治療効果の評価と経過の観察

検査値の変動を見ることで，治療効果を評価できる．また，病態の変化や副作用の発現を早期に発見できるため，悪化の予防が可能になる．さらに，予後の推定を知る重要な指標になる．

### 2 検査における看護の実際

#### 1. 安全・安楽な検査の提供

1）被検者に対する心理的負担の軽減

被検者は身体侵襲を伴うものだけでなく，どのような検査においても不安を抱えている．そのため，被検者が検査を受けることを自己決定し，安心して検査を受けられるように，医師や看護師は検査の意義や目的を十分説明し同意を得る．また，被検者の反応や理解度を確認しながら，検査内容や所要時間，食事・薬物・必要物品などの事前準備，結果から予測される事象や副作用とその対処法などをわかりやすく説明する．

2）検査前の援助

看護師は患者のプライバシーが保護された状態で検査を受けられるように環境調整を行う．また，検査の手順を熟知しておき，必要物品を整備しておく．看護師は被検者が本人であることを確認し，被検者の状態を検査者に情報提供しておく．

3）検査中の援助

看護師は検査中，検査者の補助を的確に行いながら，被検者の反応やバイタルサインの変化を観察する．また，検査中に予測される危険や副作用があれば，予防と対策を行う．被検者の反応から不安を察知し，進行状況や終了時間の目安などを説明して不安の軽減に努める．

4）検査後の援助

看護師は被検者に検査の終了を伝える．検査後の生活や行動力の制限や注意点を再度説明し，生活に支障が生じる場合は対応する．医師から説明された検査結果を被検者がどの程度理解しているか確認し，必要に応じて医師に再度説明を依頼する．

#### 2. 他部門との協力

検査には臨床検査部門や放射線部門など他部門との連携が必要である．被検者の病態によって関わる検査部門は異なり，場所や方法も変わる．そのため，検査が迅速かつ安全に実施され，正しい結果が得られるように他部門との調整を行うのも看護師の役割となる．

---

[*1] 確実な判定基準をもつ検査で目的とする疾患患者を選別する方法．疾患を特定するための初期段階で行う．

## B 検体検査におけるケア

　被検者から採取した血液，尿，細胞などを調べるものを検体検査という．検体検査では検体を採取するところから適正な手技と保存を行わないと，正しい検査結果を得ることができず診断や治療に影響を及ぼすことがある．検体は検査室に届けられるまで医師や看護師の管理下にあるため，検査を十分理解したうえで，適切な処置を行うことが求められる．

### 1 血液検査

#### 1. 血液検査の項目（表Ⅷ-8）

1）血液学的検査

　赤血球や白血球の数・機能や凝固機能などを解析する．血球産生と破壊のバランスは保たれ，血液中の各血球数はほぼ一定であるが，身体に異常が生じると血液成分に変化が起こるため，全身性疾患のスクリーニング検査として実施される．また，凝固機能は治療効果や重症度の判定に有用である．

2）生化学的検査

　全血や一部血漿を検体とし，生体内にある程度の量が存在する物質や酵素を化学反応で測定し，健康度を判定して，人体の異常を把握する．

3）免疫血清検査

　血液中の抗原や抗体の有無とその量を抗原抗体反応で測定し，免疫能を推測したり，診断や病型分類などに有用である．

4）内分泌検査

　血液中のホルモンの濃度を測定し，疾病の診断や経過を把握する．

#### 2. 採血時の注意点

1）個体間差による変動因子

　検査値には個体間差がきわめて大きなものがあり，年齢，性別などの生理的因子，食物・運動や嗜好品などの生活習慣因子によって変動する（表Ⅷ-9）ことを理解しておく．

2）採血時の変動因子[1]

①姿勢

　仰臥位から立位へと姿勢が変わると，重力の影響で下肢の毛細血管圧が上昇し，水分が血管内から間質に移動し，健常者で血漿が約10％減少する．そのため，細胞成分（赤血球・白血球・ヘモグロビン・ヘマトクリット）や，タンパク質・コレステロールなどの高分子化合物の濃度は上昇し，検査値は5～15％増加する．

②駆血帯

　採血のために採血部位の中枢側を駆血帯で締めると静脈が膨れ出てくるが，同時に血管内から間質へ水分や低分子物質が移動する．そのため，駆血時間は検査値にほとんど影響を与えない1分程度とする．

#### 3. 採血方法

1）採血部位

①静脈血採血

　静脈血採血には，走行が浅く比較的大きな管腔をもち，採血では静脈の可動性が少ない浅在性静脈（皮静脈）を用いる．採血部位としては手背，足背，前腕など身体のどの部位の皮静脈も用いることができるが，着脱が不要な肘窩が日常的に用いられる．

表Ⅷ-8　血液検査の主な項目

| | |
|---|---|
| 血液 | 血球算定：白血球，赤血球，ヘモグロビン，ヘマトクリット，MCV（平均赤血球容積），MCH（平均赤血球色素量），MCHC（平均赤血球色素濃度），血小板など<br>血液像：好中球，リンパ球，単球，好酸球，好塩基球など<br>凝固線溶検査：PT（プロトロンビン時間），APTT（活性化部分トロンボプラスチン時間），フィブリノゲン，FDP（フィブリン分解産物）・D ダイマーなど<br>血球表面マーカーの検索：T リンパ球・B リンパ球の占める割合，T リンパ球中の CD4/CD8 の比率など |
| 生化学 | 総タンパク，アルブミン，アミラーゼ・総ビリルビン・Ca（カルシウム），CRP（C-反応性タンパク），CK（クレアチンキナーゼ），LDH（乳酸脱水素酵素）など<br>脂質代謝判定：総コレステロール，HDL・LDL コレステロール，中性脂肪など<br>肝機能判定：AST（GOT），ALT（GPT），γ-GTP，ALP（アルカリホスファターゼ）など<br>糖代謝判定：血糖，HbA1c（グリコヘモグロビン），GA（グリコアルブミン）など |
| 免疫血清 | 免疫グロブリン：IgG，IgA，IgM，IgE など<br>補体成分：C3，C4 など<br>血漿タンパク：$β_2$ マイクログロブリン，フェリチンなど<br>感染症関連：ASK，ASO，寒冷凝集反応，梅毒検査（TP 抗体，RPR）など<br>自己免疫関連：抗核抗体，リウマトイド因子など |

［亀田信介（監）：検査のしくみと進め方―検体，生理機能，画像検査のすべて，2-75 頁，総合医学社，2011 を参考に作成］

表Ⅷ-9　個体間差による検査値の変動因子

| 要因 | 変動項目 |
|---|---|
| 年齢 | 出生時＜成人値：総タンパク，アルブミン，IgA，IgM，アミラーゼ，総コレステロール，BUN（尿素窒素），Ca，白血球数<br>出生時＞成人値：CK，LDH，AST，γ-GTP，無機リン，ビリルビン<br>加齢で減少：総タンパク，Ca，無機リン，ビリルビン，赤血球数（ヘモグロビン量）<br>加齢で増加：BUN，クレアチニン，γ-グロブリン分画 |
| 性別 | 男性＞女性：赤血球数，ヘモグロビン量，血清鉄，クレアチニン，CK（クレアチンキナーゼ），尿酸，BUN<br>男性＜女性：HDL-コレステロール，赤血球沈降速度，女性ホルモン |
| 食事 | 脂質の食事で高値：総コレステロール，LDL-コレステロール，中性脂肪<br>高タンパク食で高値：BUN，アルブミン，アミノ酸，アンモニア<br>1回食事で高値：血糖，中性脂肪，ALP，白血球数，<br>1回食事で低値：遊離脂肪酸 |
| 嗜好品 | カフェインで高値：カテコールアミン，レニン，CRP<br>喫煙で高値：フィブリノゲン，ADP（血小板凝集能），総コレステロール，中性脂肪，血糖 |

［濱﨑直孝，高木　康（編）：臨床検査の正しい仕方―検体採取から測定まで，1-10頁，宇宙堂八木書店，2008を参考に作成］

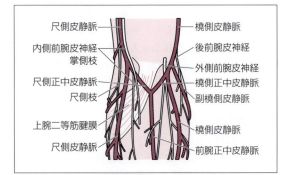

図Ⅷ-13　左上肢の肘窩（浅層）の皮静脈と皮神経
［五味敏昭：安全・確実な静脈採血（肘窩）に必要な解剖学の知識．Medical Technology 38（1）：14-20，2010を参考に作成］

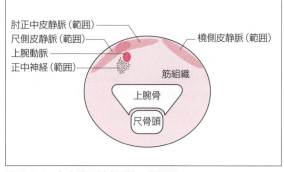

図Ⅷ-14　左上肢の肘窩近傍の断面図
［JCCLS 特定非営利活動法人日本臨床検査標準協議会：標準採血法ガイドライン（GP4-A3），50頁，2019を参考に作成］

　肘窩は橈側皮静脈，尺側皮静脈，肘正中皮静脈が走行し，皮神経が存在している（図Ⅷ-13）．肘窩内側（尺側）の深部には正中神経や上腕動脈が存在し，神経・動脈損傷の危険を伴うため解剖を理解しておく（図Ⅷ-14）．尺側は橈側に比べて皮静脈に伴走する皮神経の数が多い．そのため，採血部位としては①橈側皮静脈，②肘正中皮静脈，③尺側皮静脈，④前腕（手首の橈側は橈骨神経の浅枝が走行しているため除く），⑤手背，の順が推奨されている[2]．
②毛細管血採血
　ビリルビン，血糖，血液ガス，新生児マススクリーニングなどの微量測定が可能な検査の場合には毛細管血採血を行う．採血部位は新生児・歩行開始前の乳児では踵部，幼児以上および自己で行う場合は第2〜4指の指頭掌側中央部とする．皮膚穿刺の採血は動脈血，静脈血，毛細管血が混ざっていること，組織液が混在していることから，検査値が異なることがある．耳朶部の皮膚穿刺では，疼痛はもっとも少ないが血液循環が悪く組織液が混入しやすいことや，静脈血の値と差があり測定値にばらつきがあることから，指頭穿刺のほうがよく選択される．
③採血を避けるべき部位
　点滴静脈内注射が行われている部位の中枢側の血管は，投与中の薬物が検査値に影響するため，同一血管からは採血しない．また，乳房切除を行った側の腕の血管はリンパ液うっ滞を生じる可能性があるため避けたほうがよい．
2）静脈血採血の手順
　採血法の標準化のために日本臨床検査標準協議会（JCCLS）がガイドラインを策定し[3]，被検者と採血者の安全面と実施可能性から妥当と考えられる採血手順を示している．採血は用途に応じて真空管採血

表Ⅷ-10 採血針を用いた真空管採血の手順と根拠

| 手　順 | 留意点/根拠 |
|---|---|
| 1. 必要物品を準備する<br>2. 姓名により患者の確認を行う<br>3. 必要事項を患者に尋ね確認する | ・氏名，検査項目，検体の種類を照合し，検体の取り違えを起こさないようにする<br>・食事や服薬の有無などの採血条件が守られているか，アレルギーの有無を確認する |
| 4. 手洗いをして手袋（滅菌していないものでよい）を着用する | ・血液曝露による交差感染を予防する |
| 5. 駆血帯装着前に，目視および指で触れて穿刺すべき血管の見当をつける<br>6. ホルダーに採血針を取りつける | ・熱傷痕や皮膚炎のある部位は避け，太さ，深さ，弾力性などの観点からもっとも採血に適した血管を選択する |
| 7. 採血に適した姿勢をとってもらう<br>（外来は坐位，入院は臥位で実施することが多い） | ・姿勢により変動する検査がある場合，体位を記録しておく |
| 8. 駆血帯を採血部位から7〜10cm離して装着する | ・駆血時間が長くなった場合は2分程度経過してから装着し直す |
| 9. 患者に手を軽く握ってもらい，指で触れて穿刺する血管を決定する | ・血管の怒張が促進される程度とし，強く握ることやクレンチング動作[*2]はカリウムなどの検査値に影響を与えるので行わない |
| 10. 穿刺部位を消毒綿で清拭を行い，消毒液が乾燥するまで待つ | ・消毒効果を発揮するために一定の作用時間が必要である |
| 11. 親指で穿刺部位の3〜5cm下に皮膚を押えて引く | ・皮膚が緊張し，静脈が伸びるので，穿刺が容易になる |
| 12. 針を血管に対して30°以下程度の角度で刺入し，針が動くことのないようにホルダーを固定する | ・角度が大きいと神経損傷のリスクが増大する<br>・深部の血管以外は20°以下で十分である |
| 13. 採血管の底部が下向きになるように，ホルダー内へまっすぐ差し込み血液の流入を確認する | ・採血管内の添加物や血液が被検者の血管内に逆流するのを防ぐため |
| 14. 必要量の血液を採取した後，採血管をまっすぐホルダーから抜去し，順次，採血管に血液を採取する | ・ホルダー内のゴムスリーブから血液の漏れ出しや採血管上部への血液付着に注意する |
| 15. 抗凝固薬または凝固促進薬入りの採血管は，5回程度確実に転倒混和する | ・血液と添加薬を完全に混和する |
| 16. 最後の採血管をホルダーから抜去し，その後駆血帯を解除する | ・駆血帯を外すと圧力差により，採血管から血管内へ血液が逆流することを防止するため |
| 17. 穿刺部位に消毒綿を軽くあてた状態で針を抜き，圧迫する | ・止血を確認できる2〜3分間は圧迫する |
| 18. 針とホルダーを一体のまま鋭利器材専用廃棄容器に捨てる | ・採血後の採血管の取り扱いがすべて終わるまで手袋着用のまま行う |

と注射器採血を使い分けるが，ここでは真空管採血の手順を示す（表Ⅷ-10）．医師が被検者に採血の説明を行い，同意を得たのち採血者は検査項目に必要な採血管を準備し，内容と照合して採血を実施する．

### 4. 採血器具に関する注意

1) 採血器具の基準

①採血針：採血針（真空管採血用の両方向針），注射針（注射器採血の直針），翼状針（翼付き針）があり用途に応じて使い分ける（図Ⅷ-15）．太さは滅菌済みの21G〜23G（398頁参照）で，溶血防止のため23Gより細い針は使用しない．

②真空採血管：内部が滅菌されているもの．

③ホルダー：使い捨て専用であり，採血針を接続して弛みがないもの．

④注射器：JISで規定された滅菌済みのもの．

2) 採血

①ホルダーと針：針とホルダーのネジを最後まで回してしっかり止める．

②ホルダーと採血針：針先が血管内に達したら，採血管をホルダー内にまっすぐにしっかりと差し込む．

3) 器具の破棄

真空管採血では針とホルダーを接続したまま，鋭利機材専用廃棄容器に捨てることが原則である．穴に針を入れ，針だけ容器内に落下させるタイプのものもある．その場合もホルダーは捨てる．針のリキャップ（使用済の針にキャップをかぶせること）は行ってはならない．

4) 採血管分注の順序

複数の真空採血管で採血する場合，各採血管の添加物混入による検査値への影響を防ぐために分注の

---

[*2] 採血の際に手を握ったり開いたりする動作のこと．

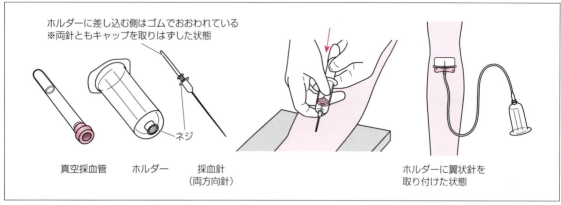

図Ⅷ-15 真空管採血の器具と血液の採取方法

表Ⅷ-11 採血管に分注する順序

| 真空管採血の場合 |
| --- |
| ①凝固検査用採血管　①血清用採血管 |
| ②赤沈用採血管　　　②凝固検査用採血管 |
| ③血清用採血管　　　③血沈用採血管 |
| ④ヘパリン入り採血管 |
| ⑤EDTA入り採血管 |
| ⑥解糖阻害薬入り採血管 |
| ⑦その他 |
| 注射器採血の場合 |
| ①凝固検査用採血管 |
| ②血沈用採血管 |
| ③ヘパリン入り採血管 |
| ④EDTA入り採血管 |
| ⑤解糖阻害薬入り採血管 |
| ⑥血清用採血管 |
| ⑦その他 |

〈採血順による利点と欠点〉
・クエン酸ナトリウム添加の凝固検査用採血管の後に血清用採血管へ採取すると,生化学検査のナトリウム値が偽高値になる可能性がある
・凝固促進薬添加の血清用採血管の後に凝固検査用採血管へ採取すると,凝固検査値に影響が出る可能性がある
・凝固検査は正確な採血量が必要なため,最初に採取すれば採血量不足が回避できる
・血清用採血管に最初に採取すれば,組織液の混入で凝固検査値に誤差が生じる可能性を防止できる

[JCCLS 特定非営利活動法人日本臨床検査標準協議会:標準採血法ガイドライン(GP4-A3),32-33頁,2019を一部改変]

順序が決められている(表Ⅷ-11).しかし,どちらを先に採取すべきかのエビデンスは十分得られていないため,個別の状況や検査項目によって順序を変更することは許されている.海外のガイドラインでは,すべて凝固検査用採血管に最初に採取することが推奨されている.

## 2 一般検査

### 1. 尿検査

尿検査(urinalysis)では腎・尿路系の疾患だけでなく,循環器・内分泌・代謝系など多くの臓器の病態を知ることができる.また,尿検査を反復して実施すれば病態の変化,予後の推定,治療法の選択などの指標にもなる.尿は採取が容易で,被検者に苦痛を与えず繰り返し検査ができる.

1) 採尿における注意点
● 早朝尿(早朝起床直後に採取した尿)は個人の安静状態を反映し,濃縮されておりpHは酸性に傾き,成分の保存もよいので最適である.
● 食後2時間以上を経過し,激しい運動をしていなければ随時尿でもよい.
● 尿は長時間放置すると有形成分は崩壊変形し,化学成分が変化するため,採尿後4時間以内に分析する.
● 尿の電解質やタンパク,クレアチニンなど化学成分の定量検査には24時間尿(蓄尿)を用いるが,細菌の繁殖防止のため防腐剤や添加剤を加えて保存する.

2) 採尿方法
①中間尿:尿道,外尿道口付近の常在菌を初期の放尿で流した後,50~100 mLを容器に採取する.終末尿は膀胱内の沈渣物が混入しやすいため除く.
②蓄尿:蓄尿開始時に必ず放尿しその尿を捨て,そ

れ以後に排泄した尿をすべて蓄尿容器に集め，終了時間（一般に 24 時間後）には尿意がなくても排尿してもらう．排便時に排泄された尿も捨てないように注意する．尿量を測定したら尿を撹拌(かくはん)した一部を採取する．

## 2. 便検査

便は肉眼的性状の観察でもある程度の鑑別はできるが，便検査（examination of feces）は，消化器疾患の診断を目的として出血の有無や寄生虫の存在，食中毒の原因微生物の検索を目的に行われる．

### 1) 潜血検査

消化管の潰瘍，腫瘍，炎症，感染症などが原因で出血するが，微量の出血では肉眼でわからないことがあるため，便潜血反応で確認する．

わが国では，化学法の測定試薬の製造中止に伴い，免疫法のみが実施されている．

免疫法はヒトヘモグロビンを特異的に検出する方法で，下部消化管とくに大腸からの出血を検出するのに適している．上部消化管からの出血の場合，消化液によりヘモグロビンが変性・分解されるため検出されにくい．そのため，検診では大腸がん検査として用いられる．

### 2) 寄生虫検査

寄生虫の卵や幼虫，成体を見つける検査で，海外渡航者や熱帯病流行地からの入国者によって持ち込まれることが主で，ペット飼育の普及によって新たな腸管寄生虫病が検出されている．ステロイドや抗がん薬の使用増加に伴い，寄生虫による日和見感染症が劇症化することもあるので，鑑別が重要である．

### 3) 採便方法

- 便柱の一側面に綿状あるいは斑状に血液が付着していることがあるので，表面や内部の数ヵ所から採取する．
- 1 日法より 2 日法で行うと検出率が増加する．
- 潜血検査は便を容器に入れて室温に放置すると，陽性度は 1〜2 日で低下もしくは陰性化するため，保存は 24 時間以内とし冷蔵 4℃で行う．
- 寄生虫検査では新鮮な便を母指頭大だけ採取し，乾燥させないように提出する．

## 3 感染症（細菌・ウイルス）検査

感染症の診断，治療が適正に行われるために必須の検査である．喀痰，尿，便，膿，血液などの検体から，起炎病原体を検出する「塗抹(とまつ)検査」，「培養検査」，「薬物感受性検査」が一連の操作で行われる．いずれの検査も検体中に起炎病原体が確実に含まれていないと診断できないため，検体採取がもっとも重要となる．

## 1. 検査の種類

### 1) 塗抹検査

検体は塗抹標本[*3]を作製し，顕微鏡で観察できるように，グラム染色，抗酸菌染色などを用いて染め出し菌種を推定する．迅速性に優れているが，菌種の特定や薬物感受性試験は行えない．

### 2) 培養検査

塗抹検査のグラム染色では菌種の推定のみ可能なので，菌種を確定するために推定している菌に適した培地を選択し菌を増殖させる．菌が検出されたら定められた手順によって性状を調べて菌種を同定する．

### 3) 薬物感受性検査

検出菌に対して感受性を示す（効果がある）抗菌薬を選択するために，抗菌薬の抗菌力を判断する．

## 2. 検体採取の注意点

### 1) 常在菌の混入，消毒薬の混入を避ける

尿や喀痰における常在菌大量混入や検体採取部位・手技に伴う皮膚や粘膜の常在菌混入を最小限にとどめた検体採取が重要である．

- 喀痰：採取前に歯磨きや含嗽を行い，口腔内を清潔にしてから採取する．
- 尿：男女とも尿道口を洗浄あるいは清拭し必ず初尿は捨て中間尿を採取する．
- 便：便はできるだけ多く採取し，常在菌の混入を避けるため，採取後ただちに検査室に搬送する．
- 血液：穿刺部位をアルコールで消毒し，続いてポビドンヨードで再消毒する．起炎病原体を判断するために，通常は左右の正肘静脈の 2 ヵ所から採血を行う．

### 2) 血液培養検査の検体採取時期

- 悪寒・戦慄や発熱が出現した初期に血液を採取する．
- 抗菌薬が投与されると 2〜4 時間程度で感染病巣に変化がみられ起炎病原体が検出できなくなるので，抗菌薬療法を開始する前に検体を採取する．
- 抗菌薬投与中は 24 時間以上抗菌薬を中止して採取する．
- 抗菌薬を中止できない場合は，抗菌薬の血中濃度がもっとも低い次回投与直前に採取する．

### 3) 採取した検体の取り扱いに注意する

- 検体が乾燥すると微生物が死滅することがあるため，専用培地の使用や微量の滅菌生理食塩水で湿

---

[*3] 採取した痰や膿などを所定の方法で処理後，スライドグラス上に置いて顕微鏡などで観察できるようにしたもの．

表Ⅷ-12 感染症検査に必要な患者情報

① 基礎疾患(血液疾患,悪性腫瘍,糖尿病,HIV,心疾患など)
② 感染症名(呼吸器感染,尿路感染,消化器感染,皮膚軟部組織感染,敗血症など)
③ 臨床症状,理学所見
④ 体温(熱型),白血球数(分画),CRPなどの炎症マーカーとなる検査データ
⑤ 留置カテーテルの有無(血管内,膀胱内,腹腔内など)
⑥ 気管切開の有無
⑦ 手術の有無(術式もしくは侵襲度)
⑧ 化学療法の有無(抗菌薬,ステロイド,免疫抑制薬,抗がん薬など)
⑨ その他(感染者との接触歴,旅行歴,動物接触歴,生活環境,生活習慣,職業など)

[大塚喜人:感染症(細菌・ウイルス)の検査.検査のしくみと進め方—検体,生理機能,画像検査のすべて(亀田信介監),93頁,総合医学社,2011より引用]

らせた状態で搬送する.
● 嫌気性菌は酸素に触れると菌種によっては菌量が減少するので,専用容器に採取する.したがって,注射器で採取した血液は,必ず嫌気用ボトルに半量を分注し,残りを好気用ボトルに注入する.

4) 検体の室温放置は厳禁

検体を室温に放置しておくと微生物が増殖し起炎菌でないものまで起炎病原体と判断することがある.とくに尿は室温で5時間放置すると1万倍に増殖する.

### 3. 検査室への患者情報

被検者のさまざまな情報を基に起炎菌病原体を推定し,塗抹検査での染色方法や培養検査における培養条件と培地の選択を容易にし検査結果を迅速に得るため,被検者の感染症に関連した情報(表Ⅷ-12)を的確に伝える.

## 4 病理検査

患者から得られた検体から組織および細胞に生じた器質的・機能的な変化を直接観察でき,確定診断に重要な検査である.被検者氏名と採取部位を間違えないように細心の注意を払い記入する.

### 1. 組織学的検査

病変の部位から組織(塊)を採取し,組織標本を作って顕微鏡で観察し,病気の本体を直接明らかにする検査である.組織は手術や内視鏡によって摘出あるいは切除し,良性か悪性,病変の程度や広がり,病変部はすべて取り切れているかの確認,治療効果の判定を行う.組織の診断結果が最終診断となり,治療方針が決定される重要な検査であるが,組織提出から結果報告までに通常2~3日かかる.

### 2. 細胞学的検査

喀痰,尿,胸水,腹水,子宮からの擦過物などを採取し,塗抹標本を作って顕微鏡で細胞を調べる検査である.被検者にとっては負担が少なく繰り返し検査ができ安価である.細胞の精細な所見によって,組織型・原発臓器の推定・治療効果の判定などを行う.

## C 生理機能検査におけるケア

生理機能検査(physiological function test)は生体そのものの変化を直接計測して生体の機能を把握するために行う.看護師はこれらに関する基礎知識をもち,予測される結果から治療に対する準備を整える.また,検査の特異性に留意し,被検者が最小の苦痛で最大の協力が得られるように援助する.

## 1 循環機能検査

### 1. 心電図

正常な心臓は洞結節がペースメーカーとなって興奮が生じ,その興奮が刺激伝導系を介して心筋全体に伝わり,拍動している.心電図(electrocardiogram:ECG)は心筋の収縮によって発生する活動電位を体表面から導出し,心電計を介して増幅させ,計測部位の電位差を経時的に記録するものである.一般に,標準12誘導による心電図を用いて虚血性心疾患,不整脈,心肥大,電解質異常などの評価を行う.日常生活での異常の確認には,長時間にわたる心電図を保存・解析できるホルター心電計(携帯型の心電計)による心電図を,入院中に連続記録を必要とする場合はモニター型心電計による心電図をそれぞれ用いる.

1) 誘導法

心電図の誘導には,心臓の電気現象を体表面に装着したプラス側とマイナス側の電極間に生じた電位差を利用している.通常,四肢(4ヵ所)と胸部の6ヵ所の計10ヵ所の電極部位から12とおりの電気の流れを記録する標準12誘導を用いる.このうち四肢誘導には,2つの電極での電位の差をみる標準

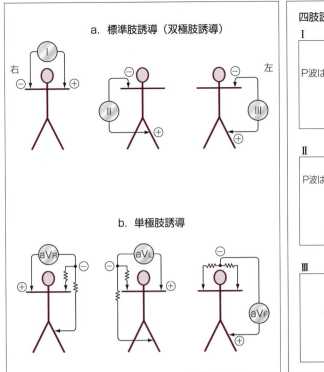

図Ⅷ-16 四肢誘導と正常波形

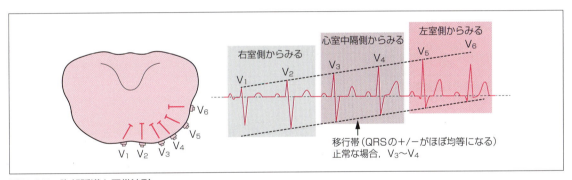

図Ⅷ-17 胸部誘導と正常波形

肢誘導（双極肢誘導）（Ⅰ，Ⅱ，Ⅲ）と，2つの電極の結合電位を基準にもうひとつの電極との電位差をみる単極肢誘導（$aV_R$，$aV_L$，$aV_F$）がある（図Ⅷ-16）．胸部誘導（$V_1$～$V_6$）は，心臓から向かってくる電圧を胸部体表面の各電極部位から導出したものである（図Ⅷ-17）．

2）測定方法

心電図を正しく判読するには，誘導法によって異なる波形パターンを知っておくほかに，時間幅と振幅の計測も必要である．心電図は25 mm/秒の速度で記録され，横軸が時間，縦軸が振幅（電圧）を表し，感度は通常1 mV＝10 mm である．標準12誘導心電図ではとくに注釈がなければ，もっとも振幅が大きい第Ⅱ誘導を基本的な波形とする（図Ⅷ-18）．

3）心電図記録時の注意点

検査中は，交流（ハム，hum）障害，筋電図の混入や基線の動揺などアーチファクト（artifact）[4]を防ぐための対策をとる．また，電気抵抗が高くなると一般に心電図の波高が小さくなるので，電極の装着は正しく行う（図Ⅷ-19）．

①環境調整

●痛みを伴わない検査であることを説明し，不安や

---

[4] 人工的な現象のこと．心電図や脳波など電気的に導出した生体信号波形に交流（50または60 Hz）や音などがアーチファクトとして混入することがある．

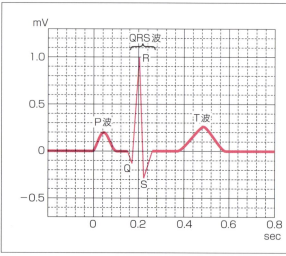

図Ⅷ-18 心電図の波形と各種計測値

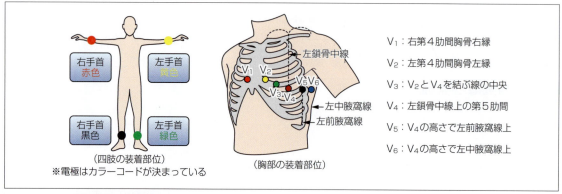

図Ⅷ-19 心電図用電極の装着部位

緊張を緩和する.
- 検査中の深呼吸や会話は基線の動揺を招くので,力を抜いて楽な呼吸を求める.
- 筋電図が発生しないように,手と腕は体幹から10 cm離し,足は20 cmほど開き,膝を軽く曲げ,力の入らない自然な体位をとってもらう.
- 筋電図が発生した場合は,背伸びをしてもらい筋肉を弛緩させる.
- ハムが発生しないように,ラジオ,テレビなどの電源を抜くか,遠ざける.
- ノイズの発生を防ぐため,腕時計やネックレスなど金属製品は外す.
- 寒さのふるえにより筋電図が発生しないように,室温は24℃度前後に調整しバスタオルなど軽い掛け物をする.このときコード類に衣類や掛け物が絡まないように注意する.

② 電極の装着
　電極は心電計によって異なるが,四肢はクリップ型,胸部は吸引型と,ディスポーザブルの貼付式のものがある.
- 電気抵抗を高くしないようにするために,血液や皮脂による皮膚の汚れは脱脂用アルコール綿（90％エチルアルコール）で拭きとり,使用したアルコールは完全に乾燥させてから電極を接着する.
- 四肢のクリップ電極は,隙間があると電気抵抗を高くするので,骨突出部位を避けて装着する.やせていてクリップ電極が皮膚に密着しにくい場合は,隙間にペースト（424頁参照）を塗るか生理食塩水を含ませたガーゼをはさんで装着する.
- 上肢では前腕内側の手首から5 cm程度上部に,下肢では下腿内果から5 cm程度それぞれ中枢側に電極を装着する.
- 胸部誘導は電気抵抗を高くする脂肪分の少ない骨の上に装着すると,体動や呼吸の影響も小さくなるので安定する.

表Ⅷ-13　運動負荷装置の比較

|  | マスター2階段法 | トレッドミル法 | エルゴメータ法 |
|---|---|---|---|
| 方法 | 高さ23 cmの2階段を性・年齢・体重によって決められた回数だけ昇降する | 任意の傾斜とスピードで動くベルトの上を歩行する | 固定された自転車の車輪に一定の制動抵抗をかけ，ペダルを踏む |
| 負荷様式 | 単一段階負荷 | 漸増式負荷<br>2～3分ごとに速度と角度を増加させる | 漸増式負荷制動器を3分ごとに25 Wずつ増加するか，10～20 W/分で増加していく |
| 誘導法 | 標準12誘導 | 標準12誘導で肢誘導は体幹に装着する | |
| 心電図記録 | 仰臥位で運動前，直後，2分後，6分後 | 運動前～負荷中～負荷後坐位で7分間を1分ごと<br>※血圧も同時記録する | |
| 特徴 | 被検者によっては負荷が不十分になる | 運動処方ができ，安全性が高い | 坐位または臥位で実施できる |
| 価格 | 安価 | 高価 | 高価 |
| 転倒の危険 | あり | あり | なし |
| 主要な目的 | スクリーニング | 冠動脈疾患の診断 | 運動耐容能評価 |

- ペーストは厚く塗ると計測に影響を及ぼすことがあるので必要最小限にする．
- 切断肢あるいは四肢の電極装着部位に創がある場合はその中枢側に装着する．また，小児や振戦がある患者は体幹に近い位置に装着する．
- 胸部誘導の吸引電極は長時間の装着で点状出血を起こす場合がある．一時的ですぐ消失するが，検査は速やかに終わらせるようにする．
- 1日に何度も検査する場合は貼付式の電極を用いるか，電極装着部位に印をつけて誘導部位がずれないようにする．
- 胸部誘導では，隣接する電極がペーストで短絡（ショート）しないようにする．とくに，乳児は胸壁が狭いので小児用の電極を使用する．

測定が終了したらペーストをよく拭きとっておく（肌荒れを起こすことがある）．

### 2. 運動負荷心電図

心電図を利用した運動負荷試験は，虚血性心疾患の診断と評価，心臓疾患の運動耐用能，運動誘発不整脈などの検出を目的に行う．日常診療でよく用いられるのはマスター2階段，トレッドミル，エルゴメータである（表Ⅷ-13）．

1) 運動負荷の中止基準

検査中の合併症や死亡を防止するために，自覚症状，他覚的所見，心拍数，心電図変化，血圧変化を指標に適切な終点が設定されている[4]．

2) 運動負荷検査の注意点

- 検査への不安は心拍数や血圧に影響を与えるので，十分な説明を行う．
- 検査前の絶食はかえって血糖を下げ運動能力を抑えてしまうので，食事は2時間以上前までに平素よりはやや少なめに摂取しておく．
- 上半身は電極を装着したままなので，着衣しないか前開きの上着を着てもらう．
- 検査中になんらかの自覚症状が出現したら，すぐに伝えてもらう．
- 検査終了後少なくとも10分間は観察し，一般状態に変化のないことを確認する．

### 3. 心エコー法（echocardiography）

心エコー法は，超音波ビームを多方向から心臓に向かって射入することで心臓や大血管の形態，機能および血行動態を非観血的に評価するものである．弁膜症や心筋症などの循環器疾患においては必須検査となっており，侵襲的な心臓カテーテル検査は減少してきている．

1) 心エコー法の種類

Mモード心エコー法では，超音波ビームを固定して局所の心臓の動きを静止画で表示し，特徴的な病態が把握できる．心臓全体の動きを観察するためには断層心エコー法が有用である．心臓の断面像を表示して心内構造物の動態を立体的に把握し，形態の計測や機能を解析する．ドプラ心エコー法は血流に超音波ビームを当て，血流速度と方向，流れの性状の情報を得る．心エコーではこれら3者を併用して総合的に評価する．

2) 検査時の注意点

- 通常，所要時間は30分程度で，危険性がないことを説明する．
- 寒冷刺激を避けるため室温に注意し，エコーゼリー（超音波の伝搬効率をよくする物質）は体温程度に温めておく．
- よい超音波像を得るために，検査中浅い呼吸や一

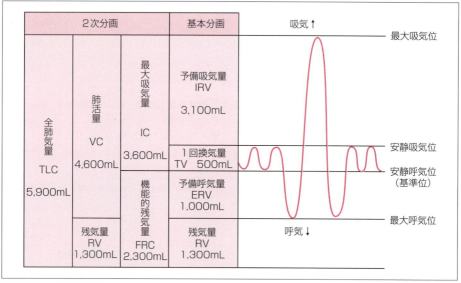

図Ⅷ-20　肺気量分画
数値は成人20～30歳，仰臥位での正常値を示す．
　TLC：total lung capacity　　FRC：functional residual capacity
　VC：vital capacity　　　　　　IRV：inspiratory reserve volume
　RV：residual volume　　　　　TV：tidal volume
　IC：inspiratory capacity　　　ERV：expiratory reserve volume

時呼吸停止，体位変換の指示があることを説明し，協力を得る．
- 肺や肋骨・胸骨など超音波伝播の障害を避けるため，被検者の体位は左側臥位が基本であるが，重症度を考慮し，苦痛がないか確認する．
- 緊急時で被検者に冷汗や胸部症状がある場合，心臓由来による苦痛か否かを見極め，状況に応じて検査を中断し治療を行う．

## 2　呼吸機能検査

### 1．換気機能検査

　換気機能は呼吸筋の収縮・弛緩と気道および肺の機能に依存している．換気機能検査は圧力（pressure），気流量（flow），肺気量（volume）の3つの要素を用いて力学的に分析するもので，手術前の肺機能の評価や呼吸器系疾患の確定診断および治療効果・進行状態の把握をする．

1）肺気量分画

　換気機能の指標として，肺の容積を示す全肺気量は4つの基本分画からなる肺気量と，2次分画として複数の換気量を組み合わせた肺容量（capacity）を測定する（図Ⅷ-20）．

2）スパイロメトリ（spirometry）

　肺活量（vital capacity：VC），努力肺活量（forced vital capacity：FVC），1秒量（forced expiratory volume for 1 second：$FEV_{1.0}$），最大呼気中間流量（maximal mid-expiratory flow：MMF）などをスパイロメータ（肺活量計）を用いて測定する．さらに，%肺活量（%VC），1秒率（$FEV_{1.0}$%）などを算出して，換気の状態を評価する．

①肺活量（VC）と努力肺活量（FVC）

　標準的な測定では，安静呼吸から最大呼出，最大吸気，最大呼出を行う吸気呼気肺活量測定を2回以上試みる．2つの測定値の最大値をVCとし，通常は吸気肺活量を指す．最大吸気から最大呼出して得られる呼気肺活量をFVCという．被検者の性別，年齢，身長から算出された予測肺活量に対するVCの割合を%VCという．これらは閉塞性あるいは拘束性換気障害の指標に用いる．

　FVCの努力性呼出によって努力性呼気曲線とフローボリューム曲線が得られる．

②努力性呼気曲線

　呼出開始点から1秒間に呼出される肺気量を$FEV_{1.0}$といい，FVCとの比率をとって$FEV_{1.0}$%を求める．閉塞性障害の重症度や気道閉塞の変化の評価に用いる．

③フローボリューム曲線

　最大努力呼出時の毎秒の気流量（気速：フロー，flow）と肺気量（ボリューム，volume）の変化を同時に記録した曲線である．曲線の形や大きさは努力

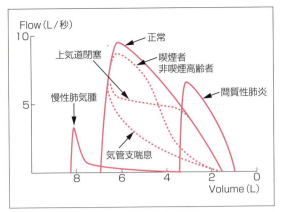

図Ⅷ-21　全肺気量を横軸にしたときの各疾患におけるフローボリューム曲線パターン

[柴田正慶：ここが知りたい！スパイロメトリーの基本と秘訣, 114頁, 克誠堂出版, 2010 より引用]

呼出が十分かどうかを確認するための指標であり, 疾患によって特徴的な波形パターンを示す（図Ⅷ-21）.

3）換気機能検査時の注意点
- 検査結果の信頼性は被検者の最大吸気位と最大呼気位に達することが必要なため, 被検者の努力が重要であることを説明し, 協力を得る.
- 呼吸方法は検査者の指示に従ってもらうため, タイミングや声の調子に配慮する.
- 体位は測定値に大差のない坐位か立位とし, 臥位では肺活量が約7〜8％減少するので, 体位を記録に残しておく.
- 衣服をゆるめ, 顎は軽く上向けにして, 背中をまっすぐ伸ばして, 肩の力を抜いた姿勢をとらせる.
- マウスピースやノーズクリップの間から空気の漏れがないか常に確認する.
- 検査中に呼吸困難や急変を起こす可能性があるので, 発作が起これば中止する.
- 感染防止のためにマウスピースや蛇管などは消毒したものか, ディスポーザブルのものを使用する.

## 2. 血液ガス分析（arterial blood gas analysis：ABGA）

血液ガス分析装置により, 動脈血の二酸化炭素分圧（partial pressure of arterial carbon dioxide：$PaCO_2$）, 酸素分圧（partial pressure of arterial oxygen：$PaO_2$）, 重炭酸イオン（$HCO_3^-$）, 塩基過剰（Base excess：BE）, 酸素飽和度やpHが測定される. これにより肺での①ガス交換の状態, ②酸素化の評価, ③酸塩基平衡を評価することができる.

1）検体の取り扱い
- 採血時の状況として時刻, 体位, 体温, 酸素濃度, 呼吸状況は必ず記録しておく.
- 大気中の酸素の影響を受けないよう, 注射器内に気泡を混入させない.
- 血液ガス測定用動脈採血キットのシリンジで採血を行う.
- 採血後は血液中の白血球や赤血球が活発に代謝し, 酸素を消費して二酸化炭素を産生するため, 採血後30分以内に測定する. 冷却（氷水に浸ける）して代謝を抑えることもできるが, 血漿の溶解酸素は氷水保存で溶解度が増加して酸素を外から引き込み酸素が増加するため, 3時間以内に測定する.

2）採血時の注意点

採血は拍動を触知しやすい大腿動脈・橈骨動脈, 上腕動脈で行う.
- 採血時, 注射器の内筒を引くとガスが逃げて誤差が生じるので, 陰圧をかけない.
- 採血後は穿刺部位を3〜5分間圧迫し, 止血を確認後, 絆創膏で固定圧迫する.
- 末梢動脈カテーテルからの採血は, カテーテル内腔の3倍量以上の血液を脱血してから行う.

## 3. パルスオキシメーター（pulse oximeter）

動脈血酸素飽和度（arterial blood oxygen saturation：$SaO_2$）を非侵襲的で簡単かつその場で測定できるモニターである. 経皮的に測定した場合, Sはsaturation, pはpercutaneous（経皮的）を意味し「$SpO_2$」と表示され, 観血的な動脈血ガス分析とは区別されている. 低酸素血症の監視, 診断・治療のモニタリング, 循環状態悪化の把握などに用いられる.

1）測定の原理

パルスオキシメーターは, 赤外光（波長940 nm）と赤色光（波長660 nm）の2波長の光を組織に当て, 動脈血の酸化ヘモグロビンと静脈血の還元ヘモグロビンが赤色光を吸収する程度（吸光度）の違いを利用して動脈血ヘモグロビン酸素飽和度を測定する. また, 動脈は拍動に応じて血管の幅が変わり吸光度も増減するため動脈成分のみ測定できる[5]).

測定形式には, 発光部と受光部で生体組織を挟む透過型と, 発光部と受光部が約1 cm間隔で同一平面に並ぶ反射型がある. ショック時などで指先や耳朶の循環が遮断された場合, 前額部（眼窩上動脈）の平面で測定できる反射型が適していると言われている[5]). また, 反射型はリストバンド型生体センサに搭載して遠隔モニタリングシステムとして活用す

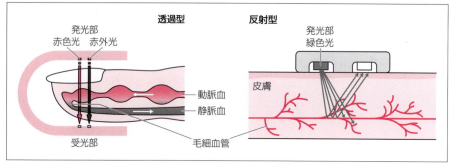

図Ⅷ-22 パルスオキシメーターの原理のイメージ

るなど開発が進んでいる.（**図Ⅷ-22**）.

2) 測定時の注意点
- 透過型は通常1cm前後の厚さのある組織（部位, 通常は指先）を挟み込み, 発光部と受光部が対向するようにプローブを装着する.
- 透過型のプローブはクリップ型やテープ型があるので, 患者の状態に合わせて選択する.
- 数秒間の平均で表示するため, プローブを装着した直後の値ではなく, 動脈拍動を検出して20〜30秒後の値を読み取る.
- 測定部の冷感や血圧低下など末梢循環不全に陥っている場合, 動脈の拍動を正しく検出できず低い値を表示することがあるので注意する.
- 体動によりプローブが揺れると動脈血と静脈血を区別できないことがあるので, 安静状態で測定する.
- 太陽光の赤色光や赤外光の干渉を受けるので, 屋外で測定する場合は日陰で行う.
- マニキュアは測定値を不正確にするため, 除去する.

## 3 神経・筋機能検査

### 1. 脳波（electroencephalogram：EEG）

脳は神経細胞の集合体で, 活動には電気現象が伴う. 脳波は脳神経細胞の活動で生じる電位を頭皮上の電極で記録したものである. 脳波検査はてんかんや意識障害などの診断や器質性障害の評価に有用である.

1) 導出法

単極導出法は国際10-20（「テン・トゥエンティ」と読む）法に従って頭皮上に活動電極を装着し, 同側の耳朶に基準電極を装着して電位差をみる方法である. 微弱な電気信号を増幅するデジタル脳波計を使用する[6]. 脳波は周波数によって, α波（落ち着いている）, β波（興奮している）, θ波（瞑想している）, δ波（熟睡している）に分類され, 脳死では平坦になる.

2) 検査における注意点
- 電気抵抗を高める皮脂を取り除くために, 可能であれば検査前に洗髪を行う.
- 記録時間は30〜60分かかるので, 検査前に必ず排泄をすませておく.
- 頭皮上の電極の位置を決め, 頭髪を分けてアルコール綿で清拭し, ペースト[*5]をつけた電極をネットあるいはゴムバンドで固定する.
- 薬の効果をみる場合は, 事前に薬の服用について医師の指示に従って処置する.
- 義歯の咬み合う音や筋運動が脳波雑音の原因になることがあるので, 検査前に外しておく.
- 睡眠検査を行う場合, 昼間は寝ないようにしておく. また, 薬の使用時は検査終了後にも影響が及ぶ危険があるので, 眠気を覚ましてから帰ってもらう.
- 検査後は頭皮のペーストを除去する.
- 低血糖が脳波に影響することがあるので, 食事は普通にとってもらう.
- 重症者や意識障害の被検者は, ベッドから落ちるなどの危険があるので, そばに付き添い監視する.

### 2. 筋電図（electromyogram：EMG）

筋電図とは筋線維が興奮するときに発生する活動電位を記録したものである. 通常は骨格筋（横紋筋）の活動を対象とし, 運動器系の障害が筋肉, 神経, 神経筋接合部のいずれにあるのかを分析する.

---

[*5] electrode paste, 電極糊：NaClを主成分とする電解液を糊状にしたもので皮膚と電極との間の通電を良くする. 肌荒れの原因となるので測定後はティッシュやアルコール綿などでよく拭き取る.

1) 検査の種類

筋電図には滅菌した針電極を筋肉に刺して限局した部位の筋活動観察をする針筋電図と，直径10〜20 mmの円板状の電極を皮膚に貼りつけて筋全体の収縮状態を知る表面筋電図がある．針筋電図では安静時，針刺入時，軽度収縮時，最大収縮時の4つの波形を観察・記録し，総合的に障害のレベルや部位を判定する．表面筋電図では筋肉全体の活動を連続して記録し，中枢性の運動障害を検索する．

随意の筋収縮が行えない筋肉では，電気刺激を与えて筋肉の電気的な反応をとらえる誘発筋電図がある．この方法は神経活動も記録されるので応用範囲が広く，臨床検査で用いられることが多くなった．

2) 検査における注意点
- 針電極の使用による後遺症はないが，痛みを伴うので事前に十分説明し，同意を得ておく．
- 針筋電図と表面筋電図では，検査者の指示に従って被検者に筋肉の収縮や弛緩を随意的に行ってもらうので，協力の得られない場合，検査は不可能となる．
- 下着1枚になり，検査筋が完全に弛緩できるような体位をとらせる．
- 針刺入部の皮膚はアルコール綿で清拭する．
- 誘発筋電図の記録の際，皮膚温の低下は伝導速度を遅くするので，事前に四肢を温めておく．
- 反復刺激では検査肢が動かないよう固定しておく．

## D 画像検査におけるケア

画像診断法 (diagnostic imaging) には，X線 (X-rays)，ガンマ線 (γ-rays) などの放射線 (radiation) を利用して画像を得る検査と，超音波や磁場を利用する検査がある．診断技術の発展に伴い，このような多くの画像検査が開発され，これまで見ることのできなかった身体内部の状態を，より確実で鮮明な画像としてとらえることができるようになった．看護師は各検査の特徴や有益性を理解し，画像検査が迅速かつ正確に行われるとともに，できるかぎり侵襲を少なくし被検者が安心して受けられるように援助する必要がある．

### 1 放射線に関する基礎知識

#### 1. 放射線の性質

放射線には粒子線と電磁波の2種類があり，粒子線はα線，β線，中性子線，電磁波にはX線とγ線がある．これら放射線には次の4つの性質がある．

① 物質を透過する性質（透過作用）
② 物質を透過するさいにエネルギーを失い，その過程の中で原子核から分離する作用（電離作用）
③ 物質に当てると，その物質に特有の波長の光を放出する性質（蛍光作用）
④ 写真フィルムを感光させる作用（写真作用）

#### 2. 放射線被ばく (radiation exposure)

放射性物質（放射線源）から出された放射線を身体に浴びることを「被ばく」という．検査のための被ばくは医療被ばくと呼ばれ，身体の局所的な被ばくが多く全身被ばくに換算するときわめて低い．しかし，放射線は健康に影響を及ぼすため，被検者への無用な被ばくは最小限におさえるべきである．わが国でもICRP（国際放射線防護委員会）の勧告[7]をもとに関連法令で被ばく線量（線量限度）を抑えるための基準が決められている[*6]．

放射線被ばくのうち，人工的に投与された放射性物質 (radioactive substance) から放射線を受けることを内部被ばく，身体の外から放射線を受けることを外部被ばくという．内部被ばくの場合は，身体内にある放射性物質が減衰してなくなるか，体外に排出されるまで人体は放射線を受け続けることになる．一方，外部被ばくの場合は，以下に示す「放射線防護 (radiation protection) の3原則」により被ばく線量を減少させることができる．

1) 遮蔽

放射線の種類とエネルギー，遮蔽の材料，厚さにより被ばく線量は異なるアルミニウム（密度2.69 g/cm$^3$）＜鉄（密度7.86 g/cm$^3$）＜鉛（密度11.34 g/cm$^3$）のように原子番号が大きく密度の高い物質ほど，また，遮蔽材の厚さが増すほど遮蔽効果は高くなる．鉛入り放射線防護服（プロテクター）などを装着することにより線量を減らすことができる．

2) 距離

被ばく線量は距離の2乗に反比例する．病室における移動型X線装置による検査時の周囲の線量率は，放射線源および被検者より少なくとも2m以上離れていれば被ばく線量はそれほど高くならない．

3) 時間

被ばく線量は時間に比例する．介助者は立ち入り時間を必要最小限にする．

---

[*6] 線量限度の適用の原則：患者の医療被ばくを除く計画被ばく状況において，規制された線源からのいかなる個人への総線量も，委員会が勧告する適切な限度を超えるべきでない[7]．ただし，医療の目的を達成するために必要な放射線量は個々の患者によって異なり，一定の限度を設けることはできない．

表Ⅷ-14 各種画像検査の特徴

|  | 単純撮影 | 造影検査 | CT | MRI | 超音波検査 | 血管造影 | 核医学検査 |
|---|---|---|---|---|---|---|---|
| 物理的エネルギー | X線 | X線 | X線 | ラジオ波（電波） | 超音波 | X線 | γ線 |
| 測定対象 | 透過X線の減衰の画分布 | 透過X線の減衰の画分布 | 透過X線の面分布 | NMR信号の空間分布 | 反射波の時間的線分布 | 透過X線の減衰の面分布 | γ線を放出するRIの空間分布 |
| 信号に及ぼす物理量 | 透過線上の原子の密度と原子番号 | 透過線上の原子・造影剤の密度と原子番号 | 透過線上の原子の密度と原子番号 | 水素原子密度T1，T2，血流，そのほか | 音響インピーダンス，粒子サイズ，密度，そのほか | 透過線上の原子・造影剤の密度と原子番号 | RIでラベルされた薬剤の体内動態 |
| 空間分解能 | 非常に高い | 非常に高い | 高い | やや低い～高い | 高い（深部は低い） | 非常に高い | 低い |
| コントラスト分解能 | やや低い | やや高い | 高い | 非常に高い | 高い | やや高い | 低い～非常に高い |
| 時間分解能 | 非常に高い | 非常に高い | 高い | やや低い | 非常に高い | 非常に高い | 低い |
| リアルタイム検査 | 可能（透視と同じ） | 可能 | 通常不可 | 不可 | 可能 | 可能 | 可能だが有用でない |
| 機能検査 | 不可 | 一部可能 | 通常不可 | 可能 | 可能 | 一部可能 | 可能 |
| 血流の画像化 | 不可 | 不可 | 可能（造影剤を要する） | 可能 | 可能 | 可能（造影剤を要する） | 動態検査で可能 |
| 検査時間 | 短い | やや長い | やや長い | かなり長い（30分程度） | やや長い | 非常に長い | かなり長い（30分程度） |
| 検査部位の制約 | なし | 造影された部位のみ | なし | 肺・石灰化は劣る | 骨・空気により遮られる | 造影された血管のみ | 適当な薬剤の選択が必要 |
| 撮像面の設定 | 任意 | 任意（頭尾方向以外） | 軸位断のみ（再構成は可） | 任意 | かなり任意 | 任意（頭尾方向以外） | 任意 |
| 3次元表示 | 一般的ではない | 一般的ではない | 容易に可能 | 容易に可能 | 可能 | ステレオ撮影 | あまり有用でない |
| アーチファクト | 少ない | 少ない | ややある | かなり多い | ややある | 少ない | 少ない |
| 被ばく | ある | 少し多め | 少し多め | ない | ない | 多い | ある |
| 費用 | 安い | やや高い | 高い | 高い | やや高い | 非常に高い | 高い～非常に高い |
| 侵襲性 | ない | ややある～高い | ない～ややある（造影） | ない～ややある（造影） | ない | 高い | ややある（注射） |

［大西　真，松橋信行：新体系看護学3疾病の成り立ちと回復の促進．病態と診療の基礎（小坂樹徳編），297頁，メヂカルフレンド社，2003より引用］

## 2 各種画像検査とケア

代表的な画像検査の特徴と相違点を**表Ⅷ-14**に示す．

### 1. X線検査（X-rays examination）の種類

**1）単純撮影**

X線単純撮影は，人体の器官や臓器などのX線吸収差を利用し静止画像を撮影する検査で，骨や胸腹部を撮影する一般撮影と軟部組織を撮影する乳房撮影に分類される．被検者への特別な処置は不要で侵襲もなく短時間でできるため，日常の診療において撮影件数がもっとも多い．通常，X線写真ではX線透過量が少ないほど白く，透過量が多いほど黒く示される（図Ⅷ-23）．

**2）透視撮影**

X線透視撮影は，X線を連続的に放射して人体を透視しながらテレビ画面上に動画像を表示する検査法のことで，胃・小腸・大腸透視検査，関節腔撮影などで行われる．

**3）X線CT撮影（X-rays computed tomography；エックス線コンピュータ断層撮影）**

X線CT撮影は，X線を人体の断層面に垂直に照射しながら円周上を走査させ，X線量と各組織のX線吸収係数の差をコンピュータ処理して2次元の横

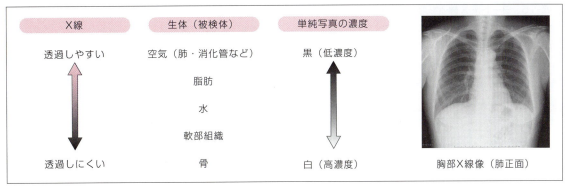

図Ⅷ-23 生体におけるX線透過度

断面画像として抽出する検査である．従来のX線撮影と異なり，断層撮影では人体の横断像をみる技術なので，臓器を重なりなく描写することができる．現在の主流は体軸を中心に連続的にらせん状の撮影を行い，体軸方向に数十列，数百列の検出器を配列したマルチスライス（multislice）CTの登場で，全身を十数秒で撮影することが可能となった．検査が高速化かつ高精度になるにつれ，1検査あたりの撮影枚数の増加，すなわち放射線被ばく線量の増加が問題となっている．最近では放射線被ばく量の低減を目的として，放射線診断で通常用いられる各検査別の標準的な線量が調査され，それぞれの線量の75パーセンタイル値を診断参考レベル（diagnostic reference levels：DRL）として公開し，医療被ばくに対する最適化のツールとして導入を推進させている．検査内容によっては20分程度の長い検査もあり，患者に説明し協力を得る必要がある．

### 2. 造影検査（contrast examination）

造影検査は，周囲の組織とX線吸収の差が少なくX線を当てただけでは映し出されない組織を造影剤によってコントラストを付けて映し出す方法である．X線吸収係数が大きい硫酸バリウム等は，食道や胃などの消化管の内部と辺縁粘膜の凹凸を描出するのに有用である．ヨード系造影剤を用いて脊髄・関節腔内に注入した場合，狭窄や圧迫の程度の観察が容易になる．またカテーテルを用いて血管内に注入することで血管の狭窄や出血源を容易に同定することが可能となる．

### 3. X線検査時のケア

1) 侵襲の少ない検査

生体に対する侵襲の少ないX線単純撮影，X線CT撮影においては以下の点に注意する．

被検者には，撮影場所，撮影法，撮影時の服装，時間などについて説明をしておく．とくにX線CT撮影の場合は，体動による画像の乱れを防ぐために身体を動かさないように注意する．乳幼児や認知力が低下した患者など検査中の体動が予測される被検者に対しては，医師の指示により鎮静薬を適用することがある．また，胸部撮影の場合，心電図モニターの電極やアクセサリー類などの装着物は異常陰影を隠してしまう可能性があるので，外せるものは撮影前に外しておく．腹部撮影では，妊娠中あるいは妊娠の可能性のある女性について確認する．

2) 侵襲のある検査

侵襲のある検査には観血的手術や処置を伴う検査，カテーテルを挿入する検査，造影剤を使用する検査などがある．X線診断の多くは精度を高めるための補助的な薬剤として非イオン性のヨード造影剤を用いる．嘔気・熱感など軽度の副作用の頻度は低下したものの急激な血圧低下や呼吸困難など重篤な副作用がある（**表Ⅷ-15**）．ヨード造影剤の副作用は，投与後数分以内に生じる即時型副作用が多い．そのため，造影剤注入時は被検者の状態を注意深く観察し，予想される副作用に対する処置や体制を整えておく．

また，造影剤の使用にあたっては，被検者および家族に検査内容や方法だけでなく合併症などの危険を伴うことをあらかじめ説明し，被検者が納得して検査を受けられるようにする．口頭の同意ではなく，文書による検査承諾書を得て実施する．

①造影検査前の注意点
- 事前の問診では，とくに重篤な副作用の発現に関連する危険因子として，造影剤の副作用歴，喘息，心疾患，アレルギー歴，甲状腺疾患の有無を確認する．
- 胆道系造影剤を除く水溶性ヨード造影剤は，通常腎臓排泄される．腎機能障害患者では，造影剤腎症[8]（contrast induced nephropathy：CIN）を合

表Ⅷ-15 ヨード系X線造影剤の副作用

| 前兆，初発症状 | 悪心・嘔吐，くしゃみ，発赤，瘙痒感，蕁麻疹，冷汗，咳嗽 |
|---|---|
| 軽症（血圧低下を伴わない） | 熱感，疼痛，咽頭違和感，くしゃみ，発赤，瘙痒感，蕁麻疹 |
| 中等症（血圧低下を伴うが意識は維持） | 蒼白，発汗，冷汗，激しい嘔吐，呼吸困難（喉頭浮腫），広範な蕁麻疹 |
| 重症（意識低下・喪失，脈拍微弱） | 意識低下，ショック，気管浮腫，呼吸困難，心室頻拍，けいれん，肺浮腫 |
| 重篤 | 心臓停止 |

［小林　薫：X線造影検査．看護学テキストNiCE疾病と検査（廣田省三編），109頁，南江堂，2010より引用］

併しやすくなる[*7]ため腎機能をチェックしておく．
- 腹部領域（消化管，泌尿器など）の検査能を上げるためや造影剤の副作用リスクを抑えるため，検査数時間前から絶食とする．
- 造影検査時の水分摂取については検査内容にもよるが，造影検査前は脱水改善目的で，また造影検査後においては，造影剤の体外排出の促進を目的にコップ1～2杯程度の摂取が推奨されている．
- 造影CT検査を行うにあたり患者が服用中の薬剤で注意が必要となるもの
    * ビグアナイド系糖尿病薬（乳酸アシドーシスが発現）
    * β遮断薬（アナフィラキシー反応が出現した場合，アドレナリンの効果が減弱）
    * 腎毒性を有する薬剤（造影剤腎症の危険因子）

②造影検査中の注意点
- 検査介助時は被ばくの軽減のためプロテクターを着用し，できるだけX線発生装置から離れる．
- 造影剤による合併症はもっとも頻度が高いので，緊急事態に備え，必要な薬品や器具をただちに使えるよう準備しておく．

③造影検査後の注意点
- 消化管造影剤では造影剤としてバリウム製剤を用いた場合，肛門から排出されないとバリウムが固まり腸閉塞を起こす．被検者には検査後の水分摂取を促し，必要時は下剤も内服してもらう．
- 副交感神経節遮断薬の使用後は視力低下が起こることがあるので，帰路の事故に気をつけるよう指導する．
- 造影剤の排出を促すため，被検者には飲水を多めに摂ってもらう．

### 4．核医学検査（nuclear medicine study）

核医学検査は放射性同位元素（ラジオアイソトープ，radioisotope：RI）を用いる検査で，体内に投与された放射性核種[*8]が特定の臓器や組織に分布するという特異的親和性を利用している．それぞれの組織に集積した放射性核種からの放射線を外から検出し画像化するので，形態というより生理・機能面の診断としての意義が大きい．これには，直接被検者に放射性核種を投与して行うインビボ（in vivo）[*9]検査と，血液など被検者から得た試料に放射性核種を加えて行うインビトロ（in vitro）[*9]検査がある．直接検査法には，回転型γカメラを用いた断層法のSPECT（single-photon emission computed tomography），放射線の陽電子（ポジトロン）を放出する核種を利用して体内分布を断層画像化するPET（positron emission computed tomography）がある．最近はPETの代謝機能画像をCTの形態画像を重ねて，互いの欠点を補い合うPET/CT装置による画像診断が増えてきている．

1）放射性核種の人体への影響

放射性核種はγ線などの放射線を放出しながら壊変し，時間とともに減少する．そのため，核医学検査では半減期の短い物質を使っている（表Ⅷ-16）．インビボ検査では投与された放射性医薬品が全身を循環するので，線量の差はあるがほぼ全身の臓器が被ばくする．検査による被ばく線量程度ではとくに問題にならないが，投与された放射性医薬品は体内で分解されることなく細胞内まで取り込まれ，一定時間後，尿または便に混じって体外へ排出される（表Ⅷ-17）．放射線の排泄量が多いことが予測される間は蓄尿の中止や使用後のおむつの保管を別にするなど取り扱いに注意する．使用した注射器・針も放射性医薬品で汚染されているので，一般の廃棄物とは区別して廃棄する．

2）核医学検査における注意点
- 検査によっては放射性核種の代謝，分泌，排泄に

---

[*7] 造影剤腎症：ヨード造影剤投与後，72時間以内に血清クレアチニン（SCr）値が前値より0.5 mg/dL以上または25％以上増加した場合をいう[8]．

[*8] 原子を原子核中の陽子の数，中性子の数などによって規定する原子の種類のこと．

[*9] in vivo：生体内での，in vitro：生体外（試験管内），という意味のラテン語．

表Ⅷ-16 核医学検査で用いられる主な核種とその半減期

| 核種（放射性同位元素，RI） | 半減期 | 主な核医学検査 |
|---|---|---|
| $^{123}$I（ヨウ素123） | 13時間 | 甲状腺，腎臓 |
| $^{133}$Xe（キセノン133） | 5.2日 | 肺 |
| $^{18}$F（フッ素18） | 110分 | 腫瘍，炎症 |
| $^{201}$Tl（タリウム201） | 73時間 | 心筋 |
| $^{67}$Ga（ガリウム67） | 78時間 | 腫瘍，炎症 |
| $^{111}$In（インジウム111） | 2.83日 | 腫瘍，血栓，脳 |
| $^{99m}$Tc（テクネチウム99m） | 6時間 | 骨，甲状腺，腎臓，肝臓，肺，心臓，脳など |

表Ⅷ-17 $^{99m}$Tc-MDP[*1]（740 MBq[*2]）の尿からの排泄と蓄尿された尿からの被ばく

| 投与後の時間 | 尿からの排泄量（MBq） | 尿からの被ばく（尿バッグ表面）（mGy[*3]/h） | 尿からの被ばく（尿バッグから15 cm）（mGy/h） |
|---|---|---|---|
| 0～1時間 | 222 | 1.16 | 0.17 |
| 1～4時間 | 111 | 0.68 | 0.101 |
| 4～7時間 | 44.4 | 0.264 | 0.039 |

〔NCRP Report 124, 1996；草間朋子：放射線防護マニュアル，59頁，日本医事新報社，1999より引用〕
[*1] テクネチウム99mメドロン酸：RIを用いた診断薬で骨シンチグラフィ剤の一種
[*2] メガベクレル（megabequerel）：放射線量の単位（SI単位），MBqはベクレルの100万倍を示す
[*3] milligray：吸収線量の単位，グレイの1000分の1

影響を及ぼすため，食事制限（とくにヨード制限）や検査前の排泄などの前処置が必要となる．PET検査時は，ブドウ糖代謝の機能から異常をみるため，検査5時間前から絶食とし，ジュースやスポーツドリンクなど糖分が含む飲料水は禁止する．

- X線単純撮影やCTに比べると撮影に時間がかかるため，安静保持が困難な被検者には，鎮静をはかるための処置が必要となる．
- 放射性核種は時間とともに減衰していくので，注射時間，検査時間を厳守する．
- 放射性医薬品の多くは尿から排泄されるので，検査終了後は水分をできるだけ多くとらせ，排尿を促す．授乳中の被検者では，一定の期間，授乳を止める．
- 排泄物は放射性物質の汚染源となるため，被検者には十分な手洗いを指導する．
- 看護師が排泄物を処理する場合は，必ずゴム手袋を装着する．

### 5. MRI（磁気共鳴画像診断）

MRI（magnetic resonance imaging）は強い磁界にさらされた水素原子核が特定の周波数の電波に共鳴して自ら電波を発生するという核磁気共鳴現象（nuclear magnetic resonance：NMR）の原理を利用したコンピュータ断層撮影である．X線CTとは異なり，MRIは組織を構成する陽子の密度や周囲分子などの環境，血流，化学シフト[*10]など複数のパラメータが画像に反映されている．特徴としてはX線被ばくがないことや，任意の方向の断層像が得られる，固い骨で囲まれた軟部組織を画像にできることである．また，CTでみられることがある骨や空気によるアーチファクトがない．

1) 人体への影響

一般に，MRIは非侵襲的な検査といわれるが，これはMRIは放射線被ばくがないことを意味するものであり，まったく人体に安全というわけではない．人体に及ぼす影響として，①静磁場による影響（反磁性物質である水の分離，フィブリンの磁場配向現象など），②高周波パルスによる影響（発熱作用），③傾斜磁場変動による影響（神経刺激作用），④騒音による影響の4つがある（図Ⅷ-24）．これらは，国際規格のガイドライン[*11]などにより規制されている．

[*10] 核磁気共鳴現象において，化学結合している原子間には共有電子があるが，その電子による遮蔽効果のために各原子の共鳴周波数値がわずかに下方にずれることをいう．
[*11] 国際電気標準会議（International Electrotechnical Commission）が定めた規格がある．

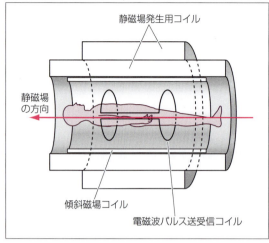

図Ⅷ-24 MRI装置の概要

表Ⅷ-18 MRI室への持ち込み禁止物品

| 金属 | 安全ピン，眼鏡，はさみ，鍵，ヘアピン，アクセサリー類，酸素ボンベ，点滴スタンド，ストレッチャーなど |
|---|---|
| 磁気記録媒体 | クレジットカード，キャッシュカードなど |
| 電子機器 | 時計，計算機，補聴器，携帯電話など |

表Ⅷ-19 音波の伝播に関連する物質と固有音速

| 伝播物質 | 固有音速（m/秒） |
|---|---|
| 空気 | 340（15℃） |
| 水 | 1,480（20℃） |
| 脂肪 | 1,450 |
| 脳 | 1,540 |
| 肝臓 | 1,550 |
| 腎臓 | 1,560 |
| 血液 | 1,570 |
| 骨 | 4,080 |

## 2）検査の禁忌と注意点

被検者の体内に手術などで埋め込まれた医用材料や装置で金属を含有しているものは局所的なアーチファクトを生じるが，多くの場合，被検者はMRI検査を受けられる．しかし，強磁場性体（鉄・コバルト・ニッケル）は，磁場内で回旋したり，動いたりする危険性がある．そのため，金属の挿入歴があり，その金属が非磁性体であることの確認のとれない人は禁忌となる．また，原則としてペースメーカー装着者のMRI検査は禁忌であるが，最近では特定の施設，条件下においてMRI対応のペースメーカーを装着した患者の撮影が可能となった．義歯，入れ墨，金属製顔料（マスカラ，アイシャドー，ネイルアートなど）を含む化粧をしている人，遠赤外線下着など金属製物質が織り込まれている下着の着用者の場合は注意を要するので，検査前には被検者や家族に十分な説明と病歴の聴取を行う必要がある（表Ⅷ-18）．

また，MRI検査では50〜60cmの狭い筒状の中に入る．検査時間も比較的長いため，閉所恐怖症や長時間一定の姿勢を保持できない被検者は検査ができない可能性がある．妊婦においては，胎児に対する安全性が現在まだ確立されていないので，安全性が証明されていないことを説明して同意を得る必要がある．

MRIにおいてガドリニウム系の造影剤を使用する際には，腎機能高度低下（eGFR＜30）患者では，慢性全身性線維症（nephrogenic systemic fibrosis：NSF）の発生リスクが高くなるため，造影は行わない．

## 6．超音波検査（ultrasonography）

他の画像検査に比べ，診断装置が小型で移動可能なためベッドサイドでも検査ができる．振動子（微小な振動体，oscillator）といわれる物質に圧をかけ超音波（約1〜30MHz）を体内の組織に向けて発信させ，その反射波を電気信号で検出して画像に描く方法である．音の伝播速度は伝播物質と温度によって異なり，これを固有音速という．筋肉，脂肪，実質臓器など組織によって音速が異なるので，反射波の強弱によって物質の性質を推定できる（表Ⅷ-19）．超音波検査では放射線の被ばくがなく非侵襲的であるのが特徴で，妊婦の腹部の診断などに用いることができる．

腹部の検査では，食事摂取による胆囊の収縮，胃内容物の貯留，消化管のガス増加による蠕動運動の亢進などの影響を考慮し，検査前の1食を抜く．下腹部の検査では膀胱を充満させると膀胱，前立腺，子宮などが確認しやすくなるので，患者には排尿を我慢し，尿をためてもらう．また，検査時は肌を露出するため保温に注意する．

## E 内視鏡検査におけるケア

内視鏡検査（endoscopy）では，内視鏡（fiberscope）で消化管や気管支，膀胱，腹腔など管腔内を観察し，写真撮影や色素散布，組織採取によって診断を行う．X線造影検査よりも詳細な情報と小さな病変の発見が可能である．現在もっとも普及して

いる電子内視鏡は，先端に小型のビデオカメラである固体撮像素子（charge coupled device：CCD）を内蔵しており，画像を電気信号に変換してビデオプロセッサーに送るしくみになっている．

ここでは，上部および下部消化管内視鏡検査について述べる．

## 1 上部消化管内視鏡検査（食道・胃・十二指腸）

### 1. 検査前の注意点
- 消化管内に食物残渣を残さないようにして観察を容易にするため，検査前日の夕食は早めにすませてもらう．
- 検査当日の朝は絶飲食とするが，朝コップ1杯程度の水または白湯は飲んでもよい．ただし，牛乳やジュース類は禁じる．
- 義歯を装着している被検者はこれを外し，衣服をゆるめる．
- 粘膜表面の付着粘液を除去するために，注射と同時に消泡剤を服用してもらう．
- 嘔吐反射が起こらないよう咽頭の局所麻酔を行う．必要に応じて胃の運動を抑える鎮痙薬や緊張を和らげる鎮静薬を投与する．

### 2. 検査中の注意点
- 被検者の体位は，腹壁の緊張を緩和するため膝関節を軽度屈曲した左側臥位とする．また，顎を軽く前に突き出すような姿勢をとり，内視鏡の挿入を容易にする．
- 内視鏡が食道に入ったら腹式呼吸をするよう指導する．また，できるだけ緊張をほぐすように声かけをする．
- 常に被検者の状態を観察し，適宜バイタルサインのチェックを行う．
- 口腔内にたまった唾液は飲み込まず，舌で吐き出してもらう．

### 3. 検査後の注意点
- 検査台から降りるときは転倒・転落しやすいので注意する．
- 咽頭局所麻酔の影響が残り誤嚥のおそれがあるため，約30分間は飲水を禁止する．
- 咽頭部の麻酔効果が残っている場合があるので含嗽をする場合は，下を向いて軽くすすぐだけにする．飲水開始時は少量の水を飲んでもむせないことを確認してもらう．
- 胃部不快感，嘔気，胸部不快感，出血，発熱，咽頭痛の出現に注意する．

## 2 下部消化管内視鏡検査（大腸）

基本的なことは上部消化管内視鏡検査に準ずる．腸管内容物の残存が検査の精度に大きく影響するので，検査前には低残渣食の摂取，下剤内服，腸管内洗浄の方法および留意点を説明し，協力を得るようにする．便が黄白色か透明になることを確認する．

また，大腸粘膜は胃に比べ薄く，スコープ挿入時に苦痛を伴うことや，検査中の送気により一時的に腹部膨満感や圧迫感を伴うことを説明しておく．不安や苦痛の緩和とともに，出血や穿孔などの合併症や偶発症を起こすおそれがあるので，全身状態の観察を十分行い，異常の早期発見に努める．

---

### コラム　バイオマーカー

バイオマーカー（biomarker）とは，血液や組織などに含まれるタンパク質，遺伝子などを調べることで，薬物の治療効果，疾病の有無や進行度を客観的に判断するための項目の総称である．近年では個別化医療（テーラーメイド tailormade 医療）を目的として，がんの治療薬選択に関わるバイオマーカーの研究が盛んに行われ，薬物の治療効果をあらかじめ予測するバイオマーカーが使用されている．たとえば，肺がん治療薬の効果予測に使用されているバイオマーカーとして EGFR（epidermal growth factor receptor）が知られている．肺がん患者のがん細胞の一部を採取し EGFR 遺伝子変異検査で変異があった場合は，EGFR チロシンキナーゼ阻害薬の有効性が確認されている．このように，患者個々のがん細胞の特性に応じて治療薬を選択することで，治療効果を向上させ，また副作用を軽減することが試みられるようになってきた．

そのほかにも人間ドックなどでがんの早期発見や，がんの再発の有無を調べる検査の1つとなっている腫瘍マーカーもバイオマーカーに含まれる．腫瘍マーカーは，がん細胞が分裂・増殖する過程で血液中に放出される特異的な物質である．たとえば，前立腺がんの腫瘍マーカーである PSA（prostate specific antigen）は，ヒトの前立腺から発見されたタンパク質で，血液検査で測定が可能である．この腫瘍マーカーの変化をモニターすることは，抗がん薬や放射線照射などの治療効果の判定や，再発の有無を早期に発見することにも役立つ．しかし，PSA は加齢とともに増加する前立腺肥大や前立腺炎でもその値が増加することが知られている．したがって腫瘍マーカーは，その値だけでがんの診断や疾病の悪化の程度を判断するのではなく，一つの目安として使用されている．

● 引用文献

1) 濱﨑直孝，高木　康（編）：臨床検査の正しい仕方―検体採取から測定まで，13-15頁，宇宙堂八木書店，2008
2) 大西宏明：採血トラブルとその周辺―採血に伴う神経損傷回避への取り組み．臨床病理 55：251-256，2007
3) JCCLS特定非営利活動法人日本臨床検査標準協議会：標準採血法ガイドライン（GP4-A2），2011
4) 日本循環器学会ほか：1．運動負荷心電図，慢性冠動脈疾患診断ガイドライン（2018年改訂版），12-15頁，2019
5) 神谷敏之：正しいパルスオキシメーターの使い方．日本呼吸療法医学会誌 38：150-155，2021
6) 日本臨床神経生理学会：デジタル脳波の記録・判読指針．臨床神経生理学 43（1）：22-62，2015
7) 日本アイソトープ協会：国際放射線防護委員会の2007年勧告．ICRP Publication 103，50頁，丸善出版，2009
8) 日本腎臓学会・日本医学放射線学会・日本循環器学会：腎障害患者におけるヨード造影剤使用に関するガイドライン2018，94頁，東京医学社，2018

# 5 外来看護の役割

## A 外来の特徴

　診療報酬の改定による病床数の削減や在院日数の短縮といった政策の影響を受けて，外来医療を取り巻く環境は大きく変化している．加えて，医療技術の進歩によって，従来は入院して実施されていた検査，手術，治療などが外来で行えるようになってきたため，診察だけでなく，日帰り手術や化学療法への対応など，外来における看護の役割・機能は急激に拡大して，その重要性が高まっている．厚生労働省が3年ごとに実施している患者調査[1]では，在院日数は病院，一般診療所ともに年々減少している一方，在宅医療を受けた外来患者数は年々増加していることが示されている．このような背景から，医療機関には，高度な医療サービスの提供だけでなく，疾病や障害をもちながらも，よりよい日常生活を送るための支援が強く求められるようになってきた．

　高齢者人口の増加，疾病の慢性化・多様化に伴い，厚生労働省は，住み慣れた地域で必要な医療・介護サービスを受けつつ，安心して自分らしい生活を実現できる社会を目指した体制づくりに取り組んでいる．さまざまな医療提供体制の改革が進められる中，適切な外来診療の役割分担と医療連携を図るために，国民1人ひとりが生活している地域の中で日常的な医療を受けたり，健康の相談等ができ，さらに必要なときには専門医や専門医療機関を紹介してくれるような，身近で頼りになる，かかりつけ医をもつことが推奨されている．

## B 外来における看護の機能と役割

　従来，わが国における外来看護師の役割は，診察室への呼び込みと，医師の診察の介助としてとらえられており，看護師でなくては従事できない業務よりも管理業務や秘書機能が多くを占めていた．しかし，最近では，多様に変化する医療情勢に伴って，欧米諸国と同様に，医療秘書などが導入され，役割分担が行われるようになり，外来看護本来の業務に専念できるような体制が整備されている施設が増えてきた．外来で患者が望んでいることは，①待ち時間が少なく，スムーズな診療，②十分な病状の説明，③療養上の指導・説明，④心配や不安に対する配慮，⑤プライバシーの保護などがあげられる（図Ⅷ-25）．

　在院日数の短縮により，在宅においても医療依存度が高い患者が増加しており，「治す医療」から「治療し支える医療」への転換が求められている．外来診療における看護師の機能は，患者のセルフケア能力を高めるための，①知識・技術への援助機能と，②精神面に対する援助機能の2つに分けられる．患者の知識・技術面への援助は，患者自身が症状のコントロールやセルフケアができるような"知識・技術を提供する機能"と"自己努力を促す機能"である．精神面への援助機能には，患者のそばに寄り添い信頼関係を形成することによって，患者の不安を緩和し，"安心感を与える機能"と"療養意欲を高める機能"がある．地域包括ケアシステムの進展に伴って，これらの機能に加えて，外来看護には在宅療養支援に向けた地域・在宅と病院を結ぶ機能が重要視されるようになった．外来における在宅療養支援とは，外来通院患者の在宅での療養生活をアセスメントし，必要に応じて直接ケアや指導などを行うことにより，患者とその家族が安心して在宅療養の継続ができることをめざす看護である．家庭での療養生活の維持と療養生活におけるQOLの向上には，患者だけでなく家族に対する精神面，知識・技術面での援助も求められる．外来看護が充実してくると，個々の患者のセルフケア能力や闘病意欲が高まることから，患者の状態が改善されて，入院しなければならない状況になるのを予防できるという効果がもたらされる．

　外来での看護師の主導による看護ケアとして，1992年に人工肛門，気管カニューラ装着患者などへの看護師の指導が外来看護業務として初めて診療報酬として算定された．外来患者が疾病を持ちながら地域で円滑に療養・社会生活を営める在宅療養の支援として，診療報酬算定にかかわらず，専門看護師や認定看護師等の専門的な能力を持った看護師が，患者の症状の改善や自己管理の支援等を行う「看護専門外来」を設置する医療施設が増えてきた．

　2012年度の診療報酬改定では医療と介護の連携

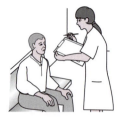
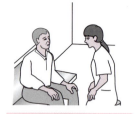

| 総合案内（受付） | 待合室 | 診察室 | 診察終了後 |
|---|---|---|---|
| 1. 適切な診療科に受診できるよう援助する<br>2. 患者の状態を観察し，速やかな受診ができるように医療従事者の連携を図る<br>3. 在宅での療養上の問題や受診に関する相談などを受け，安心して療養や受診ができるよう援助する | 1. 患者の状態の把握に基づくトリアージ（振り分け）<br>2. 診察前の患者の状態把握<br>3. 診察がスムーズにいくように他科受診や検査・治療への調整 | 1. 診察の準備<br>2. 必要に応じて診察の介助<br>3. 診察時の患者の不安緩和<br>4. 患者の身体的・精神的アセスメント<br>5. 医師と患者の良好なコミュニケーションの援助<br>6. 診察終了後の後片づけ | 1. 患者がセルフケア行動を自己決定し，実践できるように援助する<br>　①セルフケアの指導<br>　②治療・処置・検査の説明<br>2. 在宅での療養上の問題や受診に関する相談などを受け，安心して療養や受診ができるよう援助する |

図Ⅷ-25 外来の流れと看護の役割

が重視され，チーム医療における看護師等の役割が，診療報酬上で評価されるようになった．外来患者の中には複数の診療科を受診している場合も少なくないことから，各診療科での治療方針のズレや服薬の重複などが生じないように，看護師が主導して，患者-医療者間だけでなく，医療機関どうしの情報交換や連携を強化することが重要である．

## C 外来における業務の実際

### 1 管理業務

#### 1. トリアージ機能

トリアージ（triage）とは「選り分ける」という意味で，戦場や災害などの場において，少ない医療資源下で多くの人を効率的に治療するために，医療の優先度を決める目的で使用されてきた．外来においても，最初に看護師が簡単な問診を行うことによって，患者の受診目的や症状を把握し，その評価に基づいて治療の優先順位を決定し，適切な診療科や医師に振り分けることで，患者の流れがスムーズになる．

外来でのトリアージの目的は，患者個々に対して最良の医療を提供することにある．患者が外来待合室で診療を待つ間に状態が悪化する場合もあることから，外来，とくに救急外来の看護師には，症状のみだけでなく，患者のもつニーズに幅広く目を向けて評価して，医療依存度の高い患者の優先順位を考えたトリアージ能力と突発的な出来事に対応できる瞬時の判断能力が求められる．

#### 2. 外来全体の管理

受付をした患者の診療がスムーズに進むように，医師をはじめとした他職種との連絡・調整を図る．

また，外来では，新型コロナウイルス感染症（COVID-19）や結核といった空気感染をはじめとして，さまざまな感染症患者が診断のついていない状態で受診することから，受付時のトリアージと医療関連感染予防策は重要である．

### 2 診療の補助業務

#### 1. 診療・治療の介助

外来における看護師の業務区分としてもっとも多いのは，「診療・治療の介助」である．患者の診察室への入室を介助し，医師の診察の介助を行う．煩雑な業務に追われる外来では，ゆっくりと患者と話す時間をとることがむずかしいが，採血や点滴などの診療の補助業務のときこそ，患者とのコミュニケーションやアセスメントを行うチャンスである．看護師の笑顔や温かい声かけなど簡単なことが患者の精神的緊張をゆるめ，精神的なサポートになることも多い．短い時間の中で，いかに重要なことをアセスメントできるかが外来看護の鍵となる．

#### 2. 代理説明

医療用語は一般社会では聞き慣れない言葉が多い

ことや，精神的な動揺のために，患者は医師から説明されても一度では理解できないことが多い．自分の疾患の程度はどうなのか，今後どのようなことが予想されるのか，どうしてこの検査や治療をしなければならないのか，どのように行うのか，痛みはあるのかなど，医師の説明を十分に理解しているか否かを患者に確認し，理解が不十分な部分については，わかりやすい説明や情報提供を行う必要がある．

### 3 患者指導・教育

外来患者は受診するために生活のスケジュールを調整しなければならない．次の受診までは患者の自己管理によってケアや治療が継続していく．家庭や社会生活を営みながら適切に受診，治療，ケアを続けていくためには，患者自身の疾病の理解と受け入れが鍵となってくる．そこで，外来看護師は，患者が前回までの間にどのような健康問題をかかえていて，今回の受診までの間にその問題はどのように経過したか，そして次回受診までのケアは今までどおりでよいのかなどをアセスメントし，必要に応じて，患者とともにより具体的な検討や必要な指導・教育を行う．患者教育は1対1とは限らず，糖尿病教室などの健康教室を開催して集団教育・指導に当たることもある．

また，1992年4月の医療法の第2次改訂によって，療養者の居宅が医療の場として法的に認められ，自己注射，自己腹膜灌流，自己導尿など自己管理可能な医療処置が「在宅医療」として認められるようになった．「在宅医療」では，居宅という医療従事者とは物理的に離れた場所に患者がいるため，患者に何か問題が生じても迅速に医療従事者の支援を受けられるとは限らない．このような「在宅」の場でも，患者や家族が安全で適切に医療処置の実施・管理ができるように，在宅療養指導管理料算定患者に対し，医師の指示に基づいて看護師または保健師が在宅療養上必要な指導を30分以上行い，療養指導記録を作成した場合に診療報酬として認められるようになった．

在宅療養の意義は，障害や疾病を有していても，対象者の生活の場でその人らしい生活や人生を実現できることにある．外来看護師は対象者の「どのような生活を送っていきたいのか」という希望や価値観を考慮して，対象者に合わせた方法の選択や工夫を行い，生活の中に組み入れていくことが重要である．

### 4 相談

療養生活を維持していく中では，さまざまなストレスが生じるうえに，外来通院を継続していくためには通院や治療に関わる費用がかかり，さらに受診のために休暇をとらなければならない場合もあり，経済的な問題を抱えている患者は少なくない．そのような場合には高額医療制度，医療費控除などがあることを伝えて，検討していくことが必要である．

ただし，患者が悩みを抱えていても，患者-医療者間の人間関係が形成されていなければ，患者は医療者に相談しない．看護師は常日頃から患者に心を開いて接し，問題解決に向けて患者自身が意思決定できるような情報提供やサポートを行って，信頼関係を形成することが求められる．

また，診療時間以外に症状が出現したり，外来予定日以外で何らかの問題が生じた場合，患者は受診すべきかどうか迷うことがある．そのような患者からの電話を受けて，医療機関にかかる必要性を判断し，指示するテレフォントリアージ（telephone triage）を看護師が行う機会も多い．テレフォントリアージがうまく機能すれば，患者はいつ医療機関にかかればいいか，また，手持ちの薬をどのように服用すればよいかなどの適切な指導が受けられる．しかし，テレフォントリアージの場合，患者の状態を判断するための情報は言葉のみになるため，限界を認識して対応する必要がある．

## D 外来看護師に求められる能力

外来における看護の機能・役割を果たすために，外来看護師に求められる能力としては以下のものがあげられる．

### 1 コミュニケーション能力

外来患者の健康障害のレベルは医療環境によってさまざまである．外来においては看護師が生活状況や行動を直接観察することがむずかしいため，言語によるコミュニケーションから多くのことを把握しなければならない．

短時間で多くの患者に接し，患者のニードを把握していくためには，良好な人間関係を形成できる能力と，必要な人に必要な言葉がかけられるような，的確な判断に基づいたコミュニケーション能力が求められる．

## 2 クリニカル・ジャッジメント（clinical judgment）能力

外来看護師の数については，医療法施行規則で，「外来患者30またはその端数を増す毎に1」と定められていることから，外来看護師が対応する患者数は入院患者に比べ圧倒的に多い．さらに外来患者は，限られた時間の中で診察や検査を受け，自宅へと帰ってしまう．そこで外来看護師は，短時間で患者のヘルスケアニードをアセスメントし，看護支援が必要な人に人的・物的資源を有効に活用して，直接的または間接的な支援を組み立てていかなければならない．

患者の求める看護を適切に導き出すには，経験や知識に基づいた人間関係能力，判断能力，問題解決能力が求められる．

## 3 調整能力

外来患者の抱える問題は社会生活と密接に関連している．医療の継続が円滑に図れるような療養生活支援のために，必要に応じた保健・医療・福祉機関などとの連携・調整を行わなければならない．この過程において，外来看護師には保健・医療・福祉のチーム医療をコーディネーターとして調整（coordination）する企画力，交渉力，リーダーシップと，ケアの選択肢を広げられるような情報活用能力，個々の患者に関わっていく指導力が求められる．

## E 外来看護の専門化

### 1 専門化の進展

疾病構造や医療環境の変化に伴って，個々の患者のニードに応じたケアを提供するために，専門センターの開設，病診連携[*1]体制の確立による患者情報の共有化，また，離島や医療施設のない地域や診療時間外でも，通信技術を使用して患者に適切なヘルスケアサービスを提供するためのテレナーシング（telenursing：遠隔看護）の開発など，外来の専門強化が高まってきている．看護においても，がん化学療法，糖尿病外来，在宅酸素外来，失禁外来，ストーマ外来などの分野で，認定看護師や専門看護師による専門化が進んでいる．

ここでは，外来看護の専門化の例として，外来での化学療法を取り上げて説明する．

### 2 外来化学療法

がん化学療法は，①手術療法の補助として用い，治癒を目指す場合，②症状の緩和，③症状の進行を一時的に抑え，QOLの向上を目的とする場合に用いられる．家族と共有する時間をつくりたい，仕事をしたいなどの患者のQOL，新たな抗がん剤の開発，抗がん剤の有害反応に対する対処法の進歩，さらには医療経済的側面などの理由から，外来で化学療法を受ける患者が年々増加している．

#### 1. 外来化学療法の適応

外来化学療法にあたっての患者側の必須条件としては，①患者本人と家族に対する告知がなされて理解できていること，②全身状態が良いこと，③抗がん剤治療の同意が得られていること，④外来で化学療法を行うことの意義が理解されており，治療に対して積極的に取り組む態度がみられること，⑤薬物有害反応に対する処置が早急に行える場所に居住していること，⑥有害反応の教育・理解がしっかりとなされており，対処が理解できていること，⑦家族が治療やケアに協力的であること，などがあげられる．

#### 2. 化学療法を行う際の留意点

外来化学療法の導入にあたっては，インフォームド・コンセントが重要である．とくに副作用とその対処法についての教育は重要で，本人だけでなく家族を含めて，病院に連絡・受診すべき副作用の内容と程度について具体的に説明する．長時間の点滴による化学療法を外来で行う際には，患者のプライバシーが保て，リラックスできる部屋が必要である．点滴によって血管炎やショック，薬物有害反応などを引き起こし，早急な対応が求められる可能性があるため，化学療法に関わる看護師は専任が望ましい．また，帰宅後に発生する可能性のある副作用に，常に対応できる体制が整っていなければならない．

### ●引用文献

1) 厚生労働省：令和2年（2020年）患者調査の概況〔https://www.mhlw.go.jp/toukei/saikin/hw/kanja/20/index.html〕（最終確認：2023年3月20日）

---

[*1] 包括的で一貫性のあるよりよい医療を患者に提供するために，診療所と病院が連携すること．

# 6 心肺蘇生と止血法

医療施設内外で急病や外傷によって死に瀕するような状況が発生する場合には，迅速な救命処置を行わなければならない．病院内で心停止が発見される場所でもっとも多いのがICU，次いで一般病棟であったことが報告されている[1]．医療の現場では，患者の容態急変や生命の危機が発生することを常に予期しておく必要がある．そのため，患者の身近にいて日常生活のケアを担う看護師が救命救急に対応できる知識と技術を習得しておくことは必須である．なお，わが国の救急蘇生法は日本蘇生協議会（JRC）が作成したJRC蘇生ガイドライン[*1]に準拠している[2]．5年ごとに改訂されるため，最新の情報に注目しておく必要がある．

## A 心肺蘇生の基礎知識

### 1 心停止

声かけや身体に触れても意識的な反応がなく，脈拍を触知できない，呼吸をしていないか，あえぎ呼吸（死戦期呼吸[*2]）の状態にあることを心肺停止（cardiopulmonary arrest：CPA）あるいは心停止という．救命の可能性は，時間経過とともに低下するが早期の救命処置によって高まる[2]（図Ⅷ-26）．

### 2 迅速な一連の救命処置過程

心停止が切迫した患者に迅速に対処し，日常生活に復帰できるように導くためには，途切れることのない支援が必要である．これを「救命の連鎖」といい，4つの要素で構成されている（図Ⅷ-27）．第一の「心停止の予防」は，心停止にいたるような状況

---

[*1] 現在の最新版は「JRC蘇生ガイドライン2020」（書籍の刊行は2021年）．
[*2] agonal gasping：心停止の直後にみられる，しゃくりあげるような途切れ途切れの呼吸．死戦期呼吸を認めたら心停止とみなす．

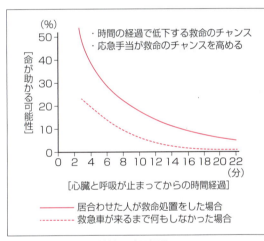

図Ⅷ-26 救命の可能性と時間経過

[Holmberg M, Holmberg S, Herlitz J：Effect of bystander cardiopulmonary resuscitation in out-of-hospital cardiac arrest patients in Sweden. Resuscitation 47：59-70, 2000 より引用]

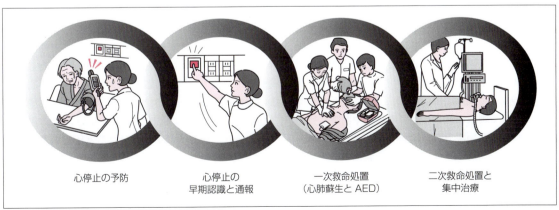

図Ⅷ-27 救命の連鎖

[日本救急医療財団心肺蘇生法委員会監：救急蘇生法の指針2020（医療従事者用）改訂6版，10頁を参考に作成]

を未然に予防することである．入院している患者では，血圧の低下や低酸素血症，顔面蒼白で意識レベルが低いなどの症状が観察されたら注意を要する．第二の「早期認識と通報」は，倒れている人や反応のない患者を発見したら心停止を疑い，ただちに通報することを示す．第三の「一次救命処置」では，すべての医療従事者の場合，十分な訓練を受けて効果的な胸骨圧迫と人工呼吸を実施できることが求められる（詳細は後述）．第四の「二次救命処置と集中治療」は，一次救命処置だけでは心拍が再開しない患者に対して医療処置を施して心拍再開を目指し，再開後に患者が社会復帰できるように集中治療を行うことを示す[3]．

## 3 一次救命処置

心停止の状態で，患者の呼吸と循環機能の維持・回復を目的に行われる処置を心肺蘇生（cardiopulmonary resuscitation：CPR）という．心肺蘇生の方法には，心停止または心停止状態が切迫している患者に対してただちに実施される一次救命処置（basic life support：BLS）とBLSだけでは心拍動が再開しない患者に対して医療器材や薬物投与を用いる二次救命処置（advanced life support：ALS）がある．BLSは医療施設以外でも実施できるように一般市民用と医療従事者用の手順が作成されている．人々の生命や健康問題にかかわる専門職である看護師には，心肺蘇生法の知識や技術を習得し，状況を判断して適切に行動できることが求められる．

### 1. 心肺蘇生の方法

心肺蘇生は，気道の確保，胸骨圧迫，人工呼吸，除細動器で構成されており，図Ⅷ-28の一次救命処置（BLS）アルゴリズムに沿って実施する[3]．ここでは施設内でのBLSの手順とその根拠・注意点について説明する．

1）安全の確認

まず救助者自身の安全を確保し，円滑なCPRを実施できるか確認する．患者に近寄る際には，感染予防のため最低限の標準予防策としてディスポーザブルマスクと手袋を装着する．

2）患者の反応の確認

呼びかけや刺激に対して患者の返答や開眼，目的のある仕草がない場合は，「反応なし」と判断する．2020年のガイドラインの改定で，「判断に迷う（死戦期呼吸を含む）場合は心停止と判断する」という判断基準が追加された．判断に迷うことでCPRの開始を遅らせてはならない．

3）応援と器材の要請

身近に居合わせた人やベッドサイドの緊急コール，ナースコールで応援を要請する．応援の要請の際に，救急カート，除細動器（AED）[*3]の手配も依頼する．

4）正常な呼吸と確実な脈拍の確認（心停止の判断）

呼吸状態は患者の胸部と腹部の動きで評価する（図Ⅷ-29）．呼吸していない，死戦期呼吸がみられるなど，判断に迷う場合は心停止とする．気道確保は心停止の可能性の高い患者にとって意義は小さいといわれているため，心停止が判断された段階で気道確保を行う必要はなくなる．したがって，心停止と判断されたら気道確保は行わず，心肺蘇生を優先し，速やかに実施することが重要である．また，頸動脈を触知し[*4]，脈拍が触れない場合にも心停止と判断する．頸動脈で脈拍を確実に触知できる場合には心停止ではないと判断して，不必要な胸骨圧迫の実施を回避する．頸動脈触知による判断の導入は医療従事者の技術水準を高める目的もある[4]．脈拍触知が困難な場合は，呼吸の観察のみで心停止の有無を判断する．呼吸と脈拍は同時に10秒以内で確認し，迅速に心肺蘇生を開始できるようにする．

5）心肺蘇生（CPR）の開始

①胸骨圧迫

ベッド臥床中の患者の背部が（ベッドのスプリングで）柔らかい場合は，背部とベッドの間に背板を敷く．救助者は患者の胸部側面に位置し，救助者の肩が患者の胸骨圧迫部位の真上になる姿勢をとる．圧迫部位は胸骨の下半分で，「胸の真ん中」あるいは「左右の乳頭を結ぶ線と胸骨の交差上」が目安である（図Ⅷ-30）．圧迫の強さによっては骨折や内臓を損傷する危険性があるため，剣状突起部位は避ける．圧迫部位に手掌基部（掌の付け根部分）を置き，もう一方の手掌基部を重ね，両肘をまっすぐに伸ばし，胸骨に対して垂直に押す（図Ⅷ-31）．

圧迫の深さは，胸骨が5～6 cm沈む程度でとし，100～120回/分のテンポで圧迫する．人工呼吸の準備が整ったら，胸骨圧迫30回後に人工呼吸2回のセットを繰り返す（図Ⅷ-28の5の工程）．1回ごとに手は確実に0 cmまで戻すが，圧迫する位置がずれないように手は胸部から離さないように注意する．また，疲労でテンポが乱れると圧迫の質が低下

---

[*3] 自動体外式除細動器（automated external defibrillator：AED）とマニュアル式除細動器がある．市中に設置されているのはAEDで，マニュアル式は医療専門職が使用する．

[*4] 頸動脈は心臓直近の動脈で，心室から駆出された脈波を体表からよく触れることができる（図Ⅳ-25，131頁参照）．

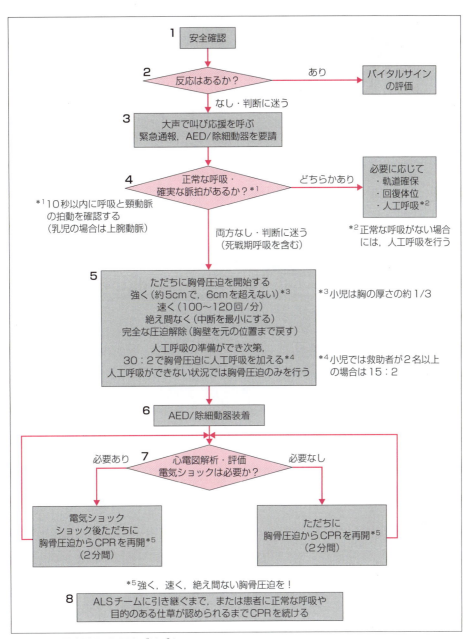

図Ⅷ-28　医療用BLSアルゴリズム
[一般社団法人日本蘇生協議会監：JRC蘇生ガイドライン2020, 51頁, 医学書院, 2021より許諾を得て転載]

するので, 救助者は1～2分ごとに交代するのが望ましい.

②人工呼吸

一般用の一次救命処置では, 人工呼吸を実施する自信がない, あるいはためらいがある場合は胸骨圧迫のみを行うが, 医療従事者は基礎的知識・技術を習得し, 適切な判断のもとで対応する.

■ 感染予防策としての人工呼吸用のマスク＜バッグバルブマスク（bag valve mask：BVM）＞

バッグバルブマスクは医療現場で使用することが多い（図Ⅷ-32a）. 手技が難しいので医療職者でも日頃から訓練しておく必要がある. マスクと患者の顔面に隙間をつくらないようにマスクを保持すること（母指球法）が推奨されている[5]. 胸部の動きを

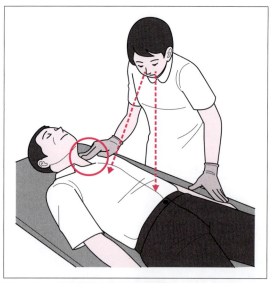

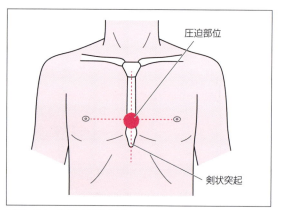

図Ⅷ-29 呼吸状態と頸動脈の観察
[日本救急医療財団心肺蘇生法委員会監：救急蘇生法の指針2020（医療従事者用），改訂6版，21頁　へるす出版，2022より許諾を得て改変して転載]

図Ⅷ-30 胸骨の圧迫部位

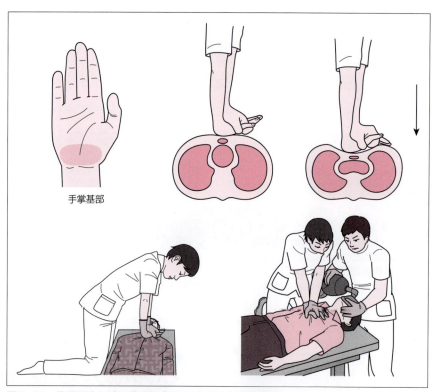

図Ⅷ-31 胸骨圧迫とバッグバルブマスクを用いた人工呼吸
[日本救急医療財団心肺蘇生法委員会監：救急蘇生法の指針2020（医療従事者用）改訂6版，24頁を参考に作成]

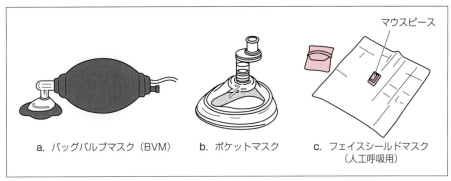

図Ⅷ-32 人工呼吸補助具

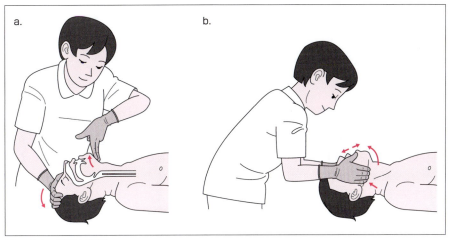

図Ⅷ-33 気道の確保
a. 頭部後屈顎先挙上法：片手で頭部を後屈させ，もう一方で顎先を持ち上げる．
b. 下顎挙上法：両手で下顎を前上方に引き上げる．

見ながら，約1秒かけて静かにバッグを押して送気する．胸部の挙上を確認したら送気を止め，患者の胸部が下がるのを確認する．送気が過剰になると胃に空気が入り，膨満すると胃内容物の逆流や誤嚥が生じるおそれがあるので，送気量にも注意する．

＜ポケットマスク＞

口と鼻をマスクでおおって密着させ，胸部の動きを見ながら静かに約1秒かけて送気する（図Ⅷ-32b）．

＜フェイスシールドマスク＞

口対口の人工呼吸で用いる（図Ⅷ-32c）．フェイスシールドマスクで患者の顔面をおおい，シールドマスクの上から患者の鼻をつまんで鼻腔をふさぐ．マウスピースを患者の口にくわえさせ，救助者はマウスピースの開口部に口をつけ，胸部の挙上を確認しながら送気する．

■気道の確保

意識反応のない患者は，上気道を支える筋の緊張が消失し（舌根沈下）上気道閉塞が起こりやすい．気道確保の方法には頭部後屈顎先挙上法（図Ⅷ-33a）と，下顎挙上法（図Ⅷ-33b）がある．

■人工呼吸の実施

胸骨圧迫を30回行った後，ただちに人工呼吸を10秒以内で2回実施する（胸骨圧迫：人工呼吸＝30回：2回を1サイクルとする）（図Ⅷ-28の5を参照）．5サイクル程度（約2分間）実施したら，5秒以内で素早く交代する．

6）除細動

除細動（defibrillation）とは，心臓が心室細動や心房細動（血液を送り出せない異常拍動）を起こしている状態を電気ショックなど用いて正常なリズムに戻すことである．一般に用いられているのが，自

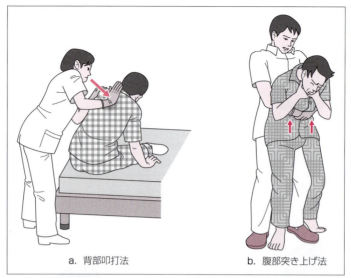

図Ⅷ-34　異物の除去
　　a．背部叩打法　　　　b．腹部突き上げ法

動体外式除細動器（automated external defibrillator：AED）とマニュアル式除細動器である．ここではAEDを使用する場合を説明する．

　AEDが到着したら電源を入れ，使用準備が整うまでは心肺蘇生を続行し，胸骨圧迫の中断時間を最小にする．電極パッドを貼る際には，皮膚が濡れていないか，胸毛が多いか，貼付薬や湿布薬が貼られていないかなど，AEDの効果を低減させる原因をできるだけ取り除く．また，ペースメーカー植え込みがあると通電効果が低下するため，その近くは避ける．

　「JRC蘇生ガイドライン2020」では，それまでの小児用パッドが「未就学児用パッド」，成人用パッドが「小学生〜大人用パッド」と変更された．電極パッドを貼付し終わると，音声メッセージがあり，同時に自動的に心電図解析も始まり，電気ショックの適用が決定される．

### 2．気道内異物の除去

　意識があり重度の気道閉塞がある場合には，十分な咳ができずに呼吸困難が強く，口唇や顔面にチアノーゼなどの窒息症状が表れる．気道閉塞を起こしている気道内の異物を除去するには，以下のような方法がある．

　背部叩打法：患者の背後から左右肩甲骨の中間部を手のひらの基部で強く叩く（図Ⅷ-34a）．容易な手技なので，最初に行う処置として推奨される．

　腹部突き上げ法（ハイムリック法[*5]）：意識のある患者で立位がとれる場合に実施する．図のように両手を組んで患者の横隔膜を押し上げて気道内圧を高め（図Ⅷ-34b），異物を排出する．異物が排出されるか，意識反応がなくなるまで繰り返す．窒息により意識反応を示さなくなったら，ただちに心肺蘇生を開始する．

## B　止血法

　全血液量の20％が短時間に失われると，血圧下降や四肢冷感など出血性ショックが生じる．30％以上失血すると意識混濁や無尿が生じ，生命が危機的状態にさらされる．とくに動脈性出血では循環血液量が急速に減少するため，可及的速やかに止血処置をしなければならない．止血法には，出血部位の圧迫や止血帯を用いる一時的止血法と，医師が行う手術や内視鏡下で実施する永久的止血法がある．

### 1　一時的止血法の実施

　止血の実施前に出血部位と出血量を確認し，適切な方法を選択する．出血部位が四肢の場合，出血量を軽減させるために出血部位を心臓よりも高い位置で保持する．処置中は全身状態および患者の心理的不安等を常に観察し，出血性ショックや生命の危機的状態を予防しなければならない．また，医療者は血液や体液に触れる可能性が高いので，感染予防のためにスタンダード・プリコーション（82頁参照）を遵守する．止血には以下の方法がある．

---

[*5] Heimlich法　米国の医師Henry Heimlichが1974年に発表した．

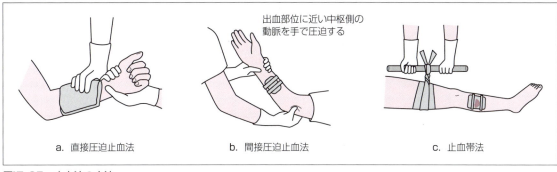

図Ⅷ-35 止血法の方法

### 1．直接圧迫止血法

止血の基本的な方法である．ガーゼやタオルなどの布素材を用いて止血部位を強く圧迫する（図Ⅷ-35a）．

### 2．間接圧迫止血法

出血部位の末梢側を挙上し，中枢側の動脈を手で圧迫する（図Ⅷ-35b）．動脈の走行の体表解剖学的知識が役立つ．

### 3．止血帯法

出血部位が四肢の比較的末梢側である場合，心臓に近い部位を三角巾や包帯など帯状のもの（止血帯）として利用し，硬い棒状のもの利用して強く縛る（図Ⅷ-35c）．止血帯は3cm以上の幅の広いものを用いる．止血による末梢の循環障害を回避するために30分に1回程度は1～2分間，止血帯をゆるめて血流を再開させ，その一方で出血部位は直接圧迫法で処置する．

## 2 止血法実施時の注意点

止血開始時間を記録しておく．過度の圧迫や長時間の圧迫は，周辺組織の損傷（あるいは壊死，うっ血）や神経麻痺等の合併症が生じる危険がある．止血中は末梢の皮膚冷感やチアノーゼの有無，末梢動脈の触知の有無を観察する．また，止血効果の判断は，少なくとも5分以上経過後に行う．圧迫している力をゆるめて出血が完全に止まることを確認できれば止血されたと判断してよいが，止血を確認できるまでは圧迫を継続する．

## C 心肺蘇生における感染症予防策

心肺蘇生は，胸骨圧迫，人工呼吸，AEDの実施，気道確保のどの行程でもエアロゾル（75頁参照）が発生する可能性の高い手技である[6,7]．したがって，SARS（severe acute respiratory syndrome，重症急性呼吸器症候群）など空気感染の危険性が高い感染症予防策を備えた心肺蘇生を実施する場合には，エアロゾル対応の個人用防護具（personal protective equipment：PPE）の着用と，エアロゾル飛散を防止するための気道の密閉，救助者の継続的なワクチン接種が必須である．

以下に，新型コロナウイルス感染症（COVID-19）予防策の場合を例に，心肺蘇生の手順を説明する．以下の用具の着用手技はいずれも難しく熟練者でも時間を要するので，事前に訓練しておく必要がある．

### 1．エアロゾル対応のPPEの着用

N95以上の病原体捕集能のあるマスク，目の保護具，長袖エプロン等を着用する．

### 2．エアロゾル飛散防止のための気道の密閉

バッグバルブマスク（BVM）（図Ⅷ-32a）にウイルスフィルターを装着し，呼気を漏出させない工夫が重要である．

### 3．COVID-19対応一次救命処置（BLS）アルゴリズムの留意点

感染症のない通常のBLSアルゴリズム（図Ⅷ-28）を基本に，①原則としてエアロゾル対応のPPEを着用する，②患者の顔に近づかない，③患者の口や鼻をサージカルマスクや衣服でおおう[7,8]等を遵守する．

日本蘇生協議会（JRC）は，病院用COVID-19対応救急蘇生法として5つの要点を提案している（図Ⅷ-36）．

### ●引用文献

1) 鈴木　昌：院内心停止に関する最新の知見から．日本内科学会雑誌 **101**（7）：2078-2084，2012
2) 日本救急医療財団心肺蘇生法委員会監：市民による一次救命処置と社会復帰，救急蘇生法の指針2020（市民

**Defibrillation** AED/除細動器装着
・エアロゾル感染防護の準備ができずCPRを開始できない場合には，まずAED/除細動器を装着
・適応あれば電気ショックを先に行ってよい

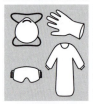

**PPE** エアロゾル対応PPEの着用
・N95以上のマスクまたはPAPR
・眼の保護具
・手袋
・液体非透過性ガウンまたはエプロン

**Airway seal** 気道の密閉（エアロゾル拡散防止）
・BVMにHEPAフィルターまたはウイルス防護力が十分に備わったHMEフィルターを装着
・両手法で確実に密閉

**Circulation** 胸骨圧迫
・エアロゾル感染防護（エアロゾル対応PPE着用および気道の密閉）を実施したうえで実施

**Breathing** 技能と状態に応じた陽圧換気
・BVM換気
・声門上気道デバイス
・気管挿管

COVID-19：新型コロナウイルス感染症，AED：自動体外式除細動器，PPE：個人防護具，CPR：心肺蘇生，PAPR：電動ファン付呼吸保護具，BVM：バッグ・バルブ・マスク，HEPAフィルター：高効率微粒子エア・フィルター，HMEフィルター：湿熱交換器フィルター

**図Ⅷ-36　図説　病院用COVID-19対応救急蘇生法の要点**
順番は必ずしも絶対的なものではない．
〔JRC日本蘇生協議会：COVID-19アルゴリズムと図説 20201116〔https://www.jrc-cpr.org/covid-19-manual/〕（最終確認：2023年3月20日）より許諾を得て転載〕

用　解説編）改訂6版　7-8頁，へるす出版，2022.
3) 日本救急医療財団心肺蘇生法委員会監：救命の連鎖．救急蘇生法の指針2020（医療従事者用），改訂6版，10-11頁，へるす出版，2022
4) 日本救急医療財団心肺蘇生法委員会監：一次救命処置（BLS）の手順．救急蘇生法の指針2020（医療従事者用），改訂6版，18-22頁，2022
5) 日本蘇生協議会：病院用COVID-19対応BLS，病院における新型コロナウイルス感染症（COVID-19）対応救急蘇生マニュアル〔https://www.jrc-cpr.org/covid-19-manual/〕（最終確認：2023年3月20日）
6) 一般社団法人日本環境感染学会：新型コロナウイルスの感染経路．医療機関における新型コロナウイルス感染症への対応ガイド，第4版，1-3頁，2021〔http://www.kankyokansen.org/uploads/uploads/files/jsipc/COVID-19_taioguide5.pdf〕（最終確認：2023年3月20日）
7) 日本救急医療財団心肺蘇生法委員会監修：援助者の感染リスク．救急蘇生法の指針2020（医療従事者用）改訂6版，248-254頁，へるす出版，2022
8) 一般社団法人日本蘇生協議会：2　COVID-19流行期の心停止対応．JRC蘇生ガイドライン2020，489-492頁，医学書院，2021

# IX

# 看護現象の測定技術

# 1 脳活動-1　脳波

## 1 脳波とは

　一般に脳波(brain wave)といわれているが，脳電図(electroencephalogram：EEG)というのが正式である．ヒトの脳波はドイツの精神科医ベルガー(Berger H；1873〜1941)によって，1929年に戦傷患者の頭蓋骨欠損部の硬膜上から初めて記録された．

　脳波は大脳皮質の神経細胞の樹状突起(dendrite)で生じている多数のシナプス後電位〔興奮性シナプス後電位(excitatory postsynaptic potential：EPSP)，抑制性シナプス後電位(inhibitory postsynaptic potential：IPSP)〕の和を頭皮上から記録したものである．

## 2 測定方法と評価

### 1．測定方法

　脳波を測定するための具体的な手順を示す．
① 脳波記録用電極を国際10-20（テン・トゥエンティ）法によって装着する（図IX-1）．装着部位の皮脂や汚れをアルコール綿でよく拭き取る．
② 脳波計の記録条件を設定する〔時定数*（低周波フィルター，0.3 sec；高周波フィルター，50 Hz）；記録紙の紙送り速度：3 cm/sec；増幅度および記録感度：50 μV/5 mm〕．
③ 被検者を安静閉眼状態で仰臥位に寝かせて記録を開始する．

### 2．データ処理方法とデータ解析方法

　脳波はアナログデータなので，脳波計からの出力信号をA/D変換した後，脳波解析ソフトを用いて脳波信号をパーソナルコンピュータに収録する．脳波の解析には，記録した脳波をEEGマッピング研究用プログラムを介して周波数解析を行う．市販の脳波計には，メーカーごとに解析ソフトが付随している．

### 3．データの読み方と評価方法

　脳波の周波数は1〜50 Hz，振幅は10〜100 μVである．脳波の成分は周波数によって，δ波(0.5〜3.5 Hz)，θ波(4〜7 Hz)，α波(8〜13 Hz)，β波(14 Hz以上)に分類される．一般に，大脳皮質の活動状態では低振幅速波(β波)，活動が低下している状態では高振幅徐波(δ波)がみられる．安静閉眼時には後頭部を中心に8〜13 Hzのα波がみられるが，開眼や暗算などの脳活動によってα波は消失し(α-blocking)，低振幅速波の覚醒脳波に変化する．

### 4．データの特徴や性質；脳波と意識水準

　この項では脳波の活動状態と意識水準について解説する（図IX-2）．

#### 1）安静覚醒時

　安静閉眼状態では周波数8〜13 Hz，振幅20〜70 μVのα波が出現する．

#### 2）注意集中時

　精神的な活動状態では14〜30 Hz，20 μV以下の低振幅速波(β波)が出現する．このような脳波を目覚め型脳波または脱同期波という．

#### 3）まどろみ時

　入眠期初期では，α波が減少して前後に陽性波を伴う4〜7 Hz，50 μV以下の鋭波(θ波)が出現する．

#### 4）軽眠時

　眠りが深くなる（浅い睡眠期）につれてα波はさらに減少し，全体として脳波は平坦化し，睡眠深度が中等度になると12〜14 Hzの紡錘突発波(spindle burst wave)が出現する．

#### 5）深い睡眠

　睡眠深度がさらに深くなると振幅の大きい遅い波（高振幅徐波；0.5〜3.5 Hz，60 μV以上）(δ波)が出現する．δ波や紡錘突発波のみられる脳波を睡眠脳波または同期波といい，この時期を徐波睡眠またはノンレム睡眠(non rapid eye movement sleep；non-REM sleep)という．

#### 6）逆説睡眠(paradoxical sleep；パラ睡眠)

　深い睡眠中にもかかわらず，脳波は覚醒時の低振幅速波を示す．この時期には四肢や体幹の筋緊張は消失しているのもかかわらず，速い眼球運動がみられることからレム睡眠(REM sleep)ともいい，ヒトの約80％がこの時期に夢を見ている．

---

* 電気回路が平衡状態に達するまでの時間．測定する波形の周波数特性を反映している．

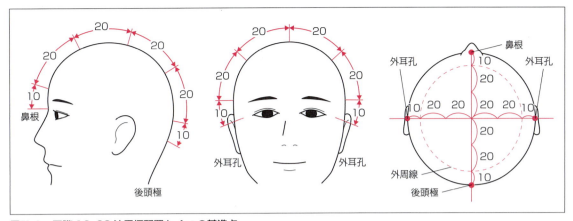

図IX-1　国際10-20法電極配置と4つの基準点
[日本光電工業㈱技術研修センター編：電気生理検査技術者のためのやさしいエレクトロニクスと脳波計取扱の実際，第11版，39頁，1985より引用]

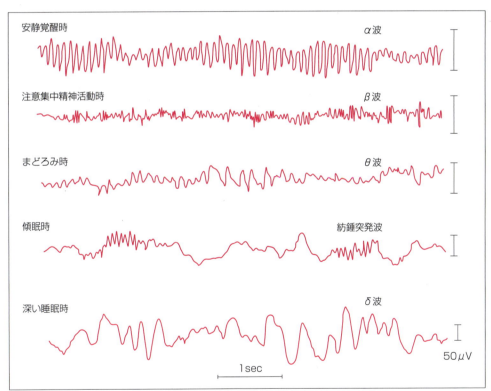

図IX-2　脳の活動状態と脳波（Jasper, 1946）
[大村　裕編：概説生理学-動物的機能編，第2版，328頁，南江堂，1988より引用]

### 3　看護学研究への応用例

#### 1．脳波の周波数解析を用いた基礎実験

　臨床では，意識障害患者の意識レベルの改善を図る目的で，患者の近親者の声やなじみのある音楽をテープに録音し，それを聞かせることがよく行われている．それが科学的な根拠があるかどうかを検討するために次のような実験を行った．被験者（20歳代女性）に被験者の母親と被験者と面識のない女性が朗読した童話「ももたろう」を聞かせ，その時の脳波を周波数解析した．『意識レベルが改善する』ということを神経細胞の活動が増加すること，すなわち，脳波の周波数解析を行った部分での全周波数帯域におけるβ波の含有率が増加することと定義し

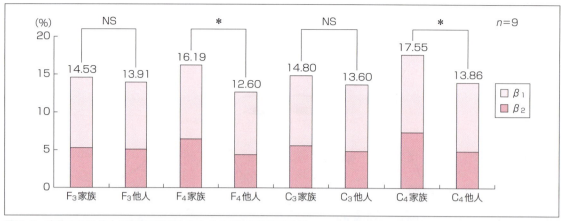

図Ⅸ-3 家族または他人の声音を聴取したときのβ波含有率の比較

童話「桃太郎」を被験者（9名）の家族（家族）または被験者と面識のない人（他人）が朗読したときの全周波数帯域に対するβ波（13 Hz 以上～30 Hz 未満）の含有率を4部位（左半球（$F_3$，$C_3$）および右半球（$F_4$，$C_4$））から記録した脳波から分析した．また，β波帯域の含有率は，$β_1$（13 Hz 以上～20 Hz 未満）と$β_2$（20 Hz 以上～30 Hz 未満）の2つの帯域に分けて表示した．数値は全周波数帯域に対するβ波の含有率を示す．両群間の有意差検定には対応のある$t$検定を用い，有意水準は$*P<0.05$とした．家族の声を聴取したほうが4領域すべてにおいて含有率が高く，とくに右半球の$F_4$，$C_4$領域において含有率が有意に増加した．

[Tanaka YL, Kudo Y：Effects of familiar voices on brain activity. Int J Nurs Pract 18 (Suppl 2)：38-44, 2012 より引用]

た．その結果，母親の声を聞かせたときのほうが，面識のない女性の声を聞かせた場合よりも有意にβ波の含有率が増加した（図Ⅸ-3）．このことは，近親者の声は大脳皮質を刺激し，意識レベルの改善に有効な方法の1つであることを科学的に検証したといえる．

### 2. 実践の場や研究における応用方法の提案

脳波は中枢神経系の活動を反映するものであるため，意識障害患者に対して，意識レベルを高めるような興奮系のアロマオイルを作用させたり痛み刺激を行ったりなどして脳の活動状態を実験的に調べることができる．また，音楽や足浴，マッサージなど患者を安楽にさせるケアの効果を検証する際の評価指標として使用することもできる．

### ●引用文献

1) 安原基弘：実習12-2 ヒトの脳波．新・生理学実習書（日本生理学会編），229-235頁，南江堂，1991
2) 柴崎 浩：B. 基本的検査法の理論と実際，Ⅰ．脳波と脳電図，9-22頁，Ⅱ．臨床脳波の記録と判読，23-42頁，臨床神経生理学（柳澤信夫，柴崎 浩編），第1版，医学書院，2008

# 2 脳活動-2　fMRI

## 1 fMRIとは

　機能的磁気共鳴画像（functional magnetic resonance imaging：fMRI）とは，強力な磁場とラジオ波（30 MHz以上の電磁波）を利用して生体内の情報を画像化する磁気共鳴（magnetic resonance：MR）装置を用いて，脳の活動部位を非侵襲的に画像化し，脳機能や神経構造を知る方法である．fMRIの計測原理は，Ogawaら[1]によって発見されたBOLD（blood oxygen level dependent）効果（後述）を利用している．

　血液中の酸素化ヘモグロビンは磁場に影響を及ぼさない（反磁性体）が，脱酸素化ヘモグロビンは磁場を乱す性質（常磁性体）がある．そのため，脱酸素化ヘモグロビンの増加は磁化率の変化をもたらし，MRの信号強度を低下させる．脳の神経細胞が活動すると，ブドウ糖代謝が活発化し，酸素消費量が増加する．酸素が消費されると，一次的に微小血管内の酸素濃度が低下するが，直後に末梢血管の拡張により脳血流量は増大する．血流量が増加すると，酸素を供給するための酸素化ヘモグロビンが増えるが，神経活動が起きた局所に供給される血流量は30～50％も増加するのに対し，酸素消費量は5％程度である[2]．そのため，結果的には酸素消費量を上回る酸素が供給される，つまりは酸素の過剰供給を引き起こし，相対的に酸素化ヘモグロビン濃度が増加し，脱酸素化ヘモグロビン濃度が減少する．

　常磁性体である脱酸素化ヘモグロビン濃度の減少は，MR信号の増強を引き起こすことになる．これをBOLD効果と呼び，このBOLD効果を利用し，神経の活動部位近傍の信号変化をMR装置で撮像した脳の解剖画像に重ねることで，脳の活動部位を可視化することができる．

## 2 測定方法と評価

### 1. MRIを研究に利用する際の実験デザイン

　fMRIを評価指標に用いた実験デザインには，ブロックデザイン，事象関連デザイン，ブロックデザインと事象関連デザインの両方の特徴を含む混合デザインなどがある．ブロックデザインは，異なる実験条件を数十秒程度のブロックに分け複数回実施する方法（図Ⅸ-4a）で，条件間の神経活動を比較する．一方，事象関連デザインでは，異なる実験条件をバラバラの順序と不均等な間隔で実施する方法（図Ⅸ-4b）で，個々の条件に関連する信号変化を分析する．

　fMRIの実験では，MR装置内で，ある課題を行わせたり，刺激を提示したりしながら，連続的に撮

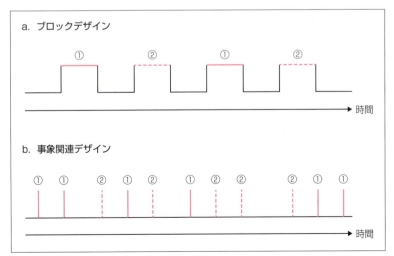

図Ⅸ-4　ブロックデザインと事象関連デザイン
異なる刺激（条件①と条件②）の提示タイミングを示す．

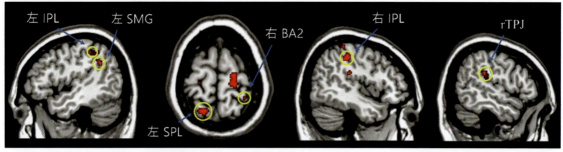

**図IX-5　理学療法士の活性化した脳領域**
下頭頂小葉（inferior parietal lobule：IPL）；縁上回（supramarginal gyrus：SMG）；上頭頂小葉（superior parietal lobule：SPL）；ブロードマン2野（Brodmann area 2：BA2）；左側頭頭頂接合部（right temporoparietal junction：rTPJ）．（一部改変）
[Watanabe R, Katsuyama N, Usui N, et al.：Effects of pseudoexperience on the understanding of hemiplegic movements in physical therapists：An fMRI study. Neuroimage Clinical 23：101845, 2019 より転載．CC BY 4.0]

像を行うことが多い．MR装置内で，被験者に映像ゴーグルやヘッドホンを装着させ，写真や動画の視聴や，動作の指示をしながら撮像することや，タッチングやマッサージなどの刺激介入をしながら撮像することも可能である．

### 2．データの特徴と性質

fMRIで得られたMR信号は神経活動との空間的な一致性が比較的高い[3]．すなわち空間分解能に優れている．大脳皮質はもちろんだが，脳表から遠い領域の，海馬周辺領域や大脳基底核，間脳，脳幹の神経活動を高い精度でとらえることができる．一方で，fMRIは神経活動を直接測定しているのではなく，あくまで脱酸素化ヘモグロビン濃度に応じて生じるMR信号の値の変化をとらえていることに留意する必要がある．

### 3．データ処理と解析方法

fMRIのデータ解析では，まずは前処理によるデータの補正を行う．具体的には，被験者の体動の補正処理や，脳解剖画像と脳機能画像の位置合わせなどであるが，これらの前処理はfMRIのデータ解析を行うソフトウエアを用いて簡易に実行できる．fMRIのデータ解析方法には，ある刺激や介入が認知や感覚，運動などの諸機能と相関する脳部位への効果を統計解析する方法が広く用いられる．これは機能局在論，すなわち脳の機能は個別の対応領域をもつという理論に基づいている．発展的な解析方法として，ある脳の部位は他の部位とお互いに情報を伝達し合い協働しているととらえ，その脳のネットワークを分析する方法[4,5]もある．

### 4．データの評価方法

前述した前処理や統計解析後，有意な脳活動が認められた脳部位が画像化される．その結果をもとに，ある刺激や介入によって有意に活動する脳領域の特定や複数の脳領域の時系列性，領域間のネットワークへ与える影響などを明らかにすることができる．

### 3 看護学研究への応用

ここでは，患者の身体感覚を医療従事者が理解できているのかの1例として，理学療法士（physical therapist：PT）が臨床で患者を評価治療する際の観察・触診といった経験が，他者理解に関わる神経活動に関連するかを，fMRIを用いて実験的に評価しようとする試みについて紹介する[6]．

PT 19名（平均32.4歳：臨床経験5年以上）と，一般成人19名（平均29.4歳）に，片麻痺患者が麻痺側の手を繰り返しグーとパーを行うビデオを観察してもらい，脳賦活状態を評価した．その結果，PTは一般成人に比べ，行動理解に大きく関わる神経活動のネットワーク（action observation network：AON）の主要な構成要素で大きな活性化が示された（図IX-5）．図中に示されている活性化部位は，一般成人に比べて有意に大きな神経反応を示した理学療法士の脳領域である．加えて，片麻痺患者の身体感覚の理解について，手が「重い」「硬い」「こわばり」など，11項目の主観的感覚評価で確認した結果，PTは一般成人と比べて有意に点数が高かった（図IX-6）．これは点数が高いほど，片麻痺患者の身体感覚をより理解していることを示している．したがって，PTが片麻痺患者を観察している間，AONの大きな活性化と，高い主観的感覚評価の点数を示したことは，PT自らは片麻痺の経験がないにもかかわらず，評価や治療などの臨床経験があることで，片麻痺患者の行動や身体感覚を認識できていることが推定された．

PTが一般成人よりも患者の行動や身体感覚を認

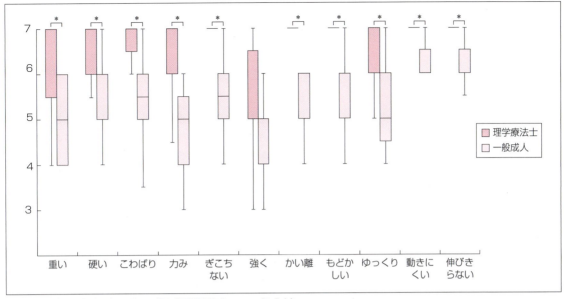

図IX-6 主観的感覚評価の箱ひげ図（理学療法士 vs. 一般成人）
[Watanabe R, Katsuyama N, Usui N, et al.：Effects of pseudoexperience on the understanding of hemiplegic movements in physical therapists：An fMRI study. Neuroimage Clinical **23**：101845, 2019 より転載．CC BY 4.0]

識していることは，当たり前のように感じるかもしれない．ただ，このように脳機能からそれらを明らかにしたことで，評価や治療などの臨床経験を積み重ねることの重要性や教育方法への示唆について，科学的な根拠に基づいて言及できる点においては有用であり，とても興味深い研究である．

　fMRIという方法が誕生して以来，これまで多くの研究で用いられ，多くの知見が蓄積されている．それにもかかわらず，fMRIを取り入れている看護学研究者は少ない．脳機能に関する専門的な知識や関連分野の専門家との共同など，活用への課題は多い．しかしながら，看護師が実践するコミュニケーションや看護介入による効果や，ここで紹介したような他者理解や共感性などを，脳機能から明らかにできる革新的な方法であるといえよう．

## ●引用文献

1) Ogawa S, Lee TM, Kay AR, et al.：Brain magnetic resonance imaging with contrast dependent on blood oxygenation. Proceedings of the National Academy of the United States of America **87**（24）：9868-9872, 1990
2) Fox PT, Raichle ME, Mintun MA, et al.：Nonoxidative glucose consumption during focal physiologic neural activity. Science **241**（4864）：462-464, 1988
3) Kim DS, Ronen I, Olman C, et al.：Spatial relationship between neuronal activity and BOLD functional MRI. Neuroimage **21**（3）：876-885, 2004
4) Keller CJ, Bickel S, Entz L, et al.：Intrinsic functional architecture predicts electrically evoked responses in the human brain. Proceedings of the National Academy of the United States of America **108**（25）：10308-10313, 2011
5) Stephan KE, Friston KJ：Analyzing effective connectivity with fMRI. Wiley Interdisciplinary Reviews：Cognitive Science **1**（3）：446-459, 2010
6) Watanabe R, Katsuyama N, Usui N, et al.：Effects of pseudoexperience on the understanding of hemiplegic movements in physical therapists：An fMRI study. Neuroimage Clinical **23**：101845, 2019

# 3 生体リズム

## 1 生体リズムとは

　生体リズムとは，看護現象の枠を越えた生物がもつ内因性の周期現象をさす．この項では，24時間前後の周期をもつ概日リズムを扱う．生体リズムの研究では，測定された周期現象と，生体の振動機構に起因する内因性の要素と環境因子への直接影響による外因性の要素に区別して，何をどのように測定するかを考える必要がある．

　生体リズムの測定では，結果が得られるまでに膨大な日数が必要である．生体リズムを把握するということは，生体機能の周期的変化を追うことであり，このデータ収集は容易ではない．そのため，周到な準備が求められる．

　一般に，周期という現象には位相，振幅，（1回の）周期があり，これらは一定の周期で変動を繰り返す時系列データから割り出す（図IX-7）．ある時点における変数の値を位相といい，リズムの研究では，特定時点における状態，たとえば最大値などを活動ピーク，活動開始などを位相の値として用いる．最大値と最小値の幅を振幅と呼ぶ．24時間に近い1つのリズムの長さを周期とする．その生物がもつもっとも安定している位相を基準位相とよび，これを基本に周期的変化を算出する．睡眠覚醒リズムでは，睡眠や覚醒の開始時刻や，体温リズムでは最大値や最小値が基準位相に用いられることが多い．活動リズムの活動期と休息期の長さの比はリズム周期と相関している．

　生体リズムは，内因性の振動機構に支配されているため，私たちは，直接，生体リズムを観察することはできない．私たちが観察できるのは，行動，体温，メラトニンなどに表現された生体振動である．これらの振動は内因性の振動体以外の因子に影響も受けている．このため，観察された生体リズムを表現形リズムと呼ぶ場合もある．たとえば，睡眠-覚醒リズムには睡眠と活動の2つの状態が含まれているため，リズムの振幅を簡単に計算できない．そのため，脱同調実験*や，コンスタントルーチン法などを用いて，ヒトのリズム機構を測定する．コンスタントルーチン法では，24時間より長い間，温度一定の低照度（30ルクスまで）の実験室で被験者はファウラー位の姿勢を維持したまま，眠らず覚醒を維持して過ごす．食事は，1日の必要摂取量を等分割され等間隔に分散して与えられる．時間の手がかりを排除して，深部体温やメラトニンの測定が行われる．生体リズムの周期性は数学的方法によって検討される．

---

*被験者に24時間とは異なる睡眠覚醒リズム（20時間周期や28時間周期など）で生活してもらう実験．

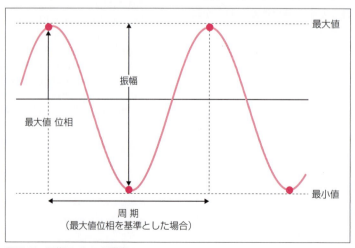

図IX-7　周期の3つの要素

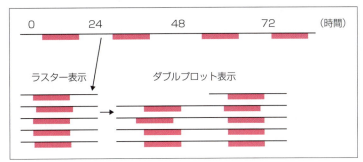

図IX-8 アクトグラフ（行動図）

## 2 測定方法と評価

### 1. 行動図（アクトグラフ）

活動を黒，休息を白で，行動を図示したものをアクトグラフ（行動図）という（図IX-8）．ヒトでは，最近は，腕時計タイプの活動量計も用いられる．

生体リズムの判定には，睡眠中だけでなく，日中も測定する必要がある．日中の昼寝は，年齢に応じて，その時間や様相がさまざまであり，活動計の結果だけをみて，眠っているかどうかの判定は，非装着の可能性も含めて大変難しい．病院などでの施設以外で測定する場合は，寝床に入った時刻と寝床から出た時刻のメモがあれば，より正確な判定をするのに役立つ．活動計がない場合は，縦軸に日付，横軸に24時間の枠を書き，眠った時間を塗りつぶすだけでも簡単な行動図ができ，患者の概日リズムの特徴を臨床的には十分に把握できる．

夜勤などの生体リズムを表示する場合は，24時間ではなく，48時間の横軸で表示する場合もある．その際，図の第一段に1日目と1日目のデータ，第二段は，2日目と3日目のデータとずらして表示する方法をダブルプロット法と呼び（図IX-8），位相が徐々にずれていくフリーランリズムを表示するときに便利である．フリーランとは，時間の手がかりがない隔離環境で数週間生活を続けると，睡眠と覚醒の周期が約25時間にもなる状態のことである．

### 2. 体温リズム（直腸温）

体温には明瞭な概日リズムが見られ，連続測定が可能で，生体リズム研究でよく用いられている．ヒトでの深部体温と末梢体温は大きくパターンが異なる．血液循環量などの影響を受けるため，部位によって値が異なる．

ヒトの場合，直腸温リズムがよく用いられる．何日も継続的に測定するために，被験者に小型ロガー*を持ち歩いてもらい，測定終了後，コンピュータにデータを取り込む．ときどきロガーの数値を確認し，不安定な数値が続く場合は，直腸温センサーを被験者に挿入しなおしてもらう．センサーは使い捨てタイプを使用するなどして，手袋の使用や挿入前後の手指消毒を含め十分な感染予防策を実施する．排便や入浴などでもデータの欠損が生じるため，1分ごとのデータ収集を行い，欠損のデータをできるだけ少なくする．データ解析する場合は，有効なデータを平均し，行った実験期間から適度な間隔を設定し，そのポイントで処理する．

### 3. ホルモンリズム

留置カテーテルを静脈に確保して，連続的にホルモンリズムの測定が可能である．留置していれば，睡眠中もサンプルを採取することが可能である．ヒトでは，メラトニン，コルチゾールなどが用いられる．侵襲が大きい血液採取を避けて，最近は唾液も多く用いられるようになってきた．唾液メラトニンの値は，血液の約30％の値として換算する．睡眠中も定期的に測定する実験計画の場合は，睡眠している被験者を起こして，唾液を採取する必要がある．そのときに明るい照明はつけない．唾液は，コットンチューブに含ませ，ケースに戻したあと遠心分離し，唾液を抽出し，冷凍保存する．被験者によっては濃度が薄い場合もあるので，重量を測定しておく．

このような間欠的に測定するホルモンリズムは短い間隔であれば問題ないが，長い測定間隔では適切な位相がとらえ切れていない可能性がある．また，自分で分析するにしても，業者に発注するにしてもかなりの測定経費が発生するので，実験計画の段階から，どの間隔で，どの程度のサンプルサイズで測定するかを，先行研究なども参考に十分な検討が必要である．

メラトニンを概日リズムの指標として用いる場

---

*データロガー（data logger）：データを記憶媒体やコンピュータに記録する装置．

合，dim light melatonin onset（DLMO）がよく用いられる．これは夜に薄暗い環境下でメラトニン分泌が開始される時刻を求める方法である．メラトニンの解析には，放射免疫分析法（radioimmunoassay：RIA法）と酵素結合免疫吸着分析法（enzyme-linked immunosorbentassay：ELISA法）がある．ELISA法では放射線同位元素を使用しないので，特別な設備がなくても測定できるが，RIA法のほうが測定の信頼性が高い．

### 4. 生体リズムに影響を与える外部の因子

概日リズムを同調させる環境因子を同調因子と呼ぶ．概日機構と関係がなく，生体リズムに影響することがある．

ヒトでは明確ではないが，光や環境温度は，ラットやハムスターでの行動抑制効果がある．また，ヒトの体温リズムには，内因的な振動機構に支配された変動要素以外に，睡眠や運動などの直接的効果で変動する部分が含まれている．

ヒトを含む哺乳類の概日リズムを同調させる環境因子には，光・運動・食事・社会的接触（母性行動を含む）以外に，音，気圧，電磁場が知られている．その中で，光は概日リズムのもっとも強力な同調因子である．早朝の光は概日リズムの位相を前進させ，逆に，夜の光は概日リズムを後退させる．光と運動は強い振動体に影響を及ぼし，食事・社会的接触は弱い振動体に影響を及ぼすという2振動体説を説明する．

看護学にとっては，これらの4つの因子を整えることは，1日の外界リズムに応じ，生活の質を高めることにつながる．環境温度はどのような機序で恒温動物の行動リズムを同調させているのかは不明であるが，夜間に睡眠をとる条件での3℃の日中の環境温度の差が，夜間の睡眠の深さを類推させる深部体温の変動に影響を与えたことは，療養環境を含めた昼夜の環境温度が看護の視点で重要であることを示す[1]．

### 5. 評価

テストの点数や，薬効効果判定など，日頃の数値データは，線形モデルが適合するものが多いが，概日リズムは非線形モデルになることが多い．測定した尺度にはどのような性質があるのか，線形モデルを使用して統計解析を試みる場合も，その統計は何を計算しているのかをよく踏まえ，恣意的ではない方法で解析を行う姿勢が求められる．

## 3 看護学研究への応用

現代社会に生きる人々は，人工照明を利用することで夜でも明るい環境で過ごすことができる．また，夜勤や交代制勤務に従事する人は概日リズムが乱れやすい生活を強いられており，さまざまな健康上の問題が生じている．

たとえば，同じ夜勤に関する研究を行っていても，生体機能の解明に焦点をあてているもの，実際の生活での概日リズムの影響を測定して生活提案をめざすものなど，研究目的はそれぞれである．その目的によって夜勤前の睡眠不足状態をどの程度に設定するかが変わる．看護学研究において，何を明らかにしたいのかの軸をしっかりもって，生体リズムの研究を組み立てることが求められる．

### ●引用文献

1) Wakamura T, Tokura H：Circadian rhythm of rectal temperature in humans under different ambient temperature cycles. Journal of Thermal Biology 27（5）：439-447, 2002

# 4 微生物の同定

## 1 微生物の同定とは

　微生物とは微小な生物全体の総称であり、地球上に最初に出現した生物である。進化を経て、さまざまな細胞形態・構造、生活環、生理・生化学的性質をもつ微生物が地球のあらゆるところに存在する。生物が進化した道筋を系統といい、系統をもとに類縁関係によってグループごとに整理したものが分類（classify, classification）である。微生物は国際命名規約に従って命名されており、微生物分類学の最小単位は種（species）であり、その集合が属（genus）、科（family）という上位分類群にまとめられていく。

　同定（identify, identification）とは微生物の性状を検査し、その微生物がどの分類群に属するかを判定することである。感染症の診断は、臨床症状、理学的所見、血液所見、画像所見、原因微生物の検出などを総合的に判断して行われる。この中で、とくに、感染症の原因となる微生物の同定は、感染症の確定診断となり、有効な治療薬および支持療法の選択やその後の感染対策を決定するにあたって重要である。

　病原微生物の同定の方法は、**図Ⅸ-9**に示すとおり、一般的には、①顕微鏡による形態学的観察、②病原体の分離、③生化学的性状確認、④遺伝子解析がある。どの方法にもメリット、デメリットがあるため、臨床的な意義を正しく知る必要がある。

## 2 微生物同定の方法と解析

　微生物の同定にあたっては、検体に他の微生物が入りこまないように、滅菌容器を用いて、無菌操作によって行う。採取された微生物の量が少ないと検出できないことがあるため、採取量には注意を要する。

　看護ケアを介した感染症で問題となる病原微生物は、黄色ブドウ球菌や緑膿菌などの細菌による感染症が多い。そのため、ここでは細菌に焦点を絞って説明する。

### 1. 光学顕微鏡による形態学的観察

　細菌は無色であるため、スライドグラスに塗抹しただけでは、顕微鏡で確認することは困難であり、通常は染色をして観察する。一般的にはグラム染

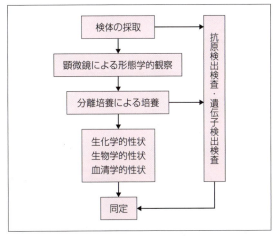

図Ⅸ-9　微生物同定の手順

色[*1]が行われるが、予想される菌の種類に応じて使い分ける必要がある。

　グラム染色はベッドサイドでも手軽に実施できる。ハッカー（Hucker）の変法によるグラム染色法の手順を**図Ⅸ-10**に示した。まず、スライドグラス上に火炎固定した検体をクリスタルバイオレット溶液（紫色）で染色した後、ヨード溶液で処理し、エタノールで脱色すると、グラム陽性菌は染色されたままであるが、グラム陰性菌は脱色されて無色になる。次にサフラニン溶液（赤色）で対比染色する。紫色に染色された細菌はグラム陽性菌、赤色に染色された細菌はグラム陰性菌と分類する。

　染色したスライドグラスを光学顕微鏡で観察し、グラム陽性か陰性か、球菌か桿菌かなどの形態、莢膜の有無といった構造を確認する。

### 2. 分離培養

　採取した検体には、多種類の細菌が存在することがあることから、目的とする細菌を取り出すために、平板培地に検体を塗り広げ、孤立したコロニー（集団）をつくらせて菌を分離する培養を行う。

　分離培養に用いる平板培地には、普通寒天培地や血液寒天培地のほかに、目的とする菌以外は増殖しにくい選択培地や菌の血球溶血性や糖分解能を識別

---

[*1] 細菌類の染色方法の1つ。デンマークの細菌学者グラム（Gram）が開発した。

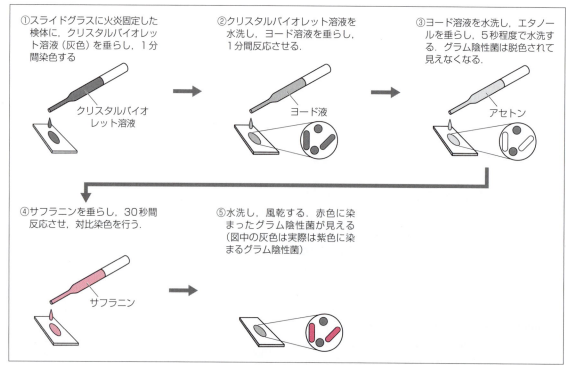

図IX-10　グラム染色法の手順

できるように工夫がなされた鑑別培地などもある.

### 3. 生化学的性状確認

分離培養で得られた菌は,生物学的性状や生化学性状を検査するための培地に移して純培養する.コロニーの性状や細菌の運動性などの生物学的性状,糖やアミノ酸等の分解能などの生化学的性状,血清学的性状(抗原性)を調べて菌種を判定する.

## 3 看護学研究への応用

### 1. NICUにおける手首までの消毒と肘までの消毒の比較

医療技術の進歩によって,侵襲の高い治療を受ける患者や易感染宿主が増えている.手指や環境の汚染状況調査は,感染予防対策における根拠に基づいた実践(evidence-based practice)につながる.手指の微生物を採取する方法としては,手に滅菌手袋を着用し,その中に回収液を入れて菌を揉み出し,回収した液を培養し,細菌数を測定するグローブジュース法,寒天培地に手指を押しあてて微生物を採取するスタンプ法などがある.環境表面の微生物の採取には,綿棒やスポンジなどを使った拭き取りや寒天培地の表面を直接環境表面に接触させる方法がとられることが多い.また,空中に存在する微生物採取の方法には,空気中に寒天培地を静置し落下菌を検出する方法,空気を液体培地中に通過させる方法,吸引した空気を寒天培地上に吹き付ける方法などがある.

新生児集中治療室(neonatal intensive care unit:NICU)の医療従事者は感染拡大を防ぐための高い知識と信念を有しているが,モニター類装着時などの患者接触が少ないケア時の手指衛生遵守率は低かったことが報告されている[1].筆者らが,NICUの医療従事者の手指衛生状況を観察したとき,一部の看護師が手指衛生の方法として手指から肘までの部分にアルコール消毒剤を塗布していた.保育器収容児のケアや処置の際には,肘まで保育器内に入ることがあるため,この衛生方法はNICU特有の感染対策方法につながるのではないかと考えた.そこで,この方法を行っている看護師にインタビューした結果,手指から肘にかけて使用するアルコール消毒剤は,手首より先の手指消毒時の量と変わらないことがわかった.そこで,この新たな手指衛生方法の感染予防効果を調べるために,グローブジュース法による検証実験を行った[2].

### 2. 実験の概要

検証実験では,供試菌(非病原性大腸菌:ATCC® 25922)を使用し,サニサーラEGO(エタノール:$C_2H_6O$ 76.9〜81.4 v/v%含有,サラヤ株式会社)で,手首から先の手指衛生(手指群)または手指から肘までの手指衛生(前腕群)を行い,手指衛生の時間

の測定と手首から前腕の供試菌を採取した．採菌した供試菌の培養には，大腸菌・大腸菌群同時検出用EZ2C寒天培地（Lot No：160714, 161020, アテクト株式会社）を用い，回収液の原液と，PBSで10倍希釈した液を各0.1 mL塗抹し，35℃のインキュベーター（SIW-45, アズワン株式会社）で24時間培養し，コロニー数を計測した．

　手指消毒にかかった平均時間（Mean±SD）は，手指群が43.8±6.1秒，前腕群が27.1±3.1秒と前腕群が手指群に比べて有意に短く（$P<0.001$），前腕の総菌数のlog値（Mean±SD）は手指群の3.57±1.83 cfu/mL，前腕群は3.96±1.90 cfu/mLで2群間に統計的な有意差はなかった（$P=0.334$）．アルコールベースの手指消毒薬の効能は，アルコールの種類，濃度，接触時間，使用量など，いくつかの要因の影響を受ける．人工的に汚染させた手からの試験菌の剝落の対数逓減率は，アルコールとの接触時間が長くなるほど減少する[3]ことが報告されていることから，前腕群の消毒時間が短かったことが，細菌の検出数に影響したことが推測できた．このことから，前腕まで消毒するためには消毒液の量を増やす必要性あることが考えられた．

　さらに研究を重ねることで，今後，NICUでの手指衛生の方法が変わるかもしれない．

## ●引用文献

1) Asare A, Enweronu-Laryea2 CC, Newman MJ：Hand hygiene practices in a neonatal intensive care unit in Ghana. J Infect Dev Ctries **3**（5）：352-356, 2009
2) 上野洋子：新生児集中治療室の医療関連感染予防策における手袋使用に関する研究，熊本大学大学院博士前期課程修士論文，2017
3) Rotter ML：Hand washing and hand disinfection, Hospital epidemiology and infection control 2nd Ed., p.1339-1355, Lippincott Williams & Wilkins, 1999

# 5 心拍変動

## 1 心拍変動とその測定の意義

整脈の場合，脈拍は規則正しく触れる．つまり，心臓が規則正しく拍動していることになる．しかし，心電図を記録するとR-R間隔は必ずしも一定ではない（図IX-11）[1]．拍動ごとにm秒のオーダーではあるが異なっており，R-R間隔は通常は0.6〜1.0秒，心拍数にすると60〜100回/分に相当する．このように，心臓の1拍ごとの拍動間隔にみられる生理的な変動（ゆらぎ）を心拍変動（heart rate variability：HRV）という．このHRVは一般に吸気時に心拍数が増加し，呼気時には減少するという呼吸性不整脈によるが，そのほか心臓を支配している自律神経（交感神経と副交感神経）からも影響を受ける．

HRVが大きいことはリラックスした状態や疾患の罹患率や死亡率の低下と関連し，逆に小さい場合はストレスや疾患と関連しているといわれている．また，年齢が若くて健康な人ほど変動は大きく，加齢とともに小さくなる．この心拍変動を測定・評価することによって疾患の重症化を予測することができるだけでなく，看護学研究においては，介入前後の自律神経のバランスを評価することでケアの有効性を検証することができる．

ここでは，心電図R-R間隔変動係数と心拍変動のスペクトル解析について簡単に説明する．

## 2 心電図R-R間隔変動係数（$CV_{R-R}$, CV）

心電図R-R間隔変動係数（coefficient of variation of R-R intervals：$CV_{R-R}$）は，100R-R間隔について以下の式で求めることができる．

$$\frac{標準偏差}{平均 R\text{-}R 間隔} \times 100 \, (\%)$$

安静時の呼吸よりも深呼吸時のほうが心拍変動は大きくなるため，$CV_{R-R}$も深呼吸時のほうが大きくなる．また，心拍変動は加齢に伴って小さくなるため，$CV_{R-R}$も低下する（図IX-12）[2]．40歳以上の健常者と各種疾患患者の$CV_{R-R}$を比較した研究では，健常者の$CV_{R-R}$が2.9％（平均年齢53歳），パーキンソン病では1.6％（62歳），起立性低血圧や尿閉・尿失禁などの自律神経症候がみられるシャイ-ドレーガー（Shy-Drager）症候群では0.9％（50歳）であったと報告されている[3]．

## 3 心電図R-R間隔変動のスペクトル解析と看護学研究への応用

HRVにみられる変動（ゆらぎ）がどのような周波数の波で構成されているのかを調べたものがスペクトル解析である（図IX-13）．安静状態では0.25 Hz周辺に高いピークが認められ，これを高周波成分

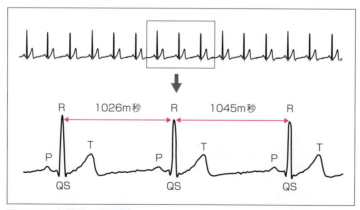

図IX-11 心電図R-R間隔
［早野順一郎ほか：生体信号ビッグデータ化プロジェクト ALLSTAR—オープンデータ化の意義—．デジタルプラクティス 9 (1)：73-93, 2018 より許諾を得て改変して転載］

(high frequency：HF，0.15〜0.40 Hz）と呼んでいる．また，0.1 Hz 周辺の波を低周波成分（low frequency：LF，0.04〜0.15 Hz）としている．HF は主として呼吸性不整脈により生じ，副交感神経機能を反映しているとされている．それに対し，LF は交感神経を反映しているが，副交感（迷走）神経の影響も受けていることから，一般的には LF/HF 比が交感神経系の指標とされている．

図Ⅸ-14 は，健常成人と高齢者が安静仰臥位から自力坐位をとったときの HRV を示している[4]．成人の HRV に比べて高齢者の HRV は小さいことがよくわかる．さらに仰臥位から背面密着坐位ならびに自力坐位をとったときの R-R 間隔変動スペクトル解析を行ったのが図Ⅸ-15 である[4]．

一般的に副交感神経系が優位な仰臥位から坐位に姿勢を変えると，交感神経系が優位となる．成人は背面密着坐位，自力坐位いずれにおいても坐位になると HF が減少して，LF/HF が増加している．それに対して高齢者の場合は，坐位時の副交感神経系の減少も交感神経系の増加もはっきりしない．このことは，姿勢を変換しても自律神経機能がうまく働いておらず，これによって転倒などのリスクが高くなる可能性を示唆している．

このように，高齢者の身体機能が成人と異なることを理解しておくことは看護実践において重要である．心電図の測定によって必要なデータが得られるので侵襲性もなく，この指標を使って介入効果の評価もでき，今後ますます看護研究に用いられることを期待する．

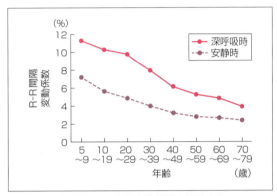

図Ⅸ-12 心電図 R-R 間隔変動係数の加齢変化
[藤本順子ほか：心電図 R-R 間隔の変動を用いた自律神経機能検査の正常参考値および標準予測式．糖尿病 30（2）：167-173，1987，表 2 のデータをもとに作成]

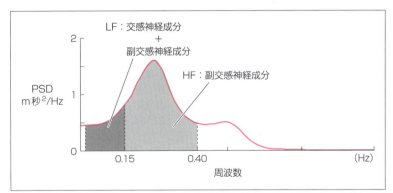

図Ⅸ-13 心電図 R-R 間隔変動のスペクトル解析の例
PSD（power spectral density）：パワースペクトル密度

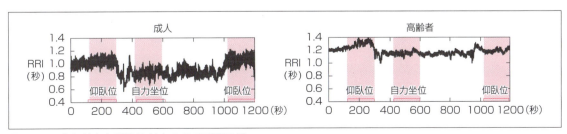

図Ⅸ-14 成人（左）と高齢者（右）の R-R 間隔の例
[黒木祐子ほか：健康高齢者における自力坐位保持ならびに背面密着坐位中の循環動態及び自律神経活性．日本看護研究学会誌 27（2）：93-100，2004 より許諾を得て改変して転載]

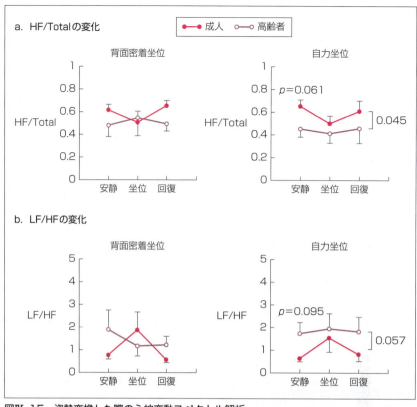

**図IX-15 姿勢変換した際の心拍変動スペクトル解析**
[黒木祐子ほか：健康高齢者における自力坐位保持ならびに背面密着坐位中の循環動態及び自律神経活性．日本看護研究学会誌 27 (2)：93-100，2004 より許諾を得て改変して転載]

## ●引用文献

1) 早野順一郎，古川由己，吉田豊ほか：生体信号ビッグデータ化プロジェクト ALLSTAR―オープンデータ化の意義―．デジタルプラクティス 9 (1)：73-93，2018
2) 藤本順子，弘田明成，畑美智子ほか：心電図 R-R 間隔の変動を用いた自律神経機能検査の正常参考値および標準予測式．糖尿病 30 (2)：167-173，1987
3) 持尾聡一郎：心電図 R-R 間隔の変動と自律神経系―中枢神経疾患への応用を中心に―．神経内科 19：127-132，1983
4) 黒木祐子，長坂 猛，安部浩太郎ほか：健康高齢者における自力坐位保持ならびに背面密着坐位中の循環動態及び自律神経活性．日本看護研究学会誌 27 (2)：93-100，2004

# 6 呼吸測定―体位による変化

 ヒトは外界から酸素を取り入れ，二酸化炭素を外界へ排泄することによって細胞活動を行い，恒常性を維持しながら生命活動を営んでいる．この営みが呼吸である．この呼吸の状態や呼吸の予備能力を観察する方法として，呼吸機能検査がある．
 本項では，呼吸測定の方法を解説しながら，呼吸機能検査技術を応用した研究例を紹介する．

## 1 呼吸機能の測定方法

 代表的な呼吸機能の測定項目のうち，肺活量（vital capacity：VC），努力肺活量（forced expiratory volume：FEV），残気量（residual volume：RV）の測定方法を説明する．

### 1．スパイロメータによる肺活量と努力肺活量の測定

 まず，スパイロメータに対象者情報（氏名，年齢，身長，体重）とその日の温度，湿度を入力し，測定準備を行う．息が漏れないように鼻（鼻翼部分）をノーズクリップで留め，スパイロメータのマウスピースを隙間なく口にくわえる．肺活量は，息をゆっくりと目いっぱい吸い込んで止め，できるだけはき出して測定する．
 努力肺活量の測定では，吸気に関しては肺活量と同様に吸えるところまで吸うが，呼気はできるだけ速く一気にはき出すようにすることを心がける．

### 2．残気量の測定

 あらかじめ流量計を介して一定容量（2 L）の100％酸素を入れた麻酔バッグに三方活栓をつけ，その先にマウスピースをつけたものを準備する（**図Ⅸ-16**）．対象者はマウスピースを口にくわえ，最初に室内空気が呼吸できるように三方活栓を室内空気と対象者の気道が通じるように設定しておく．対象者ができる限り息を吐き出した（最大呼息）後に，三方活栓のコックを麻酔バッグと対象者間が通じるように切り替える．深吸気と（普通の）呼気を数呼吸行った後に，麻酔バッグに最大呼出を行い，コックを閉じる．
 酸素は肺から血液に移行するので，検査はできるだけ素早く行う．対象者にマウスピースを外してもらい，このときの麻酔バッグ内のガス濃度を分析すると同時に，バッグ内のガス量を流量計で測定する．なお，実際の検査では酸素ではなくヘリウムを使用する．
 肺内が残気量分になった状態で，ガスを吸入し，バッグ内と残気量分とが平衡に達した状態であるので，以下の式により残気量が計算できる．

 残気量を求める計算式：$C \times V = C' \times (RV + V)$
 （$C$：吸入するガスの濃度，$C'$：平衡に達した後のガス濃度，$V$：吸入するガスの濃度，$RV$：残気量）

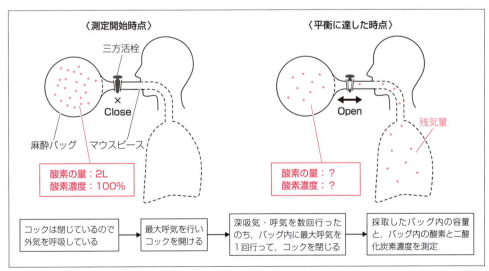

図Ⅸ-16 残気量の測定方法

## 2 呼吸測定技法を用いた実験例

### 1. 実験目的

呼吸運動は吸息相（吸気）と呼息相（呼気）からなる．吸気は主に横隔膜と外肋間筋の収縮で生じるが，これらの筋肉の動きは体位の影響を受ける．患者の状態に応じた適切な呼吸ケアを実施するためには，体位による呼吸の変化を知る必要がある．この実験の目的は，異なる体位で呼吸機能を測定し，比較することである．

### 2. 準備物品

ベッド1，オーバーベッドテーブル1，椅子1，ワゴン1，スパイロメータ1，ノーズクリップ数個，使い捨てマウスピースとフィルター（対象者の人数分），箱ティッシュ，記録紙，三方活栓付き麻酔バック1，ガス採取管（三方活栓付きディスポーザブル試験管でも可）1，酸素ガス，ガスアナライザー（市販の呼気ガス分析機），流量計

### 3. 実験方法：各体位での呼吸機能測定

体位の順番は自由だが，前もって最低1回は各体位で測定しておく．

まず，立位で安静を5分間保ち，その後，ノーズクリップを装着し，マウスピースをくわえる（図Ⅸ-17a）．研究者の合図で対象者は安静呼吸を行い，呼吸が安定したら肺活量を測定する．5分間の休憩をはさみ，合計で3回の肺活量測定を行い，肺活量の値が大きいものを採用する．安静5分後，残気量の測定を行う．これも1回の測定後5分間休憩し，合計3回の残気量測定を行い，その平均値をとる．

次に体位を坐位とし，坐位姿勢で5分間安静とする．その後の手順は立位と同様である（図Ⅸ-17b）．

最後にベッド上仰臥位になり，その姿勢で5分間安静にしたのち同様の測定を行う（図Ⅸ-17c）．

表Ⅸ-1は健常な成人男性（22±0.8歳，$n=10$）を対象に端坐位，仰臥位，右側臥位の体位で呼吸機能検査を行った結果である[1]．有意ではなかったものの，臥床姿勢では呼吸機能が減弱することが推測できる．これは体位によって横隔膜の動きが制限されるためと考えられる．今回示した健常者の結果から，看護の対象の呼吸機能をアセスメントするには，年齢や疾患，円背や前傾姿勢なども考慮する必要があることが推測される．

このような基礎研究で得られた測定値は高齢者や呼吸器障害のある患者の呼吸機能の参考値（≒健常成人の標準値）として，役立てることができる．

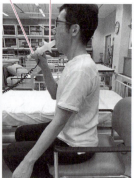
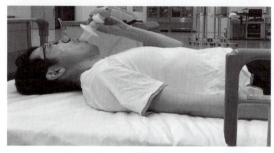

図Ⅸ-17 体位を変えての肺機能検査の様子

表Ⅸ-1 異なる体位で測定した呼吸機能

|  | 端坐位 | 臥位 | 右側臥位 |
|---|---|---|---|
| 肺活量 | 4.1±0.6 | 4.0±0.6 | 3.8±0.8 |
| %肺活量 | 95.5±13.0 | 92.9±12.1 | 89.4±13.2 |
| 1秒率 | 92.1±4.2 | 90.6±3.6 | 91.8±3.5 |

（平均値±標準偏差）

［吉田忠義ほか：5種の体位における肺気量の比較．東北文化学園大学紀要4（1）：39-44，2008の表2体位別の肺気量の結果より一部抜粋変更］

### ●引用文献

1) 吉田忠義，小野部純，高橋一揮ほか：5種の体位における肺気量の比較．東北文化学園大学リハビリテーション学科紀要4（1）：39-44，2008

# 7 生体反応の組織学的評価

## 1 組織学の点滴漏れケアの評価への応用

　点滴漏れのケアでは，温罨法あるいは冷罨法が看護師個々の判断で実施されていることが報告されている[1]．罨法は看護師の判断で実施できる看護技術であり，患部を温めたり（温罨法），冷やしたり（冷罨法）することで症状が軽減する作用がある．このように相反するケアを実施している理由として，点滴漏れの病態について正しく理解されていないことが考えられた．その後，実験動物を用いた基礎研究において，点滴漏れの病態は漏れた薬液（異物）に対する急性の炎症反応であることが明らかになった[2,3]．

　局所の急性炎症に対しては冷罨法が適切な処置であるが，実際には未だに温罨法を実施している実践の場も少なくない[4]．そこで本項では，①点滴漏れによる組織傷害の病態と，②その傷害に対する罨法（冷罨法・温罨法）の作用，さらに③点滴漏れのケアとして有効な冷罨法の適切な実施に関する測定方法について概説する．

## 2 測定方法と評価

　点滴漏れの症状には，発赤・腫脹や血管炎，激しい痛みと組織傷害が伴うことから，罨法の有効性を臨床の場で評価することは困難であり，医学や薬学での研究と同様に実験動物を用いた基礎研究が有用である．

### 1．点滴漏れへの冷罨法の有効性

　点滴漏れの病変を実験的に作製するために，起炎性薬剤として知られているジアゼパム注射液（セルシン注射液®）をラットの皮下組織に注入した[5]．その後，冷罨法（21±1℃）あるいは温罨法（41±1℃）を実施した群とともに，罨法を実施しない対照群の3群を設け，病変作製後4時間目と8時間目に皮膚の組織を摘出し，病理組織学的に病態像を検索した（図Ⅸ-18）．その結果，表Ⅸ-2に示したように皮下組織内に炎症性細胞の浸潤や皮下組織内の浮腫などが観察された（表Ⅸ-2の対照群）．すなわち，薬液が漏れた場合は，異物（薬液）に対する急性の炎症反応が起こることが示された．

　これらの組織変化に対して，冷罨法あるいは温罨法を実施して病変がどのように変化するかを検索することで，罨法の作用を比較検討できる．冷罨法においては，漏出後4時間と8時間のいずれにおいても皮下組織内の炎症性細胞浸潤の程度は対照群よりも弱く，炎症反応を軽減させていることがわかった．一方の温罨法では，漏出後4時間において，皮下組織内炎症性細胞浸潤の程度は対照群よりも増強していた．これらの罨法の作用は，薬剤を変えて実施した他の基礎研究においても同様であった[6,7]．

### 2．点滴漏れへの適切な冷罨法の温度

　前述したように点滴漏れに対する冷罨法の有効性は実証されたものの，臨床の場で冷罨法を実施する際のおおよその温度については示されていないの

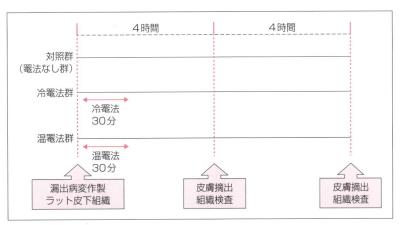

図Ⅸ-18　測定手順

表IX-2 組織所見の結果

| | 漏出後 4 時間 | | | | | | 漏出後 8 時間 | | | | | |
| --- | --- | --- | --- | --- | --- | --- | --- | --- | --- | --- | --- | --- |
| | 温罨法 | | 冷罨法 | | 対照群 | | 温罨法 | | 冷罨法 | | 対照群 | |
| 皮下組織内炎症性細胞浸潤 | + | 0/5 | + | 5/5 | + | 4/5 | + | 0/5 | + | 2/5 | + | 0/5 |
| | ++ | 5/5 | ++ | 0/5 | ++ | 1/5 | ++ | 5/5 | ++ | 3/5 | ++ | 4/5 |
| | +++ | 0/5 | +++ | 0/5 | +++ | 0/5 | +++ | 0/5 | +++ | 0/5 | +++ | 1/5 |
| 皮下組織浮腫 | + | 0/5 | + | 0/5 | + | 0/5 | + | 0/5 | + | 0/5 | + | 0/5 |
| | ++ | 1/5 | ++ | 3/5 | ++ | 1/5 | ++ | 0/5 | ++ | 2/5 | ++ | 0/5 |
| | +++ | 4/5 | +++ | 2/5 | +++ | 4/5 | +++ | 5/5 | +++ | 3/5 | +++ | 5/5 |
| 皮筋内炎症性細胞浸潤 | + | 5/5 | + | 5/5 | + | 4/5 | + | 0/5 | + | 1/5 | + | 3/5 |
| | ++ | 0/5 | ++ | 0/5 | ++ | 1/5 | ++ | 4/5 | ++ | 4/5 | ++ | 5/5 |
| | +++ | 0/5 | +++ | 0/5 | +++ | 0/5 | +++ | 0/5 | +++ | 0/5 | +++ | 0/5 |
| 皮筋浮腫 | + | 0/5 | + | 0/5 | + | 0/5 | + | 0/5 | + | 0/5 | + | 0/5 |
| | ++ | 1/5 | ++ | 2/5 | ++ | 2/5 | ++ | 1/5 | ++ | 5/5 | ++ | 0/5 |
| | +++ | 4/5 | +++ | 3/5 | +++ | 3/5 | +++ | 4/5 | +++ | 0/5 | +++ | 5/5 |
| 皮筋壊死 | + | 0/5 | + | 1/5 | + | 1/5 | + | 0/5 | + | 1/5 | + | 0/5 |
| | ++ | 5/5 | ++ | 4/5 | ++ | 4/5 | ++ | 5/5 | ++ | 4/5 | ++ | 5/5 |
| | +++ | 0/5 | +++ | 0/5 | +++ | 0/5 | +++ | 0/5 | +++ | 0/5 | +++ | 0/5 |

+:病変が限局している．　++:1/3 程度病変がある．　+++:1/2 以上病変がある．
［三浦奈都子ほか：薬剤漏出に対する罨法の効果についての実験的研究．日本看護科学会誌 23（3）：48-56，2003 より許諾を得て転載］

で，冷罨法の適切な温度に関する研究が必要である．実験動物での基礎研究では，点滴漏れによる臨床での皮膚病変を反映した病態を実験的に再現する工夫が必要である．そこで，点滴漏れによる皮膚病変で多いのは腫脹であることから[8]，ラットの尾をヒトの腕に見立ててその部位に実験的な腫脹を作製した．

実験的に腫脹を作製するために，ラットの尾静脈にフェニトインナトリウム注射液であるアレビアチン®注 50 mg/mL を投与し化学的静脈炎を発生させることで実験的な腫脹を再現した[9]．再現性を確認するために 2 つの実験を実施した．すなわち実験Ⅰではアレビアチン原液の薬物を，実験Ⅱでは臨床でよく用いられている方法を参考にし，生理食塩液で 10 倍に希釈した薬物を使用し実験的な腫脹を作製した[9]．この腫脹部位に 10℃，15℃，20℃の 3 種類の冷罨法についてゲルパック（3M）を 30 分間施した．その後 5 日間連続して腫脹の程度を 1 日 1 回定圧ノギス（ミツトヨ）を用いて測定した．その結果，冷罨法を実施しない対照群の腫脹増加率は日ごとに増加し冷罨法群よりも高く推移し，5 日目では 15％以上に達した（図IX-19）．同様の傾向は希釈液を用いた実験でも確認された[9]．冷罨法を実施した 3 群で比較すると，薬液の濃度にかかわらず 20℃，15℃，10℃の順で腫脹増加率を抑制することが示された（図IX-19）．この 20℃の冷罨法は，臨床の場で 200 mL 程度の水に氷 1-2 個入れ氷嚢で実施されていた温度に相当しており，患者にとって心地よいと感じられていた温度であった[10]．

### 3 看護学研究への応用

前述の実験によって，点滴漏れの病態は，漏れた薬液（異物）に対する急性の炎症反応であることが病理組織学的に明らかになっている[2]．臨床で認められる点滴漏れの病変を実験的に再現し，これを用いて冷罨法の有効性が多くの基礎研究で明らかになった[5,6,7]．しかし，実験動物で得られた知見のヒトの類似現象におけるエビデンスレベルは低いことから，臨床の場で明らかにする必要がある．その具体的な方法として，点滴漏れ時の院内ケアマニュアルに冷罨法を盛り込んで実践した事例が報告されている[10]．すなわち，点滴が漏れた場合は，ゴム製のディスポーザブル手袋で氷嚢を作製し，心地よい温度（17℃程度で罨法開始）での冷罨法をマニュアル化し統一して実施した結果，患者からも冷罨法に対して気持ちよいケアと評価され，重篤な悪化は認められなかった[10]．

このように，看護学の基礎研究で得られた知見を活用した臨床での実践とともに，新たな視点での事例研究への取り組みも今後は必要になるだろう．

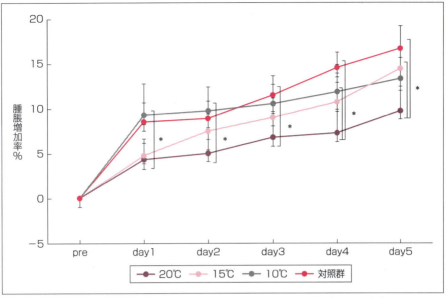

図Ⅸ-19　冷罨法別に比較したアレビアチン原液薬物使用後の腫脹増加率の経日変化
bonferroni test. $P<0.05$ ($n=5$)
［大﨑 真ほか：点滴による静脈炎に対する冷罨法の適正温度に関する基礎研究．日本看護技術学会誌 **14**（3）：231-237，2015 より許諾を得て転載］

## ●引用文献

1) 菱沼典子，大久保暢子，川島みどり：日常業務の中で行われている看護技術の実態―第2報 医療技術と重なる援助技術について―．日本看護技術学会誌 **1**（1）：56-60，2002
2) 武田利明：臨床にいかす実験研究―薬液血管外漏出時の最適ケアは温罨法か，冷罨法か，リバノール湿布か―．看護学雑誌 **73**（12）：24-30，2009
3) 武田利明，三浦奈都子，及川正広：静脈注射による静脈炎・血管外漏出への対応．エキスパートナース **28**（9）：65-83，2012
4) 菱沼典子，大久保暢子，加藤木真史ほか：看護技術の実態調査―研究成果との隔たり―．日本看護技術学会誌 **18**：123-132，2019
5) 三浦奈都子，石田陽子，武田利明：薬剤漏出に対する罨法の効果についての実験的研究．日本看護科学会誌 **23**（3）：48-56，2003
6) Shibata Y, Yokooji T, Itamura R, et al.：Injury due to extravasation of thiopental and propofol：Risks/effects of local cooling/warming in rats. Biochemistry and Biophysics Reports **8**：207-211, 2016
7) 野里 同，高橋 亮，武田利明：カテコラミン製剤の漏出性皮膚傷害に対する罨法の効果に関する基礎研究．日本看護科学会誌 **41**：391-394，2021
8) 小坂未来，武田利明：輸液剤の血管外漏出について―1 総合病院における実態調査―．日本看護技術学会誌 **4**（2）：32-37，2005
9) 大﨑 真，武田利明：点滴による静脈炎に対する冷罨法の適正温度に関する基礎研究．日本看護技術学会誌 **14**（3）：231-237，2015
10) 葛西英子，荒井悦子，及川正広ほか：点滴漏れ時の院内ケアマニュアルの使用経験．日本看護技術学会誌 **13**（3）：230-236，2014

# 8 遺伝子とその発現の解析

## 1 遺伝子とは

### 1. DNA，mRNA，遺伝子発現

ヒトの場合，全長2mにも及ぶDNA（deoxyribonucleic acid）がすべての細胞に収められている．DNAは，4種類の塩基〔アデニン（A），グアニン（G），シトシン（C），チミン（T）〕がデオキシリボース（五炭糖）とリン酸を介して直鎖上に連なり，二重らせん構造をとったものである．塩基の並び（塩基配列）がさまざまな暗号となっているが，その中でタンパク質を作る暗号となっている部分を遺伝子（gene），遺伝子から伝令RNA（messenger RNA：mRNA）を経てタンパク質がつくられることを遺伝子発現という．ヒトのDNAには約2万個の遺伝子が含まれているが，DNAの中で遺伝子が占める領域は全長の数％に過ぎず，遺伝子ではない部分には，遺伝子発現のスイッチとなる領域や遺伝子発現の強さを調整する領域が含まれている．さらに，タンパク質に翻訳されない種々のRNA（ノンコーディングRNA：ncRNA）が遺伝子ではない部分から作られ，遺伝子発現を調整していることも知られている（図IX-20）．

ヒトの細胞では，2本のDNAが相補的に結合し，らせん構造をとっている．DNAの塩基配列は，紫外線や物理的，化学的刺激によって変異しやすいが，そうしたときに相補鎖DNAの塩基配列を参照して変異を修復することができる．つまりDNAの二本鎖構造は正常な遺伝子配列を保つための防御機構であると言える．

一方，多くのウイルスは一本鎖DNAや一本鎖RNAを持つために，絶え間なく変異が生じている．しかしそのことでかえってウイルスが宿主免疫から逃れるために役に立っていることは興味深い．

### 2. 遺伝子変異・遺伝子多型と疾患

そうした変異が遺伝子領域または遺伝子発現調整領域に生じることが疾患の発症につながることもある．たとえばスーパーオキサイドディスムターゼ（superoxide dismutase：SOD）という体内に発生した活性酸素を分解する酵素の遺伝子に変異があると，蓄積した活性酸素で運動神経が障害を受け筋萎縮性側索硬化症（amyotrophic lateral sclerosis：ALS）が引き起こされることが知られている[1]．

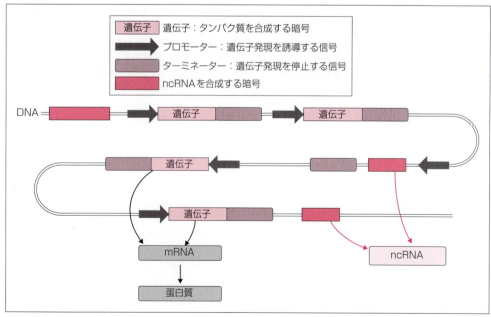

図IX-20 DNAと遺伝子

ここでいう変異とはDNA上の塩基の置換や欠落，挿入をいうが，こうした塩基配列の変化が遺伝子の機能に重大な影響を与えず，また人口の1％以上の人が持つ場合，これを遺伝子多型と呼ぶ．遺伝子多型は遺伝子領域だけではなく，遺伝子の発現を調整する領域にも存在し，病気へのかかりやすさ，重症化しやすさ，薬の効きやすさなどの個人差に関与していることも多い．近年は，患者の多型を調べ，それに応じた治療や薬の選択，あるいは薬の投与量などを決める個別化医療も行われるようになってきた[2]．

同様に，看護でも患者の遺伝子多型情報を利用することで，個別性を重視したケアを行うことができるだろう．たとえば，長期療養型病院に入院する患者178名を対象に後ろ向き観察研究を行い，浅い褥瘡と深い褥瘡の保有に関連する遺伝子多型が同定された[3]．この知見を応用すれば，すべての患者に画一的な褥瘡予防ケアを行うのではなく，褥瘡になりやすい患者には重点的にケアを行って予防し，また褥瘡になりにくい患者にはケアの頻度を少なくすることでより安楽な療養生活を提供するなど，個別性に応じた看護ケアが可能となるだろう．

### コラム　遺伝子組換え

遺伝子組換えとは，生物が本来持つ遺伝子の構成（ゲノム）を変えることで，他の生物の遺伝子や人工的に作られた遺伝子を付加する場合と，本来持っている遺伝子を欠落させたり発現しにくくしたりする場合がある．また，これらの変化が一過性である場合と，永続的に持続する場合があり，永続的なゲノムの改変を行うことをゲノム編集という．とくに生殖細胞にゲノム編集が行われると，その影響は子々孫々に引き継がれることになる．

遺伝子組換え技術は，実験動物や細胞，細菌を用いた基礎研究では盛んに行われ，遺伝子の機能などを明らかにする非常に強力なツールとして活用されている．同時に遺伝子治療として医療への応用も強く期待されてきた．この技術を活用することで難病とされ治療法も確立されていない先天性疾患や家族性疾患の根治を目指すことも不可能ではないと考えられる．一方でその安全性への懸念も大きく，これまでほとんど臨床応用に至っていなかった．

しかし，新型コロナウイルス感染症のパンデミックにより状況が一変した．全世界の多くの人々が摂取したRNAワクチンはまさに遺伝子組換え技術を応用したものである．接種された新型コロナウイルスのmRNAはヒト細胞に取り込まれ，ヒト細胞が合成した新型コロナウイルスのタンパク質を免疫細胞が認識して免疫記憶を獲得する．つまり，ヒト細胞に別の生物の遺伝子を導入する遺伝子組換えが行われているのである．新型コロナウイルスワクチンは特例として承認されたものであるが，これを前例として遺伝子組換え技術の臨床応用が加速的に進展するのではないかと期待される．

### コラム　ウイルスベクター

ベクター（vector）とは媒介者，運び屋という意味であり，遺伝子の運び屋としてウイルスを利用するとき，そのウイルスをウイルスベクター（viral vector）という．

遺伝子組換えではいかに効率よく遺伝子を細胞内に導入するかが重要であるが，その方法として，脂質膜で人工的に作られた小胞を用いる方法〔リポフェクション（lipofection）〕，電気パルスで細胞膜に小さな穴をあける方法〔エレクトロポレーション（electroporation）〕，そしてウイルスの外殻をベクターとして用いる方法が確立されている．

ウイルスは元来，細胞の表面にとりつき，自身のゲノムを細胞に注入することで感染するので，その性質を利用することはきわめて理にかなっている．とくに近年はアデノ随伴ウイルス（adeno-associated virus：AAV）がもっとも臨床応用に近いウイルスとして注目されている．AAVは非病原性であることから安全性が高く，また遺伝子導入効率が高く，さらに導入された遺伝子の発現が比較的長期間維持される．一方，アストラゼネカ社が開発した新型コロナウイルスワクチンには，人為的に弱毒化し，さらに増殖できないよう改変されたサルアデノウイルスがベクターとして使われている．このように，安全かつ効率的なウイルスベクターの開発はすでに実用段階にあるといえる．

しかし，異なる種類のウイルスが1つの細胞に同時に感染（混合感染）すると，ウイルス間でDNAの一部を交換し，大きな変異が生じることが知られている．たとえば季節性の風邪ウイルスは冬季には空気中に膨大な数が飛散している．また，水痘・帯状疱疹ウイルスは多くの人の体内に潜伏し続けている．こうしたウイルスと遺伝子治療に用いるウイルスが混合感染することで，危険なウイルスが誕生する可能性は否定できない．したがって，ウイルスベクターを用いた遺伝子治療を実現するうえで，混合感染を防ぐための環境や患者のプレパレーションを確立することが課題であるといえよう．

## 2 遺伝子発現検査の看護学研究への応用

　DNA上の遺伝子には多型がありこそすれ，すべての人が等しく持っている．しかし，その発現は患者の全身および局所の状態を反映する．たとえば，炎症性サイトカインの遺伝子は炎症の有無にかかわらずDNA上に存在しているが，その遺伝子が発現したmRNAやタンパク質は炎症が生じたときに初めて産生される．したがって遺伝子発現を検査することで，患者の全身および局所の状態に応じたケアを提供したり，行われたケアの効果を評価しよりよいケアの選択につなげたりすることができる．

　遺伝子発現検査を看護に応用するうえで考慮が必要なのは，検体をいかに入手するかである．遺伝子発現検査を行うためには生きた細胞が必要である．医学検査であれば，生検試料を採取することができるが，看護のために行うことは難しい．患者に侵襲を与えずに利用できる検体として，尿や喀痰，ドレーン廃液，創傷滲出液など本来は廃棄されるものを医療資源として利用することを考えることが重要であろう．看護師や患者自身でも採取でき，皮膚や皮膚潰瘍のアセスメントに応用できる新しい技術の開発も行われている[4,5]．

　さらに，刻々と変わる患者の状態に合わせて適切な看護ケアを提供するためには，ベッドサイドで迅速に検査結果が得られなければならない．このような即時的検査をポイントオブケア検査といい，臨床検査の分野でも近年盛んに開発が行われている．こうした知見や技術を応用し，看護のための非侵襲的ポイントオブケア検査が開発されることで，患者の状態に応じた適切かつ効率的なケアの提供につながることが期待される．

## 3 検査上の注意点

　遺伝子はときに「究極の個人情報」と言われる．これはもちろん，その人の体を構成するためのすべての遺伝情報がDNA検体に含まれているためであるが，一方でこれからの未来において遺伝子を使って何ができるようになるかわからないという漠然とした不安をも反映した言葉ではないかと思われる．遺伝子や遺伝子発現の検査を看護アセスメントに応用するにあたって，検査者は患者や家族のこうした不安を理解し，また検査目的とその対象となる遺伝子を明確にして，必要以上の検査は行わない倫理観の教育を徹底する必要があるだろう．

### コラム　PCR検査

　新型コロナウイルス感染症の検査で認知度が高まったPCR検査であるが，PCRとはポリメラーゼ連鎖反応（polymerase chain reaction）の略語である．DNAポリメラーゼという酵素によるDNA合成反応を繰り返し行うことで，検体に含まれるDNAの一部の領域を増幅させることができる．RNAの検査では，RNAに相補的なDNAを合成（逆転写，reverse transcription：RT）した後，PCRで関心領域を増幅する（RT-PCRと略す）．

　PCR反応はDNAの増幅効率がきわめて高いために擬陽性の可能性は常に考慮する必要がある．とくに生命活動の根幹にかかわる遺伝子は細菌からヒトまで共通して持っている．PCR反応液を調整する際に使用する水やピペットなどの器具に付着した細菌が混入することで擬陽性となることも少なくないので，PCR検査に使用する試薬，水，器具は他の検査やケアとは共有せず，専用のものを準備して注意して使用することが必要である．

　PCR反応では，約60℃から約95℃の間の加温と冷却を繰り返さなければならないため，従来は比較的大きな機器で1〜2時間かけて検査が行われていた．しかし近年の技術革新により，15分間で検査できるハンディタイプのPCR装置も市販されるようになった．PCR検査を看護のポイントオブケア検査として利用できる日も遠くないと期待される．

### ●引用文献

1) Rosen DR, Siddique T, Patterson D, et al.：Mutations in Cu/Zn superoxide dismutase gene are associated with familial amyotrophic lateral sclerosis. Nature **362**（6415）：59-62, 1993
2) Barliana MI, Afifah NN, Amalia R, et al.：Genetic Polymorphisms and the Clinical Response to Systemic Lupus Erythematosus Treatment Towards Personalized Medicine. Frontiers in Pharmacology **13**：820927, 2022
3) Tsukatani T, Minematsu T, Dai M, et al.：Polymorphism analysis of candidate risk genes for pressure injuries in older Japanese patients：A cross-sectional study at a long-term care hospital. Wound Repair and regeneration **29**（5）：741-751, 2021
4) Minematsu T, Nakagami G, Yamamoto Y, et al.：Wound blotting：A convenient biochemical assessment tool for protein components in exudate of chronic wounds. Wound Repair and Regeneration **21**（2）：329-334, 2013
5) Minematsu T, Horii M, Oe M, et al.：Skin blotting：A noninvasive technique for evaluating physiological skin status. Advances in Skin and Wound Care **27**（6）：272-279, 2014

# 9 病床環境測定

## 1 病床環境とは

看護における「環境」を考える場合，環境調整の目標に「健康回復」を設定し，「技術の提供」を目標達成の手段とする"人間と環境は一体である"という人間・環境系の視点が含まれている[1]．病床環境を「人間・環境系」から分類すると，療養者の生活空間を形成する「物理化学的環境」，療養者を取り巻く人々で構成される「対人環境」，療養者の生活に関わる規範や慣習を形成する「教育・管理的環境」に分けることができる[2]．つまり，当事者を取り巻く人自体も，当事者にとっては環境の一部であり，相互に関係性を形成しながら生活する存在である（図Ⅸ-21）．

以下では，病床環境の測定において，看護の視点から重要な要素となる音環境（物理化学的環境要素）と，パーソナル・スペース（社会文化的環境要素）の2つについて紹介する．

## 2 病床環境の測定方法と評価

### 1.「音環境」の測定と評価

環境省が作成した「騒音に係る環境基準の評価マニュアル 一般地域編」[3]によると，「測定には計量法第71条の条件に合格し，JIS C 1509-1 の仕様に適合する騒音計（サウンドレベルメータ）を用いる」ことが推奨されている．騒音の測定項目は「等価騒音レベル（LAeq：単位 dB）」が用いられる．等価騒音レベルとは，変動する騒音レベルのエネルギー的な平均値であり，音響エネルギーの総曝露量を時間平均とした指標である．騒音の総曝露量を反映することから，発生頻度は少ないが騒音レベルの高い音も比較的敏感にとらえることができるため，突発的に発生する特異音への影響を考慮する必要がある．また，測定環境の状況によって，騒音レベルの分布特性を把握するために，時間率騒音レベルを測定することも推奨されている．

病院内で常に医療機器の作動音やアラーム音，医療者の会話など，何らかの騒音が発生している．療養環境における音の評価基準として，病院内の騒音は昼夜を問わず騒音レベル 30 dB 以下とし，夜間では突発的な音であっても 40 dB 以上とならない環境

図Ⅸ-21 人間・環境系からみた環境のとらえ方

が推奨されている[4]．

### 2.「パーソナル・スペース」の測定と評価

パーソナル・スペースを測定する技法は，自然観察法，椅子配置法，停止距離法などがあるが，本項では看護領域においても実践例が報告されている停止距離法（stop distance 法）について紹介する．

停止距離法とは，一定条件のもとで相手と会話するために立ち止まる位置を測定する方法である．具体的な測定手順は，①実験者が被験者に徐々に近づく，②その過程で被験者が不快に感じた瞬間を報告してもらう，③その時点における2者間の距離をパーソナル・スペースの評価項目として量的に測定する，である．

## 3 看護学研究への応用

### 1. 音環境測定の応用

著者らは，集中治療室で発生する音が療養者にどのような影響を与えるのか明らかにするために，集中治療室で発生する音の時系列変化を調査した[5]．集中治療室内の2点（オープンフロアと個室）に騒音計を設置し，9時から0時までの15時間，連続して測定した．その結果，オープンフロアは平均 50 dB，個室は平均 80 dB 以上の騒音レベルであった（図Ⅸ-22）．

多数の人が行き交うオープンフロアよりも，療養者がひとりで過ごす個室のほうが，静かな環境を提

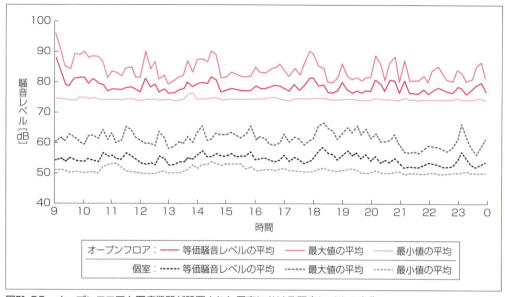

図Ⅸ-22 オープンフロアと医療機器が設置された個室における騒音レベルの変化
[伊藤嘉章ほか:集中治療室における周波数解析を用いた音環境の実態調査. 東京情報大学研究論集 21(2):63-66, 2018 のデータを元に作図]

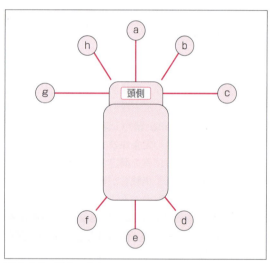

図Ⅸ-23 測定の方向

供できると想像されるが,調査結果は個室のほうがより大きな騒音を発生していた.これは個室という空間を取り囲む壁によって生じる定在波の影響によって,オープンフロアよりも高い騒音レベルになったためと考えられる.周波数解析の結果,オープンフロア,個室ともに100 Hz以下の低周波音が平均50 dB以上発生していた.100 Hz以下の低周波音は,病室内の空調や医療機器のモーター音から発生していたと考えられるが,騒音レベルが高くても「大きい音」としては認識されにくい.しかし近年

では,低周波音による頭痛や嘔気などの身体・心理的影響が生じることが問題視されている.療養者にとって,より快適な環境調整を図るためにも,環境音の「大きさ」だけでなく,「周波数」の観点を含めた病床環境の改善が期待される.

### 2. パーソナル・スペース測定の応用

著者らはまた,病室で入院生活を送る療養者の空間所有の特性を明らかにするために,ベッド上臥位でのパーソナル・スペースについて,物的環境条件(壁の取り囲み条件)を変化させながら調査を実施した[6,7].実験者が被験者に近づき,「いやだなぁと感じ始めた位置」と「これ以上近づかれたくない位置」の2種類について,停止距離法を用いて調査した.調査は図Ⅸ-23に示すとおり,実験者が被験者に近づく角度とベッド周りの壁の条件を変化させることで,環境の影響を受けるパーソナル・スペースの特性を調査した.その結果,壁を設置すると,壁とは反対方向にパーソナル・スペースが拡大した.そして,壁によってコーナーが形成されると,コーナーの方向およびコーナーとは反対の方向にパーソナル・スペースが拡大するという傾向が得られた.

近年では,現実のパーソナル・スペースではなくvirtual reality(VR)環境におけるパーソナル・スペースを調査する研究も報告されている[8].日々療養者と接する看護職が療養者と適切な対人距離を保つことは,質の高い看護援助を提供するために重要な技術である.今後はさまざまな外部環境・内部環

境に伴うパーソナル・スペースのあり方に関する研究が期待される．

● 引用文献

1) 川口孝泰：環境調整と看護の役割．ベッドまわりの環境学，第1版，p4-6，医学書院，1998
2) 日本看護科学学会看護学学術用語検討委員会第9・10期委員会：看護学を構成する重要な用語集〔https://www.jans.or.jp/uploads/files/committee/yogoshu.pdf〕（最終確認：2022年4月20日）
3) 環境省：騒音に係る環境基準の評価マニュアル 一般地域編〔https://www.env.go.jp/air/noise/manual/01_ippan_manual.pdf〕（最終確認：2022年4月20日）
4) Birgitta B, Thomas L, Schwela DH（World Health Organization）：Guidelines for community noise〔https://apps.who.int/iris/handle/10665/66217〕（最終確認：2022年4月20日）
5) 伊藤嘉章，川口孝泰，梅村浩之ほか：集中治療室における周波数解析を用いた音環境の実態調査，東京情報大学研究論集 21(2)：63-66，2018
6) 川口孝泰，上野義雪，安藤正雄：病室の空間の構成に関する基礎資料，日本建築学会大会学術講演集，5277，1988
7) 川口孝泰：3パーソナルスペースとは．ベッドまわりの環境学，第1版，p44-45，医学書院，1998
8) Tootell RBH., Zapetis SL, Babadi B, et al.：Psychological and physiological evidence for an initial 'rough sketch' calculation of personal space. Scientific Reports 11(1)：20960-20960, 2021

# 10 視線計測—看護者の観察眼の解明

## 1 視線計測（アイトラッキング）とは

視線計測（eye tracking：ET）とは，人がどこをどのように見ているのか，眼球の動きを計測して明らかにする技術である．人間の眼球運動には視覚的な情報をモニターし認知する働きがあり，この情報処理にはその人の知識や判断力が影響すると考えられる[1]．

この技術は幅広い分野で活用されおり，看護学分野では看護者の危険認知能力の解明や看護技術の評価などに用いられている[2]．本項では看護者の危険認知能力の評価のために視線計測機器を活用した実験の方法を一部紹介する．

## 2 視線計測機器について

視線計測機器には，非接触型と装着型がある．近年，科学の進歩によって軽量化されたモバイル型やウェアライブシステムの機種がいくつか開発されている（Tobii グラスⅡ，図Ⅸ-24）．視線計測では正確なデータ収集のため，計測前に被験者が一点または一連の点を見るキャリブレーション（較正）と呼ばれる作業が必須となる．不適切なキャリブレーションや計測時の頭部の動きなどによって視点にブレが生じると誤ったデータが収集される．そのため，計測には専門的な知識が必要となる．近年ではブレの自動修正するジャイロセンサーが搭載された機種も開発されている（図Ⅸ-24）．

高サンプリングレートのマイクロサッカードなどの機器では，潜在意識下で起こる微細な眼球運動の計測が可能である．

## 3 主な測定項目

①注視点：注視とは同一箇所に 0.1 秒（3 フレーム）視線が停留することとする[2]．
②視線移動角度は 1～5 degree（度）とする[2]．
③注視時間：視点が同一箇所に留まる時間．
④注視回数：視点が同一箇所に留まる回数．
⑤その他の測定項目：注視時間割合，注視時間回数割合，視線速度，注視項目変化，視線軌跡，視線速度[2]．
⑥被験者が危険と判断した理由：どのような危険を

図Ⅸ-24 メガネ式の視線計測機器の例（Tobii グラスⅡ：Tobii 社）

予知したかなどを被験者の言葉として記述化したもの[3,4]．

## 4 測定手順

ここでは静止画の観察場面を用いた測定手順を紹介する．

### 1. 実験環境

実験場所は静かでシールド（電磁場で遮断する設備が整っていること）された個室で行う．被験者の前面にモニターを設置し，被験者はモニターと一定の距離を空け坐位となる（図Ⅸ-25）．

### 2. 実験課題

実験課題である観察場面は，医療事故の頻度が高い看護場面や療養環境を選択し，設定する．また，観察場面には児の移動場所や手が触れるところなど，予め危険領域を何ヵ所か設定しておく．

### 3. 計測方法

被験者に眼球運動測定機器を装着する．その後，被験者は予め設定した時間内（秒）に実験課題の看護場面や療養環境場面の観察を行う．被験者の観察した場面の視野映像を保存する．実験課題の画面の観察時間（秒）と正確な測定時間を確保する．視線計測時または実験直後に被験者が危険と判断した理由を聞き取るか，観察時に被験者に発言してもらい録音する．

### 4. 分析方法

被験者の視野映像は専用の解析ソフト（「TobiiPro ラボ」：Tobbi 社）を用いて分析する．注視点分布・注視時間・注視速度・視線軌跡などの解析を行う（図Ⅸ-26）．実験直後の被験者の聞き取りや計測時の音声録音は記述化し，危険領域ごとに内容を分類する．

**図Ⅸ-25　実験環境と実験風景**

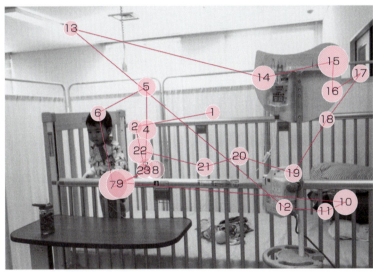

**図Ⅸ-26　解析画面：注視点分布と視線軌跡**
円中央の番号は注視順を示す．円の大きさは停留時間の長さに比例する．

### 5. データの読み方および考察

　映像の解析によって，危険領域ごとに注視回数，注視時間，視線軌跡，注視項目変化表などがわかる．被験者がどの領域をどのように注視したか（図Ⅸ-26），予め設定した危険領域（図Ⅸ-26）への注視の有無，被験者の危険判断の理由（言語）の内容や的確さについて考察する．看護者の属性，熟達レベルや臨床経験，学習内容などの差異によって危険認知の特徴やパターンを明らかにする[1,3,4]．

### 5 看護学研究への応用

　視線計測によって被験者の観察眼を解析することで，看護者の実践知や優れた看護実践能力を客観的に評価でき，その結果は医療安全教育や技術修得評価の指標として活用できる[1,3,5]．今後，視線計測の対象者を患者・療養者に拡大することで安全行動の評価や危険認知の解明が期待される．

● 引用文献

1) 江上千代美, 田中美智子, 近藤美幸:看護場面における看護学生の危険認知力の評価. 眼球運動指標の活用. 福岡県立看護大学研究紀要 **10**(1):13-20, 2012
2) 寺井梨恵子, 丸岡直子, 林 静子:看護場面における視線解析を用いた研究と動向と今後の課題. 石川看護雑誌 **14**:13-22, 2017
3) 天野功士, 當目雅代, 小笠美春ほか:周手術期熟練看護師の術後観察時の視線と手技. 日本看護学研究学会雑誌 **44**(5):721-734, 2022
4) 米田照美, 伊丹君和, 鬼頭泰子ほか:「右片麻痺のある患者のポータブルトイレ移乗前のベッド周辺環境」観察時における看護師と看護学生の危険認知の差異. 看護人間工学研究誌 **17**:31-38, 2017
5) 米田照美, 伊丹君和, 関 恵子ほか:医療事故体験演習における看護学生の危険認知についての学習効果. 日本看護学教育学会誌 **26**:59-69, 2017

# 11 痛みの測定

## 1 痛みとは

痛みは感覚であると同時に体験である．21世紀に入ってヒトの痛み研究が進み，痛覚信号は受容器から感覚野に至る特殊視床投射系のほかに，大脳の広範囲（帯状回，前頭前野，島皮質，扁桃体など）に投射することがわかってきた．互いに連絡し合うこうした系によって，痛みはその知覚と同時にいわゆる"いやな，不快な（unpleasant）気持ちが生じる．これは"emotion"とよばれ，日本語では情動と訳されている．この情動には記憶を司る辺縁系が関与している．

痛みのこのような特徴から，体温計や血圧のように痛みを客観的に測定できる道具はまだ開発されていない．

## 2 測定方法と評価

### 1. 実験痛を用いた痛みの評価

実験痛を用いて痛みの閾値を調べる方法のうち，以下2つを紹介する．

1) 電気刺激で刺痛を誘発する方法（pricking pain method）

筆者は，予めvon Freyの刺激毛で調べた痛点（pain point）に電流を流して刺痛（pricking pain）誘発する方法を開発した[1]（図IX-27, 28）．その手順は，電図用の表面電極を利用して，前腕内側前肘部直下の皮膚上の痛点（直径約250 μm）に，通電時間1 m秒，周波数200 Hz，10発の群パルス（45 m秒）で電流を流して針刺し様の痛みを誘発するというものである．痛点そのものを刺激しているため，被検者は"チクッ"とするAδの速い痛みを知覚する．

このpricking pain法では痛覚閾値を知ることができるほか，一定の強度（中等度の痛みを生じる50 Vと軽度の痛みを生じる30 Vなど）の電気刺激を与え，介入前後でそのVAS値を測り，鎮痛効果を実証することができる．表IX-3[2]は香り（オレンジ臭）が痛みの感受性に及ぼす効果を測定した結果である．

2) 圧力計で爪根部の圧痛閾値を測る方法

圧力計（FGPX-2®, シンポ工業）を利用する方法

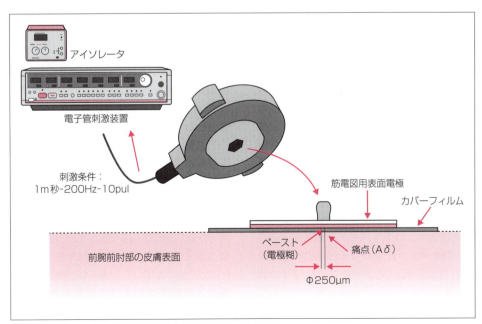

図IX-27 皮膚に実験的疼痛を発生させる電極部位の仕組み

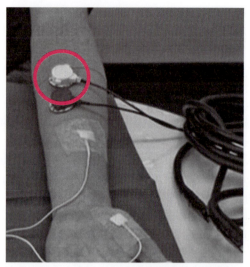

図IX-28 pricking pain 法の表面電極を装着したところ

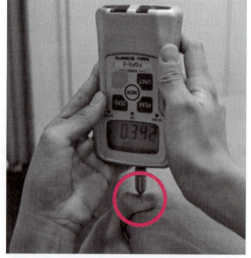

図IX-29 圧力計で圧痛閾値を測定する様子

表IX-3 pricking pain 法によるオレンジ臭の鎮痛効果の検証

| | オレンジ臭なし | オレンジ臭あり |
| --- | --- | --- |
| | visual analogue scale (VAS) 評価 | |
| 刺激強度 | mean S.D. | mean S.D. |
| 30 V | 36.7±17.3 | 27.2±16.4* |
| 50 V | 70.0±11.5 | 62.2±12.0** |

*: $P<0.01$, **: $P<0.05$ ($n=9$)
[深井喜代子ほか:芳香がヒトの痛みの感受性に及ぼす影響. 臨牀看護 25 (14):2239-2246, 1999 より引用]

表IX-4 圧痛閾値測定によるオレンジ臭の鎮痛効果の検証

| | オレンジ臭なし | オレンジ臭あり |
| --- | --- | --- |
| | mean S.D. | mean S.D. |
| 圧痛閾値 (g) | 747.1±98.5 | 795.7±99.1* |
| その VAS 評価 | 23.3±6.1 | 24.4±6.4 |

*: $P<0.01$ ($n=9$)
[深井喜代子ほか:芳香がヒトの痛みの感受性に及ぼす影響. 臨牀看護 25 (14):2239-2246, 1999 より引用]

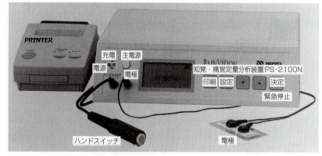

図IX-30 知覚・痛覚定量分析装置

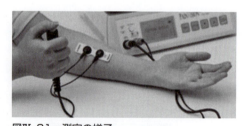

図IX-31 測定の様子

もある.図IX-29のように対象者の爪根部を圧迫して圧痛閾値を読み取る.この場合も鎮痛ケアの前後で圧痛閾値を測ることにより,ケアの効果を知ることができる(表IX-4)[2].圧をかける部位には,先端直径が1mm程度の細いマジックで印をつけておく.

### 2. 痛覚定量分析装置で臨床痛を測る方法

痛む部位に湿布を貼ったら,別の部位が痛くなったという体験はだれにもあるだろう.ヒトは複数の痛みを体験するとき,ある時点ではもっとも強い痛み(のみ)を認知している.この特徴を利用して開発されたのが痛覚定量分析装置(PAIN VISION® PS-200 N,ニプロ)である[3](図IX-30, 31).神経線維には表IX-5のような特徴があり,この装置では刺激信号の周波数を変えることで触覚神経(Aβ)と痛覚神経(Aδ)を別々に刺激できる.まず対象者

表Ⅸ-5 痛みに関与する神経の特徴

| 神経線維 | 分類 | 機能 | 直径（μm） | 伝導速度（m/秒） | 不応期（m秒） |
|---|---|---|---|---|---|
| Aβ | 有髄神経 | 触・圧覚 | 5～12 | 30～70 | 0.5～1 |
| Aδ | | 痛覚/温度感覚 | 2～5 | 12～30 | 4～5 |
| C | 無髄神経 | 痛覚/自律神経節後線維 | 0.3～1.3 | 0.5～2 | 200 |

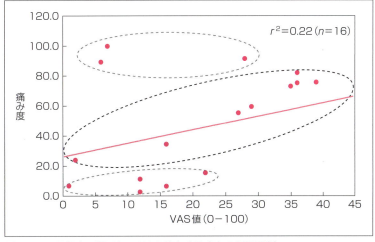

図Ⅸ-32 月経痛で調べたのVAS値と痛み度との相関関係

のAβを刺激して触覚閾値（最小感知電流）を測定し，ついでAδ刺激の強度をランダムな速度で上げていきながら，対象者が今体験している痛みを超える痛みを感じたとき（痛み対応電流）に，ただちにボタンを押してもらう（図Ⅸ-31）．痛みの強さは痛み度として，以下の式で算出される[*1]．

$$痛み度（pain\ degree）＝\frac{痛み対応電流－最小感知電流}{最小感知電流}$$

痛覚定量分析装置を用いるときは，必ずVAS値を測り，言葉でも表現してもらうようにする．図Ⅸ-32は20代の女性の月経痛を痛み度とVAS値の相関を見たものだが，痛み度とVASとの間は必ずしも相関しない．図中の濃い破線の楕円内のように高い相関を示す例と，そうでない例（薄い破線で囲んだ2つの楕円）がある．

### 3 看護学研究への応用

Prickin pain法と圧痛法では検査者が設定した一定の痛み刺激を与えることができる．実験的疼痛は個人差が大きい臨床痛の短所を補完する方法として，ケア効果の検証研究に役立つ．一方，痛覚定量分析装置は，個人差は無視できないものの，痛みの強さが数値で見える画期的な機器である．こうした実験的疼痛は安全が保証されているので対象者の不安要素は少ない．ただ，VAS値と計測値は必ずしも相関しないので[4,5]，これらの機器を用いる場合には，痛みの言語表現やVAS値など主観的な情報は必ず取っておく．

### ●引用文献

1) Fukai K：Effect of conversation and other nursing analgesic techniques on the electrically evoked prick pain threshold. Kawasaki Journal of Medical Welfare **2**（1）：49-54, 1996
2) 深井喜代子，井上桂子，田中美穂ほか：芳香がヒトの痛みの感受性に及ぼす影響．臨牀看護 **25**（14）：2239-2246, 1999
3) 島津秀昭，瀬野晋一郎，加藤幸子ほか：電気刺激を利用した痛み定量計測法の開発と実験的痛みによる評価．生体医工学 **43**：117-123, 2005
4) 加藤 実，後閑 大，小林あずさ：Pain Vision®. ペインクリニック **30**（1）：23-27, 2009
5) Horikiri M, Ueda K, Takaba T：Comparison of Emla cream and topical lidocaine tape for pain relief of V-beam laser treatment. Journal of Plastic Surgery and Hand Surgery **52**（2）：94-96, 2018

---

[*1] 基礎実験から，痛み対応電流から最小感知電流を減じることで脳が電気信号を認知する際の個人差が消去できるという．

# 付録

1. 関節可動域表示ならびに測定法（2022年4月改訂）
2. 慢性便秘症の分類

# 1 関節可動域表示ならびに測定法（2022年4月改訂）

（日本リハビリテーション医学会，日本整形外科学会，日本足の外科学会より許諾を得て転載）

## II．上肢測定

| 部位名 | 運動方向 | 参考可動域角度 | 基本軸 | 移動軸 | 測定肢位および注意点 | 参考図 |
|---|---|---|---|---|---|---|
| 肩甲帯 shoulder girdle | 屈曲 flexion | 0～20 | 両側の肩峰を結ぶ線 | 頭頂と肩峰を結ぶ線 | | |
| | 伸展 extension | 0～20 | | | | |
| | 挙上 elevation | 0～20 | 両側の肩峰を結ぶ線 | 肩峰と胸骨上縁を結ぶ線 | 背面から測定する | |
| | 引き下げ（下制） depression | 0～10 | | | | |
| 肩 shoulder（肩甲帯の動きを含む） | 屈曲（前方挙上） forward flexion | 0～180 | 肩峰を通る床への垂直線（立位または座位） | 上腕骨 | 前腕は中間位とする 体幹が動かないように固定する 脊柱が前後屈しないように注意する | |
| | 伸展（後方挙上） backward extension | 0～50 | | | | |
| | 外転（側方挙上） abduction | 0～180 | 肩峰を通る床への垂直線（立位または座位） | 上腕骨 | 体幹の側屈が起こらないように 90°以上になったら前腕を回外することを原則とする ⇨ [VI. その他の検査法] 参照 | |
| | 内転 adduction | 0 | | | | |
| | 外旋 external rotation | 0～60 | 肘を通る前額面への垂直線 | 尺骨 | 上腕を体幹に接して，肘関節を前方90°に屈曲した肢位で行う 前腕は中間位とする ⇨ [VI. その他の検査法] 参照 | |
| | 内旋 internal rotation | 0～80 | | | | |
| | 水平屈曲 horizontal flexion (horizontal adduction) | 0～135 | 肩峰を通る矢状面への垂直線 | 上腕骨 | 肩関節を90°外転位とする | |
| | 水平伸展 horizontal extension (horizontal abduction) | 0～30 | | | | |

［Jpn J Rehabil Med 58：1188-1200，2021］［日整会誌 96：75-86，2022］［日本足の外科学会誌 42：S372-S385，2021］

| 部位名 | 運動方向 | 参考可動域角度 | 基本軸 | 移動軸 | 測定肢位および注意点 |
|---|---|---|---|---|---|
| 肘 elbow | 屈曲 flexion | 0～145 | 上腕骨 | 橈骨 | 前腕は回外位とする |
| | 伸展 extension | 0～5 | | | |
| 前腕 forearm | 回内 pronation | 0～90 | 上腕骨 | 手指を伸展した手掌面 | 肩の回旋が入らないように肘を90°に屈曲する |
| | 回外 supination | 0～90 | | | |
| 手 wrist | 屈曲（掌屈） flexion (palmar flexion) | 0～90 | 橈骨 | 第2中手骨 | 前腕は中間位とする |
| | 伸展（背屈） extension (dorsiflexion) | 0～70 | | | |
| | 橈屈 radial deviation | 0～25 | 前腕の中央線 | 第3中手骨 | 前腕を回内位で行う |
| | 尺屈 ulnar deviation | 0～55 | | | |

## Ⅲ．手指測定

| 部位名 | 運動方向 | 参考可動域角度 | 基本軸 | 移動軸 | 測定肢位および注意点 |
|---|---|---|---|---|---|
| 母指 thumb | 橈側外転 radial abduction | 0～60 | 示指（橈骨の延長上） | 母指 | 運動は手掌面とする 以下の手指の運動は，原則として手指の背側に角度計をあてる |
| | 尺側内転 ulnar adduction | 0 | | | |
| | 掌側外転 palmar abduction | 0～90 | | | 運動は手掌面に直角な面とする |
| | 掌側内転 palmar adduction | 0 | | | |
| | 屈曲（MCP） flexion | 0～60 | 第1中手骨 | 第1基節骨 | |
| | 伸展（MCP） extension | 0～10 | | | |
| | 屈曲（IP） flexion | 0～80 | 第1基節骨 | 第1末節骨 | |
| | 伸展（IP） extension | 0～10 | | | |

[Jpn J Rehabil Med 58：1188-1200, 2021][日整会誌 96：75-86, 2022][日本足の外科学会誌 42：S372-S385, 2021]

| 部位名 | 運動方向 | 参考可動域角度 | 基本軸 | 移動軸 | 測定肢位および注意点 | 参考図 |
|---|---|---|---|---|---|---|
| 指 finger | 屈曲（MCP）flexion | 0〜90 | 第2〜5中手骨 | 第2〜5基節骨 | ⇨[Ⅵ．その他の検査法］参照 | |
| | 伸展（MCP）extension | 0〜45 | | | | |
| | 屈曲（PIP）flexion | 0〜100 | 第2〜5基節骨 | 第2〜5中節骨 | | |
| | 伸展（PIP）extension | 0 | | | | |
| | 屈曲（DIP）flexion | 0〜80 | 第2〜5中節骨 | 第2〜5末節骨 | DIPは10°の過伸展をとりうる | |
| | 伸展（DIP）extension | 0 | | | | |
| | 外転 abduction | | 第3中手骨延長線 | 第2, 4, 5指軸 | 中指の運動は橈側外転，尺側外転とする ⇨[Ⅵ．その他の検査法］参照 | |
| | 内転 adduction | | | | | |

## Ⅳ．下肢測定

| 部位名 | 運動方向 | 参考可動域角度 | 基本軸 | 移動軸 | 測定肢位および注意点 | 参考図 |
|---|---|---|---|---|---|---|
| 股 hip | 屈曲 flexion | 0〜125 | 体幹と平行な線 | 大腿骨（大転子と大腿骨外顆の中心を結ぶ線） | 骨盤と脊柱を十分に固定する 屈曲は背臥位，膝屈曲位で行う 伸展は腹臥位，膝伸展位で行う | |
| | 伸展 extension | 0〜15 | | | | |
| | 外転 abduction | 0〜45 | 両側の上前腸骨棘を結ぶ線への垂直線 | 大腿中央線（上前腸骨棘より膝蓋骨中心を結ぶ線） | 背臥位で骨盤を固定する 下肢は外旋しないようにする 内転の場合は，反対側の下肢を屈曲挙上してその下を通して内転させる | |
| | 内転 adduction | 0〜20 | | | | |
| | 外旋 external rotation | 0〜45 | 膝蓋骨より下ろした垂直線 | 下腿中央線（膝蓋骨中心より足関節内外果中央を結ぶ線） | 背臥位で，股関節と膝関節を90°屈曲位にして行う 骨盤の代償を少なくする | |
| | 内旋 internal rotation | 0〜45 | | | | |

［Jpn J Rehabil Med 58：1188-1200，2021］［日整会誌 96：75-86，2022］［日本足の外科学会誌 42：S372-S385，2021］

# 1 関節可動域表示ならびに測定法（2022年4月改訂）

| 部位名 | 運動方向 | 参考可動域角度 | 基本軸 | 移動軸 | 測定肢位および注意点 | 参考図 |
|---|---|---|---|---|---|---|
| 膝 knee | 屈曲 flexion | 0～130 | 大腿骨 | 腓骨（腓骨頭と外果を結ぶ線） | 屈曲は股関節を屈曲位で行う | |
| | 伸展 extension | 0 | | | | |
| 足関節・足部 foot and ankle | 外転 abduction | 0～10 | 第2中足骨長軸 | 第2中足骨長軸 | 膝関節を屈曲位，足関節を0度で行う | |
| | 内転 adduction | 0～20 | | | | |
| | 背屈 dorsiflexion | 0～20 | 矢状面における腓骨長軸への垂直線 | 足底面 | 膝関節を屈曲位で行う | |
| | 底屈 plantar flexion | 0～45 | | | | |
| | 内がえし inversion | 0～30 | 前額面における下腿軸への垂直線 | 足底面 | 膝関節を屈曲位，足関節を0度で行う | |
| | 外がえし eversion | 0～20 | | | | |
| 第1趾，母趾 great toe, big toe | 屈曲（MTP）flexion | 0～35 | 第1中足骨 | 第1基節骨 | 以下の第1趾，母趾，趾の運動は，原則として趾の背側に角度計をあてる | |
| | 伸展（MTP）extension | 0～60 | | | | |
| | 屈曲（IP）flexion | 0～60 | 第1基節骨 | 第1末節骨 | | |
| | 伸展（IP）extension | 0 | | | | |
| 趾 toe, lesser toe | 屈曲（MTP）flexion | 0～35 | 第2～5中足骨 | 第2～5基節骨 | | |
| | 伸展（MTP）extension | 0～40 | | | | |
| | 屈曲（PIP）flexion | 0～35 | 第2～5基節骨 | 第2～5中節骨 | | |
| | 伸展（PIP）extension | 0 | | | | |
| | 屈曲（DIP）flexion | 0～50 | 第2～5中節骨 | 第2～5末節骨 | | |
| | 伸展（DIP）extension | 0 | | | | |

［Jpn J Rehabil Med 58：1188-1200，2021］［日整会誌 96：75-86，2022］［日本足の外科学会誌 42：S372-S385，2021］

## V. 体幹測定

| 部位名 | 運動方向 | | 参考可動域角度 | 基本軸 | 移動軸 | 測定肢位および注意点 | 参考図 |
|---|---|---|---|---|---|---|---|
| 頸部 cervical spine | 屈曲（前屈） flexion | | 0〜60 | 肩峰を通る床への垂直線 | 外耳孔と頭頂を結ぶ線 | 頭部体幹の側面で行う 原則として腰かけ座位とする | |
| | 伸展（後屈） extension | | 0〜50 | | | | |
| | 回旋 rotation | 左回旋 | 0〜60 | 両側の肩峰を結ぶ線への垂直線 | 鼻梁と後頭結節を結ぶ線 | 腰かけ座位で行う | |
| | | 右回旋 | 0〜60 | | | | |
| | 側屈 lateral bending | 左側屈 | 0〜50 | 第7頸椎棘突起と第1仙椎の棘突起を結ぶ線 | 頭頂と第7頸椎棘突起を結ぶ線 | 体幹の背面で行う 腰かけ座位とする | |
| | | 右側屈 | 0〜50 | | | | |
| 胸腰部 thoracic and lumbar spines | 屈曲（前屈） flexion | | 0〜45 | 仙骨後面 | 第1胸椎棘突起と第5腰椎棘突起を結ぶ線 | 体幹側面より行う 立位, 腰かけ座位または側臥位で行う 股関節の運動が入らないように行う ⇨ ［Ⅵ. その他の検査法］参照 | |
| | 伸展（後屈） extension | | 0〜30 | | | | |
| | 回旋 rotation | 左回旋 | 0〜40 | 両側の後上腸骨棘を結ぶ線 | 両側の肩峰を結ぶ線 | 座位で骨盤を固定して行う | |
| | | 右回旋 | 0〜40 | | | | |
| | 側屈 lateral bending | 左側屈 | 0〜50 | ヤコビー（Jacoby）線の中点にたてた垂直線 | 第1胸椎棘突起と第5腰椎棘突起を結ぶ線 | 体幹の背面で行う 腰かけ座位または立位で行う | |
| | | 右側屈 | 0〜50 | | | | |

［Jpn J Rehabil Med 58：1188-1200，2021］［日整会誌 96：75-86，2022］［日本足の外科学会誌 42：S372-S385，2021］

## VI. その他の検査法

| 部位名 | 運動方向 | 参考可動域角度 | 基本軸 | 移動軸 | 測定肢位および注意点 | 参考図 |
|---|---|---|---|---|---|---|
| 肩 shoulder（肩甲骨の動きを含む） | 外旋 external rotation | 0～90 | 肘を通る前額面への垂直線 | 尺骨 | 前腕は中間位とする 肩関節は90°外転し，かつ肘関節は90°屈曲した肢位で行う | |
| | 内旋 internal rotation | 0～70 | | | | |
| | 内転 adduction | 0～75 | 肩峰を通る床への垂直線 | 上腕骨 | 20°または45°肩関節屈曲位で行う 立位で行う | |
| 母指 thumb | 対立 opposition | | | | 母指先端と小指基部（または先端）との距離（cm）で表示する | |
| 指 finger | 外転 abduction | | 第3中手骨延長線 | 2, 4, 5指軸 | 中指先端と2, 4, 5指先端との距離（cm）で表示する | |
| | 内転 adduction | | | | | |
| | 屈曲 flexion | | | | 指尖と近位手掌皮線（proximal palmar crease）または遠位手掌皮線（distal palmar crease）との距離（cm）で表示する | |
| 胸腰部 thoracic and lumbar spines | 屈曲 flexion | | | | 最大屈曲は，指先と床との間の距離（cm）で表示する | |

## VII. 顎関節計測

| 顎関節 temporomandibular joint | 開口位で上顎の正中線で上歯と下歯の先端との間の距離（cm）で表示する 左右偏位（lateral deviation）は上顎の正中線を軸として下歯列の動きの距離を左右ともcmで表示する 参考値は上下第1切歯列対向縁線間の距離5.0cm，左右偏位は1.0cmである |
|---|---|

[Jpn J Rehabil Med 58：1188-1200, 2021]［日整会誌 96：75-86, 2022］［日本足の外科学会誌 42：S372-S385, 2021］

## 2 慢性便秘症の分類

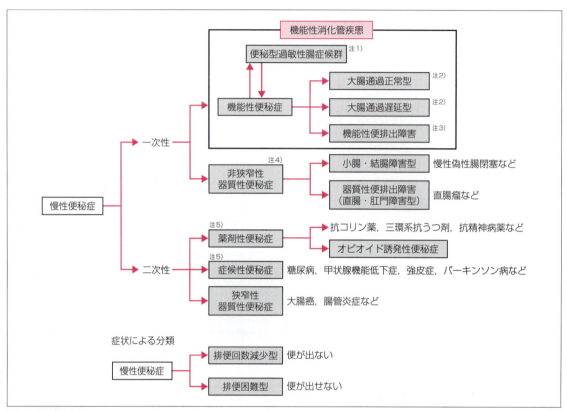

**慢性便秘症の分類**
注1）機能性便秘症と便秘型過敏性腸症候群は連続したスペクトラムと考えられる疾患であり，明確に鑑別するのが困難である．
注2）現時点では大腸通過時間を正確に評価できるmodalityがないため，今後の検討課題である．
注3）機能性便秘症および便秘型過敏性腸症候群に合併するひとつの病型である．骨盤底筋協調運動障害，会陰下降症候群も含む．
注4）腸管の形態変化を伴うもの．正常から明らかに逸脱する消化管運動障害を伴う慢性便秘症が含まれる．
注5）必ずしも，機能性便秘症および非狭窄性器質性便秘症と区別できるものではない．

「日本消化管学会編：便通異常症診療ガイドライン2023―慢性便秘症，p.5，2023，南江堂」より許諾を得て転載

# 索引

## 和文索引

原則として五十音順に配列しましたが,「化学～」「科学～」など同音異句が混在するときには,必要に応じてそれぞれを1ブロックにまとめるなど,配列に調整を加えてあります.

欧文で始まる語句は原則として欧文索引に収載しました.

### あ

アイコンタクト　68, 346
アイスバッグ　317, 319
アイマスク　269
あえぎ呼吸　437
明るさ　165
アキレス腱反射　149, 150
アクシデント　105
悪臭　168, 242
　　──物質　170
アクセスログ　47
アクトグラフ　453
アサーション　69
味物質　144
アセスメント　30, 44
アセトン臭　170
アーチファクト　419, 430
圧再分配　300
圧受容器反射　256
圧痛閾値測定　476, 477
圧抜き　253
圧迫法　130, 132
圧迫療法　289
圧反射　253
圧力　422
圧力計　475
アデニン　466
アデノシン三リン酸(ATP)　250
アドバンス・ケア・プランニング　20
アドヒアランス　376
アナフィラキシーショック　393
アナフィラキシー反応　410
アネロイド血圧計　133, 134, 135
アフターコロナ　189
アポクリン腺　168
甘味　348
アラーム音　469
アルブミン製剤　409
アルマ・アタ宣言　381
アレルギー反応　393
アロディニア　339
アロマテラピー　335

### い

安全　91
安全工学　104
安全マネジメント　108
安寧作用　317
安楽(性)　91, 253, 255

### い

医学診断　33
医学モデル　2, 28, 112, 325, 333, 381, 382
易感染宿主　76, 82, 88, 456
易感染状態　74, 77
いきみ　219, 222
医原的排便障害　326
椅(子)坐位　93, 95, 258, 259
　　──前屈位　244
胃酸　187
意識　139
　　──レベル　140
意思決定　20, 44, 53, 54
　　──支援　20, 21
　　──理論　37
医師法　45
維持輸液　288
異常呼吸　138
位相　452
イソ吉草酸　169
胃-大腸反射　219, 220
痛み　330, 362
痛み行動評価尺度　334
痛み対応電流　477
痛み度　477
痛みの強さ　340
痛み反応　332
位置感覚　146
一次救命処置(BLS)　438
一次性倦怠感　363
一時的止血法　442
一時的導尿　212, 213, 216
1次予防　386
1秒量(FEV$_{1.0}$)　422
胃チューブ　195, 196
胃腸障害　394

胃痛　332
1回換気量　138, 198, 201, 422
1回心拍出量　128
一過性脳虚血発作　244
一般システム理論　37
一般状態　240
一般食　191
一般病床　161
一般文字(墨字)　358
遺伝カウンセリング　12, 360
遺伝看護専門看護師　12, 13
遺伝子　466
遺伝子解析　455
遺伝子組換え　467
遺伝子多型　466, 467
遺伝子発現　466, 468
遺伝子バリアント　13
遺伝子変異　466
遺伝情報　⇒ゲノム
胃電図法　321
遺伝性疾患　12, 360
遺伝専門職　12
医薬品医療機器等法　390
医薬品インタビューフォーム(IF)　391
医薬品添付文書　391
イリゲータ　195
医療安全　104, 390
　　──管理　104, 105
医療関連感染　74, 88, 159, 225
　　──防止　88
医療経済　11, 88, 386
医療事故　104, 105, 390
　　──分析ツール　106
　　──防止　160
医療チーム　70, 341
医療徒手リンパドレナージ　289
医療廃棄物　74
医療費　386
　　──控除　435
医療秘書　433
医療被ばく　425
医療法,医療法施行規則　45

医療保険　379
医療用語　434
医療用BLSアルゴリズム　439
医療連携　433
イレオストミー　305
胃瘻・腸瘻栄養法　193
色温度　165, 166
色見本　165
因果関係　11
インシデント　105
インターフェロン　78
インターロイキン　76
咽頭　198
イントラリポス輸液　392
インドール　169
院内感染　74
院内トリアージ　9
陰部　241
インフォームド・コンセント　30, 378, 396, 409, 436
陰部神経　207, 219
陰部洗浄　241

ウィーデンバック　29, 39, 59
ウイルス感染　409
ウイルスベクター　467
ウェルネス　19
　　──（型）看護診断　19
ウォシュレット　208, 210
ウォッシュクロス　236
ウォルシュ　29
ウォールスタイン　376
齲歯　244
うっ血性心不全　286
旨味　348
ウロストミー　305
運動神経　147
運動の法則　94
運動負荷試験　421
運動負荷心電図　421
運動負荷装置　421
運動摩擦力　99
運動力学　94

え

エアーマット　178
エアロゾル　79, 443
　　──感染　75
エアロゾル吸入療法　203, 204
エイズ　⇒後天性免疫不全症候群
衛生学的手洗い　82, 83, 85
栄養素　186
　　──摂取量　188
栄養表示基準　386
鋭利機材専用廃棄容器　415
絵カード　71

腋窩温　128
腋窩空間　128
腋窩神経　403
液性免疫　77
　　──応答　76
エクリン腺　168
エゴグラム　61
エコノミークラス症候群　250
エネルギー　186
エネルギー代謝（RMR）　93
エルゴメータ　421
遠隔医療　50
遠隔看護　50, 51, 158, 436
嚥下運動　148, 149, 260
嚥下困難　193
エンジニアリング　108
炎症性サイトカイン　468
炎症性細胞　463
炎症反応　463, 464
援助的コミュニケーション　67, 70, 369
援助的役割　59, 67
援助のアート　29
遠点　141
エンド・オブ・ライフケア　362
エンパワーメント　53, 376, 384
　　──教育　384
塩味　348

お

横隔膜　115, 137
横隔膜呼吸　201, 314
黄色人種　164
黄体ホルモン　124
嘔吐　321
嘔吐反射　431
横紋筋　424
悪寒　126
オキシトシン濃度　346
オージオメータ　144
悪心　321, 323
オストメイト　305
汚染　73
悪阻　321
オゾン層　164
オーダリングシステム　107
オタワ憲章　381, 382, 383
音環境　158, 173, 469
オピオイド　335, 339, 393
オプソニン作用　76
オープンベッド　181, 182
オペラント条件付け　335
オーランド　29, 59
オレム　31, 154
音圧　144, 173, 174
温罨法　316, 463
音楽療法　174

音叉　146
温湿布　317
温受容器　316
温線維　236
温枕　317
温点　316
温度感覚　118
温度刺激　316
温度受容ニューロン　122
温熱作用　240
温熱刺激　317

窩　113
科　455
臥位　93, 256
外殻温度　122
外眼筋　147
概月リズム　163
外肛門括約筋　128, 219
外呼吸　137, 198
介護サービス計画書　380
介護支援専門員　380
介護報酬　23, 25, 162
介護保険　379
介護保険制度　380
介護保険法　24, 380
概日時計　163
概日リズム　163, 248, 263, 452
外食　189, 190
咳嗽　200
外足法　254
階段モデル　374
回腸導管　305
回転軸　97
外転神経　148
回転能　97
外筒　397
介入研究デザイン　11
外尿道括約筋　207, 210
概念　36
概年リズム　163
下位のニード　34
外部被ばく　425
皆保険制度　24
界面活性剤　236
外用　392
外来医療　433
外来化学療法　436
外来看護業務　433
概リズム　163
外力　294
外肋間筋　137
カウンセリング　2, 67, 70
ガウンテクニック　87
下顎挙上法　441
下顎呼吸　139

## 和文索引

化学受容器　137
化学受容器引き金帯　322, 323
化学的インジケータ　81
科学的根拠　28, 36
科学的思考　28
科学的実践志向　10
化学的消毒法　79
化学的静脈炎　464
化学療法　324, 433
過換気症候群　139
核医学検査　428
格差　381
核磁気共鳴現象　429
角質　118
学習援助型　375
学習的雰囲気　376
確証バイアス　104
核心温度　122
覚醒水準　140
拡大・代替コミュニケーション　71
拡大読書器　358
拡張期血圧　130
確定診断　412, 418
獲得免疫　76
角膜反射　141, 143
隔離　87
下行性疼痛抑制系　335
過呼吸　139
重ね着　180
可視光線　164
下肢静脈瘤　280
加湿器　203
加湿療法　203
ガス交換　137, 198, 200
画像診断法　425
加速度の法則　96
価値観　55
可聴域　174
学校給食　189
華氏　127
滑車神経　147
褐色アンプル　391
活性炭　170
葛藤　59
家庭血圧　136
カテーテル関連尿路感染　216
可動性　118
カーパー　38
下腹神経　207
下部消化管内視鏡検査　431
芽胞　78
過眠　267
ガムテスト　351
空えずき　321
カルテ　45
加齢　167, 316
　　──臭　168

がん遺伝子パネル検査　13
感音性難聴　148
がん化学療法　350, 436
感覚神経　147
緩下剤　223, 229
看-看連携体制　378
がん関連倦怠感　363
換気機能検査　422
眼球運動　145, 264
　　──測定機器　473
眼球結膜　119
環境移行　160
環境調整　158
環境要因　112
換気量　138
間欠熱　126
眼瞼結膜　119
還元ヘモグロビン　423
看護アセスメント　⇒アセスメント
環行帯　276
看護介入　35
看護介入分類（NIC）　256
看護科学　51
看護活動　43
看護過程　3, 24, 28, 31
　　──の循環特性　36
看護技術　3, 51
看護基礎教育　23, 28
看護記録　45, 46
看護計画　30, 35
看護経済　11
看護学研究者　2, 11
看護現象　33
看護行為　154
看護師　2
看護実践国際分類（ICNP）　34
看護者-患者関係　59
看護情報学　51, 158
看護職の倫理綱領　7
看護診断　30, 33, 40
　　──分類システム　34
　　──ラベル　34, 40
看護専門外来　433
看護の art　40
看護の主要概念　28
看護モデル　2, 112, 333
看護理論　31, 38
観察　32, 112
　　──計画　35
がんサバイバー　6
眼脂　246
巻軸帯　274, 275, 276, 279
患者　2
患者-看護者関係　6, 59
患者指導　435
患者役割　59
　　──行動　376

杆状体　164
　　──視野　143
感情の反映　68
乾性　317
がん性悪臭　170
乾性咳嗽　200
慣性の法則　96
間接圧迫止血法　443
関節角度計　119
関節可動域　119, 316, 332, 480
関節拘縮　248, 253, 259
関節痛　332
間接法　130
汗腺　168, 234, 235
感染　73
感染管理　88, 159
　　──認定看護師　88
感染経路　75
　　──別予防策　82, 84
感染源隔離　87
感染症　73
感染症法　74
感染性廃棄物　397
感染防御能　73
感染予防策　225
感染予防の原則　78
肝臓性浮腫　286
眼帯　276
肝代謝型　393
浣腸　223, 229
眼底鏡　144
眼底血管　144
眼底検査　144
カンデラ（cd）　165
がん疼痛　332, 333, 338
顔面神経　148, 348
　　──異常　148
寒冷刺激　316, 317
関連痛　336, 339
緩和ケア　365

起炎病原体　417
機械刺激　330
期外収縮　129
気化熱　128, 239
気管　198
気管支　198
気管支拡張薬　203
気管切開カニューレ　203
気管チューブ　203
気管分岐部　113
危険予知訓練　108
聞こえない音　174
起坐位　137
起坐呼吸　137, 201, 258
義歯　244

義歯床　246
義歯性口内炎　246
義歯洗浄法　246
器質的原因　332
希釈尿　284
技術論　3
基準位相　452
基準電極　424
寄生虫検査　417
季節性気分（感情）障害　166
基礎看護学　3
規則抗体　409
基礎体温　124
基礎代謝量　186, 256
喫煙　198
キックブッシュ　381
拮抗薬　393
基底面　93
基底面積　99
気道浄化剤　203
気道内圧　201
気道の確保　438, 441
気道閉塞　201
技能　32
機能局在論　450
機能障害　66
機能の残気量　422
機能の肢位　259
機能的磁気共鳴画像　449
機能的ヘルスリテラシー　53
規範　59
ギプス　274
気分転換　249, 366
基本肢位　92
基本的信頼感　220
基本的ニード　154
基本的欲求　249
記銘力障害　141
逆隔離　87
逆説睡眠　446
逆蠕動　219
逆転写　468
逆流　321, 323
逆流防止弁　306
客観的情報　32, 33, 44
ギャッチアップ　248
キャノン　311
キャリブレーション（較正）　473
キューイング　346
吸引　203
吸引型　420
吸引カテーテル　203
吸引時間　203
吸音　174
　――素材　174
嗅覚　141, 145, 348
　――過敏　147

　――伝導路　147
　――鈍麻　147
吸収　186
吸収（薬の）　392, 393
吸収速度　396, 399, 405
嗅神経　147
吸水性　178
急性炎症　463
急性痛　332, 333
休息　263
吸息時　137
吸息相　201
吸入　392
吸入ステロイド薬　203
吸入療法　201, 203
救命の連鎖　437
嗅盲　147
教育・管理的環境　159
教育計画　35
強オピオイド　339
仰臥位　256, 258
胸郭　113, 137, 198
　――運動　137
共感　368
共感的理解　68, 368, 369
胸腔　198
　――内圧　198
胸骨圧迫　438, 440
胸骨角　113, 115
　――平面　113, 115
胸鎖乳突筋　149
胸式呼吸　137
共助　385, 386
矯正　274
行政保健師　380
強直　251
胸痛　200
橋排便反射中枢　219
胸腹部　113
胸部痛　332
胸部誘導　419
業務志向　10
業務独占　22
　――資格　5
局所解剖学　112
局所脳血流量　170
虚血　274
虚血性心疾患　421
挙睾筋反射　150
居住環境　158, 159
起立性低血圧　253, 256, 458
気流量　422
禁忌　201
キング　59
筋拘縮症　402
筋弛緩法　311, 313
筋線維　424

金属味　350
緊張度　118
近点　141
筋電図　420, 424
筋肉組織　402
筋肉注射　392, 396, 397, 402
筋肉痛　332
筋紡錘　146, 259
筋ポンプ作用　250
筋力測定　120
筋力低下　248

## く

グアニン　466
空気感染　75, 443
駆血帯　133, 406, 413
クスマウル呼吸　139
口すぼめ呼吸　201, 202
苦痛　330
屈曲反射　170
窪み　113
クライエント　2, 376
クラウド　50
クラークの点　403, 404, 405
グラスゴー・コーマ・スケール　140, 141
クラスプ　244
グラム陰性菌　455
グラム染色　455
グラム陽性菌　455
グリセリン浣腸　229, 230
クリティカルシンキング　4, 39
クリティカルパス　377, 378
クリニカル・ジャッジメント　328, 436
グリーン　383
クーリング　319
クリーンルーム　77
グループ・ダイナミックス　70
車椅子　100
　――移乗　102, 103
グレア　358
クレンメ　407
クローズドベッド　181
クロックポジション　359
クローヌス　150
グローバル（化）　15, 18
　――社会　16
グローブジュース法　456

## け

ケア計画　35
ケア技術　3, 10
ケアマネジメント　160
ケアマネジャー　378, 380
ケアリング　39, 41
頸窩　113

経管栄養法　193
軽減因子　340
経験主義　10
経験的知識　38
敬語　67
経口投与（与薬）　392, 393, 396
警告信号　331
継続看護　378
携帯用会話補助装置（VOCA）　71
軽打法　202, 203
傾聴　68, 340, 368
系統解剖学　112
頸動脈小体　204
頸動脈触知　438
経鼻経管栄養法　193, 195, 196
経皮的動脈血酸素飽和度（$SpO_2$）　203
経皮投与　392
頸部過伸展位　261
頸部前屈位　260
傾眠　140
繋留フィラメント　290, 293
劇薬　392
ゲージ　398
血圧　130
　──分類　133
血液学的検査　413
血液ガス　137
　──分析　423
　──分析装置　423
血液型検査伝票　410
血液型判定　409
血液検査　413
　──, 変動因子　413, 414
血液循環系　289
血液製剤　410
血液脳関門　323
血液バッグ　410
血管音　132, 135
血管損傷　399, 401, 402
血管痛　331
血管抵抗　133
月経周期　123
月経痛　332
結合型　393
結合組織　399
血漿製剤　409
血小板製剤　409
血漿量　286
欠食　189
血中濃度　395
結露　180
解熱　125, 126
　──の型　126
ゲノム　13
　──医療　12
　──解析技術　13
　──情報　12

──編集　467
ケラチン　118
下痢　225, 227
ケリーパッド　242, 243, 261
ケルビン　164, 165
牽引　274
研究活用　10
健康意識　190
健康格差　54, 381, 386
健康学習　384
健康至上主義　381
健康寿命　50, 249, 386
　──延伸　251
健康増進　249
健康増進法　386
健康日本21　189, 249, 386, 387
言語的コミュニケーション　63, 64, 369
検査食　191
剣状突起　438, 440
倦怠感　362, 363
見当識　141, 151
腱反射　150
顕微解剖学　112
権利擁護者　52

## こ

コアリング　407
高圧浣腸　229, 232
降圧薬　395
高閾値機械受容器　330
高額医療制度　435
光学顕微鏡　455
工学的環境　158
口渇, 口渇感　288, 350
抗凝固薬　395, 409
抗菌スペクトル　79
抗菌薬　79, 395
口腔温　123, 127, 128
口腔ケア　244, 352
口腔清拭法　244
口腔内細菌　244
口腔内投与　392
後頸部　113, 114
硬結　402
抗原抗体反応　409
光源色　164
抗原提示細胞　76
交互対光反応試験　142
交差汚染　83
交差感染　84, 87
交差適合試験　409
　──適合票　410
膠質浸透圧　284
口臭　169, 244
高周波　174
　──成分　458

抗重力筋　98, 259
拘縮　251
公助　386
恒常性（維持）　275, 282, 311
甲状軟骨　141, 260
高振幅徐波　446
較正（キャリブレーション）　473
向精神薬　392
光束　165
拘束感　216
拘束性換気障害　422
酵素反応　121
　──速度　317
抗体検査　89
交代制勤務　454
高張性脱水（症）　284, 285
後天性免疫不全症候群（エイズ）　74
喉頭　198
行動図　453
行動変容　15
口内炎　352
高二酸化炭素血症　204
公認心理師　70
項部　113, 114
幸福モデル　382
興奮性シナプス後電位　446
後方突進現象　257
硬脈　130
肛門管粘膜刺激　128
肛門挙筋　219
抗利尿ホルモン　285
交流（ハム）　419, 420
交流分析　61
誤嚥　260
誤嚥性肺炎　244
誤嚥予防　257
5基本味　348
呼吸　137, 198
呼吸運動　137, 198
呼吸音　203
呼吸機能検査　422, 461
呼吸筋群　137
呼吸訓練法　201
呼吸困難感　200, 201, 203
呼吸数　137
呼吸性不整脈　129, 458, 459
呼吸測定　461
呼吸中枢　137, 198
呼吸調節中枢　137
呼吸不全　139
呼吸補助筋　201
呼吸リズム　138
呼吸リラクセーション　313
国際NGO　16
国際看護　15
国際看護師協会（ICN）　7, 23, 51
国際協力機構（JICA）　16

国際生活機能分類（ICF） 66
国際10-20法 424, 446, 447
国際疼痛学会（IASP） 331
国際糖尿病連合（IDF） 15
国際人間工学会（IEA） 91
国際標準化機構（ISO） 91
国際命名規約 455
国民健康保険法 387
心地よさ 270, 272
コーコラン 328
鼓索神経 348
固視 142
孤食 189
個人空間 66
個人情報 45
　　──保護法 45
個人的知識 38
個人用防護具 443
午睡 265
呼息位 116
孤束核 348
呼息筋 219
呼息時 137
固体撮像素子 431
コーチング 69, 374
骨格筋 424
国境なき医師団 16
骨突出（部，部位） 113, 296, 297
骨盤神経 207, 219
骨盤底筋訓練（運動） 212, 328
骨密度 118
固定 274
コーディネーター 436
ゴードン（M） 33
ゴードン（S） 40
個別化医療 13, 431, 467
鼓膜温 128
コミュニケーション 62
　　──能力 435
　　──理論 37
コミュニティ 159
ゴム球 133
ゴム嚢 133
雇用継続支援 360
コルチコステロイド 367
コルチゾール 171, 453
転がり摩擦力 99
コロストミー 305
コロトコフ音 132, 135
コロナ禍 9, 189
コロニー 455
混合感染 467
昏睡 141
コンスタントルーチン法 452
コントラスト感度 358
コントロール感 362
コンパニオン診断 12, 13

コンピュータシステム 46
コンプライアンス 376
根本原因分析 106
昏迷 141

## さ

坐位 93, 258, 259
在院日数 433
災害 7
災害看護 8
災害サイクル 8
細菌尿 216
採血針 415
採光 159
再興感染症 74
最高血圧 132
最小感知電流 477
再創造 255
最大吸気量 422
最大呼気中間流量 422
最大静止摩擦力 99
在宅医療 22, 43, 433, 435
在宅ケア 378
在宅支援 380
在宅療養 433
最低血圧 132
彩度 165
サイトカイン 76, 274
催吐性刺激 322
催吐反射 149
細胞外液 282
細胞学的検査 418
細胞傷害性T細胞 76, 77
細胞性免疫 77
　　──応答 76
細胞内液 282
在留外国人 16
サーカディアンリズム 163, 178, 248, 252, 263, 268
作業域 94, 96
作業姿勢 93
サージカルマスク 443
差し込み便器 226
嗄声 204
座席行動 66
左側臥位 230
作動音 469
作動薬 393
砂嚢 276
サーベイランス 88
サポート・サーフェス 300
左右対称性 118
作用機序 393
作用点 96, 97, 393
作用と反作用 99
作用・反作用の法則 96
作用部位 393

坐浴 228
酸塩基平衡 287
酸外套 275
産学協同研究 11
三角筋 403
三角巾 276, 279, 443
酸化ヘモグロビン 423
残気量 422, 461
三叉神経 147
3-3-9度方式 141
酸素化ヘモグロビン 250, 449
酸素消費量 449
酸素流量 204
酸素療法 204
三大栄養素 186
三大生活習慣病 386
産痛 332
残尿 261
　　──測定 212
酸味 348

## し

指圧 240
視運動性眼振 145
シェーグレン症候群 350
ジェンダー 19
紫外線 164
視覚 141
視覚伝導路 143, 147
視覚障害者 354
視覚障害等級 355
自我状態 61
時間依存型 395
歯間ブラシ 244, 245
色覚 141
　　──異常 144
　　──検査 144
磁気共鳴 449
磁気共鳴画像診断 429
色光 165
識字 53
敷きシーツ 181
色相 165
視機能検査 355
視機能評価 355
糸球体濾過量 285, 286, 393
刺激伝導系 128, 418
止血，止血法 274, 442
止血帯 443
　　──法 443
嗜好 351
視交叉上核 163, 263
耳垢栓塞 246
自己開示 60
自己教育力 376
自己訓練技法 312
自己決定 54, 60, 70, 374

―――権　409
自己血輸血　409
自己効力感　106, 375, 382
自己実現　151
視細胞　164
指示　374
支持　374
耳式体温計　128, 129
支持基底面　92, 93, 98
支持基底面積　98
指示箋（指示書）　391, 396
脂質　186
支持的介入　368
歯周病　169, 244
自助　385, 386
事象関連デザイン　449
自浄作用　216
視診　112, 118
視神経　147
―――乳頭　143
自信の喪失　59
市井感染　74
姿勢反射　98
姿勢変化　256
死戦期呼吸　437, 438
視線軌跡　474
視線計測　473, 474
視線計測機器　473
自然災害　7
自然治癒力　248
自然排泄　212
自然排便　223
持続可能な開発目標　⇒SDGs
持続痛　339
持続的導尿　212, 213, 216
自尊感情　207, 209, 216, 220, 366, 368
舌ざわり　348
弛張熱　126
歯痛　332
刺痛　330, 331, 475
膝蓋腱反射　149, 150
疾患別栄養管理　191
失禁関連皮膚炎　296, 326
失禁予防　212
実験痛　335, 475
失見当識　141
湿潤環境　274
失神　256
湿性　317
湿性咳嗽　200
実践的ロービジョンケア　354
質的味覚障害　349
室内気候　159
疾病構造　386
失明　354
時定数　446
至適温度　121

至適水素イオン濃度　121
支点　96, 97
指導型　375
自動体外式除細動器（AED）　442
自動能　128
指導力　436
シトシン　466
刺入深度　397, 398
刺入部位　396, 397
磁場　425, 449
しびれ, しびれ感　146, 401, 405
四分三分法の点　403, 404, 405
嗜眠　140
シムス位　230, 257, 258
視野　141, 143
―――狭窄　143
―――欠損　143, 147
―――障害　354
遮音　174
社会的苦痛　362
社会的手洗い　82
社会的役割　58
社会保障制度　22
遮光眼鏡　356, 358
遮光シート　391
社交的なコミュニケーション　66
遮蔽　425
シャワー浴　241, 261
種　455
臭気　168, 222
周期　452
集合リンパ管　290
収縮期血圧　130
重症急性呼吸器症候群（SARS）　443
―――コロナウイルス　15
重心　92, 93, 95
就寝環境　269
就寝儀式　267
自由神経終末　330
修正マンセル表色系　165
重層扁平上皮　74
重炭酸イオン　284
重度障害者用意思伝達装置　71
集団力学　70
羞恥心　220, 225, 241
集中治療後症候群（PICS）　173
周波数　173, 174
周波数解析　446, 447
終末期　362
終末期がん患者　362
羞明　355
終夜睡眠　176
重力　92, 94, 96, 98
主観的情報　32, 33, 44
宿主　73
熟睡感　176
縮瞳異常　147

手指衛生　242
手術時手洗い　82, 83
樹状突起　446
受信経路　64
手段の日常生活動作（IADL）　252
腫脹　118, 464
出血性ショック　442
術後痛　332
術後肺動脈塞栓症　280
受動喫煙　198, 386
受動的態度　314
守秘義務　45
受容　368
主要組織適合抗原複合体（MHC）　76
腫瘍マーカー　431
手浴　242
腫瘤　119
受療行動　5
循環血液量　130, 288
循環障害　274
循環調節反射　256
循環特性　36
順応　59, 316
瞬目反射　143
除圧　178
除圧ケア　300
上位のニード　34
消化　186
消化管ストーマ　305
消化酵素　187
松果体　163
蒸気殺菌　239
上気道　198
―――閉塞　441
消去動作　314
上行性感染　225
上行性網様体賦活系　140, 257
少呼吸　139
常在菌大量混入　417
常在微生物叢（常在菌叢）　73, 82
少子高齢社会　45
常習性便秘　229
床上排泄　261
症状マネジメント　341
静水圧　240, 284
静水圧作用　240
脂溶性薬物　393
照度　165
―――基準　165
情動　345
消毒　78, 79
―――薬　79
照度計　165
承認　69
上部消化管内視鏡検査　431
情報　43
―――活用　51

――活用能力　436
情報コミュニケーション　158
情報セキュリティ対策　47
情報通信技術　45, 50, 158
情報伝達エラー　105
情報理論　37
小脈　130
静脈圧　130
静脈還流　130, 137, 256, 258, 274, 280
静脈血採血　413
静脈穿刺　406
静脈注射　392, 396, 397, 405, 406
静脈内留置針　398
上腕三頭筋反射　149, 150
上腕動脈　130
上腕二頭筋反射　149, 150
初回通過効果　393
食塩摂取量　189
職業感染防止　88
職業性腰痛　252, 253
食行動　190
食事介助　191, 192, 260
食事指導　352
食事摂取基準　186, 386
食習慣　186, 189, 351
食事用自助具　192
触診　112, 118, 141
　　　――法　130, 132, 135, 136
食生活指針　190
褥瘡　294
　　　――好発部位　296
　　　――予防　252, 256
職能団体　24
食物形態　193
食物残渣　219, 221
食物繊維　220, 225
食欲　191
助言　374
徐呼吸　139
除細動器　438
助産師　2
助産録　46
除湿　178
除臭　170
触覚　118
触覚神経（Aβ）　476
ショート（短絡）　421
ショートベベル　398, 399
徐波睡眠　264, 266, 267, 446
ジョハリの窓　60
処方箋　390, 391, 396
徐脈　128
自立心　220
自律神経症候　458
自立性　253, 255
視力　141
シリンジポンプ　407

脂漏性皮膚炎　235
皺　113
塵埃　158
寝衣　177, 179
　　　――交換　185
人為的な災害　7
心エコー法　421
侵害刺激　330
侵害受容　330
侵害受容器　330
侵害受容性疼痛　339
新型コロナウイルス　15, 189
　　　――感染症　74, 350, 443, 467, 468
伸筋　98
寝具　177
真空管採血　414, 416
真空採血管　415, 416
シングルハンドスコープ法　84, 88, 89
神経障害性疼痛　332, 339
神経損傷　399, 401, 402, 405
神経伝達物質　393
腎血流量　393
新興感染症　6, 74
人工肛門　305, 327
人工呼吸　438, 439, 440
人工照明　159, 454
人工唾液　352
人工物環境　158
人工ペースメーカー　129
心室細動　441
心周期　128
伸縮ネット包帯　274, 275, 276, 279
伸縮包帯　275, 276, 279
寝床　176
寝床外環境　180
寝床環境　176
寝床内温度　177, 178
寝床内気候　176, 177, 179
寝床内湿度　177, 178
新人看護師研修　23
人生会議　20
心臓性浮腫　286
腎臓性浮腫　285
身体活動　249
　　　――レベル　186, 187
身体計測　114, 116
身体的苦痛　362
伸張受容器　259
伸張反射　98, 259
新陳代謝　248
心停止　437, 438
心的外傷　7
心的外傷後ストレス障害（PTSD）　7
人的環境要素　159
心電計　418
伸展受容器（膀胱）　207
心電図　418

心電図 R-R 間隔　346, 458
　　　――変動係数　458
　　　――変動のスペクトル解析　459
振動感覚　146
振動法　202, 203
侵入　74
心肺機能管理　256
腎排泄型　393
心肺蘇生　438
心肺停止　437
心拍出量　130
心拍変動　458
真皮　118
深部感覚　141, 146
振幅　452
深部静脈血栓症　250, 293
腎不全患者　350
深部体温　164, 176, 179, 316, 452
心ブロック　129
心房細動　441
心理検査　70
心理的安寧　249
診療記録　43, 45, 46
診療の補助　396
診療報酬　23, 25, 162, 433
　　　――改定　433
心理療法　70

## す

吸い上げ　397
随意運動　250
水銀血圧計　133
錐状体　164
　　　――視野　143
スイスチーズモデル　104
水素イオン指数　284
錐体外路　250
錐体路　250
錐体路障害　150
推定エネルギー必要量　186
随伴症状　339
水分出納　287
　　　――バランス　284
水分摂取量　211, 283
水分排出量　211
水分排泄量　211
水平移動　102
睡眠　263
睡眠衛生　366
睡眠-覚醒リズム　163, 269, 452
睡眠慣性　266
睡眠恒常性維持機構　263
睡眠時無呼吸症候群　139
睡眠習慣　266
睡眠周期　264
睡眠障害　266, 366
睡眠深度　446

睡眠潜時　266
睡眠段階　264
睡眠中枢　179
睡眠日誌　266, 268
睡眠脳波　177, 264, 446
睡眠パターン　265, 268
睡眠物質　263
睡眠ポリグラフ　264, 265, 267
睡眠薬　264
睡眠歴　266
水溶性薬物　393
数量化　112
スカトール　169
スキル　10
スクイージング　202
スクリーニング検査　412
スクラブ法　83, 85
すすぎ　244
スタンダード・プリコーション　75, 82, 84, 160, 275, 442
スターリングの仮説　284
スタンプ法　456
頭痛　331
ステロイド薬　391
ストーマ　305
ストーマ外来　308
ストーマサイトマーキング　307
ストーマ周囲皮膚障害　305
──重症度評価スケール　308
ストーマ装具　305, 306
ストーマ袋　305, 306
ストーマ保有者　305
ストレス応答システム　311
ストレス学説　311
ストレス反応　106, 311
スパイロメータ　422, 461
スパイロメトリ　422
スピリチュアルな苦痛　363
スマート化（スマート革命）　5, 50
スライディングシート　100, 101, 253
スライディングボード　100, 102
ずれ応力　299
ずれ力　302
スローストローク　240
スワンの第1点　132

## せ

生化学的検査　413
性格特性　66
生活行動　248
生活習慣　248
生活習慣病　386
──予防　249
生活出来事　153
生活の質（QOL）　249, 332
生活不活発病　251
生活モデル　381

生活様式　382
生活リズム　252
晴眼者　359
清潔　234
清潔行動　235
清潔習慣　235
成功体験　376
政策　22
清拭　236, 237
清拭圧　236
清拭車　239
性自認　19
精神神経免疫学　311
精神的苦痛　362
生体防御システム　76
生体リズム　163, 452
性的指向　19
制吐薬　339
生物学的バリア　75
生物学モデル　2, 333
生物時計　163
生物リズム　163
成分輸血　409
精密検査　412
整脈　128
声門　219
生理活性物質　393
生理機能検査　418
生理痛　332
脊髄後角　335
脊髄後角ニューロン　336
セクシャリティ　19
セクシャルマイノリティ　19
舌咽神経　149, 348
舌下神経　149
積極的傾聴　68
赤血球抗体　409
赤血球製剤　409
石けん清拭　239
舌根沈下　441
摂氏　127
──-華氏換算表　128
摂食運動　260
接触感染　75
摂食障害　350
舌苔　169, 244
絶対温度　165
絶対湿度　176
絶対零度　164
折転帯　277
セットポイント　122, 126, 165
切迫性便失禁　326
背抜き　300
セラピスト　5
セリエ　311
セルフエフィカシー　382
セルフケア　154, 366

──感覚　366
──技法　316
──教育　384
──ニード　154
──能力　154, 235, 252, 341, 433
セルフコントロール　312
セルフマネジメント　375
セルフリンパドレナージ　293
セレウス菌　239
セロトニン　323
セロトニン受容体　323
洗眼　246
前傾姿勢　201, 253
潜血検査　417
全血輸血　409
潜在看護職　23
浅在性静脈　413
洗浄　78
全身倦怠感　288
全身清拭　236
全人的　5, 20, 58, 151, 311
──苦痛　362
──健康観　382
漸進的筋弛緩法　266, 312, 314, 315, 324
尖足　253
疝痛　332
蠕動　219
全肺気量　422
洗髪　242, 243, 261
洗髪車　242, 261
洗髪台　242
洗髪体位　244, 262
全末梢血管抵抗　130
せん妄　6, 174
線毛　198
線毛運動　201, 202
線毛上皮　199
専門看護師　436
線量限度　425

## そ

増悪因子　340
造影検査　427
騒音　159, 174, 429
騒音計　469
騒音レベル　470
早期覚醒　266
送気球　133
爪根部　476
相互行為　59
相互作用　58, 59
──的ヘルスリテラシー　53
相互的コミュニケーション　63
喪失，喪失の予期　362
創傷治癒　274
爪体　118

総体液量　282
相対湿度　176, 181
相談　332
早朝尿　416
爪半月　118
僧帽筋　149
相補・代替医療　311
瘙痒感　118, 242
阻害薬　393
属　455
側臥位　256, 258
即時型溶血性反応　410
測定　32
足底反射　150
足浴　242
組織学的検査　418
組織間液　289
組織呼吸　137
組織傷害　463
組織耐久性　294
組織標本　418
咀嚼運動　148
咀嚼音　348
ソーシャル・コミュニケーション　62
ソーシャルサポート　151, 341
　　──ネットワーク　153
速乾性手指消毒薬　83

## た

体圧分散寝具　300, 301
体圧分散マットレス　300
体圧分布測定器機　302
体位　256
体位ドレナージ　202, 203
体位排痰法　202
体位変換　252, 256, 260, 299
退院支援　378
退院調整　378
体液　282
体液成分組成　283
体液バランス　283, 287
体液量　282
体温　121, 122
　　──調節中枢　122, 126, 165, 179
体格指数　401
対光反射　141, 150
太鼓ばち指症状　118
体脂肪率　114
代謝（薬の）　392, 393
代謝水　211, 283
体臭　168, 169
体循環　289
対象者　2
対症療法　368
対人関係　29
対人距離　66
対人交流　58

対人的環境　159
対人魅力　66
耐性　339
耐性株　79
体性感覚線維　339
体性痛　339
体性-内臓反射　225
大蠕動　219
大腿四頭筋拘縮症　404
代替療法　311, 335, 340
代替リンパ節　293
体内時計　163
体表　118
　　──解剖　113
　　──分布　118
タイポスコープ　359
代理説明　434
対流性熱放散　122
唾液 IgA　171
唾液中コルチゾール値　346
唾液分泌　148
唾液メラトニン　453
抱上げ　91
打腱器　150
蛇行帯　276
多呼吸　139
多重防護　104
多床室　161, 174
多職種チーム（多職種連携）　43, 70, 390
タスクシフト　22, 23
立ちくらみ　256
立ち直り反応　145
脱酸素化ヘモグロビン　449
　　──濃度　450
脱脂用アルコール綿　420
脱水（症）　227, 284, 285
タッチ　32, 67, 345
脱同調実験　452
タッピング　6
たてまえ　65
ダブルチェック　108, 396
ダブルパック　108
ターミナルケア　362
ターミナルステージ　362
タルカムパウダー　237, 239
短期目標　35
単極肢誘導　419
端坐位　254, 258, 259
炭酸　284
単純撮影（X線）　426
弾性ストッキング　276, 280
単独歩行　359
タンパク質　186
断眠実験　263
短絡（ショート）　421
弾力包帯　280

談話室　162

## ち

地域医療　378
地域完結型医療　43
地域包括ケアシステム　24, 43, 51, 377, 379, 433
地域包括支援センター　24, 379
地域連携クリティカルパス　378, 379
チェストピース　135
チェックリスト　108
チェーン・ストークス呼吸　139
知覚閾　145
知覚理論　37
力のモーメント　97
蓄尿　207, 212, 416
蓄尿期　207
蓄尿機能　208
蓄尿バッグ　213, 216, 217
遅発型溶血性反応　410
チーマンタイプ　212, 216
チミン　466
チーム医療　22, 43, 344, 360, 378, 436
チャネル　63, 64
中間尿　416
注視　164, 473
注視回数　474
注視時間　474
注射　392, 396
注射器　397, 398, 401
注射器採血　415
注射痛　330
注射針　398, 401, 415
　　──廃棄容器　397
中心窩　164
中心静脈圧　287
中心静脈栄養法　193, 194, 197
中枢性嘔吐　323
中性子線　425
中足法　254
中殿筋　403
中東呼吸器症候群コロナウイルス　15
中途覚醒　266
中毒域　394
中脳辺縁系ドーパミン経路　270
腸音　222
超音波　425
超音波検査　430
超音波ネブライザー　204
聴覚　141
　　──閾値　144
長期臥床患者　253
長期目標　35
超高齢社会　377
腸雑音　222
聴診　112
聴診器　135

# 和文索引

聴神経 148
聴診法 130, 135, 136
調整（能力） 436
調節力 141
腸蠕動 225
腸内細菌（叢） 75, 169, 219, 221, 225
調理済食品 190
張力 94
直接圧迫止血法 443
直接光反射 141, 147
直接法 130
直腸温 122, 123, 125, 126, 127, 128, 166, 179
　――リズム 453
直腸がん 327
直腸-肛門角 261
直腸内圧 219
直腸内投与 392
直立2足歩行 261
直観 38
貯尿 207
治療的コミュニケーション 70
治療的人間関係 2
鎮静 367
鎮痛補助薬 339
鎮痛薬 339
沈黙 68

## つ

通過菌叢 82
痛覚 118, 330
痛覚閾値 475
痛覚受容器 330
痛覚神経（Aδ） 476
痛覚信号 475
痛覚線維 236
痛覚喪失 335
痛覚定量分析装置 476
痛覚変調性疼痛 332
通気性 180
通所介護 379
痛点 330, 475
爪切り 242
つらさの寒暖計 367
吊り上げリフト 102
ツルゴール 284, 287
つわり 324

## て

低アルブミン血症 285, 286
手洗い 82
定位 359
低位前方切除術 327
低温やけど 318
低酸素血症 203
低酸素状態 204
停止距離法 469

低周波 174
　――音 470
　――成分 459
低振幅速波 446
ディスポーザブルシリンジ 397
ディスポーザブルタオル 240
ディスポーザブル防水シーツ 178
ティーチバック 53
低張性脱水（症） 285, 288
デオドラント 170
適応 59, 201
適応モデル 382
滴下数 407
滴下速度 407
適合 409
適合輸血製剤 409
摘便 229, 231, 232
テクスチャー 158
てこの原理 96, 97
デジタル脳波計 424
デシベル（dB） 144, 173
データ 44
データベース 31
データロガー 453
哲学 28, 38
手引き歩行 359
テーラーメイド医療 375, 431
テリトリー 159
テレコミュニケーション 50
テレナーシング 436
テレフォントリアージ 435
伝音性難聴 148
電解質 282
点眼 246, 392
電気ショック 441
電気抵抗 420
電気毛布 178, 180
電極 420
電極糊（ペースト） 420, 424
電撃痛 401, 405
点耳 392
点字 71, 358, 359
電子カルテ（化） 6
　――システム 45
電子血圧計 133, 134
電磁波 164, 425
伝達経路 63, 64
デンタルフロス 244, 245
デンチャープラーク 246
点滴静脈内注射 405, 406, 408
点滴スタンド 407
点滴漏れ 463
転倒 253, 254
　――防止 240
転倒混和 410
点鼻 392
転落 253, 254

電動リフト 102
天然ゴムアレルギー 86
伝令RNA 466

## と

同一化 59
同一体位 256, 346
動眼神経 147
動機づけ理論 37
同期波 446
洞結節 418
瞳孔計 141
瞳孔径 141
瞳孔検査 141
瞳孔不同 142
橈骨動脈 135
透視撮影（X線） 426
糖質 186
等尺性収縮 120
同種血輸血 409
等速直線運動 96
橈側皮静脈 405
同調因子 163, 269, 454
等張性脱水（症） 284, 285
疼痛アセスメントシート 341
疼痛管理 338
同定 455
道徳的価値 6
導尿 212
導尿カテーテル 213
糖尿病網膜症 355
頭髪 168
頭皮 168
頭皮マッサージ 244
闘病意欲 235, 248, 249, 252, 433
頭部後屈顎先挙上法 441
洞房結節 128
動脈圧 130
動脈血ガス分析 204
動脈血酸素分圧（$PaO_2$） 200, 204, 423
動脈血酸素飽和度（$SaO_2$） 200, 204, 423
動脈血二酸化炭素分圧（$PaCO_2$） 423
動脈血ヘモグロビン酸素飽和度 423
動脈硬化 130, 133
動揺病 323
特異抗体 76
特異的防御 76
特異免疫 76
特殊感覚 141
特殊視床投射系 331, 475
特殊心筋 128
特定機能病院 161, 378
特定健康診査 387
特定行為 22
特定保健指導 387
特別食 191

特別養護老人ホーム（特養） 380
毒薬 392
徒手筋力テスト 120, 121, 251
吐出 321
徒手抵抗 120
トータルペイン 338, 340
怒張 406
突出痛 339
凸レンズ 358
徒弟制度（徒弟の） 10, 28
塗抹検査 417
塗抹標本 417, 418
ドライシャンプー 242
ドライスキン 302
トラベルビー 29, 59
トランスレーショナル 11
トリアージ 8, 434
　──ナース 9
鳥インフルエンザ（H5N1） 74
努力肺活量 422, 461
トルク 97
ドレッシング 274, 275, 280
ドレッシング材 280
トレッドミル 421
トワイクロス 340
貪食 76
頓服 395
頓服薬 343

## な

内因感染 76
内因性疼痛抑制系 335
内呼吸 137, 198
内視鏡 418, 430
内視鏡検査 430
内臓感覚 141
内臓痛 331, 336, 339
ナイチンゲール 28, 74, 201
内筒 397
内尿道括約筋 207
内服 392
内部被ばく 425
内分泌検査 413
内肋間筋 137
ナースコール 71, 407
ナチュラルキラー細胞 78, 317
ナチュラルキラーT細胞 77
ナットビーム 53, 382
七角形プロフィール 334
ナルコレプシー 266
軟食 191
軟脈 130

## に

におい（匂い, 臭い） 168, 348
　──環境 158
　──物質 168

苦味 348
二次救命処置（ALS） 438
二次性倦怠感 363
24時間尿 416
日常生活行動 248
日常生活自立度 297
日常生活出来事 151
日常生活動作（ADL） 120, 252, 330
日内変動 123
2点弁別閾 145
ニード 60
　──理論 37
鈍い痛み 330
日本医療機能評価機構 105
日本蘇生協議会（JRC） 437
日本薬局方 390
日本人の食事摂取基準（2020年版） 189
入浴 240, 261
尿意 207, 209
尿管 207
尿管皮膚瘻 305
尿検査 416
尿失禁 212
尿素窒素 287
尿中 $Na^+$ 濃度 286
尿中排泄率 393
尿中浮遊物 216
尿道カテーテル 216
尿道口 212
尿比重 286
尿閉 212
尿漏れ 212
尿量 286
尿路感染 216, 217
尿路ストーマ 305
人間 2
人間科学 28
人間関係 58
　──の過程 29
人間工学 91
　──国際規格 91
　──モデル 91
認知閾値 145
認知行動療法 335, 366, 368
認知症 141
認定遺伝カウンセラー 12
認定看護師 436

## ね

寝返り 178
寝たきり度 297
熱エネルギー 121
熱感 118
熱型 126
熱刺激 330
熱射病 316

熱伝導 122
熱布貼用 240
熱放散 122
　──量 122
熱力学温度 164, 165
ネブライザー 203
ネフローゼ症候群 285
ネームバンド 397
ネラトンタイプ 212, 216
粘液溶解剤 203
粘膜バリア 77

## の

ノイズ 420
脳幹網様体 139
脳血流量 449
濃縮尿 284
脳神経 147
脳電図 446
脳波 424, 446, 447
脳賦活状態 450
脳浮腫 285
ノギス 145
ノーズクリップ 462
喉仏 141
ノネナール 168
ノーマライゼーション 381
ノーリフト 253
乗り物酔い 323
ノンコーディングRNA 466
ノンレム睡眠 264, 446

## は

バイオハザードマーク 397
バイオマーカー 431
肺活量 422, 461
　──計 422
肺胸膜 198
肺気量 422
　──分画 422
肺血流量 201
肺循環 289
排泄（薬の） 393
排泄体位 261
バイタルサイン 120
排痰法 201, 202
排尿 207
排尿筋 207
排尿時間 207
排尿習慣 209, 210
排尿障害 210
排尿体位 210
排尿動作 208, 210
排尿日誌 212
排尿パターン 210, 212
排尿反射 207
排尿誘導 212

排尿用具　210, 211
排尿量　211
肺の伸展受容器　137
背部叩打法　442
排便　219
排便行動　223
排便姿勢　261
排便習慣　222, 225
排便障害　325
排便反射　128, 219
肺胞　198
肺胞換気量　201
背面開放坐位　254, 258
ハイムリック法　442
培養検査　417
廃用症候群　251
廃用性萎縮　217
肺容量　422
排卵期　124
ハインリッヒの法則　105
白衣性高血圧症　136
白杖　359
麦穂帯　277
白苔　351, 352
白内障　167
播種　76
橋渡し研究　11
バーセル指数（BI）　120, 252
パーソナル・コミュニケーション　62, 64
パーソナル・スペース　66, 469
発汗　128
　　──抑制　177
バッグバルブマスク　439, 440, 441, 443
バックル付きニットゴム製駆血帯　406
撥水性クリーム　303
発痛物質　339
発熱　125, 126
　　──反応　126
　　──物質　126
パップ（巴布）　317
鼻カニューラ　204
バビンスキー反射　150
歯磨き　244, 245
ハム（交流）　419, 420
刃面　398, 399
　　──長　398
パラダイム・シフト　375
バリウム浣腸　229
針刺し事故　89
パルスオキシメーター　200, 423
バルーンカテーテル　212
バーン　61
バーンアウト　60, 345
バンコク憲章　382, 383

瘢痕　274
半昏睡　140
半坐位　93, 137
半身浴　240
半側性　147
汎適応症候群　311
バンデューラ　375
半導体素子　126
半盲　143

## ひ

ビオー呼吸　139
非オピオイド　339
日帰り手術　433
非獲得自然防御機構　76
皮下脂肪　399
皮下組織　399
　　──厚　403
　　──障害　402
皮下注射　392, 396, 397, 399
光環境　158, 163, 166, 269
光受容器　164
光反射　150
光分解　391
光老化　164
非観血的　112
非がん疼痛　333
非関与　374
鼻腔　198
非言語的コミュニケーション　63, 65
非言語的メッセージ　67, 68, 71
皮溝　236
鼻垢　246
皮脂　118, 234, 235
　　──厚　401
　　──腺　168, 169, 234, 235
　　──膜　169, 235
非自己抗原　76
非指示的リード　68
肘正中皮静脈　405
比尺度　333
微小気流　178
微小循環　280
皮静脈　399, 413
皮疹　118
皮神経　399, 405
非侵襲的　112
非ステロイド性抗炎症薬　335, 393
微生物　455
ビタミン　186
ビッグデータ　5, 50
筆談　71
ビデオ通話　71
美的知識　38
非電解質　283
ヒト　2
　　──ゲノム　12

非特異的防御　76
皮内注射　392, 398
皮内反応　398
　　──試験　399
鼻粘膜　246
被ばく　425
被ばく線量　425
批判的ヘルスリテラシー　53
皮膚　118
　　──感覚　141
　　──感覚点　118
　　──緊張　284
　　──呼吸　316
　　──反射　150
ビフィズス菌　221
被覆法　274
皮膚血管収縮　316
皮膚血管拡張　316
皮膚常在菌　168
皮膚・排泄ケア認定看護師　310
皮膚保護剤　306, 308
皮膚マッサージ　240
飛沫感染　75
肥満度分類　186, 188
非薬物的介入　339
日焼け　164
ヒヤリ・ハット　105
ヒューマンエラー　104, 105
病因　112
病院感染対策ガイドライン　160
病院情報システム（HIS）　46
病院食　191
病院不安と抑うつ尺度（HADS）　367
評価　36
　　──尺度　112
　　──用具　112
非溶血性発熱反応　410
表現型　164
病原体　73
病原微生物　73, 455
表在静脈　397
表在リンパ管　290, 291
病室面積基準　162
病者役割　59
標準肢誘導　418
標準12誘導　418
標準有効温度　181
標準予防策　82, 84
表情筋　148
病床環境　469
病床面積　161
病診連携　436
氷枕　317
氷嚢　317, 319
表皮　118
鼻翼呼吸　139
日和見感染症　76

非ラテックス製品　86
頻呼吸　139
頻尿　212
ピンホール（手袋）の確認　86
頻脈　128

## ふ

ファウラー位　93, 137, 256, 258, 260
不安　367
フィジカルアセスメント　112
フィジカルイグザミネーション　141
フィードバック　60, 64
　──システム　59
フィロソフィー　⇒哲学
フェイス・スケール　334, 340
フェイスシールドマスク　441
フェイスマスク　204
フォーリータイプ　212, 216
フォローアップ　316
不活化ワクチン　402
不感蒸泄（蒸散）　122, 180, 211, 283
不規則抗体　409
　──スクリーニング　409
腹圧　219, 261
腹圧性尿失禁　212
腹囲　116, 287
　──測定　287
腹臥位　257, 258
腹臥位療法　257, 258
腹腔内圧　208, 219
副交感神経　147
複雑介入　11
副作用　339, 396
副子　276
腹式呼吸　137, 201, 202
輻射性熱放散　122
副神経　149
副腎皮質刺激ホルモン放出ホルモン
　（CRH）　78
腹水貯留　287
輻輳反応　142
腹側被蓋野　270
腹帯　276
腹痛　332
腹部突き上げ法　442
腹部膨満　222, 229
腹部マッサージ　224
腹壁反射　150
腹鳴　222, 227
服用間隔　394
服用時間　394
服用量　395
頭垢　118
不顕性感染　73
不織布　240
浮腫　274, 285, 286, 287, 289
不整脈　129

普通食　191
物質代謝　121
物体色　164, 165
物的環境　158
物理的消毒法　79
不適応　59
不適合輸血　410
腐敗菌　170
布帛（白）包帯　275, 276
部分清拭　236
部分長　114
部分浴　242
不眠（症）　167, 263, 267
プライバシー　32, 159, 209
プライマリヘルスケア　381
プライマリロービジョンケア　354
プライミング　407
ブラウン　28
プラーク　244
プラスチックカニューラ　400
プラズマ　81
ブラッシング法　244
プリシード・プロシードモデル　383, 384
フリッカー融合頻度　144
浮力作用　240
ブリストル便性状スケール　325
フリーラジカル　81
フリーランリズム　453
ふるえ　126
プールプルーフ　108
フレイル　53, 376, 384
ブレーキテスト　120
ブレーデンスケール　296, 298
プレフィルドシリンジ　397
プロチャスカ　15
ブロックデザイン　449
プロテクター　425
分光光度計　165
分子標の薬　13
分布（薬の）　392, 393
分布密度　118, 145
糞便　219
糞便塞栓　326
分娩痛　332
分離培養　455
分類　455

## へ

平衡感覚　141, 145
米国がん看護学会（ONS）　338
米国看護師協会（ANA）　29, 50
米国防疫センター（CDC）　82
閉塞性換気障害　422
ペインスケール　340
ペイン・ダイアリー　334, 343
壁側胸膜　198

ペースト（電極糊）　420, 424
ペースメーカー　128, 418
ベッド間隔　161
ベッドパンウォッシャー　211
ベッドメーキング　181
ベナー　40
ペプロウ　29, 59
ヘマトクリット　287
ヘモクロマトーシス　410
ベル型　135
ベルガモット　171
ヘルシズム　381
ヘルスアセスメント　112
ヘルスケア　53
ヘルス・フォー・オール　381
ヘルスプロモーション　53, 381, 385
ヘルスリテラシー　20, 53
ヘルツ（Hz）　173
ヘルパーT細胞　76
便意　219, 221, 225, 327
偏倚現象　145
ペングリップ　245
便検査　417
便失禁　225, 326, 327
便潜血反応　417
ヘンダーソン　31, 40, 198, 248, 255
扁桃体　270
便秘　225, 228, 325, 339

## ほ

ポイントオブケア検査　468
防音対策　174
防音布　174
膀胱　207
膀胱充満感　207
膀胱洗浄　212
方向づけ　59
膀胱内圧　207
　──曲線　207
芳香物質　170
膀胱平滑筋　207
膀胱壁　207
膀胱留置カテーテル　213, 216, 217
放湿性　180
放射性核種　428
放射性同位元素　428
放射性物質　425
放射線　425
放射線治療　350
放射線被ばく　425
放射線部門　412
放射線防護　425
　──服　425
防水シーツ　178, 179, 181
紡錘突発波　446
紡錘波　264
包帯　274, 275

## 和文索引

包帯法 274
法的責任 33
訪問看護 378, 379
訪問看護師 378, 380
訪問看護ステーション 379
法令 22
飽和水蒸気量 180
北米看護診断協会（NANDA） 33
ポケットマスク 441
保健行動 154
保健師 2
保健師助産師看護師法 22, 46
　——第 5 条 396
保険適用 11
母指球法 439
ポジショニング 252, 256, 260
　——，定義 257
保湿クリーム 240
ポジティブ・シンキング 376
保助看法 ⇒保健師助産師看護師法
補助具 354, 354, 359
補体 76
ポータブルトイレ 210
補聴器 71
発赤 118, 296
ホットパック 317
ホッホシュテッターの部位 403, 404, 405
ボディイメージ 307
ボディメカニクス 91, 100, 252
ホリスティック（アプローチ） 311, 366
ポリモーダル受容器 330
ホルター心電計 418
ホルモンリズム 453
ホン（phon） 173
本音 65
ポンプ作用 280, 281

### ま

マウスピース 461, 462
前屈み姿勢 98
膜型 135
マクロファージ 76, 77
摩擦係数 99
摩擦力 94, 96, 99
麻酔バッグ 461
マスキング 159, 170
マス・コミュニケーション 63
マスター 2 階段 421
マズロー 34
待ち時間 433
マッカフェリー 331
マックギル疼痛質問票（MPQ） 333
マックバーニーの圧痛点 336
末梢血管抵抗 130
末梢循環促進 236

末梢静脈栄養法 194
マットレスパッド 181
麻薬 392
マルチスライスCT 427
マンシェット 133, 134
慢性痛 332, 333
慢性閉塞性肺疾患（COPD） 203, 204

### み

味覚 141, 144, 148, 192, 348
味覚閾値 348, 350
　——検査 351
味覚異常 349, 350, 351
味覚減退（低下） 148, 349
嗅覚障害 350
味覚喪失 350
味覚中枢 348
味覚不全 350
味覚変化 350
ミキシング 407
ミセル 236
溝 113
ミネラル 186
未変化体 393
耳栓 269
脈圧 129, 130
脈波 128
脈拍 128
　——触知部位 130, 131
味蕾 348
ミレニアム開発目標 23

### む

無菌操作 81, 83, 86, 397
むくみ 285, 289
無呼吸 139
無作為化比較試験 201
虫眼鏡 358
ムチン層 74
無力感 376

### め

明暗サイクル 164
明確化 68
名称独占 22
　——資格 5
明所視 164
迷走神経 149, 348
メタボリックシンドローム 387
滅菌 78, 79
　——操作 81
　——手袋 84, 86
　——バリデーション 81
　——法 79
メッセージ効果 64
メディカルソーシャルワーカー 378
めまい 323

メラトニン 163, 268, 452, 453
　——分泌 164
　——リズム 166
メラニン 164
メラノプシン 164
メルカプタン 169
面板 305, 306
免疫グロブリン製剤 409
免疫血清検査 413
免疫反応 409
免疫抑制薬 395
面接 32, 112, 332
面談 70
綿包帯 275

### も

盲 354
毛細管血採血 414
毛細血管 402
　——圧 130
毛細リンパ管 290
盲点 143
盲導犬 359
網膜 164
網膜色素変性症 360
燃え尽き症候群 60
黙従性 106
目前手動弁 354
文字盤 71
モニター型心電計 418
モニタリング 88
モバイル 50
モルヒネ 339
モンゴロイド 164
問診 112, 332
問題解決 59
　——過程（プロセス） 24, 29
　——指向 30
　——理論 37

### や

夜間頻尿 264
夜勤 453, 454
薬液量 401
薬物感受性検査 417
薬物管理 390
薬物代謝酵素 393, 394
薬物動態 392, 394
薬物有害反応 393, 394
役割機能 31
役割遂行モデル 382
薬効 393, 399

### ゆ

有害事象 390
有効温度 180
有効血中濃度 393

優先順位　34, 35
誘導歩行　359
遊離型　393
遊離脂肪酸　242
輸液　288
輸液速度　288
輸液ポンプ　407
輸血後移植片対宿主病　410
輸血用血液製剤　409
輸血療法　409
湯冷め　240
湯たんぽ　317, 318
ユニバーサル・プリコーション　82, 160
ユビキタス（化）　5, 158
指差し呼称　396
指−鼻試験　148, 150
指−指試験　148, 150
ユラ　29

## よ

溶血反応　409
養護教諭　2
用手リンパドレナージ　289, 290, 292
腰痛　332
腰痛予防対策指針　91
腰背部温罨法　224
余暇活動　263
浴室　162
翼状針　398, 406, 415
抑制性シナプス後電位　446
横シーツ　181
ヨード造影剤　427
予備吸気量　422
予備呼気量　422
予防隔離　87
与薬　390

## ら

ライフスタイル　382
ラジオアイソトープ　428
ラジオ波　449
螺旋帯　276
落下菌　456
ラテックスアレルギー　86
ラビング法　83, 86
ラング　33
ランドルト環　141
卵胞ホルモン　124

## り

離開亀甲帯　277
利活用　45
力学　94
力点　96, 97
リキャップ　89, 397, 415
リスクマネジメント　104, 160
リズム不整　129
リーダーシップ　70, 436
立位　259
リテラシー　53
リネン交換　182, 183
リバウンド現象　222
離被架　274, 276
リフレクション　40
硫化水素　169
粒子線　425
留置針　407
流動食　191, 193
良肢位　253, 259, 275
利用者　376
両側性　147
量的味覚障害　349
療養指導記録　435
療養通所介護　379
療養病床　161, 162
緑内障　355
緑膿菌　79
リラクセーション　366
　──反応　312
　──法（技法）　311, 324, 366, 369
リラックス感　315
理論　36
臨界文字サイズ　358
臨床遺伝専門医　12
臨床検査部門　412
臨床心理士　70
臨床推論　328
臨床痛　330
臨床判断　33, 328
リンパ液うっ滞　414
リンパ管系　291
リンパ循環系　289
リンパ節　141
リンパ浮腫　289, 291
リンパ分水嶺　291
リンホカイン　76
倫理　6
　──綱領　7
　──的責任　33
　──的知識　38
　──的問題　6
　──的配慮　32

## る

涙嚢炎　246
ルクス　165
ルーペ　358
ルーメン　165

## れ

冷罨法　316, 463
冷受容器　316
冷点　316
レヴィン　104
レギュラーベベル　398, 399
レクリエーション　249, 255, 263
レジオネラ菌　160
レジメン　350
レジリエンス　108
　──・エンジニアリング　108
レスキュー・ドーズ　343
レニン−アンギオテンシン−アルドステロン系　285
レム睡眠　264, 446
レーヨン　178

## ろ

ロイ　31
　──の適応理論　31
瘻　193
老化　316
漏出性便失禁　326
老人保健施設　162
労働安全衛生法　165
6R　396
ロービジョン　354
ロービジョンケア　354, 360
　──外来用質問表　356, 357
ロボット活用　71
ロボテックスマットレス　301
ロールプレイ　69
ロンベルグ試験　148, 150

## わ

ワーキングソリューション　79
ワクチン接種　89, 443
ワトソン　40

# 欧文索引

「α波」「βエンドルフィン」など，欧文記号1文字のあとに和文が続く語句は，それぞれの項の冒頭に配列してあります．
α，β，γ，δ，θはそれぞれ A，B，G，D，T 項の冒頭になります．

## A

α線　425
α波　264, 424, 446
α-blocking　446
A10 神経　270
AAC（augmentative and alternative communication）　71
ABCD-Stoma　308
abdominal breathing　201
abdominal sound　222
ABGA（arterial blood gas analysis）　423
ABO 式血液型　409
absorption　186
absorption（薬の）　392
acceptance　368
accident　105
acid mantle　275
ACP（advanced care planning）　20
active listening　68
acute pain　332
adaptation　316
adherance　376
ADL（activities of daily living）　3, 120, 252, 330
ADME　392, 394
AED（automated external defibrillator）　442
aging　316
agonal gasping　437
AI（artificial intelligence）　50
── 化　51, 52
AIDS（acquired immunodeficiency syndrome）　74
airborne transmission　75
alleviation　335
allodynia　339
ALS（advanced life support）　438
alternative therapy　340
alveolus　198
ANA（American Nurses Association）　29, 50
analgesia　335
anchoring filaments　290
ankylosis　251
antigen presenting cell　76
antiperistalsis　219
anxiety　367
appetite　191
approval　69

artifact　419
ascending reticular activating system　140
assertion　69
assessment tool　112
ATP（アデノシン三リン酸）　250
AUC（area under the curve）　394
awareness　139

## B

β-エンドルフィン　335
β線　425
β波　424, 446
B 細胞　77
Babinski 反射　150
bad breath　169
bad smell　168
bandage　274
bandaging　274
Bandura A　375
basic nursing　3
bath　240
bathing　240
BBB（blood-brain barrier）　323
bed　176
bed bath　236
bed climate　176
Benner P　40
Berne E　61
bevel　398
BI（Barthel Index）　252
big data　50
biological clock　163
biological rhythm　163
biomarker　431
blindness　354
BLS（basic life support）　438
BMI（body mass index）　186, 401
body fluid　282
body mechanics　91, 252
body temperature　122
BOLD（blood oxygen level dependent）効果　449
bony prominence　297
borborygmus　222
bowel sound　222
brain wave　446
breakthrough pain　339
breathing exercise　201
brightness　165
bronchus　198

Brown EL　28
　239
BUN　287
burnout syndrome　60

## C

Cancer Fatigue Scale　364, 365
cancer related fatigue　363
Cannon WB　311
capacity　422
carbohydrate　186
care management　160
caring　39
caring touch　345, 346
Carper BA　38
CCD（charge coupled device）　431
cd（カンデラ）　165
CDC（Centers for Disease Control and Prevention）　82
cellular immunity　76
changing position　256
chemical indicator　81
chemotherapy　324
chest pain　200
chronic pain　332
circadian clock　163
circadian rhythm　163, 248, 263
circa-rhythm　163
clarification　68
Clark の点　403
classification　455
classify　455
cleaning　78
client　2
clinical judgment　33, 328, 436
clinical pain　330
clonus　150
close examination　412
cloud　50
Cmax　394
$CO_2$ ナルコーシス　204
coaching　69, 374
cognitive behavioral therapy　368
cold compress　316
colored light　165
color temperature　165, 166
colostomy　305
common diet　191
communication skills　369
community　159
community-acquired infection　74

complex interventions 11
compliance 376
compliment 76
compromised host 74
concept 36
cone 164
consciousness 139
constipation 225
consultation 332
contact transmission 75
contamination 73
contracture 251
contrast examination 427
contrast sensitivity function 358
coordination 436
COPD (chronic obstructive pulmonary disease) 203, 204
Corcoran SA 328
core temperature 122, 316
coring 407
cough 200
COVID-19 15, 74, 443
CP (care plan) 35
CPA (cardiopulmonary arrest) 437
CPR (cardiopulmonary resuscitation) 438
CRH (corticotropin releasing hormone) 78
critical point size 358
critical thinking 4, 39
cross contamination 83
cross infection 84
CSS (Constipation Scoring System) 325
CT (computed tomography) 426
CTZ (chemoreceptor trigger zone) 322, 323
Cueing 346
$CV_{R-R}$ (coefficient of variation of R-R intervals) 458
cytochrome 393
cytokine 76
cytotoxic T cell 76

## D

$\delta$ 波 424, 446
daily life behavior 248
data base 31
data logger 453
dB (デシベル) 144, 173
decision making 20
defecation 219
defecation reflex 219
dehydration 284
dendrite 446
deodorant 170
DESIGN-R® 2020 294, 295

diagnostic imaging 425
diaphragmatic breathing 201
diarrhea 225
dietary behavior 190
dietary reference intakes 186
digestion 186
disaster cycle 8
disaster nursing 8
discomfort 330
disinfection 78
disorientation 141
distribution (薬の) 392
disuse atrophia 217
DNA 466
dorsal position 256
drainage bag 216
dressing 274
droplet transmission 75
drug-resistant strain 79
dry cough 200
dull pain 330
dysgeusia 349
dysphagia 193
dyspnea 200

## E

EASE プログラム 15
eating habit 189
eating-out 190
EBM (Evidence-Based Medicine) 10, 378
EBN (Evidence-Based Nursing) 10
EBP (Evidence-Based Practice) 10
ECG (electrocardiogram) 418
echocardiography 421
edema 285
EEG (electroencephalogram) 424, 446
──マッピング 446
effective temperature 180
EGFR (epidermal growth factor receptor) 431
EGG (electrogastrography)  321
egogram 61
ego state 61
electrolyte 283
emerging infectious diseases 74
emesis 321
EMG (electromyogram) 424
emotion 475
empathic understanding 68
empathy 368
empirical knowledge 38
empowerment 376, 384
end of life care 362
endoscopy 430

energy 186
engineering 108
entry 74
environmental transition 160
EP (educational plan) 35
EPSP (excitatory postsynaptic potential) 446
ergonomics 91
esthetic knowledge 38
estimated energy requirement 186
ET (eye tracking) 473
ethical knowledge 38
examination of feces 417
excretion (薬の) 393
exercise 248
expulsion 321
external respiration 198
eye contact 68

## F

faceplate 305
face scale 334
family 455
fat 186
fatigue 363
feces 219
feces incontinence 225
feedback 60
FEV (forced expiratory volume) 422, 461
$FEV_{1.0}$ (forced expiratory volume for 1 second) 422
fiberscope 430
fistula 193
flicker fusion frequency 144
flow 422
fluid diet 191
fMRI (functional magnetic resonance imaging) 449
Foley タイプ 212, 216
food-based dietary guideline 190
food texture 193
foot bath 242
Fowler's position 93, 256, 258
FR (French scale) 195
fragrance 168
free nerve ending 330
Freire P 53, 376, 384
functional position 275
fundamental nursing 3
FVC (forced vital capacity) 422

## G

$\gamma$ 線  425
gauge 398
GCS (Glasgow Come Scale) 140, 141
gender 19

―― identity　19
gene　466
genus　455
GFR（glomerular filtration rate）　285
glare　358
global　15
Gordon M　33
Gordon S　40
Green LW　383
guide help　359
gustatory change　350

## H

HADS（Hospital Anxiety and Depression Scale）　367
$HCO_3^-$　284
$H_2CO_3$　284
H5N1（鳥インフルエンザ）　74
half-sitting position　93
hand bath　242
health assessment　112
healthcare-associated infection　74
healthism　381
health literacy　53
health promotion　381
helper T cell　76
helping art　29
Henderson V　31, 40, 198, 248, 255
HF（high frequency）　459
HIS（Hospital Information System）　46
Hochstette の部位　403
holistic　311
homeostasis　275, 282, 311
host　73
host defense mechanism　73
hot compress　316
HRV（heart rate variability）　458
$5HT_3$　323
hue　165
Hugh-Jones 分類　200
hum　419
human　2
human beings　2
humoral immunity　76
hygiene　234
hygienic hand washing　82
hypersomnia　267
hypnotics　264
hypogeusia　349
Hz（ヘルツ）　173

## I

IAD（incontinence-associated dermatitis）　296, 326
IADL（instrumental activities of daily living）　252

IASP（International Association for the Study of Pain）　331
ICF（International Classification of Functioning, Disability and Health）　66
ICN（International Council of Nurses）　7, 23, 51
ICNP（International Classification for Nursing Practice）　34
ICT（化）　5, 45, 50
ICT 機器　359
ICT スキル　358
ICU シンドローム　173
identification（自己同一化）　59
identification（同定）　455
identify　455
IDF（International Diabetes Federation）　15
IEA（International Ergonomics Association）　91
IF（interview form）　391
IL（interleukin）　76
ileostomy　305
inapparent　73
incident　105
infection　73
infectious disease　73
informed consent　396
inhalation　203
injection　396
insomnia　267
internal respiration　198
interpersonal attraction　66
interpersonal distance　66
interview　32, 70, 112, 332
intracutaneous injection　398
intramuscular injection　402
intravenous injection　405
intravenous drip　405
intuition　38
IoT（Internet of Things）　45, 50
IPSP（inhibitory postsynaptic potential）　446
irrigator　195
ISO（International Organization for Standardization）　91
IT（化）　5, 6

## J

JICA（国際協力機構）　16
Johari window　60
JRC（日本蘇生協議会）　437
JRC 蘇生ガイドライン　437, 442

## K

K（kelvin）　164, 165
K-complex（K 複合波）　264

Kickbusch I　381
King IM　59
KYT（Kiken Yochi Training）　108

## L

Landolt 環　141
Lang N　33
LAR（low anterior resection）　327
large-volume enema　229
larynx　198
lateral position　256
laxative　229
Lewin K　104
LF（low frequency）　45
LF/HF　267, 459
LGBTQ　19
life event　151
life style　382
light reflex　141
light source color　164
listening　368
low vision　354
lumen　165
lying position　256
lymphokine　76

## M

μ受容体　393
macrophage　76
Maslow A　34
mass communication　63
mass peristalsis　219
McCaffery M　331
MDGs（Millennium Development Goals）　23
meal care　191
measurement　32
mechanics　94
Melzack R　333
mental status examination　151, 152
MERS-CoV　15
metabolism（薬の）　392
MHC（major histocompatibility complex）　76
microscopic anatomy　112
micturition desire　207
micturition reflex　207
midwife　2
mixing　407
ML（manual lymphdrainage）　289
MLD（manual lymph drainage）　289
MMF（maximal mid-expiratory flow）　422
MMT（manual muscle test）　120, 251
mobile　50
mobility　359
monitoring　88

motion sickness 323
movement 248, 252
MPQ (McGill Pain Questionnaire) 333
MR (magnetic resonance) 449
MRI (magnetic resonance imaging) 429
── ，検査の禁忌 430
mRNA 466
MSW (medical social worker) 378

## N

N95 マスク 88, 443
$Na^+$ 再吸収 285
NANDA (North American Nursing Diagnosis Association) 33
nasal cavity 198
nausea 321, 323
ncRNA 466
neck anteflexion position 260
need 60
needle 398
neuropathic pain 332, 339
Nightingale F 28, 74, 201
NK 細胞 78, 317
NKT 細胞 77
NMR (nuclear magnetic resonance) 429
nociception 330
nociceptor 330
nociplastic pain 332
nondirective leads and questions 68
non-REM sleep 446
non-self antigen 76
non-verbal communication 63
normal diet 191
nosocomial infection 74
noxious stimulus 330
NSAIDs 335
nuclear medicine study 428
nurse 2
nurse-patient relationship 59
nursing assessment 30
nursing diagnosis 33
nursing evaluation 36
nursing implementation 35
nursing informatics 51, 158
nursing intervention 35
nursing planning 35
nursing process 3, 28
nursing science 51
nursing scientist 2
Nutbeam D 53, 382
nutrient 186
nutrient intake 188

## O

object color 164
objective data 33, 44
ONS (Oncology Nursing Society) 338
OP (observational plan) 35
opportunistic infection 76
opsonin 76
Orem DE 31, 154
orientation 59, 359
Orlando IJ 29, 59
ostomate 305
ostomy appliance 305
ostomy bag 305
oxygen therapy 204

## P

$PaCO_2$ (arterial partial pressure of carbon dioxide) 423
pain 330
pain degree 477
pain diary 334, 343
pain management 338
pain point 330, 475
pain sensation 330
PAIN VISION® 476
PAL (physical activity level) 186
palliative care 365
palliative factors 340
palliative sedation 367
$PaO_2$ (arterial partial pressure of oxygen) 200
paradoxical sleep 446
patient 2
PCR (polymerase chain reaction) 検査 468
pelvic nerve 219
Peplau HE 29, 59
percussion 202
peristalsis 219
peristaltic sound 222
peristomal skin disorder 305
personal communication 62
personal knowledge 38
personal space 66
PET (positron emission computed tomography) 428
pH 284
pharynx 198
phenotype 164
philosophy 28
phon (ホン) 173
photoreceptor 164
physical assessment 112
physical pain 362
physiological function test 418

PICS (post intensive care syndrome) 173
PMR (progressive muscle relaxation) 324
PNI (psycho-neuro-immunology) 311
POMS (Profile of Mood States) 346
position 256
positioning 252, 256
positive thinking 376
post-operative diet 191
postural drainage 202
powerlessness 376
PPE (personal protective equipment) 443
PPN (peripheral parenteral nutrition) 194
PRECEDE-PROCEED model 383
prepared food 190
pressure 422
pressure ulcer 294
pricking pain (法) 330, 331, 475, 476, 477
primary healthcare 381
priming 407
privacy 159
Prochaska JO 15
productive cough 200
progressive muscle relaxation 266
prone position 257, 258
prone positioning therapy 257
protective isolation 87
protein 186
provocative factors 340
PSA (prostate specific antigen) 431
psychological pain 362
PTSD (post traumatic stress disorder) 7
public health nurse 2
public policy 22
pudendal nerve 219
pulse 128
pulse oximeter 423
pursed-lip breathing 201

## Q

QOL (quality of life) 249, 332, 354, 362

## R

radiation 425
radiation exposure 425
radiation protection 425
radioactive substance 425
radiotherapy 350
RB (regular bevel) 398
RCA (root cause analysis) 106

rebound phenomenon　222
recreation　255
re-creation　255
re-emerging infectious diseases　74
referred pain　336
reflection　40
reflection of feeling　68
regional anatomy　112
regurgitation　321
relaxation　369
removal fecal impaction disitally　229
REM sleep　446
rescue dose　343
research utilization　10
resident flora　82
resilience　108
resolution　59
resource isolation　87
respiration　137
rest　263
RhD 抗原　409
RI（radioisotope）　428
risk management　160
retching　321
RMR（relative metabolic rate）　93
RNA ワクチン　467
rod　164
role play　69
roller bandage　274
ROM（range of motion）　119
Roy C　31
RV（residual volume）　461

## S

Safety Ⅰ　108
Safety Ⅱ　108
$SaO_2$（oxygen saturation of arterial blood）　200
SARS（severe acute respiratory syndrome）　443
SARS-CoV　15
SARS-CoV-2　189
saturation　165
SB（short bevel）　398
school nurse　2
science-based practice　10
screening test　412
SDGs（Sustainable Development Goals）　16, 17, 23
seasonal affective disorders（SAD）　166
seating behavior　66
secretion clearance techniques　201
self-determination　374
self disclosure　60
self-efficacy　375, 382
self-esteem　207

self-help device for feeding　192
self-management　375
self-purification　216
Selye H　311
sense of taste　348
severity　340
sexuality　19
sexual orientation　19
SF-MPQ　334
SF-MPQ-2　334
shell temperature　122
side lying position　256, 258
silence　68
Sims' position　257, 258
sitting on chair　258
sitting on the edge of a bed　258
sitting position　93, 258
sitting without back support　258
sitz bath　228
skill　10, 32
skin protecting barrier　306
skipping a meal　189
sleep　263
sleep cycle　264
sleep diary　266
sleep log　266
sleep routine　267
sleep stage　264
slow stroke　240
smartification　5
SNS（social networking service）　45, 50
social communication　62
social hand washing　82
social pain　362
social support　151
soft diet　191
solitary meal　189
special diet　191
species　455
spindle burst wave　446
spiritual pain　363
spirometry　422
$SpO_2$（percutaneous oxygen saturation of arterial blood）　203
spore　78
squeezing　202
standard precautions　82, 160, 275
standing position　259
stench　168
sterile technique　81
sterilization　78
stoma　305
stoma clinic　308
stoma-site marking　307
stop distance 法　469
straining　219

stretch receptor　207
subcutaneous injection　399
subject　2
subjective data　32, 44
suctioning　203
suffuring　330
supine position　93, 256, 258
support surface　300
surface anatomy　113
surgical hand washing　82
surveillance　88
supine position　93, 256, 258
sweet smell　168
SWS（slow-wave sleep）　264
systemic anatomy　112

## T

θ波　264, 424, 446
$T_{1/2}$　394
T 細胞　76, 77
T 字帯　276
tailormade　375, 431
task-oriented　10
task touch　345, 346
taste　192
taste bud　348
taste change　350
taste threshold　348
TCA 回路　250
teachback　53
telenursing　50, 51, 158, 436
telephone triage　435
terminal care　362
terminal stage　362
territory　159
test meal　191
texture　158
the art of nursing　51
The Braden Scale　296
theory　36
thermistor　126
thorax　198
Tiemann タイプ　212, 216
Tmax　394
torque　97
total pain　338, 340
touch　32, 345
TPN（total parenteral nutrition）　193
trachea　198
transactional analysis　61
transient flora　82
translational research　11
Travelbee J　29, 59
triage　8, 434
tube feeding　193
tubular bandage　274
turgor　284, 287

typoscopes 359
Twycross R 340

## U

ubiquitous 5, 158
ultrasonography 430
universal precautions 82, 160
urethral catheterization 212
urethral orifice 212
urinalysis 416
urinary elimination 207
urostomy 305

## V

validation 81
values 55
variant 13
VAS（visual analogue scale） 333, 340

VC（vital capacity） 422, 461
venous return 274
verbal communication 63
vibration 202
viral vector 467
visual cell 164
vital sign 120
VOCA（voice output communication aids） 71
volume 422
vomiting 321
VR（virtual reality）環境 470

## W

wakefulness 139
Wallstein N 376
Walsh M 29
warning signal 331

Watson J 40
well-being 382
wellness 19
WHO 104, 338, 381
Wiedenbach E 29, 39, 59
WOCN（Certified Nurse in Wound, Ostomy and Continence Nursing） 310
working solution 79

## X

X線 425
X線検査 426

## Y

Yura H 29

| 基礎看護学テキスト（改訂第 3 版）　EBN 志向の看護実践 | |
|---|---|
| 2006 年 5 月 1 日　　第 1 版第 1 刷発行 | 編集者　深井喜代子，前田ひとみ |
| 2014 年 4 月 10 日　　第 1 版第 8 刷発行 | 発行者　小立健太 |
| 2015 年 1 月 15 日　　第 2 版第 1 刷発行 | 発行所　株式会社 南 江 堂 |
| 2022 年 2 月 15 日　　第 2 版第 5 刷発行 | 〒113-8410 東京都文京区本郷三丁目42番6号 |
| 2023 年 12 月 30 日　　改訂第 3 版発行 | ☎(出版) 03-3811-7189　（営業）03-3811-7239 |
| | ホームページ　https://www.nankodo.co.jp/ |
| | 印刷・製本　真興社 |
| | 装丁　渡邊真介 |

Textbook of Basic Nursing, 3rd Edition
Ⓒ Nankodo Co., Ltd., 2023

定価は表紙に表示してあります．
落丁・乱丁の場合はお取り替えいたします．
ご意見・お問い合わせはホームページまでお寄せください．

Printed and Bound in Japan
ISBN978-4-524-23495-0

**本書の無断複製を禁じます．**
**JCOPY**〈出版者著作権管理機構　委託出版物〉
本書の無断複製は，著作権法上での例外を除き禁じられています．複製される場合は，そのつど事前に，出版者著作権管理機構(TEL 03-5244-5088, FAX 03-5244-5089, e-mail: info@jcopy.or.jp)の許諾を得てください．

本書の複製（複写，スキャン，デジタルデータ化等）を無許諾で行う行為は，著作権法上での限られた例外（「私的使用のための複製」等）を除き禁じられています．大学，病院，企業等の内部において，業務上使用する目的で上記の行為を行うことは私的使用には該当せず違法です．また私的使用であっても，代行業者等の第三者に依頼して上記の行為を行うことは違法です．